Don Winslow

**DAS
KARTELL**

DROEMER✪

Don Winslow

DAS
KARTELL

Roman

Aus dem Amerikanischen von
Chris Hirte

Die amerikanische Originalausgabe erschien 2015 unter dem Titel
»The Cartel« bei Alfred A. Knopf, New York.

Besuchen Sie uns im Internet:
www.droemer.de

Originalausgabe Juni 2015
Droemer Taschenbuch
© 2015 Don Winslow
© 2015 der deutschsprachigen Ausgabe Droemer Verlag
Ein Imprint der Verlagsgruppe
Droemer Knaur GmbH & Co. KG, München
Redaktion: Antje Steinhäuser
Covergestaltung: NETWORK! Werbeagentur, München
Coverabbildung: Gettyimages / Milos Jokic
Satz: Daniela Schulz, Puchheim
Druck und Bindung: CPI books GmbH, Leck
ISBN 978-3-426-30429-7

2 4 5 3 1

Und sie beteten den Drachen an, weil er dem Tier die
Macht gab, und beteten das Tier an und sprachen:
Wer ist dem Tier gleich, und wer kann wider es streiten?

Offenbarung I, 13:4

Dieses Buch ist gewidmet

Alberto Torres Villegas, Roberto Javier Mora García, Evaristo Ortega Zárate, Francisco Javier Ortiz Franco, Francisco Arratia Saldierna, Leodegario Aguilera Lucas, Gregorio Rodríguez Hernández, Alfredo Jiménez Mota, Raúl Gibb Guerrero, Dolores Guadalupe García Escamilla, José Reyes Brambila, Hugo Barragán Ortiz, Julio César Martínez Pérez, José Valdés, Jaime Arturo Olvera Bravo, Ramiro Téllez Contreras, Rosendo Pardo Ozuna, Rafael Ortiz Martínez, Enrique Perea Quintanilla, Bradley Will, Misael Tamayo Hernández, José Manuel Nava Sánchez, José Antonio García Apac, Roberto Marcos García, Alfonso Sánchez Guzmán, Raúl Marcial Pérez, Gerardo Guevara Domínguez, Rodolfo Rincón Taracena, Amado Ramírez Dillanes, Saúl Noé Martínez Ortega, Gabriel González Rivera, Óscar Rivera Inzunza, Mateo Cortés Martínez, Agustín López Nolasco, Flor Vásquez López, Gastón Alonso Acosta Toscano, Gerardo Israel García Pimentel, Juan Pablo Solís, Claudia Rodríguez Llera, Francisco Ortiz Monroy, Bonifacio Cruz Santiago, Alfonso Cruz Cruz, Mauricio Estrada Zamora, Luis Villanueva Berrones, Teresa Bautista Merino, Felicitas Martínez Sánchez, Candelario Pérez Pérez, Alejandro Zenón Fonseca Estrada, Francisco Javier Salas, David García Monroy, Miguel Ángel Villagómez Valle, Armando Rodríguez Carreón, Raúl Martínez López, Jean Paul Ibarra Ramírez, Luis Daniel Méndez Hernández, Juan Carlos Hernández Mundo, Carlos Ortega Samper, Eliseo Barrón Hernández, Martín Javier Miranda Avilés, Ernesto Montañez Valdivia, Juan Daniel Martínez Gil, Jaime Omar Gándara Sanmartín, Norberto Miranda Madrid, Gerardo Esparza Mata, Fabián Ramírez López, José Vladimir Antuna García, María Esther Aguilar Cansimbe, José Emilio Galindo Robles, José Alberto Velázquez López, José Luis Romero, Valentín Valdés Espinosa, Jorge Ochoa Martínez, Miguel Ángel Domínguez Zamora, Pedro Argüello, David Silva, Jorge

Rábago Valdez, Evaristo Pacheco Solís, Ramón Ángeles Zalpa, Enrique Villicaña Palomares, María Isabella Cordero, Gamaliel López Candanosa, Gerardo Paredes Pérez, Miguel Ángel Bueno Méndez, Juan Francisco Rodríguez Ríos, María Elvira Hernández Galeana, Hugo Alfredo Olivera Cartas, Marco Aurelio Martínez Tijerina, Guillermo Alcaraz Trejo, Marcelo Tenorio Ocampo, Luis Carlos Santiago Orozco, Selene Hernández León, Carlos Alberto Guajardo Romero, Rodolfo Ochoa Moreno, Luis Emmanuel Ruiz Carrillo, José Luis Cerda Meléndez, Juan Roberto Gómez Meléndez, Noel López Olguín, Marco Antonio López Ortiz, Pablo Ruelas Barraza, Miguel Ángel López Velasco, Misael López Solana, Ángel Castillo Corona, Yolanda Ordaz de la Cruz, Ana María Marcela Yarce Viveros, Rocío González Trápaga, Manuel Gabriel Fonseca Hernández, María Elizabeth Macías Castro, Humberto Millán Salazar, Hugo César Muruato Flores, Raúl Régulo Quirino Garza, Héctor Javier Salinas Aguirre, Javier Moya Muñoz, Regina Martínez Pérez, Gabriel Huge Córdova, Guillermo Luna Varela, Estebán Rodríguez, Ana Irasema Becerra Jiménez, René Orta Salgado, Marco Antonio Ávila García, Zane Plemmons, Víctor Manuel Báez Chino, Federico Manuel García Contreras, Miguel Morales Estrada, Mario A. Segura, Ernesto Araujo Cano, José Antonio Aguilar Mota, Arturo Barajas López, Ramón Abel López Aguilar, Adela Jazmín Alcarez López, Adrián Silva Moreno, David Araujo Arévalo –

Journalisten, die in jenen Jahren in Mexiko ermordet wurden oder »verschwanden«. Die Liste ist unvollständig.

Keller hört ein Baby schreien.

Oder er glaubt es zu hören, während sein Hubschrauber mit gedrosselten Rotoren über die Bäume des Dschungeldorfs fliegt.

Das Baby, falls es eins ist, schreit laut und schrill – vor Hunger, Angst oder Schmerz.

Oder aus Einsamkeit – es ist die Stunde vor dem Morgengrauen, wenn Träume zu Alpträumen werden und die Geister der Unterwelt auf Beute gehen, weil ihre Opfer jetzt einsam und hilflos sind.

Das Schreien endet abrupt. Vielleicht hat die Mutter das Kind in die Arme genommen – falls es eins ist. Jedenfalls ist es eine Erinnerung, dass dort unten Zivilisten sind, Frauen und Kinder, sicher auch einige Alte, und dass diesen Menschen jetzt Unheil droht.

Die Männer im Hubschrauber prüfen die Magazine ihrer M4-Karabiner und sehen nach, ob die Reservemagazine festsitzen. Ihre Gesichter unter den Gefechtshelmen mit Nachtsichtgerät und Knochenhörer sind geschwärzt. Sie tragen keramikverstärkte Schusswesten und Cargohosen in Tarnfarben mit großen Taschen, in denen Tuben mit Energy Gel stecken, laminierte Satellitenfotos vom Dorf, Kompressen – falls es Verletzte gibt.

Ein Tötungskommando auf ausländischem Territorium, so was kann leicht schiefgehen.

Die Männer haben den typischen Tunnelblick erfahrener Söldner vor dem Einsatz. Der Zwanzig-Mann-Trupp ist aufgeteilt auf zwei MH 60 Blackhawks, die meisten waren früher Seals, Green Berets oder bei der Delta Force – alles Elitesöldner mit Kampferfahrungen in Irak, Afghanistan, Pakistan, Somalia.

Technisch betrachtet sind sie Privatsöldner. Dass sie für

irgendeine Sicherheitsfirma aus Virginia arbeiten, ist nur eine Tarnung, die sofort auffliegt, wenn dieser Einsatz hier in die Hose geht.

Gleich werden sie sich abseilen, direkt in der Kampfzone. Trotz Überrumpelungstaktik wird es ein Gefecht geben, die Krieger der Narcos geben alles für ihre Bosse, auch ihr Leben. Meist sind sie bestens bewaffnet, mit Kalaschnikows, Bazookas, Handgranaten, und sie wissen, wie man damit umgeht. Diese Sicarios sind nicht einfach nur Ganoven, sondern ebenfalls Elitesöldner – ausgebildet in den USA, in Fort Benning und anderswo. Gut möglich, dass da unten Leute auf sie schießen werden, die sie einmal ausgebildet haben.

Es wird Tote geben, so viel ist sicher.

Das gehört dazu, denkt Keller.

Heute ist der Tag der Toten.

Jetzt ein neues Geräusch – das Knattern von leichtem Gewehrfeuer. In der Dunkelheit unter ihnen blitzt Mündungsfeuer auf.

Ein Feuergefecht im Dorf, schon vor der Landung. Gebrüll, Kommandos, Schreie von Verwundeten.

Das ist schlecht. So war es nicht geplant. Die Überrumpelungstaktik ist gescheitert.

Jetzt steigt ein grellroter Streifen aus dem Dunkel.

Ein lauter Knall, ein Lichtblitz, der Hubschrauber wird zur Seite geschleudert wie ein von der Keule getroffener Spielzeugflieger. Granatsplitter schwirren, Kabel sprühen Funken, der Hubschrauber brennt.

Rote Flammen und dicker Rauch füllen die Kabine.

Der Gestank von versengtem Metall und verbranntem Fleisch.

Aus der geplatzten Halsschlagader eines Mannes spritzt Blut im Rhythmus seines rasenden Pulses. Ein anderer kippt vom Sitz, mit einem Granatsplitter im Bauch, der obszön in die Höhe ragt, direkt unter seiner Schussweste, und der Sanitäter arbeitet sich nach vorn, um zu helfen.

Jetzt schreien erwachsene Männer – ein Gebrüll, gemischt aus Angst, Schmerz und Wut, während Leuchtspuren von unten aufsteigen und auf den Rumpf einprasseln wie ein Platzregen.

In irren Spiralen trudelt der Hubschrauber nach unten.

TEIL I

ZEIT ZUM AUFSTEHEN

Denn die Stunde ist da,
aufzustehen vom Schlaf.

Römer, 13:11

1. Der Bienenvater

Wir meinen, wir können Honig machen,
ohne das Schicksal der Bienen zu teilen.

Muriel Barbery, Die Eleganz des Igels

Abiquiu, New Mexico
2004

Eine Stunde vor Hellwerden läutet die Glocke.
Der Bienenvater, erlöst von seinem Alptraum, steht auf.
Seine enge Zelle besteht nur aus Bett, Tisch und Stuhl. Das
Fensterchen in der Lehmmauer blickt auf einen Kiesweg, der
zur Kapelle hinaufführt und bei Mondlicht silbern leuchtet.
So ein Morgen in der Wüste ist höllisch kalt. Der Bienenvater
zieht sein braunes Wollhemd an, Khakihose, dicke Socken,
Arbeitsschuhe. Im Waschraum am anderen Ende des Flurs
putzt er sich die Zähne, rasiert er sich mit kaltem Wasser, dann
folgt er den anderen Mönchen in die Kapelle.
Niemand spricht.
Bis auf Gesang, Gebet und die nötigen Absprachen bei der Ar-
beit herrscht Schweigen im Monastery of Christ in the Desert.
Die Mönche leben gemäß Psalm 46: »Seid stille und erkennet,
dass ich Gott bin.«
Dem Bienenvater ist es recht. Er hat genug gehört.
Das meiste war gelogen.
In seiner früheren Welt hat jeder gelogen, gewohnheitsmäßig,
auch er selbst. Schon um morgens aufzustehen, musste man
sich selbst belügen. Und dann die Mitmenschen, um über den
Tag zu kommen.
Jetzt sucht er die Wahrheit im Schweigen.
Auch Gott sucht er im Schweigen, denn inzwischen glaubt er,
dass Gott und die Wahrheit ein und dasselbe sind.

Als er hier anklopfte, fragten die Mönche nicht, wer er war oder woher er kam. Sie sahen einen Mann mit traurigen Augen, dessen Haar noch schwarz war, aber von weißen Strähnen durchzogen, dessen Boxerschultern schon ein wenig gebeugt waren, aber noch kräftig. Er sagte, er suche die Stille, und Bruder Gregory, der Abt, erwiderte ihm, dass es bei ihnen nur eins im Überfluss gebe, und das sei Stille.

Der Mann zahlte für sein kleines Zimmer in bar, und anfangs verbrachte er seine Tage damit, durch die Wüste zu streifen, durch Ocotillo-Sträucher und Salbei, bis hinab zum Chama River oder hinauf auf den Berggipfel. Irgendwann fand er den Weg in die Kapelle und kniete ganz hinten, während die Mönche ihre Messe zelebrierten.

Eines Tages führte ihn sein Weg zur Imkerei – nahe am Fluss, weil Bienen Wasser brauchen –, und er sah Bruder David bei der Pflege der Bienenstöcke zu. Weil Bruder David, der fast achtzig war, beim Auswechseln der Rahmen Hilfe brauchte, ging ihm der Neue zur Hand. Fortan kam er jeden Tag und lernte das Imkerhandwerk, und als Bruder David einige Monate später meinte, es sei an der Zeit, in den Ruhestand zu treten, schlug er dem Abt vor, dem Novizen die Imkerei zu übergeben.

»Einem Laien?«, fragte Bruder Gregory.

»Er hat ein Händchen für Bienen«, sagte Bruder David.

Der Neue verrichtete seine Arbeit still und gut. Er hielt sich an die Regeln, kam zum Gebet und wurde der beste Bienenvater, den sie je hatten. Unter seiner Obhut produzierten die Bienen Honig der Spitzenklasse, den das Kloster auch heute noch für die hauseigene Biersorte verarbeitet, an Touristen verkauft und über das Internet vertreibt.

Mit geschäftlichen Dingen wollte der Bienenvater nichts zu tun haben. Auch wollte er nicht für die zahlenden Gäste arbeiten oder in der Küche oder im Souvenirshop. Nur für die Bienen wollte er sorgen.

Sie ließen ihm seinen Willen, und seit mehr als einem Jahr

lebte er jetzt schon bei ihnen. Sie kannten nicht mal seinen Namen. Er war einfach »der Bienenvater«. Die Latinomönche nannten ihn *El colmenero*. Und als er das erste Mal mit ihnen sprach, staunten sie sehr, dass er fließend Spanisch konnte.

Die Mönche natürlich redeten über ihn – bei den kurzen Unterhaltungen, die ihnen erlaubt waren. Der Bienenvater sei ein flüchtiger Verbrecher, mutmaßten die einen, ein Gangster, ein Bankräuber. Nein, meinten die anderen, er sei aus einer unglücklichen Ehe geflohen, einer tragischen Affäre. Andere wieder behaupteten, er sei ein Spion.

Nach dem Vorfall mit dem Kaninchen gewann diese letztere Behauptung merklich an Befürwortern.

Zum Kloster gehörte ein großer Gemüsegarten, von dem die Mönche lebten. Wie die meisten Gärten lockte auch er Schädlinge an, und dort wilderte ein Kaninchen, das alle Anstrengungen der Gärtner zunichtemachte. Nach einer sehr kontrovers geführten Debatte erteilte Bruder Gregory die Erlaubnis zur Exekution des Kaninchens, ja, er beharrte sogar auf ihr.

Bruder Carlos, mit dieser Aufgabe betraut, stand vor dem Garten und kämpfte mit der Pistole und mit seinem Gewissen, während die anderen Mönche wie gebannt zuschauten. Er versuchte abzudrücken, doch seine Hand zitterte, und seine Augen füllten sich mit Tränen.

Just in dem Moment kam *El colmenero* von der Imkerei zurück. Noch im Gehen nahm er Bruder Carlos die Luftdruckpistole aus der Hand und schoss, scheinbar ohne zu zielen oder auch nur hinzusehen. Die Kugel traf das Kaninchen ins Gehirn, tötete es auf der Stelle. Der Bienenvater reichte die Pistole zurück und ging weiter.

Nach diesem Vorfall hieß es, er sei ein Geheimagent gewesen, eine Art James Bond. Bruder Gregory machte dem sündigen Geschwätz ein Ende.

»Er ist auf der Suche nach Gott«, sagte er. »Und weiter nichts.«

Jetzt also geht der Bienenvater zur Frühmesse, die Punkt vier Uhr beginnt.

Die Kapelle besteht aus einfachen Lehmziegeln, die Steine der Grundmauern sind aus den roten Felsen am Südrand des Klosters gehauen, das Holzkreuz über dem Portal ist von der Sonne gebleicht, drinnen über dem Altar hängt das einzige Kruzifix.

Der Bienenvater tritt ein und kniet nieder.

In seiner Jugend war er strenger Katholik, der täglich die Messe besuchte, dann fiel er vom Glauben ab. Er fühlte sich so fern von Gott, dass der Glauben seinen Sinn verlor. Jetzt singt er mit den Mönchen den 51. Psalm, auf Lateinisch: *»Domine labia mea aperies et os meum adnuntiabit laudem tuam«* – »Herr, tu meine Lippen auf, dass mein Mund dein Lob verkünde.«

Die Gesänge versetzen ihn in eine Art Trance, und er ist jedes Mal überrascht, wenn die Stunde vorüber ist und sich die Mönche ins Refektorium begeben, um das immer gleiche Frühstück einzunehmen: Haferbrei, Weizentoast und Tee. Dann geht es weiter mit Gebeten und Lobgesängen, während die Sonne über den Bergen aufsteigt.

Inzwischen liebt er diesen Ort, besonders am Morgen, wenn die zarten Sonnenstrahlen auf die Lehmmauern fallen und den Chama River in glitzerndes Gold verwandeln. Er genießt die Wärme dieser ersten Strahlen, während der Kies unter seinen Füßen knirscht und die Kakteen in der Dämmerung Gestalt annehmen.

Ein einfaches Leben im Frieden, mehr will er nicht.

Und braucht er nicht.

In seinem Ablauf gleicht ein Tag dem anderen. Vigilium von vier bis fünf Uhr fünfzehn, danach Frühstück, dann Laudes von sechs bis neun, Arbeiten von neun bis zwölf Uhr vierzig, danach ein kurzes, einfaches Mahl und Weiterarbeit bis zur Vesper um siebzehn Uhr fünfzig. Um achtzehn Uhr zwanzig nehmen die Mönche ein leichtes Abendessen zu sich, sie beschließen den Tag mit dem Abendgebet um neunzehn Uhr dreißig und gehen danach zu Bett.

Der Bienenvater liebt die Disziplin und die Wiederkehr des Immergleichen, die langen Stunden stiller Arbeit und die noch längeren Stunden des Gebets. Besonders die Morgenandacht und die gesungenen Psalmen.

Nach den Laudes geht er hinab zur Imkerei.

Seine Bienen – *apis mellifera,* europäische Honigbienen – schwärmen mit den ersten wärmenden Sonnenstrahlen aus. Sie sind Einwanderer: Ursprünglich aus Nordafrika stammend, wurden sie im 17. Jahrhundert von spanischen Kolonisten nach Amerika gebracht. Ihr Leben ist kurz – eine Arbeiterin hält ein paar Wochen durch, bestenfalls ein paar Monate; eine Königin regiert drei bis vier Jahre, manchmal auch acht. Der Bienenvater hat sich an den Schwund gewöhnt – ein Prozent seines Bestandes stirbt jeden Tag, was bedeutet, dass sich die Population der Bienenstöcke alle vier Monate erneuert.

Aber das ist nicht tragisch.

Das Bienenvolk ist ein Superorganismus, der aus vielen Organismen besteht.

Das Individuum zählt nicht.

Wichtig ist das Überleben des Bienenvolks und die Honigproduktion.

Die zwanzig Magazinbeuten sind aus rotem Zedernholz gefertigt und mit rechteckigen Rahmen bestückt. Der Bienenvater öffnet die Abdeckung eines Kastens, sieht, dass er voller Waben ist, und verschließt ihn behutsam, um die Bienen nicht zu stören.

Er schaut nach der Tränke und sorgt für frisches Wasser.

Dann öffnet er das unterste Fach, nimmt die 9 mm Sig Sauer heraus und prüft das Magazin.

Bundesgefängnis San Diego, Kalifornien
2004

Der Gefängnisalltag fängt früh an.

Punkt sechs wird Adán Barrera durch das automatische Signalhorn geweckt, und wenn er nicht in Schutzhaft säße, würde er mit den anderen Häftlingen um sechs Uhr fünfzehn zum Frühstück in die Kantine gehen. So aber schiebt ihm die Wache eine Schüssel mit Cornflakes und eine Plastiktasse mit dünnem Orangensaft durch die Luke. Seine Zelle ist ein zwei mal vier Meter großer Kasten in einem Spezialtrakt, der sich im Dachgeschoss des Bundesgefängnisses San Diego befindet. Seit einem Jahr verbringt Adán Barrera in diesem Kasten dreiundzwanzig Stunden seines Tages. Ein Fenster gibt es nicht hier oben, aber wenn, könnte er die braunen Hügel von Tijuana sehen, wo er einmal regiert hat wie ein König. Die Stadt liegt gleich hinter der Grenze, nur ein paar Meilen entfernt, und gehört doch zu einem anderen Universum.

Barrera ist ganz froh, dass er nicht mit den anderen Häftlingen in die Kantine muss. Sie reden nur Blech, aber sie sind eine ernsthafte Bedrohung. Es gibt zu viele, die ihn tot sehen wollen – in Tijuana, in ganz Mexiko und auch hier in den Staaten.

Die einen aus Rache, die anderen aus Angst.

Adán Barrera sieht keineswegs furchterregend aus. Er ist gerade mal einen Meter achtundsechzig groß, ziemlich schmal und wirkt immer noch jungenhaft, was gut zu seinen sanften braunen Augen passt. Das ideale Opfer für Vergewaltiger, säße er nicht in Schutzhaft. Daher kann sich keiner vorstellen, dass er Hunderte von Morden befohlen hat, dass er einst Multimilliardär war, mächtiger als manches Staatsoberhaupt.

Vor seinem Absturz hatte man ihn *El señor de los cielos* genannt – den »Herrn der Lüfte«, er war der mächtigste Drogenboss der Welt gewesen, der Mann, der die mexikanischen Drogenkartelle unter seiner Führung vereinte, Tausende Untertanen befehligte, Politik und Wirtschaft beeinflusste, zahllose Häuser und Fincas und eine kleine Luftflotte besaß.

Jetzt darf er über maximal zweihundertneunzig Dollar pro Monat verfügen, um Rasiercreme, Coca-Cola und Instantnudeln zu kaufen. Er hat eine Decke, zwei Laken und ein Handtuch. Statt seiner Maßanzüge trägt er einen orangeroten Overall, ein weißes T-Shirt und lachhafte Gummilatschen, genannt Crocs. Er nennt zwei Paar weiße Socken und zwei Unterhosen sein Eigen. Er hockt allein in seiner Zelle, bekommt den Knastfraß auf einem Tablett durchgeschoben und wartet auf den Schauprozess, der ihn für den Rest seines Lebens in einer anderen Gefängnishölle versenken wird.

Eigentlich für mehrere Leben, um genau zu sein, da er nach den Sondergesetzen für Drogenbosse mit mehrfach »lebenslänglich« rechnen muss. Die amerikanischen Ankläger haben versucht, ihn »umzudrehen«, zum Informanten zu machen, aber vergebens. Der Informant oder Verräter oder Spion ist die niederste Kreatur auf Erden, die es nicht verdient, am Leben zu bleiben. Barrera würde lieber sterben oder als lebender Toter dahinvegetieren, als zu so einer Kreatur zu werden.

Jetzt ist er dreiundvierzig Jahre alt. Im günstigsten Fall, der sehr unwahrscheinlich ist, bekommt er dreißig Jahre. Die Prozessvorbereitungen ziehen sich schon ewig hin. Doch selbst bei angerechneter Untersuchungshaft ist er dann über siebzig, bevor er das Gefängnis als freier Mann verlassen darf. Viel wahrscheinlicher ist, dass er in einer Kiste hinausgetragen wird.

Nach dem Frühstück putzt er seine Zelle für die Inspektion um sieben Uhr dreißig. Da er ein ordnungsliebender und reinlicher Mensch ist, sorgt er schon von sich aus für Sauberkeit – eine seiner wenigen Freuden.

Um acht beginnt der Morgenappell, der etwa eine Stunde dauert, dann passiert nichts bis zehn Uhr dreißig, wenn der Lunch – ein Sandwich und etwas Apfelsaft – durchgeschoben wird. Darauf folgt »Freizeitbeschäftigung«, die er mit Lesen oder einem Nickerchen ausfüllt, bis zum nächsten Appell um zwölf. Nach dreieinhalb Stunden Langeweile kommt um sechzehn Uhr der dritte Apell. Dann das Dinner – undefinierbares Fleisch mit Kartoffeln oder Reis und etwas zerkochtem Gemüse – und weitere Freizeit bis zum Abendappell um einundzwanzig Uhr fünfzehn. Um zweiundzwanzig Uhr dreißig wird das Licht ausgemacht.

Für eine Stunde pro Tag – die Zeiten wechseln wegen der Anschlagsgefahr – führen ihn die Wachen in Handschellen zu einem Drahtverhau auf dem Dach, wo er frische Luft schnappen und »spazieren gehen« kann. Jeden dritten Tag darf er für zehn Minuten unter die Dusche, die manchmal lauwarm, meistens kalt ist. Ab und zu wird er in die kleine Besuchszelle gebracht und kann mit seinem Anwalt sprechen.

Er sitzt in seiner Zelle, füllt ein Bestellformular aus – ein Sixpack Mineralwasser, Instantnudeln, Haferkekse –, als die Wache aufschließt: »Anwaltsbesuch.«

»Das glaube ich nicht«, sagt Barrera und steht auf. »Ich habe keinen bestellt.«

Der Wachmann zuckt die Schulter, er führt nur Befehle aus.

Barrera stützt die Hände gegen die Wand, während ihm der Wachmann Fußfesseln anlegt. Eine sinnlose Demütigung, denkt er, aber genau das soll sie wohl sein. Der Wachmann führt ihn zum Lift und fährt mit ihm in die vierte Etage hinunter, wo er eine Tür aufschließt und ihn in die Besuchszelle einlässt. Er löst die Fußfesseln, aber kettet ihn an den Stuhl, der am Fußboden festgeschraubt ist. Barreras Anwalt hat hinter dem Tisch Aufstellung genommen. Ein Blick auf Ben Tompkins, und Barrera weiß, dass etwas passiert ist.

»Es ist Gloria«, sagt Tompkins.

Barrera ahnt, was jetzt kommt.

Seine Tochter ist tot.

Gloria war mit einem zystischen Lymphangiom zur Welt gekommen, einer Krankheit, die zu schrecklichen Deformationen an Kopf, Gesicht und Hals führt und tödlich endet. All seine Macht, all seine Milliarden hatten es nicht vermocht, seiner Tochter ein normales Leben zu ermöglichen.

Vor etwa einem Jahr hatte sich Glorias Zustand verschlechtert. Mit Barreras Zustimmung fuhr Lucia, seine damalige Frau, die amerikanische Staatsbürgerin war, mit der siebenjährigen Gloria nach San Diego und ließ sie in der Scripps-Klinik behandeln, die über die weltbesten Spezialisten verfügt. Einen Monat später rief ihn Lucia in seinem mexikanischen Refugium an. »Du musst sofort kommen«, sagte sie. »Die Ärzte geben ihr nur noch ein paar Tage oder Stunden.«

Barrera ließ sich über die Grenze schmuggeln wie eine Ladung Kokain, in einem eigens präparierten Kofferraum.

Art Keller erwartete ihn auf dem Parkplatz der Klinik.

»Meine Tochter«, sagte Barrera.

»Es geht ihr gut«, sagte der DEA-Agent Arthur Keller, rammte ihm eine Kanüle in den Hals, und es wurde dunkel um ihn.

Einst waren sie Freunde, er und Art Keller.

Unglaublich, aber wahr.

Doch das war in einem anderen Leben, in einer anderen Welt. Da war Adán Barrera neunzehn Jahre alt, studierte Rechnungswesen, war nebenher Boxveranstalter (was man in seiner Jugend nicht alles tut!) und dachte nicht im Traum daran, bei seinem Onkel einzusteigen – ins Drogengeschäft nämlich, das damals auf den Mohnfeldern von Sinaloa florierte.

Dann kamen die Amerikaner und mit ihnen Art Keller – voller Idealismus und Ehrgeiz und dem festen Vorsatz, den Drogenhandel zu bekämpfen. Art Keller erschien in dem Boxclub, den Adán Barrera mit seinem Bruder Raúl managte, wärmte sich ein paar Runden auf, und sie wurden Freunde. Adán führte ihn bei seinem Onkel ein – Miguel Ángel »Tío« Barrera –, damals der oberste Polizeioffizier der Provinz Sinaloa und ihr zweitwichtigster *gomero* – oder Opiumproduzent.

Keller war damals so naiv und arglos gewesen (eine typische Eigenart der Amerikaner, die sie zur Gefahr für sich und andere werden lässt), dass er nichts von Tíos Doppelexistenz ahnte.

Und Tío benutzte ihn. Ja, Adán Barrera muss offen zugeben, dass Tío den Amerikaner zu seiner Marionette machte, dass er Art Keller und seine amerikanische Streitmacht dazu benutzte, seinen ärgsten Konkurrenten auszuschalten und ihm, Tío, den Weg an die Spitze frei zu machen.

Das konnte Keller den Barreras nicht verzeihen – diesen Missbrauch seines Vertrauens und seiner Ideale.

Missbrauchst du das Vertrauen deines Freundes, wird er dein bitterster Feind – für immer und ewig.

Und jetzt schon seit etwa dreißig Jahren.

Dreißig Jahre Krieg – und zahllose Tote auf beiden Seiten.

Auch Barreras Familie hat es getroffen.

Den Onkel.

Den Bruder.

Jetzt seine Tochter.

Auch ihren Tod lastet er Keller an.

Die Beerdigung findet in San Diego statt.

»Ich werde dabei sein«, sagt Barrera zu Tompkins.

»Adán, das ist unmöglich!«

»Machen Sie es möglich.«

Tompkins, auch »Minimum Ben« genannt, wendet sich darauf an Bundesanwalt Bob Gibson, der sich damit brüstet, als »harter Hund« verschrien zu sein.

Den Spitznamen »Minimum Ben« verdankt Tompkins seinen Erfolgen als »Drogenanwalt«. Er versucht gar nicht erst, seine Klienten herauszuboxen, weil das meist aussichtslos ist, sondern macht eine Kunst daraus, das Strafmaß so weit wie möglich zu drücken.

»Ich bin eine Art Lohndrücker«, hat er einmal einem Journalisten erklärt. »Ich sorge dafür, dass meine Klienten weniger kriegen, als sie verdienen.«

Jetzt also geht Minimum Ben mit Adáns Anliegen zu Gibson.

»Kommt gar nicht in Frage«, sagt Gibson, der sich ärgert, dass man ihn nicht »Maximum Bob« nennt – und ein bisschen Neid ist auch dabei, denn Tompkins verdient bedeutend besser als er. Und rechnet man hinzu, dass Tompkins mit seiner Silbertolle und seiner Surferbräune verdammt gut aussieht, eine Strandvilla in Del Mar besitzt und ein Büro mit Ozeanblick in Cardiff, wird verständlich, warum Minimum Ben den bediensteten und schlecht besoldeten Juristen ein Dorn im Auge ist.

»Himmelherrgott! Der Mann will seine Tochter begraben!«, sagt Tompkins.

»Der Mann«, erwidert Gibson, »ist die weltweite Nummer eins des Drogengeschäfts.«

»Unschuldsvermutung«, kontert Tompkins. »Bis jetzt ist er nicht verurteilt.«

Gibson wechselt die Taktik. »Wenn ich mich recht entsinne, war Barrera bei den Kindermorden, die er auf dem Gewissen hat, weit weniger sentimental.«

Zwei kleine Kinder seiner Gegenspieler, von einer Brücke geworfen.

»Weibergeschwätz und haltlose Gerüchte«, sagt Tompkins, »ausgestreut von seinen Feinden. Das ist doch nicht Ihr Ernst!«

»So ernst wie ein Anruf nach Mitternacht«, sagt Gibson und lehnt den Antrag ab.

Tompkins fährt zum Rapport ins Gefängnis zurück. »Ich klage das bei einem Richter ein, wir kriegen das durch. Wir bieten an, die Bewachung durch die Bundespolizei zu bezahlen, die Kosten für die Sicherheitsvorkehrungen …«

»Dafür ist es zu spät«, sagt Barrera. »Die Beerdigung ist am Sonntag.«

Es ist Freitagnachmittag.

»Ich kann das heute Abend einem Richter vortragen. Johnnie Hoffman würde eine Anordnung herausgeben –«

»Zu riskant«, sagt Barrera. »Sagen Sie ihnen, ich packe aus.«

»Waas?«

»Wenn ich an Glorias Beerdigung teilnehmen kann«, sagt Barrera, »erzähle ich ihnen alles, was sie hören wollen.«

Tompkins wird bleich. Dass seine Klienten »plaudern«, um ihre Strafe zu mindern, ist zwar übliche Praxis, aber dann sind die Informationen, die sie preisgeben, sorgsam mit den Kartellen abgestimmt, damit sich der Schaden in Grenzen hält.

Das hier ist Barreras Todesurteil, der glatte Selbstmord.

»Adán, tun Sie das nicht«, fleht Tompkins. »Wir schaffen es auch so.«

»Machen Sie den Deal.«

Fünfzigtausend rote Rosen schmücken die Sankt-Josephs-Kathedrale im Zentrum von San Diego, nur ein paar Straßen vom Bundesgefängnis entfernt.

Adán hat Tompkins mit den Vorbereitungen beauftragt, das Geld kommt von sauberen Konten in La Jolla. Alle mexikanischen Narcos mit Rang und Namen haben Blumen geschickt – Berge von Gestecken und Kränzen säumen die breite Freitreppe.

DEA-Agenten laufen zwischen den Kränzen herum und notieren eifrig, von wem was kommt. Sie prüfen auch die Herkunft der Hunderttausenden Dollars, die zu Ehren Glorias in eine Stiftung zur Erforschung des zystischen Lymphangioms eingezahlt wurden.

Blumen gibt es mehr als reichlich, doch es fehlt an Trauergästen.

In Mexiko wäre das undenkbar, denkt Barrera. Dort wäre die Kirche voll, und Hunderte würden draußen warten, um ihren Respekt zu erweisen. Doch Barreras Verwandte sind fast alle tot, und die, die noch leben, können nicht in die USA fahren, ohne ihre Verhaftung zu riskieren. Seine Schwester hat ihn angerufen, um zu kondolieren – und bedauert, dass sie nicht kommen kann. Andere – Freunde, Geschäftspartner und Politiker auf beiden Seiten der Grenze – wollen nicht von der DEA fotografiert werden.

Barrera hat Verständnis dafür.

Daher besteht die Trauergemeinde vor allem aus den Ehefrauen der Drogenbosse. Sie besitzen die amerikanische Staatsbürgerschaft, sind bei der DEA bekannt, schicken ihre Kinder in San Diego zur Schule, machen hier ihre Weihnachtseinkäufe, ihre Wellness-Kuren oder Strandferien in den Hotels von La Jolla und Del Mar.

In teures und elegantes Schwarz gekleidet, erklimmen sie jetzt die Stufen zur Kathedrale und streifen die Agenten, die sie fotografieren, mit verächtlichen Blicken. Manche bleiben auch stehen, werfen sich in Positur und sorgen dafür, dass ihr Name richtig geschrieben wird.

Die anderen Trauernden gehören zu Lucias Familie – ihre Eltern, ihre Geschwister, ein paar Cousins, ein paar Freundinnen. Lucia wirkt erschöpft, offenbar niedergedrückt von ihrem Kummer – und geschockt, als sie Adán entdeckt.

Sie hat ihn damals an Keller verraten, damit ihr die Haft erspart blieb und Gloria nicht in staatliche Obhut geriet – alles im Wissen, dass Adán der Mutter seiner Tochter kein Haar krümmen würde.

Aber ohne Gloria gibt es nichts mehr, was ihn an seiner Rache hindern könnte. Er kann sie einfach verschwinden lassen, spurlos, von einem Tag auf den anderen. Als sie ihm einen verängstigten Blick zuwirft, dreht er sich abrupt weg.

Für ihn ist Lucia gestorben.

Barrera sitzt in der dritten Reihe, flankiert von fünf Bundespolizisten, in einem schwarzen Anzug, den ihm Tompkins bei Nordstrom besorgt hat, denn dort hat Barrera seine Maße hinterlegen lassen. Seine Hände stecken in Handschellen, aber wenigstens haben die Cops den Anstand besessen, ihm keine Fußfesseln anzulegen. Er kann also knien, stehen oder sitzen, wie es der Ablauf der Totenmesse verlangt, während die Stimme des Bischofs durch die fast leere Kathedrale hallt.

Nach dem Ende muss Barrera warten, bis die Besucher die Kathedrale verlassen haben. Er darf mit niemandem sprechen außer mit den Beamten und seinem Anwalt. Lucia wirft ihm im Vorübergehen einen Blick zu und senkt schnell den Kopf. Er nimmt sich vor, ihr über Tompkins ausrichten zu lassen, dass sie nichts zu befürchten hat.

Soll sie ihr Leben fristen, denkt er. Finanziell steht sie auf eigenen Füßen. Sie kann das Haus in La Jolla behalten, wenn das Finanzamt keinen Vorwand findet, es ihr wegzunehmen, und damit gut. Eine Frau, die ihn verraten hat, die zudem so dumm war, ihre Rettungsleine zu kappen, muss er nicht unterstützen.

Als sich die Kathedrale geleert hat, wird Barrera von den Beamten zu einer wartenden Limousine geführt und im Fond plaziert. Die Limousine reiht sich hinter Lucias Wagen in die Kolonne ein, die dem Leichenwagen zum El Camino Memorial Park im Sorrentino Valley folgt.

Als der Sarg seiner Tochter hinabgelassen wird, hebt Barrera die gefesselten Hände zum Gebet. Die Beamten sind verständnisvoll, sie erlauben, dass er sich bückt, eine Handvoll Sand greift und auf Glorias Sarg wirft.

Es ist vorbei.

Seine einzige Zukunft ist die Vergangenheit.

Einem Mann, der sein einziges Kind verloren hat, bleibt nur das, was gewesen ist.

Als er sich wieder aufrichtet, flüstert er Tompkins zu: »Zwei Millionen Dollar Cash.«

Für den Mann, der Art Keller tötet.

Abiquiu, New Mexico
2004

Der Bienenvater beobachtet die zwei Männer, die den Kiesweg herunterkommen und auf die Imkerei zusteuern.

Ein Gringo mit silbrig weißem Haar und etwas steifem Gang, wie er sich mit dem Alter einstellt. Aber er bewegt sich mit beruflicher Routine. Der andere ist Latino, braunhäutig und etwas jünger, gelassen und selbstbewusst. Sie halten ein wenig Abstand zueinander, und selbst aus hundert Metern Entfernung sieht er die Ausbeulung ihrer Jacketts. Er zieht sich hinter die Bienenstöcke zurück, holt die Sig Sauer aus dem Versteck und lädt durch. Das Bachbett als Deckung benutzend, steigt er hinab zum Fluss.

Er will niemanden töten, wenn es nicht sein muss, und wenn doch, soll es nicht im Kloster passieren.

Aber das Flussufer wäre ideal.

Der Chama führt Hochwasser – die Leichen, wenn es welche gibt, werden von der Strömung fortgetragen. Er rutscht die schlammige Böschung hinab, dreht sich auf den Bauch und lugt über den Rand. Die zwei Männer gehen vorsichtig auf die Bienenstöcke zu.

Er hofft, dass sie dort stehen bleiben und nichts kaputt machen, ob aus Dummheit oder Bosheit. Aber wenn sie weitergehen, lässt er sie bis auf Schussweite herankommen. Mehr aus Gewohnheit spielt er die Griffe durch, die für den ersten Doppelschuss nötig sind, dann für den zweiten.

Den jungen Kerl zuerst.

Der ältere hat nicht so gute Reflexe.

Aber jetzt gehen die beiden auf Abstand zueinander, verbreitern den Schusswinkel und erschweren ihm die Vierschusstechnik. Sie sind also Profis, wie zu erwarten war. Nun ziehen sie die Waffen und halten sie mit beiden Händen vorgestreckt, exakt nach Reglement.

Der jüngere zeigt mit dem Kinn auf den Boden, der ältere nickt. Sie haben seine Fußspuren entdeckt, die zum Fluss führen. Mehr als fünfzig Meter flachen Abhang mit knöchelhohem Bewuchs auf das Flussufer zugehen, wo ein Schütze aus der Deckung heraus freies Spiel hat?

Das wollen sie nicht.

Der Silberhaarige ruft: »Keller! Art Keller! Hier ist Tim Taylor!«

Taylor war Kellers Vorgesetzter, damals 1975 in Sinaloa. »Operation Condor«. Als sie die Mohnfelder verbrannten und vergifteten. Später unterstand ihm als DEA-Bevollmächtigtem das Operationsgebiet Mexiko – während Keller in Guadalajara aufräumte und zum Superstar wurde. Und Taylor hatte das Nachsehen, als Keller an ihm vorbei Karriere machte.

Müsste der nicht längst pensioniert sein?, denkt Keller jetzt.

Er hält die Sig auf Taylors Brust gerichtet und befiehlt ihm, die Waffe wegzustecken und die Hände hochzunehmen.

Taylor gehorcht, und der jüngere tut desgleichen.

Keller kommt aus der Deckung und geht, die Pistole im Anschlag, auf sie zu. Der Latino hat pechschwarzes Haar, böse schwarze Augen, den aufmüpfigen Blick eines Straßenkinds. Solche Leute rekrutieren sie im Barrio als Agenten, denkt Keller. So wie sie mich rekrutiert haben.

»Du bist vom Radar verschwunden«, sagt Taylor zu Keller. »War schwer, dich zu finden.«

»Was willst du von mir?«, fragt Keller.

»Willst du nicht lieber die Pistole wegstecken?«

»Nein.«

Keller weiß nicht, was Taylor von ihm will und wer ihn schickt. Könnte die DEA sein, könnte die CIA sein.

Aber genauso gut könnte es Barrera sein.

»Okay, dann stehen wir eben hier wie die Idioten mit erhobenen Händen.« Taylor blickt sich um. »Bist du jetzt eine Art Mönch, oder was?«

»Nein.«

»Und das da? Sind das Bienenstöcke?«

»Wenn sich dein Knabe noch einmal zur Seite bewegt, erschieße ich dich zuerst.«

Der Knabe erstarrt in der Bewegung. »Ist mir eine Ehre, Sie zu treffen«, sagt er. »Ich bin Agent Richard Jimenez.«

»Art Keller.«

»Ich weiß«, sagt Jimenez. »Jeder weiß, wer Sie sind. Sie sind der Mann, der Adán Barrera zur Strecke gebracht hat.«

»Alle Barreras«, korrigiert ihn Taylor. »Stimmt doch, Art, oder?«

So ziemlich, denkt Keller. Er hat Ramón Barrera bei einem Schusswechsel am Strand der Baja getötet, er hat Tío Barrera auf einer Brücke in San Diego erschossen. Er hat Adán – den gottverfluchten Adán – hinter Gitter gebracht, aber manchmal bedauert er, dass er nicht auch ihn erledigt hat, als er die Chance dazu hatte.

»Was hast du hier zu suchen?«, fragt Keller.

»Dasselbe wollte ich dich fragen.«

»Ich schulde dir keine Rechenschaft.«

»Wir reden doch nur.«

»Falls du's nicht bemerkt hast«, sagt Keller, »hier wird nicht viel geredet.«

»Eine Art Schweigegelübde?«

»Kein Gelübde.« Keller ärgert sich, dass ihn Taylor so schnell in das alte Geplänkel verwickelt hat. Er mag das nicht, und er braucht das nicht.

»Können wir irgendwo anders reden?«, fragt Taylor. »Nicht so in der Sonne?«

»Nein.«

Taylor dreht sich zu Jimenez: »Art war schon immer schwierig. Ein richtiger Stiesel – The Lone Ranger. Kommt mit keinem zurecht.«

Das war von Anfang an Taylors Streitpunkt mit Keller gewesen, seit Keller, frisch von der CIA zur neu gegründeten DEA versetzt, auf Taylors Spielwiese erschien – in Sinaloa vor dreißig Jahren. Taylor sah in Keller einen unsicheren Kantonisten, wollte nicht mit ihm arbeiten, ließ auch andere Agenten nicht mit ihm arbeiten und trug so das Seine dazu bei, dass Keller genau das wurde, was man ihm vorwarf – ein Einzelgänger.

Taylor, denkt Keller heute, hat mich den Barreras regelrecht in die Arme getrieben. Ich wusste nicht, wo ich sonst hingehen sollte. Zusammen mit Tío habe ich dann eine Menge *gomeros* hochgehen lassen. Und sogar Don Pedro Avilés – *gomero numero uno* – »ausgeschaltet«, was ein Euphemismus für »töten« ist. Dann sprühte die DEA im Verein mit der mexikanischen Armee die Mohnfelder mit Napalm und Agent Orange ein und zerstörte die alte sinaloanische Opiumindustrie.

Und das alles nur, denkt Keller, damit Tío Barrera aus der Asche eine ungleich mächtigere Organisation erschaffen konnte.

El Federación.

Und Keller hat ihm den Weg geebnet. Er hat geglaubt, ein Krebsgeschwür zu beseitigen, stattdessen hat er dafür gesorgt, dass es in ganz Mexiko Metastasen bildete.

Mit dieser Erkenntnis begann sein langer Krieg gegen die Barreras, der nun schon dreißig Jahre dauert und ihm alles genommen hat, was er besaß: seine Familie, seinen Job, seine Überzeugungen. Seine Ehre, seine Seele.

»Es steht alles in den Akten«, sagt Keller jetzt zu Taylor. »Ich habe nichts zu sagen.«

Es hatte Anhörungen gegeben – interne DEA-Anhörungen, CIA-Anhörungen, Kongress-Anhörungen. Keller hatte gegen die strikten Befehle der CIA gehandelt, als er die Barreras aus dem Verkehr zog. Es war, als hätte er eine Bombe durch den Mittelgang eines Flugzeugs gerollt. Als sie platzte, traf sie praktisch alle, und die Schadensbegrenzung war schwierig, weil die Reporter der *New York Times* und der *Washington Post* herumschnüffelten wie die Bluthunde. Das offizielle Washington wusste nicht, wie es die Sache werten sollte. War Keller ein Held oder ein Schurke? Die einen wollten ihm einen Orden anhängen, die anderen wollten ihn in einen orangeroten Overall stecken.

Wieder andere wollten, dass er einfach verschwand.

Die meisten waren daher erleichtert, als der Mann, den sie einst als »Herrn der Grenze« gefeiert hatten, wie vom Erdboden verschluckt war, nachdem alle Aussagen zu Protokoll genommen waren. Und vielleicht, denkt Keller, ist Taylor hier, um sicherzustellen, dass ich nie wieder zurückkomme.

»Was willst du?«, fragt Keller. »Ich habe zu tun.«

»Liest du die Zeitung, Art? Hörst du die Nachrichten?«

»Weder noch.«

Er hat das Interesse an der Welt verloren.

»Dann weißt du nicht, was in Mexiko los ist«, sagt Taylor.

»Nicht mein Problem.«

»Es ist nicht sein Problem!«, ätzt Taylor mit einem Seitenblick auf Jimenez. »Das Kokain kommt tonnenweise über die Grenze. Heroin, Methamphetamin. Die Leute sterben wie die Fliegen, aber es ist nicht sein Problem. Er muss sich um seine Bienen kümmern!«

Keller reagiert nicht darauf.

Der sogenannte Krieg gegen die Drogen ist ein Karussell. Fliegt einer raus, steigt sofort der Nächste ein. Und solange die Gier nach Drogen unersättlich ist, bleibt das so. Der gierige Moloch aber lauert auf dieser Seite der Grenze.

Was die Politiker nie verstehen oder auch nur zur Kenntnis nehmen: Das sogenannte mexikanische Drogenproblem ist nicht das mexikanische Drogenproblem, es ist das *amerikanische* Drogenproblem.

Ohne Käufer kein Geschäft.

Die Lösung liegt nicht in Mexiko.

Fängt man einen Boss wie Barrera, wird er durch einen neuen ersetzt. Fängt man den auch, kommt wieder ein anderer. Und so weiter.

Keller kümmert es nicht mehr.

Taylor nimmt einen neuen Anlauf. »Das Golfkartell hat zwei von unseren Leuten in Matamoros gestoppt und mit der Waffe bedroht. Kommt dir das bekannt vor?«

Und ob.

So haben es die Barreras auch mit ihm gemacht, damals in Guadalajara. Ihn und seine Familie bedroht, wenn er nicht aus Mexiko verschwand. Keller reagierte, indem er seine Familie nach San Diego zurückschickte und den Druck erhöhte.

Dann ermordeten die Barreras seinen Kollegen, Ernie Hidalgo. Folterten ihn wochenlang, um Informationen aus ihm herauszuholen, die er nicht hatte, warfen dann seine Leiche in einen Graben. Er hinterließ eine Frau und zwei kleine Kinder.

Kellers Fehde mit den Barreras wurde zur Blutfehde.

Aber das war nicht das Schlimmste, was sie taten.

Bei weitem nicht.

Wie lange ist das her?, fragt sich Keller.

Zwanzig Jahre?

»Aber dir geht das am Arsch vorbei, oder?«, fragt Taylor. »Du bist hier in deinem Paradies. ›*In* dieser Welt, aber nicht *von* dieser Welt.‹«

Als ich *in* dieser Welt war, war ich auch *von* dieser Welt, denkt Keller. Ich habe zugelassen, dass Ernie stirbt, und dann mussten neunzehn unschuldige Menschen sterben – durch seine Schuld. Ich habe einen falschen Informanten aufgebaut, um meine wahre Quelle zu schützen, und Adán hat nicht nur diesen falschen Informanten umgebracht, sondern neunzehn Menschen geschlachtet, Frauen und Kinder. Sie an die Wand gestellt und zusammengeschossen.

Keller wird nie vergessen, wie er den Hof betrat und die Kinder sah, tot in den Armen ihrer toten Mütter. Im Wissen, dass es sein Fehler war, seine Verantwortung. Er will und kann das nicht vergessen, weil sein Gewissen ihm keine Ruhe lässt. In manchen Nächten erlöst ihn erst die Morgenglocke von den schrecklichen Bildern.

Seit dem Massaker von El Sauzal führt er nicht mehr Krieg gegen die Drogen, sondern nur noch gegen Adán Barrera. Bis heute versteht er nicht, warum er nicht abgedrückt hat, als er die Pistole an seinen Kopf hielt. Vielleicht hat er ihm den schnellen Tod nicht gegönnt. Dreißig oder vierzig Jahre verschärfte Haft im Hochsicherheitstrakt sollte er abbüßen, bevor er in der richtigen Hölle schmorte.

»Ich lebe jetzt in einer anderen Welt«, sagt Keller.

Erst war ich kalter Krieger, dann Drogenkrieger. Jetzt habe ich meinen Frieden.

»Du sitzt also hier in deinem Paradies«, bohrt Taylor weiter, »und hast nichts von unserem Freund Adán gehört.«

»Was ist mit dem?«, fragt Keller, obwohl er sich vorgenommen hat, keine Fragen zu stellen.

»Der singt jetzt Arien«, sagt Taylor. »Lässt sich nicht bremsen.«

»Bist du gekommen, um mir das zu sagen?«, fragt Keller.

»Nein«, sagt Taylor. »Es heißt, dass er zwei Millionen auf deinen Kopf ausgesetzt hat, und ich bin gesetzlich verpflichtet, dich über diese Bedrohung zu informieren. Ich bin außerdem verpflichtet, dir Schutz anzubieten.«

»Den brauche ich nicht.«

Taylor dreht sich zu Jimenez um. »Siehst du, was ich meine?«, sagt er. »Stur wie ein Bock. Weißt du, wie sie ihn nannten? Sie nannten ihn ›Killer Keller‹.«

Jimenez grinst.

Taylor wendet sich wieder an Keller. »Bleib locker, Art. Wir sind nicht gekommen, um das Kopfgeld zu kassieren. Obwohl es verlockend wäre. Mit meinem Anteil von den zwei Millionen könnte ich mir ein kleines Anwesen auf Sanibel Island leisten und nichts weiter machen als angeln. Hey, pass auf dich auf, Keller. Und viel Glück mit deinen Bienen.«

Keller schaut ihnen nach, bis sie hinter dem Bergrücken verschwunden sind. Barrera ein Verräter? Es gibt vieles, was man Barrera nachsagen kann, und alles davon ist wahr, aber eine Petze war er nie. Wenn Barrera singt, dann führt er was im Schilde.

Und Keller kann sich denken, was es ist.

Ich hätte damals abdrücken sollen, denkt Keller – nicht aus Angst, eher aus Müdigkeit. Jetzt geht die Blutfehde weiter, genauso wie der »Krieg gegen die Drogen«.

Bis an der Welt Ende. Amen.

Und die Fehde kann nur mit dem Tod enden – einer von beiden oder beide.

Der Bienenvater fehlt beim Abendessen und kommt nicht zum Nachtgebet. Als er auch zur Frühmesse ausbleibt, geht Bruder Gregory nachsehen, ob er vielleicht krank ist.

Die Zelle ist leer.

Der Bienenvater ist weg.

Bundesgefängnis San Diego
2004

Was man an den Amerikanern bewundern muss, denkt Adán, ist ihre Beständigkeit.

Sie machen unter Garantie das Falsche.

Aber er liefert ihnen das Versprochene.

Nach der Beerdigung setzt er sich mit Gibson zusammen und überreicht ihm sein Geschenk.

Reines Gold.

Mit am Tisch sitzen die DEA, Staatsanwälte auf Bundes-, Staats- und Lokalebene, und er beantwortet alle Fragen, auch die, die gar nicht gestellt werden. Aufgrund seiner Angaben werden eine ganze Reihe riesiger Drogendepots aufgedeckt und etliche hochrangige Figuren verhaftet, in den USA und in Mexiko.

»Das können Sie nicht machen!«, hatte ihn Tompkins beschworen, stotternd vor Angst.

»Ich weiß, was ich tue«, beruhigte ihn Barrera.

Das Beste hebt er sich auf bis zum Schluss. »Wollen Sie Hugo Garza?«

»Wir sind verrückt nach Garza!«, erwidert Gibson.

»Können Sie den etwa liefern?«, fragt Tompkins erschrocken.

Sein Klient bietet den Amerikanern den Boss des Golfkartells an, und das Golfkartell hat sich nach der Zerschlagung von Adáns *Federación* zum mächtigsten Kartell von ganz Mexiko gemausert.

Das ist der Grund, weshalb Tompkins seine Klienten gern

von solchen Verhandlungen fernhält – so wie man seine Frau beim Autokauf zu Hause lässt. Denn früher oder später sagt sie etwas, was einen teuer zu stehen kommt.

Aber was er als Nächstes sagt, schlägt dem Fass den Boden aus.

»Als Gegenleistung«, sagt Barrera, »möchte ich ausgeliefert werden. Mein Geständnis lege ich hier ab, aber den Rest meiner Strafe möchte ich in Mexiko absitzen.«

Zwischen Mexiko und den USA besteht die Vereinbarung, Häftlingen aus humanitären Gründen den Gefängnisaufenthalt in ihren Heimatländern zu ermöglichen, in der Nähe ihrer Angehörigen. Aber Tompkins ist so entsetzt, dass er seinen Klienten auf den Flur hinauszerrt. »Sie haben *geplaudert,* Adán. In einem mexikanischen Gefängnis überleben Sie keine fünf Minuten. Die Killer werden Schlange stehen!«

»Das tun sie auch in den amerikanischen Gefängnissen«, befindet Barrera. Die sind voll von mexikanischen Narcos, die darauf brennen, den schlimmsten aller Verräter zu beseitigen, um in der Hierarchie ihres Kartells nach oben zu rücken.

Die Sicherheitsvorkehrungen für Barrera spielten immer eine wichtige Rolle in Tompkins' Verhandlungen, aber Barrera sträubte sich beharrlich, mit Kinderschändern und Informanten in geschützten Sondertrakten zusammengesperrt zu werden.

»Adán«, fleht Tompkins jetzt, »als Ihr Anwalt, als Ihr Freund bitte ich Sie inständig, das nicht zu tun. Wir machen gute Fortschritte. Wenn Ihre Kooperation vom Gericht gewürdigt wird, können wir das Urteil vielleicht auf fünfzehn Jahre drücken, mit anschließendem Zeugenschutzprogramm. Die U-Haft angerechnet, sind Sie in zwölf Jahren ein freier Mann und haben das Leben noch vor sich.«

»Sie sind *mein* Anwalt«, sagt Adán, »und ich als Ihr Klient verlange, dass Sie diesen Deal machen: Ich liefere Garza und werde dafür nach Mexiko ausgeliefert. Wenn Sie sich weigern, sind Sie gefeuert, und ich suche mir einen, der den Deal macht.«

Denn der muss stattfinden, auch wenn er Tompkins den Grund nicht verraten kann. Ihm nicht sagen kann, dass in Mexiko schon seit Monaten diskrete Verhandlungen laufen. Dass es zwar riskant ist, er aber das Risiko eingehen muss.

Wenn sie ihn umbringen, okay. Aber er wird seine Jahre nicht in einer Gefängniszelle verdämmern.

Also wartet er, bis Tompkins die Pille geschluckt hat, und schickt ihn zurück zu Gibson. Er weiß, dass es nicht leicht wird. Gibson muss zu seinen Chefs gehen, die zu ihren. Dann muss das Justizministerium mit dem Innenministerium reden, das mit der CIA reden muss, und wenn die CIA mit dem Weißen Haus geredet hat, könnte der Deal über die Bühne gehen. Weil ein früherer Bewohner des Weißen Hauses in den achtziger Jahren ein Abkommen genehmigte, nach dem Tío ungehindert Kokain verschieben konnte, wenn er die antikommunistischen Contras finanziell unterstützte. Und keiner will, dass Adán Barrera diese Leiche aus dem Keller des Weißen Hauses holt und in den Zeugenstand zerrt.

Es wird keinen Prozess geben.

Lieber schnappen sie nach dem Köder namens Garza.

Denn die Amerikaner machen immer das Falsche.

Drei Wochen später setzen mexikanische Federales die Informationen der DEA in die Tat um und verhaften Hugo Garza, den Boss des Golfkartells, auf einer entlegenen Hazienda in Tamaulipas.

Zwei Tage später wird Adán Barrera mitten in der Nacht aus seiner Zelle in San Diego geholt und in ein Flugzeug nach Guadalajara gesetzt, wo ihn Federales in schwarzen Uniformen in Empfang nehmen und nach Puente Grande – »Große Brücke« – transportieren, in das große Gefängnis außerhalb der Stadt, die sein Onkel einst beherrscht hatte wie ein Königreich.

Der Konvoi aus zwei gepanzerten Fahrzeugen und einem Mannschaftswagen brummt die Straße nach Zapotlanejo hinauf, den Wachtürmen entgegen, deren Suchscheinwerfer silbrige Strahlen in die schwarze Nacht senden.

Das Vorausfahrzeug hält unter einem der Türme vor einem großen Schild mit der Aufschrift CEFERESO II. Rollen aus Natodraht ziehen sich auf den hohen Zäunen und Betonmauern entlang. MG-Schützen auf den Wachtürmen nehmen den Konvoi ins Visier.

Ein großes Stahltor rollt zur Seite, lässt die Fahrzeuge ein und schließt sich hinter ihnen. Wer die »Große Brücke« einmal überquert, so heißt es, kommt nicht zurück.

Auf Adán Barrera warten zweiundzwanzig Jahre in diesem Gefängnis.

Es ist kalt, und er verkriecht sich in die blaue Daunenjacke, die ihm ein Wachmann umgehängt hat. Sie helfen ihm aus dem Mannschaftswagen, denn er trägt Handschellen und Fußfesseln.

Bei der »Aufnahme« muss er vor einer Betonwand stehen, während Beamte Fotos machen, Fingerabdrücke nehmen. Sie nehmen ihm die Fesseln ab, dann die Daunenjacke, und er wechselt zitternd in die braune Gefängniskluft mit der Zahl 817, die auf Brust und Rücken aufgenäht ist.

Der Gefängnisdirektor Comandante Daniel Álvarez ist erschienen und hält eine kleine Ansprache. »Adán Barrera, Sie sind jetzt Insasse des CEFERESO II. Glauben Sie nur nicht, dass Ihnen Ihr ehemaliger Status hier irgendeine Sonderstellung verleiht. Sie sind ein Häftling wie jeder andere. Halten Sie sich an die Satzung, gibt es keine Probleme. Verstoßen Sie dagegen, tragen Sie die Folgen. Ich wünsche Ihnen eine erfolgreiche Resozialisierung.«

Barrera nickt, dann bringt man ihn von der Aufnahme ins COC, das Beobachtungs- und Evaluierungszentrum, wo die gemeingefährlichen Verbrecher bleiben müssen, bis eine geeignete Unterbringung für sie gefunden ist.

Puente Grande ist Mexikos strengstes und sicherstes Gefängnis, und CEFERESO II (Centro Federal de Readaptación

Social) ist der Hochsicherheitstrakt für Entführer, Drogenbosse und für Häftlinge, die in anderen Gefängnissen Morde begangen haben.

Dorthin kommen die *Malditos* – die Verdammten, wie sie genannt werden. Elektroschocks mit Stromkabeln, Schläge und kalte Duschen mit dem Wasserschlauch, nach denen sie nackt und zitternd auf dem Betonfußboden liegen bleiben, sind dort Standard. Schlimmer noch vielleicht ist die Isolation – keine Bücher, keine Zeitungen, weder Stift noch Papier –, und wen die körperliche Folter nicht zerstört, den treibt die seelische Qual in den Wahnsinn. Ist die Evaluierung abgeschlossen, werden die Häftlinge für gewöhnlich – und meist zutreffend – als Psychopathen klassifiziert.

Der Wachmann schließt eine Zelle auf, Adán tritt ein, und die Tür fällt hinter ihm ins Schloss.

Der Mann auf der eisernen Bank hat einen schwarzen Vollbart und ist ein wahrer Hüne. Er mustert Adán, lächelt und sagt: »Ich bin dein Empfangskomitee.«

Adán macht sich auf das Kommende gefasst.

Der Mann steht auf und umarmt ihn, dass ihm die Luft wegbleibt. »Schön, dich zu sehen, Cousin.«

»Dich auch.«

Diego Tapia und Adán sind zusammen in den Bergen von Sinaloa groß geworden, inmitten von Mohnfeldern, bevor die Amerikaner ihren »Krieg gegen die Drogen« starteten – eine schöne Zeit. Diego war ein junger Bodyguard – ein Sicario –, als Adáns Onkel die ursprüngliche *Federación* gründete.

Der Gegensatz zwischen dem athletischen Diego und dem kleinen, schmächtigen Adán, der nach jahrelanger amerikanischer Haft ein wenig gebeugt geht, könnte nicht größer sein. Adán sieht aus wie ein Geschäftsmann und Diego wie der wilde Bergbauer, der er immer geblieben ist – ein Kerl wie auf alten Fotos aus den Zeiten des Revolutionshelden Pancho Villa. Es fehlen nur die Patronengurte.

»Du musstest doch nicht persönlich kommen«, sagt Adán.

»Doch, unbedingt, aber ich bleibe nicht lange. Nacho lässt dich grüßen. Er wäre auch gekommen, aber …«

»Zu riskant«, sagt Adán. Er kann Nacho verstehen. Andererseits hat ihm Nacho einen gewaltigen Zuwachs an Macht und Reichtum zu verdanken.

Denn das Insiderwissen, das Adán an die DEA verraten hat, hat tiefe Breschen ins Machtgefüge des mexikanischen Drogenimperiums gerissen, die Diego und Nacho sofort ausfüllten, indem sie alle Positionen besetzten, die durch die Verhaftung ihrer Rivalen frei wurden.

(Die Amerikaner machen immer das Falsche.)

Jetzt haben sie beide, Diego und Nacho, ihre eigenen Organisationen, die, vereint zum »Sinaloa-Kartell«, einen großen Teil des Transports von Kokain, Heroin, Marihuana und Methamphetamin über Juárez und den Golf von Mexiko nach Norden kontrollieren. In Adáns Abwesenheit haben sie auch seine Geschäfte besorgt, seine Ware bewegt, seine Kontakte zu Polizei und Politik gepflegt, seine Gelder eingetrieben.

Nacho hat Adáns Rückkehr nach Mexiko von mexikanischer Seite betrieben, beachtliche Zahlungen geleistet und Garantien übernommen. Als das arrangiert war, sorgte Diego dafür, dass der größte Teil des Gefängnispersonals bei Adáns Ankunft auf Adáns Gehaltsliste stand. Die meisten waren scharf auf das Geld. Leute, die zögerten, bekamen im Gefängnis Besuch von Diego, und er zeigte ihnen Fotos von ihren Frauen und Kindern.

Drei Wachmänner weigerten sich trotzdem, Geld zu nehmen. Diego lobte sie für ihre Integrität. Am nächsten Morgen fand man sie mit durchschnittenen Kehlen.

Alle Übrigen profitierten von Adáns Großzügigkeit. Ein Koch bekam dreihundert Dollar im Monat, ein Wachoffizier tausend, Comandante Daniel Álvarez kassierte neben seinem Jahresgehalt fünfzigtausend Dollar extra.

Doch es gab etliche, die Adán an den Kragen wollten. Sie alle wurden mit Baseballschlägern erschlagen. *Los Bateadores* –

die »Schlagmänner«, von Diego bezahlte Leute aus Sinaloa, bildeten Adáns private Schutztruppe innerhalb von Puente Grande.

»Wie lange muss ich hier bleiben?«, fragt Adán.

»Hier können wir für deine Sicherheit garantieren«, sagt Diego. »Aber da draußen …«

Er muss nicht viel erklären. Da draußen gibt es zu viele, die ihn tot sehen wollen. Gewisse Leute müssen verschwinden, gewisse Politiker müssen gekauft werden, Schmiergelder in gigantischem Ausmaß müssen fließen.

Adán versteht, dass er vorerst in Puente Grande bleiben muss.

Seine neue Zelle im Block 2, Level 1A, ist neunundfünfzig Quadratmeter groß und mit einer kompletten Küche, LED-Fernseher, Computer, Soundanlage, Schreibtisch, Essecke, Sesseln, Stehlampen, einem begehbaren Kleiderschrank ausgestattet. Das Kingsize-Bett verbirgt sich hinter einer Trennwand.

Sein Kühlschrank ist gut gefüllt, mit Steaks und Fisch, mit frischen Lebensmitteln, Bier, Wodka, Kokain, Marihuana. Alkohol und Drogen sind nicht für ihn bestimmt, sondern für die Wachen, die Mithäftlinge, die Gäste.

Adán nimmt keine Drogen.

Er hat erlebt, wie sein Onkel dem Crack verfiel, wie sich der einst mächtige Patriarch – Miguel Ángel Barrera, der großartige Mensch und geniale Schöpfer des Kartells – in ein angstgeplagtes Wrack verwandelte, in einen Agenten seiner eigenen Zerstörung.

Daher begnügt sich Adán mit einem einzigen Glas Wein zum Essen.

Im Schrank hängt eine Kollektion von italienischen Maßanzügen und -hemden. Adán trägt jeden Tag ein frisches weißes Hemd – die getragenen wandern in die Gefängniswäscherei und kommen auf Falte gebügelt zurück –, auch in seinem Geschäft kommt es auf die äußere Erscheinung an.

Er macht sich an die Arbeit und beginnt, die Trümmer seines Imperiums zusammenzusuchen. Die *Federación,* von seinem Onkel gegründet, von ihm, Adán, weiterentwickelt und von Art Keller zerschlagen, ist in ein paar große und Dutzende kleinere Gruppierungen aufgesplittert.

Die größte ist das Juárez-Kartell mit Sitz in der Grenzstadt Ciudad Juárez. Vicente Fuentes scheint dort den Kampf um die Vormacht gewonnen zu haben. Sehr gut. Er ist gebürtiger Sinaloaner, fest verbandelt mit Nacho Esparza, dem er erlaubt, die Ware durch sein Territorium nach Norden zu befördern.

An zweiter Stelle kommt das Golfkartell, das seinen Sitz in Matamoros hat. Seit Hugo Garza im Gefängnis sitzt, regieren hier zwei Männer, Osiel Contreras und Efraim Herrera. Auch sie verhalten sich kooperativ und lassen Diegos Ware durch ihr Territorium passieren.

Nummer drei ist das Tijuana-Kartell, das Adán und sein Bruder Raúl als Stützpunkt benutzten, um dann die gesamte *Federación* zu übernehmen. Adáns Schwester Elena, die als einzige von seinen Geschwistern überlebt hat, versucht dort, die Kontrolle zu behalten, wird aber von ihrem früheren Verbündeten Teo Solorzano zunehmend an die Wand gedrückt.

Dann kommt das Sinaloa-Kartell, das in seiner Heimatprovinz basiert ist, der Wiege des mexikanischen Drogengeschäfts. Von dort aus hatte Tío die *Federación* aufgebaut, von dort aus hatte er das Land in Plazas aufgeteilt, die er verteilte wie Lehnsbezirke.

Gegenwärtig besteht das Sinaloa-Kartell aus drei Organisationen. Die eine vertreibt Kokain, Heroin und Marihuana und wird von Diego Tapia und seinen zwei Brüdern geführt, die andere hat sich auf Crystal Meth spezialisiert und gehört Nacho Esparza, der auf diese Weise zum »König des Meth« geworden ist.

Die dritte Organisation gehört Adán. Sie setzt sich aus alten Getreuen der *Federación* zusammen und wird bis zu seiner

Rückkehr von Diego und Nacho verwaltet. Adán selbst behauptet, er wolle nicht Boss des Sinaloa-Kartells werden, sondern bei seinen sinaloanischen Landsleuten nur Erster unter Gleichen.

Sinaloa ist das Herzland. Im schwarzen Lößboden von Sinaloa gediehen der Mohn und der Hanf, mit dem alles anfing, aus Sinaloa kamen die Männer, die das Geschäft aufgebaut haben.

Aber das Problem mit Sinaloa war nicht das, was es besaß, sondern das, was ihm fehlte.

Eine Grenze.

Die Provinz Sinaloa ist Hunderte Meilen von der Grenze entfernt, die Mexiko vom US-Markt trennt – und mit ihm verbindet. Es stimmt zwar: Beide Staaten sind zu Lande durch eine zweitausend Meilen lange Grenze verbunden, und die gesamte Länge bietet sich für den Drogenschmuggel an, aber Tatsache ist ebenso, dass einige wenige Meilen dieser Strecke ungleich wertvoller sind als alle anderen.

Fast die gesamte Grenze verläuft durch unwegsame Wüste, aber die wirklich kostbaren Grenzabschnitte sind die »Engstellen« – die Städte Tijuana, Ciudad Juárez, Nuevo Laredo und Matamoros. Und der Grund dafür ist nicht in Mexiko zu suchen, sondern in den USA.

Alles hängt an den Fernstraßen.

Tijuana grenzt an San Diego mit der Interstate 5, der nordsüdlichen Hauptarterie, die nach Los Angeles führt. In Los Angeles wird die Ware umgeschlagen – nach Norden oder in alle Gegenden der USA.

Ciudad Juárez grenzt an das mexikanische El Paso mit der Route 25, die zur Interstate 40 führt, der wichtigsten Ost-West-Verbindung im Süden der USA – und die bringt dem Juárez-Kartell wahre Geldströme.

Nuevo Laredo und Matamoros sind das Zwillingsjuwel des Golfkartells. Nuevo Laredo mit der texanischen Grenzstadt Laredo und, wichtiger noch, der nach Dallas führenden Interstate 35. Von Dallas aus kann die Ware schnell über den gesamten Mittelwesten verteilt werden. Matamoros hingegen bietet eine schnelle Verbindung über Route 77 zur Interstate 37, dann über die Interstate 10 nach Houston, New Orleans und weiter nach Florida. Matamoros liegt zudem an der Golfküste und bietet Seewege zu den US-Hafenstädten.

Aber der Lkw macht das Rennen.

Man kann die Ware durch die Wüste schleppen, zu Fuß, zu Pferd, mit Pkw oder Pick-up. Man kann sie auf Schiffe verladen, ganze Ladungen vakuumverpacktes Kokain oder Marihuana ins Meer werfen, wo sie von den amerikanischen Partnern aufgefischt werden.

Das alles sind lohnende Methoden.

Aber der Lkw stellt sie in den Schatten.

Seit 1994, der Unterzeichnung des amerikanischen Freihandelsabkommens NAFTA, passieren Zehntausende Lkws die Grenzstationen Tijuana, Juárez und Nuevo Laredo – und das täglich. Die meisten von ihnen befördern legale Güter.

Keine Grenze der Welt muss so viel Güterverkehr verkraften wie die mexikanische, und die Zöllner können unmöglich alle Fahrzeuge kontrollieren. Würden sie es versuchen, käme der Handel mit Mexiko praktisch zum Erliegen. Daher wird NAFTA oft auch als »Drogenfreihandelsabkommen« bezeichnet. Schafft es die Ware durch den Zoll, ist sie buchstäblich auf dem »Freeway« in die USA.

Die Interstate Freeways 5, 25 und 35 sind die Arterien des mexikanischen Drogengeschäfts.

Als Adán den gesamten Drogenhandel kontrollierte, war das nicht von Bedeutung – ihm gehörten die Grenzübergänge nach El Paso, Laredo und San Diego. Aber seit er entmachtet ist, müssen die Sinaloaner den Piso bezahlen – einen Wegzoll –, um ihre Ware dort über die Grenze zu bringen.

Fünf Prozent, das klingt nicht bedeutend, aber Adán sieht die Dinge mit den Augen eines Kaufmanns. Man zahlt das Nötige, um das Geschäft am Laufen zu halten, aber Prozente muss man meiden – sie zehren am Gewinn wie Parasiten.

Nicht nur, dass die Sinaloaner fünf Prozent ihres Umsatzes abgeben müssen, was allein schon Millionen von Dollars ausmacht, sie verlieren auch die fünf Prozent, die sie bei den anderen Organisationen kassiert haben, den Wegzoll, der ihnen zustand, als sie alle Grenzübergänge kontrollierten.

Da geht es schon um ganz andere Beträge.

Der Kokainmarkt in den USA allein bringt dreißig Milliarden – jährlich. Und 70 Prozent des Kokains laufen über Juárez und den Golf.

Das sind einundzwanzig Milliarden Dollar.

Mit anderen Worten: ein Piso von einer Milliarde Dollar.

Jahr für Jahr.

Man kann Multimillionär werden, sogar Milliardär, wenn man seine Ware über die Grenze bringt und den Piso zahlt. Viele Leute tun das, und sie leben nicht schlecht. Man kann aber noch viel reicher werden, wenn man eine Plaza kontrolliert und andere Schmuggler zur Kasse bittet, ohne die eigentliche Ware auch nur von weitem zu sehen. Die meisten Leute begreifen nicht, dass die größten Drogenbosse jahrelang oder ihr ganzes Geschäftsleben lang überhaupt nichts mit den Drogen zu tun haben.

Ihr Geschäft ist die Kontrolle der Warenströme.

Adán hatte das alles im Griff. Früher.

Er war der »Herr der Lüfte«.

Sein Arbeitstag im Puente Grande ist ausgefüllt bis an den Rand.

Tausend Kleinigkeiten muss er überschauen.

Die Schmuggelrouten von Kolumbien nach Mexiko müssen ständig erneuert werden, damit der Transport an die Nordgrenze und schließlich der Schmuggel in die USA möglichst reibungslos verläuft.

Dann ist der Geldverkehr zu regeln – all die Millionen, die aus den USA zurückfließen, in Form von Bargeld, das abgerechnet und gewaschen werden, auf ausländische Konten und

Investitionen umgeleitet werden muss. Gehälter, Schmiergelder und Provisionen müssen gezahlt, Ausrüstungen gekauft werden. Adáns Organisation beschäftigt Massen von Buchhaltern, die das Geld zählen und sich gegenseitig bewachen, Dutzende von Anwälten. Hunderte von Managern, Transporteuren, Sicherheitskräften, Polizisten, Militärs, Politikern. Adán hat einen verurteilten Bilanzfälscher angeheuert, der alle Geschäftszahlen digitalisiert, damit er seine Finanzen mit dem Computer kontrollieren kann, auf Laptops, die monatlich ausgetauscht und neu verschlüsselt werden. Er benutzt zig verschiedene Handys, die jeden Tag gewechselt werden, Diegos Vertraute unter den Wachen müssen ständig für Nachschub sorgen.

Los Bateadores – die Schlagmänner – haben die Kontrolle über Block 2. In den anderen Blocks von Puente Grande regiert das Chaos mit Bandengewalt, Raub und Vergewaltigung, aber Block 2 ist anders. Jeder weiß, dass dieser Teil des Gefängnisses vom Sinaloa-Kartell kontrolliert wird, damit Adán Barrera in Ruhe arbeiten kann, daher herrscht dort immer Ordnung.

Adán steht zeitig auf und setzt sich nach einem kurzen Frühstück an den Schreibtisch. Er arbeitet bis eins, gönnt sich einen erholsamen Imbiss, dann arbeitet er weiter bis fünf. Abends geht es meist ruhig zu. Sein Koch kommt jeden Tag, bereitet ihm die Mahlzeiten und wählt den passenden Wein aus. Dem Koch scheint der Wein sehr wichtig zu sein – Adán ist er egal.

Er ist kein Weinkenner.

An manchen Abenden verwandeln die *Bateadores* den Speisesaal in ein Kino mit allem Drum und Dran, einschließlich Popcorn-Automat, und Adán lädt Freunde ein, um mit ihnen einen Film zu sehen, Popcorn zu essen oder Stieleis zu lecken. Die Gäste nennen diese Kinoabende »Familienabende«, weil Adán jugendfreie Filme vorzieht – jede Menge Disney. Sex und Gewalt mag er nicht.

Andere Abende sind weniger erbaulich.

Ein Bodyguard durchstreift die Kneipen von Guadalajara und gabelt Frauen auf, dann wird der Speisesaal zum Bordell – mit reichlich Alkohol, Drogen und Viagra. Adán bezahlt alle »Gebühren«, nimmt aber nicht an diesen Abenden teil, sondern zieht sich in sein Refugium zurück.

Frauen interessieren ihn nicht.

Bis er Magda sieht.

Sinaloaner prahlen gern damit, dass ihre Bergprovinz zweierlei im Überfluss besitzt: Mohn und schöne Frauen.

Für Letzteres ist Magda Beltrán ein eindrucksvoller Beweis.

Neunundzwanzig Jahre alt, hochgewachsen, langbeinig, blauäugig – in Magda mischen sich mexikanische Vorfahren mit schweizerischen, deutschen und französischen Einwanderern, die sich im 19. Jahrhundert in Sinaloa niedergelassen haben.

Sieben Sinaloanerinnen haben bereits die mexikanischen Misswahlen gewonnen. Magda gehört nicht zu ihnen, aber sie war mal eine Miss Culiacán.

Seit ihrem sechsten Lebensjahr hat sie an Schönheitswettbewerben teilgenommen und die meisten gewonnen. Damit zog sie natürlich die Aufmerksamkeit von Agenten, Filmproduzenten und auch Narcos auf sich.

Magda weiß, wie das Leben spielt.

Ihr Onkel war Drogenschieber bei der alten *Federación*, zwei Cousins hatten als Sicarios für Miguel Ángel Barrera gearbeitet. Wer in Culiacán groß wird, kommt unweigerlich mit solchen Leuten in Berührung.

Sie war neunzehn, als sie begann, mit ihnen zu flirten.

Narcos umkreisen die lokalen Schönheitsköniginnen wie die Geier. Manche sponsern sogar eigene Wettbewerbe, *narcoconcursos de misses,* um Talente zu ködern. Als sich andere Veranstalter darüber mokierten, dass sich die Mädchen mit Narcos abgaben, meinte ein Witzbold: »Was ist dagegen zu sagen, dass schöne Mädchen das wichtigste Produkt des Landes repräsentieren?«

Es ist eine naturgegebene Kombination: Die Mädchen verkaufen ihre Schönheit, und die Narcos haben das Geld, um sie mit Gourmet-Dinners, Kleidern, Schmuck, Luxusreisen, Wellness-Resorts und Schönheits-OPs an sich zu fesseln …

Magda nahm alles mit.

Und warum nicht?

Sie war jung und schön, wollte Spaß, und Spaß in Culiacán hieß, dass man mit den *cachorros* abhing – den Kids der Drogenbarone –, denn die hatten die nötige Kohle.

Außerdem war es nie langweilig mit den Narcos.

Sie liebten Partys, Tanzen, Clubs, Musik.

Wer mit einem Narco aufkreuzte, musste nicht Schlange stehen. Für die Narcos und ihre Begleiterinnen hob sich das Absperrseil sofort, und sie wurden geradewegs in den VIP-Bereich geführt, wo Cristal und Dom Pérignon in Strömen flossen und der Chef sie persönlich begrüßte.

Manche Mädchen gerieten an ältere Narcos, die einen Narren an ihnen fraßen, aber Magda vermied diese Falle. Sie sah, was mit den Mädchen passierte: Ein fünfzigjähriger Drogenboss verliebte sich in sie, machte sie zu seiner Mätresse und hielt alle anderen Männer, besonders die jungen, attraktiven, von ihr fern. Manchmal veranstaltete er eine Scheinhochzeit (weil er eh schon mindestens einmal verheiratet war), und die Arme verdämmerte ihre Jugend in einem Luxusapartment, bis der Alte ins Gefängnis ging, umgelegt wurde oder er sie einfach satthatte.

Dann hatte sie das Geld, aber sie ärgerte sich schwarz.

Nicht so Magda.

Sie war neunzehn, als Emilio, ein aufstrebender Kokainschieber von dreiundzwanzig Jahren, sie bei einer Misswahl entdeckte, im Handstreich eroberte und flachlegte. Er war hübsch, witzig, großzügig und ein guter Liebhaber. Sie konnte sich vorstellen, ihn zu heiraten und seine Kinder zur Welt zu bringen, wenn das Geschäft mit der Schönheit vorbei war.

Magda war untröstlich, als Emilio ins Gefängnis musste, aber sie kämpfte gerade um den Titel der Miss Culiacán und gewann die Aufmerksamkeit von Héctor Salazar. Héctor, ein jüngerer Geschäftspartner ihres Onkels, schickte ihr einen Blumenstrauß in die Garderobe – zwölf Rosen mit einem Brillanten in jeder Blüte – und blieb diskret im Hintergrund, als sie gekrönt wurde. Dann fuhr er mit ihr nach Cabo.

Emilio war ein Kind, Héctor war ein Mann. Emilio dachte nur an Spaß und Spiel, Héctor dachte ans Geschäft. Emilio war ihre Jugendliebe, eine schöne Erinnerung, aber mit Héctor wurde alles anders: Zwei Erwachsene planten ihr Leben auf erwachsene Art.

Héctor war sehr traditionsbewusst. Kaum waren sie aus Cabo zurück, bat er Magdas Vater um ihre Hand. Sie steckten mitten in den Hochzeitsvorbereitungen, als ein anderer Narco, der ebenfalls ans Geschäft dachte, Héctor mit vier Kugeln niederstreckte.

Streng genommen war Magda keine Witwe, aber in gewisser Weise doch – zumindest wurde diese Rolle von ihr erwartet. Sie trauerte wirklich sehr, doch im Innersten ihres Herzens war sie auch ein wenig froh, dass sie nicht so jung schon verurteilt war, die treue Ehefrau und Mutter zu spielen.

Sie lernte auch, dass ihr Schwarz verdammt gut stand.

Jorge Estrada, einer von Héctors kolumbianischen Kokainlieferanten, nahm an der Beerdigung teil und erlebte sie als trauernde Witwe. Als respektvoller Mensch hielt er eine gewisse Anstandsfrist ein, bevor er ihr nähertrat.

Jorge entführte sie nach Cartagena, ins Sofitel Santa Clara. Obwohl er mit seinen siebenunddreißig Jahren noch älter als Héctor war, sah er mindestens genauso gut aus, und wo Héctor Geld hatte, hatte Jorge *richtiges* Geld, altes, ererbtes Vermögen. Er zeigte ihr seine Finca auf dem Land und seine Strandvilla in Costa Rica. Er zeigte ihr Paris, Rom, Genf, stellte sie Regisseuren, Künstlern, wichtigen Leuten vor.

Magda war nicht auf Geld aus.

Dass Jorge reich war, empfand sie als angenehme Zugabe. Ihre Mutter meinte – wie Generationen von Müttern vor ihr: »In einen reichen Mann verliebt man sich genauso leicht wie in einen armen.« Jorge machte ihr Geschenke – Reisen, Kleider, Schmuck (viel Schmuck) –, aber was er ihr nicht schenkte, war ein Ring.

Sie fragte nicht, sie drängte nicht, sie bohrte nicht, aber nach drei Jahren musste sie sich schon einmal fragen, woran es lag. Machte sie etwas falsch? War sie nicht schön genug? Kultiviert genug? Nicht gut genug im Bett?

Irgendwann lief es auf diese letzte Frage hinaus. Eines Nachts, in einem Standhotel in Panama, fragte sie ihn, wie es weitergehen solle mit ihnen. Sie wolle heiraten, sie wolle Kinder, und wenn er das nicht wolle, müsse sie sich anderweitig umtun. Nichts für ungut, es sei sehr schön mit ihm, aber sie müsse weiterkommen.

Jorge lächelte. »Aber wohin willst du, *carina*?«

»Zurück nach Culiacán, mir einen netten Mexikaner angeln.«

»Gibt es etwa solche Wesen?«

»Ich könnte jeden Mann haben«, sagte sie. »Das Problem ist, ich will nur dich.«

Er wolle sie auch, sagte er. Wolle sie heiraten, Kinder mit ihr haben. Nur … die Geschäfte seien in letzter Zeit nicht so gut gelaufen … mehrere Transporte seien geplatzt … Schulden seien zu zahlen … aber wenn diese kleinen Hindernisse beseitigt seien … hoffe er, sie zum Traualtar zu führen.

Es gebe da nur ein kleines Problem.

Eine Summe Bargeld in Mexico City. Er würde es selbst von dort abholen, doch im Moment sei das schwierig. Wenn sie fahren würde, vielleicht ihre Familie besuchen, Freunde treffen, und das Geld auf dem Rückflug mitnehmen …

Magda tat es.

Und sie wusste, was sie tat. Wusste, dass sie eine rote Linie überquerte, den entscheidenden Schritt von der Mitwisserin zu Mittäterin machte. Sie tat es trotzdem. Einerseits spürte

51

sie, dass er sie benutzte, andererseits wollte sie ihm vertrauen, und dann gab es da noch etwas in ihr, das …

… mitmachen *wollte*.

Warum auch nicht?

Magda war an der *pista secreta* aufgewachsen, der geheimen Schmuggelroute, hatte von Emilio gelernt, wie das Geschäft funktionierte, und noch mehr, auf einer vielen höheren Ebene, hatte sie durch das Zusammensein mit Jorge gelernt. Sie hatte Erfahrungen, hatte Verstand – warum sollte sie immer nur die Trophäe eines Narco sein?

Warum nicht selbst eine Narca werden?

Eine *Chingona*, eine Frau mit Macht und Einfluss?

Andere Frauen, wenn auch nur wenige, hatten das geschafft.

Als Magda in Mexico City zwei Koffer mit fünf Millionen Dollar vollpackte und zum Flughafen fuhr, hatte sie noch nicht entschieden, ob sie das Geld bei Jorge abliefern oder dazu verwenden würde, ein eigenes Geschäft aufzubauen. Sie hatte zwei Flugtickets. Eins nach Cartagena, das andere nach Culiacán, und sie wusste nicht, welches sie benutzen würde. Sollte sie nach Kolumbien fliegen, um zu sehen, ob Jorge sie heiratete, oder zurück nach Sinaloa, in den Schutz der heimatlichen Berge, wo Jorge nicht wagen würde, sein Geld zurückzufordern? (Sie würde einfach sagen, dass die Polizei das Geld beschlagnahmt hatte.)

Die Entscheidung wurde ihr abgenommen.

Die Federales verhafteten sie in dem Moment, als sie den Flughafen betrat.

Sie bestellten die Presse und machten eine große Story aus der Beschlagnahme von anderthalb Millionen Dollar und der Verhaftung einer »hochrangigen Geldwäscherin der kolumbianischen Kartelle«.

Für die Medien ein gefundenes Fressen.

Magdas Polizeifotos prangten auf allen Titelseiten und wurden in allen Nachrichtensendungen gezeigt, zusammen mit ihren Fotos als Schönheitskönigin. Moderatoren schüttelten bekümmert den Kopf und fanden es angeraten, andere junge Frauen vor den Verlockungen durch den »Glitzer und Glamour« der Narco-Welt zu warnen.

Sogar amerikanische Zeitungen griffen die Story auf: »Königin oder Waschfrau?«

Magda fand das nicht lustig, obwohl die Polizeiverhöre lachhaft waren. Die Federales erregten sich weniger darüber, dass sie versucht hatte, fünf Millionen Dollar zu schmuggeln, als darüber, dass sie es versucht hatte, ohne die Federales vorher zu bezahlen.

Sie gab zu, dass sie naiv gewesen war, dass sie es besser hätte wissen müssen. Beim nächsten Mal – wenn sie noch einmal die Chance bekäme – würde sie ganz bestimmt daran denken.

Das provozierte gleich die nächsten Fragen.

Hatte sie etwa noch mehr Geld?

Nein, hatte sie nicht.

Magda hatte ein paar tausend auf der Bank, etwas Schmuck am Leibe und etwas mehr Schmuck in einem Banksafe in Culiacán, aber das war es auch schon. Und verdienten sie nicht schon genug an ihr, indem sie dreieinhalb Millionen Dollar unterschlugen?

Nein, wie sich zeigte.

Sie zwangen sie, bei Jorge anzurufen, ob sich noch etwas Lösegeld beschaffen ließe, aber er nahm nicht ab und hatte angeblich eine ausgedehnte Südostasienreise angetreten.

So ein Pech, meinten die Federales.

Pech für die Federales, denn für sie gab es nichts mehr zu holen. Und Magda musste es ausbaden.

Sie wurde unter Anklage gestellt und verurteilt wegen Geldwäsche in wiederholten Fällen, wegen Komplizenschaft mit einem Drogenboss und wegen Drogenschmuggels.

Das Gericht verurteilte sie zu fünfzehn Jahren Haft im Hochsicherheitstrakt.

Als warnendes Beispiel für andere junge Frauen.

Die Aufnahmeprozedur bei der Einlieferung ins CEFERE-SO II verlief brutal.

Unter den fünfhundert Insassen des Gefängnisses gab es nur drei Frauen, schon deshalb war sie etwas Besonderes, von der (früheren) Schönheitskönigin ganz zu schweigen. Sie wurde entkleidet, mehrere Male »innerlich« nach Konterbande durchsucht, mit Desinfektionsmitteln geschrubbt, mit dem Schlauch abgespritzt. Sie wurde herumgestoßen, begrabscht, geschlagen, und immer wieder drohte man ihr mit den vielen Gruppenvergewaltigungen, die sie erwarteten – durch die Wachen und durch die Häftlinge. Als man sie in einen Trainingsanzug steckte und ins COC schleppte, das Beobachtungs- und Evaluierungszentrum, war sie fast bewusstlos vor Schock und Erniedrigung.

Die Häftlinge brüllten ihr »Komplimente« und Drohungen nach, als die Wachen sie vorbeiführten.

Auch Adán bekam sie zu Gesicht.

»Wer ist das?«, fragt er Francisco, den Anführer der *Bateadores,* der auch sein persönlicher Bodyguard ist.

»Die war mal Miss Culiacán. Vor ein paar Jahren.«

Im Moment sieht sie nicht wie eine Schönheitskönigin aus. Ohne Make-up, verschwitztes, strähniges Haar, die Figur versteckt unter einem unförmigen Trainingsanzug, tappt sie in Fußfesseln durch den Korridor.

Aber Adán sieht ihre Augen.

Blau wie die Bergseen von Sinaloa.

Und der klassische Gesichtsschnitt.

»Wie heißt sie?«, fragt Adán.

»Irgendwas mit Magda«, antwortet Francisco. »Nachnamen hab ich vergessen.«

»Krieg alles über sie raus«, sagt Adán, »und gib mir heute Abend Bescheid. Bis dahin sorge dafür, dass sie eine Decke bekommt und einen Arzt. Ich meine nicht diese Gefängnisschlächter – einen richtigen Arzt.«

»*Sí, patrón.*«

»Und keiner fasst sie an«, sagt er.

Die Nachricht macht die Runde und verbreitet große Enttäuschung, einige haben sich schon bis aufs Messer gestritten, wer sie zuerst in die Finger bekommt. Doch jetzt heißt es: Jeder Körperteil, der sie berührt, wird abgehackt. Fasst du sie an, verlierst du die Hand. Vergewaltigst du sie, verlierst du deinen Schwanz.

Magda gehört jetzt dem *patrón*.

Alle wissen es – bis auf Magda.

Als ihr die Decke gebracht wird, von einem Wachmann, der schon nervös wird, wenn er in ihre Nähe kommt, glaubt sie, das sei normal. Auch als eine respektvolle Ärztin ihr anbietet, sie zu untersuchen. Die Ärztin gibt ihr ein mildes Beruhigungsmittel, damit sie schlafen kann, und sagt ihr, sie werde wiederkommen, um nach ihr zu sehen.

Anfangs hat Magda Angst, einzuschlafen, wegen der angedrohten Vergewaltigungen, aber dann wirkt das Mittel, und vor ihrer Zelle hat sich ein Wachmann postiert, der ihr den Rücken zukehrt und es nicht wagt, sie anzublicken.

Sie beginnt zu ahnen, dass sie eine Art Vorzugsbehandlung genießt, als das Frühstück – Rührei, Toast und Kaffee – auf einem Tablett serviert wird und tatsächlich genießbar ist, aber sie schiebt es auf ihren Bekanntheitsgrad.

Zwei Tage später kommt ein Wachmann mit neuer und ganz ordentlicher Garderobe – zwei Kleidern, ein paar Blusen und Röcken, mehreren Hosen, einem netten Pullover –, alles mit Etiketten schicker Modegeschäfte. Magda fragt den Wachmann, wer ihr die Sachen geschickt hat, und bekommt ein Schulterzucken als Antwort. Alles hat die passende Größe, und Magda fragt sich, ob ihre Familie sie versorgt oder gar Jorge.

Von ihm hat sie nichts mehr gehört, auch nicht von ihrer Familie, aber der Gefängnispsychiater hat ihr erklärt, dass sie während des Aufenthalts im COC Kontaktverbot hat, vielleicht also warten schon Anrufe oder Nachrichten auf sie.

In den neuen Sachen fühlt sie sich schon ein bisschen besser, aber den Horror, an diesem Ort festgehalten zu werden, dazu noch fünfzehn Jahre, wird sie nicht los. Das sagt sie auch bei ihrer ersten Evaluation durch den Gefängnispsychiater, der darauf besteht, dass die Tür während der Befragung geöffnet bleibt, und der hinter seinem Schreibtisch sitzen bleibt, als hätte er Angst vor ihr.

Ihre Gefühle seien ganz normal, erklärt er ihr, sie werde sich eingewöhnen, wenn sie erst aus dem COC herauskomme und sich in die Allgemeinheit eingliedere. Aber Magda kann sich nicht vorstellen, wie das gehen soll in einem Gefängnis mit Hunderten Männern, und sie fragt sich, ob sie mit den zwei anderen Frauen in eine Zelle kommt und ob sie sich mit ihnen vertragen wird oder nicht.

Am nächsten Tag kommen die Kosmetika.

Teures Make-up, genau ihre Marken, dazu ein kleiner Klappspiegel. Und auf dem Boden der Schachtel findet sie einen Zettel – »Mit besten Empfehlungen von einem Sinaloaner«.

So viel zu Jorge.

Aber wer könnte das sein?

Magda ist nicht auf den Kopf gefallen.

Sie kennt die Welt der Narcos und ihre berühmten Figuren. Es gibt Dutzende Sinaloaner in Puente Grande, aber nur wenige mit solchen Privilegien. Und natürlich weiß sie, dass der Sinaloaner Adán Barrera, der frühere »Herr der Lüfte«, ebenfalls hier einsitzt.

Könnte es sein?

Bilde dir bloß nichts ein, denkt sie und studiert sich im Spiegel, während sie ihr Make-up aufträgt – nie hat ihr diese einfache Verrichtung solchen Spaß gemacht. Ein Adán Barrera kann sich die schönsten Frauen der Welt kommen lassen, wenn es ihm gefällt.

Was will er dann mit ihr?

Sie ist zwar noch schön, aber sie geht auf die dreißig zu. In Sinaloa gelten Frauen ihres Alters als alte Schachteln.

Aber drei Tage später wird ihr am Nachmittag eine Flasche guter Merlot mit einem Weinglas und einem Korkenzieher gebracht, dazu eine weitere Nachricht: »Ein paar Freunde und ich treffen sich zu einem ›Kinoabend‹. Ich würde mich freuen, wenn Sie als mein Gast daran teilnehmen könnten. Adán Barrera.«

Da muss Magda lachen.

Im brutalsten Gefängnis der westlichen Welt wirbt der Mann um sie wie ein Pennäler.

Und bittet sie um ein Date.

Einen »Kinoabend«.

Sie lacht noch mehr, als sie merkt, was ihr erster Gedanke ist: *O Gott, was soll ich anziehen?*

Der Wachmann steht da und wartet auf Antwort.

Magda zögert. Ist das vielleicht eine Falle? Die Einladung zu einer Gruppenvergewaltigung?

Wenn, dann ist es eben so, entscheidet sie. Sie muss das Risiko eingehen, denn als »normale« Insassin wird sie diese fünfzehn Jahre nicht überleben.

»Sagen Sie ihm, ich komme gern.«

Was ihr zuerst auffällt, ist seine Schüchternheit.

Für einen Drogengangster ist das nicht unbedingt normal.

Seine ganze Erscheinung ist zurückhaltend, von der Stimme bis zur Kleidung – heute Abend ein schwarzer Anzug von Hugo Boss mit weißem Hemd.

Adán ist ein bisschen kleiner als sie und hat angegraute Schläfen. Er lächelt verlegen und blickt zu Boden, als er ihr die Hand schüttelt und sagt: »Ich freue mich, dass Sie gekommen sind. Mein Name ist Adán Barrera.«

»Jeder weiß, wer Sie sind«, antwortet sie. »Ich bin Magda Beltrán.«

»Jeder weiß, wer *Sie* sind.«

Er blickt auf die Weinflasche und das Glas in ihrer linken Hand. »Mögen Sie den Wein nicht? Das tut mir leid.«

»Nein«, sagt Magda. »Ich wollte nicht damit allein bleiben. Ich finde es schöner, wenn wir ihn zusammen trinken.«

Sie trägt das blaue Kleid, das er ihr geschickt hat. Erst hatte sie Pullover und Hose als angemessen für einen »Kinoabend« erachtet, dann dachte sie sich, dass er die Kleider nicht umsonst geschickt hatte, und wollte ihn nicht enttäuschen.

Adán führt sie in den Speisesaal, wo fünf Reihen aus Klappstühlen vor einem großen Bildschirm aufgestellt sind. Die Plätze der ersten Reihe sind leer, die hinteren Reihen füllen sich mit Häftlingen, die sie neugierig betrachten, aber es vermeiden, sie anzuglotzen. Andere Häftlinge stehen an der Tür des Speisesaals, offensichtlich als Wachen.

Adán zieht ihr einen Stuhl heran, sie setzt sich, und er setzt sich neben sie. »Ich hoffe, Sie mögen *Miss Undercover*. Sandra Bullock?«

»Ja, die mag ich«, sagt Magda. »Es geht um eine Misswahl, oder?«

»Ich dachte, das könnte Sie interessieren.«

»Sehr aufmerksam von Ihnen.«

»Möchten Sie etwas zum Knabbern? Popcorn?«

»Popcorn mit Rotwein? Na, warum nicht?«

Adán nickt einem Häftling zu, der zum Popcorn-Automaten eilt und mit zwei Pappeimern zurückkommt. Ein anderer überreicht Adán einen Korkenzieher und ein zweites Glas. Adán öffnet die Flasche und schenkt ein.

»Ich bin kein Weinkenner«, sagt er. »Die Sorte soll gut sein.«

Sie schwenkt das Glas und schnuppert. »Stimmt.«

»Da bin ich froh.«

»Darf ich Ihnen für die Kleider danken?«, fragt sie. »Für die Kosmetik?«

Mit leichtem Nicken quittiert Adán den Dank.

»Und für meine Sicherheit?«, fragt sie.

Er nickt ein weiteres Mal. »Niemand hier wird Sie anrühren, außer Sie wollen es.«

Schließt das auch ihn ein?, fragt sie sich.

»Für Ihren Schutz bin ich Ihnen sehr dankbar«, sagt Magda. »Aber darf ich nach dem Grund Ihrer Großzügigkeit fragen?«

»Wir Sinaloaner müssen zusammenhalten«, antwortet er. Er nickt einem Häftling zu, und der Film beginnt.

In dieser Nacht geht sie nicht mit ihm ins Bett.

Auch in der nächsten und übernächsten nicht.

Aber sie weiß, dass es darauf hinausläuft. Sie braucht und will seinen Schutz, sie braucht und will die Dinge, die er ihr geben kann. Das ist hier nicht anders als draußen in der Freiheit. Anders nur insofern, als sie gar keine andere Wahl hat.

Magda will und braucht Zuneigung, Zweisamkeit und – gib's nur zu, sagt sie sich – Sex. Er wird niemals einen anderen an sie heranlassen. Das wäre nicht nur eine Enttäuschung für ihn, sondern eine Demütigung. Und ein Mann in der Position von Adán Barrera kann eine Demütigung nicht dulden. Sie hätte fatale Folgen für ihn, im wahrsten Sinne des Wortes. Nur Schwächlinge lassen sich demütigen. Und wer schwach ist, macht sich angreifbar.

Also, wenn sie einen Mann will, muss es Adán sein.

Und warum nicht?

Klar, er ist ein ganzes Stück älter und nicht hübsch wie Emilio oder stattlich wie Jorge, aber doch irgendwie gutaussehend und kein bisschen abstoßend wie manche ältere Drogenbosse, die sie gesehen hat. Er ist freundlich, höflich, rücksichtsvoll. Zieht sich gut an, ist smart und redegewandt.

Und sagenhaft reich.

Er sichert ihr Vergünstigungen, von denen sie anderenfalls nicht einmal träumen könnte. Er bietet ihr Schutz, Privilegien und all die »kleinen« Dinge, die das Leben in diesem Höllenloch gerade so erträglich machen.

Ohne ihn würde sie das alles verlieren – und, was wichtiger

ist, auch seinen Schutz. Wenn er sie fallenlässt, folgen die sexuellen Übergriffe auf dem Fuße. Sie wird zum Freiwild – erst für die Wachmänner, dann für die Häftlinge.

An den anderen beiden Frauen kann sie es beobachten.

Sie prostituieren sich für Essen, Alkohol und Drogen. Besonders Drogen. Die eine dämmert nur vor sich hin, die andere – eindeutig psychotisch – hockt nackt in ihrer Zelle und zeigt jedem, der vorbeikommt, ihre Genitalien.

Magda weiß also, dass es nicht lange dauern wird, bis sie Adán in die Arme sinkt. Alles ist besser als eine Vergewaltigung, sagt sie sich, aber sie ist klug genug, zu wissen, dass er sie in der Hand hat und sie die Unterlegene ist.

Adán hat die Macht, sie sich zu nehmen.

Das wissen sie beide, aber sie sprechen es nicht aus, und er setzt sie nicht unter Druck. Allzu lange darf er aber nicht warten, sonst macht er sich zum Gespött. Das ganze Gefängnis wird über ihn tuscheln und lachen, wenn er sich als liebeskranker *patrón* von ihr zum Narren halten lässt.

Wenn das passiert, muss sie damit rechnen, dass man ihr die Kehle aufschlitzt und sie buchstäblich den Hunden zum Fraß vorwirft.

Er wäre gezwungen, so etwas zu tun, um seine Ehre wiederherzustellen.

Magda hat die Geschichten über die Frau gehört, die Adáns Onkel betrog und dafür geköpft wurde und deren Kinder von einer Brücke in die Tiefe gestürzt wurden. Das hat Adán getan, dieser höfliche, schüchterne Gentleman. Er hat zwei kleine Kinder von einer Brücke geworfen.

So in etwa sagt man jedenfalls.

Als er sie nach vier »Dates« zum Essen in seine Zelle einlädt, wissen beide, dass der Abend in seinem Bett enden wird.

Adán sitzt ihr gegenüber und schaut sie erwartungsvoll an.

»Schmeckt dir das Essen?«, fragt er.

»Ja, wunderbar.«

Das sollte es auch, denkt er. Der Schwertfisch, auf Eis gelagert, ist eigens aus Acapulco eingeflogen worden. Der Wein dürfte ihren Beifall finden. Inzwischen weiß er alles über sie, über ihre Herkunft, ihre verspielte Affäre mit einem jungen Kokainschieber, aber wichtiger für ihn ist ihre Beziehung mit Jorge Estrada.

Der Kolumbianer hat die Dummheit begangen, Magda mit zwei großen Geldkoffern zum Flughafen von Mexico City zu schicken, ohne Nacho Esparza einen kleinen Piso zu zahlen. Ein kurzes Treffen hätte genügt, eine bescheidene Summe, und Nacho hätte ihm großzügig gestattet, sein Territorium zu nutzen.

Aber Estrada war dafür zu arrogant oder zu geizig, und deshalb ist Magda im Gefängnis gelandet. Schlimmer noch, Estrada hat gewusst, dass es in Mexico City Ärger geben würde. Deshalb hatte er Magda losgeschickt, statt selbst zu fahren. Jetzt ist es zu spät. Für eine schnelle, lautlose Bereinigung des Falls ist Magdas Bekanntheitsgrad zu hoch, das haben sie beide miteinander gemein.

Magda starrt ihn an.

»Entschuldige«, sagt er. »Geschäftliche Überlegungen.«

»Langweile ich dich schon?«, fragt sie mit dem eingeübten Schmollen einer Misswahl-Siegerin.

»Überhaupt nicht.«

»Wenn es etwas gibt, was du mir sagen willst …« Sie streckt den Arm über den Tisch und berührt seine Hand.

Eine intime Geste.

»Adán, ich will nicht länger warten.«

Sie steht auf und geht zu dem abgeteilten Bereich, der sein Schlafzimmer ist. Noch im Gehen beginnt sie, ihren Reißverschluss zu öffnen, dann hält sie inne und fragt, über die Schulter blickend, damit ihr schlanker Hals zur Geltung kommt: »Hilfst du mir?«

Er soll sie auspacken wie ein Geschenk.

Adán tritt hinter sie und zieht den Reißverschluss zwischen

ihren Schulterblättern nach unten. Dann beugt er sich vor und küsst ihren Hals.

»Wenn du das machst«, sagt Magda, »kann ich dich nicht mehr stoppen.«

Er küsst sie weiter, schiebt ihr das Oberteil von den Schultern und umfasst ihre Brüste. Dann streift er ihr das Kleid von den Hüften.

Sie steigt aus dem Kleid und wendet sich zu ihm um.

»Gleiches mit Gleichem vergelten ist nur fair«, sagt sie und öffnet ihm den Hosenstall. »Was hast du gern?«

»Alles.«

»Das ist gut«, sagt Magda. »Weil ich *alles* mache.«

Mit Emilio war die Liebe wild und leidenschaftlich gewesen. Einfach und direkt.

Bei Jorge war es raffinierter zugegangen, er brachte ihr Dinge bei, die er mochte und die jeder Mann mag.

Jetzt setzt sie alles ein, was sie gelernt hat, weil das hier kein One-Night-Stand bleiben darf. Es darf nicht passieren, dass Adán genug von ihr hat und sie ins Haifischbecken zurückstößt. Sie muss ihm zeigen, dass sie seine geheimsten Wünsche erfüllen kann, mit ihren Fingern, ihrer Zunge, ihrer *chocha*. Dass er bei ihr bekommt, was keine andere Frau zu bieten hat. Aber es zeigt sich schnell, dass auch er seine Lektion gelernt hat. Adán weiß, wonach der Körper einer Frau verlangt, und er ist kein Egoist. Magda spürt mit Staunen, wie sich der Orgasmus in ihr aufbaut, und sie staunt noch mehr, als die Woge überkippt und sie ins Nirwana schickt, aber am meisten staunt sie, dass er danach immer noch hart ist.

Weil sie ihn so überrascht ansieht, sagt er: »Ich habe gelernt: Ladies first.«

Da ist so ein überlegenes Glitzern in seinen Augen, das sie dazu reizt, es mit ihm aufzunehmen. Und sie tut etwas, was sie sich für später aufheben wollte. Beobachtet, wie sich seine Augen weiten, wie sein Atem hastig wird, hört ihn stöhnen (jetzt bist du nicht mehr abgelenkt, oder?), hält ihn einen

Moment an dem Punkt fest, reckt den Hals zu ihm hoch und flüstert ihm ins Ohr: »Sag meinen Namen.«

Er tut es nicht.

Sie hört auf mit dem, was sie macht, und spürt sein Zittern.

»Sag meinen Namen.«

»Magda.«

Langsam setzt sie die Bewegung fort. »Sag ihn noch mal.«

»Magda.«

»Schrei ihn.«

»Magda!«

Sie spürt, wie er in ihr kommt.

Es fühlt sich an wie eine Lebensversicherung.

Seitdem leben sie zusammen, so gut es eben geht.

Magda wurde zwar von der COC in den Trakt mit den beiden anderen Frauen verlegt, aber praktisch zieht sie in Adáns Nachbarzelle und verbringt die meisten Nächte mit ihm.

Er steht früh auf und arbeitet, bis sie ihn zum Frühstück ruft. Sie geht zurück in ihre Zelle, um zu lesen oder zu trainieren, dann essen sie zusammen. Er macht sich wieder an die Arbeit, sie liest oder sieht fern, bis es Zeit fürs gemeinsame Abendessen ist.

An manchen Nachmittagen gehen sie für eine oder zwei Stunden auf den Hof und nehmen an den Volleyballspielen der anderen Häftlinge teil, spielen Basketball oder setzen sich einfach in die Sonne. An den Abenden sehen sie fern oder veranstalten Kino, doch immer öfter will er einfach nur früh ins Bett.

Er ist von ihr besessen.

Lucia war hübsch auf ihre zierliche Weise, aber Magdas Körper ist üppig – volle Hüften, schwere Brüste –, ein Obstgarten an einem warmen, feuchten Sommermorgen.

Und sie ist nicht auf den Kopf gefallen.

Nach und nach beweist sie ihm, dass sie etwas vom Drogengeschäft versteht. Sie streut Informationen über den Kokainhandel ein, wirft mit Namen um sich – von Freunden,

Bekannten, Geschäftsbeziehungen –, wie nebenbei erwähnt sie Orte, die sie von ihren Reisen kennt – in Südamerika, Europa, Asien, den USA –, um zu zeigen, dass sie eine stolze Sinaloanerin, aber alles andere als eine Hinterwäldlerin ist.

Dass sie ihm etwas zu bieten hat, und das nicht nur im Bett.

Adán zweifelt nicht daran.

Aber das ist keine Frage des Zweifels, sondern des Vertrauens.

Magda sieht die Messerklinge.

Ein Glitzern in der Sonne.

»Adán!«, schreit sie.

Er dreht sich um, als der kleine, schmächtige Mann, vielleicht Mitte dreißig – auf ihn zukommt, das Messer waagerecht über der Hüfte, in Profimanier. Der Mann stößt zu, erwischt Adán in der Drehung und verletzt ihn am Rücken. Der Mann will ein zweites Mal zustoßen, doch zwei *Bateadores* haben ihn schon gepackt, drehen ihm die Arme nach hinten und schleppen ihn vom Volleyballfeld herunter.

»Lebend!«, brüllt Adán. »Ich will ihn lebend!«

Er greift nach hinten und spürt das heiße, klebrige Blut an den Fingern. Francisco hält ihn fest, Magda fängt ihn auf, dann wird es dunkel um ihn.

Der Attentäter weiß nicht, wer ihn angeheuert hat.

Adán glaubt ihm, er hat nichts anderes erwartet. Juan Jesús Cabray ist geschickt mit dem Messer, er ist zu zweimal sechzig Jahren verurteilt, weil er zwei Rivalen in einer Bar in Nogales mit je einem Dolchstich ins Jenseits befördert hat. Früher hat er mal ein paar Jobs für das Sonora-Kartell erledigt, aber das spielt jetzt keine Rolle. Jetzt ist er im Keller an einen Pfeiler gefesselt, während Diego den Baseballschläger in den Händen wiegt.

»Wer hat dich angeheuert?«

Cabray lässt den Kopf hängen wie eine kaputte Marionette, aber er kann ihn noch schütteln. »Ich weiß nicht«, murmelt er.

Adán sitzt unbequem auf einem dreibeinigen Hocker. Die Naht mit den sieben Stichen juckt eher, als dass sie weh tut, aber seine Hüfte beginnt zu schmerzen. Wer immer Cabray anheuerte, hat eine ganze Kette von Mittelsmännern benutzt, um an ihn heranzutreten. Und sie haben sich einen Mann gesucht, der nichts zu verlieren hatte. Aber was konnte er gewinnen? Dass seine verarmte Familie in Durango ein Bündel Scheine zugesteckt bekam – Geld, das er nicht mehr schicken konnte. Also würde er sein Schweigen wahren und die einzige Kraftquelle nutzen, die Gott dem mexikanischen Campesino vergönnt hat – seine Leidensfähigkeit. Diego könnte diesen Mann totschlagen, aber es würde nichts bringen.

»Stopp!« Adán schiebt seinen Hocker näher heran und sagt mit sanfter Stimme: »Juan Cabray, du weißt, dass du sterben wirst. Und du wirst glücklich sterben, im Gedanken an das Geld, das deine Frau und deine Familie bekommt. Das ist eine gute Sache, und du bist ein tapferer Mann. Aber du weißt ja … Juan, sieh mich an …«

Cabray hebt den Kopf.

»… Du weißt ja, dass ich für deine Familie sorge, wo immer sie lebt«, sagt Adán. »Hör mir zu, Juan Jesús Cabray. Ich kaufe deiner Frau ein Haus, ich besorge ihr einen angenehmen Job, ich schicke deinen Sohn auf die Schule. Lebt deine Mutter noch?«

»Ja.«

»Ich sorge dafür, dass sie im Winter nicht friert«, sagt Adán. »Und dass du ein Begräbnis bekommst, auf das sie stolz sein kann. Die Frage ist also nur: Nehme ich deine Familie unter meine Fittiche, mache sie zu *meiner* Familie, oder lösche ich sie aus. Du hast die Wahl.«

»Ich weiß nicht, wer der Auftraggeber ist, *patrón.*«

»Aber jemand hat dich angesprochen«, sagt Adán.

»Ja.«

»Wer?«

»Ein Wachmann«, sagt Cabray. »Navarro.«

Zwei *Bateadores* laufen los.

»Was hat er dir geboten?«

»Dreißigtausend.«

Adán rückt noch näher an Cabray heran und flüstert ihm ins Ohr: »Juan Jesús, vertraust du mir?«

»*Si, patrón.*«

»Spar uns die Zeit«, sagt Adán. »Sag uns, wo wir deine Familie finden.«

Cabray flüstert ihm zu, dass sie in Los Elijos lebt, in einem Dorf in Durango. Seine Frau heißt María, seine Mutter heißt Guadelupe.

»Vater?«, fragt Adán.

»Tot.«

»Er erwartet dich im Himmel«, sagt Adán. Er hält sich die schmerzende Seite, als er aufsteht und zu Diego sagt: »Mach's kurz.«

Während er hinausgeht, spricht Cabray sein letztes Gebet.

Vom Flur aus hört Adán den *tiro de gracia,* den Gnadenschuss.

»Wer war's?«, fragt Adán.

Er hat es sich mit Diego in der Zelle bequem gemacht und nippt an einem Glas Scotch, um die Schmerzen zu betäuben.

Diego blickt zögernd zu Magda hinüber, die auf dem Bett sitzt.

»Sie kann alles hören«, sagt Adán. »Schließlich hat *sie* mir das Leben gerettet, nicht deine Leute.«

Diego wird rot, aber diese Wahrheit muss er schlucken. Die Männer, die für Adáns Sicherheit verantwortlich waren, wurden in Block 4 verlegt, den schlimmsten Trakt des Gefängnisses, wo die Kinderschänder, Gefängnismörder und Verrückten hinkommen. Dort gibt es keine Kinoabende, keine Frauen, keine Partys. Dort schlägt man sich und tötet man für einen Kanten Brot.

In ein paar Tagen schon wird Adán neue Aufpasser haben.

Sie sind Freiwillige, Männer, die sich absichtlich zu Gefängnisstrafen verurteilen lassen, damit sie in ein paar Jahren die Chance bekommen, Drogenhändler zu werden und Summen zu verdienen, von denen andere nur träumen können.

Der Wachmann Navarro ist sofort geflohen, als er von dem gescheiterten Anschlag hörte, doch man ist ihm schon auf den Fersen. Der Gefängnisdirektor hat sich ohne Unterlass entschuldigt, eine strenge Untersuchung und verschärfte Sicherheitsvorkehrungen versprochen. Adán starrte ihn einfach nur an. Er wird seine eigenen Ermittlungen anstellen und selbst für seine Sicherheit sorgen. Schon jetzt stehen fünf *Bateadores* vor seiner Tür.

»Wenn es nun Fuentes war?«, sagt Diego und meint damit den Boss des Juárez-Kartells.

»Juárez ist seit jeher mit Sinaloa verbunden, und Vicente Fuentes könnte befürchten, dass ich meine alte Plaza zurückhaben möchte.«

Aber Adán hat vorgesorgt. Er hat Nacho Esparza gebeten, Fuentes die gleiche Botschaft zu überbringen: Adán Barrera will nichts von ihm, er will nur in Ruhe seine Geschäfte machen auf seinem eigenen Territorium.

Der Mordanschlag könnte auch von Tijuana aus gekommen sein, überlegt Adán. Teo Solorzano hat während meiner Abwesenheit eine Revolte gegen meine Schwester angezettelt und dürfte, seit ich zurück bin, Angst vor den Konsequenzen haben. Vielleicht war die Messerattacke sein Präventivschlag.

»Und was ist mit Contreras?«, fragt Magda.

»Contreras hat keinen Grund, mich umzubringen«, sagt Adán. »Contreras hat nur Vorteile davon, dass Garza im Gefängnis sitzt. Jetzt ist er der Ko-Boss des Golfkartells und macht das große Geld. Das hat er mir zu verdanken.«

Und ich habe Diego persönlich zu ihm geschickt, um ihm zu versichern, dass ich ihm die Golfregion nicht streitig mache und auch keine Ambitionen auf meinen alten Thron habe.

Aber Contreras hat eigene Ambitionen, denkt Adán.

In Frage kommen alle drei, und von Navarro werden wir es nicht erfahren, denn wenn einer von ihnen den Mordauftrag erteilt hat, ist Navarro wahrscheinlich schon tot.

Adán wirft Diego ein Lächeln zu: »Mal sehen, wer sich als Erster meldet.«

Diego lächelt zurück. Alle drei werden einen Unterhändler schicken und ihre Unschuld beteuern. Wer zuerst kommt, hat die schwächsten Nerven, und das aus gutem Grund. Hätte der Betreffende sein Ziel erreicht und Adán getötet, wäre er jetzt schon in Verhandlungen mit Diego Tapia und Esparza.

Aber da er es verpfuscht hat, herrscht jetzt Krieg.

Kein guter Zustand.

»Dieses Dorf von Cabray …«, sagt Diego, »ich schicke Bulldozer und lasse es plattmachen.«

»Nein!«, sagt Adán. »Ich habe dem Mann mein Wort gegeben.« Such die Familie, befiehlt ihm Adán, und liefere ihnen genau das, was ich versprochen habe. Setz eine Schule in das Dorf oder eine Klinik oder einen Brunnen oder was immer und stell sicher, dass sie wissen, von wem es kommt.

Als Diego gegangen ist, sagt Magda, die in der mexikanischen *Vogue* blättert: »Vielleicht musst du gar nicht so weit suchen.«

»Wie meinst du das?«

»Nach den Leuten, die dich umbringen wollten«, sagt sie. »Vielleicht liegt die Lösung viel näher. Wer sollte dich beschützen?«, fragt sie. »Und wer hat versagt?«

Adán schüttelt den Kopf, die Andeutung macht ihn wütend. »Diego ist mein Cousin. Wir sind uns so nahe wie Brüder.«

»Frag dich doch einfach, wer am meisten von deinem Tod profitieren würde. Diego und Nacho Esparza haben jetzt ihre eigenen Organisationen, sie haben sich an ihre Machtstellung gewöhnt. Hat Nacho Esparza dich schon besucht?«

»Das wäre zu riskant für ihn.«

»Diego ist aber gekommen.«

»Ja, Diego«, sagt Adán. »Der pfeift auf die Gefahr.«

»Oder auf dich.«

Nein, nicht Diego, überlegt Adán. Die anderen vielleicht, aber auch das bezweifelt er. Esparza war ein enger Freund und Berater seines Onkels. Auch ihn, Adán, hat er immer gut beraten. Er ist verheiratet mit der Schwester des Schwagers meiner Schwester. Er gehört zur Familie.

Kein Grund zum Misstrauen. Oder?

Und Diego?

Niemals.

»Ich verwette meinen Kopf auf Diego«, sagt er verzweifelt.

Magda zuckt die Schulter. »Das tust du allerdings.«

Er setzt sich zu ihr aufs Bett.

»Wenn sie es einmal versucht haben«, sagt sie, »versuchen sie es wieder.«

»Ich weiß.« Und eines Tages, denkt er, werden sie es schaffen. In diesem Gefängnis bin ich ein unbewegliches Ziel. Wenn einer alles daransetzt, bin ich ein toter Mann. Aber das sind müßige Überlegungen. »Heute hast *du* mein Leben gerettet.«

Sie blättert um und sagt: »Nicht der Rede wert.«

Adán lacht. »Was wünschst du dir dafür?«

Endlich schaut Magda von ihrem Magazin auf. »Du hast mir schon viele Male das Leben gerettet.«

»Weihnachten steht vor der Tür«, sagt Adán.

»Wie es aussieht«, seufzt sie, »wird es eine Gefängnisweihnacht.«

»Wir machen das Beste draus«, verspricht er.

Wenn wir dann noch am Leben sind.

Matamoros, Tamaulipas
November 2004

Heriberto Ochoa sitzt in der dritten Reihe der Kirche. Er verfolgt, wie Efraim Herrera das kleine Mädchen über das Taufbecken hält und der Priester die Zeremonie vollzieht. Wie es die Tradition verlangt, sind Täufling und Pate in Weiß gekleidet, und Herreras klobige Gestalt erinnert Ochoa an einen alten Kühlschrank.

Die Kirche ist rappelvoll, wie es sich gehört, wenn ein so mächtiger Drogenboss wie Osiel Contreras seine Tochter taufen lässt. Er steht an der Seite und strahlt vor Vaterstolz. Ochoa erinnert sich, wie er Osiel Contreras vor etwas mehr als einem Jahr kennengelernt hat. Damals war Ochoa Offizier bei der mexikanischen Eliteeinheit der Luftwaffe, und Contreras war gerade zum Boss des Golfkartells aufgestiegen, nachdem Hugo Garza verhaftet und ausgeliefert worden war. Sie trafen sich auf einer Finca beim Grillen, und Osiel Contreras erwähnte bei dieser Gelegenheit, dass er Schutz brauche.

»Welche Art von Schutz?«, fragte Ochoa. Er nahm einen Schluck von seinem Bier. Es war kalt und herb.

»Den besten«, antwortete Contreras. »Ich nehme immer nur das Beste.«

»Die besten Leute finden Sie in der Armee«, sagte Ochoa.

Es war keine Prahlerei, sondern eine schlichte Tatsache. Ganoven und Tagediebe findet man an jeder Ecke. Wer Spitzenkräfte braucht, muss zu einer Eliteeinheit gehen. Und Ochoa gehörte dazu. Er hatte eine Ausbildung bei den amerikanischen und israelischen Special Forces durchlaufen.

Das Beste vom Besten.

»Was verdienen Sie so?«, fragte Contreras. Als er die Antwort hörte, sagte er: »Da verdienen meine Hühner besser.«

»Und? Kriegen Sie Schutz von Ihren Hühnern?«

Contreras lachte.

Ochoa desertierte aus der Armee und heuerte beim Golfkartell an. Sein erster Job bestand darin, weitere Elitesöldner zu rekrutieren.

Bei der mexikanischen Armee war Desertion ohnehin an der Tagesordnung. Lange Dienstzeiten, schäbige Kasernen und lausige Bezahlung sorgten dafür, dass Ochoa, ausgestattet mit Dollarbündeln, leichtes Spiel hatte. Dreißig seiner Kameraden holte er sofort; binnen weniger Wochen kamen vier weitere

Leutnants, fünf Unteroffiziere und zwanzig Gefreite hinzu. Und sie brachten wertvolle Ausrüstungsgegenstände mit – AR15-Gewehre, Granatwerfer und moderne Überwachungstechnik.

Osiel Contreras zahlte gut.

Zusätzlich zum Gehalt bekam jeder einen Bonus von dreitausend Dollar. Die konnte er auf der Bank deponieren, in den USA investieren oder in Drogen anlegen.

Ochoa kaufte achtzehn Kilo Kokain.

Jetzt war er auf dem besten Wege, ein reicher Mann zu werden. Die Arbeit selbst war ziemlich leicht. Sie stellten den Personenschutz für Contreras und trieben den Piso ein. Die meisten Narcos zahlten freiwillig, und wer sich widersetzte, wurde im Hotel Nieto in Matamoros über seine Pflichten belehrt, zum Beispiel, indem man ihm den Pistolenlauf in den Rachen schob. Nach ein paar Monaten bekam Ochoa den Befehl, einen Rivalen von Contreras zu beseitigen. Ochoa stellte einen Trupp von zwanzig Leuten zusammen und belagerte das Anwesen des Mannes. Die Verteidiger des befestigten Hauses, etwa zwölf Männer, erwiderten das Feuer und hielten Ochoa auf Distanz, bis er in einem gewagten Vorstoß zur Rückseite des Hauses gelangte und den Propangastank in die Luft sprengte. Alle Insassen des Hauses verbrannten.

Mission accomplished.

Von der Prämie kaufte sich Ochoa noch mehr Kokain, und die Geschichte dieser Eroberung festigte seinen Ruf als skrupelloser Killer.

Inzwischen sind sie weit mehr als nur Bodyguards. Die Truppe von ursprünglich dreißig Männern ist auf über vierhundert angewachsen, und Ochoa sorgt sich langsam um die Verwässerung der Disziplin. Um dieser Gefahr zu begegnen, hat er drei Fincas, die dem Kartell gehören, in Ausbildungscamps umgewandelt, wo die Neuzugänge gehörig gedrillt werden – in Taktik, Waffentechnik, Spionagetechnik.

Mit den Aufgaben der Truppe wächst auch ihre Zahl. An

erster Stelle steht nach wie vor der Schutz von Osiel Contreras und seines Territoriums, doch Ochoas Leute haben sich inzwischen lukrative Nebenbeschäftigungen gesucht. Mit dem Segen vom Boss – und schließlich verdient er nicht schlecht daran – befassen sie sich auch mit Entführung und Schutzgelderpressung.

Besitzer von Läden, Bars und Clubs in Matamoros und anderen Städten bezahlen Ochoas Leute für ihren »Schutz«, wenn sie nicht wollen, dass ihre Geschäfte ausgeraubt und niedergebrannt, ihre Kunden verprügelt werden. Auch die Spielhöllen, Bordelle und *tiendas* – Läden, die den Straßenverkauf von Drogen besorgen – bezahlen das Schutzgeld.

Sie reißen sich förmlich darum, zu bezahlen.

Denn Ochoas Leuten eilt der Ruf gnadenloser Brutalität voraus. Leute flüstern von *la paleta,* Ochoas bevorzugter Tötungstechnik, bei der das Opfer nackt ausgezogen und mit Latten erschlagen wird.

Aber um richtig berühmt zu werden, braucht die Truppe einen Namen.

Ochoas Rufzeichen beim Armeefunk lautete »ZETA-1«. Seine Leute übernahmen die Bezeichnung und nannten sich die »Zetas«.

Der Original-Zeta, Heriberto Ochoa, wurde bekannt als »Z1«, die anderen erhielten – in der Reihenfolge ihres Hinzukommens – die Bezeichnungen Z2, Z3 und so weiter.

Z1 ist groß und kräftig, hat ein Raubvogelgesicht und dichtes schwarzes Haar. Heute trägt er einen Khakianzug mit dunkelblauem Hemd, seine FN Five-seveN aus Armeebeständen steckt in einem Holster unter dem linken Arm. Er sitzt in der vollen Kirche und versucht, wach zu bleiben, während der Priester vor sich hin leiert.

So ist das eben mit den Priestern – sie leiern vor sich hin.

Endlich ist es vorbei, und die Leute strömen langsam zum Ausgang.

»Fahren wir ein Stück«, sagt Contreras.

Als Aufklärungsspezialist kennt Ochoa die Vergangenheit seines Chefs· natürlich genau: Osiel war bettelarm und vaterlos auf einer elenden Finca im ländlichen Tamaulipas aufgewachsen und wurde zu einem Onkel in Pflege gegeben, der den lästigen Esser nicht wollte. Osiel musste sich als Tellerwäscher verdingen, bis er nach Arizona durchbrannte, wo er Marihuana verkaufen wollte, aber sofort im Yankee-Knast landete. Als das NAFTA-Abkommen kam, wurde er mit Scharen anderer Häftlinge nach Mexiko ausgeliefert und in ein mexikanisches Gefängnis verlegt. Gerüchten zufolge hatte er dort ein Verhältnis mit der Frau eines Wächters, und als der Wächter dahinterkam und seine Frau verprügelte, ließ Osiel ihn ermorden.

Nach der Entlassung besorgte ihm Herrera einen Job in einer Karosseriewerkstatt, doch in Wirklichkeit arbeitete er zusammen mit Herrera als Drogenspediteur für Garza. Die beiden hatten sich ihren Weg nach oben verdient – im wahrsten Sinne des Wortes. Oft hieß es über sie, sie säßen beide zu Füßen Gottes – Herrera zur Rechten, Osiel zur Linken.

»Herrera kommt auch mit«, sagt Contreras jetzt.

In letzter Zeit hat er immer öfter Ärger mit seinem alten Freund. Ochoa kann es ihm nicht verübeln – Herrera war schon immer herrisch und auftrumpfend, doch seit er auf den Thron spekuliert, behandelt er Osiel nicht mehr wie einen Partner, sondern wie einen Untergebenen, fällt ihm bei Unterredungen ins Wort, tut seine Ansichten als Unsinn ab.

Trotzdem, die beiden Männer sind Freunde.

Sie haben zusammen Teller gewaschen, zusammen im Gefängnis gesessen, sich ihre Stellung unter Garza hart erarbeitet, und Garza war ein harter Boss.

Die drei steigen in Contreras' nagelneuen Dodge Durango, und Ochoa spottet: »Männer brauchen eben ihr Spielzeug«, als er sich mit seinen langen Beinen auf die enge Rückbank des Pick-ups zwängt. Contreras setzt sich ans Steuer – er fährt für sein Leben gern Truck.

In den elenden Provinznestern ihrer Kindheit konnten sie

von Glück reden, wenn sie Schuhe an den Füßen hatten, und an so was wie ein Fahrrad war gar nicht zu denken. Sie standen im Staub, sahen die Granden in ihren neuen Pick-ups vorbeirauschen und dachten sich: Eines Tages sitze ich auch in so einem Ding.

Daher hat sich Contreras eine ganze Flotte von Trucks und SUVs zugelegt, er hat Chauffeure und sogar ein Privatflugzeug mit Piloten. Aber wenn es einen Anlass gibt, mit dem Truck loszufahren, lässt er sich den nicht entgehen.

Auf dem Weg zu Contreras' Finca fängt Herrera an zu reden.

»Habt ihr schon gehört? Es gab einen Anschlag auf Adán Barrera.«

»Ich war es nicht«, sagt Osiel. »Seine Leute zahlen den Piso, und wenn Adán expandiert, machen wir Gewinn.«

»Und wenn er zurück auf den Thron will?«, fragt Herrera.

»Will er nicht.«

»Woher weißt du das?«

»Er hat Diego Tapia persönlich zu mir geschickt«, erklärt Contreras.

»Bei mir war er nicht«, sagt Herrera. »Das hättest du mir sagen müssen.«

»Ich sag's dir jetzt«, erwidert Contreras. »Glaubst du, ich kutschiere dich zum Spaß durch die Gegend? Tapia ist gekommen, um uns zu versichern, dass Adán nichts ändern möchte. Es soll alles weiterlaufen wie bisher.«

Herrera schmollt ein wenig, dann wechselt er das Thema. »Eine schöne Taufe, fand ich. Obwohl ich Hochzeiten vorziehe – da kann man die Brautjungfern vögeln.«

»Oder es versuchen«, sagt Contreras.

Herrera kichert. »Tu's oder tu's nicht. Du hast keinen Versuch frei.«

»Ich hasse *Star Wars*«, sagt Contreras.

Ochoa zieht in aller Ruhe die Pistole und legt sie neben sich.

»Auf meinen großen Schwanz sind sie alle scharf«, sagt Herrera. »Ihr solltet mal sehen –«

Ochoa hält die Pistole an Herreras Hinterkopf und drückt zweimal ab.

Blut, Gehirnmasse, Haare spritzen gegen die Frontscheibe und die Konsole.

Contreras fährt an den Rand. Ochoa steigt aus und zieht Herreras Leiche ins Gebüsch. Als er zurückkommt, regt sich Contreras über die Sauerei auf. »Jetzt muss der Truck schon wieder in die Reinigung!«

»Ich lasse ihn irgendwo über die Klippe gehen.«

»Hey, das ist ein guter Truck!«, sagt Contreras. »Der muss in die Dampfreinigung und braucht eine neue Frontscheibe.«

Ochoa muss lächeln. Dieser Trottel hat in seinem Leben etwa zwanzig Minuten in einer Karosseriewerkstatt gearbeitet und glaubt, er verstünde was von Autos.

Und geizig ist er auch.

Ochoa kann das verstehen, auch er ist in Armut aufgewachsen.

Geboren am Weihnachtstag als Bauernsohn in Apan, wo er nur die Wahl hatte, Pulque zu brauen oder beim Rodeo zu arbeiten. Da ihn beides ebenso wenig reizte wie ein Leben als Pachtbauer, lief er am Tag seines siebzehnten Geburtstags davon und schrieb sich bei der Armee ein, wo er wenigstens saubere Laken und täglich drei Mahlzeiten bekam.

Das Soldatenleben gefiel ihm, er liebte Disziplin, Ordnung, Sauberkeit, all das war der glatte Gegensatz zu dem Staub und dem Dreck, in dem er aufgewachsen war. Er liebte Uniformen, saubere Kleidung, militärische Umgangsformen. Und wenn er parieren musste, kamen die Befehle von respektierten Vorgesetzten, Männern, die sich ihren Rang verdient hatten, nicht von feisten Granden, die ihre Güter nur geerbt hatten, aber sich für Gott hielten.

In der Armee konnte man aufsteigen, sich über seine Herkunft erheben, etwas aus sich machen – nicht so wie in Apan, wo man immer so arm blieb wie seine Vorfahren. Er hatte erlebt, wie sein Vater schuften musste, wie er abends nach

Hause kam, betrunken vom Pulque, wie er Frau und Kinder mit dem Hosenriemen verprügelte.

Ohne mich, dachte Ochoa.

»Es gab nur einen, der Weihnachten in einem Stall geboren wurde und was aus sich gemacht hat«, sagte Ochoa gern. »Und seht euch an, was mit ihm passiert ist.«

Die Armee war seine Zuflucht, seine Chance.

Und die nutzte er.

Sein Vater hatte ihn gegen Schmerzen immun gemacht, der Sadismus der Ausbilder konnte ihm nichts anhaben. Die Brutalität gefiel ihm, der Nahkampf, das Überlebenstraining in der Wüste. Seine Vorgesetzten wussten es zu würdigen und empfahlen ihn für die Spezialeinheiten. Dort lernte er Neues: Aufstandsbekämpfung, Terrorismusbekämpfung, Waffentechnik, Überwachungs- und Verhörtechniken.

Seine Sporen verdiente er mit der Niederschlagung des bewaffneten Aufstands in Chiapas. Es war ein schmutziger Dschungelkrieg, die Zivilisten waren kaum von den Terroristen zu unterscheiden, doch schnell begriff er, dass es egal war. Die Antwort auf Terror ist Terror.

Ochoa tat Dinge auf Lichtungen, in Bachbetten, in Dörfern, über die man nicht redet, die nicht in den Abendnachrichten herausposaunt werden. Aber wenn seine Vorgesetzten Informationen brauchten, lieferte er die Informationen. Wenn sie einen Guerillaführer liquidiert haben wollten, liquidierte er ihn, wenn ein Dorf eingeschüchtert werden musste, schlich er sich nachts ein, und am Morgen fanden die Dorfbewohner ihr Oberhaupt erhängt an einem Baum.

Für all das beförderten sie ihn zum Offizier und versetzten ihn, als der Aufstand niedergeschlagen war, nach Tamaulipas.

Zu einem Antidrogenkommando.

Dort lernte er Osiel Contreras kennen.

Jetzt naht auf der Straße ein weißer Jeep Cherokee. Miguel Morales alias Z40 steigt aus, wirft Ochoa einen knappen Gruß zu und setzt sich an das Steuer des Durango. Ochoa und Contreras steigen in den Cherokee.

»Ich schicke einen, der ihn begräbt«, sagt Ochoa und zeigt mit dem Kinn auf das Gebüsch, in dem Herrera liegt.

»Sollen sich die Kojoten an seinem großen Schwanz vergnügen«, sagt Contreras. »Was wird mit den anderen?«

»Ist alles geregelt.«

Bevor die Sonne untergeht, wird es zwei weitere Tote geben – Herreras Bodyguards. Und wenn sie wieder aufgeht, ist Osiel Contreras der einzige, unangefochtene Boss des Golfkartells.

Und er wird einen Spitznamen bekommen: *El Mata Amigos.*

»Der Freundesmörder.«

Auch Ochoa verdient sich seinen Spitznamen.

El Verdugo.

Der Henker.

2. Gefängnisweihnacht

It was Christmas in prison
And the food was real good
We had turkey and pistols
Carved out of wood.

John Prine, Christmas in Prison

Wheeling, West Virginia
Dezember 2004

Keller steht in seinem Motelzimmer und wartet. Neben der Tür, an die Wand gepresst.

Er hört die Schritte auf der Treppe zum Obergeschoss und weiß jetzt, dass sie zu zweit kommen. Er hat sie in der Sports Bar auf der anderen Seite des Highways gesehen, als er dort seinen Burger mit Fritten aß. Der eine hat ihn mit einem etwas zu langen Seitenblick gestreift, der andere hat betont weggeschaut. Und er hatte gleich das Gefühl, dass sie ihn verfolgt haben.

Nach Wheeling, West Virginia.

Keller ist auf Achse, seit er das Kloster verlassen hat. Er wollte nicht weg, aber wäre er geblieben, hätte er seine Brüder in Gefahr gebracht, ihre friedliche Welt mit Mord und Gewalt konfrontiert, und davor wollte er sie bewahren.

Und er muss ständig die Augen offen halten – wie ein flüchtiger Verbrecher.

Für einen Mann, auf dessen Kopf ein Preis ausgesetzt ist, ist jeder verdächtig. Der Mexikaner an der Tankstelle in Memphis, der sich für sein Nummernschild interessierte, der Hotelportier in Nashville, der seinen (falschen) Führerschein zu lange studierte, die Frau in Lexington, die ihn zu freundlich anlächelte.

In Abiquiu haben ihn zwei Navajos, die aus ihrem Reservat kamen, nach Santa Fe mitgenommen, wo er in den Bus nach Albuquerque stieg. Dort kaufte er einem alten Autoschlosser, der Geld brauchte, einen 96er Dodge Dart ab und fuhr auf der Interstate 40 weiter, der »Kokainautobahn«, wie sie zutreffend genannt wird, weil auf ihr ein Großteil der mexikanischen Drogen in die Südstaaten transportiert wird. In Santa Rosa machte er ein paar Tage Station, blieb die meiste Zeit in seinem Motelzimmer und schlief, dann fuhr er weiter nach Osten: Tucumari, Amarillo, Oklahoma City, Fort Smith, Little Rock, Memphis. In Nashville wechselte er auf die 65 nach Norden, dann auf die 64 wieder in Richtung Osten und auf der 79 wieder nach Norden.

Keller fährt, wie es ihm die Laune eingibt, ohne feste Route, und das ist besser so.

Aber irgendwann endet jede Reise. Manchmal auch tödlich.

Barrera holt sich die besten Killer der Welt. Keine Sicarios oder kleine Ganoven aus Mexiko, sondern Mafiakiller, ehemalige Elitesöldner oder einen Freiberufler, der mal wieder eine sechsstellige Summe auf seinem Nummernkonto sehen will.

Mit anderen Worten, es könnte jeder sein.

Ein Drogendealer, der dem »Herrn der Lüfte« einen Gefallen tun will, ein Junkie, der vom lebenslangen Nachschub träumt, die Frau eines Häftlings, die ihrem Mann das Leben leichter machen will.

Keller ist ein wandelnder Lottogewinn.

In einem Billighotel in Memphis glaubte er schon, sie hätten ihn. Der Kerl, der das Nachbarzimmer gemietet hatte, folgte ihm in die gemeinsame Dusche. Vielleicht suchte er Kontakt, vielleicht wollte er die zwei Millionen. Keller saß die ganze Nacht auf dem Bett, die Sig Sauer griffbereit auf dem Schoß. Und checkte vor Sonnenaufgang aus.

Jetzt haben sie ihn wirklich.

Gefangen in seinem Zimmer.

Nach einer Weile werden Hotelzimmer zu Gefängniszellen –

man bekommt dasselbe Gefühl der Isolierung, Ausweglosigkeit, Einsamkeit. Der Fernseher, das Bett, die Dusche, die lärmende Klimaanlage oder Heizung, der Kaffeebereiter mit den Plastiktassen im Plastikspender, die Zuckertütchen, die Kaffeeweißer, die Süßstoffpillen, der glimmende Radiowecker neben dem Bett. Der Imbiss neben dem Parkplatz, die Bar an der Straße, die Nutten und die undefinierbaren Typen drei Türen weiter.

Seine Ziellosigkeit ist nicht nur Taktik, auch ein Gemütszustand. Er muss in Bewegung bleiben, auf der Flucht vor jemandem, den er nicht kennt, Ausschau halten nach Gesichtern, von denen er keine Vorstellung hat.

Das ist doch Quatsch, sagt er sich jetzt. Du weißt, wovor du wegrennst, jedenfalls nicht vor Barrera, und du weißt genau, worauf du *zu*rennst.

Weil du es seit dreißig Jahren tust.

Du willst es nur nicht wahrhaben.

Er ist sein eigener Blues-Song geworden, ein Loser à la Tom Waits, ein komischer Heiliger à la Kerouac, ein Held des amerikanischen Highway à la Springsteen. Ein Heimatloser, der von der Hand in den Mund lebt, ein Cowboy, dem die Prärie abhandengekommen ist und der trotzdem weiterreitet, weil er nichts anderes kann als reiten …

Lexington, Huntington, Charleston.

Morgantown, Wheeling.

Das Alleinsein stört ihn nicht, das ist er gewohnt, er liebt die Stille mit nichts als dem Geräusch der Reifen und des Autoradios, die langen Tage in der eigenen Kapsel, die sich durch den Raum bewegt. Es macht ihm nichts aus, allein zu essen und dabei zu lesen – Paperbacks aus Ramsch- und Trödelläden.

Beim Essen und Lesen behält er trotzdem immer Fenster und Türen im Blick, er achtet darauf, dass das Trinkgeld nicht zu dick und nicht zu knausrig ausfällt, er bezahlt immer bar und holt das Geld immer irgendwo unterwegs aus dem Automaten, niemals an dem Ort, wo er übernachtet.

Mit Ausnahme der Ehejahre, in denen er seine Kinder groß-
zog, war er immer ein Einzelgänger, ein Außenseiter. Als
Sohn eines Mannes, der kein halbmexikanisches Kind wollte,
stand er immer mit einem Fuß in der anderen Welt, niemals
mit beiden in einer. Als Junge im Barrio Logan, dem Latino-
Ghetto von San Diego, musste er seinen Halbgringo-Status
verteidigen, als Student in L. A. musste er beweisen, dass er
kein Quotenstudent war.

Daher boxte er im Barrio, boxte er am College und boxte ver-
bal auch mit den »alteingesessenen« kalifornischen Kids, für
die Westwood kein Privileg, sondern Geburtsrecht war. Und
als ihn die CIA im ersten Studienjahr zu umgarnen begann,
ließ er sich bereitwillig verführen. Er kam nach Vietnam,
machte die »Operation Phoenix« mit und fühlte sich erstmals
wie ein richtiger Amerikaner. Als er die »Buchstaben ver-
tauschte«, wie seine Frau Althea das nannte, und von der CIA
zur neu gegründeten DEA wechselte, schickten sie ihn natürlich nach Mexiko, weil er aussah wie ein Mexikaner und sprechen konnte wie ein Mexikaner.

Die richtigen Mexikaner in Sinaloa merkten sofort, was er
war – ein Yankee, ein *pocho,* aber er gehörte auch nicht richtig
zu den DEA-Leuten, weil die in ihm einen CIA-Mann sahen
und ihn schnitten. Als er endlich Freunde fand, waren es der
junge Adán Barrera und später sein Onkel Miguel Ángel Barrera. Wieder stand Keller mit jedem Fuß in einer anderen
Welt, auf zwei Inseln, die bald auseinanderdrifteten und ihn
heimatlos zurückließen.

Eine Weile hatte er Ernie Hidalgo als Freund, Kollegen und
Verbündeten gegen die Barreras. Aber die Barreras brachten
ihn um, nicht ohne ihn vorher wochenlang gefoltert zu haben – und danach war Keller nicht mehr so scharf auf neue
Freunde und Verbündete.

Er hatte Althea und die Kinder, aber Althea trennte sich (ver-
nünftiger- und verständlicherweise) von ihm und nahm die
Kinder mit.

Keller wurde der »Herr der Grenze« und führte den Krieg gegen die Drogen an der gesamten mexikanischen Grenze, verlor seine Seele, während seine Macht wuchs und sein Verfolgungseifer außer Kontrolle geriet.

Und er machte noch etwas, wofür er sich heute schämt – er benutzte die furchtbare Krankheit eines kleinen Mädchens, Barreras Tochter, um ihn in die USA zu locken. Sagte ihm, sein Kind liege im Sterben, um ihn festnehmen zu können. Und erpresste Barreras Frau, ihm dabei zu helfen.

So tief war der gegenseitige Hass.

War?, fragt sich Keller jetzt.

Du versuchst, alles in die Vergangenheit abzuschieben – dass du Barrera festgesetzt hast, seinen Bruder erschossen und auch Tío, deinen alten Gönner. Dass du die Waffe an Barreras Schläfe gehalten, aber nicht abgedrückt hast.

Barrera ging ins Gefängnis, und du gingst ins Exil, hast endlich einen Ruhepunkt in dir selbst gefunden – in dem einfachen Job als Bienenvater, in der täglichen Routine, in der Versenkung des Gebets.

Aber die Vergangenheit ist ein hartnäckiger Verfolger, ein Rudel Wölfe, das dir auf den Fersen bleibt. Vielleicht ist es besser, du drehst dich um und blickst den Tatsachen ins Auge.

Was bleibt dir anderes übrig? Du stehst ja schon mit dem Rücken zur Wand! Er muss fast lachen, während die Schritte nahen.

Die Männer treten die Tür ein.

Die kleine Kette fliegt aus der Halterung.

Dem ersten rammt Keller den Griff der Sig in die Schläfe. Der fällt um wie ein vom Blitz getroffener Stier. Dem zweiten bricht er das Handgelenk mit seinem Hebelgriff und zerschmettert ihm die Nase mit dem Pistolenlauf. Der Kerl geht in die Knie, Keller versetzt ihm einen Tritt gegen den Kopf, und er fällt flach auf den Boden, vielleicht tot, vielleicht nicht. Beide haben billige Revolver, keine Profiausrüstung, aber das könnte Tarnung sein, denkt Keller. Vielleicht sind es nur Meth-Freaks, die ihn ausrauben wollten, vielleicht auch nicht.

Er sollte ihnen eine Kugel in den Kopf schießen, aber er tut es nicht. Wenn sie mir auf der Spur sind, denkt er, sind sie mir auf der Spur, und zwei Leichen mehr oder weniger auf meinem Konto ändern nichts daran.

»Killer Keller.«

Er verlässt das Motel, steigt in sein Auto und fährt die kurze Strecke bis Pittsburgh, wo er das Auto entsorgt und zum Busbahnhof läuft, der Heimat der amerikanischen Heimatlosen, und einen Greyhound nach Erie nimmt – zur einstigen Stadt der Stahlkocher.

Der harte Schnee knirscht unter seinen Sohlen, als er herumläuft, um ein Hotel zu finden, der Wind vom Eriesee beißt ihm ins Gesicht. Die Schaufenster der sterbenden Warenhäuser werben für Sonderangebote, Bars verheißen Wärme und die Geselligkeit verlorener Seelen. Keller ist froh, ein Hotel zu finden, das Bargeld nimmt, er legt sich aufs Bett, und während das Adrenalin der Angst und der Gewalt langsam in ihm abflaut, schläft er ein.

Kurz vor Mitternacht steht er auf und geht wieder hinaus, zur Messe in einer alten katholischen Kirche aus trübgelbem Backstein, die ihn erwartet wie eine einsame alte Lady, deren Kinder in die Vorstädte gezogen sind und selten zu Besuch kommen.

Ja, es ist Weihnachten.

Puente Grande
Weihnachten 2004

Die Wände in Block zwei, Ebene 1A, erstrahlen in frischem Gelb, rote Laternen hängen von der Decke. In den Fluren Lichterketten. Adán Barrera hat für Weihnachten eine rauschende Party versprochen, und er hält Wort.

Obwohl oder gerade weil ihm nach dem Leben getrachtet wird.

Wie erwartet ist der Wachmann Navarro tot aufgefunden worden, in einem Graben fünfzig Meilen entfernt, mit zwei Einschusslöchern im Hinterkopf. Er kann nicht mehr verraten, wer den Anschlag auf Barrera befohlen hat.

Aber Osiel Contreras kann es. Der Boss des Golfkartells hat sich mit Diego Tapia verständigt und sein Okay bekommen, direkt mit Barrera zu telefonieren. Wie es so seine Art ist, beginnt er mit einem Scherz: *»Wirklich schlimm, wenn man nicht mal im eigenen Gefängnis sicher ist!«*

»In meinem Alter sollte ich langsam aufhören mit dem Volleyball.«

»Du bist doch noch jung«, erwidert Contreras. *»Adán, ich kann's nicht glauben. Gott sei Dank, dass der Anschlag gescheitert ist.«*

»Danke, Osiel.«

»Jedenfalls, ich hab die Sache für dich erledigt.«

»Wie meinst du das?«

Barrera weiß schon, wie er das meint – Contreras hat seinen eigenen Partner ermordet. So kaltblütig und heimtückisch ist Contreras also, denkt sich Adán, während ihn Contreras seiner Freundschaft versichert.

»Ich wollte es dir persönlich sagen, Adán, bevor es ein anderer tut. Ich schäme mich, und es ist mir peinlich, aber es war Herrera, der den Anschlag auf dich befohlen hat.«

»Herrera? Warum?«

»Er hatte Angst vor dir, jetzt, wo du zurück bist.«

»Ich bin schon fast ein Jahr zurück«, sagt Adán. »Warum jetzt?«

»Dein Geschäft expandiert«, sagt Contreras. *»Es läuft sehr gut für dich.«*

»Für dich auch«, sagt Adán. »Und für Herrera. Der Piso, den ich euch zahle –«

»Das hab ich ihm ja erklärt«, sagt Contreras. *»Er wollte nicht auf mich hören. Du kannst also die Feiertage in Ruhe genießen. Herrera wird dir nichts mehr tun.«*

Adán klickt das Gespräch weg und geht zurück ins »Schlafzimmer«, wo Magda mit ihrer Maniküre beschäftigt ist. »Contreras war es.«

Magda schaut von ihren Nägeln auf.

»Er hat den Anschlag befohlen«, erklärt er ihr. »Und weil es schiefgegangen ist, schiebt er die Sache auf Herrera und prahlt damit, dass er ihn aus Freundschaft zu mir umgebracht hat. Sehr clever, muss ich sagen. Jetzt hat er das Golfkartell für sich allein und außerdem noch eine gute Entschuldigung.«

Wenn Magda von der Nachricht beeindruckt ist, so zeigt sie es nicht. Für sie scheint Verrat eine Tatsache des Lebens zu sein. »Warum gerade jetzt?«

»Das hab ich ihn auch gefragt«, sagt Adán und setzt sich zu ihr aufs Bett. »Und er hat es mir tatsächlich gesagt, das heißt, er hat es Herrera in den Mund gelegt. Nämlich: Meine Geschäfte laufen zu gut.«

Magda hält einen Finger in die Höhe, um den frisch lackierten Nagel zu begutachten. »Das ist natürlich Unsinn. Contreras will *El Patrón* sein und weiß, dass er es nicht wird, solange du lebst.«

»Ich habe ihm versichert – ich habe *jedem* versichert, wieder und wieder, dass ich keinerlei Ambitionen –«

»Das ist ja gerade dein Problem«, sagt Magda. »Keiner glaubt dir.«

»Du wenigstens?«

»Natürlich nicht«, sagt Magda und lackiert den nächsten Fingernagel. »Wie sollte ich auch? Nicht mal du glaubst dir. Ob du es zugibst oder nicht: Als du deine Auslieferung nach Mexiko arrangiert hast, wusstest du schon, dass du deinen alten Thron wieder einnehmen musst. Manche Leute begrüßen das, andere, zum Beispiel Contreras, wollen es verhindern. Ein König tritt nicht ab, Adán. Er bleibt König, oder er stirbt, und das nicht im Bett.«

Magda hat recht, denkt Adán.

Sie hat in allem recht.

Und Contreras wird es wieder versuchen.

Was sind das für Zeiten, in denen man nicht mal im eigenen Gefängnis sicher ist!

Und er hat die Macht, es zu tun, mit Hilfe seiner Privatarmee, den sogenannten Zetas.

Aber jetzt muss Adán diese Gedanken erst mal beiseiteschieben. Es ist Weihnachten, und Weihnachten muss gefeiert werden. Im Speisesaal packen die Mariachi ihre Instrumente aus. Bunt verpackte Geschenke stapeln sich an den Wänden. Lastwagenweise wurden Rindersteaks, Hummer und Langusten angeliefert, Wein, Champagner und Whiskey.

Auch die Familie reist an.

Oder das, was von ihr geblieben ist.

Seine Schwester Elena hat er seit Jahren nicht gesehen. Auch seinen fast schon erwachsenen Neffen Salvador nicht, den einzigen Sohn seines toten Bruders Raúl.

Ja, es sind zu viele Jahre vergangen.

Die Tapia-Brüder kommen mit ihren Frauen (das Mitbringen von Mätressen und Huren hat Adán streng verboten, denn dies ist ein Familienfest). Eingeladen sind außerdem ein paar Narcos und ein paar Häftlinge – Adáns Freunde in Puente Grande. Natürlich der Direktor und ein paar höhere Wachoffiziere mit ihren Familien.

Die Sicherheitsvorkehrungen sind massiv.

Verstärkte Gefängniswachen und Diegos Leute patrouillieren vor dem Tor. Sie haben einen Panzerwagen quer gestellt, um unwillkommene Fahrzeuge zu blockieren, das Bord-MG ist schussfertig und bereit, jeden Angreifer zu zerfetzen, der die Straße heraufkommt.

Nacho Esparza kommt nicht zur Party. Er ist in Mexico City, um ein Weihnachtsgeschenk zu überbringen.

Es steckt in dem Koffer, den er bei sich trägt, als er auf dem Paseo de la Reforma aus dem Auto steigt. Er kennt sich gut aus im Reichenviertel Lomas de Chapultepec, wo Geschäftsleute wohnen, Politiker, Drogenbarone. Es liegt im Nordwesten des Zentrums und erhebt sich über die Dunstglocke, unter der die City schmort wie in einem Suppentopf.

Nacho Esparza ist das glatte Gegenteil des bulligen Diego Tapia. Sein kahler Schädel wirkt so poliert wie seine Sprache, er ist immer perfekt rasiert und bevorzugt Leinenanzüge und italienische Slipper. Heute, aus Anlass des Weihnachtsfests, trägt er eine Krawatte.

Er betritt die Lounge des Marriott-Hotels, in der es an diesem Nachmittag sehr still ist.

Der Regierungsbeamte wartet schon in einem Sessel. Auf seinem Glastisch steht ein Drink. Esparza setzt sich in den Sessel gegenüber und stellt den Koffer ab. »Wie Sie wissen, wollen gewisse Leute, dass es passiert. Heute Nacht.«

»Was gewisse Leute wollen, liegt außerhalb meiner Zuständigkeit«, sagt der Regierungsbeamte. »Ich kann aber versprechen, dass kein Zugriff erfolgt.«

»Wenn es also bei unserem Freund in Puente Grande zu Vorkommnissen kommt ...«

»Dann ist es so.«

Esparza steht auf.

Und lässt den Koffer zurück.

Ein geschlossener Lastwagen rollt auf das Tor von CEFERESO II zu.

Zwei von Diegos Leuten mit Sturmgewehren gehen auf den Fahrer zu. Es folgt ein kurzer Wortwechsel, Diegos Männer brüllen Befehle, die Gefängniswachen ziehen sich in den Schatten der Mauer zurück. Der Panzerwagen gibt den Weg frei, das Stahltor rollt zur Seite, und das Fahrzeug hält mit dem Heck vor der Toröffnung.

Salvador springt herab, in Jeans und schwarzer Lederjacke, und schaut mit der gleichen forschen Arroganz in die Runde wie einst Raúl. Adán muss fast weinen. Salvador ist ganz der Sohn seines Vaters – stämmig, muskulös, aggressiv.

Und Raúl war das Kraftzentrum der Organisation gewesen, Oder, wie es in den Zeitungen hieß: Adán war der Kopf, sein Bruder Raúl der Bizeps. Eine Verallgemeinerung natürlich, aber recht treffend.

Der schwerverletzte Raúl war in Adáns Armen gestorben.

Aber so ganz stimmt das nicht, denkt Adán, als er seinen Neffen umarmt. Ich habe ihm den Gnadenschuss verpasst, um seine Qualen abzukürzen.

Wieder eine böse Erinnerung, die er Art Keller verdankt.

»Du bist groß geworden«, sagt er und nimmt Salvador bei den Schultern.

»Ich bin achtzehn!«, antwortet Salvador, und Adán spürt so etwas wie einen Vorwurf in seiner Stimme.

Kein Wunder, denkt er. Dein Vater ist tot, und ich bin am Leben. Ich bin am Leben, und das Imperium, für das dein Vater gestorben ist, wurde zerschlagen. Hätte er überlebt, wäre das Imperium vielleicht noch intakt.

Und du könntest recht haben, mein Neffe, denkt Adán.

Du könntest recht haben.

Ich muss sehen, wie ich mit dir zurechtkomme.

Salvador dreht sich weg, um seiner Mutter beim Aussteigen zu helfen. Raúl ist erst drei Jahre tot, aber Sondra Barrera benimmt sich schon wie eine typische mexikanische Witwe. Ihr streng geschlossenes Kleid ist schwarz, mit der linken Hand umklammert sie einen Rosenkranz.

Eine wahre Schande, denkt Adán.

Sondra ist noch schön, sie könnte einen anderen Mann finden, statt sich wie eine Nonne aufzuführen, die auf den Tod wartet. Ein nettes Kleid, ein bisschen Schminke, vielleicht hier und da mal lächeln … Das Problem ist, dass Raúl für sie zum Heiligen geworden ist. Seine endlosen Affären, seine Tobsuchtsanfälle, seine Saufereien, die Drogen hat sie offenbar vergessen. Sie hatte viele Namen für ihn, als er noch am Leben war, aber »Heiliger« zählte nicht dazu.

Er küsst Sondra auf die Wangen. »Sondra …«

»Wir haben immer gewusst, dass wir hier enden würden«, sagt sie.

Nein, haben wir nicht, denkt Adán. Und wenn du es gewusst hast, hat dich das nicht davon abgehalten, den Luxus zu genießen. Die Häuser, die Kleider, den Schmuck, die Reisen. Du hast gewusst, wo das Geld herkam, und das hat dich nicht daran gehindert, es auszugeben.

Mit vollen Händen.

Und meines Wissens hast du den Umschlag, der an jedem Monatsersten bei dir abgeliefert wird, noch nie zurückgewiesen. Oder das Geld für Salvadors Schule, für die Arztrechnungen, die Kreditkarten …

Einer von Diegos Leuten hilft Elena Sánchez Barrera beim Aussteigen. Sie trägt ein festliches rotes Kleid und High Heels und blickt mit dem ironischen Lächeln einer (abgesetzten) Königin in die Runde. »Im Lastwagen? Ich komme mir vor wie Stückgut!«

»Aber geschützt vor neugierigen Blicken.« Adán geht auf seine Schwester zu und begrüßt sie mit einem Wangenkuss.

Sie umarmt ihn. »Wie schön, dich wiederzusehen!«

»Und dich erst mal!«

»Bleiben wir hier stehen und versichern uns unserer Zuneigung, oder gibst du uns was zu trinken?«, fragt Elena.

Adán nimmt ihren Arm und geht mit ihr voran zum Speisesaal, wo Magda schon am Kopf der Tafel steht, um alle zu begrüßen. Sie wirkt ein wenig nervös, aber ganz bezaubernd in dem Silberlamé-Kleid, das für Weihnachten streng genommen ein bisschen zu kurz und ein bisschen zu tief ausgeschnitten ist, dafür ihre Figur bestens zur Geltung bringt. Ihr glänzendes Haar ist mit chinesischen Cloisonné-Haarnadeln hochgesteckt, was ihr eine exotische Note verleiht.

»So eine Rose aus der Gosse klauben, das kannst nur du«, flüstert Elena ihrem Bruder zu. »Ich habe schon von ihr gehört, aber … sie ist ganz bezaubernd.«

Sie bietet Magda ihre Wange zum Kuss.

»Sie sind wunderschön«, sagt Magda.

»Oh, wir werden uns mögen«, erwidert Elena. »Ich habe Adanito eben gesagt, wie hübsch Sie sind.«

Das klappt ja bestens, denkt Adán. Es hätte auch anders laufen können. Elenas Mund ist wie ein Honigtopf, in dem ein gewetztes Messer steckt, und sie hat schon einen ganzen Satz gesagt, ohne auf Magdas Jugend und mein fortgeschrittenes Alter anzuspielen. Vielleicht ist sie milde geworden, denkt er. Die Elena, die ich kenne, hätte Magda schon gefragt, ob ich ihr bei den Schularbeiten helfe.

Und dann »Adanito«. Wie nett.

»Ihr Kleid finde ich toll«, sagt Magda.

Frauen bleiben eben Frauen, denkt Adán. Selbst im schäbigsten Gefängnis tun sie so, als wären sie in einer exklusiven Boutique. Als Nächstes gehen sie zusammen Schuhe kaufen.

»Ich hinterlasse meinen Kindern keinen Peso«, sagt Elena und zupft an ihrem Kleid. »Ich gebe alles aus.«

»Jetzt kann die Party losgehen!«, ruft Diego, der von hinten naht.

Alle strahlen Diego an, denkt Adán.

Er ist unwiderstehlich.

Zur Feier des Tages trägt er ein Ledersakko mit Lederweste, ein purpurfarbenes Hemd mit Cowboyschlips anstelle der Krawatte, dazu neue, gebügelte Jeans und Cowboystiefel mit Silberkappen.

Diegos Frau Chele wirkt ein wenig dezenter: silberpaillettiertes Kleid und High Heels, hochgestecktes schwarzes Haar. Um die Hüfte ist sie ein bisschen rund geworden, bemerkt Adán, aber sie ist noch immer *una berraca* – ein Prachtweib. Und ebenso rabiat wie ihr Ehemann. Chele redet, wie ihr der Schnabel gewachsen ist, zum Beispiel wenn es um seine vielen Segunderas geht. Nicht dass sie etwas gegen sie einzuwenden hätte. *Besser, als wenn er mich ständig rannehmen würde!* Sie macht ihre Begrüßungsrunde, umarmt und küsst alle, dann tritt sie einen Schritt zurück und mustert Magda von Kopf bis Fuß. »*Dios mío,* Adán, du bist ja ein Bergsteiger geworden! Tun die Klettereisen nicht weh, Sie Arme?«

Eine tödliche Beleidigung. Aber wenn Chele so etwas sagt, lachen alle, auch Magda.

Diego und Chele haben ihre Kinder mitgebracht, drei Jungen und drei Mädchen im Alter von sechs bis vierzehn. Adán hat es aufgegeben, sich die Namen zu merken, aber dafür gesorgt, dass jedes Kind ein großzügiges Geschenk von ihm erhält.

Ob es klug sei, die Kinder ins Gefängnis mitzunehmen, hatte er zu bedenken gegeben, aber für Chele war die Sache klar: »Das ist unser Leben. Das müssen sie kennenlernen, nicht nur die Schokoladenseite. Sie sollen sich nicht schämen für ihre Familie.«

Die Kinder sind also auch gekommen, aufgeputzt, in nagelneuen Sonntagskleidern, und stellen sich artig in eine Reihe, um Tío Adán zu begrüßen.

Nette Kinder, denkt er. Das hat Chele gut gemacht.

Diegos jüngster Bruder Alberto ist sein (viel) kleineres Ebenbild, was den Eindruck verstärkt, als hätte allein die Körpergröße über ihren Rang entschieden. Albertos einziges Zugeständnis an den feierlichen Anlass ist der rote Cowboyschlips, den er zu seinem Narco-Cowboy-Outfit trägt, schwarze Hose, schwarzes Seidenhemd, Westernstiefel aus Echsenleder, schwarzer Cowboyhut.

Da er so klein ist, kleiner noch als Adán, sieht er komisch aus in dieser Kluft – wie ein kleiner Junge, der Cowboy spielt. Aber wehe, man sagt etwas! In diesen Dingen versteht er keinen Spaß.

Adán fürchtet Albertos unbeherrschte Art, aber Diego hat ihm versichert, dass er seinen kleinen Bruder unter Kontrolle hat.

Hoffentlich, denkt Adán.

Heute zumindest scheint Alberto bester Laune zu sein, ständig lacht er, und Adán fragt sich, ob er Kokain geschnupft hat.

Bei seiner Frau Lupe ist es nicht zu übersehen. Sie hat verkleinerte Pupillen, und ihr enges schwarzes Kleid ist für den Anlass entschieden zu kurz. Wieder ein Beispiel für Albertos ordinäre Art, denkt Adán. Man schläft mit einer Stripperin, wenn einem danach ist, aber man *heiratet* sie nicht.

»Er hat ihre Titten gekauft«, hat Chele einmal gesagt, »den Rest gab's umsonst.« Abgesehen von ihren bemerkenswerten Brüsten, die für ihre zarte Figur beinahe zu groß wirken, sieht sie verletzlich, fast kindlich aus, und Adán nimmt sich vor, nett zu ihr zu sein.

Stripperin oder nicht – sie ist Albertos Frau.

Martín Tapia ist der perfekte mittlere Bruder. Er unterscheidet sich stärker von ihnen, als es die Gesetze der Genetik zu erlauben scheinen, und in der Familie wird gern gescherzt, dass seine Mutter im Schlaf von einem Banker geschwängert wurde.

Martín, der Finanzchef und Diplomat des Tapia-Clans, ist still, sanft und zurückhaltend gekleidet in einen teuren schwarzen Anzug mit weißem Hemd und Manschetten.

Er und seine Frau Yvette haben gerade ein großes Haus in der Nähe von Mexico City bezogen, im Vorort Cuernavaca, ideal für die Beziehungspflege zu Politikern, Finanzgrößen und Prominenten.

Martíns Job ist es, Tennis und Golf zu spielen, Partys und Country-Clubs zu frequentieren, in den exklusiven Restaurants gesehen zu werden, Soireen im eigenen Haus zu veranstalten. Yvettes Job ist es, schön auszusehen und die charmante Gastgeberin zu spielen.

Beide sind sie wie geschaffen für ihre Jobs.

Nicht nur Magda, auch Yvette Tapia ist eine ehemalige Beauty-Queen. Ihre üppige Figur hat sie in ein teures schwarzes Designerkleid gehüllt – sie genießt ihren Auftritt als wandelnde Stilikone. Ihr Haar trägt sie kurzgeschnitten, ihr Make-up ist unaufdringlich, ein roter Tupfer Lipstick macht sie sexy.

Sie ist perfekt.

»Yvette«, so Chele bei anderer Gelegenheit, »hat die Schönheit und die Wärme einer Eisskulptur. Mit dem Unterschied, dass eine Eisskulptur irgendwann schmilzt.«

Früher hätte Adán das schöne Paar als »Yuppies« bezeichnet; er weiß nicht, wie man solche Leute jetzt nennt, aber sie reagieren mit höflicher Toleranz, wenn auch etwas verlegen auf die Zumutung, Weihnachten im Gefängnis feiern zu müssen.

Yvette lächelt dünn, wenn Chele Witze macht, und Martín sucht Themen, bei denen er mitreden kann – meist läuft es daher auf Fußball hinaus.

Über das Festmahl können sie sich nicht beklagen.

Statt der Nouvelle Cuisine, die sie in Cuernavaca bevorzugen, gibt es hier die herzhaftere sinaloanische Variante, hübsch zubereitete Mignon-Filets, Garnelen, Hummer, Röstkartoffeln und grüne Bohnen, serviert mit teuren Weinen, an denen selbst Martín und Yvette nichts auszusetzen finden.

Der Dessert besteht aus dem traditionellen Flan mit Galetas de navidad, gefolgt von Champurrado und Arroz dulce. Danach werden die Piñatas aufgehängt, die Kinder angeln sie mit Stöcken, und bald ist der Fußboden des Speisesaals übersät mit Süßigkeiten und kleinen Spielsachen.

Als sich eine satte, schläfrige Stimmung breitgemacht hat, nimmt Adán seine Schwester Elena beiseite: »Komm, wir müssen reden.«

Sie setzen sich in eine der Sprechzellen.

Adán beginnt: »Die Lage in Tijuana –«

»Ich habe getan, was ich konnte.«

»Ich weiß.«

Elena hat das Geschäft nur deshalb übernommen, weil sie die Letzte dieser Barrera-Generation ist, die nicht tot ist oder im Gefängnis sitzt. Viele vom Clan hätten rebelliert, einfach weil sie eine Frau ist, andere halten ohnehin zu Teo Solorzano. Als der den Bruch vollzog, gingen sie mit ihm, so wie auch eine Reihe von Polizisten und Richtern, die Raúl oder Adán nicht mehr zu fürchten hatten.

Erstaunlich daran ist nur, dass Elena so lange durchgehalten hat. Sie ist eine gute Geschäftsfrau, aber keine Kriegerin. Jetzt sagt sie: »Ich will da raus, Adanito. Das wird mir alles zu viel, wenn du mich nicht besser unterstützt.«

»Ich sitze im *Gefängnis*, Elena.« Jetzt kämpfen sie mit Blicken, wie so oft in ihrer Kindheit. »Traust du mir?«

»Ja.«

»Dann glaub mir, wir schaffen das. Ich brauche nur ein bisschen Zeit.«

Sie stehen auf, Elena gibt ihm einen Wangenkuss.

Diego Tapia unterbricht das Spiel mit den Kindern und holt sein Handy heraus.

Er hört zu und nickt.

Das Weihnachtsgeschenk ist unterwegs.

»Können wir ein Wörtchen reden?«, wendet sich jetzt Sondra an Adán.

Adán unterdrückt einen Seufzer. Er will feiern, nicht Sondras Klagen anhören. Aber als Familienoberhaupt hat er Pflichten.

»Es geht um Salvador«, sagt sie, als sie sich in eine ruhige Ecke zurückgezogen haben. Salvador zeigt ihr keinen Respekt, lässt seine Wut an ihr aus. Bleibt manchmal nächtelang weg, schwänzt das College. Er feiert mit seinen Freunden, trinkt, nimmt wohl auch Drogen.

»Er ist mir entglitten«, sagt Sondra, »und es ist kein Mann im Haus, der ihn erzieht. Kannst du mit ihm reden, Adán? Bitte!«

Sie klingt wie eine alte Tante, denkt Adán.

Er rechnet nach – Sondra ist einundvierzig.

Salvador ist nicht begeistert, als sein Onkel ihn heranwinkt, aber er folgt ihm widerwillig in seine Zelle, setzt sich hin und blickt ihn an, mit einer Mischung aus Vorwurf und

Schmollen, die fast beeindruckend ist. »Meine Mutter wollte, dass ich mit dir rede, stimmt's?«

»Und wenn es so wäre?«, fragt Adán.

»Du weißt doch, wie sie ist.«

Allerdings, denkt Adán. Aber er ist das Oberhaupt der Familie, also fragt er: »Was machst du, Salvador?«

»Wie meinst du das?«

»Mit deinem Leben. Was fängst du mit deinem Leben an?«

Salvador zuckt die Schulter und blickt zu Boden.

»Hast du das College abgebrochen?«

»Ich gehe nicht mehr hin.«

»Warum nicht?«

»Soll ich etwa Architekt werden?«

Er klingt genau wie sein Vater Raúl. Adán muss fast lachen. »Dein Vater hatte einen Abschluss in Medizin.«

»Und? Was hat er damit gemacht?«

Adán zeigt auf die kahlen Wände. »Willst du etwa so enden?«

»Besser, als so zu enden wie mein Vater.«

Es ist wahr, denkt Adán. Sie wissen es beide. »Salvador, was willst du werden?«

»Lass mich für Onkel Diego arbeiten«, sagt er und sieht Adán zum ersten Mal in die Augen. »Oder für Onkel Nacho. Oder schick mich nach Tijuana. Ich kann Tante Elena helfen.«

Plötzlich ist er voller Eifer und Entschlossenheit. Der Junge will unbedingt in die Fußstapfen seines Vaters treten, und Adán will ihn davon abhalten.

»Dein Vater wollte das nicht«, sagt er. »Ich musste es ihm versprechen. Es war seine letzte Bitte.«

Das ist gelogen. Mit seinen letzten Worten hat Raúl ihn angefleht, seinen Qualen ein Ende zu machen. Von Salvador oder Sondra hat er nichts gesagt. Er hat nur »Danke, Bruder« gesagt, als Adán die Pistole auf seinen Kopf richtete.

»Für ihn war dieses Leben okay«, sagt Salvador.

»Aber er hat nicht gemeint, dass es okay für dich ist«, beharrt Adán. »Du bist nicht dumm, Salvador. Du warst auf den

Beerdigungen, in den Gefängnissen … du weißt, worum es geht. Du hast Geld, die Ausbildung, die du willst, Beziehungen … Du kannst dein Leben bestimmen.«

»Ich will aber *dieses* Leben«, sagt Salvador.

Störrisch wie sein Vater.

»Das wird nichts«, sagt Adán. »Versuch es gar nicht erst. Schon gar nicht auf eigene Faust. Ich erwische jeden, der an dich verkauft – und mache ihn einen Kopf kürzer.«

»Vielen Dank!«

»Also reiß dich am Riemen«, sagt Adán als strenger Onkel, außerdem langweilt ihn das Ganze. »Tritt kürzer mit den Partys, geh ins College, behandle deine Mutter anständig. Nimmst du Drogen? Wag es nicht, mich anzulügen. Wenn nicht, ist es gut. Wenn doch – hör auf damit.«

»Sind wir fertig?«, fragt Salvador.

»Ja.«

Salvador steht auf und will gehen.

»Salvador.«

»Ja?«

»Mach deinen Abschluss. Beweis mir, dass du Disziplin hast. Hör auf, dich aufzuführen wie ein Idiot, dann kannst du zu mir kommen, und wir werden sehen.«

Salvador wird sowieso ein Narco, auf die eine oder andere Weise. Da ist es besser, er kommt zu mir, und ich kann ihn im Auge behalten.

Aber jetzt noch nicht.

Er soll sich ein paar Jahre die Hörner abstoßen. Irgendwann findet er eine nette Frau, einen Lebensinhalt, eine Karriere, und besinnt sich vielleicht anders.

Adán geht zurück in den Partyraum und mustert seine Gäste – seine erweiterte Familie oder was davon übrig ist.

Seine Schwester Elena.

Seine Schwägerin Sondra und seinen Neffen Salvador.

Seine Cousins, die Tapia-Brüder – Diego, Martín und Alberto –, mit ihren Frauen Chele, Yvette und Lupe. Diegos

Kinder … Das ist seine Familie, das ist alles, was ihm geblieben ist.

Ohne dich, denkt er, landen sie da, wo die Familie eines gestürzten Königs in dieser gnadenlosen Welt landet – im Schlachthaus. Ihre Feinde bringen sie um, sobald sie dich umgebracht haben. Und wenn du deinen angestammten Platz nicht wieder einnimmst, war all das Morden umsonst, all die Missetaten, für die du in der Hölle schmoren musst.

Er hat einmal gehört, dass das Leben ein Fluss ist, der das Vergangene mit sich fortnimmt. Aber das stimmt nicht. Er fließt durch das Blut in deinen Adern. Von deiner Vergangenheit kannst du dich nicht trennen. Genauso wenig wie von deinem Herzen.

Wenn ich einmal König war, muss ich wieder König sein.

Das Leben, denkt er sich, liefert immer eine Begründung für das, was man will.

Irgendwann nach allen Abschiedszeremonien hat es Diego geschafft, sie in den Lastwagen zurückzubefördern und Adán dem Frieden des Gefängnisses zu überlassen.

Erschöpft lässt er sich neben Magda aufs Bett fallen.

»Endlich sind sie weg. Verwandtschaft ist anstrengend«, sagt er. »Lieber hundert Drogenkuriere abfertigen als eine Familie.«

»Ich fand sie nett.«

»Du musst ja nicht ihre Bedürfnisse befriedigen.«

»Nein, nur deine.«

»Oh. Ist dir das eine Last?«

»Nein, ich mag deine Bedürfnisse«, sagt sie und streichelt ihn. »*Feliz Navidad.* Willst du dein letztes Geschenk?«

»Jetzt nicht«, sagt er. »Pack ein paar Sachen ein.«

Sie schaut ihn fragend an. »Wie meinst du das?«

»Nur ein paar«, sagt er. »Nicht deine ganze Garderobe. Sachen können wir später kaufen. Komm, wir haben nicht viel Zeit.«

Diego öffnet die Tür. »Bist du bereit, *primo?*«

»Seit Jahren.«

Diego zeigt nach draußen. »Horch mal!«

Adán hört einen Schrei, gefolgt von einem Chor aus hundert Schreien. Baseballschläger trommeln gegen Stahlgitter, Füße stampfen auf Gitterrosten, Alarmsirenen heulen.

Dann Schüsse.

Ein Gefängnisaufstand.

Los Bateadores stürmen durch Block 2, Level 1A, dreschen auf Häftlinge ein, jagen sich gegenseitig, erzeugen Chaos. Die Wachen rennen kopflos hin und her, versuchen, die Schläger zu stoppen, rufen über Funk Verstärkung, aber es ist zu spät – die Häftlinge brechen aus ihren Zellen aus, laufen durch die Gänge, rennen über den Hof.

»Wir müssen los«, sagt Diego. »Sofort.«

Adán brüllt Magda an. »Hast du gehört?«

»Ich hab's gehört!« Sie kommt mit einer kleinen Schultertasche und versucht im Laufen, flache Schuhe anzuziehen. »Einer Lady lässt man ein bisschen mehr Zeit.«

Adán packt sie beim Arm und folgt Diego durch die Gänge. Sie hasten durchs Getümmel, durch den Lärm, vorbei an den Wachen, als wären sie unsichtbar, und Diego führt sie zu einer Stahltür, die unverschlossen ist. Er winkt sie in ein Treppenhaus, sie steigen hinauf bis zu einer weiteren Stahltür, die sich aufs Dach öffnet.

Die Wachen beachten sie nicht, sie haben ihre Gewehre und die Scheinwerfer auf den Hof gerichtet und scheinen nicht einmal zu bemerken, dass ein Hubschrauber auf dem Dach landet.

Der Wind, den die Rotoren machen, verwüstet Magdas Frisur, Adán nimmt sie bei den Schultern und drückt sie ein wenig nach unten, als sie durch die offene Luke in den Hubschrauber steigen.

Diego springt als Letzter auf und zeigt dem Piloten den erhobenen Daumen.

Der Hubschrauber hebt ab.

Adán blickt hinab auf Puente Grande.

Drei Jahre Verhandlungen, Diplomatie, Schmiergeldzahlungen, Beziehungspflege. Drei Jahre hat es gedauert, bis die anderen Bosse seine Rückkehr akzeptiert haben. Drei Jahre, in denen manche gestorben sind und manche ihr Leben lassen mussten. Drei Jahre, bis die Amerikaner das Interesse an ihm verloren und sich einem anderen Staatsfeind Nummer eins zugewandt haben.

Drei Jahre Geduld und Hartnäckigkeit, und jetzt ist er frei. Um seinen Platz auf dem Thron einzunehmen.

Erie, Pennsylvania

Am nächsten Morgen, als er zu seinem Standardfrühstück – Toast, zwei Spiegeleier und Kaffee – den Imbiss betritt, sieht er es.

Eine Schlagzeile hinter dem zersprungenen Glas eines Zeitungsautomaten.

»DROGENBOSS AUS DEM GEFÄNGNIS AUSGEBROCHEN!«

Keller stockt der Atem. Er wirft die zwei Münzen ein und überfliegt den Artikel auf der Suche nach einem Namen.

Es kann nicht sein.

Es *darf* nicht sein.

Die Worte springen ihm ins Gesicht wie Granatsplitter.

»Adán Barrera«.

Keller legt die Zeitung auf den Kasten und liest den Artikel. Barrera ausgeliefert an ein mexikanisches Gefängnis … Puente Grande … eine Weihnachtsfeier …

Er kann es nicht glauben.

Andererseits doch.

Natürlich.

Das ist Barrera. Das ist Mexiko.

Das ist der perfekte Witz, und er ist niederschmetternd.

Ich bin gefangen in der größten Einzelzelle der Welt, denkt Keller.

Und Barrera ist frei.

Keller wirft die Zeitung in den Papierkorb. Er läuft stundenlang durch die Straßen, vorbei an schmutzigen Schneehaufen, geschlossenen Fabriken, bibbernden Crack-Huren, den Trümmern einer Industriestadt, in der es keine Industrie mehr gibt.

Irgendwann am Nachmittag, als sich der Himmel in ein bedrohliches Grau verwandelt, betritt Keller den Busbahnhof und löst ein Ticket in die Stadt, in die er von Anfang an wollte.

Das Hauptquartier der DEA befindet sich in Pentagon City. Was absolut logisch ist, denkt Keller. Wenn man einen Krieg gegen die Drogen führen will, sollte man seinen Stützpunkt im Pentagon haben.

Er trägt seinen einzigen Anzug und seine einzige Krawatte, sitzt glattrasiert mit frischem Haarschnitt in der Lobby und wartet, bis man ihn endlich in die fünfte Etage zu Tim Taylor lässt, der es versteht, seine Begeisterung über das Wiedersehen mit Art Keller geschickt zu kaschieren.

»Was willst du?«, fragt Taylor.

»Du weißt, was ich will.«

»Vergiss es«, sagt Taylor. »Deine Rachefeldzüge sind das Letzte, was wir brauchen.«

»Niemand kennt Barrera so gut wie ich«, sagt Keller. »Seine Familie, seine Verbindungen, die Art, wie er tickt. Und keiner ist so motiviert wie ich.«

»Warum? Weil er hinter dir her ist?«, fragt Taylor. »Ich dachte, du hättest dein Leben geändert.«

»Das war, bevor ihr Barrera rausgelassen habt.«

»Geh zurück zu deinen Bienen«, sagt Taylor jetzt.

»Ich gehe ein Stück weiter.«

»Wie meinst du das?«

»Wenn du mich wegschickst, gehe ich nach Langley. Und ich wette, die wollen mich sehen.«

Die Rivalität zwischen DEA und CIA ist eine erbitterte, die Spannung zwischen den beiden Agenturen ist unerträglich, gegenseitiges Vertrauen praktisch nicht vorhanden. Die CIA hat ihm wenigstens geholfen, Hidalgos Ermordung zu vertuschen, und die DEA hat ihr das nie vergessen oder vergeben.

»Du und Barrera«, sagt Taylor, »ihr seid ein und dieselbe Sorte.«

»Meine Rede.«

Taylor starrt ihn an, lange, dann sagt er: »Das kann schwierig werden. Nicht alle werden erfreut sein. Aber ich sehe, was sich machen lässt. Gib mir eine Nummer, über die du zu erreichen bist.«

Keller sucht sich ein anständiges Hotel in Bethesda, in der Nähe des Marinehospitals, und wartet. Er weiß, was passiert – Taylor muss mit seinen DEA-Chefs reden, die müssen mit ihren Chefs beim Justizministerium reden. Man wird sich zu diskreten Lunches in der K Street treffen und zu noch diskreteren Drinks in Georgetown.

Die Argumente kennt er schon: Art Keller ist schießwütig, ist nicht teamfähig, verfolgt seine eigene Agenda, ist persönlich involviert, die Mexikaner lehnen ihn ab, es ist zu gefährlich.

Das letzte Argument ist das stärkste.

Einen Mann, auf den eine Belohnung von zwei Millionen Dollar ausgesetzt ist, nach Mexiko zu schicken ist mehr als gefährlich, und die DEA kann sich keine schlechte Presse leisten, die zwangläufig zu erwarten ist, wenn wieder einer ihrer Agenten in Mexiko ermordet wird. Trotzdem kann niemand ernstlich leugnen, dass Keller bei der Jagd auf Adán Barrera von unschätzbarem Wert wäre.

»Gebt ihm ein Büro in El Paso«, meint ein Beamter des Weißen Hauses. »Er kann die Mexikaner von dort aus beraten.«

Taylor gibt das Angebot an Keller weiter.

»Ich bin mir ziemlich sicher«, sagt Keller, »dass Barrera nicht in El Paso ist.«

»Arschloch.«

Keller legt auf.

Der Mann vom Weißen Haus hat das Gespräch mitgehört, und er explodiert. »Seit wann bestimmt hier irgendein Agent, wo er hingeht und wo nicht?«

»Das«, sagt Taylor, »ist nicht irgendein Agent. Das ist Art Keller, früher bekannt als ›Herr der Grenze‹. Er weiß, wo die Leichen im Keller liegen, und das nicht nur in Mexiko.«

»Wie ist die Gefahr einzuschätzen?«

»So, wie sie ist. Erwischt er Barrera – fein. Erwischt Barrera ihn … löst das einige Probleme, nicht wahr?«

Keller weiß, was 1985 gelaufen ist. Er war dabei. Er hat die Kokain-Lufttransporte auffliegen lassen, er weiß, dass NSC und CIA die mexikanischen Drogenkartelle genutzt haben, um die Contras in Nicaragua zu finanzieren, mit voller Zustimmung des Weißen Hauses. Er hat bei der Anhörung vor dem Kongress einen Meineid geleistet, um bei der Jagd auf die Barreras freie Hand zu haben, er hat das Imperium der Barreras zerstört und Adán Barrera aus dem Verkehr gezogen.

Jetzt ist Adán Barrera wieder draußen, und Keller meldet sich zurück.

Wenn er in Mexiko draufgeht, nimmt er ein paar Geheimnisse mit ins Grab.

Mexiko ist ein Friedhof der Geheimnisse.

Nach weiteren Telefonaten, weiteren Lunches und weiteren Drinks wird schließlich entschieden, dass Keller im Auftrag der DEA nach Mexico City gehen soll, nicht als Special Agent, sondern als Geheimdienstoffizier. Mit dem simplen Auftrag, »sich unterstützend und beratend an der Festnahme Adán Barreras bzw. an der Feststellung seines Todes zu beteiligen«. Keller akzeptiert.

Aber sie müssen das den Mexikanern verkaufen, die ihre Probleme damit haben, dass sich Keller »unterstützend und beratend« in die mexikanischen Angelegenheiten einmischen soll. Die Frage löst ein bürokratisches Wettpissen zwischen der mexikanischen Staatsanwaltschaft, dem Ministerium für Öffentliche Sicherheit und einem ganzen Rudel kleinerer Agenturen aus, die im Klima unklarer juristischer Zuständigkeiten alle auf verschiedenste Weise miteinander kooperieren und konkurrieren.

Einerseits wollen die Mexikaner von Keller profitieren, andererseits geht es ihnen – verständlicherweise – gegen den Strich, wenn die Amerikaner sie herablassend als ihre »dunkelhäutigen Brüder« behandeln und sie außerdem noch mit ihren ständigen und einseitigen Korruptionsvorwürfen nerven.

Taylor belehrt Keller, was die neuesten Entwicklungen betrifft: »Vielleicht hast du das in deinem Kloster nicht mitgekriegt, aber da unten haben sich die Zeiten geändert. Die PRI ist out, und die PAN ist in. Die Justizbehörden des Bundes sind reorganisiert und gesäubert, und nach offizieller Version – die man auch dir verklickern wird, Keller – heißt es, dass Los Pinos jetzt wie neugeboren mit reiner Seele dasteht.«

Klar, denkt Keller. In den achtziger Jahren lautete die offizielle Version, dass es kein Kokain in Mexiko gebe, und er hatte Befehl, über all die nur zu sichtbaren Gegenbeweise Schweigen zu bewahren – über die gewaltigen Mengen Kokain also, die durch Barreras *Federación* von Kolumbien in die USA befördert wurden. Los Pinos – das Weiße Haus der Mexikaner – war nichts weiter als eine Zweigstelle der *Federación*. Und jetzt ist die mexikanische Regierung rein und unschuldig wie ein Baby?

»Dann hat sich Barrera ganz von selbst aus dem Gefängnis befreit?«, fragt Keller sarkastisch. »In der Regierung war niemand gekauft?«

»Vielleicht ein paar Gefängniswachen.«

»Klar.«

»Ich mache keine Scherze«, sagt Taylor. »Mit Kritik wirst du dich dort unten schön zurückhalten. Du berätst und unterstützt, ansonsten hältst du den Mund.«

Es folgt ein Hin und Her aus E-Mails, Konferenzen, geheimen Noten zwischen Washington und Mexico City, das einen Kompromiss zur Folge hat: Keller wird der Aufsicht eines

»Koordinierungsausschusses« unterstellt und auf eine »rein beratende« Funktion festgelegt.

»Wenn du dem Einsatz zustimmst«, sagt Taylor, »dann unter diesen Bedingungen.«

Keller akzeptiert. Das Ganze ist sowieso Spiegelfechterei – er weiß genau, welche Rolle er in Mexiko spielen soll, unter anderem die des Köders. Wenn es irgendetwas gibt, was Adán Barrera aus der Reserve locken kann, dann ist es die Chance, Rache an Art Keller zu nehmen.

Keller weiß das nur zu genau.

Wenn Adán ihn kriegen will, gut.

Lass ihn kommen.

Die Worte eines Psalms, den sie bei den Morgengebeten sangen, kommen ihm in den Sinn.

Römer 13:11.

»Und das tut, weil ihr die Zeit wisset, nämlich dass die Stunde da ist, aufzustehen vom Schlaf.«

3. Menschenjagd

Keine Jagd ist so wie die Jagd auf Menschen.

Ernest Hemingway, On the Blue Water

Los Elijos, Durango
April 2005

Hinter den Bergen steigt eine dunstige Sonne auf – der Gründonnerstag hat begonnen.

Keller sitzt in einem ungekennzeichneten SUV, der am Felsgipfel unter einer Gruppe Kiefern versteckt ist. Er hat den Finger am Abzug der Sig Sauer, die er gar nicht besitzen dürfte, und blickt in das Tal hinab, wo das Dörfchen Los Elijos, eingeklemmt zwischen Bergwänden, gerade aus dem Morgennebel auftaucht.

Die Gebirgsluft ist dünn und frostig, und Keller zittert vor Kälte, aber auch vor Müdigkeit. Der Konvoi hat sich die ganze Nacht die schmale, gewundene Straße hochgequält, die kaum mehr ist als ein Ziegenpfad, immer in der Hoffnung, unbemerkt hier oben anzukommen.

Durch den Feldstecher sieht er, dass im Dorf noch alles ruhig ist, offenbar hat niemand Alarm ausgelöst.

Hinter ihm bibbert Luis Aguilar.

Die beiden Männer mögen sich nicht besonders.

Am Tag nach Kellers Ankunft in Mexico City hatte die erste Sitzung des »Barrera-Koordinierungsausschusses« stattgefunden, und sie war nicht sehr vielversprechend verlaufen.

»Damit das ganz klar ist zwischen uns«, hatte Aguilar gleich zur Eröffnung verkündet, »Sie sind hier, um Ihre Kenntnisse über die Barrera-Organisation mitzuteilen. Sie sind nicht hier, um Ihre eigenen Quellen zu unterhalten, eigenmächtig zu agieren, Überwachungsmaßnahmen durchzuführen oder geheimdienstlich tätig zu werden. Ich dulde keine Gringos, die sich in meinem Ressort breitmachen. Haben wir uns verstanden?«

Alles an Luis Aguilar war scharf – seine Adlernase, seine Bügelfalte, seine Worte.

»Wir haben unsere eigenen Quellen«, erwiderte Keller. »Satellitenüberwachung, Handy-Ortung, Trojaner, geheimdienstliche Erkenntnisse der USA. Das alles teile ich mit Ihnen so lange, bis ich feststelle, dass Informationen geleakt werden. An dem Punkt ist Schluss, und wir kennen uns nicht mehr.«

Aguilars scharfer Blick wird noch schärfer. »Was wollen Sie damit sagen?«

»Ich kläre nur die Beziehungen zwischen uns.«

Wenn Aguilar scharf war wie eine Axt, war Gerardo Vera glatt wie ein Pfirsich. Er lachte und sagte: »Gentlemen, bitte! Bekämpfen wir doch lieber die Narcos statt uns gegenseitig!«

Aguilar und Vera waren die Chefs der zwei neuen Agenturen mit dem Auftrag, den gordischen Knoten der Korruption und Bürokratie zu zerschlagen und die Wege zu einer effizienten Bekämpfung der Drogenkartelle zu ebnen.

Aguilars Agentur SIEDO (Subprocuraduría Especializada en Investigación de Delincuencia Organizada – Büro des Vizegeneralstaatsanwalts zur Ermittlung der Organisierten Kriminalität) war gegründet worden, um ihre Vorgängerin, die FEADS, zu ersetzen, die von den neuen Machthabern als »korrupter Haufen« bezeichnet wurde.

In ähnlicher Weise hatte Gerardo Vera die alte Bundespolizei, genannt Los Federales, entmachtet und durch die AFI ersetzt, die »Bundesagentur für Ermittlung«.

Die Chefs der beiden Agenturen waren der wandelnde Gegensatz: Aguilar klein, schlank, dunkel und steif, Vera groß, kräftig, blond und ausladend. Der Jurist Aguilar genoss den Ruf eines knallharten Anklägers, der Polizeioffizier Vera hatte verschiedene Ausbildungen durchlaufen, unter anderem auch beim FBI.

Gerardo Vera war der Kumpeltyp, mit dem man beim Bier über Gott und die Welt reden konnte, Aguilar ein schweigsamer Akademiker, frommer Katholik und Familienvater, aus dem man kein Wort herausbekam. Vera trug maßgeschneiderte italienische Anzüge, Aguilar schwarze Begräbniskluft.

Was sie gemeinsam hatten, war die Entschlossenheit zum Großreinemachen.

Sie fingen bei ihren eigenen Leuten an, unterzogen jeden ihrer Ermittler einer Tiefenprüfung und dem Lügentest, um sicherzustellen, dass sie niemals Geld von den Narcos genommen hatten. Aguilar und Vera waren die Ersten, die den Test durchliefen, und sie teilten der Presse das (unverfängliche) Ergebnis mit.

Nicht alle kamen durch. Aguilar und Vera feuerten Hunderte Beamte, die im Test versagt hatten.

»Manche von den Kerlen«, ließ sich Keller von Vera erklären, »waren schon bei den Kartellen, *bevor* sie zu uns kamen. Sie haben sich im Auftrag der Kartelle beworben. Ist das nicht unglaublich? Diese Motherfucker!«

Aguilar zuckte bei dem Wort zusammen.

»Jetzt lassen wir uns alle monatlich testen«, sagte Vera. »Das ist teuer, aber wer den Stall rein halten will, muss ständig ausmisten.«

Der Mist kam in dicken Fladen zurückgeflogen.

Vera und Aguilar erhielten reihenweise Morddrohungen. Beide beschäftigten sie ein halbes Dutzend schwerbewaffnete Leibwächter, die sie überallhin begleiteten, Streifen bewachten ihre Häuser rund um die Uhr.

Die DEA sah es mit Wohlgefallen.

»Endlich gibt es dort Leute, mit denen wir arbeiten können«, meinte Taylor, als er Keller auf seinen Einsatz vorbereitete. »Diese Jungs sind ehrlich, kompetent und *hochmotiviert.*«

Das konnte Keller nur bestätigen.

Trotzdem geriet er immer wieder mit Aguilar aneinander.

»Die Instanzen Ihrer Behörde«, sagte Keller eines Tages,

nachdem er siebenunddreißig Mails gewechselt hatte, um sich eine simple Abhörmaßnahme genehmigen zu lassen, »sind etwa so verworren wie eine Schüssel übrig gebliebene Spaghetti.«

»Ich esse keine Reste«, antwortete Aguilar, »aber vielleicht können Sie mich über die exakten Grenzziehungen zwischen DEA, ICE, FBI, Homeland Security und den ganzen staatlichen und lokalen Behörden auf Ihrer Seite der Grenze aufklären, denn, ehrlich gesagt, kann ich sie nicht erkennen.«

Sie stritten sich wegen des Ausbruchs aus Puente Grande.

Für die Gefängnisse war jetzt Vera zuständig, während das Gefängnispersonal Aguilar unterstand. Daher hatte Vera seine Leute eingesetzt, um den Ausbruch zu untersuchen, während Aguilar die Verhaftung von zweiundsiebzig Wachen einschließlich des Gefängnisdirektors verfügt hatte. Die Verhöre leitete ein Spitzenbeamter der AFI namens Edgar Delgado, Aguilar und Keller durften hospitieren. Was Aguilar dabei zu hören bekam, war eine Demütigung für ihn: Barrera hatte praktisch das ganze Gefängnis unter seine Kontrolle gebracht.

Keller hatte nichts anderes vermutet.

»Weil für Sie alle Mexikaner korrupt sind, nicht wahr?«, zischte Aguilar.

Keller zuckte die Schultern.

An dem Tag kam Aguilar erst nach dem Abendessen nach Hause, aber noch rechtzeitig, um seinen Töchtern bei den Schularbeiten zu helfen. Als sie im Bett waren, stellte ihm seine Frau Lucinda einen Teller mit Lamm-Birria hin, das er immer sehr gern aß.

»Wie ist der Amerikaner?«, fragte sie und setzte sich zu ihm.

»Wie Amerikaner so sind«, erwiderte Aguilar. »Er weiß alles besser.«

»Sei doch nicht so spießig, Luis.«

»Ich nenne mich lieber bodenständig.«

»Du könntest ihn mal zum Essen einladen.«

»Ich bin froh, wenn ich den nicht sehen muss«, sagte Aguilar. »Außerdem will ich ihn dir nicht zumuten.«

Sein neuer Job war für seine Frau belastend. Als Schuldirektorin war sie nicht an die Leibwächter gewöhnt, die sie auf Schritt und Tritt begleiteten, auch nicht an die Wachen vor dem Haus. Die Töchter sahen das lockerer, und sie fanden es irgendwie »cool«, zumal auch andere Schüler ihrer Privatschule Leibwächter hatten.

Manche waren Kinder von Regierungsbeamten, andere, zu Aguilars Verdruss, zweifellos *buchones* – Kinder von Narcos. Aber was hilft's, dachte er sich, schließlich kann man Kinder nicht für die Sünden ihrer Väter haftbar machen.

»Wie ist das Lamm?«, fragte Lucinda.

»Hervorragend, danke.«

»Noch Wein?«

»Du willst mich wohl verwöhnen?«

»Der Mann ist sicher kein Unmensch.«

»Das habe ich nicht gesagt«, erwiderte Aguilar. »Ich habe nur gesagt, dass er Amerikaner ist.«

Nach dem Essen spielte er noch ein paar Züge Schach gegen sich selbst, dann ging er hinauf ins Bett.

Lucinda erwartete ihn schon.

Am nächsten Morgen machten sie sich frisch an die Arbeit.

»Gehen wir von der Annahme aus«, sagte Aguilar, »dass die Tapias mit Nacho Esparza kooperiert haben, um Barrera aus dem Gefängnis zu holen.«

»Durchaus möglich«, sagte Keller.

»Was folgt aus dieser Annahme?«

»Dass wir sie in die Zange nehmen«, sagte Vera. »Bis es ihnen zu teuer wird, Barrera zu verstecken.«

Sie nahmen Esparza und die Tapias kräftig in die Zange.

Gestützt auf Daten der SIEDO und auf Informationen der DEA, die Keller beisteuerte, durchsuchten sie Liegenschaften Esparzas und der Tapias in Sinaloa, Durango und Nayarit. Sie verhörten Dutzende Komplizen. Ließen Hanfbauern, Händler, Spediteure und Geldwäscher auffliegen.

Sie erhöhten den Druck, beschlagnahmten einen Kokaintransport von Diego Tapia, dann einen Frachter mit Chemikalien, die Esparza für die Herstellung von Meth benötigte.

Und sie ließen keinen Zweifel, was sie wollten. Die AFI-Soldaten warfen die Verhafteten zu Boden und brüllten: »Wo ist Adán Barrera?« Dann wurden sie den SIEDO-Agenten übergeben, die das Gleiche fragten: »Wo ist Adán Barrera?«

Alle hielten dicht.

Die Razzien brachten Drogen, Waffen, Computer, Handys zutage, aber keine Hinweise auf Barreras Aufenthalt.

Aguilar schob Keller den Schwarzen Peter zu.

»Sie sind doch unser Barrera-Experte«, sagte er, ohne seinen Sarkasmus zu verhehlen. »Würden Sie uns gefälligst an Ihrer Expertise teilhaben lassen?«

Keller nahm den Fehdehandschuh auf.

Bei der Ankunft in Mexico City hatte er seine offizielle Behausung in Botschaftsnähe bezogen, doch bald darauf eine möblierte Wohnung im ersten Stock eines Art-déco-Hauses auf der Avenida Vicente Suárez genommen – in fußläufiger Entfernung von der Botschaft, aber nicht zu dicht am amerikanischen Diplomatenghetto. Mitten in einem Bohemeviertel voller Straßencafés, Bars und Buchläden.

Als mexikanischer Muttersprachler fühlte er sich hier wie zu Hause. Er holte seine Siebensachen und sah in der offiziellen Wohnung nur ab und zu nach dem Rechten. Hier in den eigenen vier Wänden war er gut bestückt – er hatte seine Sig Sauer zur Hand, eine 12er Mossberg Tacstar 590 Pumpgun war griffbereit unter dem Bett festgeschnallt und ein US-Navy-K-Bar-Kampfmesser mit Klebeband am Spülkasten befestigt. Ich mag zwar ein Köder sein, sagte er sich, aber wehrlos bin ich deshalb noch lange nicht.

Weil die wochenlange Suche nach Barrera zu nichts geführt hatte, vergrub sich Keller in seiner Wohnung und recherchierte, las Tausende Seiten Verhörprotokolle der verhafteten Wachmannschaften von Puente Grande.

Und bekam Erstaunliches zu lesen – über Barreras Luxuszelle, über »Kinoabende«, herangekarrte Prostituierte, den Schlägertrupp *Los Bateadores*. Er las von der ehemaligen Schönheitskönigin Magda Beltrán, über die Familienweihnachtsfeier, den Aufstand in der Nacht des Ausbruchs. Es klang alles unglaublich, bot aber keine Rückschlüsse auf Barreras jetzigen Aufenthalt.

Keller fing von vorne an.

Las die Berichte über Barreras Jahre in Puente Grande noch einmal von vorn bis hinten.

Dann erst stolperte er über die flüchtige Erwähnung einer Messerattacke auf Barrera. Was tatsächlich auf dem Volleyballfeld vorgefallen war, wurde nicht klar, aber die Leiche des angeblichen Täters war später gefunden worden – mit einem sauberen Einschuss im Hinterkopf.

Keller rief Aguilar an. »Könnten Sie die Akte eines ehemaligen Häftlings heraussuchen lassen, des verstorbenen Juan Jesús Cabray?«

»Ja. Warum?«

»Ich brauche sie, um meine Expertise einzusetzen.«

»Na, dann auf jeden Fall.«

Keller ging zur SIEDO-Zentrale, um sich die Akte zu holen.

Cabray war ein Berufsganove gewesen, mit Kontakten zum Sonora-Kartell und offenbar geschickt mit dem Messer. Nicht geschickt genug, dachte Keller. Er ließ die Frage nach dem Auftraggeber beiseite und vertiefte sich in den Fall.

Nehmen wir an, die Geschichte stimmt, dachte Keller. Cabray hat versucht, Barrera zu erstechen, und Barreras Leute haben ihn liquidiert. Auf den Fotos von Cabrays Leiche war die Schusswunde gut zu sehen, aber spannender war, was er nicht sah.

Spuren von Folter.

Normalerweise hätten ihn die Killer nach allen Regeln der

Kunst in die Mangel genommen, um herauszufinden, wer sein Auftraggeber war, aber die Fotos zeigen keine Folterspuren, keine Knochenbrüche, keine Brandmale.

Cabray hatte kooperiert.

Keller las in der Akte, dass Cabray aus Los Elijos in der Provinz Durango stammte. Mit ein paar Mausklicks holte er sich die Satellitenfotos auf den Bildschirm, ein kleines Dorf, tief versteckt in einem Tal.

Es gehörte zum sogenannten Goldenen Dreieck, jener Bergregion Mexikos, wo die Provinzen Sinaloa, Durango und Chihuahua zusammentreffen und wo die wichtigsten mexikanischen Anbaugebiete für Opium und Marihuana lagen.

Eine Hochburg des Sinaloa-Kartells.

Keller beantragte eine Sitzung des Barrera-Koordinierungsausschusses und erbat die Erlaubnis, eine US-Satellitenüberwachung für Los Elijos anzufordern, was heikel war, da die Mexikaner einiges gegen ausländische Spionagetechnik einzuwenden hatten.

»Das ist doch absurd«, sagte Aguilar. »Warum soll sich Barrera im Dorf eines Mannes verstecken, der versucht hat, ihn zu töten, und dessen Tötung er außerdem befohlen hat?«

»Vertrauen Sie mir einfach«, sagte Keller.

»Ihrer Expertise?«

»Wir kommen sowieso nicht weiter«, sagte Vera. »Also warum nicht?«

»Wir können ein Flugzeug schicken«, meinte Aguilar.

»Das müsste aus höchster Höhe operieren«, sagte Keller. »Kein Tiefflieger. Ich will ihn nicht aufschrecken. Am besten wäre der Satellit.«

Aguilar schnaubte – und erteilte die Genehmigung. Keller rief Taylor an, die Satelliten wurden programmiert.

Zwei Tage später legte Keller die Fotos auf dem Konferenztisch aus. Er zeigte auf einen kleinen Kreis, ein größeres Quadrat und ein noch größeres Rechteck.

»Das könnte ein neuer Brunnen sein«, sagte er. »Das – ich

weiß nicht. Eine Schule? Der dritte Umriss vielleicht eine Klinik. Auf jeden Fall sind es Neubauten.«

»Worauf wollen Sie hinaus?«, fragte Aguilar.

»Das ist ein armes Dorf. Und plötzlich schießen dort alle möglichen Kommunalbauten aus dem Boden.«

»Wir haben in ganz Mexiko soziale Entwicklungsprojekte gestartet«, sagte Aguilar.

»Können wir herausfinden – in aller Diskretion –, ob es die auch in Los Elijos gibt?«, fragte Keller. »Wenn nicht, hätte ich eine Idee, wer die Bauten bezahlt haben könnte.«

»Lassen Sie mich raten – Adán Barrera«, sagte Aguilar. »Dass ich nicht lache!«

»Woher kommen Sie?«, fragte Keller.

Aguilar wirkte überrascht, aber er antwortete: »Mexico City.«

Keller fragte Vera. »Und Sie?«

»Auch Mexico City.«

»Ich habe mehrere Jahre im Goldenen Dreieck verbracht«, sagte Keller. »Ich kenne die Leute, ich weiß, wie sie ticken, ich kenne die Kultur. Und Adán Barrera kenne ich seit seinem neunzehnten Lebensjahr.«

»Und das heißt?«

»Das heißt, die Leute in Los Elijos halten Cabrays Tat für ehrenhaft«, sagte Keller. »Und sie denken, dass sich Adán Barrera nobel verhält. Gehen Sie davon aus, dass Cabray, bevor er starb, Barrera als seinen *patrón* akzeptiert hat. Als Cabrays *patrón* hat Barrera dem Dorf einen Brunnen, eine Schule, eine Klinik gespendet. Und daher schützen sie ihn.«

»Das ist mir zu weit hergeholt«, sagte Aguilar.

»Haben Sie eine bessere Idee?«, fragte Keller.

Aguilar machte ein paar diskrete Anrufe und fand heraus, dass es keinerlei staatliche Förderprojekte in Los Elijos gab, auch keine bekannten kirchlichen oder NGO-Vorhaben.

Gerardo Vera traf die Entscheidung: Die AFI würde einen Überraschungszugriff auf Los Elijos starten.

Die Auswertung der Satellitenfotos engte Barreras möglichen

Aufenthalt auf das größte Haus des Dorfes ein, ein freistehendes Kalksteinhaus mit Ziegeldach und einer niedrigen Umfassungsmauer am Ende einer ungepflasterten Straße.

»Ich hoffe, er hat seine Schönheitskönigin dabei«, sagte Vera.

»Dieses Exemplar möchte ich mir aus der Nähe ansehen.«

Keller schob ihm die Fotos hin. »Ich will bei dem Zugriff dabei sein.«

»Unmöglich«, sagte Aguilar. »Ein US-Agent, der bei einem Einsatz in Mexiko getötet wird? Das Risiko ist untragbar.«

Er will nur nicht, dass ein US-Agent in Mexiko einen Mexikaner tötet, dachte Keller.

»Barreras Festnahme wird eine rein mexikanische Operation«, sagte Aguilar. »Die Unterstützung durch die DEA darf nicht publik werden.«

Das versteht ihr also unter Beratung und Unterstützung, dachte Keller. »Wenn mir was passiert, können Sie mich ja gleich in den Bergen verscharren.«

»Das ist leider unmöglich«, sagte Aguilar. »So verlockend es klingt.«

»Meine Infos machen doch den Einsatz erst möglich!«, protestierte Keller.

»Warum sollte uns das jucken?«

»Weil wir Waffenbrüder sind«, meinte Vera. »Wir schulden ihm Loyalität.«

»Nur wenn Sie die Verantwortung übernehmen«, blaffte Aguilar.

Am selben Nachmittag saßen sie in einem Militärflugzeug nach El Salto, Durango. Dort bestiegen die AFI-Trooper die Trucks und SUVs und nahmen Kurs auf die Berge. Die Fahrt dauerte die ganze Nacht. Gegen Morgen hatten sie die Bergkuppe oberhalb von Los Elijos erreicht.

Jetzt sitzt Keller neben Aguilar und bibbert.

Vera wartet mit fünf seiner Leute in einem anderen Fahrzeug.

Sie verfolgen eine schlichte Taktik: Sobald es hell genug ist, gibt Vera über Funk den Einsatzbefehl, die acht Fahrzeuge rasen die Straße hinab ins Dorf, bis zu dem großen Haus am Ende der Straße, umstellen und stürmen es.

Wenn sie Glück haben, verhaften sie Barrera in dem Haus. Wenn er sich irgendwo im Dorf aufhält, kann er nur ins Freie flüchten, wo sie ihn zu fassen kriegen.

Das zumindest ist der Plan.

Aguilar ist nicht überzeugt.

»Die ganze Idee, dass sich Barrera in dem Dorf versteckt, ist ein Hirngespinst«, hat er auf der strapaziösen Fahrt durch die Berge, die seinen Magen und seine Psyche in Aufruhr versetzte, mehrfach wiederholt. Jetzt lutscht er Magentabletten und blickt übellaunig in das dunstige Tal.

Da sie nichts tun können außer warten, kommen sie ins Gespräch, Keller und Aguilar, und sei es auch nur, um die Anspannung und die Monotonie zu durchbrechen. Und ohne viel nachzubohren, erhält Keller ein wenig Einblick in das Privatleben des verschlossenen Juristen.

Aguilar hat eine Frau und zwei halbwüchsige Töchter. Er hat in Harvard studiert und findet Harvard überschätzt, er hat aufgehört zu rauchen, ist ein eifriger Katholik und ein fast ebenso eifriger Anhänger des Fußballclubs Las Águilas.

»Und Sie?«, fragt Aguilar.

»Fußball? Nein.«

»Familie, meinte ich.«

»Geschieden«, antwortet Keller. »Zwei Kinder – Junge und Mädchen –, die schon erwachsen sind.«

»Dieser Beruf«, sagt Aguilar, »ist schlecht für das Familienleben. Die Dienstzeiten, die Geheimhaltung …«

Keller spürt, dass Aguilar versucht, nett zu sein und Gemeinsamkeiten festzustellen. Weil er fast freundlich klingt, spielt Keller mit. »Bei der DEA sagen sie, man kriegt eine Waffe und eine Erkennungsmarke gestellt, aber kein Familienleben.«

»Ich könnte ohne Familie nicht leben«, meint Aguilar und entschuldigt sich sofort: »Verzeihung, das war unhöflich.«

»Nein, nein, ich kann Sie verstehen.«

Sie schweigen eine Weile, dann wagt Aguilar einen neuen Vorstoß. »Ich habe die Geschichten über Sie und Barrera gehört.«

»Na, Geschichten gibt es eine Menge.«

»Ich glaube, es ist wichtig«, sagt Aguilar, »zwischen Rache und Recht zu unterscheiden.«

Gerade wenn ich anfange, dich zu mögen, denkt Keller, fängst du an, Moral zu predigen. »Sind Sie je in eine Schießerei geraten?«, fragt er ihn.

»Nein«, antwortet Aguilar. »Und heute wird es wohl auch nichts damit.«

»Ich frage mich nur, ob Sie nervös sind«, sagt Keller. »Verständlich wäre es.«

»Alle meine Schlachten haben im Gerichtssaal stattgefunden«, sagt Aguilar. »Aber nein, ich bin nicht nervös. Ich bin nur gereizt wegen dieser gigantischen Verschwendung von Zeit und Ressourcen, denn an beidem fehlt es uns.«

»Okay.«

Aguilar richtet seinen Blick auf die Sig Sauer. »Sie sind nicht befugt, diese Waffe einzusetzen, außer in Extremsituationen der Selbstverteidigung.«

»Wo haben Sie Ihr Englisch gelernt?«, fragt Keller.

»Harvard.«

»Okay.«

»Ich habe keine Ahnung, wie diese Formulierung zu deuten ist.«

»Ich auch nicht.«

Vielleicht ist Aguilar wirklich nicht nervös, denkt Keller, aber ich bin es. Ich *weiß*, dass Barrera da unten ist, weil ich es *spüre*. Eine Begründung, die Aguilar empört von sich weisen würde. Seit dreißig Jahren bin ich hinter ihm her, und das verbindet – mehr, als ich es wahrhaben möchte.

In zwanzig, dreißig Minuten könnte es vorbei sein. Und was dann, Keller?, fragt er sich. Was fängst du dann mit deinem Leben an?

Aber warten wir's ab.

Kriegen wir ihn erst mal zu fassen.

Keller fingert nervös am Abzug.

Dann knackt die Funkverbindung. »Bereithalten!«, ruft Vera über Funk.

»Sind Sie bereit?«, fragt Aguilar.

Darauf kannst du einen lassen, denkt Keller.

Gerardo Vera gibt das Startsignal, der Fahrer des SUV gibt Gas, rast den steilen Berghang hinab, in die Haarnadelkurven hinein, als wollte er zum Flug ansetzen.

Dann kommen die ersten Häuser, sie biegen in die Dorfstraße ein. Ein paar Frühaufsteher starren ihnen geschockt entgegen, und Keller hört, wie einer schreit: »*Juras! Juras!*«

Polizei! Polizei!

Aber zu spät, denkt er, während sie den neuen Brunnen, die neue Schule, die neue Klinik hinter sich lassen und auf das Haus am Ende der Straße zurasen. Wenn du da drinsteckst, Adán – und du steckst da drin –, dann haben wir dich!

Der SUV kommt vor dem Haus zum Stehen, während die anderen Fahrzeuge es einkreisen wie berittene Indianer in einem schlechten Western und dann einen Belagerungsring bilden.

AFI-Trooper mit dunkelblauen Uniformen und Baseballcaps springen aus den Fahrzeugen, ausgerüstet mit amerikanischen AR15-Gewehren, 45er Pistolen, Schusswesten und schweren schwarzen Kampfstiefeln.

Angeführt von Gerardo Vera, stürmen sie das Haus.

Keller steigt aus und geht gemächlich auf die Hintertür des Hauses zu. Aguilar, seine 38er unbeholfen umklammernd, folgt ihm. Keller öffnet die Tür und geht hinein, mit erhobener Sig Sauer.

Es war die Tür zur Küche, ein erschrockener Koch hebt die Hände.

»Wo ist Adán Barrera?«, brüllt Keller. »Wo ist der Señor?«

»*No se.*«

»Aber er war hier, oder? Wann ist er weggefahren?«

»*No se.*«

»Hatte er eine Frau dabei?«, fragt Aguilar.

»*No se.*«

»Und wie hieß sie? Auch *No se?*« Vera kommt aus dem Inneren des Hauses und drückt dem Koch die Pistole an die Schläfe. »Spuck's aus!«

»Er ist unter Schock«, sagt Aguilar. »Lassen Sie ihn.«

»Ich stecke dich und deine ganze Familie ins Gefängnis«, bellt Vera und stößt ihn vor sich her.

»Mir ist kein Strafgesetzparagraph bekannt, der die Zubereitung schwarzer Bohnensuppe verbietet«, sagt Aguilar, der gerade den Herd inspiziert. »Glauben Sie etwa, dass Barrera seinem Koch erzählt, wo er hingeht?«

Keller durchsucht das Haus.

Schlafzimmer, Badezimmer, Wohnzimmer, alles. Schaut unter Betten, in Schränke. In einem Schlafzimmer meint er teures Parfüm zu riechen. Die AFI-Trooper reißen Badewannen und Fliesen heraus, auf der Suche nach Fluchttunneln.

Vergeblich.

Sie durchkämmen das Haus nach Handys und Computern und finden nichts.

»Ich habe es ja gesagt«, sagt Aguilar mit unterdrücktem Triumph, als Keller zu ihm in den wartenden SUV steigt.

Bei der Fahrt durchs Dorf sieht Keller, dass die Trooper jedes Haus durchsuchen, die Bewohner auf die Straße jagen, Fenster einwerfen, Möbel demolieren.

Er lässt halten und steigt aus.

»Dieses Dreckloch werde ich ausräuchern!«, brüllt Vera mit zornesrotem Gesicht.

Immer dasselbe, denkt Keller. Vietnam in den Sechzigern, Sinaloa in den Siebzigern, wir machen immer die gleichen Idiotenfehler. Kein Wunder, dass die Leute die Narcos verteidigen – Barrera baut Häuser, wir machen sie kaputt.

Die Soldaten treiben die Bewohner an der Mauer des kleinen

Friedhofs zusammen, verteilen Tritte und Ohrfeigen, um aus ihnen herauszubekommen, wo sich El Señor versteckt.

Keller nimmt Vera beiseite. »Hören Sie auf damit«, sagt er. »Kümmern Sie sich um Ihre Angelegenheiten.«

»Das *ist* meine Angelegenheit.«

»Die wissen, wo er sich versteckt.«

»Die wissen höchstens, wo er sich versteckt *hat*«, sagt Keller leise. »Das hier richtet mehr Schaden an, als es nutzt.«

»Die brauchen ihre Lektion.«

»Das ist die falsche Lektion, Señor Vera.«

Keller geht auf die verängstigten Leute zu und fragt: »Wo ist die Familie von Juan Cabray?«

Er sieht eine Frau, die ihr Gesicht abwendet und die Arme schützend um ihre Kinder legt. Eine ältere Frau steht neben ihnen und blickt zu Boden. Er geht auf sie zu, nimmt sie beim Ellbogen und führt sie von der Friedhofsmauer weg. »Zeigen Sie mir sein Grab, Señora.«

Die Frau führt ihn zu einem neuen Grabstein aus teurem Granit, den sich kein Campesino leisten könnte.

Der Name Juan Cabray ist in großen Lettern eingemeißelt.

»Ein schönes Grab«, sagt Keller. »Es macht Ihrem Sohn alle Ehre.«

Die Frau schweigt.

»Schütteln Sie den Kopf, wenn El Señor hier war«, sagt Keller zu ihr.

Sie starrt ihn kurz an, dann schüttelt sie heftig den Kopf, als würde sie die Antwort verweigern.

»Gestern Abend?«

Sie schüttelt wieder den Kopf.

»Wissen Sie, wohin er geflohen ist?«

»*No se.*«

»Ich muss Sie jetzt ein bisschen grob anfassen«, sagt Keller. »Bitte entschuldigen Sie, aber ich weiß, Sie werden es verstehen.«

Er nimmt sie beim Ellbogen, schiebt sie vom Grab weg und

zurück zu ihrer Familie. Die Dorfbewohner an der Friedhofsmauer vermeiden seinen Blick. Keller geht hinüber zu Aguilar, der Gerardo Vera gerade auffordert, »diese fruchtlose und gesetzwidrige Barbarei zu beenden«.

»Gestern Abend war er hier«, sagt Keller und wendet sich an Vera. »Wenn Sie diesen Ort niederbrennen, wissen das binnen vierundzwanzig Stunden alle Campesinos dieser Region, und sie werden niemals kooperieren.«

Vera starrt ihn an, lange, dann gibt er seinen Leuten Befehl zum Rückzug.

Barrera ist entwischt, denkt Keller. Aber wenigstens haben wir jetzt eine heiße Spur. Vera wird seine Kräfte auf die Suche und auf die Bereitstellung der nötigen Ressourcen konzentrieren. Er wird Armeepatrouillen in Gang setzen, staatliche und lokale Polizeikräfte, Hubschrauber und Flugzeuge.

Aber Keller weiß, dass sie ihn nicht fassen werden. Nicht in den Bergen von Durango mit ihren dichten Wäldern, den unpassierbaren Straßen und Hunderten kleiner Dörfern, wo die Narcos mehr Macht haben als die Regierung im fernen Mexico City.

Hier ist Barrera Herr über die Polizei. Sie jagt ihn nicht, sie *schützt* ihn.

Auf der Rückfahrt sagt Aguilar zu Keller: »Sagen Sie nicht, was Sie denken.«

»Was denke ich denn?«

»Dass Barrera einen Tipp bekommen hat.«

»Das zu sagen erübrigt sich.«

»Es könnte auch jemand von der DEA gewesen sein«, zischt Aguilar wütend.

»Könnte.«

Ist es aber nicht, denkt Keller.

Adán ist entkommen, es war eine Sache von Stunden. Er hielt sich in seinem Haus in El Elijos auf, als der Anruf von Diego kam, die AFI sei im Anrücken.

Jetzt ist er in Sicherheit, er musste nur über die Provinzgrenze nach Sinaloa fahren, in ein anderes Versteck, wo ihn Diego schon erwartet.

»Jemand hat ihnen einen Tipp gegeben«, sagt Adán. »War es Nacho?«

»Das kann ich mir nicht vorstellen«, sagt Diego.

»Wer dann?«

»Keiner von uns, glaube ich«, sagt Diego. »Aber die Regierung hat sich einen Spezialisten geholt.«

»Und wen?«

Adán kann es nicht glauben, als er den Namen hört.

»Keller?«

»Ja«, sagt Diego.

»In Mexiko?«

Diego zuckt die Schultern.

»In welcher Eigenschaft?«, fragt Adán ungläubig.

»Sie haben einen ›Barrera-Koordinierungsausschuss‹ gegründet«, sagt Diego, »und Keller ist der amerikanische Berater.«

Klingt plausibel, sagt sich Adán. Wenn man einen Jaguar fangen will, sucht man sich den Mann, der den Jaguar schon einmal gefangen hat. Trotzdem unfassbar, dass der Mann den Nerv hat. Nach Mexiko zu kommen und den Kopf hinzuhalten – oder dem Jaguar in den Rachen zu stecken.

Aber es sieht ihm ähnlich.

Keller hat einmal sein Leben aufs Spiel gesetzt, um das von Adán zu retten. Das war, als Adán noch jung war, als ihn Soldaten in Sinaloa gefangen nahmen, fast totprügelten, ihm Benzin in die Nase gossen, bis er fast erstickt wäre, dann aus dem fliegenden Hubschrauber werfen wollten.

Keller ging dazwischen, bevor der Hubschrauber starten konnte, und rettete ihm das Leben.

Das ist lange her.

Seitdem ist eine Menge Blut geflossen.

»Liquidieren«, sagt Adán jetzt.

Diego nickt.

»Das kannst du nicht machen«, sagt Magda.

Widerspruch ist Adán nicht gewohnt. Aber er dreht sich um und fragt: »Warum nicht?«

»Ist der Druck nicht schon groß genug?«

Ja, der Druck ist gewaltig und kommt völlig unerwartet. Der Hubschrauber, mit dem sie geflohen waren, hatte sie nach ein paar Meilen in einem kleinen Dorf abgesetzt. Nach einer kurzen Ruhepause waren sie im Konvoi aufgebrochen. Und sie waren nur eine Stunde entfernt, als Armee und Polizei in das Dorf einfielen und alle Häuser niederbrannten – zur Strafe und zur Warnung für andere Helfer.

Aber es brachte nichts.

Die Regierung richtete eine Barrera-Hotline ein, auf der ein Hinweis nach dem anderen einging, aber keiner von ihnen stimmte, keiner kam von Leuten, die ihn wirklich gesehen hatten. Die meisten Anrufe waren »Flakfeuer«, abgeschossen von Diegos Leuten, damit sich die Polizei mit der Verfolgung Hunderter falscher Spuren verzettelte.

Diego heuerte sogar drei Barrera-Doppelgänger an, die durchs Land fuhren und falsche Hinweise produzierten.

Wochenlang reiste Adán nur nachts, wechselte die Verstecke wie die Hemden. In Jalisco verkleidete er sich als Priester, in Nayarit als AFI-Trooper. Und der Verfolgungsdruck ließ nicht nach. Hubschrauber kreisten über ihnen, sie mussten Armee-Kontrollpunkte umgehen, auf Schleichwegen, die kaum passierbar waren.

Schließlich kam Adán auf die brillante Idee, Zuflucht in Los Elijos zu suchen. Die Campesinos nahmen ihm den Tod von Cabray nicht übel, sondern begrüßten ihn als Wohltäter, der Cabray Ehre angetan und ihrem Dorf geholfen hatte. Adán und Magda zogen in das beste Haus des Dorfes, das klein war, aber recht komfortabel.

Niemand in Los Elijos oder Umgebung verlor ein Sterbenswörtchen über die Anwesenheit des *patrón* und seiner Geliebten. Aber die Jagd geht weiter, die Regierung hat sich Art Keller geholt, Art Keller hat ihn prompt aufgespürt und nur um Stunden verfehlt.

Und jetzt ist Magda dagegen, dass Keller liquidiert wird.

»Gerade du solltest wissen, was passiert, wenn ein amerikanischer Agent in Mexiko stirbt«, sagt sie. »Wenn du einfach abwartest, glätten sich die Wogen von allein. Aber wenn diesem Keller was passiert, lassen die Amerikaner nicht locker – und zwingen die Regierung, Jagd auf dich zu machen. Ich sagte nicht ›Nein‹, ich sage nur ›Nicht jetzt‹.«

Er muss zugeben, dass sie recht hat. Keller, dieser durchtriebene Hund, weiß genau, dass auch er selbst in Mexiko fast sicherer ist als in den USA. Wenn er dem Jaguar den Kopf tief genug in den Rachen steckt, kann der Jaguar nicht zubeißen.

»Dann halte ich mich zurück. Aber nicht für immer«, sagt Adán.

Magda ist klug genug, ihr Siegerlächeln zu verbergen. Adán hat verstanden, und sie hat sein überschießendes Temperament ein wenig gezähmt.

Diego war überhaupt dagegen gewesen, sie auf die Flucht mitzunehmen.

»Es wird schwer genug, den berühmtesten Narco der Welt zu verstecken«, hatte er gesagt. »Aber den berühmtesten Narco der Welt und eine ehemalige Schönheitskönigin? Nie im Leben!«

»Ich lasse sie nicht in Puente zurück«, sagte Adán.

»Dann geht wenigstens getrennte Wege.«

»Nein.«

»*Dios mío*«, sagte Diego. »Bist du etwa verliebt?«

Ich weiß nicht, denkt Adán jetzt und mustert Magda von der Seite. Könnte sein. Ich wollte eine schöne, charmante Geliebte, aber ich habe viel mehr bekommen – eine Vertraute, eine Beraterin, eine Frau, die sagt, was sie denkt. Also fragt er sie:

»Was soll ich mit Nacho machen?«

»Geh auf ihn zu«, sagt sie. »Schlag ein Treffen vor. Biete ihm etwas, was stärker ist als seine Angst vor der Regierung.«

Nacho stimmt einem Treffen zu. Auf einer abgelegenen Dschungel-Finca in den Bergen von Nayarit.

Der »Ausschuss« beschließt, in der Region zu bleiben, statt nach Mexico City zurückzukehren und von vorn anzufangen. Barrera kann nicht weit sein. Daher machen sie Quartier in El Salto und versuchen, sich ein Bild von der Lage zu verschaffen.

Armee und Luftwaffe suchen mit Radar nach ungemeldeten Flügen. Straßensperren werden errichtet. Die SIEDO wertet mit Hilfe der DEA in El Paso Handy- und E-Mail-Daten aus.

Ein aufgescheuchter Vogel muss flattern.

Ein Drogenboss, der zur überstürzten Flucht gezwungen wird, muss kommunizieren. Er muss neu planen, seine Sicherheitskräfte umdirigieren, Reisen vorbereiten, die richtigen Leute in Gang setzen.

Die Narcos tun, was sie können, um ihren Nachrichtenverkehr zu tarnen – sie verwenden Handys nur einmal, wechseln ständig zwischen Satellitentelefon, SMS und E-Mail, sie weichen auf ausländische Webserver aus, aber je knapper die Zeit, umso schwerer ist das alles zu bewerkstelligen.

Selbst gut gerüstete Dienste wie die DEA in El Paso können nicht jede E-Mail abfangen oder jeden Anruf mithören, aber mit Hilfe der Verbindungsdaten können sie das Verkehrsvolumen messen.

Sie haben schon gewisse Hotspots festgelegt – Gegenden, in denen sie die Datendichte der von den Narcos bevorzugten Handynetze und Internetserver messen –, und wenn dort etwas los ist, leuchten im Kontrollraum die Lämpchen auf.

Und eine dieser Zonen erstrahlt jetzt wie ein Weihnachtsbaum.

Eine Mobilfunkantenne in der Provinz Jalisco zeigt eine dramatische Häufung von Anrufen, in einer Gegend, in die sich Nacho Esparza gern zurückzieht, wenn dicke Luft ist. Viele dieser Anrufe gehen in die bergige Nachbarprovinz Nayarit, genauer gesagt in eine Funkzelle, die ein entlegenes Dschungelgebiet abdeckt, südlich der Provinzen Sinaloa und Durango. Geographisch ist das plausibel. Von Durango ist es nicht weit nach Nayarit, mit dem Auto oder einem kurzen Flug ist die Entfernung leicht zu überbrücken.

Dass Nacho Esparza hinter dem Datenverkehr steckt, ist ebenfalls plausibel. Seit Monaten kursieren Gerüchte über Spannungen zwischen Barrera und Esparza – dass Nacho nicht zu Barreras Weihnachtsfeier im Gefängnis erschienen war, wurde registriert, ebenso Esparzas Verdacht, Barrera könnte noch immer als Informant der Amerikaner tätig sein. Nayarit liegt zwischen den Stützpunkten der beiden Drogenbosse in Sinaloa und Jalisco – kann es sein, dass sie ein Gipfeltreffen planen, um ihre Beziehungen zu klären?

Keller studiert die Landkarte der Gegend, die von der Mobilfunkantenne abgedeckt wird, und betrachtet die interessanten Punkte mit Hilfe von Google Earth. Es gibt dort nur ein größeres Anwesen mitten im Regenwald, eine Finca mit mehreren Gebäuden, die auf einem Berggipfel liegt.

Eine ideale Lage.

Aguilar lässt seine Leute in Mexico City rund um die Uhr nach dem Eigentümer forschen. Sie verfolgen die Besitzerwechsel zurück, bis sie herausfinden, dass das Anwesen einer Investmentgesellschaft in Guadalajara gehört, die es als »Jagdclub« nutzt.

Es ist eine Firma, die unter dem Verdacht der Geldwäsche für Nacho Esparza steht. Die Fakten reichen aus für die richterliche Erlaubnis, den Telefonverkehr der Finca zu überwachen.

Anrufer: Ihr kriegt Gäste.

Empfänger: Wann?

Anrufer: Zwei heute Abend. Einen morgen.

(Pause)

Empfänger: Also drei.

Anrufer: Ihr wisst schon, wer. Und ihre Leute. Sonst kommt keiner rein oder raus, verstanden?

(Anruf Ende)

Keller hat verstanden. »Drei Gäste – Barrera, Tapia und Esparza?«

»Möglich«, sagt Aguilar.

Gerardo Vera gerät in Ekstase. »Jetzt haben wir ihn! Wir *haben* ihn! *Dios mío,* vielleicht kriegen wir alle drei!«

In derselben Nacht besteigen Aguilar, Vera und Keller mit fünfzig schwerbewaffneten Männern ein Flugzeug der SIEDO, das für einen Flug nach Jalisco angemeldet ist. Alle Männer haben am Nachmittag einen Lügendetektortest bestanden, und Aguilar kassiert alle Handys ein, als sie an Bord gehen.

Zehn Minuten nach dem Start befiehlt Aguilar den Piloten einen Kurswechsel. Sie sollen Nayarit anfliegen. Er hat eine Landebahn in einem stillgelegten Holzfällercamp ausgemacht, nur acht Kilometer von der Finca entfernt.

Die Landung verläuft holprig, aber ohne Zwischenfälle.

»Funkverkehr einstellen«, befiehlt Aguilar den Piloten.

»Wir müssen unsere Position –«

»Ich sagte: Funkstille«, bellt Aguilar. »Alle Ihre Signale werden aufgezeichnet.«

Die Männer gehen von Bord und machen sich im ersten Morgengrauen auf den Weg zur Finca. Keller staunt einmal mehr über die Gegensätze der mexikanischen Geographie – von der Wüste in den Regenwald –, während sie sich auf unebenem Terrain durch das feuchte Dickicht kämpfen.

Vor ihm läuft Aguilar. Er ist nicht gerade der geborene Dschungelkrieger, denkt Keller. Die Schuhe, in denen er durch den Morast stapft, eignen sich eher für den Tennisplatz. Aber Aguilar hält sich wacker und beklagt sich nicht.

Noch ist die Sonne hinter den Bergen versteckt, als sie eine gerodete Lichtung erreichen. Ein paar Kühe glotzen die Männer neugierig an, die jetzt im Schutz des Bodennebels Aufstellung nehmen, um den Gebäudekomplex in etwa dreihundert Metern Entfernung einzukreisen.

Kein Licht in den Fenstern. Kann es sein, dass wir sie im Schlaf überraschen?, denkt Keller.

»Sie warten hier«, sagt Aguilar zu ihm.

»Ich will Barrera lebend haben!«

»Kann ich mir denken.«

Die Trooper machen sich bereit, prüfen ihre Waffen, ein paar bekreuzigen sich und murmeln Gebete.

In der Morgendämmerung verlässt Adán das Haus und läuft hinab zu der gerodeten Lichtung, die sich vor ihm ausbreitet.

Er und Diego sind in der Nacht mit dem Auto gekommen, Magda hat er in Sinaloa zurückgelassen, weil er nicht weiß, ob dieses Treffen friedlich verlaufen wird. Und er ist wütend, weil er vor Nacho Esparza anreisen musste – Esparza will ihm damit zeigen, dass er sich Adán nicht unterwirft.

Nacho fliegt mit dem Hubschrauber ein, und Adán fragt sich, ob das eine Vorsichtsmaßnahme ist oder eine gezielte Demonstration seiner Hoheit. Jetzt entsteigt er der Maschine wie ein Präsident, flankiert von Bodyguards, im eleganten Leinenanzug. Wenn Diego der Militärchef des Sinaloa-Kartells ist, ist Nacho der Diplomat. Er geht mit großen Schritten auf Adán zu und begrüßt ihn mit: »Wir machen es kurz.«

»Ich weiß, du bist sehr beschäftigt«, antwortet Adán.

Der ironische Unterton entgeht Nacho, oder er ignoriert ihn einfach. »Schön, dich zu sehen, Adán.«

»Wirklich?«

Nacho lächelt abwartend. »Natürlich!«

»Weil ich schon eine ganze Weile in Mexiko bin«, sagt Adán. »Du hättest das Vergnügen, mich zu sehen, früher haben können.«

Unbeeindruckt erwidert Nacho: »Die Regierung hat zwei

Millionen Dollar auf meinen Kopf ausgesetzt. Puente Grande zu betreten hätte bedeuten können, dass ich nicht mehr herauskomme.«

»Komisch. Diese Befürchtung hatte ich auch.«

»Ich habe anderthalb Millionen Gründe geliefert, dass du überhaupt nichts zu befürchten hattest«, sagt Nacho.

»Warum dann dieser Stress?«, fragt Adán. Hätte Nacho den richtigen Leuten das richtige Geld gezahlt, gäbe es jetzt keine Probleme.

»Ich könnte dich dasselbe fragen, Adanito – warum dieser Stress?«

Adán überhört die Koseform. »Machst du dir Sorgen, dass ich ein *suplón* bin, ein Informant?«

»Jedenfalls warst du einer.«

»Und du hast davon profitiert«, erwidert Adán. »Damals habe ich keine Klagen gehört. Nacho, du warst der beste Freund und engste Berater meines Onkels – und dann meiner. Zwischen uns sollte es weder Misstrauen noch Spannungen geben. Was dich betrifft, habe ich dichtgehalten. Wir müssen die Behörden benutzen, so gut es geht – keiner kann das besser als du. Und alle Beziehungen, die ich habe, sind auch deine Beziehungen.«

»Das beruht auf Gegenseitigkeit, Adán, wie du hoffentlich weißt.«

»Ja, ich weiß. Und falls du noch andere Befürchtungen hast, lass dir sagen, was ich schon Diego gesagt habe: *El Patrón* zu sein ist nicht mein Ehrgeiz. Du hast jetzt deine eigene Organisation, das akzeptiere ich. Ich möchte nur der Erste unter Gleichen sein.«

Nacho breitet die Hände aus, und sie umarmen sich.

»Du weißt, dass ich dich schätze«, sagt Adán. »Deine Klugheit, deine Erfahrung. Du bist meine Stütze. Sag mir, was du möchtest.«

»Die Tijuana-Plaza«, flüstert Nacho.

»Die gehört meiner Schwester«, sagt Adán.

»Sie kann sie nicht halten«, erwidert Nacho. »Ich will sie für meinen Sohn.«

Plötzlich hören sie Fluglärm, der zu einem ohrenbetäubenden Dröhnen anschwillt.

Keller schaut hoch und sieht den Düsenjäger der mexikanischen Luftwaffe im Tiefflug über die Finca rasen.

»Verflucht noch mal!«, brüllt Keller.

Auf der Finca gehen die Lichter an.

»Los!«, schreit Vera.

Der Trupp stürmt vorwärts.

Keller auch. Aguilars Verbot ist vergessen, er will Barrera. Noch ist es nicht zu spät, denkt er, während er über die Koppel hastet. Es gibt hier nur eine Straße, und die haben wir blockiert.

Adán schaut auf und sieht einen Düsenjäger im Anflug. Nachos Augen weiten sich vor Schreck. Er stößt Adán weg und läuft los, auf den Hubschrauber zu. Stolpert und fällt, beschmutzt seinen Leinenanzug. Ein Bodyguard hilft ihm auf und zieht ihn in den Hubschrauber.

Die Rotoren starten.

Diego hält die Kalaschnikow im Anschlag und sucht nach Zielen.

Adán sieht Männer, die über die Koppel auf ihn zugelaufen kommen. Er rennt zu dem Hubschrauber hinüber, der schon abgehoben hat und knapp über dem Boden schwebt. Nacho blickt auf Adán hinab, dann gibt er dem Piloten das Abflugsignal.

»Nacho, bitte!«

»Nehmt ihn mit«, sagt Nacho.

Ein Bodyguard zieht Adán hinauf, und Diego springt hinter ihm an Bord.

Der Hubschrauber steigt auf, und während er im Bogen über die Finca fliegt, sieht Adán die nahenden Trooper. Und einen

Moment lang glaubt er – aber das muss Einbildung sein –, Art Keller erkannt zu haben. Adán beugt sich zu Nacho hinüber, um den Lärm der Rotoren zu übertönen, und brüllt ihm zu: »Tijuana gehört dir. Du kannst es haben.«

Keller sieht einen Hubschrauber aus dem Morgennebel aufsteigen.
Der Hubschrauber fliegt im Bogen über die Finca und entfernt sich in die andere Richtung.
Barrera ist ihm entkommen. Wieder einmal.

»Das war Absicht!«, brüllt Keller wütend, als er Aguilar gegenübersteht.
»Ein bedauerliches Versehen«, antwortet Aguilar. »Geplant war ein Erkundungsflug in großer Höhe …«
Bedauerliches Versehen, dass ich nicht lache!, denkt Keller. Das hat sich einer einfallen lassen, der Barrera warnen wollte.
Aber wer?

Vier Bundesagenten warten, als der Hubschrauber auf einem Anwesen in Nayarit landet.
Adán sagt zu Nacho: »Ich denke, die Übernahme von Tijuana regelst du allein. Und den ganzen Rest auch.«
»Das ist doch nicht dein Ernst!«, sagt Esparza.
Sie steigen aus und folgen den Agenten ins Haus.
Vier Millionen Dollar später hebt der Hubschrauber ab, mit Nacho Esparza, Diego Tapia und Adán Barrera an Bord.

Keller bezahlt seinen Kaffee und beschließt, sich im Buchladen seines Viertels etwas zum Lesen zu kaufen. Danach schlendert er, einen Roman von Élmer Mendoza unterm Arm, die Avenida Amsterdam entlang, die früher mal ein Teil der Rennstrecke war. In den Parrilladas Bariloche bestellt er einen halbwegs bezahlbaren Süßkartoffelsalat mit Rindfleisch. Er sitzt an seinem Einzeltisch, blättert im Mendoza und bedient das Klischee des einsamen, alternden Single.

Vielleicht, denkt Keller, habe ich mich zu sehr ans Alleinsein gewöhnt.

Für den Verdauungsspaziergang geht er hinüber in den Parque México.

Bei Barrera herrscht Funkstille. Keine Anrufe, keine E-Mails, keine Sichtungen, nicht mal Gerüchte.

Die Spur ist kalt und tot.

Auf der nächsten Sitzung des Barrera-Koordinierungsausschusses herrscht Totengräberstimmung. Keller schaut sich seine Kollegen an und fragt sich, wer von beiden Barrera gewarnt hat.

Er hält die Klappe – auch deshalb, weil man ihm nahegelegt hat, die Sache nicht an die große Glocke zu hängen. Die mexikanische Justiz hat sich eine neue, reine Seele zugelegt – Art Keller wird sich hüten, sie zu beschmutzen. Die Wahrheit ist, dass er keine Hinweise hat, nur seine Vermutungen.

Und so ein Gefühl, dass diese beiden Männer kurz davor sind, das Handtuch zu werfen.

Aguilar hat also recht, wenn er Keller erklärt, dass die Fahndung nach Barrera nur ein kleiner Teil ihrer Arbeit ist und dass weder die SIEDO noch die AFI alle Kräfte auf eine Verhaftungsaktion verwenden können, die ihnen immer mehr zur Farce gerät.

Keller hört die Untertöne – sie wollen ihn loswerden, so schnell wie möglich –, und er ist klug genug, seinen Rauswurf nicht noch dadurch zu beschleunigen, dass er Korruptionsvorwürfe erhebt.

»Aber *einen* Versuch möchte ich noch machen«, sagt Keller.

Keller und Gerardo Vera schauen durch den Einwegspiegel zu, während Aguilar Barreras Schwägerin Sondra verhört.

Sie sieht entsetzlich aus, denkt Keller.

Die schwarze Witwe.

»Sie haben an der Weihnachtsfeier im Gefängnis La Puente Grande teilgenommen«, sagt Aguilar.

»Davon weiß ich nichts.«

»Doch, Sie waren anwesend. Wir haben Zeugen.«

Keine Antwort.

»Und zwar in Begleitung Ihres Sohns Salvador und anderer Familienmitglieder.«

»Davon weiß ich nichts.«

»Wo ist Adán Barrera?«

Sondra Barrera lacht.

»Finden Sie meine Frage witzig?«, fragt Aguilar.

»Denken Sie etwa, Adán erzählt mir, wo er sich aufhält? Und glauben Sie, ich würde es Ihnen erzählen, wenn ich's wüsste?«

»Wissen Sie es?«

Sondra Barrera mag ihren Schwager nicht, wie Keller weiß, aber sie würde ihn nicht verraten, selbst wenn sie könnte. Er ist ihre Lebensversicherung, ihre Altersversorgung.

»Mein Mann ist tot«, sagt sie jetzt.

»Das ist mir bekannt«, erwidert Aguilera. »Worauf wollen Sie hinaus?«

»Dass Adán einen Überlebensinstinkt hat«, sagt sie. »Für ihn sterben andere. Sie werden ihn nie finden.«

»Hat er Kontakt zu Ihrem Sohn Salvador?«

»Lassen Sie meinen Sohn in Ruhe.«

Keller sieht die Angst in ihrem Blick. Aguilar offenbar auch, denn er hakt sofort nach: »Sagen Sie mir, wo Adán Barrera ist, dann muss ich Ihren Sohn nicht ins Verhör holen.«

»Er macht seine Sache gut«, sagt Vera zu Keller. »Sie können sagen, was Sie wollen über diesen Krümelkacker, aber manchmal ist er richtig gut.«

»Bitte lassen Sie meinen Sohn in Ruhe«, sagt Sondra, schon am Rand der Tränen.

»Ich würde ja gern, wenn ich könnte.«

»Ihr seid Schufte, alle miteinander!«

»Ich glaube nicht, dass Sie uns moralisch überlegen sind, Señora Barrera«, sagt Aguilar. »Wissen Sie, wie viele Menschen Ihr verstorbener Ehemann getötet hat?«

Schweigen.

»Möchten Sie es gern wissen? Ist das von Belang für Sie? Nein? Wie ich mir dachte.« Er schiebt ihr seine Karte hin. »Das ist meine Telefonnummer. Ich hoffe, Sie rufen mich an, wenn sich Adán bei Ihnen meldet. Und bitten Sie Ihren Sohn, sich bei uns zu melden. Ich will ihn nicht auf dem Campus festnehmen, vor aller Augen.«

Als Sondra und ihr Anwalt gegangen sind, setzt sich Aguilar zu Keller und Vera in den Beobachtungsraum. »Ich glaube, das bringt etwas.«

»Ich glaube auch«, sagt Keller. »Ich kenne Sondra – sie verliert die Nerven.«

»Wird sie abgehört?«, fragt Vera.

»Natürlich«, sagt Aguilar. »Auch ihr Sohn.«

»Señor Aguilar wird langsam aktiv«, sagt Vera ironisch und steht auf.

»Ich war schon vorher aktiv«, erwidert Aguilar gekränkt.

Aber Vera ist schon gegangen.

Sondra wählt eine Nummer in Culiacán.

»… die reden von Behinderung der Justiz.«

»Nimm das nicht ernst. Die bluffen.«

»Das ist nicht Adáns Stimme«, sagt Keller.

»Nein«, bestätigt Aguilar.

»Ich gehe nicht ins Gefängnis! Ich lasse meinen Sohn nicht ins Gefängnis gehen!«

»Bleib locker. Wir regeln das.«

»Was soll das bedeuten?«, fragt Keller.

»Das weiß ich doch nicht!«, faucht Aguilar.

»Ruf ihn an.«

»Ist nicht nötig. Wir kümmern uns drum.«

»Er lässt uns doch nicht im Stich, oder?«

»Das weißt du doch!«

»Das weiß ich eben nicht!«

»Sondra –«

Sie legt auf.

»Mit wem hat sie geredet?«, fragt Keller.

»Esparza?«, rätselt Aguilar. »Tapia? Ich weiß es nicht.«

Aber sie haben die Nummer, die sie gewählt hat, und es ist ein Leichtes, diese Nummer anzuzapfen.

Sie warten die ganze Nacht, bis der Mann in Culiacán, dem sie den Codenamen »Fixer« gegeben haben, einen Anruf mit der Vorwahl 777 macht – nach Cuernavaca.

»Sondra spielt verrückt.«

»Sag ihr, sie soll sich beruhigen.«

»Glaubst du, das hab ich nicht? Sie will, dass wir mit ihm reden.«

»Was sollen wir denn sagen? Finde du eine Lösung.«

»Klar. Wenn sie uns die Zeit lässt.«

»Was kann sie denn ausplaudern?«

»Keine Ahnung, was sie weiß.«

»Blödes Huhn. Was ist mit dem Sohn?«

»Ganz der Vater.«

»Der Alte hat eine Schwäche für ihn.«

»Dann sollten wir's ihm sagen.«

Keller zuckt hoch wie vom Blitz getroffen. Die Kerle am Telefon wollen mit Adán Barrera reden.

Die nächsten Minuten werden zur Folter.

Aguilar befiehlt einem der Leute: »Holen Sie Vera zurück.«

Der Chef der AFI erscheint zwanzig Minuten später, zerzaust, in Trainingsanzug und Sweatshirt. »Jetzt möchte ich aber eine gute Begründung hören! Seit Wochen versuche ich, diese Frau ins Bett zu kriegen, und ich war kurz davor!«

Aguilar erklärt ihm die neue Lage.

Sie sitzen schweigend da und starren auf den Telefonmonitor.

Hoffen und beten.

Dann blinken die Lämpchen auf.

»Cuernavaca« telefoniert.

»Verdammt!«, sagt Vera. »Vorwahl 555. Barrera ist hier in Mexico City.«

Clever, denkt Keller. Er versteckt sich in der Höhle des Löwen.

Klassischer Adán Barrera.

Keller hört »Cuernavaca« sprechen.

»Ich bin's.«

»Was ist?«

»Ist das Barrera?«, fragt Aguilar.

»Das kann ich nicht sagen«, sagt Keller.

Sie hören, wie »Cuernavaca« das Problem mit Sondra Barrera schildert. Dann sagt der Angerufene: *»Diese Hunde, warum müssen die immer die Familien mit reinziehen?«*

Keller nickt. Er ist es.

»Was sollen wir machen?«

»Sag ihr, du hast mit mir gesprochen, und wir regeln das. Schick die beiden in die Ferien oder so was.«

»Atizapán«, ruft der Techniker herüber. Das ist ein Vorort von Mexico City. »5871 Calle Revolución.«

»Cuernavaca« hakt nach: *»Meinst du nicht, wir sollten ...«*

»Sie ist die Frau meines Bruders.«

Das Gespräch bricht ab. Grinsend fragt Vera: »Haben wir gerade gehört, wie ›Cuernavaca‹ vorschlägt, Barreras Schwägerin ermorden zu lassen?«

Keller telefoniert schon mit der DEA, um eine Satellitenüberwachung zu beantragen.

Am frühen Morgen landen sie einen Treffer.

»Sehen Sie hier«, sagt Keller.

Er zeigt den beiden eine körnige Videoaufnahme von Adán Barrera, der auf dem Dach des Hauses in der Calle Revolución steht und in die Umgebung schaut, eine Kaffeetasse in der Hand. Er bleibt nur eine Minute, dann verschwindet er.

»Er ist es«, sagt Keller.

»Sind Sie sicher?«, fragt Aguilar.

Keller hat sich schon daran gewöhnt, dass der SIEDO-Chef ständig »Tatbestände« prüft und wieder prüft, um sicherzugehen, dass es sich tatsächlich um Tatbestände handelt und nicht um Gerüchte oder gezielte Desinformation. Die Satellitenaufnahme ist körnig und verrauscht, aber Keller ist sich ziemlich sicher, dass er Adán sieht – die kleine Gestalt, der schwarze Haarschopf, der ihm in die Stirn fällt …

»Wie viel Prozent Wahrscheinlichkeit?«, beharrt Aguilar.

»Fünfundachtzig«, sagt Keller.

»Fünfundachtzig sind gut«, meint Vera.

Keller möchte den Zugriff so schnell wie möglich. Er erbittet und erhält einen weiteren Satellitenüberflug, diesmal mit Mega-Audiotechnik. Wenig später sitzt er da und hört sich Stimmen an, die der Satellit aufgezeichnet hat.

Einen Mann – Adán? – und eine Frau.

»*Möchtest du Rot oder Weiß?*«

»*Ich glaube, heute Abend lieber Rot.*«

»Ist sie das?«, fragt Keller. »Magda Beltrán?«

Die Schönheitskönigin.

Aguilar zuckt die Schultern. »Narcos haben viele Frauen.«

»Nicht Adán«, sagt Keller. »Er ist monogam. Immer eine nach der anderen.«

Sie vergleichen die Audio-Aufzeichnung mit DEA-Aufnahmen von Adán. Die Ähnlichkeit spricht für sich.

»Wir wissen, dass er *jetzt* in seinem Haus ist«, sagt Keller. »Handeln wir *jetzt!*«

»Das ist zu riskant«, erwidert Aguilar.

Vera, sonst meist tatkräftiger als Aguilar, stimmt ihm zu. »Das Risiko, dass sich meine Leute gegenseitig ins Kreuzfeuer nehmen, ist zu groß.«

»Oder Unbeteiligte treffen«, ergänzt Aguilar.

Keller ärgert sich schwarz. Die AFI-Trooper sind gut ausgebildet, zumeist in Quantico, Virginia, aber er sehnt sich nach den amerikanischen Special Forces, ihrer Spitzentechnologie und ihrem Supertraining. Leute, die geradezu scharf auf

Nachteinsätze sind. Er weiß, dass es ein frommer Wunsch ist – das Weiße Haus würde niemals Truppen nach Mexico schicken, und Los Pinos würde sie niemals dulden.

Aber entscheiden müssen die Mexikaner, und sie beschließen, bis zum Morgen zu warten. Aguilar setzt sein bestes Überwachungsteam auf das Haus an, und Vera schickt einen AFI-Trupp in Zivil, für den Fall, dass Barrera das Haus verlässt.

»Wir haben ihn in der Falle«, sagt Vera, um Keller zu beruhigen. »Er kann nicht weg. Morgen früh kriegen wir ihn.«

Keller kann nur hoffen.

Adán ist nicht deshalb schon so lange auf freiem Fuß, weil er sorglos in den Tag hineinlebt. Er hat Leute, die das Haus bewachen, er hat *halcones* – »Falken« –, die in der Umgebung nach Verdächtigem Ausschau halten. Nicht zu vergessen die naiven Normalbürger, die in Barrera eine Art Robin Hood sehen – und sehr schnell sehr reich werden können, wenn sie dem *patrón* alles Auffällige melden.

Aber jetzt sind solche auffälligen Dinge schon im Gange – vier gepanzerte Fahrzeuge mit AFI-Troopern parken ein paar Straßen weiter. Die Trooper sind mit schwarzen Sturmhauben, Schusswesten und automatischen Gewehren ausgerüstet, mit Blendgranaten und Tränengas. Zwei Hubschrauber stehen für den Zugriff bereit, und sie setzen weitere Trooper auf dem Dach des Hauses ab.

Keller kann nicht erwarten, dass es hell wird.

Das Haus wird voller Sicarios sein, die werden Barrera verteidigen bis aufs Messer, und wenn die Schießerei losgeht, denkt Keller, verschwimmen die Grenzen zwischen Rache und Recht.

»Noch zwei Minuten«, informiert ihn Vera über Funk.

Der Angriffsplan ist schlicht, zu schlicht wahrscheinlich, denkt Keller. Die Panzerwagen fahren auf das Haus zu, die AFI-Toopers stürmen den Eingang und dringen ins Haus ein, während andere den Hintereingang bewachen und die Straßen absperren. Die SIEDO-Agenten rücken danach ins Haus ein, nehmen Verhaftungen vor und sichern Beweise – Handys, Computer, Geld und Waffen.

Aguilar prüft die Ladung seines Dienstrevolvers und schließt die Schussweste. Dann sagt er zu Keller: »Sie bleiben im Fahrzeug. Wir holen Barrera heraus, und Sie identifizieren ihn. Ist das klar?«

»Das höre ich jetzt zum sechsten Mal.«

Sie sitzen schweigend da und warten endlose neunzig Sekunden, bis Veras Befehl ertönt: »Los!«

Aguilar steigt mit seinen Leuten aus, Keller wartet ein paar Sekunden, zieht seine Pistole und folgt ihnen.

»*Juras! Juras!*«

Das sind die *halcones,* die vor der anrückenden Polizei warnen, die meisten sind Kinder, und sie rennen weg, als die AFI-Trooper ihre Fahrzeuge verlassen.

Gewehrfeuer knattert aus den Fenstern und vom Dach des Hauses.

Vera scheint den Kugelhagel zu ignorieren. Die Pistole in der Hand, befiehlt er den Männern mit dem Rammbock, die Haustür aufzubrechen. Die haben offenbar mehr Angst vor ihm als vor den Kugeln, sie bringen das Rammwerkzeug in Stellung und rennen los. Die Tür kracht aus den Angeln und zündet Sprengfallen, die in Hüfthöhe an der Hauswand befestigt waren.

Keller sieht den roten Feuerball und zwei Trooper, die weggeschleudert werden.

»Vorwärts!«, brüllt Vera die geschockten Trooper an.

Sie suchen Deckung vor dem Gewehrfeuer, das aus dem Eingang kommt, und starren auf ihre Kameraden, die reglos auf der Straße liegen.

»Verdammte Feiglinge!«, brüllt Vera. »Ich gehe rein!«

Er nimmt Anlauf und rennt ins Haus.

Seine Männer folgen ihm.

Auch Keller mit gemächlichem Schritt. Er denkt an Vietnam

und seine Ausbildung in Quantico – Renne nicht in deinen Tod! – und spart seine Kräfte.

Und wie in Vietnam hört er jetzt die Hubschrauber nahen.

Im Haus ist die Hölle los.

Kein Strom – das schwache Licht kommt durch die wenigen Fenster –, Schreie von Verwundeten, Salven automatischer Gewehre, die durchs Dunkel peitschen.

Eine fürchterliche Metzelei – dabei sind die Narcos kaum von den AFI-Troopern zu unterscheiden. Irgendwo im hinteren Teil des Hauses brüllt Vera Kommandos.

Keller steigt über Tote und Verwundete und sucht nach der Treppe. Adán würde sich nicht im Parterre aufhalten, eher im Obergeschoss, in einem hinteren Raum, mit der Möglichkeit, durchs Fenster zu fliehen.

Wenn er überhaupt hier ist, denkt Keller. Das Haus ist kein Wohnhaus. Es ist ein einziger Hinterhalt – mit Sprengfallen bestückt. Und sie haben auf uns gewartet.

Aber die Audio-Überwachung hat bewiesen, dass er hier ist – oder war, denkt Keller, als er die Treppe findet und, die Pistole im Anschlag, hinaufsteigt.

Dann stolpert er fast über Aguilars Beine.

Der Anwalt sitzt auf dem Treppenabsatz, mit dem glasigen Blick des Verwundeten, den Rücken an die Wand gelehnt, seine linke Hand umklammert den rechten Arm.

»Sie sollten doch im Fahrzeug bleiben«, sagt er leise, als er Keller erkennt.

Keller hockt sich neben ihn. Eine üble Fleischwunde – ein Granatsplitter, keine Schusswunde. Er reißt Aguilars Ärmel auf und bindet ihm den Oberarm ab. »Die Sanitäter sind unterwegs. Sie werden nicht verbluten.«

»Gehen Sie zurück ins Fahrzeug!«

Keller will weiter die Treppe hoch, da kommt eine Blendgranate die Stufen heruntergepoltert. Eine Rauchexplosion, die ihn würgt und blendet. Er stolpert die Stufen hoch und hört von oben das Gewehrfeuer der AFI-Trooper, die sich vom Dach nach unten kämpfen. Ein Sicario löst sich aus der Rauchwand dicht vor ihm. Der Mann ist verwirrt, als er Keller sieht, und reißt seine Kalaschnikow hoch.

Keller schießt ihm zweimal in die Brust, der Mann sackt zusammen. Keller quetscht sich an ihm vorbei und erreicht das Obergeschoss. Er öffnet die erste Tür, die er sieht, und er sieht – Adán.

Stehend neben seinem Bett.

Die Pistole in der rechten Hand.

»Nicht schießen«, sagt Keller.

Und hofft das Gegenteil.

Barrera hebt die Pistole.

Keller drückt ab.

Die erste Kugel reißt Barreras Unterkiefer weg.

Die zweite durchschlägt sein linkes Auge.

Blut spritzt gegen die Wand.

Die Frau schreit.

Keller senkt die Pistole.

Hinter ihm kommt Vera herein.

Zusammen inspizieren sie die Leiche.

Das schwarze Haar, die runde Nase, die braunen Augen.

Na ja. Das braune Auge.

»Gratuliere«, sagt Vera.

»Er ist es nicht«, sagt Keller.

»Waas?«

»Verdammt noch mal, er ist es nicht!«

Adán hat schon öfter Doubles benutzt, mindestens drei während seines Kriegs mit Palma, und aus der Nähe, ohne den Rauch, den Lärm, das Chaos, das Adrenalin, sieht Keller sofort, dass sie nicht Adán vor sich haben. Der ganze Einsatz ist eine abgekartete Sache.

Keller, Vera und die AFI-Trooper durchsuchen das Haus, und in einem der Schlafzimmer finden sie etwas.

Die Badewanne ist von der Wand gerissen, und dahinter ist ein Loch.

Der Eingang zu einem Tunnel.

Keller steigt ein.

Die Pistole im Anschlag, klettert er in den beleuchteten Schacht. Er hofft, dass Barrera irgendwo da unten hockt, aber wenn, dann schützt ihn eine Armee von Sicarios.

Keller läuft durch einen Gang.

Vera dicht hinter ihm, mit schussbereitem Gewehr.

Am Ende des Tunnels führt eine Stahlleiter nach oben. Keller klettert hoch und schiebt eine Klappe weg. Er schaut in ein anderes Haus, und es ist leer.

Barrera hat sich aus dem Staub gemacht.

Am Nachmittag veranstalten sie eine Pressekonferenz. Aguilar hat seine Zweifel, ob es sinnvoll ist, die heillose Schießerei nahe der Hauptstadt zum Gegenstand öffentlicher Aufmerksamkeit zu machen, aber Vera besteht darauf.

»Dass wir die Kartelle bekämpfen müssen, ist klar«, sagt er. »Wir müssen aber auch *zeigen*, dass wir die Kartelle bekämpfen. Nur so können wir das Vertrauen der Öffentlichkeit in die Arbeit der Einsatzgruppen wiederherstellen.«

Keller verfolgt auf einem Fernseher der Botschaft, wie Vera den mutigen Einsatz und das massive Feuergefecht beschreibt, der tapferen Männer gedenkt, die ihr Leben geopfert haben. Dann lobt er die fleißige Arbeit der SIEDO und stellt Luis Aguilar vor, »der, wie Sie sehen können, für die Verfolgung dieses Verbrechers sein Blut vergossen hat«.

Aguilar verliest nuschelnd ein vorbereitetes Statement. »Wir bedauern unser Scheitern bei diesem Einsatz. Doch wir versichern der Öffentlichkeit, dass der Kampf weitergeht und dass wir ...«

Vera legt den Arm um Aguilars bandagierte Schulter. »Wir sind Batman und Robin!«, verkündet er und schaut in die Kameras. »Der Kampf hat erst begonnen. Wir werden nicht nachlassen in unserer Jagd auf Barrera, aber jetzt wende ich mich an die anderen Narcos im Lande. Wir werden euch aufspüren. Nächster Schwerpunkt ist Tijuana.«

»Was ist mit der Schönheitskönigin passiert?«, fragt ein Reporter. »Wo ist Miss Culiacán?«

Vera geht zurück ans Mikrofon. »Sie war nicht in Barreras Versteck. Aber wir werden sie finden und ihr einen neuen Auftritt ermöglichen – vor Gericht.«

Gelächter bei den Reportern.

Der Streit beginnt am nächsten Tag.

»Sie reisen ab!«, sagt Aguilar zu Keller.

»Nur zu gern«, sagt Keller. »Sobald wir Barrera haben, tot oder lebendig.«

»Nein, sofort«, beharrt Aguilar. »Die Gefahr ist zu groß – nicht nur für Sie, auch für andere. Die Sprengfalle an der Haustür könnte für Sie bestimmt gewesen sein. Und andere mussten dafür mit dem Leben bezahlen.«

»Dazu sind Soldaten da«, sagt Vera.

»Das waren Polizisten, keine Soldaten«, widerspricht ihm Aguilar. »Und wir führen keinen Krieg, sondern bewegen uns im Rahmen der Justiz.«

»Machen Sie sich nichts vor«, sagt Vera.

»Ich wehre mich gegen die Militarisierung der –«

»Erzählen Sie das den Narcos«, sagt Vera. »Wenn Keller bereit ist zu bleiben, bis sein Job erledigt ist, dann will ich ihn haben.«

Keller ist bereit.

Barrera läuft frei herum und will seinen Kopf.

La Tuna, Sinaloa

Adán tritt auf den kleinen Balkon seines Schlafzimmers hinaus.

Die Finca gehörte einmal seiner Tante und stand leer, nachdem die Amerikaner in den siebziger Jahren die Mohnfelder mit Feuer und Gift verwüstet hatten. Tausende von Campesinos waren damals aus ihrer Bergheimat geflohen.

Auf der Finca von Tía Dolores hausten nur die Raben.

Nach seiner Rückkehr hat Adán Millionen in die Sanierung des Haupthauses und der Nebengebäude gesteckt – und weitere Millionen in den Ausbau der Finca zu einer Festung mit hohen Mauern, Wachtürmen, Geräusch- und Bewegungsmeldern und Unterkünften für die Bediensteten und die Sicarios.

Für Adán ist es fast wie eine Rückkehr zur Unschuld – zu den idyllischen Zeiten seiner Jugend, als er hier in den Bergen die Ferien verbrachte, um der Sommerhitze von Tijuana zu entgehen und ins kühle Wasser der Granitbrüche einzutauchen. Damals, als sich die ganze Familie zum Abendessen an den langen Tischen unter den Eichen versammelte, den Liedern der einheimischen Bauern lauschte – oder den alten Frauen, die von vergangenen Zeiten erzählten.

Ein gutes Leben, ein schönes Leben, das die Amerikaner zerstört haben.

Das hier ist mein Zuhause, denkt Adán. Hier fühle ich mich wohl.

Trotz Sondras Dummheit.

Die dumme Sondra hat sich zum Spielball machen lassen – für beide Seiten. Aber ohne ernste Folgen, wie sich zeigte. Er bezog mit Magda das als Falle präparierte Haus in Atizapán, machte sich dort sichtbar und hörbar und entschlüpfte mit ihr, bevor das »Netz« um das Haus zugezogen wurde.

Sein Double wartete dort schon, irgendein Idiot, der es aufregend fand, für ein paar Tage so ein tolles Haus und so eine schöne Frau zu haben, eine teure Hure, die ein paar äußerliche Ähnlichkeiten mit Magda hatte.

Um die Hinterbliebenen des Doubles wird sich Adán kümmern.

Nur dass Keller der Sprengfalle entgangen ist, ärgert ihn. Es wäre so schön gewesen – der Amerikaner zerfetzt bei einem gescheiterten Polizeieinsatz, den man ihm, Adán, nicht in die Schuhe schieben kann. Aber Keller lebt und bleibt gefährlich. Und Magda meint nach wie vor, dass er ihn am Leben lassen soll. Es stehe zu viel auf dem Spiel zurzeit, sagt sie, der Verfolgungsdruck sei zu groß für einen weiteren Versuch – zurzeit.

Adán verschiebt also die »Hinrichtung«, beharrt aber darauf, dass es nur ein Aufschub ist. In Mexiko gibt es zwar keine Todesstrafe, aber Adán stellt sich Keller gern als Insassen einer Todeszelle vor.

Nach dem Sturm auf das Haus in Atizapán hat Adán beschlossen, sich nach Sinaloa zurückzuziehen, auf die Finca außerhalb von La Tuna, hoch in den Bergen der Sierra Madre. Sein Konvoi mühte sich die gewundenen Straßen hoch, die jetzt staubig waren, aber oft unpassierbar während der Regenzeit – am Wegrand winzige Dörfer, zusammengenagelt aus Brettern und Wellblech.

Trotz seines hohen Anteils an der Drogenproduktion gehört das Goldene Dreieck zu den ärmsten Regionen Mexikos.

Die weitaus meisten Bewohner sind immer noch Campesinos, und die Tatsache, dass sie Mohn und Hanf statt Mais anbauen, bringt ihnen kaum Vorteile.

Für sie bleibt das Leben immer gleich.

Hier kann ich mich zu Hause fühlen, denkt Adán.

»Hast du hier deine Kindheit verbracht?«, fragte ihn Magda, als sie die grünen Felder vor der Bergkulisse sah.

»Nur in den Sommerferien«, sagte Adán. »Eigentlich bin ich ein Stadtkind.«

Das Auto passierte das Tor und befuhr eine Asphaltstraße

zwischen Wacholderbüschen, die in Reih und Glied standen wie Soldaten. Vor dem Herrenhaus bogen sie in das mit Kies bestreute Rondell ein.

»Kein Burggraben?«, fragte Magda.

»Noch nicht.«

Magda nahm das Haus in Augenschein, zwei Etagen, aus Naturstein gemauert, mit zwei Seitenflügeln, die den Bau im Winkel von fünfundvierzig Grad flankierten.

»Ein richtiges Schloss«, sagte Magda.

»Mehr, als ich will und brauche«, erwiderte Adán. »Aber man muss Erwartungen befriedigen.«

Ein König braucht eine Festung, ob er will oder nicht. Es wird von ihm erwartet, und wenn er keine baut, kann er sicher sein, dass sich seine Herzöge eine bauen.

Die Sanierungspläne wurden für Adán im Gefängnis zu einer Art Hobby – er ließ Architekten und Bauunternehmer kommen, genehmigte Entwürfe, machte sogar ein paar eigene Skizzen. So hatte er wenigstens Beschäftigung.

Gemeinhin sind Narco-Landhäuser wahre Monumente des schlechten Geschmacks. Adán tat sein Bestes, um Protz und Kitsch zu vermeiden, hielt sich an den klassischen Baustil des alten Sinaloa und sorgte zugleich dafür, dass das Haus seine Macht und seinen Reichtum angemessen zum Ausdruck brachte.

Die Barreras waren schließlich schon im 17. Jahrhundert als Hidalgos – als adlige Spanier – in die Sierras gekommen und hatten die heimischen Indianer in langen, blutigen Kriegen unterworfen. Sie waren Aristokraten und keine Indios wie so viele der neureichen Narcos.

Daher spürt Adán in sich die Pflicht zur Zurückhaltung.

Die liegt ohnehin in seiner Natur.

Er führt Magda durch das Haus, dann gehen sie hinauf ins Schlafzimmer. Die dicken Wände sorgen dafür, dass es im Sommer kühl und im Winter warm bleibt, die Hausmädchen haben die Betttücher mit Eiswasser besprenkelt.

Nachdem sie sich geliebt haben, fragt sie: »Und was mache ich jetzt?«

»Einfach nur leben.«

»Als Dame des Hauses? Das Personal beaufsichtigen, Feiern organisieren, in Culiacán shoppen, Friseurbesuche, Maniküre? Dann sterbe ich vor Langeweile. Ich muss irgendwas machen, Geld verdienen.«

Sie räkelt ihre langen Glieder wie eine Katze, und Adán sieht, dass sie hellwach ist und gar nicht daran denkt, ihn schlafen zu lassen.

»Geld ist nicht dein Problem«, sagt er.

»Irgendwann wird es eins«, erwidert sie. »Ich werde älter, du hast mich satt, oder ich hab dich satt, oder du suchst dir eine junge Señorita, um eine neue Familie zu gründen. Was mache ich dann?«

»Ich werde immer für dich sorgen.«

»Ich will aber nicht ›versorgt‹ werden wie eine abgelegte Segundera. Ich will ins Geschäft.«

»Nein.«

»Daran kannst du mich nicht hindern.«

»Doch, das kann ich«, sagt er. Und bewundert ihre Widerspenstigkeit.

»Ich könnte dir nützlich sein.«

»Ach, wie denn?«

»Ich könnte dir helfen, deine Verbindungen zu den Kokainlieferanten in Kolumbien zu reaktivieren.«

»Die Verbindungen, die Nacho und Diego haben, sind auch meine Verbindungen.«

»Du solltest dich mal hören«, sagt sie. »Dann würdest du begreifen, wie sehr du mich brauchst.«

Eigentlich keine schlechte Idee, denkt er. Sie wäre die ideale Botschafterin. Die Kolumbianer würden sie anhimmeln, und ihre Argumente haben immer Hand und Fuß.

»Was würdest du für deine Dienste verlangen?«

Magda lächelt. Sie hat schon gesiegt. »Einen Anteil vom

Kokain, das ich beschaffe. Und den Schutz, den ich brauche, um es zu versilbern.«

»Okay. Noch was?«

»Einen Platz am Tisch.«

»Den hast du schon.«

»Nicht am Esstisch«, sagt sie. »Am Tisch der Männer.«

»Sie werden dich nicht respektieren.«

»Dafür sorge ich schon.«

Adán denkt über ihre Worte nach, während er auf dem Balkon steht und den Blick über die Berge schweifen lässt. Er hat das Gefühl, ihr vertrauen zu können, aber dass die Probleme ganz andere sind: Osiel Contreras, der Boss des Golfkartells, will ihn beseitigen, und er hat die Leute und die Mittel, es zu tun.

Ich brauche eine stärkere Truppe.

Ich brauche Verbündete.

Im Hinterzimmer eines Nobelrestaurants in Cuernavaca ist der Tisch gedeckt.

Nacho hatte die Idee, sich auf neutralem Boden zu treffen, um Vicente Fuentes, den Boss des Juárez-Kartells, zu besänftigen, und die Garantie für die Sicherheit der Teilnehmer übernommen. Neben Fuentes, Adán und den Tapias sind die zwanzig wichtigsten Partner aus Sinaloa geladen.

Sie alle kommen trotzdem bewaffnet.

Draußen wachen Zivilbeamte der Polizei von Cuernavaca darüber, dass die Medien, andere Polizisten und ungebetene Gäste ferngehalten werden.

Magda sitzt mit am Tisch, und Adán setzt ein Zeichen, indem er so tut, als wäre das selbstverständlich und nicht weiter bemerkenswert. Dabei ist sie mehr als bemerkenswert in ihrem golddurchwirkten Kleid mit dem tiefen Ausschnitt, der auf Vicente Fuentes, als er sich verbeugt, um ihr die Hand zu küssen, seine Wirkung sicher nicht verfehlt.

Vicente richtet sich auf, blickt zu Adán hinüber und sagt: »Ich glaube, es ist Ostern.«

»Wieso das?«

»Du bist von den Toten auferstanden.«

Dafür erntet er Gelächter bei den Gästen, das ihn dazu er-
muntert, noch eins draufzugeben: »Aber für eine Leiche siehst
du ganz gut aus.«

Die Fuentes kommen ursprünglich aus Sinaloa, und ihre Familie beherrscht die Juárez-Plaza seit Jahren. Vicente hat weder
das Charisma noch den Verstand seines verstorbenen Onkels –
er ist großspurig, verschwenderisch, zu sehr von Kokain und
Frauen abhängig, um ein guter Geschäftsmann zu sein.

Und faul ist er auch, denkt Adán. Zu faul, um Lösungen für
schwierige Probleme zu suchen, also fällt ihm immer nur das
eine ein: Töten. Er bestellt Morde, wie andere Leute ihre Pizza bestellen, und viele seiner Untergebenen haben das satt.
Aus Angst, dass ein unbedachtes Wort oder ein Missverständ-
nis sie zum nächsten Opfer machen könnte, sind schon etliche
zu Adán übergelaufen, als er nach Mexiko zurückkam.

Vicente ärgert sich schwarz darüber und sieht in Adán eine
Bedrohung. Dem Treffen mit Adán hat er nur zugestimmt,
um die Beziehung zu Nacho Esparza nicht zu gefährden, der
gewaltige Mengen Kokain und Meth über Juárez in die Staaten schmuggelt.

»Als Nacho mir erzählt hat, dass du noch am Leben bist, habe
ich geweint«, sagt Vicente jetzt.

Das glaube ich gern, sagt sich Adán.

»Ist Elvis auch da?«, fragt Vicente.

Der Scherz kommt nicht gut an bei Alberto Tapia. »Du willst
Elvis treffen, Vicente? Das können wir erledigen.«

Vicente greift nach seiner Pistole.

Alberto ebenso.

Nacho geht dazwischen. »Bitte keine Handgreiflichkeiten,
Señores!«

Vicente zieht die Hand zurück.

Er glaubt, er sei zu schön zum Sterben, denkt Adán. Er glaubt,
die Welt wäre ärmer ohne seine Schönheit.

Alberto wartet, bis sich Vicente abwendet, dann nimmt auch er die Hand von der Pistole – grinsend.

So schnell kann es gehen, denkt Adán. Pläne, an denen man Jahre gebastelt hat, werden durch einen albernen Streit zunichtegemacht. Wir machen Milliardengeschäfte und benehmen uns wie kleine Jungen. Er muss Diego unbedingt ermahnen, dass er Alberto, seinen kleinen Bruder, an die Kandare nimmt.

Martín Tapia, der mittlere Bruder, überbrückt die peinliche Situation: »Señores – und Señora –, das Mahl ist serviert.«

Sie nehmen ihre Plätze ein.

Adán hasst Tischreden.

Aus einer solchen Rede seines Onkels war vor dreißig Jahren die *Federación* hervorgegangen. Und jetzt scheinen die Anwesenden von ihm, dem Neffen des großen Tío, etwas Ähnliches zu erwarten.

»Wir Sinaloaner haben die *pista secreta* geschaffen«, beginnt er. »Das Geschäft steckt uns im Blut, in den Knochen, im Wasser, das wir trinken, in der Luft, die wir atmen. Wir haben es zum Blühen gebracht. Als die Yankees unsere Dörfer und Felder zerstörten, uns in alle Winde verstreuten wie trockenes Laub, weigerten wir uns zu sterben. Wir haben uns neu erfunden, die *Federación* gegründet, wir haben das Land in Plazas aufgeteilt und hatten es unter Kontrolle.«

Die Männer am Tisch nicken zustimmend.

»Als Sinaloa das Drogengeschäft kontrollierte«, fährt er fort, »lief es reibungslos, und alle verdienten Geld. Es war wirklich ein Geschäft.«

Er erzählt ihnen, was sie schon wissen, erinnert an seinen Onkel, an die schönen, üppigen und friedlichen, leider allzu kurzen Jahre unter seiner Regie.

»Jetzt holen wir zurück, was uns gehört«, sagt Adán. Er lässt die Worte wirken, dann verkündet er: »Ich habe vor, alle Plazas, alle sogenannten Kartelle – die großen und die kleinen –, wieder unter unserer Führung zu vereinen. Sie werden von uns betrieben werden, von Sinaloanern und nur von Sinaloanern. Deshalb sind wir heute hier versammelt. Wir sind miteinander verbunden wie Blutsverwandte. Und deshalb schlage ich ein Bündnis vor. Eine *Alianza de sangre*. Ein ›Blutbündnis‹.«

Adán hat seine Worte genau gewählt, und er wartet ein paar Sekunden, damit sie ihre Wirkung entfalten. Was er vorschlägt, ist ein »Bündnis« unter Gleichen, kein Imperium mit ihm an der Spitze. Ein Bündnis auf der Grundlage der alten familiären und kulturellen Beziehungen, die Jahrhunderte zurückreichen. Genauso deutlich wird, wer nicht dazugehört: das Golfkartell.

Adán spricht zu allen im Raum, aber sein eigentlicher Adressat ist Vicente Fuentes.

Die Tapias hat er natürlich an Bord, auch Nacho, aber wenn er sein Ziel erreichen will, braucht er Fuentes, braucht er die Juárez-Plaza, um seine Ware nach Norden zu transportieren.

»Und wie, bitte, soll das funktionieren, dieses ›Blutbündnis‹?«, meldet sich nun Fuentes zu Wort.

Adán antwortet ihm: »Wir schützen gegenseitig unsere Interessen, verteidigen einander bei Angriffen von außen, erlauben uns gegenseitig den Transport durch unsere Plazas, natürlich gegen einen Piso.«

»Aber Adán hat keine Plaza«, sagt Fuentes laut und wendet sich an die anderen. »Er bietet etwas an, was er gar nicht hat. Wie ich höre, hat er nicht mal mehr Tijuana.«

Wie du hörst?, wundert sich Adán. Paktierst du etwa mit Teo Solorzano? Aber er übergeht die Bemerkung und sagt zu Fuentes: »Was wir zu bieten haben, sind Ware und Schutz. Wir kontrollieren Polizei und Politiker. Wir sind bereit zu teilen. Aber nur mit Sinaloanern.«

Fuentes lässt nicht locker. »Willst du damit sagen, dass du deine Ware nur über Juárez transportierst, nicht über Laredo, nicht über den Golf?«

Jetzt reicht es Diego. »Wir bewegen unsere Ware, wo wir wollen.«

»Nicht über Juárez«, widerspricht ihm Fuentes. »Nicht wenn wir das nicht wollen. Nicht wenn Adán schon auf meinem Territorium wildert und meine Leute stiehlt.«

Jetzt wird es brenzlig, denkt Adán. So sollte das Treffen nicht laufen.

Doch da meldet sich Magda zu Wort: »Wir sind alle Freunde – wie eine große Familie. Da gibt es manchmal Familienkrach, aber der hat nichts zu bedeuten. Seien wir ehrlich, wir alle brauchen die Familie. Nur der Familie können wir vertrauen.«

Sie berührt Vicentes Hand, während sie das sagt.

Der hört genau, was sie sagt. Sein Territorium grenzt im Osten ans Golfkartell, im Westen an Tijuana, wo Teo Solorzano seine eigenen Ziele verfolgt. Aber Sorgen macht ihm der Golf – die Macht von Contreras wächst mit jedem Tag, und es ist nur eine Frage der Zeit, bis er begehrliche Blicke auf die reiche Nachbar-Plaza wirft.

Vicente braucht Schutz, und Adán bietet ihn an. Was sind dagegen die paar Überläufer, besonders wenn Adán garantiert, dass sie alle ihren Piso zahlen? Wenn sie auch an Adán zahlen müssen, ist das deren Angelegenheit, nicht seine.

Ein Blutbündnis ist ein Bündnis gegen Contreras. Keine Kriegserklärung – die wäre dumm –, aber ein Zeichen der Stärke, das einem Übergriff vorbeugen kann. Das Tijuana in die Schranken weisen könnte. Und Adáns Geliebte, die das Ganze zu einer Familienangelegenheit erklärt, hat ihm eine Brücke gebaut. Er kann einen Rückzieher machen, ohne das Gesicht zu verlieren.

Adán sieht genau, wie es in Vicente arbeitet – bis er endlich Farbe bekennt: »Blut ist dicker als Wasser. Wenn Adán zustimmt, dass jeder, der seine Ware durch unser Gebiet transportiert, den Piso zahlt –«

»Dem stimme ich zu«, sagt Adán.

»– und uns von seinen Verbindungen profitieren lässt, dann schließen wir uns dieser *Alianza de sangre* an.«

Vicente steht auf, schwenkt sein Weinglas und bringt einen Toast aus: »Auf die *Alianza de sangre!*«

Adán legt sich zu Magda aufs Bett.

Das Treffen wäre beinahe geplatzt, doch dank Magda hat er nun, was er wollte – eine Allianz, die Contreras in die Schranken weist und ihn von weiteren Mordanschlägen abhalten wird.

Es heißt, dass Contreras die Hände nach Nuevo Laredo ausstreckt, das direkt vor der Haustür der Fuentes liegt. Nuevo Laredo wird seit ewigen Zeiten von zwei Familien beherrscht, den Garcías und den Sotos, und die Barreras haben immer gern Geschäfte mit den Garcías gemacht, zu einem ermäßigten Piso. Wenn sich das Golfkartell Laredo unter den Nagel reißt, kostet das Adán Milliarden. Schlimmer noch, es würde die Macht von Contreras vergrößern.

Und das darf nicht passieren.

Magda fährt mit der Fingerspitze über Adáns Schläfe. »Deine Gedanken«, sagt sie, »kommen die nie zur Ruhe?«

»Niemals.«

Sie beugt sich über ihn und öffnet seinen Hosenstall.

»Selbst wenn ich das mache?«

Sie hält einen Moment inne und fragt: »Schmiedest du immer noch Pläne?«

»Nein.«

»Lügner.«

»Ich muss dich nach Kolumbien schicken«, sagt Adán.

»Jetzt sofort?«

»Nicht *jetzt!*«

»Oh.«

Später fragt er: »Wo hast du das gelernt?«

Magda löst sich von ihm und steht auf. »Ich packe heute Abend und reise morgen früh ab. Du wirst mich vermissen.«

»Garantiert.«

»Du findest eine andere«, sagt Magda. »Irgendeine Anfängerin. Aber keine, die *das* kann.«

Er wird sie vermissen.

Aber er hat reichlich zu tun.

Es wird Zeit, gegen Contreras und das Golfkartell vorzugehen. Das Recht ist auf meiner Seite, denkt Adán. Contreras hat den Krieg eröffnet – mit der Messerattacke in Puente Grande.

Erst hole ich mir den Golf.

Dann Tijuana.

Dann Juárez.

Aus der neuen *Alianza de sangre* wird die alte *Federación*.

Und ich werde *El Patrón*.

Keller liegt in seiner Wohnung auf dem Bett.

Seine Einsamkeit ist wie ein feiner Schmerz, der von einer alten Wunde herrührt, einer Narbe, die er kaum noch spürt, weil sie schon zu einem Teil seiner selbst geworden ist.

Wie deine Barrera-Macke?, fragt er sich. Hat die einen Grund, eine Berechtigung, eine zwingende Ursache? Oder ist sie nur eine Schwäche von dir, eine Krankheit, eine Ausgeburt des Hasses?

Das fühlte sich gut an, nicht wahr?, den Mann zu erschießen, den du für Barrera gehalten hast. Die Angst in seinen Augen zu sehen. Und irgendwann wirst du dafür büßen, dass es sich so gut angefühlt hat.

Aguilar hatte recht – die Sprengfalle am Hauseingang war vermutlich für mich bestimmt. Schon lustig, wenn man bedenkt, dass wir beide, Barrera und ich, glaubten, unseren Todfeind erledigt zu haben.

Und haben uns beide geirrt.

TEIL II

DER GOLFKRIEG

They bought up half of southern Texas.
That's why they act the way they do.
When them boys meet me in Laredo
They think they own Laredo too.

Charlie Robison, New Year's Day

1. Der Teufel ist tot

Some say the devil is dead,
The devil is dead, the devil is dead
Some say the devil is dead
And buried in Killarney.
I say he rose again,
He rose again, he rose again ...

Irischer Folksong

Nuevo Laredo, Tamaulipas
2006

Keller sitzt einsam in einer Cantina und schaut einem Mädchen zu, das sich unter erotisch gemeinten Verrenkungen an der Stange abmüht.

La zona de tolerancia, besser bekannt als »Boy's Town«, ist ein ummauertes Gelände mit Bars, Striplokalen und Bordellen, besucht vor allem von amerikanischen Teenagern und College-Kids, die vom texanischen Laredo in das mexikanische Nuevo Laredo herüberkommen.

Die zwei Laredos, verbunden durch ein paar Brücken über den Rio Grande.

Zusammengenommen bilden die beiden Städte den größten Warenumschlagplatz des amerikanischen Binnenlands. Ungefähr siebzig Prozent aller mexikanischen Exporte in die USA passieren hier die Grenze.

Darunter auch Drogen.

Die müde Routine, mit der das Mädchen seine Übungen durchzieht, weckt eher Kellers Mitleid. Sie ist jung und mager, ihr Blick, mit dem sie Männer dazu animiert, Geldscheine in ihren schlechtsitzenden gelben G-String-Tanga zu schieben, ist völlig leer.

Das Mädchen ist auf Autopilot, und Keller möchte wetten, dass sie high ist.

Einen so deprimierenden Schuppen hat er selten gesehen. Betrunkene amerikanische College-Boys, traurige Männer mittleren Alters, noch traurigere Bardamen und Huren – und natürlich Narcos. Keine dicken Fische, eher kleine und mittlere Drogenschieber und Möchtegern-Dealer. Die meisten in der roten Kluft der amerikanischen Narco-Cowboys.

Keller nippt an seinem Bier. In dieser Bar bekommt man, wie auch sonst in der *zona,* nur Bier oder Tequila. Er hält sich lieber ans Bier.

Auch für ihn sind traurige Zeiten angebrochen.

Adán Barreras Spur ist kalt. Kälter als das Herz eines Inkasso-Ganoven.

Seit dem Sturm auf das Haus in Atizapán ist Barrera vom Radar verschwunden. Als würde er weder Handy noch Internet nutzen, als würde er sich nicht von der Stelle rühren. Auch keine »Sichtungen«, die dafür gesorgt hätten, dass bei der Polizei die Telefondrähte glühen. Keller hat nicht den geringsten Hinweis, nur ein paar Gerüchte, die besagen, dass er sich aus dem Geschäft zurückgezogen hat und irgendwo in Frieden und Abgeschiedenheit sein Leben genießt.

Keller glaubt es keine Sekunde.

Wenn man nichts von Barrera hört, hat das Gründe – und meist keine guten. Adán spielt nicht Bridge, macht keine Kreuzfahrten, übt nicht seinen Golfschlag. Wenn er sich rarmacht, heckt er etwas aus.

Fragt sich nur, wo.

Barrera braucht ein Stück US-Grenze.

Eine Plaza.

Keller denkt: Barrera ist scharf auf den Golf.

Der Boss, Osiel Contreras, stammt aus Matamoros an der Golfküste und kann nicht auf irgendwelche sinaloanischen Wurzeln verweisen, die übliche Vorbedingung für ein Narco-Adelsprädikat. Das heißt, er ist Freiwild für Barrera. Ohnehin ist Contreras nur deshalb Boss geworden, weil Barrera seinen Vorgänger bei der Polizei verraten hat.

Barrera betrachtet Contreras als Platzhalter.

Contreras sieht das ganz anders.

Er sieht sich als neuen *patrón.*

Seine Macht ist im Wachsen – neben seinen Stützpunkten in Matamoros und Reynosa kontrolliert er nun auch die Plazas der Sotos und der Garcías, die Nuevo Laredo unter sich aufgeteilt hatten. Und Contreras hat seine eigene Privatarmee – die Zetas –, bei uns ausgebildet, denkt Keller mit Bitterkeit. In Fort Benning.

Um den Drogenhandel zu bekämpfen.

Jetzt kontrolliert Contreras mit Unterstützung der Zetas, seiner Privatarmee, die ganze Golfprovinz Tamaulipas, und das macht ihn faktisch zum mächtigsten Narco des Landes.

Aber es ist die alte Geschichte, denkt Keller, als ein anderes Mädchen, älter und noch müder, falls das überhaupt möglich ist, mit ihrer Poledance-Nummer anfängt. Zuträger berichten, dass Contreras angefangen hat, seine eigene Ware zu konsumieren – er soll Mengen von Kokain schnupfen –, und dass dies seine Paranoia schürt.

Und seine Wut.

Die ihn erst vor kurzem zu einem kapitalen Fehler verleitet hat.

Zwei DEA-Agenten saßen mit einem Informanten in ihrem Auto. Contreras ließ den Ford Bronco von seinen Leuten einkreisen, dann stieg er aus seinem Wagen, in der Hand eine vergoldete Kalaschnikow, im Gürtel einen vergoldeten Colt. Er ging auf die DEA-Leute zu und verlangte die Auslieferung des Informanten.

Als sie sich weigerten, drohte er damit, sie zu erschießen.

DEA-Agenten in Mexiko dürfen keine Waffen tragen, sie waren also hilflos.

Aber sie blieben hart und sagten, sie würden den Mann nicht ausliefern, weil sie begriffen, dass sie ohnehin Todeskandidaten waren – so oder so. Ihre genauen Worte gehören inzwischen zur Geheimdienst-Folklore: »Wenn Sie jetzt eine Dummheit machen, werden Sie das schon morgen und übermorgen und für den Rest Ihres Lebens bereuen. Sie sind im Begriff, sich dreihundert Millionen Amerikaner zum Feind zu machen.«

Die gigantische Fahndungsaktion nach der Ermordung von Ernie Hidalgo vor zwanzig Jahren war noch in bester Erinnerung. Besonders der Umstand, dass Art Keller die Barreras mit einem gnadenlosen Rachefeldzug zu Fall gebracht hatte.

Auch Contreras erinnerte sich daran und machte einen Rückzieher.

Washington übertrieb mal wieder und setzte Contreras ganz oben auf die Liste der Meistgesuchten, direkt hinter Bin Laden, und setzte zwei Millionen Dollar auf seinen Kopf aus. Dann kauften sie gepanzerte Suburbans für jedes der acht DEA-Büros in Mexiko. Die Fahrzeuge waren eine Drohgeste, das Kopfgeld hatte nur Symbolkraft – keiner, der halbwegs bei Sinnen war, würde wagen, es einzufordern.

Aber Osiel Contreras hat Adán Barrera damit von seinem Platz als meistgesuchter Narco verdrängt. Haftbefehle gegen Contreras aufgrund zahlreicher Drogendelikte wurden auf beiden Seiten der Grenze erlassen, jetzt gilt es nur noch, den Mann zu erwischen.

Aber sie kriegen ihn einfach nicht zu fassen. Obwohl es heißt, dass er in Tamaulipas, seiner Plaza, ganz offen agiert, mit einer geradezu aufreizenden Frechheit. Und der Grund für seine Frechheit ist peinlich, besonders für Gerardo Vera und Luis Aguilar.

Contreras hat die Polizei in der Tasche.

Die lokalen Polizeikräfte in Matamoros, Reynosa und Nuevo Laredo, die Polizeichefs in hundert kleineren Städten und Dörfern stehen auf der Gehaltsliste des Golfkartells.

Das Problem ist kaum zu lösen – man kann nicht einfach drei Viertel aller Polizisten entlassen. Der Verkehr würde zum

Erliegen kommen, die öffentliche Ordnung würde zusammenbrechen, alle Straftaten, auch Raub, Vergewaltigung und Mord, würden ungesühnt bleiben.

Vera und Aguilar haben versucht, den notwendigen Wandel von oben her einzuleiten – Vera, indem er neue AFI-Beamte aus Mexico City einsetzte, Aguilar, indem er Teams vertrauenswürdiger SIEDO-Agenten nach Tamaulipas schickte.

Ihnen schlug der Hass der örtlichen Polizeikräfte entgegen. Veras Männer waren für sie »Zugereiste«, die von den Verhältnissen keine Ahnung hatten, aber neue Sitten einführen sollten – und ihnen die lukrativen Beziehungen zum Golfkartell verdarben.

Jetzt operieren dort auch die Zetas, die mit ihrer militärischen Disziplin und ihren gefürchteten Foltermethoden jeden Zugriff erschweren, Informanten einschüchtern und das Golfkartell unangreifbar machen.

Damit ist es ihnen gelungen, die Jagd auf Osiel Contreras zum Erliegen zu bringen.

Doch statt sich dieser Herausforderung zu stellen, zerschlagen Gerardo Vera und Luis Aguilar – »Batman und Robin« – das Tijuana-Kartell.

Jede Woche neue Beschlagnahmen, neue Verhaftungen. Ein Tunnel unter der Grenze am Otay Mesa Freeway, dreitausend Pfund Marihuana beschlagnahmt, die Haupttäter gefasst. Jeder Fund und jede Verhaftung wird in den Medien breitgetreten, und jede Verhaftung bringt neue Informationen, die zu weiteren Verhaftungen führen – irgendwann sitzen mehr als tausend Mitglieder des Tijuana-Kartells im Gefängnis.

Wen die AFI-Trooper nicht fangen können, den bringen sie um.

Bei einem Feuergefecht in Mazatlán erschießen sie einen von Solorzanos Gefolgsleuten, bei einer Schießerei in Rosarito seinen Sicherheitschef.

Veras neue AFI-Truppe besteht aus lauter Dirty Harrys – und Vera scheut sich nicht, seine Philosophie vor der Öffentlichkeit zu vertreten: »Die Narcos stellen sich, oder sie sterben. Das ist ihre einzige Wahl. Diese Verbrecher werden Mexiko nicht regieren.«

Die Medien sind begeistert. Jede Verhaftung, jeder Drogenfund macht Schlagzeilen in den amerikanischen Zeitungen, besonders in Kalifornien, wo es heißt: »Batman und Robin räumen auf im mexikanischen Gotham.«

Hinzu kommt, dass Nacho Esparza seinen eigenen Feldzug gegen Solorzano eröffnet hat. Esparza schickt angeblich seinen Sohn Ignacio junior vor, der Barreras altes Territorium zurückholen soll.

Aber Keller ist überzeugt, dass Barrera plant, das Golfkartell zu erobern. Diese Überzeugung hat er auch bei einer der immer seltener werdenden Treffen des Barrera-Koordinierungsausschusses zum Ausdruck gebracht, und beide, Aguilar und Vera, haben genervt die Augen verdreht.

»Sie und Ihre Barrera-Besessenheit!«, sagte Aguilar.

»Es ist nicht lange her, da waren wir alle von ihm besessen«, erwiderte Keller.

»Und wir werden ihn kriegen«, sagte Vera. »Aber er ist am Ende, er ist ein Gejagter, der froh ist, wenn er wieder einen Tag überlebt. Wir müssen uns auf die *aktiven* Narcos konzentrieren.«

Vera zeigte auf die Wandkarte von Mexiko. »Wir haben eine Strategie. Wir fangen im Westen an, bringen Tijuana unter Kontrolle, dann gehen wir nach Osten und zerschlagen das Golfkartell. So nehmen wir Fuentes, der mit seinem Juárez-Kartell in der Mitte sitzt, in die Klemme. Wir werden ihn regelrecht zerquetschen. Wenn Sie recht überlegen, ist die Festnahme von Barrera eher von symbolischem als strategischem Wert.«

Die Abrechnung mit Barrera von symbolischem Wert?, dachte Keller. Für mich hat sie einen sehr persönlichen Wert.

»Und was mache ich hier, wenn wir nicht nach Barrera fahnden?«, fragte er.

»Gute Frage«, meinte Aguilar.

»Wir stellen doch die Fahndung nicht ein«, sagte Vera. »Ich meine nur, weil es da im Moment keine Entwicklungen gibt ...«

»... schieben wir sie aufs Nebengleis«, ergänzte Keller.

Vera zuckte die Schultern.

Die wöchentlichen Sitzungen des Barrera-Koordinierungs-ausschusses wurden eingestellt. Sie sollten nur noch stattfinden, wenn es neue »Entwicklungen« gab.

Aber es gibt keine Entwicklungen.

Barrera ist abgetaucht.

Manche meinen, er halte sich in Sinaloa versteckt, andere mutmaßen, er sei in Durango, wieder andere, darunter auch der mexikanische Präsident, deuten an, Barrera sei in die USA geflüchtet.

Keller tut, was er kann, aber viel kommt nicht dabei heraus. Selbst die DEA hat die Parole ausgegeben, Barrera »sei am Ende«, und schon wird sie von allen geglaubt.

»Barrera? Der ist doch so aktuell wie eine alte Zeitung«, hat ihm Taylor erst am Nachmittag erklärt.

Wohl wahr, denkt Keller. Barrera ist nicht nur vom Radar verschwunden, auch aus den Zeitungen – und Washington scheint kein Problem damit zu haben, wenn Barrera einfach vergessen wird.

Mexico City auch nicht.

Doch das hat vor allem mit den Wahlen zu tun.

Nachdem die PRI über siebzig Jahre lang das Monopol auf Los Pinos hatte, war endlich einmal die PAN an die Macht gekommen, und jetzt geht die erste Legislaturperiode zu Ende – mexikanische Präsidenten werden nur für eine Amtszeit von sechs Jahren gewählt, und der neue Kandidat der PAN, Felipe Calderón, liefert sich ein Kopf-an-Kopf-Rennen mit dem Präsidentschaftskandidaten der PRI.

Daher ist die PAN eifrig bestrebt, den Gefängnisausbruch-Skandal von Puente Grande unter den Teppich zu kehren, während die PRI mit ihrer Narco-Vergangenheit das Thema gar nicht erst zur Sprache bringt.

Über Adán Barrera will niemand reden.

Batman und Robin sind ein dankbareres Thema, auch weil Vera der Presse so markige Sprüche liefert wie: »Contreras hat eine Privatarmee. Na und? Ich habe *meine* Privatarmee. Schauen wir mal, wer gewinnt.«

»Ich bin nicht wegen Contreras hier in Mexiko«, hat Keller zu Taylor gesagt.

»Das sehen wir auch so«, sagt Taylor. »Wir überlegen, dich zurückzuholen. Die Bienen haben bestimmt schon Sehnsucht nach dir.«

Jetzt stehe ich also auf der Liste der bedrohten Arten, denkt Keller, als er auflegt. Über mir schwebt die Axt, und Aguilar kann es nicht abwarten, sie auf mich niedersausen zu lassen.

Andererseits ist Gerardo Vera inzwischen so etwas wie ein Freund.

Nun ja, nicht direkt. – Keller hat keine Freunde in Mexiko und will auch keine Freunde unter Kollegen, denen er nicht traut, aber ab und zu trinken sie ein Feierabendbier zusammen, und im Gegensatz zu Aguilar liebt Vera die Geselligkeit. Fast alle Vermutungen, die Keller über Vera angestellt hat, haben sich als falsch erwiesen. Er hat geglaubt, Vera stamme aus der privilegierten Oberschicht von Mexico City, dabei hat er als Streifenpolizist in einem der übelsten Slums der Stadt angefangen und sich mühsam hochgearbeitet.

Aufgefallen war er seinen Vorgesetzten, weil er es schaffte, auch in Problemvierteln für Ordnung zu sorgen, und als die PAN nach ihrem Wahlsieg jemanden brauchte, der unter den korrupten und von Skandalen erschütterten Federales aufräumte, wandte sie sich an Gerardo Vera.

»Oh, ich habe dabei auch ein bisschen Lebensart gelernt«, scherzte er eines Abends, als er mit Keller in der Bar des Omni-Hotels saß. »Zum Beispiel, wie man mit Messer und Gabel isst, wo man seine Anzüge kauft. Das meiste haben mir

Frauen beigebracht. Ich habe mich praktisch hochgeschlafen, und sie haben so lange an mir herumgemodelt, bis ich klatschspaltentauglich wurde.«

Aber Ehemann oder Vater wurde er nie.

»Keine Zeit und kein Interesse«, erklärte er. »Außerdem: Eine Familie macht angreifbar. Ich ziehe verheiratete Frauen vor – oder teure Huren. Ein nettes Essen, ein bisschen Unterhaltung, ein guter Fick, und dann geht jeder seiner Wege. So ist es besser.«

Bei einem solchen Kneipengespräch bat er Keller, in Nuevo Laredo etwas für ihn zu erledigen. »Es geht um Alejandro Sosa. Den Piloten von Osiel Contreras. Wir haben ihn seit Monaten im Visier.«

»Ich bin hier wegen Barrera.«

Vera hatte die Antwort schon parat. »Wir wissen beide, dass Ihre Tage hier gezählt sind. Wenn Sie mir helfen, Contreras festzusetzen, werden Sie unangreifbar. Und Sie können in Mexiko bleiben.«

Stimmt, dachte Keller. Aber sein Auftrag war streng an den Barrera-Koordinierungsausschuss gebunden, er würde in andere Kompetenzen einbrechen wie ein Wilderer. »Warum gerade ich?«, fragte er.

Vera überlegte einen Moment, bevor er antwortete. »Sie und ich, wir sind uns ziemlich ähnlich. Wir wissen beide, dass die Narcos keine fairen Gegner sind. Es ist ein Kampf ohne Regeln. Ich brauche Sie für den Einsatz auf der Straße. Diese Leute sind Abschaum, den man beseitigen muss. Mit allen Mitteln.«

»Wie wollen Sie an Sosa rankommen?«, fragte Keller und wusste auch schon, dass er damit eine rote Linie überschritt. Er verstieß gegen seinen Auftrag, gegen die Regeln der DEA und gegen die Gebote der Vernunft.

Aber er wollte in Mexiko bleiben, und Vera bot ihm diese Chance.

Vera kicherte verlegen. »Der Plan ist ein bisschen kompliziert, fast grotesk. Einer von denen, die verrückt genug sind, um zu funktionieren, aber peinliche Folgen haben, wenn sie in die Hose gehen. Wie bei Ihrer CIA, als sie Fidel Castro vergiftete Zigarren schickte.«

Jetzt beobachtet Keller den leger, aber gutgekleideten Mann, der aussieht wie Mitte dreißig. Mittelblondes Haar, hellhäutig. Er sitzt an der Bar, trinkt Bier und sieht den Stripperinnen zu. Sosa kommt ihm harmlos vor. Mager, untrainiert. Ein Mann, der ein Flugzeug steuern kann, aber sonst nicht viel im Leben gesehen hat. Vielleicht liegt es an dem pastellgrünen Polohemd und den gebügelten weißen Jeans. Oder an seinem Haar, das schon dünn wird. Sosa, noch keine vierzig, sieht aus, als würde er Haarwuchsmittel verwenden.
Ein paar Minuten später wirft er dem Barmann endlich ein paar Scheine hin und geht auf die Calle Cleopatra hinaus, wo er an den Schaufenstern der jungen, attraktiven Prostituierten entlangschlendert.
Die älteren Huren stehen in den Seitengassen.
Keller hat keine Lust zu warten, bis der Mann von irgendeiner Hure zurückkommt, also geht er auf ihn zu. »Alejandro Sosa?«
Sosa dreht sich um und blickt ihn fragend an. »Ja? Kann ich Ihnen helfen?«
»Ich brauche keine Hilfe«, sagt Keller. »Eher Sie.«
»Wie meinen Sie das?«
»Ihr Boss«, sagt Keller. »Osiel Contreras. Sie wissen doch bestimmt, dass er zu einer Wahrsagerin geht, oder?«
»Ja … und?«
»Die Wahrsagerin hat ihm gesagt, dass ihn ein Mann verraten wird, einer aus seiner Umgebung, hellhäutig, hellhaarig.«
Sosas Haut wird noch heller. Geradezu weiß. »O mein Gott!«
»Sie stehen auf seiner Abschussliste, mein Freund.«
»Was kann ich da machen?«
»Fliehen«, sagt Keller. »Mehr Möglichkeiten sehe ich nicht.«

»Wer sind Sie? Warum sagen Sie mir das?«

»Sie wollen doch nicht, dass ich meine DEA-Marke raushole, oder? Gehen wir ein Stück. Reden wir wie zwei Freier, die durch die *zona* laufen, um sich den Tripper zu holen.«

Keller hat schon Dutzende Informanten umgedreht, und er weiß, er muss den Mann an den Punkt bringen, dass er freiwillig mitgeht und tut, was ihm gesagt wird. Keller geht also weiter und ist erleichtert, als Sosa ihm folgt.

»Schau dich um«, sagt Keller. »Siehst du geschmückte Tannen? Mit Lämpchen und Süßigkeiten?«

Wohl kaum. Was er sieht, sind schmierige Bars, Nutten, Freier, Rumtreiber, betrunkene Studenten, Narco-Spitzel.

Keller macht weiter mit der billigen Polizistenmasche. »Sehe ich aus wie ein gemütlicher Opa mit rotem Mantel und weißem Bart? Du ahnst schon, worauf ich hinauswill, Alejandro – das hier ist keine Weihnachtsbescherung. Hier gibt es nichts geschenkt. Kennst du die Definition für ›Geschenk‹? Man kriegt was, ohne was zu geben. Wenn ich dich aus Mexiko rausholen soll, dir ein Dauervisum beschaffen, dann musst du mir was geben, was ich brauche.«

»Ich kann Ihnen einiges über Contreras erzählen.«

Keller bleibt vor einem Schaufenster stehen und begutachtet die Qualitäten einer jungen Frau im purpurnen Negligé. »Einiges über Contreras weiß ich schon. Ich weiß mehr über ihn als du. Da musst du mir schon was Besseres bieten.«

»Und was?«, fragt Sosa. Jetzt hat er Angst.

»Sieh die Frau an, nicht mich«, sagt Keller. »Seinen Aufenthaltsort.«

»Den kenne ich nicht«, antwortet Sosa. »Er gibt mir immer ein paar Minuten vorher Bescheid, wenn ich die Maschine startklar machen soll.«

»Na gut«, sagt Keller. »Wenn es wieder so weit ist, gibst du mir Bescheid.«

Sosa schüttelt den Kopf. »Ich kann nicht zurück. Er bringt mich um.«

»Wenn ich du wäre«, sagt Keller, »würde ich mich bei der nächsten sich bietenden Gelegenheit anrufen.«

»Das kann ich nicht.«

Dann kommt der Punkt, wo man dem Informanten die Mohrrübe vor der Nase wegzieht und ihm die Peitsche zeigt. Er muss wissen, dass er in der Klemme sitzt, und der Einzige, der ihn da rausholen kann, bist du.«

Ich bin die Wahrheit und der Weg.

»Doch, das kannst du«, sagt Keller und lächelt die Frau hinter der Scheibe an. »Oder ich erzähle ihnen, dass du mit der DEA redest. Dann braucht Contreras keine verdammte Wahrsagerin mehr, um sich Tipps geben zu lassen. Dann übergibt er dich Ochoa, um rauszufinden, was du mir erzählt hast.«

»Sie heimtückischer Dreckskerl!«

»Hey, du hättest auch bei einer netten Airline anheuern können«, sagt Keller und läuft weiter. Sosa folgt ihm wie ein Hündchen. »Jetzt hast du mehrere Optionen: Du lässt dich von den Federales verhaften und gehst ins Gefängnis, wo dich Contreras' Leute umlegen, oder du fliehst, bis Ochoa dich findet und dich zu Tode foltert. Oder du gehst zurück, machst deinen Job, als wär nichts gewesen, und rufst mich an, wenn du erfährst, wo sich dein Boss aufhalten wird, und ich nehme dich ins Zeugenschutzprogramm.«

Sosa entscheidet sich für Option Nummer drei.

Keller muss nur noch auf den Anruf warten.

Er fliegt zurück nach Mexico City.

Luis Aguilar beugt sich endlich dem Drängen seiner Frau und lädt den Amerikaner zum Essen ein, wenn auch nicht ohne Rückzugsgefechte: »So eine Einladung schickt sich nicht.«

»Warum denn nicht?«, fragt Lucinda.

»Der Mann hat seine Familie verloren, und es wäre taktlos, ihn mit unserem glücklichen Familienleben zu konfrontieren.«

»Fällt dir nichts Besseres ein?«, fragt Lucinda. »Mit solchen Ausreden verlierst du jeden Prozess!«

»Na gut, ich rufe ihn an.«

Keller nimmt den Anruf am Schreibtisch entgegen und ist zu überrascht, um sich eine Entschuldigung auszudenken. Am Abend erscheint er mit einer Flasche Wein und einem Blumenstrauß, den Lucinda huldvoll entgegennimmt.

Wenn er gedacht hat, die Frau von Luis Aguilar sei ebenso spröde wie ihr Mann, so hat er sich getäuscht. Mit einem Wort, sie ist aufregend. Einen Kopf größer als ihr Gatte, mit langem kastanienbraunem Haar und markanter Nase, zurückhaltend, aber elegant gekleidet.

Die Töchter kommen zum Glück nach der Mutter. Caterina und Isobel sind mit ihren sechzehn und dreizehn Jahren groß und schlank wie Ballerinas (sie tanzen tatsächlich Ballett, wie sich beim Essen herausstellt) und auch sonst ganz reizend – die perfekte Kombination aus mütterlicher Grazie und väterlicher Reserviertheit.

Höflich beantworten sie Kellers Fragen beim Essen, das mit einer köstlichen Kaktussprossensuppe beginnt, gefolgt von gewürfeltem Hühnchen in Mandel-Sahne-Soße auf Wildreis und einem Kokosnuss-Flan.

»Sie haben sich aber viel Mühe gemacht«, sagt Keller zu Lucinda.

»Ganz und gar nicht, ich koche gern.«

Auf eine diskrete Kopfbewegung der Mutter entschuldigen sich die Mädchen nach dem Essen, und Lucinda sagt, sie werde jetzt in der Küche »aufräumen«.

Keller will helfen, doch Aguilar weist ihn in sein Arbeitszimmer. »Spielen Sie Schach?«

»Nicht sehr gut.«

»Oh.«

»Aber wir können ein Spiel wagen.«

»Nein«, sagt Aguilar. »Nicht wenn Sie nicht gut sind. Es wäre keine Herausforderung.«

Ein Dienstmädchen – Keller erfährt, dass sie Dolores heißt – bringt den Kaffee, den Aguilar mit Cognac anreichert. Sie setzen sich, und da sie kein anderes Thema haben, kommt das Gespräch auf Vera.

»Gerardo nimmt es mit dem Gesetz nicht sehr genau«, beklagt sich Aguilar. »In den Medien kommt das gut an, aber früher oder später fällt es einem auf die Füße.«

Keller ist ein wenig skeptisch, was Aguilars angebliche Rechtstreue betrifft. Der Anwalt zeigt keine Hemmungen, die Aussagen zu verwenden, die Vera mit seinen nicht allzu zarten Verhörmethoden produziert. Manche Geständnisse gehen sehr weit, ohne dass sich Aguilar für ihr Zustandekommen interessiert.

Von seinem Flug nach Nuevo Laredo erzählt er Aguilar lieber nichts.

»Und dieser Blödsinn mit ›Batman und Robin‹, sagt Aguilar. Das ist albern und herabwürdigend.«

»Aber die Medien brauchen solche ›Aufhänger‹«, sagt Keller.

»Mit den Medien habe ich nichts zu schaffen.«

»Und ob Sie das haben!«

Lucinda kommt herein und rettet den Abend, indem sie das Gespräch auf Film, Sport – und auf Keller lenkt. Und unversehens erzählt er von seiner Herkunft, seinem treulosen Vater, seinen Tagen an der Uni, seiner Bekanntschaft mit Althea, seinem Einsatz in Vietnam ... bis Aguilar verstohlen auf die Uhr schaut und er sich verabschiedet.

Als die Tür ins Schloss gefallen ist, sagt Lucinda: »Siehst du, so schlimm ist er gar nicht. Ich mag ihn.«

»Hmmmm«, sagt Aguilar.

Gerardo Vera verbringt den Abend mit seiner neuesten Eroberung. Guter Wein, gutes Essen, guter Fick.

Essen, Trinken, Frauen. Was braucht man sonst?

»Gott«, hatte ihm Aguilar entgegengehalten, als Vera beim Lunch seine Philosophie verkündet hatte.

»Der kommt im nächsten Leben«, sagte Vera. »Ums Jenseits kümmere ich mich, wenn ich dort bin.«

»Dann ist es zu spät.«

»Ja, Pater Luis.«

Luis Aguilar glaubt an Gott und den Teufel, Vera weiß, dass es so etwas nicht gibt. Wenn man stirbt, ist alles vorbei, also muss man das Leben nach Kräften genießen. Keller gibt gern vor, seinen Glauben verloren zu haben, aber er steckt noch in ihm und hält ihm seine Sünden vor.

Vera kennt solche Probleme nicht.

Er glaubt nicht an Sünden.

Für ihn gibt es nur Recht oder Unrecht.

Mut oder Feigheit.

Pflicht oder Pflichtverletzung.

Aber um das Leben zu meistern, muss man ein Kerl sein. Ein wahrer Kerl tut das Rechte, erfüllt seine Pflicht, beweist seinen Mut.

Und dann heißt es: Wein, Weib und Gesang.

Die Frau heute Abend hat Klasse, ihr Mann, ein Regierungsbeamter, ist zu beschäftigt, um seine Pflicht im Bett zu tun, und Vera ist der dankbare Nutznießer, der diesem Trottel mit Freuden Hörner aufsetzt.

Sie sind eine Seuche im heutigen Mexiko, diese studierten Technokraten, die ihr absurdes amerikanisches »Arbeitsethos« von den ausländischen Unis mitbringen. Sie machen sich zu Rädchen im System und vergessen, warum sie überhaupt leben.

Vera vergisst das nicht.

Er hat sich ein feines Menü in sein Liebesnest liefern lassen, teuren Champagner auf Eis gelegt, passende Musik ausgesucht.

Diskrete Wachen stehen draußen und sorgen dafür, dass er ungestört bleibt.

Er gießt der Frau Champagner ein, gerade so viel, dass sie einen Schwips bekommt, dann saugt er den Parfümduft ihres eleganten Halses auf und greift nach unten, um ihren eleganten Arsch zu betasten.

Sie erstarrt, aber weist ihn nicht ab, worauf er nachprüft, wie sie sich unter ihrer Seidenbluse anfühlt. Sie lehnt sich zurück, lässt sich an seine Schulter sinken, und er flüstert ihr schmutzige Worte ins Ohr.

Die reichen Ehefrauen langweilen sich mit ihren lahmen Gatten. Es macht sie heiß, wenn sie die Ausdrücke aus den Slums hören.

Luis Aguilar hofft auf den Himmel.

Art Keller fürchtet die Hölle.

Gerardo Vera fürchtet nur den Tod – weil er so viel Freude am Leben hat.

In derselben Nacht kommt der erwartete Anruf von Sosa.

»Morgen bringe ich Contreras von Nuevo Laredo zum Geburtstag seiner Nichte in Matamoros«, sagt er zu Keller. »Danach feiert er eine Party in einem seiner Verstecke.«

»Ich brauche die Adresse.«

Sosa nennt ihm die Adresse. Ein zweistöckiges Wohnhaus in der Calle Agustín Melgar.

»Fliegt jemand mit ihm?«

»Ochoa«, sagt Sosa. »Und Forty. Und noch ein Zeta namens Segura fliegt mit. Ein verrückter Typ, der eine Handgranate an der Halskette trägt. Auf der Party treffen sie weitere Zetas. Hören Sie, ich will nicht so lange reden.«

»Okay«, sagt Keller. »Sie tun Folgendes: Sie setzen Contreras in Matamoros ab und gehen über die Brücke Puente Nuevo nach Brownsville. Dort auf der anderen Seite erwartet Sie ein Mann von der DEA.«

»Versprochen?«

»Sie haben mein Wort.«

Keller ruft Vera an. Dreißig Minuten später sitzt er mit Aguilar bei ihm im Büro der SIEDO.

Aguilar fragt Keller: »Was haben Sie damit zu tun?«

»Er hat mir mit dem Informanten geholfen«, sagt Vera.

»Das ist nicht –«

»Wollen Sie Contreras oder nicht?«, fragt Vera scharf.

»Ich hätte über diese Operation informiert werden müssen«, sagt Aguilar. »Mein Gott! Wahrsagerinnen! Und was kommt als Nächstes?«

»Als Nächstes kommt, dass wir Contreras festnehmen«, sagt Vera. »Und drei führende Zetas.«

Aguilar warnt: »Sie werden Contreras nicht kampflos hergeben.«

»Umso besser«, sagt Vera.

»Ich will ihn lebend«, sagt Aguilar.

Keller ruft Tim Taylor an. »Ich brauche einen DEA-Beamten, der einen Informanten am Übergang in Brownsville übernimmt. Und ein Dauervisum für den Mann.«

»Keller, was soll das? Was zum Teufel hast du in Matamoros zu suchen?«

»Ich bin in Mexico City.«

»Was hat das mit Barrera zu tun?«

»Nichts«, sagt Keller. »Es hat mit Contreras zu tun.«

»Keller –«

»Wollt ihr ihn oder nicht?«, fragt Keller genauso wie Vera.

»Natürlich wollen wir ihn!«

»Dann schickt morgen Nachmittag einen Beamten«, sagt Keller. »Er nimmt einen Alejandro Sosa in Empfang und steckt ihn in Schutzhaft. Und macht schon mal die Auslieferungspapiere für Contreras fertig.«

»Herrgott! Ist das alles? Noch was?«

»Im Moment nicht.« Keller legt auf und wendet sich an Aguilar und Vera. »Dann fahren wir mal los.«

»Sie kommen nicht mit«, sagt Aguilar.

»Kennen Sie die Adresse des Verstecks?«, fragt Keller.

»Nein.«

»Dann muss ich wohl mit.«

Vera lacht.

In Matamoros werden Autos gebaut.

In der Freihandelszone direkt am Südufer des Río Bravo, der wenig später in den Golf von Mexiko mündet, drängen sich über hundert kleine Fabriken, die Teile für General Motors, Chrysler, BMW und Mercedes Benz herstellen.

Einst eine Mischung aus Viehmarkt und Fischerdorf, hat sich Matamoros während des Amerikanischen Bürgerkriegs zur Stadt gemausert, als die Konföderierten von dort ihre Baumwolle verschifften, weil Unionisten New Orleans lahmgelegt hatten. Jetzt ist Matamoros eine richtige Industriestadt mit Fabriken, Lagerhäusern, Umweltverschmutzung und endlosen Schlangen von Sattelschleppern, die ihre Ladung über die vier Brücken nach Brownsville, Texas, transportieren.

Matamoros ist die Hochburg des Golfkartells, und Osiel Contreras gibt dort eine Party.

Schon zehn Uhr, denkt Ochoa, und der Boss schläft immer noch, nackt, eingeklemmt zwischen zwei ähnlich betrunkenen und unbekleideten Tausenddollarhuren in einem Schlafzimmer des Obergeschosses.

Es war eine Fiesta der Spitzenklasse.

Die Frauen waren phänomenal.

Aber Contreras macht ihm zunehmend Sorgen. Der Boss schnupft zu viel Kokain, seine Paranoia wird zum Sicherheitsrisiko, sein Eigensinn hat ihn schon zu schrecklichen Fehlern verleitet.

Mit seinem Angriff auf die zwei amerikanischen DEA-Agenten war er haarscharf an einer Katastrophe vorbeigeschrammt. Selbst der Rückzieher, den er gerade noch hinbekam, hat eine Aufmerksamkeit auf das Golfkartell gelenkt, die alles andere als gut ist.

Es ist schlecht fürs Geschäft, denkt Ochoa. Schlecht für mein Geld.

Ochoa hängt an seinem Geld.

»*Patrón!*« Ochoa versucht, ihn zu wecken. Contreras hat den

Flug für elf Uhr bestellt. Es gibt dringende Geschäfte in Nuevo Laredo zu erledigen. »*Patrón!*«

Contreras öffnet ein verklebtes Auge. »*Chinga te.*«

Okay, fick mich, denkt Ochoa, aber –

Miguel Morales, genannt »Forty«, kommt die Treppe hoch. Ein bulliger Typ mit dickem Schnauzbart und schwarzen Locken. Er hat seine Jeans an, aber sonst nichts und sieht verkatert aus.

Und erschrocken.

Was Ochoa alarmiert, denn Forty ist so schnell nicht aus der Ruhe zu bringen. Bei den Zetas ist er schnell in die obersten Ränge aufgestiegen, obwohl er nicht von Anfang an dabei war. Eigentlich ist er halber Amerikaner, in Laredo aufgewachsen, ohne militärische Erfahrung, aber seine Sporen hat er bei einer Schmugglerbande verdient. Den militärischen Drill macht er mit, als wäre er dafür geboren, und er schreckt auch vor den harten Sachen nicht zurück.

Über ihn wird erzählt, er habe einem seiner Opfer das Herz bei lebendigem Leibe herausgerissen und gegessen, mit der Behauptung, es mache ihn stark. Ochoa glaubt die Geschichte nicht wirklich, aber ein bisschen schon. Wenn also Forty sagt: »Es gibt ein Problem«, dann gibt es ein Problem.

Er folgt Forty ans Fenster und schaut hinaus.

Die ganze Straße ist voller Polizei und Militär.

Die Zetas kämpfen.

Sechs Stunden lang halten die fünfzehn Männer gegen eine Übermacht von mehr als dreihundert Angreifern durch.

Ochoa betritt nie ein Gebäude, ohne vorher die Schussfelder zu ermitteln, und seine disziplinierten Leute tun ihr Bestes. Erst haben sie die Federales vom Eingang vertrieben, dann von der anderen Straßenseite, aber mehr war nicht drin.

Die Soldaten besitzen Panzerwagen, und nach einem wahllosen und wilden Beschuss haben sich sich beruhigt und suchen sich ihre Ziele aus. Sie haben Tränengasgranaten durch die zerbrochenen Fenster geworfen, Hubschrauber haben die Zeta-Scharfschützen vom Dach gefegt.

Wenn wir bis zum Dunkelwerden durchhalten, denkt Ochoa, gibt es eine hauchdünne Chance, Contreras hinauszubringen, aber wir halten nicht bis zum Dunkelwerden durch.

Er schaut auf die Uhr.

Es ist erst halb zwei.

Sie haben schon einen Toten und zwei Verwundete, und die Munition wird knapp.

Über Megafon verlangen die Belagerer schon wieder die Kapitulation.

Vera senkt das Megafon.

»Gehen wir zum Sturmangriff über«, sagt er.

»Warum?«, fragt Aguilar. »Wir haben sie umstellt. Die können nicht weg.«

»Aber wir sehen schlecht aus. Je länger sie durchhalten, umso schlechter sehen wir aus. Ich höre schon die Heldenlieder.«

»Sollen sie singen«, sagt Aguilar. »Wir kriegen Contreras. Und ohne ihn sind die Zetas ein Nichts.«

Er kapiert es nicht, denkt Keller. Vera will Tote, je mehr, desto besser. Contreras und seine Leute in Handschellen sind die eine Botschaft, Contreras und seine Leute im eigenen Blut ersaufend sind die andere Botschaft.

Wenn ihr eine Armee aufstellt, dann verhaften wir euch nicht. Dann töten wir euch.

Wenn ihr Krieg wollt, bekommt ihr Krieg.

»Schließen Sie die Schusswesten«, sagt Vera. »In fünf Minuten greifen wir an.«

»Das sollten Sie noch mal überdenken«, sagt Keller.

Vera schaut ihn überrascht an.

Aguilar desgleichen.

Diesmal, denkt Keller, ist der Anwalt im Recht. Contreras sitzt in der Falle, er kann nicht weg. In dem Haus stecken nicht einfach nur Narcos, sondern bestens ausgebildete Elitesöldner.

»Was immer Sie damit bezwecken, es ist das Blutbad nicht wert«, sagt Keller. »Und das bekommen wir, wenn wir das Haus stürmen.«

Vera starrt ihn an.

»Sorgen Sie dafür, dass sie kapitulieren«, drängt Keller. »Sie sollen mit erhobenen Händen herauskommen. Das sind die Bilder, die Sie brauchen. Als Tote sind sie Märtyrer, als Lebende sind sie Dreckskerle. Das ist das Lied, das Sie hören wollen. Das Lied, in dem Sie als Held dastehen, und nicht die Zetas.«

»Schöne Rede, Arturo«, sagt Vera. »Aber Sie verstehen Mexiko noch immer nicht. Zugriff in fünf Minuten.«

»Sie kommen!«, brüllt Forty.

Ochoa kriecht ans Fenster und lugt hinaus. Forty hat recht. Hinter den Panzerwagen tut sich was.

Sie bereiten den Angriff vor.

Segura befingert die Handgranate an seinem Halsband. Er ist ein wahrer Hüne und stark wie ein Baum. Sein »Granatenhalsband« trägt er, seit Ochoa ihn kennt, seit sie zusammen in Chiapas gedient haben. »Ich lasse sie kommen, dann ziehe ich den Bolzen, und wir fahren zusammen zur Hölle.«

»Viel Spaß«, sagt Forty. »In der Hölle gibt's die besten Frauen.«

»Seid nicht blöd«, sagt Contreras. »Ich ergebe mich.«

»Aber ich nicht«, knurrt Segura. Deshalb trägt er ja die Handgranate um den Hals.

»Ich rede nicht von dir, ich rede von mir«, brüllt Contreras. Und zu Ochoa gewandt: »Geh mit deinen besten Leuten hinten raus. Ich gehe mit erhobenen Händen auf die Straße und mache eine Show. Vielleicht habt ihr in der Aufregung eine Chance.«

»Die knallen dich ab«, sagt Ochoa.

Die AFI-Söldner sind Killer.

»Vielleicht nicht vor den Kameras«, sagt Contreras. »Ochoa, hör auf mich. Das ist die richtige Entscheidung.«

Ochoa weiß das. Contreras kann sein Kartell auch vom Gefängnis aus steuern, aber nur, wenn es das Kartell noch gibt.

Das heißt, wenn die Zetas überleben.

»Das Tagesgeschäft übernimmt mein kleiner Bruder«, sagt Contreras.

Ochoa muss fast lachen. Héctor Contreras, bekannt als »Gordo«, ist zwar der Jüngere, aber alles andere als klein. Er ist groß und fett und außerdem kokainsüchtig. Der Mann hat nicht die geringste Selbstdisziplin und genießt daher nicht den geringsten Respekt.

Wenn Gordo das Geschäft übernimmt, heißt das, dass ich das Geschäft übernehme, denkt Ochoa. Es gibt Schlimmeres.

»Du weißt, wer dahintersteckt«, sagt er zu Contreras.

»Natürlich«, sagt Contreras. »Es war die richtige Entscheidung.«

»Die Hölle kann warten«, sagt Ochoa.

Keller zurrt die Schussweste fest.

Aguilar starrt ihn an. »Manchmal frage ich mich, was Sie für einer sind.«

»Und was sind Sie für einer?«, fragt Keller zurück. Er prüft die Ladung seiner Sig Sauer, aber hofft, dass er nicht schießen muss und dass Aguilar in der Deckung bleibt, hinter den Panzerwagen. Um dich mache ich mir keine Sorgen, denkt er. Aber ich mag deine Frau und deine Kinder. Ich will nicht, dass ich sie bei deiner Beerdigung wiedertreffe.

Keller spürt den Moment der Ruhe, der sich vor einem Feuergefecht einstellt. Die Angst verfliegt, die nervöse Anspannung lässt nach, und ein kühler Schwall Adrenalin strömt ihm durchs Gehirn.

Leider hat er nicht Barrera vor sich.

Er nimmt Aufstellung und macht sich bereit.

Dann geht die Haustür.

Contreras kommt heraus.

Die Hände hoch über dem Kopf.

Mindestens zweihundert Waffen richten sich auf ihn.

Und ein Dutzend Kameras.

»Me rindo!«, ruft Contreras. »Ich ergebe mich!«

Vera erfasst kurz die Lage, dann brüllt er: »Nicht schießen«!

Keller hört einen Feuerstoß, dann hinter dem Haus eine Explosion. Eine Sekunde scheint es, als würde die Hölle losbrechen. Contreras bricht in die Knie und ruft: »Nicht schießen! Nicht schießen!«

Das Gewehrfeuer hört auf.

Vera überquert die Straße. Er packt Contreras bei den Handgelenken, dreht ihn um, tritt ihn zu Boden und legt ihm Handschellen an. »Osiel Contreras, Sie sind verhaftet.«

»Fick dich«, sagt Contreras. »Dich und deine Bosse.«

Canelas, Sinaloa

Eva Esparza ist siebzehn, und sie ist eine Schönheit.

Lang gewelltes schwarzes Haar, braune Rehaugen, hohe Wangenknochen und eine Figur, die gerade im Begriff ist, sich zu vollenden. Sie ist ein bisschen größer als Adán, der sie galant führt, während sie zur Musik der Canelos de Durango tanzen, einer Band, die Nacho eigens eingeflogen hat.

Aus Anlass dieses Balls, mit dem er die Kandidatur seiner Tochter für die Wahl zur Miss Canelas unterstützen will. Bei ihrem Charme und ihrer Schönheit wird sie die Wahl ohnehin gewinnen, aber Nacho geht kein Risiko ein. Er hat den Ball gesponsert und Geschenke an die Juroren verteilt.

An einer Zweitplazierten wäre Adán nicht interessiert.

Ein König kann nur eine Königin heiraten.

Oder besser – eine Prinzessin.

Adán findet Nachos Fürsorglichkeit ein bisschen lächerlich. Sein Kompagnon hat mindestens sechs Familien – in Sinaloa, Durango, Jalisco und Gott weiß wo, aber Eva ist eindeutig sein Liebling.

Adán, der sie im Arm hält, sich von ihrem duftenden Haar, ihrem Parfüm betören lässt, kann das gut verstehen. Dieses Mädchen ist unwiderstehlich, und er ist dankbar, dass sie Nachos Charme geerbt hat und nicht sein Aussehen.

Als das Thema zur Sprache kam, war Adán nicht gerade begeistert.

»Wir werden alle nicht jünger«, hatte Nacho am Ende einer langen Diskussion über den Drogenkrieg in Tijuana gesagt.

Adán roch die Falle. »Ich weiß nicht, Nacho. So jung wie jetzt habe ich dich noch nie erlebt. Vielleicht ist es das Geld.«

»Lass dich nicht täuschen«, antwortete Nacho. »Ich nehme Viagra.«

Adán ließ die Chance zum Austausch von Vertraulichkeiten ungenutzt. Erektionsstörungen waren nicht sein Problem, wenn er Magda im Bett hatte – obwohl sie jetzt in Kolumbien war und eine Kokain-Pipeline aufbaute.

»Trotzdem«, sagte Nacho. »Kinder mache ich keine mehr.«

»Mein Gott, Nacho, komm zur Sache«, stöhnte Adán.

»Nun denn«, sagte Nacho. »Wofür das Ganze, der Aufbau eines Imperiums, wenn wir niemanden haben, dem wir es überlassen können?«

»Du hast einen Sohn.«

»Du aber nicht.«

Adán stand auf und trat ans Fenster. »Ich hatte ein Kind, Nacho.«

»Ich weiß.«

»Um ehrlich zu sein, weiß ich nicht, ob ich diese Art von Kummer noch einmal ertragen würde.«

»Kinder sind das Leben, Adanito. Noch ist es Zeit.«

»Ich glaube nicht, dass Magda an Kindern interessiert wäre.«

»Magda kommt nicht in Frage«, sagte Nacho. »Versteh mich nicht falsch, ich will dich nicht kränken, aber sie hatte schon andere Männer.«

»Das aus deinem Munde?«, fragte Adán.

»Bei einer Frau ist es etwas anderes, und du weißt es«, sagte

Nacho. »Nein, deine Frau muss natürlich Jungfrau sein, und die Mutter deiner Kinder muss aus einer guten Familie kommen.«

Langsam dämmerte Adán, worauf Nacho hinauswollte. »Meinst du etwa –«

»Warum nicht?«, sagte Nacho. »Überleg es dir. Eine Esparza und ein Barrera. Das wäre wirklich mal eine *Alianza de sangre.*«

Da hat er recht, dachte Adán. Damit wäre Nacho an mich gebunden. Ich hätte nicht nur seine unkündbare Loyalität, sondern bekäme auch Tijuana zurück. Aber …

»Was ist mit Diego?«, fragte Adán.

»Hast du seine älteste Tochter gesehen?«, fragte Nacho. »Die hat einen Bart, der wird noch länger als seiner.«

Adán musste lachen. Obwohl mit Diego nicht zu spaßen war. Diego konnte sich bedroht fühlen, wenn Adán näher an Esparza heranrückte.

Nacho sagte: »Ich habe eine Tochter, Eva. Siebzehn Jahre alt.«

»Das ist sehr jung.«

»Wir veranstalten einen Ball für sie«, sagte Nacho. »Komm doch einfach und sieh sie dir an. Wenn sie dir nicht gefällt, war es ein geopferter Tag. Das ist alles, worum ich dich bitte.«

»Und wie denkt Eva darüber?«, fragte Adán.

»Sie ist siebzehn«, sagte Nacho. »In dem Alter denkt man nicht.«

Jetzt, als der Song endet, fragt sich Adán erneut, was sie wohl von ihm denkt, wenn er sie heiratet. Wenn zweihundert Bewaffnete mit Masken und schwarzen Kapuzen auf Quads herangedröhnt kommen und alle Straßen blockieren. Wenn sechs kleine Flugzeuge landen, und aus einem steige ich, die Kalaschnikow um die Schulter gehängt, über mir zwei kreisende Hubschrauber.

Entweder ist sie total überwältigt oder total verschreckt.

Und wie wird sie es finden, dass ich fast dreißig Jahre älter bin als sie? Das wird wohl kaum die Hochzeitsnacht, von der sie träumt. Wahrscheinlich will sie gar nicht heiraten. Sie will daten, in Clubs gehen, mit ihren Freundinnen abhängen, aufs College …

Adán denkt an die Granden aus dem alten Sinaloa, die auf das Recht der ersten Nacht pochten, und ihm wird gruselig zumute. Trotzdem, es wäre eine wichtige Heirat. Noch zwanzig Jahre etwa, dann setzt er sich zur Ruhe, dann könnte er einen Sohn gebrauchen, der alles übernimmt.

Adán führt Eva an einen Tisch und reicht ihr ein Glas Wasser.

Er ist nicht so schlimm, wie Eva befürchtet hat.

Als ihr Vater mit der Nachricht kam, dass Adán Barrera als »Überraschungsgast« auf ihrem Ball erscheinen würde, schrie Eva los, legte eine Szene hin und schluchzte, was das Zeug hielt. Nach dem wütenden Abgang ihres Vaters nahm die Mutter sie in den Arm, trocknete ihr die Tränen und sagte: »Das ist eben unsere Bestimmung, meine Kleine.«

»Meine nicht, Mama!«

Ihre Mutter holte aus und schlug zu.

Kräftig, mitten ins Gesicht.

Das hatte sie noch nie getan.

»Was glaubst du, wer du bist?«, fragte sie. »Alles, was du besitzt – die Kleider, der Schmuck, die schönen Dinge –, hast du nur, weil wir dieses Leben führen. Glaubst du, das kommt vom lieben Gott?«

Eva hielt sich die Wange.

»Wenn dieser Mann dich will, glaubst du, du kannst ihn zurückweisen? Glaubst du, dein Vater wird es dulden, dass du seinen wichtigsten Verbündeten demütigst? Nein, er wird dich verprügeln, und ich reiche ihm den Gürtel. Er wird dich auf die Straße setzen, und ich schnüre dein Bündel.«

»Mama, bitte!«

Die Mutter nahm sie in den Arm, strich ihr übers Haar und

flüsterte: »Du hättest Geld, Häuser, Ansehen – wie eine Königin. Deinen Kindern würde es an nichts fehlen. Ich werde dafür beten, dass dieser Mann dich will. Und du solltest dasselbe tun.«

Eva tat es nicht.

Sie hat nur gebetet, dass er nicht eklig ist, und das ist er wirklich nicht, das muss sie ehrlich zugeben. Für einen alten Mann sieht er nicht schlecht aus, er ist höflich, sanft, charmant auf seine altmodische Art.

Eva kann sich nicht vorstellen, mit ihm zu schlafen, aber das kann sie bei keinem Mann. Im Unterschied zu vielen ihrer Freundinnen wurde sie gut bewacht, durfte sie abends nicht wegbleiben oder in die Skiferien fahren.

Sie haben sie unter Verschluss gehalten, und jetzt weiß sie, warum.

Sie darf ihre Jungfernhaut nicht verlieren.

Denn die ist Teil des Geschäfts.

»Na, wie ist sie?«, fragt Nacho, als Adán an seinen Platz zurückkehrt.

»Sie ist bezaubernd.«

»Du möchtest sie also wiedersehen?«, bohrt Nacho.

»Wenn sie es will.«

»Sie will.«

»Ich weiß nicht«, sagt Adán.

»Sie ist meine Tochter«, sagt Nacho. »Sie tut, was ich sage.«

Manchmal vergesse ich, wie altmodisch dieser Nacho ist, denkt Adán. »Sehen wir mal nach Diego.«

Sie finden ihn bei einem Bier am Erfrischungsbuffet und nehmen ihn mit zu einer Unterredung. Der massige Diego hält ein Glas in jeder Hand, er hat Schaum im Bart und ist bester Laune. Als er Adán sieht, hebt er ein Glas. »Auf die Wahrsagerinnen!«

»Für hundert Dollar«, sagt Esparza zu Adán, »hast du ein Imperium zu Fall gebracht.«

»Noch nicht«, erwidert Adán.

Zu seinem großen Ärger ist Contreras noch am Leben und wird alles tun, um das Golfkartell vom Gefängnis aus zu führen. Je schneller er an die Amerikaner ausgeliefert wird, desto besser, denkt Adán. Trotzdem: Schon dass Contreras an die Kette gelegt ist, ist von Vorteil. »El Gordo« ist ein Witz, und die Zetas? Ohne Contreras sind sie wie Zinnsoldaten. Man stellt sie auf und wirft sie um.

Es hat Adán unendliche Geduld gekostet. Er ist Contreras in den Arsch gekrochen, hat so getan, als wüsste er nicht, dass die Messerattacke von ihm ausging, hat zum Schein seine Übernahme von Nuevo Laredo toleriert – nur um ihn in Sicherheit zu wiegen, bis sich ein Weg fand, ihn zu stürzen.

Eine Wahrsagerin zu bestechen, was für eine Idee!

Adán muss lächeln.

Und jetzt ist alles geschafft.

Na ja, fast.

»Was ich euch fragen wollte«, sagt Adán. »Warum läuft Keller noch lebend herum?«

Diego und Nacho wechseln einen Blick. Dann sagt Nacho: »Jetzt ist nicht die Zeit dafür.«

»Und wann *ist* die Zeit dafür?«, fragt Adán.

»Jetzt nicht«, sagt Nacho. »Nicht wenn du die Golfregion haben willst. Nicht während der Präsidentenwahl – die knapp ausgehen wird. Für uns hängt zu viel davon ab. Wir können uns einfach nicht leisten, jetzt gegen die Amerikaner –«

»Ich weiß, ich weiß.« Adán wedelt mit der Hand, wie um das Eingeständnis der Schwäche zu verscheuchen.

»Wir wissen, wo Keller ist«, sagt Diego. »Diesmal bleiben wir ihm auf der Spur. Du kannst ihn haben, wann immer du willst.«

»*Nach* der Wahl«, ergänzt Nacho.

Sie bereden noch ein paar belanglosere Dinge, dann geht Adán zu Eva hinüber und verabschiedet sich von ihr.

Er küsst ihr die Hand.

Darauf geht er aus dem Saal und lässt sich zu seinem Flugzeug bringen.

Eva gewinnt die Wahl zur Miss Canelas.

Die Pressekonferenz ist klassisch, denkt Keller, der sie im amerikanischen Konsulat von Matamoros im Fernsehen verfolgt. Gerardo Vera präsentiert Osiel Contreras, wie Ed Sullivan seinerzeit die Beatles präsentierte.

Contreras spielt seine Rolle.

Er steht in Handschellen da und blickt trübsinnig zu Boden, während Vera seine Rede hält ... *wieder ein Sieg für unser Gemeinwesen ... für die Ordnung ... eine Lektion für alle, die das Gesetz mit Füßen treten ... sie werden immer auf diese Art enden ... im Gefängnis oder im Leichenhaus ...*

Ein toter Zeta liegt, zur Besichtigung freigegeben, auf einer Bahre. Zwei andere wurden verwundet. Tragischerweise starben ein AFI-Söldner und ein Soldat den Heldentod für ihr Land. Ihr Tod wird gerächt werden – ohne Nachsicht, ohne Gnade.

Ein vorwitziger Reporter weist darauf hin, dass es nach Contreras' Festnahme noch eine Schießerei auf der Straße gegeben habe.

Vera lächelt. »Danke, Pablo. Ein paar Zetas haben tatsächlich versucht, zu entkommen.«

»Mit anderen Worten, sie sind entkommen. Ist das korrekt?«, bohrt Pablo nach.

Ochoa, Forty und Segura haben sich freigeschossen, wie Keller aus den Aussagen der zwei verwundeten Zetas weiß.

Widerwillig antwortet Vera dem Reporter: »Ein paar dieser Kriminellen sind auf der Flucht, aber keine Sorge, wir werden sie der Gerechtigkeit zuführen.«

Vera übergibt das Mikrofon an Aguilar, der mit einem gestammelten Statement sein Mitgefühl für die gefallenen Einsatzkräfte und deren Familien zum Ausdruck bringt – und die

Genugtuung, dass Osiel Contreras ein gerechtes Urteil zu gewärtigen habe.

Klingt ja alles sehr gut, denkt Keller, aber er wird das Gefühl nicht los, dass Vera verärgert ist, weil Contreras noch lebt.

Kellers Chefs bei der DEA sind nicht verärgert. Sie lassen die Sektkorken knallen, es werden Torten angeschnitten, Glückwünsche gehen von El Paso nach Washington, D.C. Und an Keller in Brownsville, wo er Alejandro pflichtgemäß an Tim Taylor übergeben hat.

Taylor reicht Keller das Telefon. »Der oberste Boss.«

»Fantastischer Job, Art«, hört Keller die Stimme aus dem Hörer schallen. »Ich brauche Ihnen ja nicht zu sagen, wie begeistert wir sind. So geht es allen, die es wagen, unsere Leute zu bedrohen. Die Auslieferungspapiere sind schon in Arbeit ...«

Keller murmelt ein Dankeschön und gibt das Telefon an Taylor zurück, der noch eine verbale Verbeugung anschließt. Als der oberste Boss aus der Leitung verschwunden ist, sagt Taylor: »Nicht jeder hier ist glücklich, dass du in den Revieren anderer Agenten wilderst, Art.«

Keller erwidert: »Wenn wir glauben, dass damit das Golfkartell –«

»Keiner glaubt das«, sagt Taylor. »Aber es ist ein gewaltiger Schritt. Wenn wir genügend von den Spitzenleuten wegputzen, will bald keiner mehr den Job wollen.«

O doch!, denkt Keller.

Sie prügeln sich um den Spitzenjob. Sie morden für den Spitzenjob.

»Contreras' Bruder ist ein kokainabhängiger Trottel«, sagt Taylor. »Nicht gerade eine Spitzenkraft für die Nachfolge.«

»Okay.«

»Mein Gott, Keller!«, stöhnt Taylor. »Freu dich doch mal ein bisschen. Heute ist ein großer Tag!«

»Sicher.«

Taylor schüttelt den Kopf. »Sei bloß nicht so eingebildet. Du hast gerade deinen Arsch gerettet, und du weißt es.«

Klar, sie beide wissen es. Taylor würde nicht wagen, ihn jetzt zurückzurufen. Nicht den Mann, der ihnen Osiel Contreras geliefert hat.

Keller sagt nicht, was er außerdem denkt.

Dass der Contreras-Einsatz keine erfolgreiche Festnahme war.

Sie war eine verpfuschte Hinrichtung.

2. Los Negros

To the best of intentions,
And the worst of desires,
Leave by the Gulf Road
In the gray dawn.

James McMurtry, The Gulf Road

Nuevo Laredo, Tamaulipas
2006

Wenn Eddie Ruiz ins Träumen gerät, träumt er von den Freitagabenden.

Friday Night Lights, Baby.

Unter dem samtschwarzen Himmel von Texas.

Er träumt von den Sprechchören, die seinen Namen brüllen, von den Cheerleadern, die seinetwegen feuchte Höschen kriegen, von den kurzen, scharfen Adrenalinstößen, wenn er einen Quarterback unter den Arm klemmt und in den texanischen Boden rammt.

Laredo Uni High.

(Auf dem anderen Flussufer, aber Millionen Meilen entfernt. Nur acht Jahre her, aber eine Ewigkeit, seit sie die Football-Liga anführten.)

Eddie liebte das Röcheln des Quarterback, wenn ihm die Luft wegblieb. Nimmst du ihm die Luft, nimmst du ihm die Kraft.

Es ist dein Spiel, und das Stadion brüllt.

Eddie! Eddie! Ed*die!*

Wie er das vermisst!

Das waren die guten Zeiten.

Jetzt sitzt er im Freddy's, einer Bar, wo man ihn kennt – außer es fragt ein Fremder nach ihm.

Nuevo Laredo, nur eine Brücke von Laredo, Texas, entfernt. Genauer gesagt vier Brücken, wenn man die Eisenbahnbrücke mitrechnet. Aber eindeutig in Mexiko, an der Spitze des langen Zipfels von Tamaulipas, der aussieht, als würde die Provinz Tamaulipas der Provinz Chihuahua den Finger zeigen.

Manche Leute nennen diesen Zipfel Papageienschnabel, aber das findet Eddie doof.

Sind wir etwa Piraten?

Und wer braucht schon einen Papageien?

Jedenfalls, er ist schon immer hinübergefahren. Als Kind, um Cousinen zu besuchen, als Teenager nach den Spielen am Freitagabend, um sich zu betrinken und zu feiern, um von einer Hure in Boy's Town zugeritten zu werden (Scheiße, machen das nicht alle so?). Er hat Teresa hier in ein Hotel abgeschleppt, wo sie ihn (endlich!) ranließ und er ihr (endlich!) das Höschen unter dem kurzen Cheerleader-Rock runterreißen konnte, und es ist kaum zu glauben, dass sie jetzt schon fast sieben Jahre verheiratet sind.

Sieben Jahre verheiratet, zwei Kinder.

Wie konnte *das* passieren?

Und auch die andere Sache, als er von drüben nach Hause zurückfuhr.

Er war achtzehn, es sollte sein Abschlussjahr an der Highschool werden, als er mit seinem Pick-up zur falschen Seite auswich und voll in den Honda eines Mittelschullehrers reinkrachte.

Der Lehrer starb.

Eddie kriegte eine Anzeige wegen fahrlässiger Tötung, aber die wurde fallengelassen, und als die heiße Trainingsphase startete, ging er wieder zum Training. Das war, kurz nachdem er angefangen hatte, Gras zu dealen.

Ein Psycho hätte da von einer »kausalen Beziehung« gefaselt, aber das war es mitnichten.

Es war ein Unfall, weiter nichts.

Ein Unfall ist ein Unfall – und kein Grund, sich Vorwürfe zu machen.

Eddie! Eddie! Ed*die!*

Die Fans brüllten weiter, wenn er seinen Quarterback fertigmachte.

Eddie denkt gern daran zurück.

Heute zieht er sich anders an als damals. Den Norteño-Look jedenfalls konnte er nie ausstehen – Westernstiefel, Cowboyhüte, Gürtelschnallen wie Babyärsche. Man sah aus wie ein Idiot, und genauso gut konnte man sich ein Schild mit der Aufschrift »Narco« um den Hals hängen.

Eddie mag es schlicht, sauber, unauffällig.

Er trägt Polohemden und ordentliche Hosen, auch seine Leute müssen sich anständig kleiden. Manche Norteño-Typen können das nicht leiden, sie motzten rum und beschimpften ihn als Schwuchtel, aber fick sie.

Außerdem: Er bleibt immer schön nüchtern.

Beim Job wird nicht gesoffen und nicht gekifft.

Eine von Eddies Regeln.

Wenn du in deiner Freizeit high sein willst, ist das deine Angelegenheit – aber mach es nicht zu meiner.

Er fährt nicht mal einen SUV. Erst hatte er den typischen schwarzen Cherokee mit abgedunkelten Scheiben, dann wurde er erwachsen. Jetzt fährt er einen Nissan Sentra. Unverdächtig und tolle Laufleistung. Wenn du bei einem Nissan immer schön Öl wechselst, ist er nicht totzukriegen. Dann stirbst du *vor* deinem Nissan.

Früher, in Texas, hatte er natürlich einen Pick-up.

Wenn Eddies Mutter am Saufen war, und das war sie immer, wenn sie nicht schlief, fuhr Eddie nachts hinaus zu den Viehweiden, fing ein paar Stiere ein und verkaufte sie wie die Viehdiebe von ehedem. Mit dem Geld fuhr er dann rüber – auf ein paar Biere und ein paar Girls.

Gute Zeiten.

Er schaut auf die Uhr, weil er Chacho nicht warten lassen will.

Chacho García ist seit Jahren sein Lieferant, schon bevor Eddie Ärger mit dem FBI bekam und er für immer auf die mexikanische Seite verbannt wurde. Siebenhundert Pfund Gras für Houston – die übliche Fuhre, nur dass Eddie eine Petze in seiner Truppe hatte. Daher musste er das Nuevo vor das Laredo setzen und über die Brücke gehen. *Cross this river to the other side,* wie Bruce Springsteen, The Boss, das ausdrückte.

Der Rio Grande, wenn du ein Yankee bist, der Río Bravo, wenn du von der mexikanischen Seite draufschaust.

Eddie wohnt jetzt seit wie viel – sechs Jahren? – in Nuevo Laredo, und die Geschäfte laufen wie geschmiert. Er ist von Gras auf Coke umgestiegen, jetzt transportiert er zwei Tonnen im Monat, das meiste davon nach Memphis und Atlanta. Das ist eine Menge Stoff und eine Menge Schotter, daher stört es ihn nicht, dass er bei Chacho kaufen muss und sechzigtausend im Monat als Piso abdrückt.

Wenn du zwei Tonnen Coke pro Monat bewegst, sind sechzigtausend nicht mal Hühnerfutter, nur Hühner*scheiße.* Chacho macht es billig, weil er an die zwanzig »Eddies« hat, die ihm sein Zeug abkaufen und den Piso bezahlen, er scheffelt Geld, ohne die Ware auch nur anzufassen.

Die Garcías waren schon im Geschäft, als hier Whiskey geschmuggelt wurde, der Schmuggel liegt Chacho also im Blut, außerdem wird ein Großteil des Piso dafür verwendet, die Zollbeamten zu schmieren, damit die Trucks über die World Trade International Bridge rollen können – und weiter auf den Freeway 35.

Jedenfalls sind er und Chacho mit den Jahren *cuates* – Kumpel – geworden. Es war Chacho, der ihn in Nuevo Laredo mit offenen Armen empfing, als er das wirklich nicht hätte tun müssen, es war Chacho, der ihn herumgeführt, mit wichtigen Leuten bekannt gemacht hat, ihn, den *pocho,* vor den Einheimischen schützte.

Chacho ist sein bester Freund, vielleicht der einzige echte Freund in Mexiko.

Eddie Ruiz ist sechsundzwanzig Jahre alt – und schon Millionär. Sein Dad wollte, dass er studierte, sogar dafür bezahlen, obwohl es ihm nicht leichtgefallen wäre, aber Eddie hat abgewinkt. »Danke, Dad, ich komme zurecht.«

Er organisierte seine Hundertzwanzig-Pfund-Fuhren mit Marihuana, daher kamen ihm die Kurse in Buchhaltung oder das Einführungsseminar zu Shakespeare eher überflüssig vor. Dad war Ingenieur mit einem guten Job, einem hübschen Vorstadthäuschen, einem anständigen Auto, Eddie gehört also nicht zu den *cholos,* die im Barrio aufgewachsen sind, sondern zum Mittelstand, er hat eine gute Schule besucht und Football gespielt – mit *chicanos* und mit weißen Kids. Die übliche Ausrede, er sei aus Not in den Drogenhandel eingestiegen, trifft auf ihn nicht zu.

Eddie brauchte keine Ausrede – er wusste, was er wollte.

Nämlich Geld.

Vier Jahre College wären da vier verlorene Jahre gewesen.

Willst du das richtige Highlife, musst du Football-Star in Texas sein, ein blonder, blauäugiger *chicano* mit Siegerlächeln und einer blonden, blauäugigen *chicana* am Arm – dann weißt du, wie die Welt von oben aussieht.

Und *deshalb* hat er mit dem Dealen angefangen.

Mit seinen ein Meter achtundsiebzig wusste er, dass er es nicht in die erste Liga schaffte, zumindest nicht in Texas, wozu also weitermachen? Um als zweitklassiger Halfback in Iowa zu enden?

Nein danke.

Wenn du einmal im Penthouse wohnst, willst du nicht zurück in den dritten Stock. Um die gute Aussicht zu behalten, musst du entweder in die erste Liga aufsteigen oder richtig Geld verdienen.

Mit Geld kann man sein Glück nicht kaufen, aber man kann es mieten – auf lange Zeit. Jetzt hat Eddie Glück für sechzigtausend Dollar im Aktenkoffer, und er verlässt die Bar, um den Koffer bei Chacho abzuliefern.

Nur: Es wird nichts draus.

Denn als er auf die Straße kommt, schieben ihm zwei Typen ihre Knarren in die Rippen, zerren ihn zu einem schwarzen Suburban und schubsen ihn auf den Rücksitz, wo er von einem dritten in Empfang genommen wird. Einer der beiden zwängt sich neben ihn, der andere setzt sich auf den Beifahrersitz, und die Fuhre geht ab.

Den Typ, der links neben ihm sitzt, kennt Eddie.

Mario Soto.

Die Sotos kontrollieren den Osten von Nuevo Laredo, die Garcías den Westen. So ist das schon seit ewigen Zeiten. Es hat immer genug für alle gegeben, und alle kamen zurecht.

Eddie hat schon öfter mit Mario gefeiert.

Jetzt sieht Mario nicht aus, als wäre er in Partystimmung.

Er sieht total bekokst aus.

Den anderen Typ auf dem Rücksitz kennt Eddie nicht – dicker Kopf, langes Haar und – wirklich wahr! – eine Handgranate, die er um den Hals gehängt hat. Und das ist alles andere als lustig.

Der Fahrer ist bullig wie ein Linebacker, der Typ auf dem Beifahrersitz sieht aus wie ein Habicht – Hakennase, scharfer Blick. Dazu dichtes schwarzes Haar wie ein Filmstar. Er dreht sich um und sagt zu Mario: »Sag's ihm.«

»Was soll er mir sagen?«, fragt Eddie.

»Dass du nicht mehr an Chacho zahlst«, sagt Mario. »Ab jetzt zahlst du ans Golfkartell.«

»Was soll der Scheiß? Laredo gehört nicht zum Golfkartell!«, sagt Eddie.

»Jetzt schon«, sagt Mario.

Heilige Scheiße, denkt Eddie. Wenn die Sotos zum Golfkartell gewechselt sind …

»Du bist 'n Ami, stimmt's?«, sagt der Filmstar.

»Und was, wenn?«

»Für dich ändert sich nichts«, sagt der Filmstar. »Du kannst weitermachen wie vorher. Mit dem einzigen Unterschied, dass du an Mario zahlst statt an Chacho.«

Ach, das ist der einzige Unterschied?, denkt Eddie.

Das ist einfach verrückt!

»Die sechzigtausend in deinem Aktenkoffer gehören uns«, sagt der Filmstar. »Schönen Gruß von Osiel Contreras, er weiß deine Treue in diesen unruhigen Zeiten zu schätzen und sichert dir seinen Schutz zu.«

»Vor wem?«

»Egal vor wem.«

»Ihr stellt mich vor die Wahl, ob –«

»Niemand lässt dir eine Wahl«, schneidet ihm der Filmstar das Wort ab. Mario nimmt den Aktenkoffer, und der Suburban hält neben Eddies Nissan. »Sechzigtausend, jeden Monatsersten, ohne Aufschub.«

Als Eddie aussteigt, zittern ihm die Knie.

Er hat die Geschichten gehört, und er weiß, wer die Typen sind.

Die Zetas.

Chacho sieht wirklich wie ein Narco aus. Bunt gemustertes, teures Seidenhemd, weiße Chinos, Slipper, Goldkettchen. Entweder spielt er in einer Seifenoper, oder er ist ein Narco.

Aber er spielt in keiner Seifenoper.

Eddie fährt schnurstracks zu Chachos »Büro« im Obergeschoss eines leerstehenden Lagerhauses, und Chacho sieht sofort, dass Eddie mit leeren Händen kommt.

»Hast du was vergessen?«, fragt Chacho.

»Ich hab's nicht mehr«, sagt Eddie. Er erzählt Chacho von den Zetas und was sie mit ihm gemacht haben.

»Was?«, sagt Chacho. »Du hast dir mein Geld abnehmen lassen?«

»Sie hatten Kanonen dabei.«

»Und du hast keine Kanone?«

Doch, Eddie hat eine Kanone, versteckt auf dem Dachboden. Wozu braucht er so ein Scheißding? »Ich schleppe sie nicht mit mir rum.«

»Das solltest du aber, verdammt noch mal«, sagt Chacho. Er sieht sich zu den anderen sechs oder sieben *Chachos* um, die in dem Raum rumsitzen, um ihre Zustimmung einzuholen, dann zieht er seine Glock. »Siehst du? Ich schleppe eine mit mir rum.«

Alle Chachos zeigen ihre Kanonen. Natürlich schleppen sie alle eine mit sich rum, denkt Eddie. Scheiße – und vier von denen sind Cops in Nuevo Laredo.

Chacho sagt: »Du zahlst an *mich*.«

»Und kriege deinen Schutz dafür«, erwidert Eddie. »Nennst du das Schutz, was da mit mir passiert ist? Für mich ist das kein Schutz.«

»Ich kümmere mich drum«, sagt Chacho. »Vielleicht hat Soto Schiss vorm Golfkartell. Ich nicht.«

»Und was ist mit den Zetas?«

»Wer sind wir denn?«, ruft Chacho. »Etwa Zwölfjährige, die mit Walkie-Talkies rumrennen? ›Z1, bitte kommen – Ende der Durchsage, Z2, over‹? Ich habe aufgehört, mit Plastiksoldaten zu spielen, als ich zu pimpern anfing.«

Seine Jungs lachen.

Eddie nicht. »Was man da aus Matamoros hört, klingt ziemlich übel.«

Er hat gehört, was die Zetas im Hotel Nieto treiben und in den Stützpunkten, die sich die Zetas aufbauen. Spezielle »Verhörtechniken«, die sie bei der Armee gelernt haben. Folterscheiße.

»Wir sind hier nicht in Matamoros«, sagt Chacho. »Du zahlst an *mich*.«

»Die Leute, vor denen du mich angeblich schützt, haben mir dein Geld abgenommen«, sagt Eddie.

»Wir sind ja Freunde und so weiter, Eddie«, sagt Chacho. »Aber Geschäft ist Geschäft.«

Eddie hebt Angela hoch und setzt sie auf seine Schulter, während Teresa dem kleinen Eddie ein bisschen Möhrenbrei reinzuschaufeln versucht. Der Junge dreht den Kopf weg und presst den Mund zusammen, aber grinst dabei, als wäre das ein Witz.

»Wie wär's, wenn du die Kinder nimmst und ein paar Tage zu deinen Eltern fährst?«, sagt Eddie.

Teresa blickt zu ihm hoch, der Löffel in ihrer Hand verharrt auf halbem Wege. Sie weiß, was das bedeutet, und hat es gewusst, als sie Eddie geheiratet hat.

Aber was soll sie machen?

Sie liebt ihn.

Auch wenn es nicht immer leicht ist.

All das sieht er an ihrem Blick, wie das bei Ehepaaren so ist. Es ist nicht toll gelaufen in letzter Zeit, nicht mal im Bett, wo es immer toll gelaufen ist. Aber Paare haben nun mal Krisen, und für sie ist es auch nicht leicht mit einer dreijährigen Tochter und einem kleinen Monster von Sohn. Außerdem ist Eddie nachts viel unterwegs und schläft am Tag, und obwohl sie weiß, dass die Clubs zu seinem Job gehören, fragt sie sich öfter, was er da so treibt.

Das gehört zu meinem Geschäft, denkt er.

Und wenn ich eine neue Pussy sehe, kann ich nicht widerstehen.

Teresa kennt die Spielregeln und hat sie akzeptiert. Dafür hat sie Geld, fährt zum Shoppen nach Laredo, zur Erholung nach Cabo.

Dann das Haus.

Ein schönes Haus, brandneu, keine dieser geschmacklosen Fertigbauten, die sich manche Narcos hinklotzen lassen.

Ein ruhiges Viertel – Ärzte, Anwälte, Geschäftsleute.

Eine gute Schule in der Nähe.

Das ist der Deal, und sie kennt ihn. Ihre ganze Familie kennt ihn. Als sie anfing, Eddie zu daten, passte das den Eltern gar nicht. Und als sie hörten, dass Eddie dealte, flippten sie aus und verboten ihr den Kontakt. Aber als dann der Geldsegen kam, änderten sie ihre Meinung.

Und Teresas Mutter hilft ihnen bei der Geldwäsche.

Teresa weiß also Bescheid: Wenn sie für ein paar Tage nach Laredo rüberfahren soll, gibt es ein Problem.

»Alles okay«, sagt er, um sie zu beruhigen. »Nur eine Woche oder zwei.«

»Erst waren es ein paar Tage, jetzt sind es ein paar Wochen.« Er zuckt die Schultern.

Was zum Teufel erwartet sie denn?

Angela schreit ihm ins Ohr. »*DaddyDaddyDaddy!!!*«

Er kitzelt sie mit der Nase am Hals, bringt sie zum Kichern und setzt sie auf dem Boden ab. Sie tappt los, zu der Barbie-puppe, die sie ihr gerade gekauft haben. Sie wird erst vier, denkt Eddie. Ist das nicht ein bisschen früh für diesen Scheiß?

»Wann soll ich fahren?«, fragt Teresa.

»Am besten gleich«, sagt Eddie.

Als Teresa und die Kinder weg sind, steigt Eddie auf den Dachboden und zählt sechzigtausend Dollar ab.

Er holt auch die Pistole raus.

Eine 9 mm Glock.

Sucht ein größeres Polohemd raus, damit sie nicht zu sehen ist. Das sieht nicht cool aus, so ein weites Hemd, aber was soll er machen.

Er fährt noch einmal zu Chacho und gibt ihm die Tüte mit dem Geld.

Chacho grinst. »Ich will dir mal was zeigen.«

Eddie folgt ihm ins hintere Zimmer.

Mario Soto liegt auf dem Fußboden, die Hände hinter dem Rücken mit Klebeband gefesselt, seine Knöchel auch, aus ei-ner Wunde an seinem Hinterkopf sickert Blut. Zwei weitere Sotos lehnen an der Wand, genauso tot, aber mit weit aufge-rissenen Augen.

Eddie hat noch nie einen Toten gesehen. Na ja, außer dem toten Lehrer auf der Landstraße.

»Chacho, was hat das zu bedeuten?«

»Ich sagte dir doch, dass ich mich drum kümmere.«

Wie sich rausstellt, haben vier Polizisten von Nuevo Laredo – allesamt aus Chachos Clan – Marios Auto bei einer Straßensperre aus dem Verkehr gezogen und ihn zu Chacho ins Büro gebracht.

»Das ist hier Nuevo Laredo, und wir verteidigen unser Revier. Die Polizei gehört *uns*. Wir bringen hundert Mann auf die Straße, wenn es sein muss.«

Große Worte, sagt sich Eddie. Chacho hat gut reden. Er muss nicht an Frau und Kinder denken.

»Und was soll das bringen?«, fragt Eddie.

Denn Chacho kapiert nicht, was da läuft.

Die dicken Fische kommen zurück.

Die Bosse. *Los buchones.*

Contreras am Golf.

Solorzano in Tijuana.

Fuentes in Juárez.

Barrera ist wieder da und gründet die »Allianz« – Scheiße, das klingt ja wie *Star Wars* – zusammen mit Nacho Esparza, den Tapias und mit Fuentes.

Große Fische haben großen Appetit, und sie nehmen, was sie kriegen. Das Golfkartell will Nuevo Laredo schlucken, die Sotos hatten sie schon geschluckt. Wenn wir überleben wollen, sagt sich Eddie, müssen wir uns für einen der Großen entscheiden.

Aber Chacho kapiert das nicht.

»Du musst dich entscheiden«, sagt Chacho. »Für mich oder gegen mich.« Chacho schließt ihn in die Arme. »Wir gegen den Rest der Welt.«

»Wir gegen den Rest der Welt«, wiederholt Eddie.

Wieder draußen, weiß er, was er zu tun hat: Cool bleiben, als wäre nichts passiert. Wer weiß, vielleicht hat Chacho recht. Vielleicht hat er dem Golfkartell einen Denkzettel verpasst.

Na ja, nicht wirklich. Denn drei Wochen später findet die Polizei von Nuevo Laredo vier brennende Benzinfässer am Stadtrand.

Daran ist nichts Ungewöhnliches, alte Benzinfässer findet man überall in den Dreckecken der Stadt. Die Leute benutzen sie zum Feuermachen, um sich zu wärmen, um was zu kochen oder einfach, weil es ihnen Spaß macht.

Das Besondere an diesen Fässern ist, dass in jedem von ihnen eine Leiche steckt. Die vier Cops, die Mario Soto und seine Jungs aus dem Verkehr gezogen haben, sind misshandelt, gefesselt, in die Fässer gestopft und bei lebendigem Leibe verbrannt worden.

Die Polizei von Nuevo Laredo sucht nicht nach den Leuten, die ihren Kollegen das angetan hatten. Sie wissen schon, wer ihnen das angetan hat, und sie tun das einzig Kluge.

Sie wechseln die Seiten.

Eddie und Chacho verschwinden aus der Stadt.

Die Stadt Monterrey wird vom Cerro de la Silla überragt, den Eddie als Saddle Mountain kennt. Eddie spricht beide Sprachen, aber er denkt auf Englisch. Jetzt steckt er in beiden Sprachen in der Scheiße.

Bis zum Stehkragen.

Metido hasta el cuello.

Selbst in Monterrey, das für viele die »amerikanischste« der mexikanischen Städte ist. Whirlpool, Dell und Boeing produzieren hier – und so uramerikanische Firmen wie Samsung, Sony, Toyota und Nokia.

Monterrey ist reich, doch Nuevo Laredo ist arm, und Eddie weiß, warum. Weil die Chefs dieser Firmen beschlossen, die Billiglöhne, die sie in Nuevo Laredo zahlten, noch billiger zu machen, indem sie die Produktion nach China verlegten.

Nuevo Laredo welkt dahin, während Monterrey immer neue Wolkenkratzer baut. Immer neue Restaurants eröffnet, in denen sich mexikanische Yuppies über die Sauce hollandaise beschweren können.

Eddie und Chacho haben sich nach Monterrey verzogen, weil Chacho im Vorort Guadelupe ein Haus hat und weil Monterrey eine neutrale Stadt ist. Kein Kartell hat hier die Vormacht, nicht mal das Golfkartell. Narcos fahren nach Monterrey, wenn sie mal eine Auszeit brauchen, oder sie parken hier ihre Familien, wenn es ihnen in der eigenen Plaza zu brenzlig wird. Und in Eddies Plaza hat es sozusagen richtig gebrannt.

Oder in unserer ehemaligen Plaza, denkt er, als er die Metro besteigt. Die Sotos sind zum Golfkartell übergelaufen – zusammen mit den meisten Polizisten. Auch die Armee – obwohl die Armee schon immer ihr eigenes Ding macht.

Eddie weiß, dass er nicht lange in Monterrey bleiben kann – auch nicht zurück nach Nuevo Laredo, wenn er nicht als menschliche Fackel enden will. Außer er lässt sich was einfallen. Die verdammten Zetas. So was Irres macht doch *keiner.* Klar, ab und zu laufen die Dinge aus dem Ruder, und jemand fängt sich eine Kugel ein, aber *Leute lebendig verbrennen?*

Das ist schon krank.

Das sprengt jedes Maß.

Doch es zeigt Wirkung, das muss er zugeben. Wenn es dazu dient, Leuten Angst zu machen, dann funktioniert es.

Ich habe Angst.

Eddie fährt bis zur Station Niños Heroes und läuft den restlichen Weg zum Baseballstadion, wo die Monterrey Sultanes gegen seine Mannschaft spielen, die Tecolotes. Er ist kein richtiger Fan der Tecolotes, aber die sieht er sich an, wenn er kein Spiel der Cowboys über Satellit bekommt.

Er kauft sich ein Ticket für einen Platz an der First Base, sucht seinen Block und zwängt sich zu einem bulligen Kerl mit Rauschebart durch, der Erdnüsse mampft und Bier aus einem Pappbecher trinkt.

Das muss Diego Tapia sein.

So sieht sonst keiner aus.

Eddie und Chacho haben sich umgetan. Die Tapias lassen ihre Geschäfte über Laredo laufen. Wir müssen Anschluss finden, weiß Eddie, und uns bleiben nur die Tapias. Die *Alianza de sangre*, das »Blutbündnis«, ist unsere einzige Chance.

Der Mann neben Tapia steht auf, als er Eddie kommen sieht, und Eddie setzt sich auf den freien Platz. »Ich sehe am liebsten die Pitcher«, sagt Diego. »Die meisten wollen keine niedrigen Scores. Ich schon. Willst du ein Bier?«

Eddie will eigentlich kein Bier, aber er will Diego Tapia auch nicht beleidigen, daher nickt er, und Diego gibt dem Mann, der aufgestanden ist, ein Zeichen, damit er Eddie ein Bier holt. Dann fragt er: »Wo ist Chacho?«

»Ich glaube, es wäre nicht gut, wenn Sie mit ihm gesehen werden«, sagt Eddie. »Mich kennt keiner.«

Diego sieht ihn an, mit einem Blick, den er von den Football-Trainern kennt, die ihn erst zu klein gefunden hatten und dann merkten, wie gut er war. Dann hatten sie auch diesen Blick.

»Magst du Baseball?«, fragt Diego.

»Geht so.«

»Du bist doch ein Yankee«, sagt Diego. »Ich dachte, alle Yankees lieben Baseball.«

»Ich bin eher der Fußball-Typ.«

»Welche Sorte Fußball?«

»Die richtige Sorte«, sagt er. Eher würde er dem Gras beim Wachsen zusehen, als sich ein Soccer-Spiel anzutun.

Diegos Mann drückt Eddie ein Bier in die Hand.

Der Pitcher der Tecolotes legt einen Curveball hin, und der Batter trifft. Es war ein solider Schlag, aber am Geräusch erkennt Eddie, dass er nicht kräftig genug war, und der Ball landet im Handschuh des Centerfielders.

Dann fragt Diego: »Kommst du für dich selber oder für Chacho?«

Jetzt wird es knifflig. Diego muss erfahren, dass es Chacho war, der Mario Soto und die anderen umgelegt und damit die ganze Sache losgetreten hat. Wegen dieser Sache ist Chacho etwa so beliebt wie ein blühender Herpes. Aber Eddie ist hier, um Diego seine Loyalität anzubieten, und wenn er sich Chacho gegenüber illoyal verhält …

»Für uns beide«, erwidert Eddie.

Diego registriert es. »Und was, glaubt ihr, kann ich für euch tun?«

»Wir hatten ein bisschen Ärger in Laredo.«

»Ihr Jungs steckt in der Scheiße«, sagt Diego. »Ihr hättet zu mir kommen sollen, *bevor* Blut geflossen ist. Jetzt ist es viel schwerer, die Sache zu bereinigen.«

Eddie merkt, dass ihm Diego eine Tür offen lässt. Schwerer, aber nicht unmöglich. Er sagt: »Sie und Chacho hatten immer eine gute Beziehung. Sie haben Ihre Ware durch Laredo bewegt.«

»Chacho hat Laredo verloren«, sagt Diego. »Gegen das Golfkartell kann er nichts machen.«

»Sie schon.«

»Aber ich werde nicht«, sagt Diego. »Soll ich etwa einen Krieg führen, um den Piso an Chacho zu zahlen statt an Contreras?«

»Wir machen es billiger.«

Diego lächelt matt.

Eddie trinkt sein Bier, weil er plötzlich eine trockene Kehle hat. Wenn Tapia ihn nicht für voll nimmt, ist die Unterhaltung vorbei, und er endet in einer Benzintonne.

Jetzt heißt es Angriff statt Verteidigung.

»Ihr haltet uns das Golfkartell vom Hals«, sagt Eddie mit neuem Mut, »dafür benutzt ihr unsere Plaza, ohne Piso.«

»Das finde ich stark!« Diego muss lachen. »Ihr kommt zu mir, weil ihr Schutz braucht, auf einer Plaza, die euch gar nicht gehört?«

Der Batter schickt einen harten Ball zum Shortstop, der gräbt ihn aus dem Dreck und serviert dem First Baseman einen schönen Wurf für das Out.

»Ein Slider«, sagt Tapia. »Er *wollte* den Groundball. Wenn ich euch das Golfkartell vom Hals halte, arbeitet ihr für uns. Ihr bewegt unsere Ware, ihr kontrolliert die Plaza, und wenn ihr *eure* Ware bewegt, zahlt ihr *uns* acht Prozent.«

Der nächste Batter im First Pitch holt aus. Es ist ein Curveball, der eine Millisekunde zu lange oben blieb und nun über die linke Begrenzung segelt.

Eddie nimmt das Angebot an.

Diego genießt sein Cabrito, eine Spezialität von Monterrey – Zicklein, langsam über der offenen Glut gegart.

Er sitzt mit Heriberto Ochoa im Hinterzimmer eines Restaurants in Garza García, dem Nobelviertel von Monterrey. Zwei Zivilpolizisten halten draußen Wache.

»Warum sitzen wir hier?«, fragt Ochoa.

Das ist unhöflich, aber ihm reißt gerade der Geduldsfaden. Sie haben über Baseball geredet, übers Wetter, das Essen, den Wein, wieder über Baseball. Es wird Zeit, zur Sache zu kommen.

Diego legt die Gabel weg und blickt Ochoa in die Augen.

»Wir wollen keinen Ärger mit euch«, sagt Diego. »Wir sind bereit zu vergessen, dass Contreras einen Anschlag auf Adán Barrera versucht hat.«

»Da hat euch jemand angelogen.«

»Ich werde ständig angelogen«, sagt Diego. »Wenn ich bis zum Mittag nicht angelogen werde, fehlt mir was.«

»Wir waren's nicht«, lügt Ochoa. »Aber wer immer es war, er hat euch einen Gefallen getan. Ohne euren King würdet ihr besser fahren, oder nicht?«

Auch diese Beleidigung überhört Diego. »Wir machen Geschäfte mit Chacho García.«

»Ihr macht Geschäfte auf dem Friedhof?«, fragt Ochoa.

Diego greift zur Gabel. Er stochert in seinem Essen, als er sagt: »Am Ende von neun Innings, wenn man Vorsprung hat, ist das Spiel vorbei. Man spielt nicht weiter, wenn man gewonnen hat.«

Das ist ein interessantes Eingeständnis, denkt Ochoa. Diego

Tapia hat gerade bestätigt, dass Nuevo Laredo jetzt dem Golfkartell gehört.

»Was habt ihr mit Chacho zu tun?«, fragt Ochoa.

»Wir bewegen Ware durch seine alte Plaza«, sagt Tapia. »Er
hat die Leute, die Technik und die Zollbeamten. Warum das
Rad neu erfinden? Von euch wollen wir nur die Duldung. Natürlich komme ich nicht mit leeren Händen. Wir zahlen den
üblichen Piso.«

»Natürlich.«

»Dann haben wir kein Problem?«

»Doch, wir haben ein Problem«, sagt Ochoa. »Euer Chacho
hat Soto und zwei von seinen Leuten umgelegt.«

»Und ihr habt dafür vier umgelegt.«

»Aber Chachos Familie weint nicht«, erwidert Ochoa.

»Ihr habt euren Sieg. Nun lasst es gut sein.« Eine Lektion, die
Diego von Adán gelernt hat – schnell und hart zuschlagen
und sich mit dem Sieg begnügen. Den Verlierer nicht demütigen und sich noch mehr Feinde machen.

Ochoa hat eine andere Lektion aus Chiapas mitgebracht. Siegen ist nicht genug. Die Verlierer müssen Angst vor dir haben,
damit sie es nicht noch einmal versuchen. Er sagt: »Wenn ihr
die Laredo-Plaza für eure Ware offen halten wollt, dann sagt
uns, wo sich dieser Chacho versteckt.«

»Das setzt voraus, dass ich es weiß«, sagt Diego.

»Wenn nicht, wozu reden wir dann noch?«

Diego hat mit Adán darüber gestritten.

»Wie lange sollen wir denen aus der Hand fressen?«, hatte er
Adán gefragt.

»So lange wie nötig.«

»Das ist keine Antwort.«

»Hast du eine bessere?«

»Ich kann fünfzig gute Männer nach Matamoros schicken.
Und das sofort«, sagte Diego. »Wir töten Z1, dann Z2, dann
Z3 …«

»Nein«, sagte Adán. »Wir kooperieren. Lassen sie im Glauben, dass wir Angst haben. Sie sollen arrogant und selbstsicher sein.«

Diego ist bereit, Adán zu vertrauen. Seit er aus dem Gefängnis raus ist, hatte er keinen einzigen Fehler gemacht. Wenn Adán jetzt also will, dass er mit den Zetas kooperiert, dann tut er es. Es fällt ihm nicht leicht, aber er erzählt Ochoa, wo er Chacho finden kann.

Am Sonntag machen sie Carne asada.

Carne asada mit Bier, weil Sonntag ist.

Carne asada heißt Fleisch, und es heißt auch Braten, eigentlich ist das kein Unterschied, denn man kriegt das eine nicht ohne das andere.

Das ist in Mexiko so Sitte, außerdem feiern sie den Deal mit der Allianz – Chacho hat sich von Eddie überreden lassen.

Jetzt zeigt ihm Eddie, wo es langgeht. Er zählt ihm die Vorteile auf und garniert sie mit einem Lächeln: ein wöchentlicher Scheck, außerdem Bonuszahlungen, Renten- und Krankenversicherung, bezahlter Urlaub.

»Vielleicht auch ein Abo für den Fitnessclub«, sagt Eddie.

»Fitness mache ich bei ihr«, sagt Chacho und zeigt mit dem Daumen auf Yolanda, die draußen auf dem Deck sitzt, nur mit Slip und rotem BH (»Ist schließlich nichts anderes als ein Bikini«), und nach dem, was Eddie zu sehen bekommt, kann er Chacho nicht verübeln, wenn er keine Gewichte stemmen will, sondern lieber sie.

Außerdem mag er Yo.

Sie ist seit zwei Jahren mit Chacho zusammen und ziemlich cool, ziemlich relaxed. Pflegeleicht, was ein Vorteil ist bei dem Job, den sie machen. Nervt nicht ständig mit Fragen, wo er gewesen ist, was er mit wem gemacht hat. Teresa kann sich da eine Scheibe abschneiden, und Eddie nimmt sich vor, die beiden mal zusammenzubringen. Vielleicht kann Yo ihr auch ein paar Tricks fürs Schlafzimmer verraten, denn die könnte sie brauchen.

Chacho wendet die Steaks auf dem Grill, und sie fangen den üblichen Tex-Mex-Grenzstreit wegen der Marinade an.

»Ihr Bohnenfresser nehmt immer zu viel Limonensaft«, sagt Eddie zwischen zwei Schlucken Bier. »Scheiße, wenn ich Saft will, trink ich den lieber extra.«

»Ihr *pochos* kennt nicht mal gutes Fleisch, wenn es zwischen den Beinen hängt. Und da ist bei euch nichts«, kontert Chacho.

»Willst du mal sehen?«, fragt Eddie.

»Ich hab keine Lupe dabei«, sagt Chacho.

So vergeht die Zeit, mit Albereien und Foppereien, bis sie mit dem Essen anfangen. Als Yo sich vorbeugt, um etwas Salsa zu nehmen, verguckt sich Eddie in ihre Titten. Sie merkt es und lächelt.

Coole *chica*.

Nach dem Essen wollten sie packen, dann ab ins Auto und zurück nach Nuevo. Eddie will endlich Teresa anrufen und ihr sagen, dass sie zurückkommen soll. Jedenfalls haben sie gegessen, die Küche aufgeräumt, das Auto vollgeladen und wollen gerade losfahren, als ein schwarzer Ford Explorer hinter ihnen hält, ein anderer von vorn auf sie zufährt und sie blockiert. Ein dritter kommt von der Seite.

Mindestens zwanzig Leute steigen aus.

Alle in Schwarz.

Schwarze Kapuzen.

Und so schnell.

Bevor es losgeht, ist es auch schon vorbei. Eddie hat nicht mal Zeit, nach seiner Kanone zu greifen, so schnell haben sie sie rausgezerrt und in einen der SUVs gestoßen.

Auch er kriegt eine schwarze Kapuze übergezogen.

Der Raum riecht nach Benzin.

Eddie, nackt, ist mit Händen und Füßen an einen Holzstuhl gefesselt, mit Klebestreifen. Neben ihm Chacho.

Yolanda ist schon tot.

Chacho musste mit ansehen, wie sie mit ihr machten, was sie

wollten, dann haben sie ihr einen Kopfschuss verpasst. Jetzt lag sie tot zu seinen Füßen, ihr roter BH und der Slip irgendwo in der Ecke. Das sieht hier wie ein Wohnzimmer aus, nur dass es außer den drei Stühlen keine Möbel gibt.

Die weißen Wände sind kahl, die Rollos geschlossen.

Und es sind drei Zetas im Zimmer. Der Typ mit der Granate – Eddie hört, dass sie ihn »Segura« nennen – und der Bullige, der Forty heißt, was Eddie seltsam findet, weil es doch angeblich nur dreißig Zetas gibt.

Forty spricht Englisch wie einer, der längere Zeit in Texas gelebt hat.

Ochoa lehnt sich an die Wand.

So heißt der Filmstar – Ochoa.

»Z1«.

Weil sie weder ihr Gesicht verhüllen noch ihre Namen verschweigen, weiß Eddie, dass sie ihn umbringen werden.

Er kann nur hoffen, dass es schnell geht.

Aber dann sieht er die weißen T-Shirts in einer Schüssel Benzin liegen und hört Ochoa sagen: »Ihr Jungs esst doch gern Carne asada, oder? Wir mussten stundenlang da draußen warten und sind fast wahnsinnig geworden von dem Geruch. Aber jetzt machen wir unser eigenes Carne asada.«

Er nickt Forty zu, der zieht ein T-Shirt aus der Schüssel, wringt es aus, stellt sich hinter Chacho und legt es auf seinen nackten Rücken. Chachos Stuhlbeine klappern auf den Dielen, so sehr zittert er. Er zittert noch mehr, als Forty ein Feuerzeug anknipst und schwenkt wie bei einem Rock-Konzert. Jesus Maria, denkt Eddie. Sein linkes Bein fängt an zu zucken.

Forty flüstert Chacho etwas ins Ohr. »Du hast Soto umgebracht. Jetzt schmorst du in der Hölle.«

Er zündet das T-Shirt an.

Sofort schießen die Flammen hoch.

Chacho schreit.

Sein Stuhl hüpft.

»Der schreit wie ein Mädchen!« Segura lacht.

Die Flammen gehen aus. Das Hemd hat sich in Chachos Haut eingebrannt.

Der Geruch des verbrannten Fleischs frisst sich in Eddies Nase ein, Eddies Lunge, Eddies Seele.

Ochoa löst sich von der Wand und hebt Chachos Kinn. »Du denkst, das tut weh? Das tut noch nicht weh.«

Er stellt sich hinter Chacho und zupft an den Resten des T-Shirts.

»Das tut noch nicht weh«, wiederholt er.

Dann zieht er den Stoff von Chachos verbrannter Haut ab.

Chacho heult auf.

Ein rhythmisches, tierisches Heulen.

Die Adern an seinem Hals platzen fast, seine Augen treten aus den Höhlen.

»Jetzt tut es weh«, sagt Ochoa.

Forty lacht. Segura befingert seine Handgranate wie einen Rosenkranz. Als Chacho aufhört zu brüllen, weil er erschöpft ist, holt Forty ein neues Hemd aus der Schüssel und legt es auf seinen Rücken.

»Bitte!«, röchelt Chacho.

»Bitte was?«, fragt Ochoa.

»Bitte nicht … noch mal.«

Sie machen es noch dreimal, zünden ihn an, reißen das Hemd herunter, zusammen mit dem verbrannten Fleisch. Jetzt ist Chacho nur noch ein Stück Fleisch, denkt Eddie.

Carne asada.

Rauch steigt von seinem Rücken auf.

Dann hört Eddie das Schlimmste, was er je gehört hat. Ochoa sagt zu ihm: »Jetzt bist *du* dran.«

Forty stellt sich hinter Eddie und legt ihm ein benzingetränktes Hemd auf den Rücken. Eddie versucht, sich zu beherrschen, aber es geht nicht. Er spürt, wie ihm die Pisse am Bein herunterläuft. Auf dem Fußboden bildet sich eine Pfütze.

Forty lacht. »Er hat sich eingepisst!«

»Wie ein Mädchen«, sagt Segura.

Eddie hört sich schluchzen: »Bitte nicht!«

Es klingt wie von weit weg, wie durch eine Pappröhre gesprochen.

Forty knipst das Feuerzeug an.

»Nein!«, schreit Eddie.

Forty klappt das Feuerzeug zu.

»Wir lassen dich laufen«, sagt Ochoa und fasst Eddie unters Kinn. »Und du erzählst den Leuten, was passiert, wenn sie den Zetas keinen Respekt erweisen. Hör auf zu heulen, du Memme, und zieh dich an.«

Sie schneiden die Klebestreifen durch, Eddie zieht sich hastig an und rennt die Treppe hinab.

Verfolgt von Gelächter.

»Segura, Forty, Ochoa.« Eddie zählt die Namen auf, die sein Mantra geworden sind. »Die gehören mir. Die bringe ich persönlich um.«

Diego lächelt nur.

Ihm gefällt dieser Junge, seine zupackende Art.

Eddie ist sofort geflohen, als die Zetas mit ihm fertig waren. Chachos Leiche haben sie auf die Straße geworfen, gekleidet in Yolandas Unterwäsche, um ihm und seiner Familie Schande zu machen.

Was für Witzbolde!

Jetzt ist Eddie in Badiraguato an der Westküste, einer Hochburg des Sinaloa-Kartells, um Diego zu sagen, dass er einsteigen will in das Kartell, dass er ihr Mann ist für den Krieg gegen Contreras und die Zetas.

Diego krault seinen Bart und sagt nur: »Kein Krieg.«

Eddie traut seinen Ohren nicht. »Ich habe doch erzählt, was sie gemacht haben. Und das in Monterrey, auf neutralem Boden!«

»Ich sagte doch: Kein Krieg.«

»Dann mache ich es allein«, sagt Eddie und steht auf. »Ohne euch.«

»Glaubst du etwa, ihr kommt gegen die Zetas an? Du und der

Rest von Chachos Leuten? Diesmal machen sie kurzen Prozess mit dir.«

Diego selbst hat Ochoa gebeten, den jungen Kerl laufenzulassen, weil er ihn noch brauchen kann.

»Wenigstens sterbe ich wie ein Mann«, sagt Eddie.

»*Denk* lieber wie ein Mann«, sagt Diego. »Ein Mann trägt Verantwortung. Du hast eine Frau, du hast Kinder.«

»Für die kann ich nichts mehr tun.«

»Du kontrollierst Laredo für uns. Du zahlst unseren Piso an Ochoa«, sagt Diego.

»Soll ich ihm auch den Schwanz lutschen?«

»Das überlasse ich dir, Kleiner«, sagt Diego. »Ich sage dir nur: Lass dich von deinen Emotionen nicht zu Dummheiten verleiten. Und setz dich hin.«

Eddie setzt sich wieder. Aber er sagt: »Sie haben meinen Freund verbrannt. Vor meinen Augen.«

Diego weiß schon, was da gelaufen ist. Es war schrecklich, ekelhaft, unnötig. Aber es ist passiert. »Weißt du, wie viele Freunde *ich* verloren habe? Man trauert, man stellt am Tag der Toten Essen auf ihr Grab, und das Leben geht weiter. Ich biete dir eine Plaza an. Obwohl du keiner von uns bist. Ich bitte dich nur um eins –«

»Dass ich Scheiße fresse.«

»Dass du auf deine Stunde wartest«, sagt Diego.

Du frisst Scheiße und lächelst. Du zahlst den Piso an Ochoa und lächelst. Du bist froh und dankbar, dass du noch am Leben bist und Geschäfte machen darfst.

Und währenddessen – ganz leise und unauffällig – suchst du dir deine Leute. Nicht in Laredo, auch nicht am Golf, sondern in Sinaloa, in Guerrero, in Baja. Und keine koksenden Taugenichtse, sondern Polizisten, Soldaten, richtige Profis.

Ganz leise und unauffällig verlegst du sie nach Laredo.

Baust dir eine Streitmacht auf, eine Armee.

»Das Golfkartell hat sich die Zetas geholt«, hat Diego gesagt. »Wir bauen auch eine Truppe auf.«

»Los Negros«, hat Eddie vorgeschlagen.

Die Schwarzen.

Schwarz – die Farbe verbrannten Fleisches.

Es dauert Monate.

Monate, in denen geeignete Leute gesucht, heimlich Häuser gemietet, Waffen nach Nuevo Laredo geschafft werden. Monate, in denen Eddie dem Golfkartell in den Arsch kriecht, den Typen Geld abliefert, die seinen Freund zu Tode gequält haben.

Aber dann ist es so weit.

Adán Barrera gibt ihnen grünes Licht.

El Señor gibt die Parole aus, Diego gibt sie an Eddie weiter wie ein Geschenk, und Eddie hängt sich ans Telefon.

Lässt sich zu Ochoa durchstellen. »Ihr habt eine Woche, um aus Nuevo Laredo und Reynosa zu verschwinden. Ihr könnt Matamoros behalten, damit ihr was zu beißen habt, aber das war's dann.«

Eddie genießt das lange, verblüffte Schweigen. Dann fragt Ochoa: »Und was, wenn nicht?«

Eddies Antwort ist einfach.

Wenn nicht –

– dann verbrennen wir euch.

Eine Woche später steht Eddie in Nuevo Laredo auf einem Dach und mit ihm fünf Männer in Polizeiuniformen. Er lässt sie ein paar Salven abfeuern und brüllt: »Wir sind Los Negros, Adán Barreras Truppe, und Adán Barrera ist hier … in Nuevo Laredo!«

Als Keller die Schlagzeilen liest, muss er lächeln.

Der Teufel war tot.

Aber nicht lange.

3. Die zwei Laredos

I'm open for business in
your neighborhood,
The blues is my business
And business is good.

Todd Cerney, The Blues Is My Business

Nuevo Laredo, Tamaulipas
2006

Es herrscht Bürgerkrieg in Nuevo Laredo.
Keller fährt hin, weil Adán Barrera sein Kommen angekündigt hat. Buchstäblich von den Dächern herab.

Alles wartet jetzt, dass sich Barrera in Nuevo Laredo zeigt.
Ein Gerücht, so oft wiederholt, dass es sich schon zur »Tatsache« verfestigt hat, behauptet, seine Männer seien in ein Lokal
hineingegangen, hätten alle Handys eingesammelt und die
Türen verschlossen. Dann sei Barrera gekommen, um im
Hinterzimmer zu essen, er habe alle Rechnungen übernommen und sei gegangen. Danach wurden die Handys zurückge-
geben, und die Leute durften gehen.

Keller hält das für Unsinn, findet es aber bezeichnend, dass
solche Geschichten geglaubt werden. Er kennt Barrera gut genug, um zu wissen, dass er erst kommen wird, wenn alle
Schlachten geschlagen sind – von seinen Statthaltern, den Tapias, von Los Negros. Aber diese Leute könnten ihn zu ihrem
Oberbefehlshaber führen, zu Barrera persönlich.

Früher, denkt Keller, in den alten Zeiten, da haben die Narcos
selbst zur Waffe gegriffen, wenn es Ärger gab. Adáns Bruder
Raúl war immer vorneweg, bei jeder Schießerei. Jetzt haben
sie »Armeen«. Das Golfkartell hat die Zetas, Tapia hat »Los
Negros«, Fuentes in Juárez nennt seine Truppe »La Línea«.

Die Narcos bilden kleine Staaten, die Bosse werden zu Politikern und schicken ihre Leute in den Krieg.

In den Bürgerkrieg diesmal.

Oder einen Polizistenkrieg.

Die städtische Polizei von Nuevo Laredo kämpft unter der Regie des Golfkartells gegen die Bundespolizei – die Federales – und Barreras *Alianza de sangre*. Nicht dass sich Barrera mit den Federales verbündet hätte. Es ist nur so, dass Gerardo Vera einen AFI-Kommandanten nach Nuevo Laredo geschickt hat, zur Wiederherstellung der Ordnung, und dass vom Golfkartell bezahlte Lokalpolizisten dem Kommandanten auflauerten, als er von einer Shopping-Tour aus Laredo zurückkam, ihn töteten und seine schwangere Frau verletzten.

Keller ist vernünftig genug, sich nicht über Barreras Auferstehung zu freuen, und Vera wie Aguilar sind so ehrlich, zuzugeben, dass sie sich geirrt haben und dass sich die Gerüchte, Barrera habe eine *Alianza de sangre* gegründet, tatsächlich bewahrheitet haben. Genauso wie Kellers Voraussage, Barrera habe vor, Laredo zu erobern.

Um in das Vakuum vorzustoßen, das wir durch Contreras' Festnahme geschaffen haben, denkt Keller.

Contreras saß kaum in der Zelle, als Barrera seinen Vorstoß machte, er muss es also Jahre im Voraus geplant haben, vielleicht schon vor seiner Flucht aus Puente Grande. Hat Barrera einfach auf den Sturz von Contreras gewartet, oder hat er etwas damit zu tun? Hat er die AFI zu seinem wissentlichen oder unwissentlichen Helfer gemacht?

Und jetzt ermorden die Leute vom Golfkartell einen AFI-Kommandeur.

Zur Vergeltung für die Verhaftung von Contreras? Oder weil sie die AFI als Barreras Verbündeten betrachten? Keller ist sich nicht schlüssig. Im Fernsehen heißt es, die Polizei von Nuevo Laredo drehe jeden Stein um auf der Suche nach den Tätern.

»Das dürfte nicht schwer sein«, hat Vera gesagt. »Sie brauchen nur in ihren Polizeiwachen zu suchen.«

Er war weiß vor Wut – der von ihm ernannte Kommandeur ermordet, seine Frau verletzt, als er auf einer eigens einberufenen Pressekonferenz verkündete: »Das ist ein Angriff auf die Regierung und das Volk von Mexiko. Und ich schwöre, dass er nicht unerwidert bleibt.«

Später am Tag kommt es zu Kämpfen zwischen AFI-Troopern und Lokalpolizisten von Nuevo Laredo – auf offener Straße.

Bürgerkrieg.

Polizistenkrieg.

Eddie steht auf der Straße, gegenüber dem Restaurant Otay.

Es ist still, und es ist Nacht, ein Uhr fünfzehn, ein Mittwochmorgen.

Durchs Fenster sieht Eddie die drei Cops, die einzigen Gäste. Sie sitzen um einen Tisch und gönnen sich einen nächtlichen Imbiss. Er dreht sich zu seinen vier Begleitern um. »Kennt ihr den *Paten* – ich meine, den Film?«

Sie glotzen ihn verständnislos an.

»Wie ich mir dachte.«

Das sind Leute aus Salvador, Mitglieder der Mara Salvatrucha, kurz MS13 genannt – eine Gang, die nicht für ihre Filmkenntnisse berühmt ist, wohl aber für ihre Brutalität. Diese Typen kennen wahrscheinlich nicht mal Klopapier. Ihre Spezialität: Tattoos und Töten. Letzteres hat Eddie dazu bewogen, sie für Los Negros zu rekrutieren.

»Im Wesentlichen machen wir es so wie Al Pacino«, sagt Eddie – mehr zu sich selbst als zu ihnen. »Verstanden?«

Natürlich nicht.

»Ich bin der *palabrero*. Ist das jetzt klar?«, fragt Eddie.

Palabrero ist salvadorianisch und bedeutet »Boss«.

Sie nicken.

Eddie merkt, dass sie nervös sind. Nicht weil sie drei Leute abknallen sollen, sondern weil sie ein Restaurant betreten sollen, denkt er. In Wahrheit ist auch er nervös. Er hat noch nie jemanden umgebracht, jedenfalls nicht absichtlich.

Und die drei Cops da drinnen sind keine Engel. Sie haben einen AFI-Kommandeur erschossen und dabei – das ist nun das Allerletzte – eine schwangere Frau verletzt. Und weg waren die anderthalb Millionen Dollar, die er und Diego für den Schutz durch den Kommandeur bezahlt haben.

Scheiße, der konnte sich nicht mal selber schützen.

Aber jetzt wird abgerechnet.

»Okay, los geht's«, sagt Eddie.

Sie überqueren die Straße.

Eddie betritt das Restaurant als Erster.

Die Cops – ein Kommandant, ein Leutnant und ein Unteroffizier – schauen nur kurz hoch und lassen sich nicht beim Essen stören.

Nimm nie einem Cop sein Fressi weg, sagt sich Eddie. Erst recht nicht, wenn er's gratis kriegt.

Der Wirt kommt und sagt: »Keine Bedienung mehr.«

»Können wir mal die Toilette benutzen?«, fragt Eddie.

Der Mann zeigt mit dem Kopf nach hinten. Diese Typen rauszuschmeißen würde mehr Ärger machen, als sie einfach durchzulassen.

»Danke«, sagt Eddie.

Er geht an dem Tisch mit den Cops vorbei, zieht die Pistole und schießt dem Kommandeur in den Hinterkopf. Die MS13-Leute machen dasselbe mit den beiden anderen. Dann gehen sie nacheinander raus und hinterlassen dreiundvierzig Patronenhülsen auf dem Restaurantfußboden.

Draußen fährt ein weißer Pick-up vor, sie springen auf, und weg sind sie.

»In dem Film«, sagt Eddie, »ist Al Pacino von der Toilette gekommen, aber ich dachte mir: Warum so umständlich?«

Sie starren ihn verständnislos an.

»Scheiße«, sagt Eddie.

Ein Blutfleck verunziert sein neues Polohemd.

Ochoa und Forty sitzen unter dem Sonnendach einer Finca, drei Kilometer Feldweg von der Straße nach Matamoros entfernt.

Ihnen gegenüber sitzt der Gouverneur der Provinz Tamaulipas mit zwei von seinen Leuten.

Neben dem Tisch stehen zehn Koffer.

In jedem der Koffer stecken zweieinhalb Millionen Dollar.

Der Krieg ist nicht in Nuevo Laredo geblieben. Er hat sich auf die ganze Provinz Tamaulipas ausgeweitet. Angeblich befehligt der Fettsack Gordo Contreras die Geschicke des Golfkartells. Aber wenn ihn die Sinaloaner und die Federales nicht mit Schweinsrippchen aus der Reserve locken, wird er ihnen kaum gefährlich werden.

Der Gouverneur und seine Leute transportieren die Koffer ab.

»Du fährst nach Nuevo Laredo«, sagt Ochoa zu Forty. »Es ist dein Job, die Stadt zu halten.«

»Wir hätten diesen Eddie schmoren sollen, als wir ihn hatten.«

Stimmt, denkt Ochoa. Wir haben den Falschen geschmort.

»Tu es jetzt«, sagt Ochoa.

Zwei Tage später fordert die Justizverwaltung von Tamaulipas bei der Zentralregierung Verstärkung im Kampf gegen eine »Invasion« der salvadorianischen Killerbrigade MS13 an. Eine Woche später werden auf einem leeren Grundstück fünf Leichen gefunden. Leute der MS13, wie sich herausstellt. An einer der Leichen ist ein Zettel befestigt: »An Adán Barrera und Diego Tapia. Schickt uns noch mehr solche Idioten – Viele Grüße, Los Zetas.«

Eddie greift die Anregung auf.

Mit vier weiteren Salvadorianern, einem Ex-Cop aus Sinaloa und zwei von Diegos Sicarios aus Durango fährt er nach Matamoros.

»Spielen wir mal eine Weile in ihrer Hälfte«, sagt Eddie zu ihnen.

Sie fahren geradewegs zu einem Club, der sich The Wild West nennt.

Seguras silberner Jeep Wrangler steht vor der Tür, genauso, wie es ihm sein Verbindungsmann gemeldet hat.

Sehr leichtsinnig, denkt Eddie.

Der Mann mit der Granate fühlt sich ein bisschen zu sicher auf seinem eigenen Terrain.

Eddies zwei Mexikaner gehen auf einen Drink in den Club und kommen mit der Nachricht zurück, dass Segura dort drinnen feiert. Genauer gesagt, Segura und drei minderjährige Mädchen.

Sehr nett, denkt Eddie. Morgens um halb fünf feiert dieses Monster eine Orgie mit drei kleinen Mädchen?

Aber entscheidend ist: Er hat Segura in der Falle. Eddie wird die Bilder jener schrecklichen Nacht nicht los. Er sieht Chacho vor sich, seine vorquellenden Augen, er riecht Chachos brennendes Fleisch.

Eddies Mantra lautet: Segura, Forty, Ochoa.

Drei Namen.

Bald sind es nur noch zwei.

Er schickt die Salvadorianer zum Hintereingang. Sie können es kaum erwarten – auch sie haben eine Rechnung zu begleichen. Und diesmal arbeiten sie nicht mit Pistolen, sondern mit Kalaschnikows und Sturmgewehren. Sicher ist sicher.

Die vier Salvadorianer verschwinden in der Dunkelheit. Zwei Minuten später hört Eddie Schüsse und Schreie.

Die Eingangstür kracht auf, Segura kommt als Erster, hinter ihm der Bodyguard, dann drei Mädchen – kreischend, einknickend auf ihren High Heels.

Sie springen in den Jeep.

Eddie schießt die Reifen platt.

Segura will durchstarten, aber Eddie und seine Jungs spielen Bonnie und Clyde mit seinem Jeep.

Der Jeep ruckt und rüttelt wie ein Junkie auf Entzug.

Segura schreit, als ihn die Kugeln durchlöchern.

»Du heulst ja wie ein Mädchen«, brüllt ihm Eddie zu. Er schiebt ein frisches Magazin ein und geht auf den Jeep zu.

Segura hängt halb aus der geöffneten Tür.

»Das ist für Chacho, du perverses Schwein!«, sagt Eddie.

Segura greift nach der Handgranate, die ihm vom Hals hängt, und will den Bolzen ziehen, doch Eddies Schuss trennt ihm die Hand ab.

Seine leblosen Finger umklammern den Bolzen.

Die Salvadorianer gehen von der anderen Seite auf den Jeep zu und schauen auf den Rücksitz.

Zwei der Mädchen sind verwundet, sie stöhnen.

Das dritte, blutbespritzt, weint.

Die Salvadorianer ballern drauflos. Einer von ihnen lacht und ruft: »Guck mal, wie sie tanzen!«

Eddie zwingt sich zum Hinsehen.

Dann geht er weg.

Segura, Forty, Ochoa.

Minus eins.

Sein neues Mantra lautet: Forty, Ochoa.

Zwei Nächte später spüren die Zetas Eddies Haus in Nuevo Laredo auf und fackeln es ab.

Eddie ist nicht da.

Auch seine Familie nicht.

Teresa ist im anderen Laredo geblieben. Eddie weiß, sie wird nicht zurückkommen, und so, wie die Dinge stehen, tut sie gut daran.

Eine Familie kann so nicht leben.

Die Zetas haben ein Kopfgeld von einer Million Dollar auf ihn ausgesetzt, er zieht von Schlupfloch zu Schlupfloch, von einem Billighotel zum anderen, und verwandelt es jedes Mal in eine Art Kaserne – mit fünfzehn oder zwanzig von seinen Negros.

Das kann nicht ewig so weitergehen.

Mit militärischem Aufgebot stürmen die Zetas eins der Hotels, schnappen sich fünfzehn Negros und karren sie auf einem Laster davon.

Auch sie werden nicht zurückkehren, wie Eddie weiß.

Nein, sie kehren nicht zurück.

Sie werden zu einer entlegenen Finca in Grenznähe gebracht, wo Forty sie foltert, um Informationen aus ihnen herauszuholen, vor allem über Eddies Verstecke. Als er alles aus ihnen herausgeholt hat, was zu holen war, lässt er sie mit Benzin übergießen und verbrennen.

Was Eddie jetzt tut, ist unerhört. Er schaltet eine ganzseitige Anzeige in *El Norte,* der größten Tageszeitung von Nuevo Laredo, in Gestalt eines offenen Briefes an den mexikanischen Präsidenten. Eddie beschwört den Präsidenten, *endlich einzuschreiten gegen den Terror in der Provinz Tamaulipas und insbesondere in der Stadt Nuevo Laredo, ausgeübt von einer Gruppe von Armeedeserteuren, die sich selbst die Zetas nennen.*

Aber der Brief geht noch weiter: *Verfügen die mexikanische Armee, die Federales und der Generalstaatsanwalt wirklich nicht über die Mittel und Kräfte, um gegen diese Verbrecher vorzugehen?*

Auch ich bin kein Engel, aber ich stehe für meine Taten ein.

Und er unterschreibt den Brief mit seinem Namen.

Mit freundlichen Grüßen, Edward Ruiz.

Die Anzeige erregt einiges Aufsehen und bringt ihm den Spitznamen »Crazy Eddie« ein, den Eddie nicht wirklich mag, und so viel unerwünschte Aufmerksamkeit, dass Diego beschließt, ihn für eine Weile aus dem Verkehr zu ziehen und in den Südwesten des Landes zu versetzen – nach Acapulco.

Eddie chillt in Acapulco.

Er bewohnt gerade ein Apartment im siebten Stock, mit Blick auf den Pazifik. Zwei Schlafzimmer, Jacuzzi, Großbildfernseher und Playstation.

Von dort kommandiert er Los Negros, weil es in Nuevo Laredo zu gefährlich für ihn geworden ist und weil, ganz nüchtern betrachtet, seine Ermordung ein zu großer PR-Erfolg für die Zetas wäre. Also zieht er von Wohnung zu Wohnung, spielt Tennis und Videogames und führt seinen Krieg per Fernbedienung.

Acapulco ist ideal, weil die Stadt jetzt zu Tapias Territorium gehört. Diego Tapia besitzt hier Clubs, Bordelle, Restaurants und die ganze Polizei, Eddie ist sein engster Vertrauter. Ein Dutzend seiner Negros sorgt für Diegos Sicherheit, und Diego hat die örtlichen Federales angewiesen, auch auf Eddies Sicherheit zu achten.

Es ist verrückt, wie die Dinge laufen, aber sie laufen nicht schlecht, wenn er davon absieht, dass er von Frau und Kindern abgeschnitten ist, weil sich Teresa offiziell von ihm getrennt hat und nun fest im anderen Laredo wohnt. Getrennt oder nicht: Sie und ihre Familie hängen weiter an seinem Geldhahn, so dass ihre Mom den Geldboten spielen muss, was auch verrückt ist.

Eddie vermisst die Kinder sehr. Aber was ist mit Teresa?

Ähh ...

Fakt ist, dass er mehr Frauen kriegt, als er vögeln kann, um es mal direkt zu sagen.

Er sieht einfach verdammt gut aus, und in den Clubs und Bars wimmelt es nur so von Touristinnen – oder am Strand. Die Kreuzfahrtschiffe spucken jeden Tag neue aus, Eddie hat also kein Problem, Beute zu machen. Mexikanische Girls, amerikanische Girls, französische, schwedische, spanische, englische Girls – sie alle wollen Sonne, Strand, Margaritas und viel Sex.

Wenn sie also diesen blonden, blauäugigen Typ sehen, der gut beieinander ist, ihre Sprache spricht, sie in die coolen Clubs reinbringt und nicht mit Dollars knausert, sind sie alle hin und weg. Aber wenn er sich die Mühe sparen will, geht er in eins von Diegos Bordellen und legt einfach die Scheine hin. Die Mädchen von Acapulco sind einsame Spitze. In zwanzig Minuten bringen sie das ganze Programm.

Und Geld ist kein Problem.

Drogenkrieg hin oder her – die Ströme fließen.

Kokain nordwärts, Geld südwärts.

Und Eddie lässt es krachen in Acapulco.

Manchmal vermisst er Chacho, denn was ihm fehlt, sind Freunde. Er hat Lakaien, Laufjungen, Bewunderer, aber er hat keine Freunde. Will eigentlich auch keine, denn Freunde werden irgendwann gekillt. Er schickt die Laufjungen los, Champagner holen, Mädchen anschleppen. Einmal verteilt er ein paar Tausender und sagt ihnen, sie sollen ihm alle Videospiele kaufen, die es gibt, und verbringt eine geschlagene Woche vor der Spielkonsole.

An einem Sonntag, als er in seiner Lieblingsbar abhängt, ein bisschen Football sieht, ein paar Bier trinkt, kommt einer von den örtlichen Federales herein.

»Willst du ein Bier?«, fragt Eddie.

Der Mann nimmt das Bier, und Eddie fragt ihn, was er will. Denn er ist nicht gekommen, um zu sehen, wie die Boys kurz vorm Schlusspfiff die Führung verpatzen.

»In Zihuatanejo sind Leute angekommen«, sagt der Mann. »Zetas.«

Zihuatanejo ist ein kleines Seebad an die zweihundertfünfzig Kilometer weiter nordwestlich.

»Was wollen die da?«, fragt Eddie.

Als ob er es nicht wüsste.

Sie wollen die Plaza.

Und mich, denkt Eddie.

»Sie haben sich in einem Strandhaus verschanzt.«

Klar. Aber nicht gut genug. Die Federales und die städtische

Polizei stürmen die Bude kurz vor Morgengrauen und setzen vier Zetas fest. Einer von denen wollte die Jagd auf Eddie offensichtlich mit ein bisschen Urlaub verbinden, denn er hat seine Frau und seine zweijährige Stieftochter mitgebracht. So ein Scheiß, denkt Eddie. Sind wir hier in Disneyland? Was soll ich nun mit der Frau und dem Gör anfangen?

Er lässt sie alle in ein vierstöckiges Haus bringen, das ihm in Acapulco gehört, ebenfalls in Strandnähe. Die Frau mit dem Kind sperrt er im Parterre ein, die vier Zetas im Dachgeschoss. Eddie lässt seine Jungs schwarze Müllsäcke aufschneiden und den Raum im Dachgeschoss damit bekleben. Denn Blutflecken an Wänden und Fußboden mindern den Wiederverkaufswert.

Dann hat er wieder eine seiner Ideen.

Das mit der ganzseitigen Anzeige war schon toll. Aber das hier …

Er steigt mit einer Glock und einem Sony-Camcorder die Treppe hoch.

Die Zetas sitzen auf der schwarzen Plastikfolie, mit dem Rücken zur Wand (im wahrsten Sinne des Wortes), die Hände mit Kabelbinder gefesselt. Sie sehen nicht aus wie die Superkiller, die Eddie erwartet hat, eher im Gegenteil – wie verängstigte Strauchdiebe. Er hat schon gehört, dass die Zetas Zivilisten in Wüstencamps ausbilden, und er muss sich nun fragen, ob diese armen Würstchen überhaupt die Grundausbildung geschafft haben.

Zwei von ihnen sehen aus wie über dreißig, die anderen zwei kaum erwachsen. Mit ihren fusseligen Oberlippenbärtchen und ihren T-Shirts sehen sie echt beschissen aus. Natürlich sind sie auch schon kräftig in die Mangel genommen worden.

»Schlechte Idee, hier aufzukreuzen, Jungs«, sagt Eddie zu ihnen, während er die Kamera aufstellt und den Bildausschnitt wählt.

Er wählt ihn so, dass alle vier zu sehen sind, dann schaltet er auf Aufnahme. »Das ist jetzt wie *The Real World,* klar? Ihr seht doch MTV – oder nicht?«

Wenn die Mexikaner die Zetas für Helden halten, werde ich sie eines Besseren belehren, denkt Eddie. Er zoomt den Mann links außen heran und fragt ihn: »Wann hast du bei den Zetas angefangen, und was machst du bei ihnen?«

Der Mann trägt ein verwaschenes grünes T-Shirt, unter dem sein Bierbauch hervorquillt (Wo hat der seine Ausbildung gemacht?, fragt sich Eddie. Bei Burger King?), Khakishorts und Tennisschuhe ohne Socken. Der Mann starrt Eddie verdutzt an, dann fängt er an zu reden.

»Ich habe Kontakte zur Armee«, sagt er. »Und ich warne die Zetas, wenn es Razzien gibt.«

Eddie schwenkt auf den zweiten. Rotes T-Shirt und Jeans, zerfranstes Bärtchen, schwarze Locken. Der Kerl grinst Eddie an, als wäre das Ganze ein Witz, als wäre Eddie ein alter Kumpel von ihm.

»Ich bin Rekruteur«, sagt er.

»Wen rekrutierst du?«

»Ist doch klar«, sagt er. »Männer, die Arbeit suchen.«

»Soldaten?«

»Manchmal. Manchmal Polizisten. Oder einfach Leute.«

So wie wir, denkt Eddie und schwenkt weiter zum nächsten. Der trägt kein Hemd, nur alte Shorts und Gummilatschen.

»Ich bin ein *halcone*«, sagt er.

»Was ist das?«

»Ist doch bekannt.«

»Mir schon«, sagt Eddie, »aber nicht unseren Zuschauern.«

»Ein *halcone* ist eine Art Späher«, sagt der Mann. »Ich passe auf, was auf der Straße passiert. Ich weiß, wie man Leute findet.«

»Und was dann?«

»Dann holen wir sie uns.«

»Und …«, hilft Eddie nach.

»Dann sagt mir der Boss, ob ich Schmorbraten machen soll.«

»Was meinst du mit Schmorbraten?«

»Das ist, wenn sie einen entführen«, sagt der Mann. »Sie foltern ihn, bis er sagt, wo das Geld ist und die Drogen, und dann bringen sie ihn auf eine Finca und erschießen ihn. Er wird in eine Tonne gesteckt, mit Benzin oder Diesel übergossen und verbrannt.«

Eddie zoomt zurück in die Totale. »Erzählt mir von den Zetas. Erzählt mir von den Sauereien, die ihr anstellt.«

Und sie erzählen. Übertreffen sich geradezu im Aufzählen der Morde, Entführungen, Vergewaltigungen. Der Mann ohne Hemd erzählt von der Reporterin, die er beseitigt hat.

»Die Rundfunkreporterin?«, fragt Eddie.

»Ja.«

»Warum?«

»Sie hat unser Geld genommen«, sagt er, »aber dann schlecht über uns geredet.«

»Was war mit dem Reporter, dem ihr die Hände gebrochen habt?«

»Das waren wir nicht, das war Z1.«

»Was hat der Reporter getan?«, fragt Eddie weiter.

»Er hat Z1 wütend gemacht.«

Eddie verlässt die Kamera und stellt sich neben den vierten Mann. Achtet darauf, dass nur die Pistole zu sehen ist, nicht er selbst. »Und was ist mit dir, Buddy?«, fragt er.

Der Zeta starrt auf den Pistolenlauf und sagt nichts.

»Scheiß drauf«, sagt Eddie und drückt ab.

Ein Glück, dass er die Plastiksäcke ausgelegt hat.

»Weg mit diesen Arschlöchern«, befiehlt Eddie. Er packt den Camcorder ein und geht die Treppe runter.

Das kleine Mädchen planscht im Swimmingpool, mit aufblasbaren Schwimmflügeln.

Amüsiert sich prächtig.

Eddie geht hinaus, setzt sich zu der Frau. »Wie heißt die Kleine?«

»Ina.«

»Süß. Und wie heißt du?«

»Norma.«

Sie sieht gut aus, nicht erste Wahl für Acapulco, wo die Ansprüche höher sind, aber im nationalen Maßstab, gewissermaßen.

Eddies Handy klingelt.

»*Eddie Ruiz?*«, fragt die Stimme.

»Woher haben Sie die Nummer?«, fragt Eddie und geht in die Küche.

»*Du denkst wohl, ich kriege nur deine Nummer? Keine Sorge, ich kriege auch dich*«, sagt Forty.

»Fragt sich nur, wie das für dich ausgeht«, antwortet Eddie.

»*Ich warne dich*«, sagt Forty. »*Lass die Frau und das Kind in Ruhe.*«

Eddie schaut hinaus auf das kleine Mädchen im Swimmingpool und ihre Mutter, die ihre Füße im Wasser baumeln lässt.

»Ich bin nicht du«, sagt Eddie. »Kinder und Frauen tue ich nichts.«

»*Das erzähl mal diesen Mädchen in Matamoros.*«

»Das war ich nicht.«

»*Ach, das waren die andern, nicht wahr? Die Dschungelaffen*«, ätzt Forty.

»Werden bei dir die Rambos knapp?«, fragt Eddie. »Weil du diese Gurkentruppe losschickst?«

Forty lacht. »*Die Witze werden dir vergehen, Crazy Eddie.*«

»Warten wir's ab.«

»*Lass die Frau und das Kind in Ruhe!*«

Eddie klickt den Anruf weg, als Norma mit Ina hereinkommt.

»Hat sie Hunger?«, fragt Eddie. Und einen seiner Laufjungen fragt er: »Was haben wir zu essen? Für ein Kind?«

»Ich weiß nicht. Crunchies vielleicht. Eine Banane?«

»Dann gib ihr Crunchies und eine Banane«, sagt Eddie. »Was stehst du noch rum?«

Das Mädchen setzt sich an den Tisch und macht sich eifrig über die Crunchies her. Eddie sieht ihr dabei zu. Als sie aufgegessen

hat, greift er in die Tasche und gibt Norma tausend Pesos.
»Busgeld. Meine Jungs fahren euch zum Busbahnhof.«
Sie nimmt das Geld.
»Was ist mit meinem Mann?«, fragt Norma.
»Er lässt euch ausrichten, dass er euch liebhat«, sagt Eddie.
Was natürlich nicht stimmt. Eddie weiß nicht mal, welcher
von den vieren es war, aber was soll's? Gib der Frau ein gutes
Gefühl, etwas, was sie ihren Freundinnen erzählen kann.
Als sie weg sind, schiebt er die Videokassette in einen Um-
schlag, adressiert ihn an die *Dallas Morning News* und schickt
einen von den Jungs damit zu FedEx.
Dann fährt er zurück nach Acapulco und überlegt, ob er nicht
den Beruf wechseln sollte.
Und Filmemacher werden.

Sein Handy klingelt. Es ist Diego.
»*Du hast eine Frau und ein Kind erwischt?*«, fragt Diego.
»Ja, hab ich.«
»*O Scheiße, Eddie.*«
»Nicht, was du denkst«, sagt Eddie. »Ich hab sie in den Bus
gesetzt.«
Diego atmet erleichtert auf und fragt: »*Was ist mit den Ker-
len?*«
Eddie sagt: »Das sehen wir uns als Video an.«

Santa Marta, Kolumbien

Magda fuhr wieder einmal zum Flughafen Mexico City, doch
diesmal schaffte sie es tatsächlich, nach Kolumbien zu fliegen.
Was schon viel besser war, als den Kontakt zu Jorge Estrada
über Adán laufen zu lassen. Da sie wegen des Ausbruchs noch
auf der Fahndungsliste stand, benutzte sie einen falschen Pass,
aber niemand schöpfte Verdacht, obwohl ihr Foto auf den Titelseiten aller Zeitungen des Landes prangte.

Klar, sie hatte sich die Haare blond gefärbt und eine Art Shakira-Look zugelegt, doch dafür waren eher modische Gründe ausschlaggebend als die Angst vor Enttarnung.

Sie genoss diesen neuen Auftritt und war gespannt zu sehen, ob Männer auf Blondinen anders reagieren.

Nein, stellte sie fest. Die Blicke der Männer wanderten von der Frisur auf ihren Busen, von dort auf ihre Beine und wieder zurück. Alles wie immer.

Jedenfalls durchlief sie die Kontrollen ohne Schwierigkeiten und nahm ihren Platz ein.

Business-Class natürlich.

Ließ sich einen Begrüßungscocktail reichen, schmiegte sich in die Kissen und nahm sich die Zeitschriften vor – spanische Ausgaben von *Vogue, Women's Wear, Cosmo* und so weiter, mit Mode, die sie sich jetzt auch leisten konnte.

Dank Adáns Reichtum.

Aber sie wollte sein Geld nicht.

Sie wollte ihr eigenes Geld verdienen.

Denn Männer sind Nomaden: Du kannst sie noch so sehr verwöhnen, irgendwann sind sie weg.

Es war kein langer Flug bis zum Simón Bolívar Airport in Santa Marta. Hier, in der ältesten Stadt Kolumbiens, war sie oft mit Jorge gewesen. Sie kamen für eine Woche oder übers Wochenende, um sich am Karibikstrand zu sonnen, sich in einer Strandbar ein wenig zu betrinken, sich in ihrer Strandhütte zu lieben. Danach gingen sie essen und fuhren in den Parque de los Novios, um zu tanzen, bis die Sonne aufging. Eine schöne Zeit.

Jorge ist überrascht, als er sie sieht – um das mindeste zu sagen. Sie ist einfach zu seinem bevorzugten Strandhotel gefahren und hat ihn auf der Terrasse entdeckt.

Sein Haar ist ein wenig schütter geworden, aber er hat sich gut gehalten und kleidet sich immer noch mit Geschmack: himmelblaues Hemd und weiße Jeans. Sein Bauch ist noch straff, seine Haut ist gut gebräunt, und seine Augen passen genau zur Farbe des Hemdes, als er die Designer-Sonnenbrille abnimmt, um sich zu überzeugen, ob es wirklich sie ist, die er da sieht.

»Magda?«

Sie lächelt wortlos und vertraut ganz auf die Wirkung ihres knappen Strandkleids mit dem weißen Sonnenhut.

»Wie schön«, stammelt er, »dass du draußen bist.«

»Aus dem Gefängnis, in das du mich abgeschoben hast? Vielen Dank auch!«

Sie genießt es, wie sich der smarte Jorge vor ihr windet und plötzlich Angst bekommt, als sähe er Adán Barrera und seine Killer nahen. Denn Jorge ist sicher nicht entgangen, dass sie jetzt mit Adán liiert ist. »Keine Sorge«, sagt sie. »Ich bin nicht hier, um mich zu rächen.«

»Du hättest jedes Recht dazu«, sagt er und lächelt wieder.

Ganz der alte Jorge, immer charmant.

Doch das zieht nicht mehr bei ihr.

Sie hätte kein Problem, mit ihm zu schlafen, aber das wäre dann Teil ihres Jobs.

»Trotzdem komme ich im Auftrag von Adán«, sagt sie und sieht ihn wieder bleich werden. »Willst du mir keinen Drink anbieten?«

»Natürlich«, sagt er. »Was hättest du gern?«

»Weißt du das nicht mehr?«

»Gin Tonic.«

»Ohne Limette.«

Er bestellt zwei Gin Tonic ohne Limette, und der Drink beruhigt ein wenig seine Nerven, so weit jedenfalls, dass er zu fragen wagt: »Was kann ich für Barrera tun?«

»Es geht darum, was er für *dich* tun kann«, sagt Magda.

»Was wäre das?«

»Er kann dich reich machen, oder er kann dich vernichten.«

Sie lächelt ihn an. »Du hast die Wahl, mein Lieber.«

Jorge entscheidet sich für den Reichtum.

»Natürlich«, sagt er. »Er bekommt so viel, wie er braucht. Das Kilo gebe ich für etwa siebentausend Dollar ab – je nach Qualität.«

Magda kann rechnen und weiß, dass dasselbe Kilo in Mexiko sechzehntausend bringt und zwanzig- bis vierundzwanzig in den nördlichen Grenzstädten.

»Du gibst es nicht ab«, sagt sie, »du *verkaufst* es. Und mir verkaufst du das Kilo für sechstausend.«

Jorge lächelt verschmitzt. »Und dann erzählst du Barrera, es waren siebentausend?«

»Nein. Adán zahlt den vollen Preis für alles, was er bei dir kauft. Für das, was ich auf eigene Rechnung kaufe, zahle ich nur sechstausend.«

Sein verschmitztes Lächeln wird zu einem verkniffenen Lächeln. »Und warum sollte ich das tun?«

»Weil du mir was schuldest.«

»Noch einen Drink?«, fragt er. »Ich nehme noch einen. Hör zu, meine Liebe, natürlich schulde ich dir was, wir hatten schließlich eine schöne Zeit, aber so viel nicht. Ich will ehrlich sein, selbst wenn ich damit deine Gefühle verletze: So gut im Bett warst du auch wieder nicht.«

»Ich rede nicht über Sex«, sagt Magda. »Ich rede über die Monate, die ich im Gefängnis verbracht habe.«

»Das Risiko war dir bekannt«, sagt er. »Also gut, ich mache dir einen Vorschlag, weil du es bist – sagen wir, sechstausendfünfhundert für die ersten zehn Kilo, für alles Weitere muss ich leider siebentausend verlangen.«

»Und ich sage dir, was ich zahle, weil du es bist«, erwidert Magda. »Sechstausend für die ersten zehn Kilo, für alles Weitere leider nur fünftausendfünfhundert.«

»Und wenn nicht, dann schickt Barrera seine Killer?«

»Nein, das besorge ich selbst.«

Sie steht auf. »Ich wohne im Carolina. Schick mir deine Antwort. Aber komm nicht selbst, das zieht nicht mehr bei mir.«

»Das Gefängnis hat dich verändert.«

»Allerdings«, sagt sie. »Und nun schau nicht so verzweifelt, du verdienst eine Menge Geld mit mir.«

Als sie geht, spürt sie seinen Blick auf ihrem Hintern.

Na gut, denkt sie. Den hast du umsonst.

Sie überlegt, ob sie am Abend zum Tanzen in den Club geht und vielleicht jemanden fürs Bett findet, aber sie entscheidet sich für ein ruhiges Mahl im Hotelzimmer, ein ausgedehntes Bad und eine einsame Nacht.

Am Morgen findet sie eine Nachricht in ihrem Postfach.

Jorge akzeptiert ihr Angebot.

Zu ihrer großen Erleichterung. Denn er wird sie reich machen, und dazu, ihn umbringen zu lassen, hatte sie wirklich keine Lust. Aber sie hätte es tun müssen, schon um sich bei den anderen Anbietern Respekt zu verschaffen. Sie hätte sich von Adáns Bonusprämie ein paar Sicarios gekauft und Jorge erschießen lassen.

So oder so: Die Geschichte wird die Runde machen und ihr bei diesen Machos den nötigen Respekt verschaffen. Fröhlich summend verlässt sie das Hotel.

Ladies, it isn't easy being independent.

Nein, leicht ist es wirklich nicht, eine unabhängige Frau zu sein, sagt sie sich.

Aber sehr angenehm.

Mexico City

Selbst im düsteren Flurlicht erkennt Keller, dass seine Tür aufgebrochen wurde.

Durch die Türritze dringt das Licht seiner Schlafzimmerlampe. Er zieht die Sig Sauer und öffnet die Tür mit einem Fußtritt.

Ein Mann sitzt in seinem einzigen Sessel und schaut ihn seelenruhig an. »Señor Keller?«

Keller richtet den Laserpunkt auf seine Brust. »Wer sind Sie, und was wollen Sie?«

Der Mann hebt ein Foto in die Höhe – betont langsam. Eine junge Frau, die ängstlich in die Kamera schaut. »Diese Frau heißt Maria Moldano und ist heute entführt worden. Sie wird auf die brutale Art ermordet, wenn Sie nicht mitkommen.«

»Und wenn ich mitkomme?«

»Gebe ich Ihnen mein Wort, dass sie freigelassen wird«, antwortet der Mann und fügt hinzu: »Unversehrt. Wir wissen, wer Sie sind. Daher sind wir sicher, dass Sie mitspielen.«

Keller senkt die Pistole.

Sie schieben ihn auf den Rücksitz eines Lincoln Navigator, ziehen ihm eine schwarze Kapuze über den Kopf und befehlen ihm, sich auf den Boden zu legen.

Keller hat das Nummernschild gesehen, aber es ist sinnlos, sich die Nummer zu merken, selbst wenn er das hier überlebt.

Die Männer sind Profis, und sie reden nicht.

Er versucht gar nicht erst, Fragen zu stellen, ein Gespräch anzufangen. *Wer sind Sie? Wohin fahren Sie? Was wollen Sie von mir?* Damit zeigt er nur Schwäche. Wenn sie das Kopfgeld wollen, holen sie sich das Kopfgeld – und fertig.

Die Fahrt ist lang – Keller schätzt sie auf zwei Stunden, im Wissen, dass Angst und Adrenalin das Zeitgefühl verfälschen. Sie haben die Stadt verlassen, der Verkehrslärm ist allmählich verebbt, dann sind sie über Landwege gerumpelt. Er hat Ziegen und Hühner gehört, gespürt, wie es bergauf ging. Nach einer scharfen Rechtskurve hält das Auto.

Türen klappen, Hände packen ihn und ziehen ihn heraus.

Wenn sie mich umbringen wollen, denkt er, tun sie es jetzt. Lassen mich knien und schießen mir eine Kugel in den Hinterkopf.

Schlimmer ist es, wenn sie mich foltern, Dinge mit mir machen, wie sie die Zetas auf dem Video von Crazy Eddie beschrieben haben.

Wenn das passiert, wird es schwer, tapfer zu bleiben. Ein Mann, der sagt, er hätte keine Angst vor Folter, ist ein Lügner, und Keller spürt, dass seine Beine zittern, als sie ihn wegführen, in ein Gebäude.

Hände drücken ihn auf einen Hocker.

Der Geruch hier kommt ihm bekannt vor.

Benzin.

Es riecht hier nach Benzin.

… und nach Tod.

Ein Geruch, den man nicht riecht, aber deutlich spürt, so wie ihn Rinder im Schlachthof spüren – und wissen, dass hier gelitten und gestorben wird.

Ihn schaudert.

Dann hört er, dass sich jemand vor ihm auf einen Stuhl setzt.

Die Stimme ist kräftig, ruhig, bestimmend. »Señor Keller, ich bin Heriberto Ochoa. Es tut mir leid, dass wir Sie auf diese Weise transportieren mussten. Aber wir wussten nicht, ob Sie freiwillig mitkommen würden.«

»Lassen Sie das Mädchen frei«, sagt Keller.

»Sie sitzt schon im Taxi und ist auf dem Weg nach Hause«, sagt Ochoa. »Ich pflege mein Wort zu halten.«

»Was wollen Sie?« Keller macht sich auf ein Verhör gefasst. Wollen sie die Namen von Informanten? Den Stand der Ermittlungen? Zugriff auf Aguilar oder Vera?

Das Bild des toten Ernie Hidalgo taucht vor ihm auf, die Folterspuren, sein Gesicht, erstarrt in einer Grimasse des Todeskampfs. Wie lange halte ich das aus, ohne zu plaudern?, fragt er sich.

»Wir haben etwas gemeinsam«, sagt Ochoa.

»Das glaube ich nicht.«

»Wir kämpfen beide gegen Adán Barrera. Sie kennen doch die alte Redensart: Der Feind meines Feindes ist mein Freund.«

»Ich bin nicht Ihr Freund.«

»Sie könnten es sein.«

»Nein.«

»Barrera wird Sie töten.«

»Oder ich ihn.«

»Sie sind genau das, was man über Sie sagt: das seltenste aller Wesen – ein ehrlicher Cop.«

»Sie müssen es ja wissen«, sagt Keller. »Sie haben ja genug Cops gekauft.«

»Aber keine Federales«, sagt Ochoa. »Die hat Barrera gekauft.«

»Wenn Sie Beweise dafür haben, nehme ich sie gern«, sagt Keller. »Und ich sorge dafür, dass sie in die richtigen Hände geraten.«

Ochoa lacht. »Diese Hände sind schon gefüllt mit Barreras Geld.«

Wir haben wohl doch etwas gemein, denkt Keller. Wir trauen niemandem.

»Wir wollen nur gleiche Bedingungen«, sagt Ochoa. »Die Regierung soll beide Seiten gleich behandeln. Wenn wir verlieren, müssen wir damit leben, aber wir können nicht dulden, dass die Regierung nur gegen uns vorgeht.«

»Haben Sie nun belastende Beweise oder nicht?«

Ochoa steht auf. »Sie sind der Supercop. Suchen Sie die Beweise. Ich an Ihrer Stelle würde mit den Tapias anfangen. Schade, dass Sie meine Freundschaft ausschlagen. Wir hätten uns gegenseitig nützen können.«

Zurück ins Auto, dann die lange Fahrt zurück in die Stadt. Sie halten einen Block vor seiner Wohnung, nehmen ihm die Kapuze ab, lassen ihn laufen. Er geht in seine Wohnung hinauf, setzt sich aufs Bett und zittert. Nach ein paar Sekunden hat er sich wieder im Griff. Er schaut unters Bett. Das Gewehr ist noch da. Auch das Messer ist da.

Und alles, was Ochoa gesagt hat, klingt wahr.

Dass ihnen Barrera ständig entwischt, dass er in Sinaloa ein sicheres Refugium hat, dass Batman und Robin in Tijuana Krieg gegen Barreras Feinde führen. Die Verhaftung von Osiel Contreras, der Kampf der AFI und der SIEDO gegen die vom Golfkartell gekauften Cops in Tamaulipas ... all diese Tatsachen nähren die Theorie, dass Barrera von der Regierung gestützt wird – auf Kosten der anderen Kartelle.

Aber wer in der Regierung stützt Barrera?

Aguilars SIEDO?

Veras AFI?

Beide oder keiner von beiden?

Wie soll man das herausfinden? Wie beweisen?

Fangen Sie mit den Tapias an, hat Ochoa gesagt.

Mach dir nichts vor, denkt Keller. Die Jagd auf Barrera läuft ins Leere. Aguilar und Vera, mögen sie noch so clever sein, verzetteln sich im Krieg gegen das Golfkartell und ziehen dich mit rein.

Fangen Sie mit den Tapias an.

Also noch mal: Wie und wo anfangen?

Obwohl die Nacht nicht kalt ist, zittert Keller vor Kälte.

Er geht unter die Dusche, um sich aufzuwärmen und um den Geruch dieser Begegnung mit Ochoa loszuwerden. Manche Orte dünsten Horror aus, er sickert ins Gemäuer ein, er durchsättigt die Luft und bleibt an dir kleben, wenn du den Ort verlässt. Als wollte er in deine Poren eindringen, in dein Blut, in dein Herz.

Die Inkarnation des Bösen.

4. Jesus the Kid

You got a one-way ticket
to the Promised Land
You got a hole in your belly
And a gun in your hand.

Bruce Springsteen, The Ghost of Tom Joad

Laredo, Texas
2006

Jesús »Chuy« Barajos stammt nicht aus dem besseren Teil von Laredo.

Sein Elternhaus war eine Holzbaracke auf einem Fundament aus Schlackensteinen. Sein Vater schuftete auf dem Bau, um die zehn Kinder zu ernähren, die Mutter schnitt Haare in der Nachbarschaft. Schwer arbeitende Leute, liebende Eltern, die wussten, dass sie keine Zeit hatten, sich um die Kinder zu kümmern.

Chuy spielte *futbol* im nahe gelegenen Park, er wollte Profi werden – oder ein Navy Seal. Er und sein Freund Gabe hatten kein anderes Thema, besonders nach dem 11. September. Chuy wollte für sein Land kämpfen, und Gabe wollte stark genug werden, um seinen saufenden und gewalttätigen Vater ins Koma zu prügeln.

Doch es wurde nichts mit der Navy, erst recht nichts mit den Seals.

Gabe fing an, bei den Dealern in der Lincoln Street abzuhängen. Chuy lief von zu Hause weg, wurde wegen Marihuanabesitz hochgenommen, was keine große Sache war.

Die Pistole schon.

Chuy schob den Ball auf einem leeren Grundstück herum, als er in einem Busch neben dem Drahtzaun eine braune Tüte sah. Er öffnete die Tüte, und schon hielt er eine Pistole in der Hand – silbern glänzend und schwer. Was macht man, wenn man so ein Ding findet? Man probiert es aus.

Es geht gar nicht anders.

Chuy schoss mit der Pistole in die Luft.

Eine ältere Dame aus der Nachbarschaft rief die Polizei.

Im »Verhörzimmer« der Polizeiwache legte Chuy sein Geständnis ab. Als er es vor Gericht wiederholte, verknackte ihn der Richter zu einem Jahr Jugendhaft, bei guter Führung reduziert auf acht Monate.

Der Jugendknast war eine harte Schule.

Die Älteren brachten ihm Dinge bei, die er nicht hatte lernen wollen. Er war klein und schmächtig, und sie missbrauchten ihn in der Dusche, auf der Toilette, nachts in seiner Zelle. Er versuchte, sich zu wehren, er bettelte, er flehte ... und begriff, dass es sinnlos war, dass ihn Flehen und Betteln noch mehr abstempelte – als Memme oder gar als Bitch.

Was sie ihm antaten, machte ihn zur Bitch, und genauso nannten sie ihn: Bitch, Schwuchtel, Tunte.

Jedes Mal, wenn er sich im Spiegel sieht, sieht er sich so. Du vergisst nicht, was sie mit dir gemacht haben. Es schwelt immer weiter. Du erinnerst dich an jedes Gesicht.

Seit seiner Entlassung aus dem Knast ist Chuy oft in Nuevo Laredo. Keine große Sache, er läuft einfach über die Brücke. Viele *pochos* machen das, Chuy und Gabe und Dutzende andere.

Hängen meist in einer Disco ab, die Eclipse heißt.

Chuy lernt, Reggaeton zu tanzen, rafft seinen Mut zusammen, um die Mädchen in ihren knallengen Klamotten anzusprechen, beneidet die Narcos mit ihren Uhren und Kettchen und teuren Autos, die direkt vor dem Eingang parken.

Keiner von diesen Narcos lebt in einer Baracke. Keiner von ihnen muss das Bad mit elf anderen teilen, eine Toilette, die nicht ordentlich spült, eine Dusche, aus der nur kaltes Wasser tröpfelt. Keiner von denen hat einen Vater, der spätabends kommt und vor dem Hellwerden geht, eine Mutter, die so müde aussieht, wie sie ist.

Die Narcos haben teure Häuser, teure Wohnungen. Sie haben neue Autos, heiße Girls und viel Geld.

Berge von Geld, mit dem sie rumwerfen, als wäre es Dreck.

Als käme es nicht vom Betonschleppen, vom Gräbenschachten, Rohreverlegen. Als käme es nicht vom Haareschnippeln, bis sich die Finger verkrampfen, bis die Schultern krumm werden und der Nacken steif.

Chuy weiß, wo das Narco-Geld herkommt.

Man kann es sich verdienen, indem man über die Brücke geht. Er geht ständig über die Brücke. Hin und zurück. Zurück geht man entweder »ohne«, dann läuft man eben einfach rüber und hat nichts davon – oder auch »mit«. Und das ist ein weiterer Grund – neben der Musik und den Mädchen –, weshalb er im Eclipse abhängt und wartet.

Darauf, dass ihm ein Narco eine Chance gibt.

Genau das sagt auch Gabe.

»Wenn wir lange genug hier abhängen, entdeckt uns einer und gibt uns eine Chance.«

Und irgendwann passiert es wirklich.

Einer von den Älteren – er heißt Estebán, ist vielleicht Mitte zwanzig – gibt ihnen je ein kleines Päckchen Kokain. Sie sollen damit über die Brücke, es bei einer bestimmten Adresse abliefern.

Chuy macht mit.

Natürlich macht er mit.

Es ist kinderleicht.

Schlendert über die Brücke, geht zu der genannten Adresse und gibt das Päckchen bei dem Mann ab, der ihm öffnet. Der Mann nimmt es und reicht ihm einen Hundertdollarschein.

Botengeld.

Chuy geht wieder ins Eclipse und macht den Trip öfter.

Er und Gabe, mit immer größeren Mengen, und bald haben sie richtig Geld in der Tasche.

Aber nicht genug.

»Das ist doch Kinderkram«, sagt Gabe. »So werden wir nicht reich.«

»Also was?«, fragt Chuy.

Die Zetas, erklärt ihm Gabe. »Die Zetas suchen Leute. Wenn wir da einsteigen, haben wir's geschafft.«

»Und wie steigen wir da ein?«, fragt Chuy.

»Ich spreche einen an«, sagt Gabe.

Das tut er, aber nichts passiert.

Sie laufen weiter über die Brücke, liefern ihr Päckchen ab, stecken den Hunderter ein.

»So kommen wir nicht weiter«, sagt Chuy.

»Nur Geduld«, sagt Gabe. »Die haben uns im Visier.«

Endlich, endlich – Chuy sitzt wieder im Eclipse an der Bar – kommt Estebán, der Mann, mit dem alles angefangen hat, auf ihn zu und fragt: »Hast du immer noch Lust, bei ein paar Leuten einzusteigen?«

Chuy muss schlucken. Er kriegt kaum Luft.

Er nickt nur.

»Dann komm«, sagt Estebán.

Er geht mit Chuy hinaus zu einem schwarzen Lincoln Navigator und verbindet ihm die Augen. Sie fahren vielleicht eine Stunde, dann lässt er Chuy aussteigen und führt ihn in ein Haus, wo er ihm die Augenbinde abnimmt.

Chuy steht vor einem bulligen Kerl mit schwarzem Hemd und schwarzen Jeans. Dazu schwarze Locken und schwarzer Schnauzbart. Am Gürtel trägt er eine 38er. Er mustert Chuy mit spöttischem Blick.

»Das ist Señor Morales«, erklärt ihm Estebán. »Z40.«

Chuy nickt nur.

Estebán stößt ihn an. »Sag deinen Namen.«

Chuy hört seine eigene Stimme – dünn und piepsig. »Chuy Jesús Barajos.«

Forty lacht. »Woher kommst du, Chuy Jesús Barajos?«

»Aus Laredo.«

»Ein *pocho*«, stellt Forty fest. »Also, Chuy. Glaubst du, du bist für die Zetas geeignet?«

»Ja.«

»Das musst du unter Beweis stellen«, sagt Forty.

Chuy sieht sich um. Fünf weitere Zetas stehen in dem Raum und starren ihn an. Vor ihnen sitzt einer auf dem Stuhl, die Hände hinter dem Rücken gefesselt, in seinen Mundwinkeln klebt getrocknetes Blut.

»Siehst du diesen Mann?«, fragt Forty. »Er schuldet uns Geld, aber er wollte nicht zahlen. Er wollte an einen anderen zahlen. Hast du das verstanden?«

»Ja.«

»Jetzt muss er bezahlen«, sagt Forty. Er zieht seine 38er und legt sie in Chuys Hand. »Hast du schon mal mit der Pistole geschossen?«

»Ja.«

»Hast du schon mal einen erschossen?«

Chuy schüttelt den Kopf.

»Jetzt ist es so weit«, sagt Forty. »Wenn du für uns arbeiten willst. Wenn nicht … Tja, dann hast du hier zu viel gesehen. Verstanden, mein Kleiner?«

Chuy hat verstanden. Entweder er traut sich, den Mann zu erschießen, oder er wird selbst erschossen.

»Ich glaube, dieser kleine Scheißer traut sich nicht«, sagt Forty zu den anderen.

Chuy weiß nicht, ob er sich traut. Mit der Pistole in die Luft schießen, klar. Aber einen Mann erschießen?

Estebán flüstert ihm ins Ohr: »Gabe hat es geschafft.«

Chuy hebt die Pistole. Sie ist schwer, massiv, real, und er richtet sie auf den Kopf des Gefangenen. Blickt ihm in die Augen und sieht das Entsetzen in den Augen, während der Mann um sein Leben fleht. Der Abzug geht schwer, schwerer als bei der Pistole, die er in der Tüte gefunden hat.

»Wenn du dich nicht traust«, sagt Forty, »bist du eine Memme. Eine Bitch.«

Chuy drückt ab.

Knipst dem Mann das Lebenslicht aus.

Es fühlt sich gut an.

Chuy Jesús Barajos ist gerade zwölf geworden.

Ein Zeta ist er damit noch lange nicht.

Zusammen mit Gabe und sechs anderen sitzt er auf der Ladefläche eines Trucks, der über einen Feldweg rumpelt, irgendwo in Tamaulipas, in der Nähe der Stadt San Fernando. Ein paar von ihnen sind noch keine achtzehn, die anderen um die zwanzig.

Der Truck fährt in ein weites Tal hinab, in dem Chuy eine Finca sieht, umgeben von Stacheldraht und Elektrozäunen.

Am Tor hält der Fahrer an, er spricht mit dem Wachmann, der mit einer Kalaschnikow bewaffnet ist, dann darf er passieren.

Estebán ist da, er nimmt sie in Empfang.

»Raus!«, brüllt er.

Uniformierte schreien herum, treiben sie an, stoßen sie vor sich her, in einen langen Flachbau mit Stockbetten entlang der Wände.

Chuy kennt das aus Filmen.

Das ist eine Kaserne, und er macht jetzt die Grundausbildung.

Sie dauert sechs Monate.

Und er ist begeistert.

Vor allem, weil das Essen gut ist, und es gibt reichlich. Duschen darf er dreißig Sekunden, aber das Wasser ist knallheiß.

Und die Kaserne ist blitzsauber, darauf achten die Ausbilder.

Alles liegt »auf Kante«, und Chuy stellt fest, dass ihm das gefällt.

Sogar die Ausbildung gefällt ihm.

Sie laufen, zuerst in Shorts und Tennisschuhen, später mit schwerem Gepäck und Stiefeln. Sie machen Kraftsport, robben unter Stacheldraht hindurch, dann kommen Kampfsport und Nahkampftraining.

Sie haben Waffenkunde – Kalaschnikow, AR15, Glock, Uzi,

sie lernen schießen, richtig schießen, nicht wie irgendwelche Banditen, sondern wie Soldaten. Chuy wird ein begnadeter Scharfschütze, einer der besten mit der AR15. Wenn er zielt, dann trifft er auch, und das macht ihn stolz.

Sie lernen den Umgang mit Sprengstoffen, lernen, wie man Autobomben und Sprengfallen baut, wie man Türen mit C4-Paste wegsprengt. Sie werfen Handgranaten, bedienen Granatwerfer, lernen, wie man eine Granate an der Tür befestigt, damit sie dem Gegner den Kopf abreißt.

Sie lernen Disziplin – für Übertretungen gibt es Hiebe mit dem *tablazo*, einer Holzlatte, auf den nackten Hintern. Wer einen Funkanruf verpasst, kriegt zwei Hiebe. Wer sich nicht beim Kommando meldet, wenn er gerufen wird, kriegt zehn. Das Wichtigste aber: Sie werden eingeschworen auf den Ehrenkodex einer Elitetruppe.

Das militärische Protokoll wird streng befolgt – mit Dienstgraden, Grußvorschriften, Befehlskette. Es gibt Topkommandeure wie Ochoa und Forty, dann die Kommandeure für die Regionen und die für die einzelnen Plazas. Ihnen unterstehen die Leutnants, und den Leutnants unterstehen die Sergeants, von denen jeder für eine »Zelle« verantwortlich ist, einen Trupp von fünf bis sieben Mann, denn so viele passen samt Ausrüstung in ein Fahrzeug.

Für die Einsätze schwärzen sie ihre Gesichter, sie tragen schwarze Kampfbekleidung mit schwarzen Kapuzen. Treue und Kameradschaft sind oberstes Gebot, und es gilt das Motto: Wir lassen niemanden zurück. Ein Kamerad wird vom Schlachtfeld geholt, ob tot oder lebendig. Ist er verwundet, wird er von den besten Ärzten behandelt, ist er tot, wird seine Familie versorgt und sein Tod gerächt.

Ohne Ausnahme.

Ihre Ausbilder sind Zetas, dazu kommen ehemalige US-Marines und Elitesöldner aus Guatemala, genannt Kaibiles, furchterregende Typen, die ihnen das Töten mit dem Messer beibringen.

Chuy und Gabe lernen Techniken der Spionage und Gegenspionage, wie man ein Auto verfolgt, wie man Verfolger abschüttelt, wie man ein Gebäude verwanzt, Telefone anzapft, E-Mails hackt. Sie lernen, dass Handys wie Frauen sind – man benutzt sie ein- oder zweimal, dann wirft man sie weg.

»Wir sind eine richtige James-Bond-Truppe!«, schwärmt Chuy eines Abends, als er sich mit Gabe unterhält.

Manche Rekruten machen schlapp.

Sie sind den Strapazen nicht gewachsen, oder sie sind zu blöd.

Chuy tun sie ein bisschen leid, weil sie keine Zukunft haben. Bestenfalls werden sie als Späher oder für harmlose Kurierdienste benutzt.

Er und Gabe machen ihre Sache gut.

Sehr gut sogar.

Sie wecken die Aufmerksamkeit von Estebán und Forty, die eine Spezialabteilung anführen, aus der hässliche Gerüchte dringen.

Die Trucks, die dorthin fahren, sind mit Planen verdeckt, und die Rekruten flüstern sich zu, dass unter den Planen Menschen stecken.

»Quatsch«, sagt Gabe. »Außerdem geht es uns nichts an.«

Das ist die richtige Einstellung, denkt Chuy. Kümmere dich um deinen eigenen Kram. Rede nicht über Sachen, die dich nichts angehen, und stell keine dummen Fragen.

Tu einfach, was sie dir sagen.

Sie freuen sich schon auf die Abschlussfeier, und Chuy wird sich die nicht versauen, indem er über Sachen redet, die ihn nichts angehen.

Der Speisesaal ist mit Lampions geschmückt, auf den Tischen liegen weiße Decken, es gibt richtige Teller und Weingläser.

So gut gegessen wie an diesem Tag hat Chuy noch nie.

Ein Riesensteak für ihn allein, Bratkartoffeln, Gemüse, zum Nachtisch Pudding und ein Stück Kuchen.

Dazu gibt es Wein.

Am Ende der Mahlzeit ist Chuy ein bisschen besoffen.

Und stolz.

Er hat ein Spitzentraining, eine Spitzenausbildung – und das Gefühl, sich die Zugehörigkeit zu einer Elitetruppe redlich verdient zu haben.

Es fühlt sich toll an.

Später werden sie von den Ausbildern zu einem höher gelegenen Haus geführt, das sie bisher nicht betreten durften. Einer nach dem anderen wird in einen hinteren Raum gerufen. Chuy sitzt und wartet. Einer nach dem anderen kommt wieder heraus und läuft an ihm vorbei. Keiner spricht, alle blicken starr geradeaus, wenn sie dort herauskommen.

Endlich ist Chuy an der Reihe. Estebán öffnet die Tür und ruft ihn herein.

Forty und Heriberto Ochoa – genannt Z1 oder *El Verdugo*, der Henker – sind da, begrüßen ihn und sagen ihm, was er für seine Beförderung zu tun hat. Ein Mann, die Hände hinter dem Rücken gefesselt, kniet auf dem Boden. Hinter ihm steht ein Kaibile, und er reicht Chuy ein Sägemesser.

Für den Rest seines Lebens wird Chuy von Alpträumen geplagt. Sie handeln davon, was in dem Raum passiert ist. Und jedes Mal sieht Chuy das Gesicht vor sich – das Gesicht des knienden Gefangenen.

Chuy wohnt nicht mehr in einer schäbigen Baracke.

Keine Schlackensteine mehr, keine kalte, tröpfelnde Dusche.

Das Haus in der Hibiscus Street 2320 hat fünf Zimmer, es steht am Ende einer dicht begrünten Sackgasse in einem teuren Vorort von Laredo. Chuy und Gabe haben jeder ihr Zimmer für sich, im Wohnraum stehen ein Flachbildfernseher und eine Xbox, in der Küche ein großer, voller Kühlschrank. Drei Mexikaner wohnen hier mit ihnen, aber sie machen sich kaum bemerkbar und gehen selten weg.

Freitags kommt Estebán und gibt jedem fünfhundert Dollar in bar – ihren Wochensold.

Fürs Nichtstun.

Seit dem Trainingslager haben sie nur rumgesessen, »Call of Duty« und »Madden« gespielt, oder sie sind zur Mall del Norte gefahren und haben erfolglos versucht, Mädchen abzuschleppen. (Chuy ärgert sich, dass er ihnen nicht sagen kann, was er ist – ein Mann, ein Killer, ein Elitesöldner. Für sie ist er einfach ein Schuljunge.) Ansonsten hängen sie rum, trinken Bier, rauchen Gras, onanieren und schlafen bis Mittag.

Der reinste Teenagertraum.

Alles super – bis auf die Alpträume.

An einem Freitag sagt Estebán, er habe einen Auftrag für sie. Es gebe da einen in Laredo, der sich an einer Frau von Forty vergriffen hat.

»Der Kerl muss weg«, sagt Estebán.

Chuy, um ehrlich zu sein, ist ein bisschen enttäuscht. Er will als Elitesoldat gegen die Allianz antreten (»Das ist wie *Star Wars,* Jungs!«), und bei seinem ersten Einsatz geht es um irgendeine *chica.*

Aber Befehl ist Befehl, und fünf Scheine die Woche sind fünf Scheine die Woche. Wer in einem netten Haus wohnen will, muss auch die Miete zahlen, also steigt er mit Gabe in das Auto, das die Mexikaner für sie geklaut haben, und sie fahren zur angegebenen Adresse.

»Du fährst, und ich knalle ihn ab«, sagt Gabe.

»Warum fährst du nicht, und ich knalle ihn ab?«, fragt Chuy.

»Weil ich älter bin.«

»Ein Jahr.«

»Anderthalb.«

»Na toll.«

Also: Chuy fährt. Er hat keinen Führerschein, aber was soll's? Sie knallen einen ab, was juckt ihn da der fehlende Führerschein? Er hält vor dem Haus, Gabe holt seine Neunmillimeter raus und steigt aus. »Bin gleich zurück.«

»Cool.«

»Hau bloß nicht ab.«

»Ich warte hier, mach du dein Ding.«

Chuy sieht, wie er die Pistole in den hinteren Hosenbund steckt, zur Tür geht und klingelt. Die Tür geht auf, Gabe zieht die Pistole, feuert zweimal und geht zum Auto zurück.

»Fahren wir zur Mall?«, fragt Gabe.

»Okay.«

Das Auto lassen sie an der Mall stehen.

Mission accomplished?

Leider Fehlanzeige.

Am Morgen werden sie von Estebán geweckt, und er ist stocksauer. Zeigt ihnen die Morgenzeitung. »Ihr Idioten habt es verkackt! Ihr habt nicht den Kerl erschossen, sondern seinen Sohn!«

Chuy sieht das Bild in der Zeitung.

Ein Dreizehnjähriger.

»Warum hast du *mich* nicht schießen lassen?«, regt sich Chuy auf.

»Das ist keine Bagatelle«, sagt Estebán. »Forty wollte, dass ich euch beide umlege. Ich habe es ihm ausgeredet. Aber ich nehme euch an die kurze Leine. Ihr kriegt noch eine letzte Chance, und dann ist Schluss. *Comprende?*«

Sie verstehen.

Chuy ist untröstlich.

»Das war so eine gute Chance. Und wir haben es verkackt!«, sagt er zu Gabe. »Hast du nicht gesehen, dass das ein Kind war?«

»Die Tür ging auf, und ich habe geschossen.«

»Du bist zu fickrig, Alter«, sagt Chuy. »Du musst lockerer werden.«

Sie warten Monate auf ihre nächste und letzte Chance. Dann kommt Estebán mit Neuigkeiten: »Wir machen einen Einsatz zu dritt. Kann ich drauf vertrauen, dass ihr's nicht vergeigt?«

»Du kannst uns vertrauen«, sagt Chuy. »Hundertpro.«

Der Einsatz ist wichtig, erklärt ihnen Estebán. »Einer von unseren Ex-Cops aus Nuevo Laredo ist zur Allianz übergelaufen. Jetzt arbeitet er in Laredo, als Sicario für einen von der anderen Seite. Bevor wir den abschießen können, müssen wir diesen Verräter erledigen.«

Heute Nacht.

Chuy steigt in das Auto und merkt, dass es ernst wird, denn Estebán überreicht ihm eine R15.

»Hast du noch Übung damit?«, fragt Estebán.

»Klar.«

»Hoffentlich.«

Gabe fährt. Sie warten vor einem Stripperclub draußen am Flughafen, bis der Mann rauskommt, dann folgen sie seinem Dodge Charger über eine Zufahrtsstraße, vorbei an Fabriken und Lagerhäusern. Estebán holt ein Polizei-Rotlicht heraus, pflanzt es aufs Dach und schaltet es ein.

»*Bad boys, bad boys*«, trällert Gabe, »*whatcha gonna do* ...«

»Klappe halten«, sagt Estebán.

Der Charger fährt an den Rand.

Chuy sieht, dass der Mann Licht anmacht, kann aber nicht erkennen, ob er nach seinen Papieren greift oder nach einer Waffe. Er lässt es nicht drauf ankommen. Als sie neben ihm sind, lässt er die Scheibe runter, streckt die AR15 raus und macht Hackfleisch aus dem Kerl.

Es ist weit nach Mitternacht, die Mall ist schon geschlossen. Aber okay – Estebán gibt ihnen je zehn Riesen in Cash.

»Call of Duty« spielen sie jetzt kaum noch. Wenn man dasselbe im richtigen Leben macht, wird die Videoversion ... langweilig.

Der nächste Job ist was Größeres.

Ein gewaltiger Sprung nach vorn.

»Bruno?«, fragt Gabe, als sie den Auftrag bekommen. »Ist das nicht eine Comicfigur?«

»Du meinst Bluto«, sagt Chuy, der viel Comics guckt.

Aber Bruno Resendez gibt es wirklich, der ist Marihuana-Dealer in Rio Bravo, Texas. Der Ort liegt direkt an der Grenze und gehört der Allianz. Aber was macht Resendez? Er meldet seinen Leuten auf der mexikanischen Seite, wenn er Zetas sieht, und diese Zetas werden dann massakriert. Estebán schätzt, dass Bruno etwa ein Dutzend Zetas ans Messer geliefert hat.

Forty will seinen Kopf.

»Ihr Jungs schafft das«, sagt Estebán. »Ihr seid einfach spitze.«

Sie verbringen eine Woche damit, sich in dem Kaff rumzutreiben, was nicht weiter auffällt, weil unter den fünftausend Einwohnern etwa viertausendneunhundertachtundneunzig Latinos sind.

Bruno spielt sich auf, als würde ihm die ganze Stadt gehören.

Vielleicht gehört sie ihm wirklich, denkt Chuy.

In seinem schwarzen Ford-Pick-up und seinem Cowboy-Strohhut fährt Bruno die Route 83 auf und ab, begleitet von seinem Neffen. Kein Bodyguard, kein Geleitfahrzeug, er muss sich sehr sicher fühlen auf dieser Seite der Grenze.

Wenn Bruno seine Runde macht, befolgt er eine Routine. Er wartet im Auto, der Neffe geht ins Haus und holt das Geld ab. Der Neffe ist etwa sechzehn, schätzt Chuy. Ein toller Job, denkt er. Mit dem Onkel durch die Gegend fahren und Geld einsammeln.

»Wie willst du es machen?«, fragt Gabe.

»Keine Ahnung. Direkt auf dem Highway?«

»Was ist mit dem Neffen? Von dem hat keiner was gesagt.«

»Scheiß auf den Neffen«, sagt Chuy.

Sie erwischen Bruno auf dem Highway.

Bruno will nicht erwischt werden. Er muss was geahnt haben, als er sie im Rückspiegel sieht, weil er den Ford auf hundertdreißig, dann hundertfünfzig beschleunigt. Gabe muss den Escalade auf hundertachtzig hochjagen, bis sie Brunos Truck rechts überholen.

Chuy lacht wie beknallt.

Gabe lässt die Scheibe runter und duckt sich weg, während

Chuy seine AR15 rattern lässt. Hört den Neffen schreien wie ein kleines Mädchen. Sieht Bruno über dem Lenkrad zusammensacken, den Strohhut im Gesicht.

Der Ford kommt ins Schleudern, macht einen Doppelsalto und landet im Graben.

Gabe geht vom Gas. »Was meinst du, sind sie tot?«

»Wir müssen sichergehen.«

Gabe wendet, und sie fahren zurück. Steigen aus und gehen rüber zu dem Graben, wo der Ford auf dem Rücken liegt.

Bruno ist tot, keine Frage.

Sein halber Kopf ist zermatscht, die andere Hälfte ist weg.

Der Neffe wimmert vor sich hin. Eingeklemmt im Beifahrersitz, ein Kandidat für den Dosenöffner, und er sieht nicht gut aus. Er starrt zu Chuy hoch und stöhnt. »Bitte!«

»Weil du's bist«, sagt Chuy. Wenn der Neffe überlebt, dann höchstens als Rollstuhlnummer.

Er hält ihm die AR15 an den Kopf und drückt ab.

Als sie nach Laredo zurückkommen, blättert ihnen Estebán hundertfünfzig Riesen hin.

Und Chuy hat seinen Spitznamen weg.

Sie nennen ihn Jesus the Kid.

La Tuna, Sinaloa

Seine Reaktion auf ihr Treffen mit Jorge war eine typisch männliche gewesen.

»Hast du mit ihm geschlafen?«, hat er gefragt, als sie zurückkam.

»Brauchst du nun einen Kokainlieferanten?«, war ihre Gegenfrage.

»Ja.«

»Also habe ich mit ihm geschlafen – oder auch nicht. Je nachdem, was dich schärfer macht.«

Sie hat es immer noch gern, ihn zu verführen. Jetzt, wo sie es nicht mehr muss, vielleicht sogar noch mehr. Außerdem geht es ihn einen Dreck an, ob sie mit Jorge geschlafen hat oder nicht.

Soll er ruhig zappeln.

Außerdem hat sie gehört, dass er mit Nachos Tochter Eva, der kleinen Jungfrau, anbandelt. Das ist nicht überraschend, aber ein bisschen enttäuschend. Adán gibt den typischen Sinaloa-Señor, der sich eine Rose aus dem Garten des Schönheitswettbewerbs pflückt. Allerdings, wenn die Gerüchte stimmen, hat er sie noch nicht wirklich gepflückt. Dieser Adán, jeder Zoll ein Gentleman.

Magda trägt für ihr Wiedersehen ein schlichtes schwarzes Kleid, dazu eine Brillantkette, die sie selbst gekauft hat. Die Kette betont nicht nur ihr Dekolleté, sie stellt auch etwas klar: Die habe ich selber bezahlt, Adán Darling, von meinem eigenen Geld. Ich brauch dich nicht länger, um mir Schmuck umzuhängen.

Oder eine Decke.

Magda hat von Adán einen Bonus von zwanzig Kilo Kokain bekommen, als Lohn dafür, dass sie die kolumbianische Connection aufgebaut hat. Er weiß natürlich, dass sie die zwanzig Kilo sofort verkauft und vom Gewinn verbilligtes Kokain von Jorge gekauft hat, um es in noch größeren Gewinn zu verwandeln. In Sinaloa passiert nichts, ohne dass Adán Barrera davon erfährt. Trotzdem, Zahlen sind nur Zahlen – eine kleine optische Anregung kann nicht schaden. »Gefällt dir, was du siehst?«

»Schon immer«, sagt Adán.

»Ich meine die Kette.«

»Ich weiß.« Er versteht – Magda macht ihre Unabhängigkeit deutlich. Das ist nichts Schlechtes, wenn man bedenkt, dass er irgendwann Schluss mit ihr machen muss. Über Eva weiß sie sicher schon Bescheid, und sie ist stolz genug, um zu gehen, bevor er sie abschiebt. »Sehr schön, die Kette.«

»Möchtest du, dass ich sie abnehme?«

»Nein«, sagt Adán und muss heftig schlucken. Dass sie ihn nicht braucht, macht sie umso begehrenswerter. »Zieh nur das Kleid aus. Bitte.«

»Oh, du sagst ›bitte‹. In diesem Fall …« Ein Handgriff, und ihr Kleid fällt zu Boden. Die Diamanten bohren sich in seine Brust, während er mit ihr schläft.

Chuy hat an die hundertzwanzigtausend Dollar gebunkert (nicht in der Bank, denn er kann kein Konto eröffnen), aber was macht ein Dreizehnjähriger mit hundertzwanzig Riesen? Ein Haus kann er nicht kaufen.

Ein Auto kann er auch nicht kaufen.

Nicht mal eine Kinokarte, wenn es ein Film für Erwachsene ist.

Er kann Klamotten kaufen, Turnschuhe, Videospiele. Er kann eine Frau kaufen – oder zumindest mieten. Zusammen mit Gabe geht er über die Brücke nach Boy's Town, und dort, in der Calle Cleopatra, werden sie von Estebán in ein Bordell eingeführt. Kein Puff, wo die nächste Station die Apotheke ist, sondern ein richtiges Bordell, wo es schöne Frauen gibt, die genau wissen, wie die Sache läuft.

Was ganz praktisch ist, denn Chuy weiß es nicht so richtig.

Am nächsten Morgen spricht er Estebán noch mal auf das Auto an.

»Du willst ein Auto?«, sagt Estebán. »Kein Problem.«

Sie fahren hinüber ins andere Laredo, und Estebán legt dem Händler das Geld für einen neuen schwarzen Mustang Cabrio hin. Der läuft auf Estebáns Namen, aber er gehört Chuy. In der Hibiscus Street händigt ihm Estebán die Schlüssel aus. Jetzt ist Chuy mobil.

Er hat Geld, Klamotten, einen brandneuen Schlitten. Und Träume, die ihm die Innenseiten der Augenlider versengen. Apropos Augenlider, da hat sich Gabe was Krasses einfallen lassen. Kommt eines Abends nach Hause, und seine Augenlider sind tätowiert, als wären es Augen.

»Guck mal«, sagt er und führt den Effekt vor. »Wenn ich die Augen zumache, sieht es aus, als wären sie offen.«

Nein, es sieht einfach nur gruselig aus, denkt Chuy. Besonders weil Gabes richtige Augen braun sind, die tätowierten aber blau.

Das macht sie noch grusliger.

Gabe kriegt einen Auftrag auf der anderen Seite. Eines Abends ruft er an und quatscht blödes Zeug, irgendeine Scheiße über Poncho, seinen alten Bekannten, der für die Allianz gedealt hat und den er entführt hat – und seine Freundin.

Gabe ist nicht zu bremsen. »*Den hättste sehen sollen, Alter. Geflennt wie 'ne Schwuchtel. ›Nein, nein, ich bin doch dein Freund!‹ Und ich zu Poncho: ›Ich höre immer Freund, du Motherfucker, halt dein dreckiges Maul!‹ und dann – KRACH! – hab ich die Bierflasche zerkloppt und ihm den Bauch aufgeschlitzt. Hättste sehen sollen, Alter, das hättste sehen sollen! Geblutet wie 'ne Sau. Und ich hab seinen Plastikbecher druntergehalten, bis er mit Blut voll war, und hab ihn ausgetrunken, Alter! Direkt vor ihm, hab den Becher gehoben, auf* San-tisima Muerte *getrunken. Dann bin ich zu der Chica und hab mit ihr dasselbe gemacht.*«

»Und beide tot?«, fragt Chuy.

»*Klar. Beide verblutet. Voll krepiert und Schluss, Alter.*«

»Hast du sie geschmort?«

»*Ist doch logisch, Alter. Gleich vor Ort.*«

Eine Zweihundertlitertonne und ein Kanister Benzin.

»*Die sind Schmorbraten, Alter.*«

Chuy klickt weg und wendet sich »Grand Theft Auto« zu. Dass Gabe auf diesen durchgeknallten Scheiß mit *Santisima Muerte* abfährt, hat er nicht gewusst. Chuy ist katholisch und nichts sonst. Er glaubt an den Vater, den Sohn und den Heiligen Geist.

Eddie gönnt sich einen entspannten Abendcocktail in der Punta Bar am Strand von Acapulco, im Blick hat er eine *tourista* aus Dänemark oder Schweden oder Norwegen, aber Spitzenklasse und eindeutig Skandinavien.

Blond.

Supertitten.

Knackiger Arsch.

Eddie muss sich nicht verstecken – neues pflaumenfarbenes Poloshirt, weiße Jeans, Huarache-Sandalen. Blöd nur, dass das Hemd eine Nummer zu groß ist, damit die Glock drunterpasst, aber der Krieg fordert seine Opfer.

Die Schwedin trinkt einen Mojito – was sonst? –, und Eddie hat dem Barmann ein Zeichen gegeben, ihr noch einen hinzuschieben. Sie wirft einen Blick auf Eddie und hebt zum Dank das Glas, Eddie lächelt zurück.

Der heutige Abend scheint gelaufen.

Doch dann knallt es.

Chuy geht in die Vollen.

Ein bisschen *zu* sehr in die Vollen.

Er weiß, wer Eddie Ruiz ist, er hat das Video gesehen und hat keine Lust, der Star seines nächsten Videos zu werden. Er weiß auch, dass die Punta Bar der Allianz gehört und Ruiz dort seine Leute hat.

Chuy hat den Befehl bekommen, nach Acapulco zu fahren und diesen Ruiz wegzuputzen.

Also, auf nach Acapulco.

Ruiz achtet auf ausgewachsene Männer. Auf Zetas. Dreizehnjährige Kinder hat er nicht in der Optik. Und was Chuy reizt, ist die Belohnung. Wenn Bruno Resendez hundertfünfzig Riesen gebracht hat, muss Eddie Ruiz, Feind Nummer eins, ein Vielfaches bringen. Eine halbe Million? Eine ganze – oder noch mehr? Und wenn Estebán ihm ein Auto kaufen kann, kann er ihm auch ein Haus kaufen. Zwei Häuser. Eins für ihn und eins für Mami und Papi.

Chuy malt sich aus, wie er mit seinem Schlitten zu Hause vorfährt und sagt: Schluss mit der Buddelei, Papi, Schluss mit dem Haareschnippeln, Mami – und ihnen die Schlüssel für ihr neues Haus im Reichenviertel von Laredo hinwirft. Ein Haus mit neun Zimmern, damit jeder sein eigenes Zimmer hat, und mit einem Dienstmädchen aus Guatemala, das sauber macht.

Wenn er Eddie Ruiz erwischt, schmeißen Forty und Ochoa eine Party für ihn, schenken ihm Kokain, befördern ihn zum Offizier, geben ihm eine eigene Plaza. Er kann Gabe rumkommandieren, nein, Quatsch, er kann Estebán rumkommandieren. Die Leute kuschen vor ihm und flüstern sich zu: Das ist der Kerl, der Eddie Ruiz erledigt hat. Das ist Chuy Barajos, Jesus the Kid, der einfach in die Punta Bar reinging und …

Chuy stößt die Tür auf und wirft eine Handgranate.

Dann nimmt er die R15 und eröffnet das Feuer.

Eddie drückt Ilse zu Boden und wirft sich über sie.

Zieht die Glock und checkt die Lage.

Ein hässlicher Anblick. Blutige Gesichter, mit Scherben gespickt. Einer seiner Aufpasser steht da und starrt auf seinen zerfetzten Armstumpf. Die Flaschen hinter der Bar klirren, dann explodiert der Spiegel. Kugeln pfeifen, Leute stürzen, Frauen schreien, Männer schreien …

Die verfluchten Zetas, denkt Eddie – die Bar ist voller Zivilisten. So was macht man einfach nicht. Er hält Ausschau nach den Schützen, aber sieht nur einen, einen schmächtigen Jungen, der in der Tür steht und wild drauflosballert wie in einem Videospiel.

Hey, hier gibt's kein Replay, du Spinner, denkt Eddie.

Und richtet den Laserpunkt auf die Brust des Jungen.

Chuy sieht ihn, schwenkt die AR15 und feuert.

Lässt sie fallen und rennt los.

Rennt, wie man nur in Todesangst rennt. Rasend schnell und schwerelos. Rennt durch die Straßen und wagt nicht, sich umzudrehen, ob sie hinter ihm her sind. Wenn ich tot bin, hab ich nichts mehr von dem Geld, sagt er sich. Ich muss am Leben

bleiben, damit ich Mami und Papi das Haus kaufen kann.
Oder die Zetas kümmern sich um sie – das haben sie versprochen, unter Eid. Wenn ein Soldat im Kampf stirbt, wird seine Familie versorgt. Ochoa persönlich hat es so gesagt, am Abend der Beförderung, bevor …

Chuy rennt, bis er keine Luft mehr kriegt.

Bleibt stehen und blickt sich um.

Hört Sirenen, sieht Rettungswagen vorbeirasen, an ihm vorbei, Richtung Punta Bar.

Eine Stunde später sitzt er im Bus, fährt die Küste entlang Richtung Lázaro Contreras, dort ist Zeta-Land. Und er wird seine Belohnung kassieren.

Vier Tote, fünfundzwanzig Verletzte.

Eine Riesensauerei.

Eddie braucht drei Stunden, um Forty ans Telefon zu kriegen.

»Was soll der Scheiß? Warum schickt ihr Kinder los? Habt ihr keine Soldaten mehr?«

»*Wovon redest du?*«

»Von dem Dreikäsehoch, den ihr geschickt habt«, sagt Eddie.

»Der war noch kleiner als dein Schwanz. Guter Job, übrigens. Zwei Dutzend verletzte Zivilisten, einer von denen ist tot. Eine Handgranate in ein öffentliches Lokal werfen – ist das der neue Stil?«

Forty klickt ihn weg.

Eddie kümmert sich wieder um Ilse, Ilse sitzt auf seinem Bett. Der Sex mit ihr war unglaublich. Ist also was dran an der sogenannten Nahtod-Erfahrung, denkt er.

»Ein Wahnsinnsfick, oder?«, sagt er zu ihr.

Chuy meldet sich bei der Adresse, die sie ihm genannt haben.

Gabe und Estebán erwarten ihn schon, und Chuy strahlt.

»Forty will dich sprechen«, sagt Estebán.

Chuy strahlt. Natürlich will Forty ihn sprechen. Als er in das

Zimmer kommt, steht Forty auf und schlägt ihm so brutal ins Gesicht, dass er fast umkippt. In seinem Kopf dreht sich alles.

Chuy sagt: »Aber ich habe Ruiz erwischt.«

»Nein, hast du nicht«, sagt Forty.

»Ich hab doch gesehen –«

Forty schlägt noch mal zu. »Eine Handgranate? Du wirfst eine Handgranate in eine Bar voller Touristen, und dann fängst du an zu schießen? Bist du blöde? Bist du bescheuert?«

»Es tut mir leid.«

»Hart bestrafen!«, kommandiert Forty.

Gabe und Estebán packen ihn und schleifen ihn die Treppe hoch. Reißen ihm die Sachen runter, knoten seine Hände an das Seil eines Flaschenzugs und ziehen ihn hoch, bis er kaum noch den Boden berührt, dann befestigen sie das Seil an einem Haken im Fußboden.

Estebán reicht Gabe einen dicken Lederriemen.

Gabe nimmt hinter Chuy Aufstellung und sagt leise: »Sorry, Alter.«

Er nimmt einen Schluck Coke, das gute mexikanische Coke in der Flasche, klebrig und süß, dann geht er zur Sache. Schlägt auf Chuys Rücken ein, seinen Hintern, seine Beine. Nimmt wieder einen Schluck, setzt die Flasche auf dem Fußboden ab und macht weiter.

Chuy hat sich eingeschärft, nicht zu schreien, aber er hält keine drei Schläge durch.

Er schreit, er windet sich, er heult.

Winselt.

Wie die Bitch, die er immer war.

Irgendwann sagt Estebán: »Genug.«

Er hebt ein kurzes Brett auf – *la paleta* – und zeigt es Chuy.

»Weißt du, was ich jetzt mache?«

Chuy weiß es.

Man nimmt das Brett und schlägt es einem ins Kreuz. Langsam, im Takt, wieder und wieder. Das Opfer will sterben, lange bevor es stirbt. Manchmal hören sie auf, bevor es so weit kommt, dann wird der Mann zum Krüppel, kann kaum noch laufen und nur noch unter Schmerzen pissen.

Chuy hat solche Leute gesehen und gelacht.

Jetzt stellt sich Estebán hinter ihn.

Chuy bricht in wildes Schluchzen aus.

»Du Bitch«, sagt Estebán. »Du bist nichts als eine kleine Bitch.«

»Du Bitch!«, echot Gabe. »Du Schwuchtel.«

»Merk dir das«, sagt Estebán. »Und pass auf, was jetzt passiert, du Heulsuse.«

Er löst das Seil, Chuy plumpst auf den Fußboden.

»Forty will es selber machen«, sagt er.

Chuy liegt zusammengekrümmt auf dem Fußboden.

Seine blutige Haut klebt an den Dielen.

Gabe hockt sich hin, mit dem Rücken an der Wand. »›Tut mir leid, Alter.«

Chuy antwortet nicht.

»Du hast ja keine Ahnung«, sagt Gabe. »Du hast ja keine Ahnung, was wir da machen müssen, auf der Finca. Einer nach dem anderen. Einer nach dem anderen. Wie am Fließband, Alter. Dann verbrennen wir sie. Stecken sie in Tonnen und verbrennen sie.«

Chuy will das nicht hören, will Gabe nicht bedauern. Was erzählt der für einen Scheiß, sagt er sich. Die wollen *mich* totschlagen. Er presst die Augen zusammen, bis Gabe endlich die Klappe hält.

Dann wirft er einen Blick auf Gabe.

Auf seine *blauen* Augen.

Die ihn anstarren, ohne ihn zu sehen.

Chuy schlängelt sich über den Fußboden. Wie eine Schlange. Schnappt sich die Colaflasche mit gefesselten Händen und zerschlägt sie an der Wand. Das macht Gabe munter, aber Chuy ist schon auf ihm drauf und rammt ihm die zersplitterte Flasche in den Hals.

Gabe will das Blut im Mund behalten, aber es spritzt aus seiner Halsschlagader heraus.

Er will schreien, aber seine Kehle ist durchschnitten.

Nackt, mit gefesselten Händen, springt Chuy aus dem Fenster.

Morelia, Michoacán

Eine Hure findet Chuy zwei Wochen später. Er schläft in einem Müllcontainer hinter den Häusern der Straße, auf der sie anschafft.

Flor kommt aus Guatemala und ist noch jung. Ihre Familie wurde von den Kaibiles aus dem Dorf vertrieben, daher flohen sie alle auf einen Güterzug nach Mexiko, in der Hoffnung, sich bis in die USA durchzuschlagen. Aber irgendwo nördlich der Grenze wurde der Zug von der Polizei gestoppt, und sie mussten aussteigen.

Die Polizisten nahmen ihren Vater und ihre Brüder mit – wohin, weiß sie nicht.

Sie nahmen auch sie mit, brachten sie in die Stadt Morelia und versprachen ihr einen guten Job als Kellnerin, sie könne Geld verdienen und es an ihre Familie schicken. Sie spülte Teller, schrubbte Fußböden, aber es hieß, sie müsse ihre Schulden abzahlen – die Miete für das Zimmer über dem Restaurant, das sie mit zwölf anderen Mädchen teilte.

Von den Mädchen erfuhr sie die ganze Wahrheit.

Dass die Männer, die »Zetas«, sie auf die Straße schicken würden, als Prostituierte.

Erst wollte sie es nicht glauben.

Dann zeigten sie es ihr. Einer nach dem anderen zeigte es ihr.

Auf Autositzen, in verdreckten Zimmern, in irgendwelchen Höfen, zwischen Müllcontainern.

Jetzt steht sie unter einer Straßenlampe, in Sachen, für die sie sich schämt, und ruft den vorbeifahrenden Männern Worte zu, für die sie sich schämt, bettelt sie an, Dinge mit ihr zu machen, für die sie sich schämt, um Geld zu kriegen, für das sie sich schämt.

Sie schickt kein Geld an ihre Familie. Die Männer hatten versprochen, ihr bei der Suche zu helfen, aber das haben sie nicht getan.

Das Geld, für das sie sich schämt, geht drauf für die Miete, für das Essen, für die Kleidung, für die Schminke, es geht drauf für die Ärzte, für die »Zinsen« ihrer Schulden, die täglich wachsen, egal wie viel Schandgeld sie pro Nacht verdient.

Das Geld geht auch drauf für Drogen.

Sie hat angefangen, Heroin zu spritzen, das ihr die Schande abwäscht wie ein sanfter Regen, das ihr Träume schenkt – von dem schönen Haus in Guatemala, ihren Eltern, ihren Brüdern. Ihre Herointräume sind zart und grün und lieblich wie das Haus ihrer Kindheit.

Aber Heroin kostet Geld.

Die Männer haben ihr immer Heroin gegeben, aber auf Pump, und weil sie immer mehr davon brauchte, wuchsen ihre Schulden immer weiter, bis die Männer sie zwangen, die ganze Zeit zu arbeiten, sich zehn-, zwölf-, vierzehnmal die Nacht der Schande auszuliefern.

Nicht dass sie die Schande noch spürte.

Nicht dass sie überhaupt noch etwas spürte.

Dann fand Flor zum Herrn.

Aber nicht zum katholischen Gott ihrer Kindheit, sondern zu einem Herrn, der die Liebe verkörperte.

Jehova genannt.

Eines Abends bezahlte ihr ein Mann eine Nacht, brachte sie in ein düsteres, schäbiges Zimmer, aber statt sie zu benutzen, fragte er sie: »Mein Kind, meine Schwester, kennst du den Herrn?«

Er las ihr aus der Bibel vor, dann *schenkte* er ihr ein Buch, das sein Führer geschrieben hatte, ein Mann namens Nazario. Er kam jeden Abend zu ihr, wenn ihre Bewacher nicht aufpassten, wenn die anderen Mädchen nicht aufpassten, und erzählte ihr von der Liebe Jesu, von der Liebe des Herrn und von der Liebe Nazarios – und dass sie ihre Familie im Himmel wiedersehen würde, wenn sie diese Liebe annahm. Sie las das Buch, und er brachte sie mit anderen Brüdern und Schwestern zusammen, in einem Haus, wo sie alle zusammenlebten und sich als Familie bezeichneten.

An einem Abend trat Nazario an sie heran, rollte ihre Ärmel hoch, und als er die Injektionsstiche sah, sagte er: »Das hast du nicht nötig, meine Schwester.« Das war die Wahrheit, und sie glaubte ihm. Er brachte ihr den Glauben bei.

Den Glauben, dass die Seele frei ist, auch wenn der Körper Sklave bleibt.

Sie hörte auf mit dem Heroin.

An diesem Abend steht Flor wieder am Straßenrand. Sie hört ein Geräusch im Müllcontainer und denkt, das sei eine Ratte, aber dann sieht sie einen Jungen herausklettern, ein Kind. Der Junge kriegt einen Schreck, als er sie sieht, und will wegrennen, aber sie fragt: »Hast du Hunger?«

Der Junge nickt.

»Warte hier«, sagt sie.

Sie geht in die Restaurantküche und bittet den Koch um ein paar Abfälle – etwas Fleisch, ein bisschen Huhn, eine Tortilla – und bringt es hinaus.

Der Junge ist noch da, sie gibt ihm das Essen.

Er schlingt es herunter wie ein ausgehungerter Hund.

»Wie heißt du?«, fragt ihn Flor.

»Pedro«, lügt er.

»Hast du eine Bleibe?«

Chuy schüttelt den Kopf.

»Ich kann dir was besorgen«, sagt sie. »Jesus liebt dich.«

So kommt Chuy zur Familia Michoacana.

Er wohnt in einem alten Haus, mit etwa zwanzig anderen Leuten, die meisten sind ziemlich jung und haben keine andere Bleibe. Manche Mädchen und sogar Jungs schaffen an, andere verkaufen Süßigkeiten, Blumen oder Zeitungen auf den Verkehrsinseln.

Chuy kriegt auch einen Job, er liefert Essen an Waisenhäuser, Obdachlosenasyle, Drogenkliniken. Am Morgen springt er in einen Pick-up und verbringt den Tag damit, Kartons mit Reis, Nudeln, Trockenmilch und Cornflakes abzuladen, Kekse, Süßigkeiten, große Kübel mit Suppe, und auf allen Kartons steht: »Eine Liebesgabe von La Familia.«

Den Drogenkliniken liefern sie zusätzlich zum Essen noch etwas anderes: Bücher mit dem Titel »Worte des Nazario«. Manchmal fährt einer mit, der in der Klinik bleibt und zu den Patienten spricht, ihnen von Jehova und Jesus Christus und Nazario erzählt. Im Lauf der Wochen stellt Chuy fest, dass manche Patienten in das Haus umziehen und auf den Lieferwagen arbeiten.

Abends gibt es im Haus eine Mahlzeit, danach geht Chuy zur Versammlung, wo über die Bibel und das Buch gesprochen wird. Manchmal setzt er sich in das Restaurant in der Nähe von Flors Arbeitsplatz und quält sich mühsam durch das Buch, weil er nie so gut im Lesen war, weder auf Englisch noch auf Spanisch. Aber mit der Hilfe von Flor schafft er es, und er lernt die wichtigsten Sätze auswendig. Sein Lieblingssatz: »Ein wahrer Mann muss Abenteuer bestehen und eine schöne Frau vor dem Verderben retten.«

Am Sonntagmorgen gehen alle in die Kirche, und zu besonderen Anlässen predigt Nazario persönlich – über Jehova und Jesus Christus, wie man richtig lebt und das Rechte tut, und Chuy sieht Flors Augen leuchten, wenn sie zu Nazario aufblickt. Nach der Predigt stellen sie sich in die Schlange, um seinen Segen zu bekommen, und Chuy spürt die gleiche Erregung wie bei seiner ersten Begegnung mit Ochoa, die nun schon eine Ewigkeit zurückliegt, denn jetzt führt er ein neues Leben – er liebt Jehova und Jesus Christus. Er liebt Nazario.

Und er liebt Flor.

Aber auch in seinem neuen Leben spielen die Zetas eine Rolle. Sie sind überall.

Wenn Chuy durch die Stadt fährt, sieht er sie auf der Straße stehen, sieht er sie Bars und Clubs betreten, die Bordelle und die kleinen Läden, und er sieht, dass sie bei allen Schutzgeld kassieren.

Die Zetas kontrollieren ganz Michoacán.

»Hast du das nicht gewusst?«, fragt ihn Flor eines Abends.

»Ich dachte, das sind einfach nur Narcos«, sagt Chuy.

»Jetzt haben sie alles unter Kontrolle«, sagt sie. »Das waren die Zetas, die mich vom Zug geholt haben, mich hergebracht haben, mich zum Arbeiten gezwungen haben. Das Geld, das ich bekomme, geht an sie. Alle Mädchen zahlen an sie, oder sie werden verprügelt, vielleicht auch umgebracht.«

Sie kennt Mädchen, die spurlos verschwunden sind.

Die Zetas bewachen die Provinz Michoacán wie eine Kolonie. Also zieht Chuy den Kopf ein, wenn er im Truck durch die Stadt fährt. Selbst wenn es zu den kleinen Dörfern auf dem Land geht, wo La Familia Lebensmittel und sauberes Wasser abgibt, Brunnen gräbt, Kindergärten baut, ist er auf der Hut vor den Zetas.

Wenn sie ihn aufspüren, bringen sie ihn um.

Und nicht auf die sanfte Art.

Abgesehen davon ist dieses Leben gar nicht schlecht. Er wohnt mit seinen neuen Freunden im großen Haus, verbringt seine Freizeit oft mit Flor, findet sogar Gefallen an der Kirche, am Gesang, an Nazarios Predigten.

Einer von Nazarios Sprüchen lautet: »Befrei dich von deinen Geheimnissen, und du befreist dich von deiner Krankheit.« Flor drängt Chuy beharrlich, mit einem Berater zu sprechen, dem Mann, der sie in La Familia eingeführt hat, und sich »läutern« zu lassen. Das sei eine wunderbare Erfahrung, und er werde sich danach viel besser fühlen.

»Ich fühle mich doch gut«, sagt er.

»Du hast Alpträume«, sagt Flor. »Du wachst auf und weinst.

Wenn du dich läutern lässt, gehen die Alpträume weg. Bei mir war es so.«

Ein paar Abende später geht Chuy zu seiner ersten Läuterung. Er setzt sich mit dem »Berater« in ein kleines Zimmer. Der Mann ist um die vierzig und heißt Hugo Salazar.

»Erzähl mir von deinen Sünden«, sagt Hugo. »Sprich sie dir von der Seele.«

Chuy blockt ab und sagt nichts.

Hugo erklärt ihm: »Mit einem Müllsack auf dem Rücken kannst du nicht auf die Berge steigen.«

»Ich habe schlimme Sachen gemacht.«

»Gott weiß alles, was du getan hast, und alles, was du noch tun wirst«, sagt Hugo, »und er liebt dich trotzdem. Das hier ist keine Beichte, das ist deine Befreiung. Im Tageslicht verblassen die Alpträume.«

»Ich habe Menschen getötet.«

»Du bist doch noch ein Kind!«

Chuy zuckt die Achseln.

»Wie viele?«

»Sechs?«

»Du weißt es nicht?«

»Doch. Es waren sechs.«

»Unschuldige Menschen?«, fragt Hugo. »Frauen? Kinder?«

»Nein.«

»Warum hast du das getan?«

»Ich habe für Narcos gearbeitet.«

»Verstehe«, sagt Hugo. »Noch was?«

Chuy will ihm von seinem Alptraum erzählen, davon, was Ochoa in jener Nacht von ihm verlangt hat, aber er schämt sich zu sehr, und er hat Angst. Denn wenn die Zetas nach ihm suchen, und seine Geschichte spricht sich rum, können sie ihn identifizieren, weil nur die Zetas solche Sachen machen.

»Ja«, sagt Chuy und blickt zu Boden. »Ich habe meinen besten Freund getötet.«

»Warum, mein junger Bruder?«

»Er wollte mich töten.«

Hugo legt ihm die Hand auf die Schulter. »Nazario sagt, diese Welt ist voll des Bösen, weshalb wir dieser Welt nicht ganz gehören dürfen, sondern den Blick immer auf die nächste Welt richten müssen. In einer bösen Welt müssen wir manchmal Böses tun, um zu überleben, und Gott versteht das. Es kommt nur darauf an, dass wir das Rechte tun, mit reinem Herzen. Nun geh, mein Bruder, und tu das Rechte.«

Chuy geht hinaus und findet Flor auf der Straße.

»Ich bin so froh, dass du dort warst«, sagt sie.

Chuy fühlt sich wirklich ein bisschen befreit.

Die Alpträume kommen immer noch, nur nicht mehr so oft. Aber er weiß jetzt, warum: Er hat sich nicht von dem gereinigt, was er in jener Nacht tun musste. Eines Tages vielleicht, denkt er, habe ich den Mut, es zu sagen.

Drei Tage nach seiner Reinigung spricht ihn Hugo an.

»Wir haben einen neuen Job für dich, kleiner Bruder.«

La Familia braucht Krieger.

Denn La Familia verschiebt Drogen.

Nazario ist der Boss.

Aber er untersteht den Zetas.

Die Zetas kontrollieren Michoacán, damit kontrollieren sie auch La Familia. Die macht ihr eigenes Geschäft, vor allem mit Crystal Meth, und das wirft üppige Gewinne ab.

La Familia zahlt an die Zetas, damit sie ihr Geschäft betreiben kann. Nazario war mal mit Osiel Contreras befreundet und ließ seine Truppe von den Zetas ausbilden. Dann übernahmen die Zetas die Macht.

Chuy will nicht wieder für Forty arbeiten, auch nicht indirekt, und er sagt zu Hugo, dass die Zetas böse sind.

»In einer bösen Welt«, erklärt ihm Hugo, »musst du Böses tun, um Gutes zu tun. Mit den Drogen, die wir nach Amerika schicken, ernähren wir Waisenkinder, beschaffen wir Wasser für die Landbevölkerung. Verstehst du das?«

»Ja.«

»Gott braucht Krieger in dieser Welt«, sagt Hugo. »Du hast doch die Bibel gelesen.«

Das hat er nicht, aber er schweigt lieber.

Hugo sagt: »David war ein großer Krieger. Er hat Goliath besiegt. La Familia braucht Davids. Solche wie dich.«

Chuy blickt ihn fragend an.

»Verstehst du nicht, mein Bruder?«, sagt Hugo. »All die schlimmen Taten deiner Vergangenheit, für die du dich geschämt hast, die nimmt Gott und verwandelt sie in gute Taten. Wenn du für Nazario kämpfst, kämpfst du für den Herrn. Deine Seele glänzt wie die Rüstung eines Ritters.«

»Dann würde ich ja für die Zetas kämpfen«, wendet Chuy ein.

»Der Wille Gottes ist ein Geheimnis«, sagt Hugo, »das wir nicht immer lüften können – oder sollten. Wir sollten nur auf Seine Stimme hören, und wenn du genau hinhörst, Pedro, hörst du, wie Er dich ruft.«

Chuy hört den Ruf und wird ein Krieger des Herrn.

Jeden Abend treffen sie sich zur Bibelstunde. Am Sonntag wird nicht gearbeitet, stattdessen besuchen sie den großen Freiluftgottesdienst, bei dem Nazario predigt.

»Ein wahrer Mann«, dröhnt der Führer, »muss Abenteuer bestehen und eine schöne Frau vor dem Verderben retten!«

Seine Anhänger jubeln und singen einen Choral.

Nach dem Gottesdienst gibt es ein großes Mittagessen und dann Schweigezeit. Sie verbringen vier Stunden mit Schweigen, vertiefen sich in ihre Seele, ihre Mission, ihren Lebenssinn, in Nazarios Worte. Am Abend treffen sie sich im Saal und sprechen die Worte im Chor.

Sie sehen Videos und hören Tonbänder.

Sie lernen die strengen Regeln – nicht rauchen, nicht trinken, keine Drogen. Die erste Übertretung wird mit Prügeln bestraft, die zweite mit Auspeitschung, die dritte mit Hinrichtung.

Drei Übertretungen, und du bist tot.

Eines Tages bringen sie Chuy zu einem Mann, den sie von der Straße aufgelesen haben – einen Kinderschänder, das Schlimmste vom Schlimmen –, und befehlen Chuy, ihn zu töten.

Kein Problem.

Als Krieger des Herrn erwürgt er den Mann mit bloßen Händen.

Jetzt hat Chuy einen neuen Job.

Er fährt keine Lebensmittel mehr aus.

Sein Fünfertrupp kontrolliert drei Straßen der Stadt. Sie passen auf, wer kommt und geht, melden alle Verdächtigen, sorgen für Ruhe, Ordnung und Sauberkeit. Sie liefern Schutzgeld beim örtlichen Zeta-Boss ab, der mit seinen Untergebenen im Büro einer Karosseriewerkstatt residiert.

Statt Kartons trägt Chuy jetzt eine Glock. Und bekommt ein Gehalt. Nicht viel, aber er kann ein kleines Zimmer mieten, in das er Flor einziehen lässt. Auf dem Schrottplatz finden sie ein Bett, im Sperrmüll einen kleinen Tisch, eine Lampe kaufen sie beim Trödler. Und Chuy hat jetzt einen Status. Als Krieger genießt er Respekt und hat das Anrecht erworben, Bitten auszusprechen.

»Ich möchte Flor von der Straße holen«, vertraut er Hugo an. »Sie soll als Kellnerin arbeiten.«

»Sie ist nicht deine Frau«, sagt Hugo.

»Sie wird aber die Mutter meines Kindes«, antwortet Chuy. Flor hat ihm erzählt, schüchtern und nicht ohne Angst, dass ihre Periode schon zwei Mal ausgeblieben ist.

Er war erschrocken, aber dann erregte ihn der Gedanke, und er nahm sie zärtlich in den Arm. »Ich sorge für dich.«

»Das musst du nicht.«

»Aber ich werde es«, versprach ihr Chuy. »Ich kümmere mich um euch beide.«

Jetzt meint Hugo: »Das Kind könnte von jedem sein, mein kleiner Bruder.«

»Flor ist meine Frau, also ist es mein Kind«, antwortet Chuy.

So einfach ist das.

»Da muss ich erst fragen«, sagt Hugo.

»Den Zeta-Boss?«

»Ja.«

»Frag ihn nicht«, sagt Chuy. »Sag ihm einfach, dass die Mutter eines Kriegerkindes keine Hure sein darf.«

Drei Nächte später reagiert der Zeta-Boss.

Mit vier anderen Zetas kommt er in das Restaurant, das schon geschlossen hat, als Flor die Tische abwischt und für den Morgen eindeckt.

»Alle raus«, brüllt er, und, als Flor gehen will: »Du bleibst.«

Die anderen verschwinden schnell, mit gesenkten Blicken. Eine von ihnen, auch eine ehemalige Hure, rennt los, um nach Pedro zu suchen.

»Bist du Flor?«, fragt der Boss.

Flor nickt erschrocken.

»Zieh dein Kleid aus.«

»So was mache ich nicht mehr.«

»Du bist eine Hure«, sagt er, »und tust, was ich dir sage. Du schuldest uns noch Geld.«

»Ich werde es bezahlen.«

»Ja, das wirst du. Und zwar sofort.«

Auf sein Nicken wird sie von den vier Männern gepackt, sie reißen ihr das Kleid herunter und pressen sie auf einen Tisch.

»Pedro! Pedro!«

Chuy sieht das Mädchen kommen.

»Was ist?«

»Schnell! Es ist Flor!«

Er rennt los.

Chuy hebt Flors leblosen Körper vom Tisch und nimmt sie auf den Schoß. Sie ist noch warm. Ihre Haut ist noch warm.

Die Leute sagen später, dass man sein Geheul im ganzen Viertel gehört hat.

Sie sagen, dieses Geheul werden sie nie vergessen.

Chuy steht vor der Autowerkstatt, wo die großen Bosse residieren.

Er hört sie drinnen lachen.

Das Klirren von Flaschen und Gläsern.

Als gut ausgebildeter Krieger prüft er die Ladung seiner AR15. Er tritt die Tür ein und mäht die fünf nieder, ehe sie auch nur zucken.

Er hockt sich neben den verwundeten Zeta-Boss, packt ihn beim Haarschopf, wie es Ochoa am Tag der Beförderung mit dem Mann gemacht hat. Er zieht sein Messer und hält den Kopf in die Höhe, so dass der Hals angespannt ist. Dann setzt er die Sägeklinge an die Kehle.

Diese Szene hat er wieder und wieder durchlebt.

Öfter, als ihn die Kerle im Jugendknast vergewaltigt haben, zum Mädchen gemacht haben. Viel öfter handeln seine Alpträume von jener Nacht, als sie ihm das Messer gaben und ihm sagten, was er tun sollte –

– so dass er jetzt genau weiß, was zu tun ist, und wie im Traum sägt er mit dem Messer die Kehle durch, während der Zeta-Boss, der Flor missbraucht und ermordet hat, schreit und röchelt wie der Mann in jener Nacht. Und während das heiße Blut in pulsendem Strahl herausschießt, sägt sich Chuy durch die Arterien, bis der Boss still wird und nur noch gurgelnde Laute von sich gibt, während sich Chuy durch Knorpel und Wirbel sägt wie in jener Nacht und die Wirbel mitsamt den Knorpeln wegknacken, als er den Kopf abtrennt.

Er legt ihn auf den Boden und nimmt sich den Nächsten vor. Zwei der Bosse sind schon tot. Einer will wegkriechen, aber Chuy packt ihn bei den Haaren und schleift ihn zurück. Der letzte Mann heult und sabbert und bettelt, aber Chuy sagt nur: »Halt's Maul, Bitch!«

Chuy sitzt auf dem Fußboden, zwischen fünf Enthaupteten, als Hugo hereingerannt kommt.

»*Dios mío*, Pedro, was hast du getan?«

»Mein Name ist Jesús«, sagt Chuy mit tonloser Stimme. Hinter Hugo sieht er Nazario hereinkommen. »Tötet mich.«

Hugo zieht die Pistole. Dass einer von ihnen fünf ranghohe Zetas umbringt ... die Folgen sind unvorstellbar. Wenn sie wenigstens die Leiche des Mörders liefern können ... Er zielt auf Chuys Kopf.

»Halt«, ruft Nazario und drückt Hugos Hand nach unten. »Das Schaf wird bei den Löwen liegen, und ein Kind wird sie führen«, zitiert er die Bibel.

Er nimmt Chuys Hand und zieht ihn hoch.

»Steh auf. Die Zeit ist gekommen«, sagt er.

Chuy führt fünf Krieger der Familia in die Disco Sol y Sombre, wo die Zetas ihre Partys feiern.

Die Musik dröhnt, die Beamer kreisen.

Chuy feuert eine Salve aus seiner AR15 in die Decke.

Während sich die Tanzenden zu Boden werfen, öffnen zwei von Chuys Männern einen schwarzen Plastiksack und schütten seinen Inhalt aus.

Fünf menschliche Köpfe rollen über die schwarz-weißen Bodenfliesen.

Chuy zieht ein Pappschild heraus und liest vor: »La Familia tötet nicht für Geld! Sie tötet keine Frauen, sie tötet keine Unschuldigen! Es stirbt nur, wer den Tod verdient! Das ist die göttliche Gerechtigkeit!«

Er wirft das Pappschild hin und geht hinaus.

Die Revolution – der Aufstand der Familia Michoacana gegen die Zetas – beginnt in dieser Nacht. Nazario verschickt Pressemitteilungen und schaltet Anzeigen in den großen Tageszeitungen, in denen verkündet wird, dass La Familia keine Bedrohung für die Öffentlichkeit darstellt, sondern im Gegenteil eine patriotische Organisation ist, die das tut, wozu die Regierung unfähig ist: Michoacán von Entführern, Erpressern, Vergewaltigern, Meth-Dealern und fremden Unterdrückern wie den Zetas zu »reinigen«.

Chuy ist das alles egal.

Er weiß nur, wie man tötet, und mehr will er nicht wissen.

Eddie sieht den Bericht über den gruseligen Vorfall in den Nachrichten.

»Nett«, sagt er zu dem Aufpasser, mit dem er »Madden« spielt. »Enthauptungen? Und ich dachte, so einen Scheiß macht nur al-Qaida.«

Ein paar Tage später hört er, dass die Enthauptungen vermutlich von demselben Knirps ausgeführt wurden, der seine Bar in Acapulco überfallen hat.

»Jesus the Kid.«

Vielleicht hat er den Club gewechselt, denkt Eddie.

Und manche von den Narcos sagen, dass er wirklich noch ein Kind ist. Dreizehn oder vierzehn Jahre alt.

Die Jugendliga.

Eddie kommt sich plötzlich uralt vor.

Dann erhält er den Tipp – okay, den Befehl –, die Fühler nach La Familia auszustrecken.

Und zwar von Adán Barreras, El Señor, übermittelt durch Diego Tapia.

Eddie kann sich denken, warum. Der Krieg gegen die Zetas hat zu einem blutigen Patt geführt – die Zetas haben die Allianz in Tamaulipas in einen Stellungskrieg hineinmanövriert, der nichts weiter bringt als einen Schlagabtausch nach dem anderen. Wenn also diese Traumtänzer von La Familia ein paar Zeta-Truppen von Tamaulipas weglocken können, umso besser.

Aber Eddie hat Bedenken: »Das sind doch religiöse Spinner! Kennst du Nazarios Spitznamen? *El más loco* – der Oberspinner!«

»Solange er Zetas umbringt, kann uns das nur recht sein«, sagt Diego.

»Klar bringt er Zetas um«, sagt Eddie. »Aber er ist auch unser größter Konkurrent auf dem amerikanischen Meth-Markt.«

»Dieser Markt ist unersättlich«, erwidert ihm Diego.

Da spricht er ein wahres Wort, denkt sich Eddie. Die Mexikaner haben endlich eine Droge gefunden, die beim *White Trash* – der weißen amerikanischen Unterschicht – beliebt ist und die sich jeder leisten kann. Und *White Trash* gibt es mehr als genug – der wird niemals knapp.

Der produziert sich selbst.

Auf den Rücksitzen von Schrottkarren.

Und dann wohnen sie in den Schrottkarren.

Eine Woche später trifft sich Eddie mit Chuy in Morelia, Michoacán.

Und er ist wirklich noch ein Kind.

»Eigentlich müsste ich sauer auf dich sein«, sagt Eddie. »Dieser Stunt in Acapulco – das war das Allerletzte.«

Chuy schweigt. Eddie sieht ihm in die Augen und sieht nichts. Als würde er einer Schlange in die Augen sehen. Dieser halbe Hahn, das muss man sich mal vorstellen, hat fünf Männer enthauptet und ihre Köpfe wie beim Bowling durch die Disco gerollt.

Aber Diego meint, dass man mit diesen durchgeknallten Frömmlern arbeiten muss, also …

»Hey, es lebe Texas!«, ruft Eddie. »Wir *pochos* müssen zusammenhalten. Holen wir uns ein paar von diesen Zeta-Ärschen!«

»Ich töte für den Herrn.«

»Okay, dann für den Herrn«, antwortet Eddie.

In den nächsten neunzig Tagen sterben mehr als vierhundert Zetas in Uruapan, Apatzingán, Morelia und Lázaro Cárdenas. Das neue Killerteam von Crazy Eddie und Jesus the Kid hat einen satten Anteil daran.

5. Narco Polo

Must be the money.

Nelly, Ride With Me

Mexico City
2006

Art Keller steht in der Lobby des Premierenkinos und schaut über den Rand seines Weinglases zu der exquisiten Frau hinüber, die ihm eben zugelächelt hat.

Yvette Tapia sieht atemberaubend aus in ihrem kurzen silbernen Kleid. Dazu der strenge Pagenschnitt, das aufreizend dunkle Rot ihrer Lippen. Wenn sie damit die mexikanische Spielart der Golden Twenties zur Geltung bringen will, ist ihr das hervorragend gelungen. Als eine der Hauptsponsorinnen des Films, der heute Premiere hat, tummelt sie sich in der Menge wie ein Fisch im Wasser, lächelt, plaudert und charmiert.

Verzweifelte Leute, denkt Keller, neigen zu Verzweiflungstaten.

Und er ist verzweifelt.

Seine Jagd auf Adán Barrera ist zum Stillstand gekommen, verläuft sich in einer Wüste ohne Spuren, erstickt im bürokratischen Leerlauf. Seine Kollegen vom Barrera-Koordinierungsausschuss sind überfordert mit den Narco-Kriegen, die in Baja, Tamaulipas und nun auch noch in Michoacán ausgebrochen sind.

Und Keller muss zugeben, dass diese Gewaltorgien ohne Beispiel sind. Selbst auf dem Höhepunkt (oder Tiefpunkt?) des Kriegs zwischen Barrera und Güero Palma, damals in den Neunzigern, äußerten sich die Kämpfe höchstens in sporadischen Gewaltausbrüchen. Sie steigerten sich nicht von Tag zu

Tag und breiteten sich nicht über drei große Regionen des Landes aus – mit mehreren, ineinander verstrickten Kriegsparteien.

Die Allianz in Baja gegen Teo Solorzano, die Allianz in Tamaulipas gegen das Golfkartell und die Zetas.

La Familia (offensichtlich mit Unterstützung der Allianz) gegen die Zetas in Michoacán.

An den Kriegen der Neunziger waren immer nur ein paar Dutzend Akteure beteiligt – jetzt rekrutieren die Kartelle Hunderte, wenn nicht Tausende Söldner, meist ehemalige oder noch immer bedienstete Militärs und Polizisten, jedenfalls ausgebildete Kämpfer.

Die AFI und der SIEDO versuchen, mit alldem fertig zu werden – sollte man meinen.

Oder man glaubt Ochoas Behauptungen, denkt Keller. In dem Fall sieht die Sache ein bisschen anders aus:

Die Allianz und die Regierung machen gemeinsame Sache gegen Teo Solorzano in Baja und gegen die Zetas in Tamaulipas, La Familia (offensichtlich mit Unterstützung der Allianz) mit der Regierung gegen die Zetas in Michoacán.

Keller will es nicht glauben. Fand auch Barreras Flucht aus Puente Grande mit offizieller Billigung statt? Ohne Zweifel. Hatte er Komplizen in der Regierung, als er sich mehrfach der Festnahme entzog? Wahrscheinlich. Stützt er sich auf ein gut ausgebautes Netzwerk der Korruption, das ihn deckt, wo immer er sich verkriecht? Unbestreitbar.

Aber das koordinierte Bemühen der Regierung, Barrera bei der Übernahme des gesamten mexikanischen Drogenimperiums zu unterstützen? Das übersteigt selbst Kellers Vorstellungskraft.

Aber in einem Punkt muss er Ochoa recht geben:

Fangen Sie mit den Tapias an.

Ich wüsste nicht, wo ich sonst anfangen sollte, denkt Keller, als Yvette Tapia in der Lobby auf ihn zusteuert.

Es ist ein offener Verstoß gegen seine Abmachungen mit der

DEA und den Mexikanern. *Sie sind nicht hier, um Ihre eigenen Quellen zu unterhalten, eigenmächtig zu agieren, Beobachtungen anzustellen oder geheimdienstlich tätig zu werden.* Sehr schön, denkt Keller. Ich bin auch nicht hier, um blöd rumzusitzen und Däumchen zu drehen, während ihr alles Mögliche tut, nur nicht, was ihr sollt: Adán Barrera aufspüren. Wenn sich nichts tut, geht es immer so weiter. Also wird es Zeit, etwas in Gang zu setzen.

Die Einladung zur Filmpremiere hat er sich über die Botschaft besorgt, mit ihr kam auch die Einladung zu dem Empfang, bei dem alle herumstehen und sich etwas Nettes zu dem Film einfallen lassen. Keller geht einen Schritt auf Yvette zu, wird seinen Lobspruch los und kommt mit ihr ins Gespräch.

»Yvette Tapia«, stellt sie sich vor. »Ich und mein Mann, Martín Tapia, haben bei der Finanzierung geholfen.«

»Art Keller.«

Wenn sie seinen Namen kennt, dann zeigt sie es nicht. »Und was machen Sie so in Mexico City, Art?«

»Ich arbeite für die DEA.«

Das muss man ihr lassen: Sie zuckt nicht mit der Wimper. Ihre Schwäger zählen zu den weltgrößten Drogenschiebern, und sie lässt sich nicht das Geringste anmerken. Stattdessen lächelt sie charmant und sagt: »Da haben Sie sicher viel zu tun.«

Sie setzen den Smalltalk ein wenig fort, dann wandert sie mit ihrem Glas weiter. Doch kurze Zeit später kommt sie zurück und sagt: »Art, wir machen eine kleine Nachfeier in unserem Haus, ganz zwanglos. Hätten Sie Lust zu kommen?«

»Ich bin ganz ohne Begleitung«, sagt Keller. »Ich möchte nicht das fünfte Rad am Wagen sein.«

»Oh, Sie wären das fünfundzwanzigste Rad«, erwidert sie. Ihr Mann naht von der Seite und bleibt neben ihr stehen. Sie dreht sich zu ihm um und sagt: »Martín, wir haben hier einen armen, einsamen Diplomaten, der sich gegen meine Einladung sträubt. Bitte überrede ihn doch!«

Martín Tapia sieht nicht im Entferntesten wie ein Narco aus.

Er trägt einen maßgeschneiderten dunkelblauen Anzug mit Krawatte und weißem Hemd. Wie aus dem Ei gepellt, denkt Keller.

Martín reicht ihm die Hand. »Meine Frau hat die üblichen Verdächtigen eingeladen. Ein bisschen frisches Blut wäre willkommen.«

»Wenn Sie eine Transfusion brauchen, komme ich natürlich gern«, sagt Keller. »Wohin geht die Reise?«

»Nach Cuernavaca«, erwidert Martín.

Hallo, Cuernavaca!, sagt sich Keller und muss an die Anrufe denken, die ihn in den Hinterhalt von Atizapán lockten. »Ich bin aber ohne Auto.«

»Wir sehen zu, dass Sie jemand mitnimmt«, sagt Martín.

Also steigt Keller zu einem Filmagenten ins Auto. Die moderne Villa steht in einer Wohnanlage, eingebettet in die waldigen Hügel südlich der Hauptstadt. Und die kleine Gesellschaft, die sich dort zusammengefunden hat, kann man wirklich nur als »exquisit« bezeichnen. Bei den Schauspielerinnen – von denen er eine aus amerikanischen Filmen zu erkennen glaubt – sind es die erlesenen Kleider, bei den Schriftstellern, Produzenten, Finanziers die erlesenen Geister, die hier ihren Glanz verstrahlen. Keller steht etwa zehn Minuten im Salon, als ihn Yvette beim Arm nimmt.

»Dann wollen wir mal sehen, ob wir das Passende für Sie finden«, sagt sie und blickt sich um. »Nicht Sofia. Sie ist eine wunderbare Schauspielerin, aber total durchgedreht …«

»Vielleicht doch lieber keine Schauspielerin.«

»Dann eine Schriftstellerin«, sagt Yvette. »Victoria dort – ist sie nicht umwerfend? Sie macht so was Ähnliches wie Wirtschaftsjournalismus, aber ich glaube, sie ist verheiratet, wohnt außerdem in Juárez …«

»Sie müssen wirklich nicht die Kupplerin für mich spielen«, sagt Keller.

»Aber es macht mir solchen Spaß, und Sie werden doch einer braven Ehefrau diese kleine Freude gönnen, oder?«

»Aber natürlich.«

»Dann kommen Sie.« Sie zieht ihn weiter. »Ich stelle Sie Frieda vor. Sie schreibt Filmkritiken, und wir haben alle Angst vor ihr, aber ...«

Yvette verkuppelt ihn geschickt mit Frieda, und er macht Smalltalk mit ihr, während Yvette ihren Charme bei anderen Gästen versprüht.

Darin ist sie Profi.

Genauso ihr Mann.

Martín Tapia ist ein junger Unternehmer im Aufwind, und hochkarätige Beziehungen zu knüpfen ist sein Geschäft. Oder das seines Bruders, denkt Keller. Das Ehepaar Tapia könnte Diegos Bindeglied zur mexikanischen Oberklasse sein. Und wenn sie diese Rolle für Diego spielen, warum dann nicht auch für Adán Barrera?

Das ist nicht viel, aber der einzige Ansatzpunkt, den er hat. Und ganz schön verwegen ist es auch, denkt er, sich in die Villa der Tapias abschleppen zu lassen. Was würde Adán denken, wenn er wüsste, dass ich hier bin?

Vielleicht weiß er es schon.

Keller macht ein bisschen höfliche Konversation mit der Filmkritikerin, dann besorgt er sich noch ein Glas Wein.

»Ich glaube, Sie fühlen sich hier genauso verloren wie ich.«

Die Frau, die ihn anspricht, sieht verblüffend gut aus – herzförmiges Gesicht, hohe Wangenknochen, wunderschöne braune Augen, kastanienbraunes, schulterlanges Haar und dazu eine Figur, die ihr kurzer schwarzer Rock aufs anmutigste unterstreicht.

»Wie Sie sich fühlen, weiß ich nicht, aber es stimmt: Ich fühle mich verloren«, erwidert Keller und gibt ihr die Hand. »Ich bin Art Keller.«

»Marisol Cisneros«, sagt sie. »Amerikaner?«

»Bei der Botschaft.«

»Die haben jetzt bessere Spanischlehrer als früher, scheint mir.«

»Meine Mutter war Mexikanerin«, sagt Keller. »Ich konnte Spanisch, bevor ich Englisch lernte.«

»Sind Sie mit den Tapias befreundet?«

»Ich habe sie vorhin erst bei der Premiere kennengelernt.«

»Ich kenne sie überhaupt nicht. Ich bin in Begleitung hier.« Keller staunt ein wenig über seine eigene Enttäuschung, doch dann klärt sich die Sache auf: »Ich glaube, Sie haben sie schon getroffen. Frieda.«

»Die furchterregende Filmkritikerin.«

»Alle Kritiker sind furchterregend«, sagt Marisol. »Deshalb bin ich Leichenbestatterin geworden.«

»Sie sehen aber nicht aus wie –«

»Nein, ich bin Ärztin«, sagt sie. »Einen Schritt davon entfernt.«

Keller sieht sie erröten.

»Tut mir leid, das war ein dummer Scherz.« Sie lacht verlegen. »Ich glaube, ich bin nervös. Für mich ist das hier so etwas wie meine Coming-out-Party.«

»Was für ein Coming-out?«

»Aus meiner Scheidung«, sagt Marisol. »Die ist sechs Monate her, und ich vergrabe mich seitdem in die Arbeit. Frieda hat mich mitgeschleppt. Diese Reichen und Schönen sind so gar nicht meine Sache.«

Dabei ist sie die Schönste, denkt Keller. »Meine auch nicht.«

»Das sieht man Ihnen an.«

»So?«

»Sehen Sie, ich trete wieder ins Fettnäpfchen!«, sagt sie. »Was ich meinte, war … Ich weiß nicht … Sie scheinen keiner von denen zu sein.«

»Von den Reichen und Schönen?«

»Das meinte ich als Kompliment. Ob Sie's glauben oder nicht.«

»Dann nehme ich's als Kompliment.« Sie stehen verlegen da, bis Keller endlich eine Frage einfällt: »Leben Sie in Cuernavaca?«

»Nein, in der City. Condesa. Kennen Sie das?«

»Ich wohne da.«

»Nach der Scheidung bin ich von Polanco dorthin gezogen«, sagt sie. »Mir gefällt das Viertel. Buchläden, Cafés. Man kommt sich nicht so … heroisch vor, ganz allein in Lokale zu gehen.«

Keller kann sich nicht vorstellen, dass sie so viel allein ist. Und wenn doch, dann will sie es so. Er sagt: »Ich habe neulich beim Essen ein Buch gelesen, allein, bei einem Chinesen. Das Buch handelte von einem Mann, der so einsam war, dass er allein essen ging, beim Chinesen.«

»Ist das traurig!«

»Aber Sie lachen!«

»Klar, es ist auch lustig.«

»Ich stand auf und ging«, sagt Keller. »Völlig demoralisiert.«

»Am letzten Valentinstag«, sagt Marisol, »habe ich den Pizzaboten bestellt. Saß in meiner Wohnung, habe *Sabrina* gesehen und geheult.«

»Das ist wirklich schlimm.«

»Nicht so schlimm wie Ihr Chinese.« Sie sehen sich eine Sekunde an, dann sagt Keller: »Ich glaube, jetzt kommt der Punkt, wo ich Sie nach Ihrer Telefonnummer frage.«

»Okay.«

Marisol sucht in ihrem Täschchen.

»Ich kann sie mir merken«, sagt Keller.

»Wirklich?«

»Ja.«

Marisol nennt ihm die Nummer, und er wiederholt sie. Dann sagt sie, sie werde jetzt Frieda holen und zurück in die City fahren – sie habe Frühdienst in der Klinik. »Es war schön, Sie kennenzulernen.«

»Für mich auch.«

Als sie schon im Gehen ist, fragt Keller: »Anne Hathaway oder Audrey Hepburn?«

»Oh. Audrey Hepburn, natürlich.«

Natürlich, denkt Keller.

»Wie findest du den Amerikaner?«, fragt Martín Tapia, als er aus der Dusche kommt.

Yvette sitzt vor dem Spiegel, schminkt sich sorgfältig ab und forscht nach Fältchen um die Augen, die so unerwünscht wie unvermeidlich sind. Es könnte an der Zeit sein, denkt sie, mit dem Schönheitschirurgen über eine Botox-Behandlung oder Ähnliches zu reden.

»Keller?«, fragt sie. »Ziemlich nett.«

»Verlieb dich nicht in ihn. Adán will seinen Tod.«

»Das wäre schade«, sagt Yvette. »Er könnte uns nützlich sein.«

»Und wie?«

»Was ich dich fragen wollte –«, sagt Yvette, als sie ins Bett geht, »– traust du Adán über den Weg?«

Am nächsten Morgen nimmt sich Keller den erfolgreichen Jungunternehmer Martín Tapia vor.

Allem Anschein nach tut der mittlere Tapia-Bruder genau das, was ein erfolgreicher Jungunternehmer tut.

An den meisten Wochentagen verlässt er das Haus am Vormittag und fährt in die City. Konferenzen, Lunches, wieder Konferenzen. Er spielt Golf im Lomas Country Club. Er besucht Banken und Firmensitze. An manchen Abenden wird er, gewöhnlich mit seiner sympathischen Frau am Arm, in Trendlokalen gesehen, im Theater, im Ballett, in der Oper. An anderen Abenden bleiben sie einfach zu Hause, genießen ein ruhiges Dinner, ein Tennisspiel, den Pool, den Jacuzzi, und gehen früh ins Bett.

An den Sonntagen fahren sie ins Hotel Aristo, wo sie sich mit anderen smarten Pärchen zum Brunch treffen. Die Liste ihrer Freundschaften, Bekanntschaften und Geschäftspartner ist ein wahrer Who's who der Hauptstadt. Aber nach einem Monat Überwachung hat sich Tapia nicht ein einziges Mal mit einem Polizisten oder Politiker getroffen.

Vielleicht liege ich falsch, denkt Keller. Vielleicht ist er sauber, hat nichts mit den Geschäften seiner Brüder zu tun. Oder er nutzt ihren Reichtum, um sich eine legale Existenz aufzubauen.

Vielleicht.

Keller richtet seine Aufmerksamkeit nun verstärkt auf Yvette. Auch sie tut allem Anschein nach, was Frauen ihres Standes eben so tun. Beginnt den Tag mit Yoga oder Schwimmen, nimmt Tennisunterricht bei einem Privattrainer, geht essen mit anderen Unternehmergattinnen, engagiert sich in Wohltätigkeitskomitees.

Und spielt Golf.

Yvette Tapia ist eine echte Golferin. Zwei- oder dreimal die Woche fährt sie zum La Vista Country Club.

Keller kann ihr nicht dorthin folgen, ohne am Tor aufgehalten zu werden, daher parkt er auf der anderen Straßenseite. Er wechselt jeden Tag den Mietwagen, bis er ihren Tagesablauf kennt: Montags, mittwochs und freitags fährt sie mit ihrem weißen Mercedes zum Club, spielt neun Löcher und fährt zurück, wenn sie sich nicht irgendwo auf einen Drink mit Freundinnen trifft.

Vielleicht liege ich falsch, denkt Keller auch bei ihr.

Am nächsten Nachmittag folgt er ihr nicht zum Golfclub, sondern wartet auf der Straße vor dem Club, bis sie herauskommt. Diesmal fährt sie nicht nach Hause oder zu einem Restaurant, sondern zu einem Haus, dessen Grundstück an den Golfclub grenzt.

Der weiße Mercedes biegt in die Einfahrt ein.

Keller notiert die Adresse – 117 Loma Linda.

Vielleicht eine Freundin, denkt Keller.

Er fährt vorbei und sieht im Rückspiegel, dass sie aussteigt, einen Aktenkoffer vom Beifahrersitz nimmt und zur Haustür hinaufgeht.

Er hält auf der anderen Straßenseite, während sie die Haustür aufschließt.

Hoppla, denkt er. Sie hat eine Affäre.

Aber es steht kein anderes Auto in der Einfahrt. Vielleicht ist der Kerl so vorsichtig, woanders zu parken oder zu Fuß zu kommen. Keller kommt sich vor wie ein mieser Schnüffler, aber er schaltet den Motor ab und wartet.

Wenn Yvette eine Affäre hat, kann es keine leidenschaftliche sein, denn sie kommt sehr schnell zurück.

Ohne Koffer.

Vor die Wahl gestellt, ihr zu folgen oder das Haus im Auge zu behalten, entscheidet er sich für Letzteres.

Eine Stunde später fährt ein blauer Audi vor, ein gutgekleideter Mann, etwa Mitte dreißig, steigt aus, schließt die Haustür auf und geht hinein. Er bleibt nur ein paar Minuten, dann kommt er mit Yvettes Aktenkoffer zurück und fährt weg.

Keller gibt ihm etwas Vorsprung und folgt ihm.

Yvette Tapia hat keine Affäre.

Sie arbeitet als Kurier.

Jetzt könnte er Hilfe brauchen.

Überwachung ist kein Ein-Mann-Job.

Es ist schwierig, einem Auto zu folgen, ohne es zu verlieren oder ausgetrickst zu werden. Noch schwieriger ist es, einem Auto durch das verstopfte Straßenlabyrinth der mexikanischen Metropole zu folgen, besonders, wenn man in dieser Stadt relativ neu ist und ihre Tücken nicht kennt. Wenigstens versucht der Audi nicht, ihn abzuschütteln. Der Fahrer scheint arglos und seiner Sache völlig sicher zu sein.

Das ist schon hilfreich, aber für eine ordentliche Überwachung ist ein Team vonnöten – zwei oder drei Leute, die sich abwechseln, ein Hubschrauber, Nachrichtentechnik, logistische Unterstützung. All das könnte er bekommen – von der SIEDO oder von der AFI, aber …

Das geht nicht.

Zum einen darf er nicht auf eigene Faust ermitteln, erst recht nicht aktiv überwachen. Zum anderen weiß er nicht, wem er trauen kann.

Vera? Aguilar?

Jedes Mal – wirklich jedes Mal, wenn sie Barrera beinahe hatten, ist er ihnen entwischt. Dann der Hinterhalt von Atizapán. Haben Vera oder Aguilar davon gewusst? Oder haben sie es beide gewusst?

Keller könnte Unterstützung von der DEA anfordern, aber auch das geht nicht, weil er (a) nicht dazu befugt ist und (b) sie ihn fragen würden, warum er nicht mit den Mexikanern zusammenarbeitet, und er (c) nicht weiß, wem er bei der DEA trauen kann.

Er weiß nur, dass dieser blaue Audi ein Köder sein könnte, mit dem er in die Falle gelockt wird.

Wenn schon, dann bin *ich* der Köder, denkt Keller.

Er überlegt, ob er die Verfolgung abbrechen soll. Anhand der Autonummer lässt sich der Eigentümer wahrscheinlich ohne Aufwand ermitteln.

Das ist besser, als jetzt die Spur zu verlieren oder abgeschüttelt zu werden.

Oder in einen Hinterhalt zu geraten.

Der Audi biegt links ab.

Das wäre die Gelegenheit, ihn sausenzulassen.

Keller fährt ihm nach.

Den ganzen Weg bis ins Nobelviertel Lomas de Chapultepec.

Der Mann wirft dem Hotelboy des Marriott den Autoschlüssel zu und verschwindet im Portal, den Koffer in der Hand.

Jetzt könnte Keller wirklich einen Mann gebrauchen, der für ihn hineingeht. Wenn ihn in der Lobby jemand erkennt, ist alles vorbei. Aber er hat keine Wahl, also gibt er dem Hotelboy seinen Schlüssel und ein paar Pesoscheine. »Bitte in der Nähe parken.«

Keller betritt die Lobby und geht geradewegs an die Bar.

Der Mann sitzt in der Lounge, den Koffer bei Fuß.

»Ein Cucapá-Bier, bitte«, sagt Keller.

Er beobachtet den Mann im Spiegel der Bar. Sieht, wie er

einen Drink bestellt, der Kellner etwas bringt, was aussieht wie Gin Tonic, er wartet, bis der Mann seinen Drink erledigt hat, ein paar Scheine hinlegt und geht.

Der Koffer bleibt.

Sekunden später kommt ein anderer Mann – um die vierzig, anthrazitfarbener Anzug. Er setzt sich, blickt sich kurz um, dann nimmt er den Koffer und geht hinaus.

Für ein paar gute Überwachungsfotos würde Keller einiges geben.

Er zahlt schnell sein Bier, eilt zum Ausgang und sieht den Mann in einen weißen Lexus steigen. Den Leihwagen holen und hinterherfahren? Dafür ist die Zeit zu kurz. Aber er merkt sich die Nummer.

Am nächsten Morgen ermittelt er die Eigentümer über das CIA-Portal. Der blaue Audi ist registriert auf einen Xavier Cordunna, der als Juniorpartner einer mexikanischen Investmentbank eingetragen ist.

Die Autonummer des weißen Lexus, mit dem der Koffer vom Hotel abgeholt wurde, lautet auf einen Manuel Arroyo.

Offizier der AFI.

Keller tippt die Nummer von Marisol Cisneros ein.

»Ich dachte fast, Sie hätten mich vergessen«, sagt sie, als sie sich meldet.

Ihre Stimme klingt ein wenig hart – sie ist es nicht gewohnt, ignoriert zu werden, und lässt es ihn spüren.

»Nein«, sagt Keller. »Ich wollte nur nicht aufdringlich sein. Tut mir leid – was Dating betrifft, bin ich ein bisschen aus der Übung. Ich habe die Regeln vergessen.«

»Ich schicke Ihnen das Buch.«

»Im Ernst?«

»Nein, ich scherze mal wieder. Eine schlechte Angewohnheit von mir.«

»Also«, sagt Keller. »Wenn wir beide allein essen, können wir auch zusammen allein essen.«

»Der war gut.« Sie lacht. »Haben Sie den Satz geübt?«

»Ein bisschen.«

»Ich fühle mich geschmeichelt.«

»Ist das ein Ja?«

»Ja, ich komme gern.« Ihre Stimme klingt plötzlich weich, es durchfährt ihn wie ein kleiner Stromschlag.

»Und wohin gehen wir?«, fragt er.

»Wir könnten zu Ihrem Chinesen gehen«, sagt sie, »und den Eindruck, den Sie dort hinterlassen haben, korrigieren.«

»Das ist eher eine Spelunke. Vielleicht etwas Netteres.«

Sie einigen sich auf einen Italiener in Condesa, den sie beide kennen, und verabreden, sich dort zu treffen, ohne dass er sie abholt. »So ist es leichter zu fliehen«, sagt sie, »wenn einer den anderen nicht mag – oder wir uns beide nicht.«

Zum Fliehen gibt es keinen Grund. Er staunt, wie gut sie sich verstehen, und überhaupt stellt er fest, dass er Dr. Marisol Cisneros sehr mag.

Bei Linguini mit Muscheln nach Art des Hauses, einem Salat mit Mozzarella und einer Flasche Weißwein erfährt er, dass sie aus der Provinz Chihuahua stammt, aus der Kleinstadt Guadelupe im Juárez-Tal, direkt am Río Bravo. Ihre Familie lebt dort »schon immer«, mindestens seit 1830, als sie dort Land erhielt – gegen die Verpflichtung, die Apachen zu bekämpfen, die immer wieder vom Norden her einfielen.

Der Cisneros-Clan ist in der Gegend von Guadelupe noch immer präsent. Er gehört nicht zu den »großen fünf Familien«, die das Tal dominieren, aber zu den Familien der oberen Mittelschicht, die hier entlang des Flusses Baumwolle und Weizen anbauen und auf den trockenen Plateaus Rinder und Pferde züchten.

Marisol wusste immer, dass sie nicht die Frau eines *ranchero* werden wollte, daher strengte sie sich in der Schule an und gewann ein Stipendium der Universidad Nacional Autónoma de México in Mexico City. Danach ging sie an die Medical School der Boston University, legte ihre Fachpraktika am

Massachusetts General Hospital und am Hospital México Americano in Guadalajara ab und wurde Fachärztin für Innere Medizin.

Sie heiratete einen Juristen aus Mexico City und eröffnete eine Gemeinschaftspraxis im Nobelviertel Polanco. Doch nach wie vor arbeitet sie auch ehrenamtlich im Stadtteil Iztapalapa.

»Eine gefährliche Gegend«, meint Keller.

»Die Leute dort passen auf mich auf«, sagt sie, »und ich bin nur am Samstagvormittag dort. In der übrigen Woche kümmere ich mich um die Wehwehchen der reichen Leute. Aber ich rede und rede. Was machst du?«

Er erzählt ihr ein bisschen mehr als auf der Party der Tapias und »beichtet« ihr, dass sein Botschaftsjob etwas mit der DEA zu tun hat.

»Mit Drogen haben wir auch bei uns in Guadelupe zu tun«, sagt sie. »Dort wird das Juárez-Kartell durch den Escajeda-Clan vertreten.«

»Ist das ein Problem für dich?«

»Eigentlich nicht«, sagt sie. »Im Lauf der Jahre entwickelt man einen Modus Vivendi. Man weiß, wie es ist, und lässt sich gegenseitig in Ruhe.«

»Ich bin vor allem mit den bilateralen Fragen befasst«, sagt Keller.

»Ich bin gern in den USA«, sagt sie. »Wo war ich bis jetzt? In El Paso, natürlich, San Antonio, New Orleans und New York, gewohnt hab ich in Boston. Am meisten hat mir aber New Orleans gefallen.«

»Da war ich nie. Was hat dir gefallen?«

»Das Essen. Die Gärten.«

Dass ihre Ehe gescheitert ist, war eher ihre Schuld als die ihres Mannes, gesteht sie. Er glaubte zu wissen, wen er geheiratet hatte, und sie auch. Er bot ihr das Leben, das er meinte, ihr bieten zu müssen – einen modernen Doppelverdiener-Haushalt in einem trendigen Viertel, erfolgreiche Freunde, Essen in den besten Lokalen … Status.

»Er war genauso, wie ich ihn haben wollte«, sagt sie, »und dafür habe ich ihn bestraft. So sieht es jedenfalls mein Therapeut. Gegen Ende war ich ein richtiges Biest, und er war froh, als ich auszog.«

»Bist du dann zurück nach Guadelupe?«

»Nein, Guadelupe war mir immer zu eng«, sagt Marisol. »Dann zeigte sich, dass mir auch Mexico City zu eng wurde. Ich habe mich gelangweilt und nur konsumiert. Aber jetzt deine Geschichte!«

»Die übliche Polizistenkarriere«, sagt Keller. »Ich war mit meiner Arbeit verheiratet statt mit meiner Frau. Man kennt das aus Dutzenden Filmen. Es war einzig meine Schuld.«

Inzwischen sind sie mit den Linguini fertig.

»Willst du jetzt fliehen?«, fragt Keller. »Oder lieber ein Dessert?«

»Lieber ein Dessert«, sagt Marisol. »Aber ich brauche Bewegung. Vielleicht machen wir einen kleinen Bummel und suchen uns ein anderes Lokal?«

»Gute Idee.«

Keller zahlt und freut sich, dass sie nicht verlangt, die Rechnung zu teilen. Dann gehen sie los, zur Buchhandlung Pendulo. Er freut sich auch darüber, mit welcher Neugier sie in den Büchern blättert.

Die Brille steht ihr gut.

»Das ist meine liebste Feierabendbeschäftigung«, sagt sie. »Mir Bücher ansehen, einen Kaffee trinken. Mit dir macht es mir noch mehr Spaß, Arturo!«

»Schön.«

Marisol sucht sich einen Gedichtband von Inés de la Cruz aus, dann setzen sie sich in das Café, bestellen Kaffee und *pan dulce.*

»Es gibt eine Bäckerei in Guadelupe«, sagt sie, »die machen das beste *pan dulce* der Welt. Irgendwann nehme ich dich dorthin mit.«

Danach bummeln sie die Avenida Nuevo León hinunter.

»So war das früher Sitte«, erklärt sie ihm. »Die Pärchen gingen am Abend auf der Mittelpromenade spazieren. Natürlich unter den wachsamen Blicken der *tía*. Außer Hörweite, aber scharf beobachtet, damit er nicht wagte, ihr einen Kuss zu stehlen.«

»Siehst du eine *tía*?«, fragt Keller.

Sie blickt sich um. »Nein.«

Keller nimmt sie in den Arm und küsst sie. Das überrascht ihn genauso wie sie, und er weiß nicht, woher er den Mut genommen hat.

Ihre Lippen sind weich und warm.

Zwei Tage später bekommt Keller einen Anruf von Yvette Tapia. »*Am Sonntag sind Sie doch sicher frei, oder?*«

»Am Sonntag bin ich frei.«

»*Gut*«, sagt sie. »*Mögen Sie Polo?*«

Keller lacht. Polo? Im Ernst? »Das hat mich noch keiner gefragt.«

»*Martín spielt*«, sagt Yvette. »*Wir sammeln ein paar Zuschauer, und hinterher steigt bei uns eine kleine Party. Sagen wir, Campo Marte um eins?*«

Auf jeden Fall, denkt Keller.

Aber er weiß nicht, warum.

Campo Marte liegt auf einem Plateau in Chapultepec.

Eine rechteckige Grünfläche, hinter der die Hochhäuser der City aufragen.

Keller sitzt mit Yvette Tapia im Amphitheater, von dem die Zuschauer aufs Spielfeld blicken. Das weiße Sommerkleid bringt ihre Beine zur Geltung, das weiße Hütchen kontrastiert sehr hübsch mit ihrem schwarzen Haar.

Die anderen Zuschauer – etwa hundert – sind ebenfalls gutbetucht, sie nippen Champagner und knabbern an den Häppchen, die von weiß livrierten Kellnern serviert werden.

»Erklären Sie mir das Spiel«, sagt Keller.

»Gern, soweit ich es selbst verstehe«, erwidert sie. »Martín hat vor zwei Jahren angefangen, aber ich glaube, er ist schon ganz gut, er hat ein ›Einser-Handicap‹, was immer das bedeutet.«

»Gehören Ihnen die Pferde?«, fragt Keller. »Oder mietet man die wie Bowlingschuhe?«

»Sie machen sich lustig über uns!« Yvette droht ihm scherzhaft mit dem Finger. »Ist schon recht. Das ist ein ziemlicher Aufwand. Aber Polo ist Martíns Leidenschaft, und eine kluge Frau gönnt ihrem Mann seine Leidenschaften, oder sie bleibt nicht lange seine Frau.«

»Und ein kluger Ehemann?«

»*Lo mismo.*«

Genauso.

»Andere Männer kaufen sich Sportwagen«, sagt Yvette. »Oder Flugzeuge – oder Huren, wenn es sein muss. Martín kauft Pferde, also hab ich Glück. Pferde sind schöne Tiere, und wir treffen eine Menge nette Leute.«

Und das ist der Punkt, denkt Keller. Tennis und Golf sind ja ganz nett, aber Polo hebt sie in eine völlig andere Sphäre.

Keller lehnt sich zurück und verfolgt das Spiel – ein buntes Durcheinander: Die Jerseys der Reiter sind leuchtend grün oder rot, die Pferde weiß, braun und schwarz in allen Schattierungen. Er versteht kaum, was dort vor sich geht – vier Reiter auf jeder Seite versuchen, den Ball ins Tor des Gegners zu schlagen –, aber das Spiel ist schnell, dramatisch und gefährlich.

Die Reiter rempeln mit ihren Pferden und lassen sie hart zusammenprallen, und immer wieder – während die Zuschauer die Luft anhalten – sieht es nach einem bösen Sturz aus.

Martín scheint wirklich gut zu sein – er reitet elegant und ist aggressiv hinter dem Ball her. Keller erfährt, dass er die »Nummer zwei« seines Teams ist, er spielt dem Torschützen die Bälle zu und fungiert als Verteidiger. Damit ist er der wichtigste Taktiker des Teams, erklärt Yvette, und Keller nimmt es ohne Überraschung zur Kenntnis.

Am Ende von zwei »Chuckers« und bei einem Spielstand von vier zu vier ist Halbzeit.

Yvette steht auf. »Kommen Sie.«

»Wohin?«

»Es ist Tradition.«

Zusammen mit den anderen Zuschauern gehen sie aufs Spielfeld, zum »Rasenstampfen«, und glätten den Rasen, der von den Hufen aufgerissen wurde. Alle machen mit, damit das Feld sauber und sicher für die zweite Halbzeit ist, aber auch, um Kontakte zu pflegen.

Yvette stellt ihn vor.

Bei Bankern und ihren Frauen, Diplomaten und ihren Frauen, er trifft Laura Amaro.

Laura und Yvette sind gut befreundet.

»Wo hast du deinen Mann gelassen?«, fragt Yvette.

»Er muss arbeiten.«

»Der Arme.«

»Der Präsident hält ihn auf Trab.« Zu Keller gewandt, erklärt sie: »Benjamin, mein Mann, arbeitet bei der Regierung.«

»Ah.«

»Ich sehe ihn kaum noch«, beklagt sich Laura. »Ich bin öfter bei Yvette als bei mir zu Hause.«

»Kommst du hinterher mit zu uns?«, fragt Yvette.

»Es gibt nichts, was mich daran hindert«, sagt Laura. »Vielleicht kommt Benjamin nach.«

»Ruf ihn an und sag ihm, dass ich darauf bestehe«, sagt Yvette.

»Na, das wird ihm Beine machen«, meint Laura.

Sie laufen umher, trampeln Grasbatzen fest und plaudern. Diskret zeigt Yvette auf eine imposante Frau, die sich mit einem hochgewachsenen Mann unterhält. Der Mann trägt einen makellosen italienischen Anzug und lächelt.

»Erkennen Sie die Frau?«, fragt Yvette.

»Nein.«

»Die Präsidentengattin«, sagt Yvette. »Die First Lady.«

»Wollen Sie zu ihr?«

Yvette schüttelt den Kopf. »So weit bin ich noch nicht. Außerdem haben wir bald eine neue First Lady, nicht wahr? Gebe Gott, dass ihr Mann bei der PAN bleibt.«

Die Halbzeitpause endet, alles kehrt auf die Plätze zurück.

In der zweiten Hälfte steigert sich die Dramatik. Das Spiel wird hitziger und ruppiger. Einmal, als Martíns Pferd strauchelt, greift Yvette nach Kellers Hand.

Sie umfasst seine Finger ein paar Sekunden, drückt zu, dann lässt sie los.

Das Spiel steht unentschieden sechs zu sechs, als Martín auf seinem grauen Pferd vorwärtsstürmt, den Schläger des gegnerischen Spielers »festhakt« und blockiert. Mit der Schulter schiebt er den Spieler beiseite, übernimmt den Ball und treibt ihn übers Feld.

Keller sieht Yvettes erregten Blick, als ihr Gatte vorwärtsgaloppiert.

Ein Gegner steht zwischen ihm und dem Tor.

Martín hebt den Schläger über den Kopf und lässt ihn niedersausen, spielt den Ball in der letzten Sekunde seinem Teamgefährten zu, der das Siegtor schießt.

Laura Amaros überarbeiteter Ehegatte erscheint nicht zum Dinner, daher wird ihr Keller als »Tischherr« zugeteilt.

Laura erklärt ihm: »Benjamin organisiert die Reisen des Präsidenten. Deshalb muss er auch sonntags ran.«

»Immerhin wichtig«, sagt Keller.

»O ja, wir sind alle sehr wichtig«, erwidert Laura. »Keine Frage. Kann auch sein, dass er seinen Job bald los ist.«

»Glauben Sie wirklich, dass die PRD Chancen hat?«, fragt Keller. Die PRD ist die Linkskoalition, die die PRI als Opposition abgelöst hat. Ihr Präsidentschaftskandidat, Manuel López Obrador, war Bürgermeister von Mexico City und liegt in den Umfragen knapp hinter dem Kandidaten der Regierungspartei PAN, Felipe Calderón.

»Ich glaube, es wird eng«, sagt Laura. »Auch Benjamin. Es

wird allerdings eine Katastrophe für das Land, wenn wir verlieren. Ihre Leute in Washington teilen diese Meinung, nicht wahr?«

»Ich glaube, ja.«

Auch Keller glaubt das: Das Zentrum des mexikanischen Drogenhandels befindet sich nicht in den Grenzstädten Tijuana, Juárez oder Laredo.

Auch nicht in den Bergen von Sinaloa.

Sondern hier, in Mexico City.

»Du küsst eine Schlange«, sagt Martín Tapia, als er zu seiner Frau ins Bett steigt.

»Aber es macht mir einen Riesenspaß.«

»Wenn Adán wüsste, dass wir Keller zu Besuch hatten …«

»Ich höre immer nur Adán«, sagt Yvette. »Von welchem Fleisch ernährt sich unser Cäsar, dass er so groß geworden ist?«

»Diego betet Adán an.«

»Ich weiß«, sagt Yvette. »Sie waren schon als Kinder ein Gespann. Diegos Problem ist, dass er seinen eigenen Wert nicht erkennt.«

»Er ist nur loyal.«

»Die Loyalität sollte auf Gegenseitigkeit beruhen.«

»Und das heißt?«

»Adán bindet sich immer stärker an Nacho Esparza«, sagt Yvette. »Erst gibt er ihm Tijuana, dann beschnuppert er seine Tochter.«

»Sie ist doch erst siebzehn!«

»Es kann nicht schaden, Keller einzubinden«, sagt sie. »Er könnte uns noch nützlich werden, und wenn nicht, ist er zwei Millionen Dollar Belohnung wert, oder nicht? Nicht zu vergessen die ewige Dankbarkeit des Imperators.«

Yvette schmiegt sich an Martín. »Jetzt zeige ich dir, was es heißt, die Schlange zu küssen.«

Keller sitzt in einem Mietwagen und wartet vor dem Marriott. Arroyo kommt mit dem Koffer heraus und steigt in seinen Lexus. Der Lexus fährt den Paseo Reforma hinauf nach Colonia Polanco und biegt in die Avenida Rubén Dario ein, die den Park von Chapultepec flankiert.

Dort hält der Lexus.

Eine Frau kommt aus dem Park, die Beifahrertür öffnet sich, sie nimmt den Koffer entgegen. Keller muss nicht viel tun, um ihre Identität zu ermitteln, denn er hat beim Dinner neben ihr gesessen.

Er sieht Laura Amaro mit dem Koffer im Park verschwinden. So einfach ist das, denkt er. Laura übergibt das Geld ihrem Benjamin, und der bringt es nach Los Pinos, dem Sitz des Präsidenten.

Drei Wochen später, am Abend der Präsidentenwahl, geht Keller mit Marisol zum Zócalo, wo sich Tausende versammelt haben, um das Wahlergebnis abzuwarten.

Der Zócalo ist der zentrale Platz von Mexico City. Der Palacio Nacional, erbaut auf den Grundmauern von Moctezumas Palast, begrenzt ihn zum Osten, auf der Westseite stehen Geschäftshäuser mit Arkadengängen, im Süden die Gebäude der Distriktsverwaltung, im Norden wird der Platz durch die riesige Kathedrale Mariä Empfängnis dominiert, die größte Kirche des amerikanischen Kontinents, deren Bau 1573 begonnen wurde. Es heißt, dass Hernán Cortés persönlich den Grundstein legte. Die Zwillingstürme aus rotem Tezontle-Tuffstein überragen den Zócalo wie zwei Wachposten.

Der Platz selbst ist riesig und leer bis auf den wirklichen *zócalo,* den Sockel einer Säule, die nie errichtet wurde, nun aber einen Mast mit der mexikanischen Flagge trägt. Seit Jahrhunderten versammelt man sich hier, und Keller hat sich erklären lassen, dass sich der aztekische Mittelpunkt der Welt gleich nebenan befand, im alten Templo Mayor.

Man kommt sich ziemlich klein vor, wenn man auf dem Zócalo steht, und als Amerikaner hat man das Gefühl, in einem sehr jungen Land zu leben.

Marisol ist politisch interessiert, wie Keller schon bemerkt hat, sie ist eine passionierte Linke. Bei *Pans Labyrinth* hat sie geweint – erst aus Wut auf die spanischen Faschisten, danach vor Stolz, weil ein so schöner Film von einem mexikanischen Regisseur stammt – Guillermo del Toro. Als die Wahlen näher rückten, wurden ihre Gedanken mehr und mehr von Politik beherrscht, bis zu dem Punkt, wo sie sich entschuldigte, das Thema wechselte – und nach ein paar Minuten wieder bei der Politik landete.

Keller stört das nicht – ihm gefällt ihre Leidenschaft, und die Wahrheit ist, dass er sie ständig mit Althea vergleicht, einer waschechten Linken, für die Nixon und Reagan dämonische Figuren waren.

»Ihr Amis wisst ja nicht, was wirkliche Armut ist«, sagt Marisol eines Abends beim Dinner in einem argentinischen Restaurant.

»Hast du die South Bronx gesehen?«

»Hast du die *colonias* von Juárez gesehen?«, kontert sie. »Oder die ländliche Armut im Tal von Juárez, wo ich herkomme? Ich sage dir, Arturo, der Gegensatz zwischen den Rechten und den Linken sieht in Mexiko ganz anders aus als in den USA!«

Daher hasst sie die PAN und wirft alle ihre Hoffnung auf das linke Bündnis PRD.

Am Wahlabend hat sie sich mit Keller zu einem Date verabredet, um mit ihm das Wahlergebnis auf dem Zócalo abzuwarten.

Keller hält sich bei Politik eher bedeckt. Nach seinen Erfahrungen mit Washington sieht er diese Dinge mit gelindem Sarkasmus. Marisol weiß das und freut sich umso mehr, dass er mit ihr zum Zócalo kommt, denn er tut es nur für sie.

Jetzt stehen sie inmitten der Menschenmenge, die Keller auf etwa fünfzigtausend schätzt. Die Stimmung ist gereizt – den ganzen Tag schon kursieren Gerüchte über Wahlbetrug, verstopfte Wahlurnen, vernichtete Wahlzettel. Ländlichen Kommunen soll mit dem Entzug von Staatshilfen gedroht worden sein, wenn sie die PRD wählen.

Es wird ein knappes Rennen, wie jeder weiß, daher ist die Atmosphäre angespannt, als nach der Schließung der Wahllokale um zweiundzwanzig Uhr die ersten Hochrechnungen erwartet werden. Doch der Gewinner wird nur bekanntgegeben, wenn der Abstand zu seinen Konkurrenten groß genug ist. Liegt der Abstand unter 0,06 Prozent, muss das amtliche Endergebnis abgewartet werden.

Um dreiundzwanzig Uhr tritt der Wahlleiter vor die Kameras und verkündet, dass der Abstand der Kandidaten zu gering sei, weigert sich aber, Zahlen zu nennen.

»Sie stehlen uns die Wahl«, sagt Marisol, als sie sich langsam durch die Menge schieben. »Das Volk will die PRD, das ist klar. Sie fälschen die Ergebnisse.«

»Woher willst du das wissen?«, fragt Keller, obwohl auch er sich Sorgen macht. Nicht nur, weil sie wütend und enttäuscht sein wird. Wenn die PAN die Wahlen für sich entscheidet – rechtmäßig oder unrechtmäßig –, wird für das finanzielle Netzwerk der Tapias alles beim Alten bleiben.

Er hat den Geldfluss mit eigenen Augen beobachtet, aber was soll er mit seinem Wissen anfangen?

Wenn er Aguilar oder Vera seine Erkenntnisse mitteilt, könnte er sofort des Landes verwiesen werden.

Schlimmer noch: Er weiß nicht, ob einer von ihnen oder beide in diese Machenschaften verwickelt sind.

Er müsste Taylor benachrichtigen und alle weiteren Ermittlungen der DEA und ihren Untergruppierungen überlassen, damit auf höchster Ebene Konsequenzen gezogen werden können.

Aber wer bei der DEA legt sich mit Los Pinos an? Niemand. Sie werden den Skandal ans Justizministerium weitermelden, dann ans Außenministerium und so weiter, bis er auf dem

Dienstweg versandet. Weil es stimmt, was Laura Amaro sagt: Die konservative Regierung im Weißen Haus will, dass die PAN diese Wahl gewinnt. Sie wird nichts tun, was einen linken Wahlausgang in Mexiko begünstigen könnte.

Das Klügste, was Keller im Moment tun kann, ist abwarten. Die Ermittlungen fortsetzen und vor Kollegen und Vorgesetzten geheim halten, bis die Wahl entschieden ist.

Alles hängt vom Wahlergebnis ab.

Die offizielle Auszählung beginnt drei Tage später.

Die Wahlkommission bekommt die Wahlscheine aus allen Wahlbezirken in versiegelten Urnen und prüft sie auf mögliche Manipulationen. Vertreter der verschiedenen Parteien sind anwesend und können Einspruch erheben.

Marisol sitzt die ganze Nacht vor ihrem Fernseher.

Keller wartet mit ihr. Sie plaudern nervös, trinken Kaffee, während die ersten Zahlen kommen – und die PRD deutlich in Führung geht.

»Ich hab es gewusst!«, jubelt Marisol. »Das Land will die PRD.«

Dann fangen die Zahlen an zu bröckeln. Wie ein Deich, der von immer neuen Fluten unterspült wird. Die Führung schrumpft und fällt in sich zusammen, als nach und nach die Ergebnisse aus den nördlichen Wahlbezirken eintreffen.

»Das da bin ich«, sagt Marisol. »Mein Wahlbezirk.«

Als der Norden ausgezählt ist, hat er sich eindeutig für die PAN entschieden.

»Ich kann es nicht glauben«, sagt Marisol. »Ich kenne die Leute dort. Die sind arm und wählen nicht PAN.«

Am nächsten Morgen wird das offizielle Ergebnis verkündet. Die PAN hat gewonnen, mit einem Vorsprung von 243 934 Stimmen.

0,58 Prozent Mehrheit.

Ein Fitzelchen, denkt Keller.

Marisol weint.

Dann wird sie wütend.

Sie gehen auf die Straße.

Zwei Tage nach der Auszählung demonstrieren dreihunderttausend Leute auf dem Zócalo und hören die Reden der PRD-Politiker, die von Wahlbetrug sprechen. Eine Woche später schwillt der Protest auf eine halbe Million an. Die Forderung: Die Gerichte sollen eine Neuauszählung anordnen.

Marisol ist dabei.

Keller auch.

Um sie zu schützen, aber auch, weil es so ein gewaltiges Ereignis ist. Wann haben sich in den USA zum letzten Mal, wenn überhaupt jemals, eine halbe Million Demonstranten zusammengefunden, um für die Demokratie einzutreten? Er weiß nicht, ob der Vorwurf des Wahlbetrugs berechtigt ist, aber er ist beeindruckt – nein, gerührt –, dass die Mexikaner in solchen Massen auf die Straße gehen, dass ihnen die Wahlen etwas bedeuten. Ein Wahlbetrug in den USA hätte ihm kaum ein Achselzucken abgenötigt.

Der Botschafter würde Pickel kriegen, wenn er wüsste, dass Keller zu den Demos geht – und Tim Taylor Nasenbluten, aber das ist ihm egal. Er erlebt einen historischen Moment, und den wird er nicht verpassen, und natürlich weiß er, dass da noch was anderes ist.

Er scheint sich gerade zu verlieben.

Was unwahrscheinlich ist in seinem Alter und in seiner Lage. Marisol ist zwanzig Jahre jünger und treue Bürgerin eines Landes, aus dem er jeden Tag hinausgeworfen werden könnte. Und außer Küssen ist bis jetzt nichts gewesen, aber die Anziehung wächst. Er spürt sie deutlich und glaubt, dass es ihr genauso geht: Er muss nur an die Süße ihrer Küsse und an ihre Abschiedsseufzer denken.

Aber sie ist eine stolze Mexikanerin, und stolze Mexikanerinnen gehen nicht beim ersten oder dritten Date mit einem Mann ins Bett. Und wenn es passiert, ist es für sie keine Bagatelle – sie hat eine gescheiterte Ehe hinter sich und braucht ihre Zeit.

Und Art Keller ist kein liebestoller Narr in der Midlife-Krise. Es gibt da Probleme, die er nicht anspricht. Wie soll er einer Frau beibringen, dass er sich lieber zurückhält, um sie nicht in Gefahr zu bringen? Wie macht er sie mit der absurden Tatsache vertraut, dass ein Millionenpreis auf seinen Kopf ausgesetzt ist, der jeden Moment eingelöst werden könnte?

Es ist lächerlich, absurd, wie so vieles in der Welt des Drogenkriegs, und doch nur allzu real.

Am besten wäre es, er würde ihr aus dem Weg gehen.

Ihr und allen anderen, für die er eine Gefahr bedeutet.

Aber das bringt er nicht über sich.

Mit ihr zusammen zu sein fühlt sich so gut an, so natürlich, so »richtig«, um ein Schlagerklischee zu bedienen. Er hat sie gern, er respektiert und bewundert sie – okay, er will auch mit ihr schlafen.

Und die Wahrscheinlichkeit, dass gerade jetzt ein Killer unterwegs ist, um Barreras Kopfgeld zu kassieren, scheint nicht besonders groß. Die umstrittene Wahl bietet einen gewissen Schutz, überlegt er sich. Denn solange die Proteste anhalten, wird sich Barrera hüten, Öl ins Feuer zu gießen.

Trotzdem: Eine Liebe in Mexiko – das ist keine gute Idee.

Zwei Wochen später geht er mit Marisol auf die bisher größte Demo – einen Protestmarsch auf dem Paseo de la Reforma, der die Neuauszählung fordert. Als Teilnehmer kann er nicht überblicken, wie viele sie sind – manche Beobachter reden von zweihunderttausend, aber die Polizei von Mexico City schätzt die Zahl derer, die an diesem Tag für gerechte Wahlen demonstrieren, auf zweieinhalb Millionen.

Zweieinhalb Millionen, denkt Keller, der neben Marisol bleibt, während sie mit der Menge zieht und in die Sprechchöre einstimmt. An Martin Luther Kings Marsch auf Washington haben zweihundertfünfzigtausend teilgenommen, 1969 an einer Demo gegen den Vietnamkrieg vielleicht sechshunderttausend.

Ob er will oder nicht – Keller ist begeistert. Leute, die Mexiko für nicht demokratiefähig halten, sollten sich das mal ansehen, denkt er, während die Massen am Denkmal Los Niños Héroes und am Ángel de la Independencia vorbeiströmen, an der amerikanischen Botschaft und der Börse.

»Sie müssen einfach nachgeben!«, schreit ihm Marisol glücklich zu. »Es geht gar nicht anders!«

Der Marsch endet auf dem Zócalo, aber diesmal bleiben die Leute dort und besetzen den Platz, richten ein Camp ein und weigern sich, es zu räumen, bis die Neuauszählung versprochen ist. Keller will nicht, dass Marisol bleibt. »Das ist zu gefährlich. Was ist, wenn die Polizei das Camp räumt? Dir kann was passieren.«

»Geh nach Hause, wenn du nicht bleiben willst«, sagt sie.

»Es ist nicht so, dass –«

»Arturo«, sagt Marisol, »ich bin dir nicht böse, wenn du gehst. Das ist nicht dein Land.«

Es ist nicht sein Land, und es ist sein Land.

Keller war in den letzten zwanzig Jahren mehr in Mexiko als in den USA, und selbst »zu Hause« hatte er vor allem mit Mexiko tun. Er hat in Mexiko Blut vergossen, er hat in Mexiko Freunde sterben sehen.

Die erste Nacht verbringt er mit Marisol auf einem Schlafsack mitten auf dem Zócalo, zusammen mit tausend anderen.

Am nächsten Tag kommt es zu hässlichen Szenen, zu Prügeleien und Verhaftungen, als Demonstranten den Verkehr auf dem Paseo de la Reforma und anderen Hauptstraßen behindern. Keller beschwört Marisol, sich davon fernzuhalten – sie hat eine Praxis zu verlieren, sie muss Patienten betreuen, er mahnt sie zur Vorsicht, aber sie hört nicht auf ihn. Sie bestellt ihre Patienten um und verlässt den Platz nur, um die Sprechstunde in Iztapalapa abzuhalten. Am selben Nachmittag entscheiden die Richter, dass es genügend Zweifel an der Rechtmäßigkeit der Wahl gibt, um eine Neuauszählung der hundertfünfundfünfzig umstrittenen Wahlbezirke zu rechtfertigen. Sie wird in vier Tagen beginnen und Wochen dauern.

Auf dem Zócalo bricht Jubel aus. Gitarren klingen, Menschen küssen und umarmen sich, manche weinen vor Freude.

»Gehst du jetzt nach Hause?«, fragt Keller.

»Nur wenn du mitkommst«, antwortet sie.

»Jetzt muss ich erst mal duschen«, sagt sie, als sie ihre Wohnung betreten.

Keller setzt sich auf das Sofa und wartet. Die Wohnung ist nett, aber kaum eingerichtet – eben die Wohnung einer frisch geschiedenen Frau, die wenig Zeit zu Hause verbringt.

Durch die dünne Wand hört er das Wasser rauschen. Endlich hört das Rauschen auf, und er denkt, jetzt wird sie aus dem Bad kommen, aber es dauert ewig.

Das Warten hat sich gelohnt.

Marisols kastanienbraunes Haar bedeckt ihre bloßen Schultern über dem schwarzen Negligé, das sofort seinen Blick fesselt.

»Gehen wir ins Bett?«

Keller hatte geglaubt, sie würde zögern, sie hätte ebenso viele Hemmungen wie er. Aber ihre Körper finden schnell zueinander, und sie lässt ihn bald wissen, dass sie ihn in sich spüren will. Und als er in ihr ist, benimmt sie sich ganz und gar nicht mehr ladylike.

Später, den Kopf an seiner Schulter, sagt sie: »Man denkt immer, dass die Fantasie die Wirklichkeit übertrifft. Aber in diesem Fall …«

»Du hattest Fantasien?«, fragt Keller.

»Du nicht?«

»Doch.«

»Das will ich hoffen.«

Ein paar Minuten später seufzt sie: »Es ist so lange her.«

»Bei mir auch.«

»Nein«, sagt sie. »Ich meinte, dass ich mich verliebt habe.«

Nun ist es passiert.
Eine *amour fou.*
Aber was soll man machen?

»Ich sehe hier ein paar interessante Überwachungsfotos«, sagt Taylor am Telefon. *»Von dir auf einer Demonstration. Einige Leute hier sind nicht glücklich, Art. Sie fragen sich, auf wessen Seite du stehst.«*
»Ob die glücklich sind, ist mir scheißegal«, antwortet Keller.
»Und im Übrigen: Ich stehe auf *meiner* Seite.«
»Der gute alte Art!«
»Diese Anrufe kannst du dir in Zukunft sparen.«
Keller klickt ihn weg.

Der August in Mexico City ist regenreich.
Der Regen kommt gewöhnlich am Nachmittag, und wenn es ihre Arbeitsstunden erlauben, verbringen sie diese Nachmittage in Marisols Bett. Sie lieben sich, während der Regen gegen das Schlafzimmerfenster trommelt, dann stehen sie auf, machen Kaffee und warten, bis es trocken wird, damit sie hinausgehen können.
Die Stimmen werden neu ausgezählt, doch die Proteste gegen die Wahl dauern an. Es finden Märsche zum Flughafen statt, Märsche durch die Innenstadt, auch in anderen Landesteilen wird demonstriert, auch in Juárez, Chihuahua, in Marisols Heimatprovinz.
Keller setzt die Beobachtung der Tapias fort. Die Wege, auf denen das Geld nach Los Pinos oder zumindest zu hohen Regierungsbeamten befördert wird, ändern sich kaum. Und er spielt weiter sein gefährliches Spiel – er geht bei den Tapias ein und aus und provoziert eine Reaktion.
Die Zetas melden sich nicht noch einmal bei ihm. Aber er vermutet, dass sie tun, was alle tun – auf das Wahlergebnis warten, das alle bisherigen Probleme mit der Regierung hinfällig macht.

Ganz Mexiko hält den Atem an, und dann, am 28. August, verkündet die Wahlkommission das endgültige Ergebnis. Mit winzigem Vorsprung, wie schon bei der ersten Zählung, wird Calderón zum Sieger erklärt, und die PAN bleibt an der Macht.

Ein neuer Präsident, aber die alte Partei.

Marisol ist entsetzt.

Mit diesem Wahlausgang bestätigen sich ihre schlimmsten Befürchtungen: Mexiko ist hoffnungslos korrupt, die Macht ist immer auf der Seite der Korruption.

Und der Regen hört nicht auf.

Marisol wird depressiv, trübsinnig. Keller erlebt Seiten an ihr, die er nicht gekannt hat. Sie spricht nicht mehr, sie lacht nicht mehr, wirkt abwesend. Ihre Enttäuschung wird zu Bitterkeit, die Bitterkeit zu Wut, und da sie nicht weiß, wohin mit ihrer Wut, lässt sie sie an ihm aus.

Sie ist überzeugt, dass »seine« Regierung diesen Wahlausgang wollte, vielleicht sogar mit herbeigeführt hat. »Seine« Einstellung ist ein bisschen weiter rechts als ihre, oder nicht? Er ist ein Mann (Keller bekennt sich schuldig), und ein Mann kann nicht wirklich feministisch sein, oder? Muss er sein Hemd unbedingt an den Badezimmerhaken hängen? Muss er ihr unbedingt die Schlagzeilen in der Zeitung vorlesen? (Sie kann doch selber lesen, oder?) Ist ein Amerikaner überhaupt in der Lage, eine Mexikanerin zu verstehen?

»Meine Mutter war Mexikanerin«, hält Keller dagegen.

Jetzt schießt sie quer: »Erinnere ich dich etwa an deine Mutter?«

»Nicht im Entferntesten.«

»Weil ich keine Lust habe, die Mama für dich zu –«

»Marisol?«

»Du unterbrichst mich!«

»Hör auf damit.«

Er atmet tief durch, dann sagt er: »Ich habe die Wahl nicht gestohlen. Wenn sie gestohlen wurde, dann –«

»Sie wurde gestohlen!«

»– dann mach es nicht *mir* zum Vorwurf.«

Marisol weiß, dass sie ihm unrecht tut, aber sie kann nicht anders, und darauf ist sie alles andere als stolz. Dasselbe hat sie mit ihrem Ex gemacht, ihm Dinge vorgeworfen, die er nicht ändern konnte – aus Unzufriedenheit, aus Wut darüber, dass das Leben nicht so war, wie es sein sollte. Auch wenn sie selbst nicht wusste, wie die Dinge zu ändern waren.

Und Arturo, dieser wunderbare, liebevolle Mann, ist so – amerikanisch. Nicht nur, dass er Amerikaner ist. Er ist außerdem noch ein amerikanischer Agent, der hier Gott weiß was treibt, und damit wird er zur idealen Zielscheibe für ihre Wut.

Sie versucht ja, sachlich zu bleiben. »Ich will doch nur sagen, dass wir eine tausendjährige Geschichte haben, die ihr Amerikaner nicht versteht und auf der ihr herumtrampelt in eurer Ignoranz und –«

»Ich bin hier unten, um –«

»*Unten*? Merkst du überhaupt, wie herablassend und paternalistisch deine Haltung –«

»Ich meinte ›unten‹ im Sinne von ›Süden‹.«

»Ach ja, im schönen Süden, wo die Gitarren klingen …«

»Mein Gott, Mari, sei doch nicht so eine –«

»Eine Zicke, meinst du? So nennt man Frauen, die für ihre Meinung einstehen, nicht wahr?«

Keller verlässt das Apartment.

Er ist auch wütend über den Wahlausgang, aber er kann ihr nicht sagen, warum.

Die Fortdauer der PAN-Regierung zwingt ihn zum Handeln, etwas gegen die Dollar-Pipeline zu unternehmen, die von den Tapias zur mexikanischen Regierung führt. Er muss sich auf Aguilar oder Vera stützen, ob er ihnen traut oder nicht – oder endlich Taylor informieren, der ihn zu Recht fragen wird, warum er nicht früher damit gekommen ist.

Und mich aus Mexiko abziehen, denkt Keller.

Aber was dann?

Soll er Marisol bitten, mitzukommen? Sie liebt ihr Land, er würde sie unglücklich machen. Sie ist klug, und sie spürt, was sich hinter seiner Arbeit als »Verbindungsoffizier« verbirgt. Und sie fragt nicht, wohin er geht und was er tut, wenn er nicht bei ihr ist.

Das kann nicht ewig so gehen, so kann man nicht leben.

In einem anderen Leben würde er ihr die Ehe vorschlagen, und sie würde wahrscheinlich ja sagen. In einem anderen Leben würde er die DEA verlassen, sich in Mexiko niederlassen und Arbeit suchen – bei der SIEDO, bei einer privaten Sicherheitsfirma. Vielleicht auch einen Buchladen aufmachen oder ein Café.

Aber das wäre ein anderes Leben.

Tatsache ist, dass ich ihm in fast zwei Jahren kein Stück näher gekommen bin, ja, dass ich schlechter dastehe als zuvor, während er seine Macht immer weiter ausbaut.

Außerdem: Das amtliche Wahlergebnis wird Barrera ermutigen, die Jagd auf mich zu eröffnen.

Er wird mich jagen, in den USA, in Mexiko, egal wohin ich gehe, und es wäre nicht fair, Marisol ein solches Leben zuzumuten.

Einem Menschen, den man liebt, tut man so etwas nicht an.

Keller weiß, was zu tun ist, und dass es bald geschehen muss. Die Feiertage stehen vor der Tür, und es wäre grausam, ausgerechnet dann Schluss mit ihr zu machen. Grausam genug wird es auch so – für beide –, aber er hat keine Wahl.

Er wartet bis zum Abend, dann sagt er: »Marisol, ich muss dir etwas sagen.«

»Ich muss dir auch etwas sagen«, antwortet sie. Sie führt ihn zum Sofa und setzt sich behutsam neben ihn. »Jetzt ist sicher nicht der beste Zeitpunkt, aber ich will dir sagen, dass ich wegziehe.«

»Wohin?«

»Nach Guadelupe«, sagt Marisol. »Ich habe mich entschlossen, in meine Heimat zurückzugehen.«

Sie kommt sich hier überflüssig vor, sagt sie, bei ihren reichen Patienten, während in Guadelupe Not und Elend herrschen. Dort kann sie etwas für die Menschen tun, sich in den Kampf einreihen, statt nur auf Demos zu gehen und symbolische Gesten zu machen. So will und kann sie nicht weiterleben.

»Wir können uns weiter sehen«, sagt sie. »Ich kann herkommen, du kannst nach Juárez kommen ...«

»Klar.«

Das sagen sich Menschen, wenn sie wissen, dass es nicht passieren wird.

»Arturo, bitte versteh mich«, sagt sie. »Ich habe das Gefühl, dass mein Leben hier eine Lüge ist«, sagt sie. »Dass unser Leben eine Lüge ist.«

Keller versteht.

Mit Lebenslügen hat er Erfahrung.

Adán will Frieden schließen – mit dem Golfkartell.

Die Zetas haben sich als überraschend zäher Gegner erwiesen, und das, obwohl Osiel Contreras, der oberste Boss des Golfkartells, im Gefängnis sitzt. Inzwischen hat es siebenhundert Tote in Tamaulipas gegeben, weitere fünfhundert in Michoacán, und die mexikanische Öffentlichkeit hat die Gewalt langsam satt.

»Glaubst du, sie kommen an den Verhandlungstisch?«, fragt ihn Magda.

Sie kennt ihre Rolle – sie muss den Advocatus Diaboli spielen, damit er seine Ideen testen kann. Also fragt sie: »Und jetzt Frieden schließen?«

»Weil wir jetzt kriegen, was wir wollen.«

»Was ist mit La Familia?«, fragt sie weiter. »Die sind gute Verbündete und werden niemals mit den Zetas Frieden schließen.«

Sie hat die Geschichte vom Mord an der jungen Hure gehört und dem halbwüchsigen Familia-Mitglied, der sie liebte. Fast eine Liebesgeschichte.

»Die Zetas können Michoacán haben«, sagt Adán. »Ich will die Provinz nicht.«

Magda weiß, was er stattdessen will.

Eddie sitzt mit Diego und Martín Tapia in einer Cessna 182, sie fliegen zum Treffen mit dem Golfkartell und den Zetas. Nach langen Verhandlungen haben sich die Sinaloaner zu einem Treffen auf einer von Ochoas Fincas bereit erklärt.

»Merk dir diesen Satz, den mir meine Mutter beigebracht hat«, sagt Diego zu Eddie. »Nämlich: Wenn du dein Maul hältst, kann dir keiner den Schwanz reinstecken.«

»Das hat deine Mutter nicht gesagt«, erwidert Eddie.

»Ich will damit nur sagen, dass du bei dem Treffen dein verdammtes Maul halten sollst.«

Eddie schaut hinaus auf die kahle Wüstenlandschaft, die sich unter ihnen erstreckt. »Wenn du denkst, ich setze mich mit Leuten an einen Tisch, die meinen besten Freund zu Tode gefoltert haben –«

»Doch, mein Sohn, das denke ich«, sagt Diego. »Oder du nimmst dein Geld, gehst in den Norden und machst eine Frittenbude auf.«

»Na toll«, murmelt Eddie.

»Freu dich lieber«, sagt Diego. »Wenn die Sache schiefläuft, können wir alle umlegen.«

Genügend Feuerkraft bringen sie jedenfalls mit. Vier Flugzeuge voller Waffen, dazu die Leute, die das ganze Zeug bedienen. Wenn das Treffen eine Falle ist, gehen sie nicht wehrlos hinein.

»Denk dran, ich kriege Forty und Ochoa«, sagt Eddie.

Gordo Contreras – auch »Jabba der Boss« genannt – kann es egal sein, so oder so, obwohl Eddie den Witz gemacht hat: »Was passierte, als Gordo den Golf übernahm? Der Meeresspiegel stieg um einen Meter an.«

Martín hat Eddie gewarnt. Wenn er Witze anbringen will, soll er die bei einem Comedy-Club ausprobieren, aber bitte nicht am Verhandlungstisch.

Sie landen auf einer Rollbahn am Westrand der Finca. Durchs Fenster sieht Eddie ein Dutzend Jeeps, drei davon mit Maschinengewehren, die sich auf die Cessna richten. Auch Forty erkennt er unter den Männern – offenbar hat er Gefechtsalarm ausgelöst.

»Wahrlich ein liebevoller Empfang«, sagt Eddie.

»Wenn du das unter Maulhalten verstehst, dann warte lieber im Flugzeug«, sagt Martín.

Die Finca hat ein Ziegeldach und eine breite Veranda, auf der ein langer Tisch gedeckt ist – mit Eiswasser, Eistee und Bierflaschen. Ochoa, aufgeputzt wie ein Bilderbuch-Mexikaner in einem alten Western, kommt von der Veranda herunter und geht auf Adán zu, der aus dem Jeep steigt.

Das ist ein heikler Moment, wie Adán weiß und alle wissen. Wenn jetzt was schiefgeht, sprechen die Waffen. Er mustert Ochoa von oben bis unten, dann sagt er: »Du siehst so gut aus, wie ich dachte. Wäre ich anders gepolt, würde ich dich heiraten.«

Ein Moment Schweigen, dann lacht Ochoa.

Jetzt lachen alle und gehen auf die Veranda.

Gordo Contreras, der kleine Bruder, der jetzt amtierender Boss des Golfkartells ist, sitzt schon am Tisch und hat sich nicht die Mühe gemacht, seinen fetten Arsch aus dem Sessel zu hieven, wie Adán feststellt. Er schwitzt so sehr, dass es schon unappetitlich ist, umso mehr, als er Magda lüsterne Blicke zuwirft.

»Hätte ich gewusst, dass die Segunderas eingeladen sind«, sagt Gordo, »hätte ich meine mitgebracht.«

Adán will explodieren, doch Magda kommt ihm zuvor: »Partnerinnen sind eingeladen, Gordo. Dein Segundero kann zu Hause bleiben, dort, wo er hingehört.«

Gordos Reaktion ist unbezahlbar: Sprachlos und wütend zugleich sitzt er mit offenem Mund da und funkelt Magda an, die seinem Blick kühl standhält, bis er die Augen von ihr abwendet.

Vorteil Magda, denkt Adán.

Sie nehmen ihre Plätze ein, Adán und Ochoa am jeweiligen Kopf der Tafel. Getränke werden eingeschenkt, dann steht Nacho Esparza auf. »Ich denke, wir sollten uns auf die Frage beschränken, wie es weitergeht. Ich sehe keinen Sinn darin, in der Vergangenheit zu wühlen.«

»Wir haben diesen Krieg nicht angefangen«, sagt Gordo.

»Dein Bruder hat versucht, mich in Puente Grande umbringen zu lassen«, sagt Adán ruhig. »Ich habe das als Kriegserklärung aufgefasst.«

»Es hat aber ein paar Jahre gedauert, bis du reagiert hast«, wendet Gordo ein und schnauft schon vor Anstrengung. Er beugt sich vor und trinkt ein Glas Eiswasser.

Adán zuckt die Schultern. »Ich habe eben eine lange Zündschnur.«

»Können wir uns darauf konzentrieren, wie wir den Krieg beenden?«, fragt Nacho.

»Gern«, sagt Gordo. »Ihr zieht eure Leute aus Tamaulipas ab, und wenn ihr die Laredo-Plaza nutzen wollt, zahlt ihr uns den Piso. Und wir wollen – wie heißt das gleich? – Reparationen.«

»Ich glaube, da hat einer den Verstand verloren«, sagt Magda.

Adán bemerkt, dass Ochoa noch nichts gesagt hat. Der Ex-Söldner lehnt sich zurück, überlässt das Vorgeplänkel den anderen. *El que menos habla es el más chingón,* wie Tío zu sagen pflegte, denkt Adán.

Das Sagen hat, wer am wenigsten sagt.

Jetzt kommt Vicente Fuentes mit seinem vom Kokain beflügelten Geschwätz: »Profit ist die Blüte des Friedens. Statt die Äcker mit Blut zu düngen, sollten wir …«

Während Vicente weiterschwafelt, sucht Ochoa Adáns Blick, und Adán fragt sich, ob er richtig sieht: Ochoa lächelt kaum merklich, aber doch eindeutig, dann zeigt er, ebenfalls kaum merklich, mit dem Kopf auf Vicente.

Es ist eine diskrete Frage.

Und Adán nickt genauso diskret.

Ja.

Der wichtigste Deal dieses Treffens ist gelaufen. Adán hat freien Zugriff auf Juárez, und das Golfkartell wird sich nicht einmischen. Er steht auf. »Wir werden uns nicht aus Tamaulipas zurückziehen und zahlen keine Reparationen. Tun werden wir Folgendes ...«

Ein Waffenstillstand tritt sofort in Kraft, beide Seiten behalten ihre Territorien.

Das Golfkartell behält die ganze Provinz Tamaulipas mit Ausnahme von Nuevo Laredo, das eine offene Stadt bleibt. Zusätzlich behält das Golfkartell Coahuila, Veracruz, Tabasco, Campeche und Quintana Róo.

Die Allianz bewegt ihre Ware durch Laredo, ohne den Piso zu zahlen. Sie behält Sonora, Sinaloa, Durango, Chihuahua, Nayarit, Jalisco, Guerrero, Guanajuato, Queretaro und Oaxaca sowie Acapulco, und sie bekommt – wie sich Diego bei Adán ausbedungen hat – San Pedro Garza García, einen Vorort von Monterrey, der als die reichste Gemeinde Mexikos gilt.

Die Gebiete Nuevo León, Bundesdistrikt und Provinz México, Aguascaliente, San Luis Potosí, Zacatecas und Pueblo bleiben neutral.

Gordo stemmt sich mühsam aus seinem Sessel hoch. »Barrera bietet uns großzügig an, was wir schon haben. Ich finde, das ist Zeitverschwendung.«

»Setz dich hin«, sagt Ochoa ruhig.

Gordo starrt ihn an.

Aber er setzt sich.

Eine erstaunlich direkte Machtdemonstration, denkt Adán. Und das vor unseren Augen. Sie ist also für uns bestimmt.

Gordo bleibt an der Macht, solange Ochoa es will, und keine Sekunde länger.

Dann sagt Ochoa: »Ich bin sicher, Adán Barrera ist noch nicht zu Ende mit seinem Angebot und will uns etwas zu Michoacán sagen.«

Ochoa ist an seinen Aufgaben gewachsen, denkt Adán, aber er ist kein Contreras. Osiel hätte das Thema Michoacán niemals auf Tapet gebracht und damit seine offene Flanke offenbart.

»La Familia untersteht nicht meiner Kontrolle«, sagt Adán. »Die ist unberechenbar. Aber in dem Konflikt wären wir neutral.«

»Eure Freunde in der Regierung sind aber nicht neutral«, erwidert Ochoa.

»Wenn wir Frieden schließen, werden unsere Freunde auch eure Freunde«, sagt Adán. »Zumindest werden sie nicht eure Feinde. Die Regierung dürfte ihre Aufmerksamkeit dann auf La Familia konzentrieren.«

»Und was würde uns diese Freundschaft kosten?«, fragt Gordo.

Plump und direkt.

»Ich lade keine Gäste ein und präsentiere ihnen dann die Rechnung«, antwortet Adán.

Ochoa nimmt sich die Zeit für einen langen, bohrenden Blick in Gordos Richtung, als wollte er ihm sagen: *Begreifst du nicht, was das bedeutet? Was Barrera uns anbietet, ist wertvoller als irgendein Territorium.* Dann wendet er sich an Adán: »Aber ihr werdet die Höflichkeit besitzen, uns ab und zu an den Kosten zu beteiligen.«

Adán nickt huldvoll.

In dieser Sache muss er nachgeben – für Ochoa ist es nicht nur eine Frage des Stolzes, dass er sich an den Schmiergeldzahlungen beteiligt, sondern er will sicher auch seine eigenen Beziehungen zur Regierung aufbauen.

Das ist ein Problem, und er wird es lösen.

»Noch etwas«, sagt Adán. »Wenn wir uns nicht an einer Rebellion gegen euch in Michoacán beteiligen, erwarten wir, dass ihr euch nicht an Rebellionen gegen uns in Tijuana beteiligt.«

»Abgemacht«, sagt Ochoa.

»Sind wir fertig?«, fragt Adán.

»Nicht ganz«, erwidert Ochoa und richtet den Blick auf Eddie. »Dieser Mann muss aus Nuevo Laredo verschwinden. Seine Anwesenheit dort ist eine Beleidigung für uns.«

Eddie hält den Mund. Das fällt ihm schwer, weil er sich sagt: *Scheiße, ich habe Laredo erst für uns erobert. Und jetzt, wo wir es haben, soll ich von dort abhauen?* Das fällt ihm schwer, besonders, wenn er an Chacho denkt, wenn er ihn vor Schmerzen brüllen hört, seine verbrannte Haut riecht. Am liebsten würde er aufstehen, Ochoa eine Kugel zwischen die Augen schießen. Aber er bleibt sitzen und hält den Mund.

»Einverstanden«, sagt Adán.

Alle stehen auf.

Der mexikanische Golfkrieg ist vorbei.

Adán hat Frieden unter den Narcos geschaffen und das Land in Plazas aufgeteilt.

Er hat die Nachfolge seines Onkels angetreten.

Gefeiert wird der Frieden mit einer wüsten Party.

Adán, Magda und Nacho sind sofort abgereist, was die Party noch wüster macht, weil *El Patrón* in solchen Dingen eher verklemmt ist. Kaum ist er weg, fliegen die Fetzen, knallen die Korken, tanzen die Huren auf den Tischen. Gras und Kokain ohne Ende, und gefeiert wird bis zum nächsten Morgen.

Las Panteras – die weiblichen Zetas – haben es Eddie besonders angetan.

Sie haben das gleiche Training durchlaufen wie die Männer und sind genauso abgebrüht. Eddie hält sich an die Kommandantin, die Ashley heißt (im Ernst: eine *chica*, die Ashley heißt!), sich aber »La Comandante Bonbon« nennt. Bonbon trägt eine pinkfarbene Uzi, was Eddie nun wirklich scharf findet. Und sie legt die Uzi nicht aus der Hand, während sie ihn reitet und ihm droht: »Mal sehen, wer zuerst schießt – du oder die Uzi!«

Eddie hatte jede Menge Frauen, aber eine zu vögeln, die schon einigen Typen das Licht ausgeblasen hat, das bringt ihm den ultimativen Kick. Eine Killer-Pussy, im wahrsten Sinne des Wortes.

La Comandante Bonbon … einfach irre.

Forty und Ochoa stehen auf seiner Abschussliste immer noch ganz oben, aber er muss zugeben, diese Schweinekerle können nicht nur töten, sie können auch feiern.

»Ruiz hat sich gut benommen«, sagt Nacho zu Adán auf dem Rückflug nach Sinaloa.

»Das hat er«, bestätigt Adán. »Diego will ihn befördern und ihm San Pedro Garza García überlassen.«

»Er wird seine Sache gut machen.«

»Nacho«, sagt Adán, »ich habe ein Anliegen an dich.« Aber er sieht Magda an, nicht Nacho, als er das sagt, und Magda zieht neugierig die Augenbrauen hoch. »Jetzt, da wir Frieden mit dem Golf geschlossen haben, möchte ich dich um die Hand deiner Tochter bitten.«

Magda zwingt sich zu einem Lächeln. Trotz der beachtlichen Grausamkeit, in ihrem Beisein um die Hand einer anderen Frau zu bitten. Das ist der Preis, denkt sie. Dafür, dass ich mit Jorge geschlafen habe – oder auch nicht –, und sie wird den Preis akzeptieren.

Selbst Nacho, der sich nie eine Blöße gibt, ist ein wenig erschrocken und stammelt: »Adán, ich fühle mich geehrt.«

»Wenn sie mich möchte.«

»Da kannst du sicher sein.«

Es ist an der Zeit, denkt Adán. Zeit, eine neue Familie zu gründen.

»Und noch etwas«, sagt Adán.

»Was du willst.«

»Ich möchte nicht hören, dass jetzt nicht der richtige Zeitpunkt ist, dass es politisch zu riskant ist oder irgendwas dergleichen«, sagt Adán und richtet sich damit auch an Magda.

»Sobald der neue Präsident im Amt ist, möchte ich Keller tot sehen.«

Auch dafür ist es an der Zeit.

Schon allzu lange.

Yvette Tapia lädt Keller zu einem festlichen Dinner anlässlich der Amtseinführung des Präsidenten ein.

»Sie freuen sich über das Wahlergebnis?«, fragt Keller, als sie anruft.

»Natürlich«, sagt sie. »Sechs weitere Jahre für die PAN bedeuten sechs weitere Jahre Wohlstand, Wachstum, Kampf gegen die Armut. Echte Demokratie.«

»Obwohl die Wahl von einem Bundestribunal entschieden wurde?«

»Hat nicht bei Ihnen auch der Supreme Court entschieden?«, fragt Yvette. »Kommen Sie zum Dinner, wir unterhalten uns über Florida, Wahlbetrug und manipulierte Stimmzettel.«

Es lohnt sich tatsächlich, die gefährliche Freundschaft mit den Tapias, die durch den Wahlsieg der PAN noch gefährlicher geworden ist, ein wenig fortzusetzen, sich zu vergewissern, ob das Barrera-Geld über die Tapias auch an den neuen Präsidenten fließt. Abzuwarten bleibt, ob Vera und Aguilar ihre Posten behalten und in welcher Weise sich der Regierungswechsel auf die Drogenkriminalität auswirkt.

Die Kämpfe in Tamaulipas jedenfalls enden genauso abrupt, wie sie begonnen haben, und es kursieren Gerüchte über ein Friedenstreffen zwischen der Allianz und dem Golfkartell. An denen könnte etwas dran sein, denn Barrera hat offenbar auch seine Leute aus Michoacán abgezogen, und die Zetas beklagen sich nicht mehr über das einseitige Vorgehen der Regierung.

Aus Nuevo Laredo kommt die Nachricht, dass Barrera dort agiert, ohne den Piso zu zahlen. Die Leuten meinen, er hat den Krieg verloren und »musste« sich mit Laredo zufriedengeben. Aber was die Leute meinen, ist Unsinn.

Barrera hat mal wieder genau das bekommen, was er wollte.

Laredo.

Eine Plaza.

Gleichzeitig scheint der Krieg in Tijuana günstig für ihn zu laufen, und die Insider sagen, es sei nur eine Frage der Zeit, bis er Teo Solorzano die Stadt wieder abnimmt. Wenn es nicht schon geschehen ist.

Zwei Ziele erreicht, denkt Keller. Eins bleibt noch.

Und ich.

Adán wird jetzt versuchen, mit mir abzurechnen.

Wenigstens Marisol ist aus der Schusslinie.

Sie wohnt jetzt in Guadelupe, hat ein Haus gekauft, ihre Praxis eröffnet. Er hat ihr beim Packen und Auszug geholfen, im besten Einvernehmen, sie haben sich beide sehr gut benommen und sich gegenseitig versprochen, einander zu besuchen. Bis jetzt ist es nicht geschehen.

Keller vermisst sie.

Sie telefonieren miteinander, aber die Gespräche sind kurz und förmlich, er spürt, dass sie sehr in ihre Arbeit eingebunden ist.

Das ist gut so, denkt er, als er nach Cuernavaca hinausfährt.

Sie tut das Richtige.

Das Dinner bei den Tapias ist ein Großereignis, es geht laut und festlich zu. Die Schicht der neureichen mexikanischen Unternehmer ist zahlreich vertreten – Börsenmakler, Hedgefonds-Manager, Filmproduzenten, auch ein paar Schauspieler, Sänger und Künstler, die für den Glamour sorgen.

Natürlich ist auch Laura Amaro gekommen, diesmal mit Ehemann.

»Er hat jetzt alle Zeit der Welt«, erklärt sie fröhlich. »Denn er ist arbeitslos.«

Benjamin Amaro zuckt verlegen die Schultern.

»Aber keine Sorge«, verkündet sie. »Er hat schon was Neues in Aussicht, was ihn noch länger von zu Hause fernhält.«

»Laura, bitte …«

Martín geht schnell dazwischen. »Das ist ein Sieg für die Wirtschaft!«, ruft er und erhebt sein Champagnerglas auf den neuen Präsidenten. »Ein Sieg für Stabilität, Wachstum und Wohlstand.«

Keller kann sich nicht bremsen und fragt: »Auch für die Armen?«

»*Besonders* für die Armen«, sagt Martín. »Was haben ihnen fünfundsiebzig Jahre Sozialismus gebracht? Nichts. In den vergangenen sechs Jahren haben wir angefangen, einen Mittelstand zu schaffen. In den nächsten sechs Jahren wird dieser Mittelstand weiter wachsen. Wir werden auch auf Ihrer Seite der Grenze nach billigen Arbeitskräften suchen.«

»Die Jobs können wir gebrauchen«, sagt Keller.

Nach dem Kaffee spricht ihn Yvette an: »Gehen wir doch raus an den Pool.«

»Wo ist Martín?«, fragt er.

»Haben Sie diese hübsche junge Schauspielerin gesehen?«, fragt sie zurück.

»Ja.«

»Er auch.«

»Oh.«

»Wir haben das unter uns geregelt«, sagt sie. »In diesen Dingen sind wir nicht so provinziell wie Sie in Ihrem barbarischen Norden. Martín geht ins Bett, mit wem er will – und ich tue desgleichen.«

»Yvette –«

»Keine Sorge, ich will Sie nicht verführen. Jedenfalls nicht, wie Sie denken.«

Der Pool leuchtet in einem geheimnisvollen Blau. Sie setzt sich an den Rand, streift die Schuhe ab und lässt die Füße im Wasser baumeln. Keller setzt sich neben sie und fragt: »Wenn nicht so, wie dann?«

»Zunächst einmal«, sagt sie, »können wir das Versteckspiel seinlassen. Wir wissen, wer Sie sind, Sie wissen, wer wir sind.

Der Maskenball war amüsant, aber irgendwann lassen wir die Masken fallen und zeigen unser Gesicht.«

»Einverstanden.«

Gut, denkt Keller.

Weiter so.

»Wir könnten Ihre Freunde sein«, sagt Yvette. »Einflussreiche Freunde, die Sie mit wichtigen Informationen versorgen. Das ist doch Ihr Gewerbe, nicht wahr? Bitte nehmen Sie zur Kenntnis, dass ich Sie nicht mit einer finanziellen Offerte beleidigt habe.«

»Woher wissen Sie, dass mich die beleidigen würde?«

»Sie sind zu sehr Katholik«, erwidert sie. »Mit der Schuld könnten Sie nicht leben. Nein, man muss Sie davon überzeugen, dass es dem Gemeinwohl dient.«

»Tut es das?«

»Sie wissen, wie die Dinge laufen«, sagt sie. »Vielleicht dienen wir nicht dem Gemeinwohl, aber wir sind das kleinere Übel.«

Wenn sie mich für so katholisch hält, denkt Keller, müsste sie wissen, dass es für mich kein kleineres Übel gibt, nur das Böse an sich, ohne Abstriche. Aber er fragt: »Was würden Sie als Gegenleistung erwarten?«

»Freundschaft«, sagt sie. »Wir würden niemals verlangen, dass Sie einen Kollegen verraten, eine Quelle preisgeben oder Ähnliches. Wir würden nur an Sie herantreten, wenn es ein gemeinsames Interesse gibt. Dass Sie zum Beispiel als ›Ohr‹ fungieren. Oder als jemand, der einen Standpunkt in Washington vertritt …«

»Wessen Standpunkt?«, fragt Keller. »Ihren, den Ihres Mannes, den von Diego Tapia, den von Adán Barrera?«

Er kann sich nicht vorstellen, dass Barrera ihm Friedensangebote macht. Dafür ist zu viel Blut geflossen. Aber die Tapias sind Adáns Marionetten, seine Funktionäre, seine Botschafter im Kontakt mit der Außenwelt.

Oder?

»Martín und ich sind echte Partner«, sagt Yvette. »Wir teilen alles. Diego? Diego ist ein großartiger Mensch, und ich liebe ihn wie einen Bruder, aber er ist ein Dinosaurier. Diego hält das alles immer noch für eine Kultur, für einen Lebensstil. Er glaubt immer noch, es ginge um Drogen.«

»Worum geht es denn?«

»Um Geld«, sagt Yvette. »Finanzkraft. Macht. Verbindungen. Ich spreche von mir und Martín.«

»Und Adán?«

»Wenn wir Adáns Standpunkt vertreten würden«, sagt sie, »läge Ihr Kopf jetzt auf Trockeneis und wäre auf dem Weg nach Sinaloa. Und wir wären um zwei Millionen Dollar reicher. Aber nichts für ungut: Zwei Millionen Dollar sind für uns keine Summe.«

Gibt es wirklich eine Kluft zwischen Barrera und den Tapias?, fragt sich Keller. So groß, dass ich durchpasse? Dass ich die Beweise sammeln kann, die ich brauche? Beweise, dass Vera gekauft ist? Oder Aguilar? Oder die Regierung? Ist die Kluft so groß, dass ich Barrera zu Fall bringen kann?

Das ist allerdings eine andere Art der Verführung, denkt Keller. »Aber Sie werden verstehen«, sagt er, »dass sich eine solche ›Freundschaft‹ niemals auf Barrera erstrecken kann.«

»Darauf rechne ich sogar«, sagt sie und streckt ihm die Hand entgegen. »Die Welt ist kompliziert. Und in einer komplizierten Welt braucht man Freunde.«

Keller nimmt ihre Hand. »Freunde.«

Yvette steht auf. »Wir sollten jetzt reingehen. Die Perversionen meines Mannes sind leidenschaftlich, aber kurzlebig.«

Am nächsten Morgen tritt Felipe Calderón, der neue Präsident, sein Amt an.

Noch am selben Tag ernennt er Gerardo Vera zum Oberbefehlshaber aller Formationen der mexikanischen Bundespolizei.

Benjamin Amaro wird Veras Verbindungsoffizier zu Los Pinos.

Luis Aguilar bleibt Chef der SIEDO.

Zwölf Tage später startet der neue Präsident die Operation Michoacán. Er schickt viertausend Armeesoldaten und hundert AFI-Agenten in die von Gewalt beherrschte Heimatprovinz seiner Gattin, um La Familia zu bekämpfen.

Drei Wochen später folgt Operation Baja California mit dreitausenddreihundert Soldaten, die nach Tijuana entsandt werden.

Weitere drei Wochen später wird Osiel Contreras an die USA ausgeliefert.

Der mexikanische Krieg gegen die Drogen hat begonnen.

TEIL III

GUTE NACHT, JUÁREZ

Das ist keine Stadt, das ist ein Friedhof.
Peggy Cummins, Gun Crazy

1. Gente Nueva –
Die neuen Leute

Und der auf dem Thron saß, sprach:
Siehe, ich mache alles neu!

Offenbarung 21:5

Mexico City
Mai 2007

Die Prachtgondel mit dem Namen Maria ist bunt geschmückt, auf dem Bug sind frische Frühlingsblumen ausgebreitet.

Keller und Yvette Tapia sitzen ganz vorn, außer Hörweite des Gondolero, der sie durch den von Weiden gesäumten Kanal bugsiert. Die schmalen Kanäle sind alles, was von dem großen See von Xochimilco geblieben ist, wo die Azteken auf schwimmenden Inseln ihr Gemüse anbauten.

Seit fünf Monaten schon pflegen Keller und Yvette ihre geheimen Treffen. Auf dem Zócalo, im Museum des Schlosses Chapultepec oder im Palacio de Bellas Artes vor den Wandbildern von Orozco. Vor jedem Termin hat sich Keller gefragt, ob sie ihn diesmal in die Falle locken würde, und jedes Mal war er danach ein bisschen überrascht, weil es nicht passiert war.

Zweimal hat sie ihn schon vor einem geplanten Überfall gewarnt: *Das italienische Restaurant, das du so magst – geh lieber nicht mehr dorthin. Fahr heute auf einem anderen Weg nach Hause.*

Die Treffen sind für sie riskant. Adán wird ungeduldig, erklärt sie ihm, die gescheiterten Attacken ärgern ihn, er wird langsam misstrauisch.

Riskant auch für Keller. Mit jedem Mal steigt die Gefahr, dass Aguilar oder Vera etwas davon mitbekommen. Im günstigsten Fall weisen sie ihn aus, im schlimmsten Fall, wenn einer von ihnen oder beide gekauft sind, hat er jede Chance, an Barrera heranzukommen, verspielt.

Dazu kommen die nackte Lebensgefahr und der Stress, wieder ein Gejagter zu sein. Sein Leben engt sich mehr und mehr ein, die Welt wird immer kleiner für ihn, wenn er zwischen Wohnung und Büro pendelt und sich nur gelegentlich zu einem Rendezvous mit Yvette oder zu den Sitzungen bei der SIEDO und der AFI hinauswagt.

Wenn er mit Marisol telefoniert, spricht er nie von Einsamkeit, im Gegenteil, er schwärmt vom Alleinsein. Anfangs haben sie sich alle paar Tage angerufen. Sie hat ihre Praxis aufgebaut – die einzige für die zwanzigtausend Bewohner des Tals – und stürzt sich in die Arbeit. Schon öfter haben sie Treffen verabredet – dass sie übers Wochenende nach Mexico City kommt oder er nach Guadelupe –, aber jedes Mal ist ihr etwas dazwischengekommen. Und ihm ist unwohl beim Gedanken, sie in seine gefährliche Lage hineinzuziehen.

Dann haben sich die Abstände zwischen ihren Telefonaten auf eine Woche verlängert, auf zehn Tage, schließlich auf etwa einen Monat.

Auch in Sachen Barrera tritt er auf der Stelle.

Er wartet ab und hofft, dass was passiert.

Yvette liefert ihm immer mal Informationen, die von Martín gefiltert und genehmigt sind. Meist »weiche« Fakten – Diego engagiert sich stärker in der Gegend von Monterrey, Eddie Ruiz gewinnt an Einfluss, Nacho hat schon wieder eine neue Geliebte. Die »harten« Infos, die er von ihr bekommt, beziehen sich meist auf Solorzano – seine Verstecke, seine Drogentransporte, welche Cops er kauft, welche Grenzübergänge er nutzt –, in der Hoffnung, dass er sie an die DEA meldet.

Außerdem beschwert sie sich über Diego. Sogar Martín hat allmählich genug von den Eskapaden seines Bruders. Diego hält sich wochenlang in seinem Haus in Cuernavaca auf, und die gutbetuchten Nachbarn beklagen sich über die laute Musik und die seltsamen Männer, die dort ein und aus gehen, über die Cannabiswolken, die dort über die Mauern wehen, über ganze Kompanien von Prostituierten, die abends kommen und morgens wieder verschwinden.

Alberto Tapia mit seinen juwelenbesetzten Revolvern und Norteño-Klamotten ist der Schlimmste von allen. In Juwelierläden, Nachtclubs, Restaurants und Discos wirft er mit Geld nur so um sich, es kommt zu Vorfällen – Prügeleien und Schießereien in Bars, Anzeigen wegen Vergewaltigung –, die alle mit Geld und Zugeständnissen bereinigt werden müssen. Es heißt auch, dass er in Entführungen verwickelt ist, die *nicht* bereinigt werden können – wenn die Söhne reicher Geschäftsleute gekidnappt werden, lässt sich das der Geldadel nicht lange bieten.

Von Yvette bekommt er also kleine Bröckchen und ein bisschen Familientratsch, der zwar durchaus ganz nützlich war, aber keinerlei echte Information bedeutet.

Er durchschaut ihr Doppelspiel – sein Interesse wachzuhalten, ihm aber nichts preiszugeben, was den Tapias oder gar Barrera schaden könnte. Ihn an der Angel zu halten, für den Fall, dass es mit Adán zum Bruch kommt und sie einen brauchen, der in Washington ein gutes Wort für sie einlegt.

Keller spielt das gleiche Spiel mit ihr. Er füttert sie mit unbedeutendem DEA-Wissen, ähnlichen Informationen über Solorzano, Klatschgeschichten über die Zetas und allgemeinen Einschätzungen der amerikanischen Drogenpolitik.

»Was wird mit der Mérida-Initiative?«, hat sie einmal gefragt. »Tritt die in Kraft?«

Die Mérida-Initiative ist ein Hilfspaket der USA – geplante 1,6 Milliarden Dollar für die Bekämpfung des Drogenhandels, in Form von Geld, Ausrüstung und Ausbildung.

»Das weiß ich nicht«, sagt Keller. »Das Programm ist sehr umstritten.«

»Wegen der Korruption?«

»Die ist Teil der Kontroverse.«

Schon die Fragen selbst sind riskant, weil jeder beim anderen nach den Hintergedanken forscht, die ebenfalls Rückschlüsse zulassen. Warum interessieren sich die Tapias für Mérida? Warum will Keller wissen, wo Adán seine Kleidung kauft? Wo hält sich Magda Beltrán auf? Warum hat Keller danach gefragt?

Es ist ein Spiel, das Keller allmählich satthat. Früher oder später fliegt es auf, Aguilar oder Vera kommen dahinter, oder Adán, dann ist es vorbei, aber vorher muss er versuchen, so viel wie möglich herauszuholen. Heute also, während die Gondel langsam durch die Kanäle gleitet, macht er Druck: »Ich brauche endlich ein paar brauchbare Informationen.«

Yvette trägt ein kurzes weißes Kleid und einen Sonnenhut, was reizend aussieht und ein bisschen anachronistisch – wie ein Monet-Gemälde von einem Sonntag an der Seine.

»Na gut«, sagt sie. »Adán heiratet.«

»Wirklich?«

»Nacho Esparzas Tochter.« Ihre Stimme klingt ein wenig spitz.

Mit einer solchen Ehe stärkt Adán die Verbindung mit Esparza, kalkuliert Keller. Stören sich die Tapias daran? Weil sie an Einfluss verlieren könnten? Weil Adán von ihnen abrücken könnte?

»Das Mädchen ist gerade mal achtzehn«, giftet Yvette. »Eine Beauty-Queen, natürlich.«

»Dafür hat Adán eine Schwäche.«

»Offensichtlich.«

»Wann wird geheiratet?«, fragt er möglichst beiläufig.

»Wir sollen uns drei Tage freihalten«, sagt sie. »Den ersten bis dritten Juli.«

»Und wo?«

»Das weiß keiner.«

»Das glaube ich Ihnen nicht.« Sie muss es wissen. Diego ist garantiert für die Sicherheit zuständig.

»Er hat es nicht verraten«, beharrt sie. »Er sagt, wir erfahren den Ort am Tag davor.«

Typisch Adán, denkt Keller, diese Kombination aus Paranoia und Größenwahn. Er wird sich nach allen Seiten absichern, aber sein Ego sagt ihm – wahrscheinlich zutreffend –, dass er unverwundbar ist.

Wer einen Angriff auf die Hochzeit starten will, kann nicht innerhalb von vierundzwanzig Stunden die nötige Logistik auf die Beine stellen. Diego wird den Ort weiträumig absichern, unter Einbindung der Polizei. Jeder, der da hineinwill, muss sich seinen Weg freischießen, falls das überhaupt möglich ist.

Aber was für eine Gästeliste!

Es wird eine Königshochzeit – die Barreras verbinden sich mit den Esparzas. Adán wird jeden Narco-Boss einladen, mit dem er nicht in Fehde liegt, um seinen Reichtum und seinen Machtanspruch zu demonstrieren.

Und die Eingeladenen werden kommen, wenn sie das Königspaar nicht beleidigen wollen. Mit einem Zugriff auf die Hochzeitsgesellschaft hätte man fast die gesamte Fahndungsliste abgearbeitet, in Mexiko und in den USA.

Reines Wunschdenken, sagt sich Keller.

Aber auch Wunschdenken hat seinen Nutzen.

Keller analysiert die Bestellzahlen aller Blumenläden in Sinaloa und Durango. Es gibt massenhaft Blumenläden, und die Großhändler verzeichnen gewaltige Auftragseingänge für die ersten Julitage.

Barrera hat überall im Goldenen Dreieck Blumen bestellt.

Dasselbe Bild bei den Lebensmittellieferanten. Alle größeren Firmen der Region sind eingebunden.

Barrera plant also eine gigantische Hochzeitsfeier, sagt sich Keller, und uns sind die Hände gebunden.
Er beantragt eine Sitzung des Komitees.

»Wenn ich Ihnen den genauen Ort vierundzwanzig Stunden im Voraus mitteile: Werden Sie dann zugreifen?«, fragt er.
»Ja«, sagt Vera.
»Nein«, sagt Aguilar. »Die Zeit reicht nicht für eine angemessene Vorbereitung, wir stechen in ein Hornissennest – und denken Sie an die Möglichkeit, nein, Wahrscheinlichkeit ziviler Opfer.«
Vera widerspricht: »Mit einem ausgewählten Stoßtrupp meiner Leute –«
»– provozieren Sie ein Blutbad«, fällt ihm Aguilar ins Wort. »Ich meine, wollen Sie wirklich Bilder von einem Massaker im Fernsehen? Bei einer Hochzeitsfeier? Die Öffentlichkeit wendet sich dagegen, und ich kann es ihr nicht verdenken. Stellen Sie sich vor, die Braut wird von einem Querschläger getroffen! Das ist die Sache nicht wert!«
»Um Barrera zu verhaften?«, fragt Keller.
»Ganz recht«, sagt Aguilar. »Um Barrera zu verhaften oder wen auch immer. Wir besiegen die Narcos nicht, indem wir so werden wie sie, und außerdem: Nicht mal die Narcos haben je eine Hochzeit überfallen.«
»Ich wusste gar nicht, dass Sie so sentimental sind«, sagt Vera.
»Das ist nicht sentimental, sondern korrekt«, schnauft Aguilar. »Die Hochzeit ist ein Sakrament.«
»In diesem Fall ein Teufelssakrament«, sagt Vera.
»Welches Verbrechen haben Sie Eva Esparza vorzuwerfen?«, fragt Aguilar.
»Nicht jetzt das wieder!«, stöhnt Vera.
»Doch! Jetzt das wieder!«, triumphiert Aguilar. »Man kann Dinge auf die richtige Art tun und auf die falsche. Ich bestehe darauf, dass wir sie auf die richtige Art tun!«

»Dann haben wir schon verloren«, sagt Vera und wendet sich an Keller. »Wie ermitteln Sie den Ort vierundzwanzig Stunden vorher?«

»Mit Handydaten«, sagt Keller. »Sie müssen die Gäste telefonisch informieren, und wenn sich die Daten in einer bestimmten Gegend häufen, haben wir den entscheidenden Hinweis.«

»Sie haben also keine Quelle?«, fragt Aguilar.

»Wie sollte ich?«

»Gute Frage«, sagt Aguilar. »Ich will nicht hoffen, dass Sie gegen die Vereinbarungen verstoßen.«

»Er dürfte sogar meine Schwester missbrauchen, wenn wir damit Barrera kriegen«, sagt Vera.

»Sehr nette Bemerkung«, sagt Aguilar. »Vielen Dank.«

»Was soll ich also nach Washington melden?«, fragt Keller.

»Dass Sie die Chance, Barrera zu ergreifen, nicht nutzen wollen?«

»Nun, das nenne ich einen Schuss vor den Bug«, sagt Vera. »Hoffen wir nicht alle auf die Mérida-Initiative?«

»Was weiß Washington von dieser Hochzeit?«, fragt Aguilar.

»Von mir haben sie nichts erfahren«, sagt Keller. »Aber ich bin sicher, unsere Abhörstation in El Paso hat einiges mitgeschnitten. Und wenn Sie Satellitenaufklärung wollen, muss ich denen Gründe nennen.«

»Erzählen Sie ihnen, dass es um die inneren Angelegenheiten Mexikos geht«, sagt Aguilar.

»Es ist keine innere Angelegenheit, wenn sie uns über eine Milliarde Dollar in Form von Waffen, Luftunterstützung und Überwachungstechnik schicken«, sagt Vera. »Wenn wir Verbündete sind, müssen wir uns auch wie Verbündete verhalten.«

»Wenn wir unter diesen Voraussetzungen wirklich gegen Barrera vorgehen wollen«, sagt Aguilar, »und ich bleibe bei meinem Einspruch, brauchen wir die Genehmigung von allerhöchster Stelle.«

Womit die Sache gescheitert wäre, denkt Keller.

Aber sehr lehrreich, dieser Einwand.

An den »streng geheimen« Beratungen im Büro des General-staatsanwalts würde der Innenminister, ein Vertreter von Los Pinos, außerdem der DEA-Chef und das US-Justizministe-rium teilnehmen.

Als Entscheidung kommt dann heraus, dass SIEDO und DEA alles unternehmen sollen, um Ort und Datum der Hochzeit zu ermitteln, aber dass die Entscheidung ausdrück-lich als »geheimdienstliche Option«, nicht als »operatives Mandat« zu betrachten ist.

Barrera hat recht, denkt Keller.

Er ist unverwundbar.

Keller hat lange geglaubt, dass man Glück haben muss, um gut zu sein, aber nicht gut sein muss, um Glück zu haben.

Und Barrera fällt das Glück einfach in den Schoß.

Meistens. Doch dieses eine Mal fällt es ihm auf die Füße.

Was ist da passiert?

Man möchte es nicht glauben.

Sal Barrera hängt ab im Bali.

Das ist nicht so cool, wie *in* Bali abzuhängen, aber das Bali ist die coolste Disco von Zapopan, und er kommt mit seinen Kumpels durch die VIP-Schleuse, weil sie Narcos sind. Sal ist natürlich der Neffe von Adán Barrera, Cesar ist der Sohn von Nacho Esparzas letzter Mätresse, und Edgars Vater ist ein ho-hes Tier in Esparzas Organisation.

Jetzt sitzen sie im erhöhten Mittelteil des Clubs, der indone-sisch dekoriert ist, und halten Ausschau nach Frischfleisch.

»Wenig Auswahl heute«, sagt Cesar. Er sieht gut aus – schlank, welliges schwarzes Haar – und ist auch gut angezogen: schwar-zes Hemd von Perry Ellis und Designerjeans.

»Man braucht doch nur eine«, meint Sal und blickt nach un-ten, wo sich der Plebs tummelt. Auch er trägt Aufreißerkla-motten: seidenes Batikhemd und weiße Jeans, dazu Loafer von Bruno Magli. Heute lässt er sich einen blasen, mindestens. Und das hat er auch nötig, nachdem ihn Nacho gescheucht hat wie einen Packesel.

Adán hat Wort gehalten: Als Sal fertigstudiert hatte, meldete er sich bei seinem Onkel.

»Du hast es ja tatsächlich geschafft«, sagte Adán.

»Ich habe es dir versprochen.«

»Glaub nur nicht, dass mir das entgangen ist«, erwiderte Adán. »Jetzt will ich, dass du ein Jahr lang für Nacho Esparza als Lehrling arbeitest. Als solcher nimmst du an den wichtigen Treffen teil und lernst das Geschäft der Familie kennen. Wenn das so gut läuft, wie ich es erwarte, setze ich dich hier in Sinaloa als meinen Stellvertreter ein. Sei wie ein Schwamm, saug alles auf, was Nacho dir beibringt.«

Sal errötete. Damit hatte er nicht gerechnet. »*Sí, patrón!*«

»Sag Tío zu mir«, sagte Adán. »Ich bin dein Onkel.«

»*Sí, Tío!*«

»Als Startkapital«, sagte Adán, »schenke ich dir fünf Kilo Kokain. Vermarkte es über Nacho. Er hilft dir dabei, Profit zu machen und dich im Geschäft zu etablieren.«

»Danke, Tío.«

»Hör zu, Neffe«, sagte Adán. »In den nächsten Tagen wird es interessant … und gefährlich. Ich stütze mich zunehmend auf die Familie. Hast du verstanden? Auf die *Familie.*«

»Ich fühle mich geehrt, Tío Adán.«

»Lieber nicht«, sagte Adán. »Sieh erst mal, was auf dich zukommt.«

Tatsächlich: Das Drogengeschäft ist todlangweilig. Klar, Frauen, Geld, Partys, die Clubs – all das kann er haben, aber im Mittelpunkt stehen die Zahlen.

Endlose Kolonnen von Zahlen.

Nicht nur die Einnahmen, auch die Ausgaben, auf die Nacho ein scharfes Auge hat. Auf die Preise der Chemikalien, auf die Kosten für Transport, Gebühren, Ausrüstung, Sicherheit, Löhne und so weiter.

Die meiste Zeit verbringt Sal damit, Zahlen zu prüfen, die irgendein fleißiger Buchhalter schon vor ihm geprüft hat, aber wenn er sich über die Sinnlosigkeit dieser Plackerei beklagt, erklärt ihm Nacho, dass er das Geschäft von der Pike auf lernen muss, und das Geschäft besteht aus Zahlen.

Dann die Versammlungen.

Heilige Scheiße!

Sie setzen sich zusammen, bei Kaffee oder Bier, es gibt zu essen, dann müssen alle über die Familie reden, über Kinder und Kindeskinder, über ihre Prostatabeschwerden, bis sie schließlich mit ihren kleinkarierten Forderungen kommen. Sie wollen einen kleineren Piso zahlen, sie wollen, dass andere einen größeren Piso zahlen, der Soundso zahlt seinen Fahrern zu viel und versaut damit den ganzen Markt, irgendein Apotheker in Apatzingán pfuscht am Meth-Rezept herum ...

So geht das Stunde um Stunde, während Sal lieber mit seiner Pistole spielen möchte.

Wenigstens die hat er.

Wenigstens die lässt ihm Nacho, damit er sich wie ein Narco fühlen kann statt wie ein Buchhalter, also trägt er die Beretta 8000 Cougar im Hosenbund seiner Jeans.

Alle Narcos tragen so was – die Knarre im Hosenbund ist ebenso ein Muss wie das Goldkettchen am Hals. Ein Narco ohne *pistola* ist wie ein Kerl ohne Schwanz.

Er blickt nach unten und sieht diese *chica* dasitzen, an ihrem Fruchtsaft nuckeln.

Zwei Typen hat sie dabei.

Kein Problem. Die sehen aus wie Loser – billige Klamotten, ohne jeden Stil.

»Die *chica* hol ich mir«, sagt er zu Cesar.

»Die ist mit Freunden da.«

»Das sind Loser«, sagt Sal.

Am Getränkebuffet gießt er sich ein Glas Champagner ein, dann steigt er zur Tanzfläche hinab und geht an den Tisch des Mädchens.

»Ich dachte mir, du könntest einen ordentlichen Drink gebrauchen«, sagt er. »Cristal.«

»Danke, ich bin versorgt.«

»Und ich bin Sal.«

»Brooke.«

»Schöner Name«, sagt Sal, ohne die zwei Typen zu beachten, die dasitzen wie Crashtest-Dummys. Sie sind sauer, wirken überrumpelt, ein bisschen nervös. Beides Mexikaner, und sie kapieren, was hier läuft. »Woher kommst du, Brooke?«

»L. A.«, sagt sie. »Na ja, Pasadena. South Pasadena.«

Sie ist hübsch. Blaue Augen, mittelblondes Haar, korrigierte Nase, gut bestückt unter der weißen Bluse.

»Was führt dich nach Mexiko«, fragt Sal. »Osterferien?«

Sie schüttelt den Kopf. »Ich studiere an der UAG.«

Universidad Autónoma de Guadalajara. Die ist hier in Zapopan.

»Aha. Eine Studentin. Was studierst du denn Schönes?«

»Vorbereitungsstudium Medizin.«

Jetzt wird sie ein bisschen nervös, weil Sal sie so anbaggert, direkt vor ihren Freunden, also beeilt er sich, den Deal klarzumachen. »Komm doch mit rauf in die VIP-Zone. Da ist es besser.«

»Ich bin mit meinen Freunden hier«, sagt sie. »Wir feiern Davids Geburtstag.«

»*Feliz navidad,* David«, sagt er zu dem Loser, auf den sie gezeigt hat. »Hört zu, ihr könnt alle drei mitkommen. Es ist cool da oben.«

Sie schauen sich fragend an. Aber Sal sieht, dass David nicht will. So ein Loser! Vögelt der die etwa? Unglaublich. Jetzt wechselt sie einen Blick mit ihm, und er schüttelt fast unmerklich den Kopf. Worauf sie zu Sal sagt: »Sorry … wir feiern hier gerade Geburtstag. Aber vielen Dank.«

Jetzt ist Sal sauer. »Dann eben ein bisschen später, wenn du diese Loser abgehängt hast.«

David macht einen Fehler.

Er steht auf. »Die Lady hat nein gesagt.«

»Ach, die Lady hat nein gesagt? Wer bist du denn? Ihr Gorilla?«

»Nein.« Seine Stimme zittert ein bisschen, aber er steht seinen Mann. »Lass uns einfach in Ruhe und geh zurück in die VIP-Zone, okay?«

»Du willst mir vorschreiben, was ich zu tun habe?«, fragt Sal.

»Bitte!«, sagt Brooke.

Sal lächelt sie an. »Du Fotze bist doch zu blöd, um in den Staaten zu studieren. Aber egal. Ich ficke dich, bis du meinen Namen schreist und meinen Schwanz schluckst.«

David versetzt ihm einen Stoß.

Sal holt aus, doch da gehen schon die Rausschmeißer dazwischen. Cesar und Edgar kommen und ziehen Sal aus dem Verkehr.

»Das wirst du büßen, du Loser«, sagt Sal zu David.

Edgar ist groß und stark, er schnappt sich Sal und schleppt ihn weg, zum Ausgang. »Komm schon, Sal. Diese Zicke ist es nicht wert.«

Sie zerren ihn aus der Tür, doch draußen sagt er: »Das ist noch nicht vorbei.«

»Doch«, sagt Edgar. »Nacho –«

»Scheiß auf Nacho!«

Sie steigen in Sals roten BMW, aber Sal fährt nicht los. »Wir warten.«

»Komm schon, Mann«, sagt Cesar.

»Wenn du abhauen willst, hau ab.«

»Ich bleibe.«

Also sitzen sie und warten. Doch Sal, statt abzukühlen, wird immer wütender. Gegen vier Uhr morgens, als die Disco zumacht, ist er am Kochen.

»Da kommen sie«, sagt Edgar.

Brooke, David und ihr anderer Freund kommen aus der Disco, laufen zum Parkplatz und steigen in einen alten Ford Pick-up.

»Ein Bauer!«, ätzt Sal.

»Wenn du ihn fertigmachen willst, musst du dich beeilen«, sagt Edgar.

»Scheiß drauf!« Sal fährt los, hinter dem Ford her. Er biegt auf die Landstraße ein und hängt sich dicht an den Ford. Der gibt Gas, aber einem BMW fährt er nicht davon.

Sal lacht. »Jetzt wird es lustig!«

Er zieht mit dem Ford gleich, der auf hundertzwanzig beschleunigt hat.

»Machen wir sie fertig«, sagt Sal.

»Komm schon«, sagt Cesar. »Es reicht. Lass gut sein.«

»Lass gut sein? Wenn uns Leute in aller Öffentlichkeit den Respekt verweigern? Und es spricht sich rum, dass wir uns das gefallen lassen?«

Sal zieht die Beretta und lässt das Fenster runter. »Macht ihr mit, oder seid ihr zu feige?«

Sie ziehen ihre Pistolen.

»Kopf runter«, sagt Sal zu Cesar.

Und drückt ab.

Nach ihm Cesar und Edgar.

Sie geben zwanzig Schüsse ab, bevor der Ford in den Graben rollt.

David und Brooke sind tot.

Der andere Freund, Pascal, wird schwer verletzt, aber er überlebt.

Er kann die drei Schützen identifizieren, und der Ermittler ist schlau genug, zu wissen, wen er da an der Angel hat und was in einem solchen Fall zu tun ist. Er ruft die SIEDO an und bleibt dran, bis sich Luis Aguilar persönlich meldet.

»Wir haben Salvador Barrera verhaftet«, sagt er zu Aguilar.

»Weshalb?«, fragt er und vermutet Drogen.

»Doppelmord«, sagt der Ermittler.

Sal Barrera tut noch immer so, als könnte ihm keiner was, aber die große Klappe ist ihm vergangen.

Keller merkt sofort, dass er Schiss hat.

Kein Wunder.

Die Polizei von Jalisco hat Zeugen für den Vorfall, das dritte Opfer kann die Schützen identifizieren. Sal hat die Waffe aus dem Auto geworfen, aber sie trägt seine Fingerabdrücke und lässt sich acht Schüssen zuordnen. Auch der Paraffintest ist positiv.

Sal hat es verkackt.

Aguilar und Keller sind sofort in ein Flugzeug der SIEDO gestiegen und nach Guadalajara geflogen. Jetzt verfolgt Keller durch den Einwegspiegel, wie Sal von Aguilar verhört wird.

»Ich will meinen Anwalt«, sagt Sal.

»Ein Anwalt ist das Letzte, was Sie brauchen«, erwidert Aguilar und zählt ihm die Beweise auf, die gegen ihn vorliegen.

»Sie haben ein reiches blondes Mädchen aus Kalifornien ermordet, Salvador. Damit kommen Sie nicht durch, ganz egal, wer Ihr Onkel ist. Aber ich kann Ihnen helfen.«

»Wie denn?«

»Wir machen einen Deal und reduzieren die Klagepunkte«, sagt Aguilar. »Sie kriegen vielleicht zehn statt zwanzig Jahre – und sind noch jung, wenn Sie rauskommen.«

»Was soll ich tun?«

»Liefern Sie uns Ihren Onkel«, sagt Aguilar.

Sal schüttelt den Kopf.

»Er will doch heiraten, nicht wahr?«, sagt Aguilar. »Eva Esparza. Wir können ihn festnehmen, wenn er von der Hochzeit kommt. Keiner braucht zu wissen, von wem der Tipp kam.«

»Er wird es erfahren, und er bringt mich um.«

Aguilar beugt sich über den Tisch. »Das macht er sowieso. Sie haben ihn in eine äußerst peinliche Lage gebracht. Wenn er auch nur den Verdacht hat, dass Sie aussagen könnten, wird er alles tun, diese Möglichkeit auszuschließen. Davor können wir Sie nicht ewig schützen. Ich könnte Sie höchstens an die USA ausliefern.«

»Denken Sie etwa, dass er mich dort nicht findet?«

»Dann helfen Sie uns, ihn zu erwischen«, bohrt Aguilar. »Retten Sie Ihr Leben.«

Sal schüttelt wieder den Kopf und starrt zu Boden.

»Denken Sie drüber nach. Aber nicht zu lange.« Aguilar steht auf und geht zu Keller in den Nachbarraum. »Na?«

»Er ist Raúls Sohn«, sagt Keller. »Ich glaube, er mauert.«

»Glauben Sie wirklich, dass Barrera ihn töten würde?«, fragt Aguilar. »Nur weil er reden könnte?«

»Sie etwa nicht?«, fragt Keller.

Nacho steht in Adáns Arbeitszimmer, mit gesenktem Kopf.

»Du solltest auf ihn aufpassen!«, brüllt Adán. »Ihn ausbilden.«

»Das hab ich doch. Er hat seine Sache gut gemacht.«

»Das nennst du gut?« Adáns Stimme überschlägt sich. Er braucht einen Moment, um sich zu beherrschen, dann fragt er: »Was kann er denen verraten?«

»Eine Menge«, antwortet Nacho. »Ich sollte ihn ins Geschäft einführen. Ihn ausbilden. Das habe ich getan.«

»Scheiße.«

»Und er kennt dieses Haus hier, Adán«, sagt Nacho. »Er könnte sie direkt hierherführen. Du wirst dich wieder aus dem Staub machen müssen.«

»Darf ich dich daran erinnern, dass ich in einer Woche deine Tochter heirate?«, fragt Adán. Das Telefon klingelt, und er schaut auf die Rufkennung. »Gottverdammt!«

Nach kurzem Zögern nimmt er ab.

Sondra schluchzt. »*Bring ihn nicht um, Adán! Er ist mein Sohn! Ich flehe dich an, bring ihn nicht um!*«

»Niemand hat vor, ihn umzubringen, Sondra.«

»*Ist das wahr? Hat er es getan?*«

»Es sieht so aus.«

Wieder fängt sie an zu schluchzen. »*Wie konnte er das tun? Er ist so ein guter Junge. Ich verstehe das nicht!*«

Ich schon, denkt Adán. Er ist jung und arrogant und glaubt, die Welt gehört ihm, auch alle Frauen, die er will. Sein Vater

337

war genauso. Zum Teil ist es meine Schuld. Ich hätte es wissen sollen. Ich hätte ihn nie ins Geschäft einführen dürfen. »Sondra? Ich habe seinen Anwalt auf der anderen Leitung. Ich lege besser auf.«

»*Bitte, Adán, bitte. Tu ihm nichts. Hilf ihm. Alles, ich tue alles. Du kannst alles Geld zurückhaben, das Haus …*«

»Ich ruf dich an«, sagt Adán. »Wenn ich was weiß.«

Er klickt sie weg und blickt Nacho an. »Ich warte auf deine Vorschläge.«

Nacho hat einen.

Aguilars Handy klingelt. Er hört einen Moment zu, steckt das Handy ein und fragt Keller: »Kennen Sie einen amerikanischen Anwalt namens Tompkins?«

»Minimum Ben?«

Keller war seit Jahren nicht in San Diego.

Er ist hier aufgewachsen, im Barrio Logan, bis er eines Tages seinen ganzen Mut zusammenraffte, zu seinem Vater, der ihm völlig fremd war, ins Büro marschierte und von ihm Geld fürs Studium verlangte. An der Uni von L. A. lernte er Althea kennen, es folgten Vietnam, die CIA, dann die DEA, die ihn nach Sinaloa schickte, später nach Guadalajara – bis er als »Herr der Grenze« nach San Diego zurückkam und von seinem dortigen Büro aus die südwestliche Grenztruppe leitete.

Ein seltsames Gefühl, wieder nach Hause zu kommen.

Er ist mit Aguilar und Vera nach Tijuana geflogen und mit ihnen über die Fußgängerbrücke von San Ysidro gelaufen, wo sie schon von Minimum Ben erwartet werden.

Keller kennt Ben Tompkins gut, aus seiner Zeit als »Herr der Grenze«, als sie in Dutzenden von Drogenprozessen Wolf und Schäferhund miteinander spielten. Jetzt sitzen sie zusammen im Mercedes. Keller auf dem Beifahrersitz, die zwei Mexikaner hinten, weil sie nicht gesehen werden wollen und weil dieses Gespräch nie stattgefunden hat, wenn es nach ihnen geht.

Tompkins wird seinem Ruf sofort gerecht: »Zuerst einmal muss Salvador Barrera auf Kaution freikommen«, verlangt er.

»Ruf uns an, wenn du wieder nüchtern bist«, sagt Keller und öffnet die Tür.

Tompkins beugt sich hinüber und zieht sie wieder zu. »Soll ich Licht machen?«

»Wenn er uns Adán Barrera liefern kann«, sagt Aguilar, »würde ich einer Vereinbarung zustimmen, nach der Salvador nicht mehr als zehn Jahre Gefängnis bekommt.«

»Sie erwarten also, dass Adán Barrera sein Leben gegen das von Salvador eintauscht?«, fragt Tompkins.

»Ich erwarte gar nichts«, erwidert Aguilar. »Ich bin völlig damit einverstanden, dass Salvador Barrera ›lebenslänglich‹ wegen Doppelmords bekommt. Sie wollen etwas von mir. Wenn Sie kein seriöses Angebot zu unterbreiten haben, würde ich jetzt gern etwas essen.«

»Was ich jetzt sage, bleibt unter uns«, sagt Tompkins. »Und wenn Sie eine Ermittlungsakte anlegen, bin *ich* der Informant.«

»Pack schon aus«, sagt Keller.

»Adán Barrera kann ich nicht liefern«, sagt Tompkins.

»Na, dann tschüss, Ben.«

»Aber stattdessen die Tapias.«

Verdammt, denkt Keller. Wieder so ein raffinierter Schachzug von Adán. Er hat Garza geopfert, um sich aus der amerikanischen Haft zu befreien, jetzt verkauft er die Tapias, um seinen Neffen aus dem Knast zu holen.

Tompkins macht ihnen das Angebot schmackhaft: »Wenn man sich auf die Zahlen stützt statt auf unbewiesene Vorwürfe und Legenden, sind die Tapias und nicht Barrera die größten Drogenhändler Mexikos. In Anbetracht dessen wäre es mehr als fahrlässig, dieses Angebot auszuschlagen. Sie verlieren dabei nicht, sondern Sie gewinnen.«

»Wir sprechen hier über den sinnlosen und brutalen Mord an zwei unschuldigen jungen Menschen«, beharrt Aguilar.

»Das verstehe ich ja«, erwidert Tompkins ruhig. »Aber sehen Sie mal, wie viele Morde die Tapias auf dem Gewissen haben. Jedenfalls mehr als nur zwei.«

Keller fällt auf, dass Vera schweigt – gegen seine sonstige Gewohnheit.

»Wir müssen das besprechen«, sagt Aguilar.

»Natürlich«, sagt Tompkins. »Nehmen Sie sich Zeit. Ich gehe so lange einen Kaffee trinken.«

Er steigt aus, geht über die Straße zum Café Don Felix und setzt sich an einen Fenstertisch.

Plötzlich hat Keller einen Geistesblitz.

Plötzlich sieht er sie, die Schwachstelle in Barreras Festungsmauer.

Adáns Schachzug, die Tapias zu opfern, ist brillant und skrupellos. Die Kluft zwischen ihm und den Tapias, vor der Yvette Tapia Angst hatte, gibt es wirklich, und Adán will die Tapias beseitigen. Dann erschießt sein Neffe zwei Unschuldige, wird verhaftet, und Adán erkennt darin die Chance, zwei Probleme mit einem Schlag zu lösen.

Klassischer Adán.

Aber er übersieht seine offene Flanke. Das ist man nicht von ihm gewohnt. Normalerweise überblickt er sein Spiel, denkt mehrere Züge voraus, aber diesmal merkt er nicht, dass er sich ins Schachmatt manövriert.

Auch Aguilar und Vera – falls sie für Barrera oder die Tapias oder beide Seiten arbeiten – werden nicht merken, dass sie sich exponieren wie zu schnell vorgeschobene Offiziere.

Adáns kunstvolle Konstruktion – seine Festung – wird in sich zusammenbrechen.

Und fällt die Festung, fällt der König.

Keller lässt sich nichts anmerken. Er spielt die Rolle weiter, die die beiden von ihm erwarten, und sucht den Streit: »Sie dulden also, dass Barrera Ihre ganze Rechtsordnung manipuliert, und lassen seinen Neffen laufen, nachdem er zwei Morde begangen hat?«

»Auch Sie würden ihn laufenlassen, wenn Sie dafür Adán Barrera bekommen«, sagt Aguilar. »Wir müssen den Tatsachen in die Augen sehen. Salvador wird seinen Onkel nicht verraten, aber Tompkins ist nicht mit leeren Händen gekommen. Er hat ein ernstzunehmendes Angebot – die Verhaftung der Tapias wäre ein großer Erfolg, der den Schmuggel für Monate lahmlegen und Tonnen von Drogen von Ihren Märkten fernhalten würde.«

»Warum sollte sich Adán gegen seinen ältesten Freund stellen?«, fragt Keller, obwohl er die Antwort weiß.

»Weil Salvador zur Familie gehört«, sagt Vera. »Er ist der Sohn seines toten Bruders. Er kann entweder den Platz mit ihm tauschen, ihn umbringen oder ihn befreien. Was würden Sie tun?«

»Aber warum sollte er die Tapias opfern?«

»Was hat er denn sonst zu bieten?«, fragt Vera. »Nacho Esparza wird sein Schwiegervater. Der kommt nicht in Frage. Die Tapias sind seine einzige Wahl.«

»Wir haben hier zwei junge Menschen, hingeschlachtet für nichts und wieder nichts«, sagt Keller. »Wir haben zwei trauernde Familien. Was sollen wir denen sagen? Dass wir einen tollen Deal gemacht haben und dass sie das bitte verstehen sollen?«

»Diego und Alberto Tapia haben bedeutend mehr Morde auf dem Gewissen.«

»Jetzt klingen Sie wie Tompkins.«

»Selbst ein amerikanischer Verteidiger liegt manchmal richtig«, erwidert Aguilar. »Wie eine kaputte Uhr. Zweimal am Tag. Ich denke, wir sollten sein Angebot akzeptieren.«

Also, wenn schon ein dreckiger Deal, dann zugunsten Barreras.

»Falls ich hier eine Stimme habe«, sagt Keller, »dann sage ich nein. Und zwar kategorisch.«

Aguilar und Keller richten ihren Blick auf Vera.

»Señores«, sagt er, »wir betreiben die Kunst des Möglichen. Die Beseitigung der Tapias beschneidet das Sinaloa-Kartell um ein volles Drittel seiner Kräfte und, wichtiger noch, um seinen bewaffneten Flügel. Ich denke, die DEA wäre begeistert. Es tut mir leid, Arturo, aber auch ich meine, wir sollten diese Gelegenheit mit beiden Händen ergreifen.«

Wenn er bis jetzt auf Tapias Gehaltsliste gestanden hat, denkt Keller, ist er hiermit zu Barrera übergelaufen.

Und jetzt sitzt er in der Falle.

»Das ist falsch«, sagt Keller.

»Aber Sie ziehen trotzdem mit?«, fragt Aguilar.

Keller weiß, was ihm Sorgen macht. Eins der Opfer, das Mädchen, war amerikanische Staatsbürgerin. Wenn Keller diesen Deal offenlegt, gibt es einen Aufruhr in den USA, der die immer noch wacklige Mérida-Initiative in Gefahr bringt.

Sie brauchen seine Einwilligung.

Keller schweigt ein paar Sekunden, dann sagt er: »Ich stelle mich nicht quer.«

Jetzt hat er sie an der Angel. Der Haken sitzt fest, und er kann ein wenig Leine lassen, bis es an der Zeit ist, die Beute einzuholen.

Drei Stunden später verlassen Salvador Barrera und seine zwei Freunde das Gefängnis.

Sie sind frei.

Den Eltern von David Ortega und Brooke Lauren wird erzählt, dass die Justizbehörden alles in ihrer Macht Stehende tun werden, um die Mörder ihrer Kinder zu fassen.

Sinaloa
2. Juli 2007

Eva trägt Weiß.

Eine Frühlingsbraut, unberührt.

Mit dem traditionellen Brautschleier und dem weißen Bolerojäckchen, in das weiße Rosenknospen eingeflochten sind. Chele Tapia, ihre Patin, hat die drei Bänder auf ihr Unterkleid genäht – ein gelbes für Brot, ein blaues für Geld und ein rotes für Leidenschaft.

Adán hofft sehr, dass sich die Leidenschaft einstellen wird. Trotz des Altersunterschieds.

Chele wollte ihn zu einer Bolero-Kluft überreden, aber da er in letzter Zeit etwas mollig geworden ist, hat er sich gegen die enge Hose entschieden und trägt stattdessen die traditionelle Kluft des ländlichen Bräutigams – ein prächtig besticktes Guayabera-Hemd über der weiten Leinenhose und dazu Sandalen. Jetzt steht er da und erwartet die Braut.

Eddie findet die Braut absolut scharf und würde sie zu gern selbst vernaschen. Oder Esparza fragen, ob er noch andere Töchter hat, aber solche Gedanken verbieten sich heute natürlich, außerdem ist die Unberührtheit seiner Töchter für Esparza ein hohes Gut.

Adán will heute Nacht Blut sehen.

Außerdem, so eine Hochzeit bietet jede Menge Gelegenheiten, mehr sinaloanische Schönheiten, als er verkraften kann, und ein halbes Dutzend von ihnen sind Beauty-Queens.

Wer bei dieser Hochzeit nicht auf seine Kosten kommt, denkt Eddie, ist eine Flasche. Oder hat zu wenig Geld – diese *chicas* tragen mehr Gold auf dem Leib, als Cortés je in Mexiko erbeutet hat, das ist schon mal sicher.

Eine wahre Geldorgie, diese Feier.

Es ist alles vertreten, was in der Narco-Welt Rang und Namen hat, und dass Eddie dabei sein darf, verdankt er seinem neuen Status.

Nacho ist natürlich mit der Ehefrau gekommen, der er die reizende Eva zu verdanken hat, Diego mit seiner Frau Chele (die reichlich Busen zeigt), sein Bruder Alberto und dessen heißes Weib, dann sein Bruder Martín und *dessen* heißes Weib, na ja, eher ein Eisberg – aber einer, den Eddie ganz gern mal rammen würde.

Dann Adáns Familie oder was davon geblieben ist.

Eddie glaubt, Adáns Schwester Elena zu erkennen, die einstige *patrona* von Tijuana. Dann Adáns Neffe Sal, ein richtiger Haudrauf, und seine Mutter, die aussieht, als würde sie Zitronen lutschen.

Ferner ein paar Narcos der zweiten Garnitur, Leute wie ich, denkt Eddie, und schließlich die Politiker.

Der PAN-Vorsitzende von Sinaloa.

Ein Senator der PAN.

Der Bürgermeister der nächstgelegenen Stadt.

Und, ob man's glaubt oder nicht, der Provinzgouverneur von Sinaloa.

Auf der Hochzeit des meistgesuchten Mannes von Mexiko, von dem die USA und die mexikanische Regierung behaupten, er sei unauffindbar. Ist das nicht witzig?, denkt Eddie. Diese Leute haben Angst, auf Adáns Hochzeit gesehen zu werden. Aber noch mehr Angst haben sie davor, *nicht* auf ihr gesehen zu werden.

Natürlich, das ganze Dorf ist von Diegos Leuten umringt. Und von Eddies Leuten. Polizisten patrouillieren in den Straßen, Hubschrauber schweben über dem Geschehen, halten aber ein wenig Abstand, um die Jaworte nicht zu übertönen.

Wir könnten noch mehr Sicherheitskräfte aufbieten, denkt Eddie. Aber im Moment ist es relativ friedlich, abgesehen vom Krieg gegen Solorzanos Leute in Tijuana, die aber dieses Fest nicht benutzen werden, um einen Angriff auf Adán zu starten.

Der Frieden lohnt sich, denkt Eddie, obwohl er deshalb vor den Zeta-Ärschen kuschen muss. Nicht immerzu auf der Hut zu sein ist ganz angenehm. Angenehm, nicht ständig in Angst zu leben – vor einer Kugel, einer Granate oder davor, als Rostbraten zu enden.

Und wieder ein bisschen Geld zu scheffeln.

Angenehm auch, neben dieser heißen Sinaloanerin zu sitzen, einer echten Beauty-Queen, wenn auch nur als Adáns Platzhalter.

Magda Beltrán, die ehemalige Beauty-Queen, findet Eva Esparza ganz süß.

Dieses kleine Biest mit dem zu engen Loch.

Nein, das ist nicht fair, denkt sie. Ich bin sicher, sie ist ein liebes Mädchen und genau das, was Adán im Moment braucht. Aber als Frau kann sie nicht anders. Das bisschen Eifersucht muss sein.

Ein cleverer Schachzug, Nacho in die Familie zu holen, das muss man ihm lassen. Der Frieden bricht aus, und der König sucht sich eine Königin, die ihm ein paar kleine Prinzen beschert.

Alles wie im Märchen.

Der reinste Walt Disney.

Jetzt müssen nur noch die Cartoon-Vöglein singen.

Andererseits: Adán kriegt immer, was er will. Er wollte Nuevo Laredo, und jetzt hat er Nuevo Laredo, einen sicheren Hafen für das Kokain, das sie ihm beschafft, vorbei an Diego und an Adáns neuem Schwiegervater und frei von dem lästigen Piso, den er nun von den anderen fordern kann. Und was das Kokain selbst betrifft, so kommt Magda gerade aus Kolumbien, wo sie eine neue Lieferquelle aufgetan hat, unabhängig von den Tapias und von Adáns neuem Schwiegervater.

Langsam und unauffällig hat Adán mit Magdas Hilfe außerdem eine eigene Streitmacht aufgebaut, auch unabhängig von Nachos und Diegos Leuten. Die Gente Nueva – seine »neuen Leute«, die meisten sind Polizisten –, die nur ihm, Adán, unterstehen.

Jetzt hat er also seine eigene Lieferbasis und seine eigene Streitmacht.

Er hat Laredo, und Nacho gewinnt an Boden in Tijuana, das nun durch Heirat wieder mit Adán verbunden ist.

»Was macht deine kleine Jungfrau?«, hat ihn Magda bei der letzten Besprechung gefragt, als sie ein paar Kostenpunkte und Preisabsprachen diskutierten.

»Die ist jetzt meine Verlobte.«

»Und noch immer Jungfrau?«, fragte sie. »Ja oder nein? Behalt es für dich. Der Gentleman genießt und schweigt. Aber du weißt doch: Nacho erwartet, dass du das blutige Laken aus dem Fenster hängst.«

Adán überhörte den Spott. »Meine Ehe braucht an unserer Beziehung nichts zu ändern.«

»Weiß denn deine kleine Jungfrau Bescheid?«, fragte Magda.

»Sie heißt Eva.«

»Ich weiß, wie sie heißt«, sagte sie, und nach einer Weile schob sie nach: »Liebst du sie?«

»Sie wird die Mutter meiner Kinder.«

»Wir armen Frauen!«, seufzte Magda. »Entweder Jungfrau und Madonna – oder Hure. Eine andere Wahl haben wir nicht.«

»Mätresse?«, schlug Adán vor. »Geschäftspartnerin? Freundin? Beraterin? Such es dir aus. Ich plädiere dafür, dass du alles zugleich bist.«

»Vielleicht«, sagte Magda. Die Geschäftspartnerin lässt sie gelten. Was die anderen Dinge betraf, war sie sich nicht sicher. Aber wenn schon, dachte sie, soll er dafür bezahlen. »Ich möchte, dass du mich zu deiner Hochzeit einlädst.«

Und weidete sich an seinem Erschrecken.

»Ich glaube, das wäre peinlich für alle Beteiligten«, sagte er.

»Nicht wenn du mir einen annehmbaren Begleiter suchst.«

Jetzt sitzt Magda also neben diesem flotten jungen Amerikaner, der »groß im Kommen« ist, wie man ihr versichert hat. Er ist wirklich charmant und aufmerksam, schaut aber allen Frauen seiner Preisklasse nach, und von denen gibt es nicht wenig auf dieser Feier. Sie nimmt es ihm nicht krumm – er glaubt schließlich, dass sie, als Adáns Frau, für ihn tabu ist. Dabei käme es Adán nur recht, wenn sie mit ihm schlafen würde. Vielleicht wird sie es tun, aber wahrscheinlich nicht. Ein bisschen aufziehen muss sie ihn trotzdem: »Ich habe gehört, Sie haben einen Spitznamen?«

Crazy Eddie.

Tatsächlich, die Frage ärgert ihn. »Ja, doch. Aber ich mag ihn nicht.«

»Wegen Ihrer Garderobe nennt man Sie auch ›Narco Polo‹, höre ich.«

Eddie lacht. »Das gefällt mir schon besser.«

Diego Tapia hat alle Hände voll zu tun.

Die Sicherheitsvorkehrungen für die Hochzeit sind eine harte Herausforderung.

Zuerst gab es das Problem der vielen abweichenden Angaben zu Ort und Datum der Feier. Erst gestern haben seine Leute die Gäste über ein landesweites Netzwerk von Handy-Benachrichtigungen informiert, wann und wo die Feier wirklich stattfindet.

Erst danach konnte er seine Sicarios in konzentrischen Kreisen um das Dorf postieren, mit besonderem Augenmerk auf die Zufahrtsstraßen. Noch mehr Leute beorderte er auf die Flugplätze der Umgebung, damit sie die vielen Gäste empfingen, die mit Privatflugzeugen anreisten und dann zum Schauplatz der Feierlichkeiten geleitet wurden.

Alle Handys und Kameras mussten ihnen mit höflichen, aber entschiedenen Worten abgenommen werden, und mit ebenso höflichen und entschiedenen Worten musste jeder Gast dazu verpflichtet werden, unter keinen Umständen über die Feier zu reden, ja, nicht einmal anzudeuten, dass sie an ihr teilgenommen haben.

Adán ist unerbittlich – keine Fotos, keine Videos, keine Tonaufnahmen, kein nachträglicher Klatsch. Allein die Gästeliste wäre ein gefundenes Fressen für die DEA und andere Gegner.

Die eintreffenden Autos werden durchsucht, lange bevor sie das Dorf erreichen. In den Bergen oberhalb des Dorfs sind Scharfschützen postiert, weitere schwerbewaffnete Männer blockieren mit ihren Fahrzeugen die Straßen in allen Richtungen.

Ohne Diegos Wissen und Erlaubnis kommt niemand ins Dorf – oder aus ihm heraus.

Nicht dass sie allzu viel Ärger erwarten, jetzt, da sie mit dem Golfkartell Frieden geschlossen haben. Die einzig denkbare Gefahr geht von La Familia aus.

Aber nicht mal Nazario ist so verrückt, einen Angriff auf Adáns Hochzeitsfeier mitten in den Bergen von Sinaloa zu starten.

Das Oberhaupt von La Familia mag etwas sonderbar sein, aber er ist nicht lebensmüde.

Jetzt verfolgt Diego die Zeremonie. Er sieht, wie Nacho seine Tochter, die Braut, durch den Mittelgang führt. Und dieser Anblick gefällt ihm nicht. Nacho gehört Tijuana. Und jetzt wird er Adáns Schwiegervater? Das ist wie eine Tür, die ihm, Diego, vor der Nase zugeschlagen wird. Und er darf von draußen zuschauen.

Unsinn, sagt er sich. Ich bin Adáns Cousin, fast wie ein Bruder, wir sind Kindheitsfreunde, und auch Nacho ist mein Freund und Verbündeter. Wir haben gemeinsame Interessen. Daran hat sich nichts geändert.

Aber warum dann dieses dumme Gefühl?

»Ich möchte, dass du Kontakt zu Ochoa hältst«, hat Adán nach dem Friedenstreffen mit dem Golfkartell zu ihm gesagt. »Mach ihn zu deinem Freund.«

»Jetzt übertreibst du aber!«

»Und triff dich mit unseren Freunden in der Regierung«, hat Adán außerdem verlangt. »Mach ihnen klar, dass das Golfkartell jetzt unter unserem Schutz steht, in Michoacán genauso wie in Tamaulipas.«

»Das übernehme ich«, hat Martín darauf gesagt.

»Ich will aber, dass Diego das übernimmt«, widersprach ihm Adán. »Die sollen wissen, dass es *Folgen* hat, wenn sie uns verraten.«

Diego war die grobe Faust, Martín der elegante Handschuh, in der die Faust steckte.

»Wir fahren beide«, verfügte Diego schließlich.

Das Treffen mit den Regierungstrotteln in Mexico City war lustig. Die saßen da in ihren schwarzen Anzügen, und Martín Tapia erklärte ihnen die Welt: »Der Kampf gegen La Familia in Michoacán muss auf jeden Fall fortgesetzt werden. La Familia ist eine Bedrohung für die öffentliche Sicherheit. Wir haben es da mit Verrückten zu tun – ganz zu schweigen davon, dass sie der größte Methamphetamin-Lieferant des Landes sind.«

»Was ist mit den Zetas?«

»Die stehen jetzt unter unserem Schutz.«

Wirklich verrückt, dachte Diego. Die Federales haben La Familia gewähren lassen und auf die Zetas eingedroschen wie auf Maulesel, und jetzt zucken sie nicht mal mit der Wimper, wenn ihnen die Kehrtwendung befohlen wird.

Aber so läuft das in diesem Geschäft.

Eben noch Freund, im nächsten Moment Feind.

Leider gilt das nicht nur für die anderen. Auch ihn kann es jederzeit treffen.

Chele liest Diegos Gedanken. »Mach dir keine Sorgen. Sie haben uns zu ihren *padrinos* gemacht.«

Die *padrinos* sind das Ehepaar, das die Brautleute auf die Ehe vorbereitet. Das ist eine große Ehre, wenn auch in diesem Fall nur eine symbolische, denn Adán braucht ganz gewiss keinen ehelichen Beistand.

Eva hingegen ist zu Chele gekommen und hat ihr Fragen gestellt, die Diego nur erraten kann. Er hätte gedacht, dass moderne Mädchen solche Fragen nicht mehr nötig haben, aber Cheles verschmitztes Lächeln spricht eine andere Sprache.

»Ich habe ihr nur erklärt, was sie tun muss, um ihren Mann zufriedenzustellen«, hat Chele ihm verraten.

»Und was wäre das?«

»Darüber reden wir später.«

Chele hat es dem Mädchen nicht verraten, denn leider ist es nicht Evas Job, ihren Mann im Bett zufriedenzustellen. Dafür sorgt seine spektakuläre Mätresse. Eva ist für den Nachwuchs zuständig.

Sie muss ihm einen Sohn liefern, der später einmal das Imperium von Barrera und Esparza übernimmt – und damit, wenn auch unwissentlich, die Tapias an den Rand drängt. Hätte Chele eine heiratsfähige Tochter, sie hätte sie ohne Zögern zu Adán ins Bett geschoben. Aber ihre Tochter ist zu jung und außerdem, da sie Diegos Gene geerbt hat, bei weitem nicht so hübsch wie Eva.

Dort kommt Eva nun prächtig aufgeputzt durch den Mittelgang, geführt von Nacho Esparza, der in schwarzer Bolerojacke und enger Kniehose den glücklichen Vater gibt und die neidischen Blicke der Gäste einheimst.

Von wegen Glück, denkt Chele – Nacho hat das Mädchen von Anfang an auf diesen Auftritt vorbereitet – seit es den Lenden ihrer Mutter entschlüpft ist.

Adán ist untröstlich.

Weil er sich gegen seinen alten Freund stellen muss.

Doch es gibt Grund zur Annahme, dass sich Diego Tapia gegen *ihn* gestellt hat. Nicht mit Hilfe der Staatsmacht, das ist wahr, aber mit Hilfe der Zetas.

Das habe ich selbst verschuldet, denkt Adán, der seine Braut am Altar erwartet. Seine Informanten berichten, dass Diego allmählich seine Aktivitäten nach Monterrey verlagert, sich im schicken Viertel García de Garza breitmacht und die Zetas mit offenen Armen aufnimmt.

Und was treiben die Zetas dort? Na, was schon: Drogenhandel, Entführung und Schutzgelderpressung.

Wie dumm von ihnen, denkt Adán, sich auf diesen Kleinkram einzulassen und damit den großen Geldstrom aus den USA zu gefährden. Wie dumm von ihnen, die Polizei und die Politiker gegen sich aufzubringen und dazu noch die mächtigen Unternehmer in Monterrey, die am Ende das Sagen haben.

Dumm und kurzsichtig.

Fast genauso schädlich ist ihr auftrumpfendes Benehmen. Sie stellen ihren Reichtum und ihre Macht zur Schau wie die letzten Hinterwäldler, statt in aller Diskretion ihre Milliardengeschäfte abzuwickeln.

Adán vernimmt mit Sorge, dass sein alter Freund die Nase zu tief in die eigene Ware steckt, dass er, wie Tío zu seiner Zeit, begonnen hat, Kokain zu schnupfen. Wenn das stimmt, ist es eine schlechte Nachricht, und Diegos Verhalten in letzter Zeit ist geeignet, den Verdacht zu bestärken. Diego feiert riesige, lärmende Partys an den falschen Orten – in Cuernavaca, Mexico City –, dort nämlich, wo dies als Herausforderung der Staatsmacht verstanden werden muss.

Werden wir denn nie klug?, fragt sich Adán.

Wir können die Cops und die Politiker mit Geld füttern, wir können mit Bankern und Industriellen legale Geschäfte machen, damit sie über unsere anderen Aktivitäten hinwegsehen, aber wir können ihnen nicht *auf der Nase herumtanzen.*

Wie dumm und maßlos, denkt Adán. In einem solchen Viertel geht das einfach nicht. Wir haben doch alles. Alles, was man für Geld kaufen kann. Wir können tun und lassen, was wir wollen. Aber es muss mit Sinn und Verstand geschehen.

Es gibt da noch schlimmere Gerüchte über Diego, die Adán lieber nicht glauben möchte. Dass er ein Anhänger von *Santa Muerte* geworden sei – der »Heiligen des Todes« – und diesem Kult frönt, dem vor allem die jüngeren Narcos verfallen, mit Blutopfern und wer weiß was noch allem.

Albernheiten.

Adán hat als junger Mensch auch einmal einen Blutschwur geleistet – bei San Jesús Malverde, dem sinaloanischen Märtyrer, der mit seinem Schrein in Culiacán zu einem Lokalheiligen der Narcos wurde. Jetzt ist ihm die Erinnerung an diese Jugendtorheit nur noch peinlich.

Aber Diego ist kein Kind. Er ist ein ausgewachsener Mann mit Verantwortung, mit Frau und Kindern. Er ist der Boss der größten Drogenorganisation Mexikos und leistet sich solche Eskapaden?

Lächerlich.

Und gefährlich.

Aber nicht so gefährlich wie sein Flirt mit den Zetas.

Adán kann es verstehen – Diego fühlt sich durch Nachos Aufstieg bedroht. Adán hat Nacho Tijuana übergeben, und jetzt heiratet er Nachos Tochter.

Ursprünglich wollte er auf Diego zugehen, sich mit ihm zusammensetzen wie früher und alles bereden. Sich bei ihm entschuldigen für alles, was den Anschein von Vernachlässigung und Benachteiligung erweckte. Aber jetzt ist es dafür zu spät.

Diego ist der Preis, den er zahlen muss, um das Leben des dummen, idiotischen, undisziplinierten Salvador zu retten.

Und es ist am besten so, entscheidet Adán. Die Tapias müssen weg, und die Geschichte mit Sal ist ein passender Anlass.

Alles ist vorbereitet, er kann jederzeit losschlagen.

Gleichzeitig gegen Alberto und Diego in Badiraguato. Zwei Fliegen mit einer Klappe.

Martín wird verschont. Vorerst.

Martín ist zu gut vernetzt – auch so ein dummer Fehler von mir, denkt Adán, den Tapias so viel politischen Einfluss zu verschaffen. Aber mit Martín kann er reden, er wird Einsicht zeigen.

Solange es keine Toten gibt.

Und darauf hat Adán bestanden: Sowohl Alberto als auch Diego müssen am Leben bleiben, um jeden Preis. Sie sind seine Freunde, seine Brüder, Blut von seinem sinaloanischen Blut.

Der Altar ist unter dem Blätterdach der Gummibäume errichtet worden. Die Stuhlreihen stehen auf einer smaragdgrünen Rasenfläche, die am Morgen noch einmal gemäht wurde und von Kaskaden frischer Blumen gesäumt ist.

Adán steht neben dem Pfarrer. Er lächelt Eva an, als er sie von Nacho übergeben bekommt, küsst sie auf die Wange und führt sie zum Altar.

Dort öffnet er ein Kästchen, schüttet Eva dreizehn Goldmünzen in die aufgehaltenen Hände – für Christus und die zwölf Apostel – und stellt das geöffnete Kästchen auf die Münzen. Dies symbolisiert sein Versprechen, immer für sie zu sorgen, und ihre Verpflichtung, seinen Haushalt gewissenhaft zu führen.

Darauf wenden sie sich dem Pfarrer zu, der ihnen den *lazo* – eine Kordel – um die Schultern legt und damit ihre Verbindung sinnfällig macht. Den *lazo* tragen sie während der ganzen langen Zeremonie, die damit endet, dass der Pfarrer sie zu Mann und Frau erklärt.

Eva kniet vor dem kleinen Schrein für die Jungfrau von Guadelupe und legt als Opfergabe einen Blumenstrauß ab.

Dann gehen Braut und Bräutigam durch den Mittelgang ab, und die Angehörigen und Gäste folgen ihnen zum Hochzeitsempfang, wo schon eine Mariachi-Band in feinster Kostümierung darauf wartet, die *Estudiantina* anzustimmen.

Salvador Barrera hält sich während der ganzen Feier bedeckt. Nach dem unglücklichen Vorfall in Zapopan hat ihn Adán nach Sinaloa zurückbeordert und ihm harte Bewährungsauflagen erteilt.

»Wenn du nicht mein Neffe wärst«, sagte er, als Sal reumütig in seinem Büro erschien, »wärst du jetzt tot.«

»Ich weiß.«

»Nichts weißt du!« Adáns Miene verfinsterte sich. »Und du hast auch keine Ahnung, was mich deine Freiheit kostet.«

»Danke, Tío. Es tut mir leid.«

Er musste sich setzen und eine zwanzigminütige Strafpredigt über sich ergehen lassen – über den Respekt gegenüber Frauen und unbescholtenen Menschen. Und das, denkt er jetzt, von dem Mann, der seine Hure zu seiner Hochzeit einlädt?

Der einer Frau den Kopf abschneiden ließ und ihrem Mann mit der Post zuschickte? Der einmal zwei kleine Kinder von einer Brücke geworfen hat? Muss man sich von so einem über Familienmoral belehren lassen?

Aber Sal weiß jetzt, dass er unter Beobachtung steht.

Irgendwann, hofft er, wird ihm sein Onkel vergeben, und er darf wieder ins Geschäft einsteigen.

Eva nimmt Adáns Hand und zieht ihn zum Empfangsbereich, einer Lichtung inmitten der Festtafeln.

Es ist Zeit für das *lanzar el ramo*, für das Werfen des Brautstraußes.

Wie es die Tradition verlangt, bilden die Hochzeitsgäste einen herzförmigen Ring um das Brautpaar. Alle ledigen Frauen versammeln sich, und Eva wirft den Brautstrauß über die Schulter. Er fällt Magda direkt in die Hände, aber sie schreit auf und wirft ihn in die Höhe, worauf ihn eine Brautjungfer fängt.

Dann wird ein Stuhl gebracht, Eva muss sich setzen, und Adán, flankiert von Diego, Nacho und Salvador, kniet vor ihr nieder. Unter anzüglichen Zwischenrufen der Gäste schiebt er ihr das Hochzeitskleid hoch über die Knie und streift ihr das Strumpfband ab.

Ihre glatte Haut zu berühren ist ein seltsam intimes Gefühl, denn bis jetzt haben sie gerade mal ein paar Küsse getauscht. Als Adán das Strumpfband in der Hand hält, steht er auf, wirft es über die Schulter und sieht aus dem Augenwinkel, dass Salvador es erbeutet hat.

Jetzt wird Adán von den Männern gepackt, sie werfen ihn umher und tanzen mit ihm zur Trauermusik, die von der Band geliefert wird. Als das vorbei ist, tanzt Salvador mit der Brautjungfer, dann Adán mit Eva, danach schließt sich die Hochzeitsgesellschaft an. Beim Tanzen schieben sich die Paare an das Brautpaar heran, werden ihre Glückwünsche los und heften Umschläge an Evas Kleid, mit Geld, das später der Wohlfahrt gespendet wird, da Adán Barrera und die Tochter von

Nacho Esparza kaum auf eine Starthilfe für ihren Hausstand angewiesen sind. Irgendwann geht der Tanz in *La vibora de la mar* über, die »Seeschlange«: Die Gäste fassen sich bei den Händen und »schlängeln« sich unter Adán und Eva durch, die, auf Stühlen stehend, mit ihren ausgestreckten Armen eine Brücke bilden.

Magda findet Adán allein im Schlafzimmer vor, wo er sich gerade für die Hochzeitsreise umzieht.
»Das ist ja praktisch«, sagt sie zu ihm.
»Wie meinst du das?«
»So meine ich das.« Sie kniet sich vor ihn. »Wir wollen doch nicht, dass du deine Braut enttäuschst. Dass du in ihrer engen Jungfernmuschi zu schnell kommst. Das arme Ding erwartet eine Nacht atemloser Leidenschaft und jugendlicher Ausdauer.«
»Magda …«
»Sei nicht so selbstsüchtig«, sagt Magda und öffnet seinen Reißverschluss. »Ich denke dabei nur an sie.«
»Du bist sehr rücksichtsvoll.«
»Außerdem«, sagt Magda, »wenn sie erst fett und hässlich ist, weißt du immer, zu wem du kommen kannst. Aber pass auf, dass mein Kleid nichts abkriegt, hörst du? Ich muss noch unter die Gäste.«
Magda bringt ihn bis kurz vor den Höhepunkt, dann hört sie auf.
»Wenn ich's recht bedenke«, sagt sie, »enttäusch sie lieber.«
»Magda!«
»Na, komm! Glaubst du wirklich, dass ich so grausam bin?«
Sie bringt ihren Job zu Ende, doch dann wird ihr melancholisch zumute.
Die Braut hätte *ich* sein können, denkt sie. Es wäre sicher schön geworden, in einem gemütlichen Heim, mit ein paar Pfunden mehr und meinen eigenen Kindern, die zu meinen Füßen spielen.

Sei lieber glücklich mit dem, was du hast, ermahnt sie sich.

Es ist nicht lange her, da warst du froh, eine Schlafdecke zu haben.

Und jetzt bist du reich, bald noch reicher, unabhängig von den Männern, auch von Adán. Du kannst andere Männer haben, mit ihm schlafen, wenn er dich besucht, dein eigenes Haus bewohnen, dein eigenes Geld verdienen.

Du bist eine Narca.

Und eine unabhängige Frau.

Magda hat gehört, wie sie Adáns Braut nennen: Eva die Erste. Wie eine Königin. Ein paar Witzbolde nennen sie sogar Evita *(Don't cry for me, Sinaloa)*. Sie hat auch gehört, wie man sie nennt:

La Reina Amante.

Die Mätresse des Königs.

Es gibt Schlimmeres.

Das Festmahl war fantastisch – Hühnchen und Schweinefleisch, Kartoffeln und Reis, Tres leches und Mandelkuchen, Champagner, Wein, Bier –, und jetzt versammelt sich die Hochzeitsgesellschaft, um das Brautpaar auf Hochzeitsreise zu schicken.

Diego gibt Eddie Bescheid: »Wir fahren bald.«

»Zurück nach Monterrey?«

»Nein«, sagt Diego. »Wir übernachten in unserem Haus in Badiraguato. Komm zu uns rüber, wenn du möchtest.«

»Ich bleibe noch«, sagt Eddie. »Warum soll ich jetzt abhauen, wo die Girls langsam locker werden?«

Er hat schon ein Auge auf die eine Brautjungfer geworfen, und dann sitzt da auch Magda, *El Reina Amante.* Jesus, direkt neben ihr …

»Aber pass auf dich auf«, sagt Diego. »Du bist hier auf dem Land. Diese Bauernstoffel schießen dir in den Arsch. Und lass die Finger von Magda!«

»Er hat doch gerade geheiratet, meine Güte!«

»Sei nicht blöd«, warnt ihn Diego.

Adán verabschiedet sich von Diego: »Danke, mein Guter«, sagt Adán und küsst ihn auf die Wange. »Danke für alles.«

»Keine Ursache.«

Jetzt fühlt sich Diego besser.

Weil Adán ihn so schätzt.

Die Hochzeitsreise geht nach Cabo, wo Adán ein Haus besitzt.

Er hatte an Europa gedacht, doch in fast allen Ländern steht er auf der Fahndungsliste der Interpol.

Mexiko ist sein Gefängnis.

Aber was soll's? Hier hat er alles, was er braucht.

Als sie in der Strandvilla mit Blick auf den Pazifik ankommen, entschuldigt sich Eva und geht ins Badezimmer. Eine halbe Stunde später erscheint sie in einem blauen Negligé, das ihre Augen sehr gut zur Geltung bringt.

Ihr Auftritt ist offenherziger, als er erwartet hatte. Die langen Haare lässt sie lose über die nackten Schultern fließen. Sie präsentiert sich ihm in ihrer ganzen Schönheit, aber mit gesenktem Blick.

Adán geht zu ihr und hebt sanft ihr Kinn.

»Ich will dich glücklich machen«, sagt Eva.

»Das machst du schon jetzt«, erwidert Adán.

Im Bett sind sie beide schüchtern. Sie, weil sie so jung ist, er, weil er so alt ist. Er nimmt sich viel Zeit, sie zu berühren, zu streicheln, ihre Wangen, ihren Hals zu küssen, ihre Brüste, ihren Bauch. Ihr junger Körper reagiert lebhaft trotz aller Nervosität, und als er spürt, dass sie bereit ist, nimmt er sie und dankt Magda im Stillen für ihre Hilfsdienste, denn Eva bäumt sich unter ihm auf wie ein ungebändigtes Fohlen. Ihr Temperament kommt nicht an gegen Magdas Erfahrung, aber er ist ihr dankbar dafür.

Sie ist der Frühling seines nahenden Alters.

Das ist ja echt krank.

Denkt Eddie, als er Diego vor der Statue niederknien sieht. Ein Skelett mit Purpurmantel und Perücke auf dem Totenschädel. In der einen Hand die Weltkugel, in der anderen eine Sense.

Santa Muerte.

Sie hat noch andere Namen: *La Flaquita* – die Knochige, *La Niña Blanca* – die kleine Weiße, *La Dama Poderosa* – die mächtige Frau. Wirklich gruslig, denkt Eddie, als Diego der Statue Ziegenblut auf die Gesichtsknochen schmiert (*hoffen wir, dass es Ziegenblut ist!*, denkt er).

Sie stehen in einem Hinterzimmer des Hauses, das Diego in Badiraguato unterhält, und Eddie ist gerade von der Nachfeier zurück. Er geht auf dem Zahnfleisch und ist müde und hungrig, während er mit ansehen muss, wie Diego einen tiefen Zug aus seinem Blunt nimmt und der Madonna den Rauch ins Knochengesicht bläst. Diego hat schon Opfergaben auf dem kleinen Altar aufgehäuft, den er hier wie in allen anderen Häusern errichtet hat – Süßigkeiten, Zigaretten, Blumen, frisches Obst, Räucherstäbchen, eine kleine Flasche Single Malt, Kokain und Geld.

Diese Knochenhexe versorgt er besser als seine aktuellen Segunderas, denkt Eddie.

Jetzt entzündet Diego eine goldene Kerze.

»Für den Reichtum«, erklärt er.

Die Kerze wenigstens zeigt Wirkung, denkt Eddie. Diego schwimmt förmlich in Geld. Gerüchte besagen, er hätte mehr Geld als Adán Barrera, und das kann Adán nicht gefallen. In gewissen Kreisen hat Diego einen neuen Spitznamen: *El Jefe de Jefes* – der Boss der Bosse. Auch das kommt nicht gut an in La Tuna.

Diego zündet noch eine Kerze an.

Eine schwarze.

Wie man sie für Halloween kauft.

Wenn man blöd genug ist.

Aber Eddie hört genau zu, als Diego die schwarze Kerze auf den Altar stellt und *Santa Muerte* bittet, seine Feinde zu vernichten und seine Transporte zu schützen. Davon könnte er noch mehr gebrauchen, denkt Eddie und hofft, dass es jetzt vorbei ist, aber Diego hat schon eine weiße Kerze zur Hand.

»Für den Schutz«, sagt er.

»Ja. Gut so.«

Schutz kann Diego wirklich brauchen, denn er sieht echt kaputt aus. *El Jefe* schnupft Koks, das ist so sicher wie das Amen in der Kirche. Diego murmelt noch ein letztes Gebet, dann erhebt er sich, und sie gehen hinüber ins Wohnzimmer.

»Vorhin hat Adán angerufen«, sagt er.

»Was wollte er?«

»Mir sagen, dass er gut in Cabo angekommen ist.«

Eddie wird hellhörig. Barrera denkt nur ans Geschäft – normalerweise. Er ist keiner, der belanglosen Scheiß erzählt. Seine Anrufe klingen wie aus dem Terminkalender abgelesen.

Das gefällt ihm nicht, dass Barrera am Telefon angeblich schwatzt wie eine Hausfrau. Ihm gefällt außerdem nicht, dass Diego Tapia, der immer scharf war wie ein Windhund, so abgestumpft und gelangweilt wirkt.

Diego kannte immer alle Antworten. Jetzt kennt er nicht einmal die Fragen. *La Dama Poderosa* – von wegen.

»Hey, Diego«, sagt Eddie. »Lass uns lieber von hier verschwinden.«

»Warum denn das?«

»Ich weiß nicht«, sagt Eddie. »Gehen wir an die Luft, was essen. Ich könnte einen Burrito vertragen.«

»Es ist zwei Uhr nachts!«

»Na und?«

»Ich habe keinen Hunger.«

»Aber ich«, sagt Eddie. »Komm schon.«

Alberto Tapia ist auf dem Heimweg von seiner Segundera.

Hat die Gelegenheit der Hochzeit genutzt, um mal bei ihr abzusteigen.

Sein Lincoln Navigator ist voll besetzt.

Ein Fahrer und zwei Wachleute. Die braucht man, wenn man nachts um zwei mit zwei Koffern durch die Gegend fährt, in denen neunhundertfünfzigtausend Dollar stecken, und einem dritten Koffer voller Uhren, die gut und gerne hunderttausend Dollar wert sind.

Alberto liebt seine Rolex- und Patek-Modelle.

Vielleicht hat er deshalb seine Kalaschnikow griffbereit auf dem Schoß. Man sollte nicht meinen, dass man die in Badiraguato braucht, im Kernland des Sinaloa-Kartells, aber ein bisschen Paranoia kann in seinem Geschäft nicht schaden. Er trägt auch seine brillantenbesetzte 45er am Gürtel. »Lebe frei!«, besagt der aus Diamanten gebildete Schriftzug auf Spanisch. Aber nach der langen, anstrengenden Nacht im Bett der Segundera ist er ein bisschen schläfrig. Er hat nur kurz die Augen zugemacht, als die Scheiße passiert.

Vier SUVs kommen aus allen vier Richtungen angedonnert und blockieren die Straße. Alberto schreckt hoch und stellt die Kalaschnikow auf Automatik, dann hört er: »*Bundespolizei! Aussteigen mit erhobenen Händen!*«

Federales stoppen ihn in Sinaloa? Das muss ein schlechter Scherz sein, oder diese Idioten haben keine Ahnung, wen sie vor sich haben. Er will aussteigen und ihnen den Marsch blasen, als einer seiner beiden Wachmänner sagt: »Und wenn das Solorzanos Leute sind?«

Möglich ist es, es ist schon vorgekommen, dass die Killer in AFI-Uniformen auftreten. Er sieht eine Menge Gewehrläufe, die sich aus den Autos auf ihn richten, dann hört er wieder: »*Aussteigen!*«

Alberto lässt das Fenster runter und nimmt Zuflucht zu einem Spruch, den normalerweise Hollywood-Starlets benutzen, wenn für sie kein Tisch frei ist. »Wissen Sie nicht, wer ich bin?«

»*Steigen Sie aus!*«

»Ich bin Alberto Tapia!«, ruft er, und es klingt, als würde er sagen: Wisst ihr denn nicht, was ich alles für euch tue?

»*Das ist unsere letzte Warnung!*«

Klar. Meine auch. »Geht lieber zu eurem Boss und fragt ihn –«

Die Kugel trifft ihn mitten in die Stirn.

Nach dem Sperrfeuer, das gleich darauf folgt, bleibt an dem Lincoln nichts intakt außer zwei Koffern mit Geld und einem Koffer mit teuren Uhren.

Die noch ticken.

Eddie sieht die Autos, die zu Diegos Haus hinauffahren.

AFI-Trooper springen heraus und rücken in militärischer Formation auf das Haus vor, die Gewehre im Anschlag. So ähnlich hat er es im TV gesehen, als sie Contreras in Matamoros festnahmen.

Diego steht da und starrt. Endlich reißt er mal wieder die Augen auf.

»*Mia madre!*«

Ja, schrei nur nach deiner Mama, denkt Eddie und wirft den restlichen Burrito in den Mülleimer. »Es ist besser, wir verschwinden.«

Er zieht Diego von dem Straßenimbiss weg. Zum Glück sind die Federales auf das Haus fixiert. Man hört sie schreien: »*Diego Tapia. Sie sind umstellt. Kommen Sie raus, die Hände über dem Kopf.*«

An der nächsten Ecke sagt Diego: »Siehst du? *La Niña Blanca* hat mich geschützt.«

Klar, denkt Eddie.

Es war die weiße Kerze.

Adán sitzt neben dem Telefon und wartet.

Als es endlich klingelt, bereut er es.

Alberto und drei seiner Leute sind tot. Adán tobt. Er hat ausdrücklich befohlen, dass es keine Toten geben soll, und nun ist Alberto tot? Diegos *Bruder* ist tot?

Er wartet auf den nächsten Anruf.

Der folgt schnell.

Wenn der erste Anruf ein Desaster war, ist der zweite eine Katastrophe.

Die Federales haben Diego verfehlt. Sie haben vier seiner Schlupfwinkel durchsucht und ihn nicht gefunden. Diese Idioten! Wie konnte das passieren? Und jetzt treibt sich Diego Tapia irgendwo da draußen rum, gekränkt, wütend und höchstwahrscheinlich verrückt nach Rache.

Die wird er bekommen.

Adán schaltet um auf Schadensbegrenzung.

»Wir müssen ihn aufspüren«, sagt er am Telefon zu Nacho.

Selbst Nacho wirkt geschockt. »Der ist über alle Berge, Adán.«

»Spür ihn auf.«

Wie sich zeigt, müssen sie nicht nach Diego suchen. Er ruft bei Adán an. »*Alberto ist tot. Die Schweine führen Krieg gegen uns. Sie haben Alberto erschossen.*«

Er weint.

»Diego, wo bist du?«

»*Sie haben Alberto erschossen!*«

»Wir müssen dich in Sicherheit bringen«, sagt Adán. »Sag mir, wo du bist. Ich schicke Leute.«

Das ist hochriskant, denkt Adán. Diego hat seine eigenen Leute, mehr als genug, um ihn zu schützen, zu verstecken, und wenn er klar denken könnte, würde er sich denken, dass ich das weiß, und er würde dem Angebot misstrauen.

»*Ich will sie tot sehen*«, sagt Diego. »*Alle!*«

»Wo bist du?«

»*Ich bin in Sicherheit, Adán. Aber ich will sterben.*«

»Mach jetzt keine Dummheiten, Diego.«

»*Ich will sie tot sehen!*«

Diego klickt ihn weg.

Keller sitzt an seinem Schreibtisch, als Aguilar anruft. »*So ein Mist! Alles ist schiefgegangen. Gerardo ist außer sich.*«

Ein Debakel, meint Aguilar. Alberto Tapia ist tot, Diego und Martín sind auf der Flucht … die gescheiterten Festnahmen sind eine Schande … das Recht hat einen Rückschlag erlitten … es ist zum Heulen …

Wunderbar, es funktioniert, denkt Keller.

Das »Debakel« ist ein Pulverfass mit kurzer Zündschnur, auf dem Adán sitzt, die Tapias, die mexikanische Justiz, sogar Los Pinos. Jetzt braucht es nur noch ein Streichholz, um das ganze, von Adán so sorgfältig errichtete System in die Luft zu sprengen.

Keller geht raus auf die Straße und benutzt sein Privathandy, um Yvette Tapia anzurufen. »Ich rufe als Freund an«, sagt er. »Es gibt etwas, was Sie wissen müssen.«

Er zündet das Streichholz an.

»Adán Barrera hat Ihre Familie verraten.«

»Adán hat keinen Bruder!«, jammert Diego.

Der Junge ist in übler Verfassung, denkt Eddie – vollgepumpt mit Coke, immer auf der Flucht und ohne Schlaf, seit er seinen kleinen Bruder beerdigt hat. Sie sind zurück in Monterrey, wo es relativ sicher ist, und es gibt nur ein Thema: Rache. Diego will Vergeltung für Albertos Tod, aber das Problem ist – nun, wie dargelegt.

Albertos Beerdigung war eine Farce, der Gipfel der Heuchelei. Adán und Eva die Erste reisten an, umarmten Diego, überreichten der Witwe einen dicken Umschlag, und Diego erwiderte die Umarmung, als wüsste er von nichts.

Esparza, der schmierige alte Glatzkopf, war auch da und zerfloss vor Beileid, als ob es nicht er gewesen wäre, der Barrera zu dieser Aktion angestiftet hatte.

Alle Drogenbosse kamen zum Kondolieren, obwohl keiner von ihnen, der Wahrheit zuliebe sei's gesagt, Alberto allzu sehr gemocht hatte. Alberto war ein zu kurz geratener Gernegroß, ein kläffender Köter, wie ihn Frauen ins Restaurant mitnehmen, um die Leute zu ärgern.

Das einzig Gute an Alberto war und ist seine Frau – nun seine Witwe –, sie und ihre hydraulischen Titten.

Sie weiß von nichts, wie sich Eddie schon gedacht hat, als sie Adáns Beileidsbekundungen und den Umschlag mit dem Geld entgegennahm. Keine Stripperin kann so gut schauspielern. Die Familie hat ihr nicht gesagt, dass der Mann, der ihr den Umschlag überreicht, ihren Mann verraten und verkauft hat.

Wenigstens hat er ihr den Umschlag nicht ins Höschen gesteckt.

Die Tapias werden für sie sorgen, da ist sich Eddie sicher. Sie schicken sie nicht zurück an die Stange. Schade eigentlich, denkt Eddie. Denn er hätte sie gerne mal an der Stange gesehen. Aber nicht so sehr wie Yvette Tapia ohne ihr schwarzes Trauerkleid. Er könnte wetten, dass sie auch schwarzen BH und schwarze Höschen trägt, und der Gedanke macht ihn heiß. Allein ihr Anblick verrät ihm, dass Martín Tapia, der neben ihr steht, seinen ehelichen Pflichten nicht besonders eifrig nachzukommen scheint.

Komm zu meinem Rodeo, Darling. Ich reite dich länger als acht Sekunden.

Selbst die Zetas, die Alberto gehasst haben, sind gekommen. Da stehen sie nun und geben Diego Ratschläge, wie er gegen das Reich des Bösen vorgehen soll. Das wird schwierig, denn Barrera hat Politiker und Polizeioffiziere auf seiner Gehaltsliste. Die standen zwar bei allen auf der Gehaltsliste – eine große, glückliche Familie –, aber damit ist nun Schluss.

Martín sagt: »Bevor wir direkt gegen Adán vorgehen können, müssen die Voraussetzungen geschaffen werden. Mit anderen Worten: Wir müssen erst gewisse Leute im Polizeiapparat ausschalten.«

»Aber dann merkt doch Adán, dass was gegen ihn läuft«, meint Ochoa.

Jetzt sind sie Verbündete, denkt Eddie. Der alte Pferdehandel hat wieder eingesetzt. Die Tapias bieten den Zetas Zuflucht in Monterrey, im Gegenzug helfen ihnen die Zetas im Krieg gegen Barrera.

Das ist erst der Anfang, denkt Eddie. Alle Kartelle richten sich neu aus, die Beziehungen zu Polizei und Politik verschieben sich. Die Karten werden neu gemischt, und keiner weiß, wer die Trümpfe – die Politiker und Polizeiführer – am Ende auf der Hand hat. Im Moment scheint es Adán zu sein.

Eddie registriert, dass Martín das große Wort führt. Diego ist zwar der Boss, aber Martín entwirft die Strategie.

Zusammen mit Ochoa.

»Wir tarnen das Ganze als Rache an Albertos Ermordung«, sagt Martín. »Adán soll ruhig glauben, dass wir der Polizei die Schuld geben. Bis er merkt, wie der Hase läuft, haben wir seine wichtigsten Verbündeten ausgeschaltet und können direkt gegen ihn vorgehen.«

Leicht gesagt, denkt Eddie. Diese Verbündeten sind nicht irgendwelche Provinzpolizisten, sondern hochrangige Offiziere der Bundespolizei mit ihren eigenen Sicherheitsapparaten. Diese Männer hätten ihre Posten nicht, wenn sie dumm oder leichtsinnig wären.

Aber wir haben keine Wahl, denkt Eddie. Die Federales wollten auch Diego erwischen und haben ihn verfehlt, sie werden es noch mal versuchen. Wir müssen also vorher zuschlagen, und das erfordert Planung. Wir müssen ihre Tagesabläufe studieren, ihre Gewohnheiten, ihre Sicherheitslogistik.

So ein Krieg macht eine Menge Arbeit.

Und ab jetzt, denkt Eddie, gibt es nur noch eins: den Krieg.

Roberto Bravo, Geheimdienstchef der AFI, parkt den SUV vor seinem Haus in Mexico City. Morgen ist sein freier Tag, er will nach Puerto Vallarta, daher hat er seinen Bodyguard beurlaubt. Als er aus dem Auto steigt, tritt ein Mann an ihn heran und schießt ihm zwei Kugeln in den Kopf.

Keine vierundzwanzig Stunden später bleibt José Aristeo, der Verwaltungschef der Bundesschutzpolizei, vor seinem Haus im exklusiven Coyoacán-Viertel stehen, um ein paar Worte mit der Nachbarin zu wechseln, als zwei Männer auftauchen und versuchen, ihn in sein Auto zu zerren. Als er die Waffe zieht, um sich zu wehren, schießen sie ihn in den Nacken und in die Brust.

In derselben Nacht, um zwei Uhr dreißig morgens, hält Reynaldo Galvén vor seinem Haus im Ochoa-Viertel von Mexico City. Er wohnt in dieser unsicheren Gegend, weil das AFI-Hauptquartier mit seinem Büro ganz in der Nähe liegt und weil man als Offizier mit eigenem Wachschutz nicht viel zu befürchten hat.

Comandante Galvén, direkter Untergebener von Gerardo Vera, ist nach einem feuchtfröhlichen Abend in seinem Club ein wenig betrunken, aber das macht nichts, weil er von zwei Bodyguards begleitet wird. Sie bringen ihn zur Haustür, warten, bis er den Schlüssel im Schloss hat, dann gehen sie zum Auto zurück.

Das hätten sie nicht tun sollen.

Als Galvén die Tür aufschließt, richtet ein Mann seine 38er Sig Sauer auf ihn.

Galvén ist ein guter Polizist, er weiß sich zu wehren. Der erste Schuss durchschlägt seine Hand, trotzdem gelingt es ihm, den Schützen beim Handgelenk zu packen und ihm die Pistole zu entreißen. Der zieht eine zweite Pistole, versetzt Galvén acht Schüsse in Brust und Bauch und rennt weg. Die Bodyguards rennen ihm nach, sie können ihn stellen und rufen den Rettungswagen, aber es ist zu spät.

Galvén stirbt kurz nach seiner Einlieferung ins Krankenhaus.

Der Schütze, ein zweiunddreißigjähriger Ex-Cop aus Mexico City, sagt im Verhör aus, es habe sich um einen Raubüberfall gehandelt.

Niemand glaubt ihm.

Galvén war Befehlshaber des Kommandos, das Alberto Tapia liquidiert hat.

Sal Barrera ist am Durchdrehen, weil die Mechaniker so lange brauchen.

Es ist schon bald acht, und er hat Ausgangssperre – so blöd es klingt. Adán hält ihn an der kurzen Leine, aber was soll er machen? Adán ist nicht nur sein Zahlmeister, er ist auch der *patrón* der Familie, und Sal muss ihm aus der Hand fressen, wenn er jemals wieder ins Geschäft einsteigen will.

Adán hat ihn also praktisch unter Hausarrest gestellt, aber jetzt ist er weg, seine junge Braut einreiten, und Sal kann sich davonmachen, unter dem Vorwand, in der Stadt Dinge zu erledigen.

Zum Beispiel den neuen Truck abzuholen, den Adán bestellt hat, damit er auf seiner Finca umherkutschieren kann wie ein alter *gomero,* und Sal hat sich ausgerechnet, dass noch ein bisschen Zeit bleibt, um in einem Club zu chillen, bevor er nach La Tuna zurückmuss. Genauso gut könnten sie ihm Fußfesseln anlegen, denkt er.

Endlich, endlich lassen sie den Truck von der Hebebühne runter und rollen ihn auf den Hof.

Sal setzt sich ans Steuer, Edgar rutscht in die Mitte, Cesar steigt rechts dazu und schließt die Tür. »Wohin fahren wir? Mandalay? Bilbao, Shooters?«

»Ins Bilbao«, sagt Sal. Das Bilbao gehört Cesars Mutter, und die übernimmt die Rechnung. Für die richtig heißen Nummern ist es noch zu früh, aber ein paar Stunden bleiben noch, bevor sie den Lobo abliefern müssen, und hier in Culiacán stehen manche *chicas* immer noch auf diese altmodischen Norteño-Trucks.

Als sich Eddie von Diego verabschiedete, wurde ihm richtig unheimlich zumute. Diego stand in der Tür seines Schlupfwinkels außerhalb von Cuernavaca und sagte: »Komm noch mit zu *Santa Muerte.*«

»Schon gut.«

»Sie bringt dir Glück«, beharrte Diego. »Du brauchst ihren Segen.«

Da Diego nicht lockerließ, musste er mit ihm in den kleinen Schrein, um der Madonna den knochigen Arsch zu küssen. Diego legte ihm nahe, einen Zwanziger zu opfern, dann musste er neben ihm knien, während er bergeweise bunte Kerzen anzündete. Danach tunkte er die Hände in einen Krug und zog sie bluttriefend heraus.

»Menschliches Blut«, sagte Diego.

»Igitt, wo hast du das her?«, fragte Eddie, obwohl er es nicht wirklich wissen wollte.

»Von einem Feind.«

Da bin ich aber froh, dass es nicht von einem Freund stammt, dachte Eddie, als Diego erst das Gesicht der Madonna, dann sein eigenes mit dem Blut beschmierte und irgendwelchen Voodoo-Scheiß zu brabbeln begann.

Als er auch Eddies Gesicht beschmieren wollte, zuckte Eddie zurück. »Nein danke. Kein Bedarf.«

»Deine Mission wird gelingen«, sagte Diego.

Klar wird sie das, dachte Eddie. Aber nicht wegen der bekloppten Madonna, sondern weil ich fünfzehn meiner besten Leute geholt habe, um verdammt noch mal sicherzugehen, dass die Mission gelingt.

Jetzt sieht er Sal Barrera in den Truck steigen. Der Typ bringt zwei Unbeteiligte um, darunter ein Mädchen, und kriegt zur Belohnung einen neuen Schlitten.

Ein Barrera müsste man sein.

Eddie drückt den Abzug der Bazooka.

Der Sprengkopf schlägt in den Motorraum ein und geht hoch.

Der Lobo macht einen Satz.

Erst weiß Sal nicht, was los ist.

Sein Kopf knallt gegen die Decke, Edgars Gesicht steckt irgendwie in der Frontscheibe. Der Motor brennt, spuckt Feuer und Rauch. Cesar zuckt wie elektrisch geladen, dann sieht Sal, wie die Kugeln in die Scheiben einschlagen.

Er flieht aus dem Truck, rennt zur Werkstatt zurück und blickt in all die Gewehrläufe, die ihn dort erwarten.

»Neiiiin!«, schreit er. Dann: »Mamaaaa!«

Mama?, denkt Eddie.

Er hebt die Kalaschnikow und zielt auf das, was von Sal Barrera übrig ist. Aber nur deshalb, weil er Diego versprechen musste, Sal persönlich umzulegen, denn viel ist nicht von Sal übrig, der auf dem Betonweg liegt und aufstehen will, weil sein Körper noch nicht mitgekriegt hat, was sein Gehirn schon weiß.

Er ruckt noch einmal hoch, dann bleibt er liegen, einen Arm nach vorn gereckt, während sich unter ihm eine Blutlache ausbreitet.

Passanten schreien, werfen ihre Einkaufsbeutel hin und fliehen, die Mechaniker ducken sich hinter die Autos und reißen entsetzt die Augen auf. Eddie stellt befriedigt fest, dass seine Jungs weiterschießen – in die Luft –, um mögliche Zeugen in die Flucht zu treiben.

Und wenn das nicht hilft, tut es der explodierende Truck.

Adán hält das Handy ans Ohr und hört Sondra schreien.

Sie schreit und schreit.

Was für ein Tag.

Seit dem Morgen schon hängt Adán am Telefon. Er besänftigt die Journalisten und erklärt immer von neuem, dass all die Morde auf das Konto der Tapias gehen, nachdem die ersten Berichterstatter das »Sinaloa-Kartell« beschuldigt haben, und während sich die öffentliche Meinung langsam zu seinen Gunsten dreht, muss er darauf dringen, dass sich die neuen Berichte ausdrücklich auf Diego Tapia beziehen.

Nicht nur Guerillas, auch Narcos bewegen sich im Volk »wie die Fische im Wasser«, auch sie hängen vom Wohlwollen und dem Schutz der Bevölkerung ab: Eine öffentliche Ächtung kann sich Adán nicht leisten.

Einen Anruf nach dem anderen schickt er los, als »Hintergrundbericht« aus »ungenannter Quelle«, und liefert den Redaktionen eine »Insider-Story« über die »wahren Gründe« für die Morde – dass es die Tapias waren, die den Tod ihres Bruders rächen wollten, dass Adán Barrera nichts damit zu tun habe, dass er sogar wütend auf Diego sei, so wütend, dass es zum Bruch zwischen ihm und Diego kommen könne.

Auch die Politiker muss er anrufen. Sie an ihre Verpflichtungen erinnern, an ihre Loyalitäten. Jetzt müssen sie sich für eine Seite entscheiden, und zwar für die stärkere, die am Ende gewinnt.

Manche glauben offenbar, dass die Tapias gewinnen werden. Sie haben das größere Netzwerk, das meiste Geld, die meisten Sicarios. Diego und Martín sind noch untergetaucht, und Ochoa nimmt Adáns Anrufe nicht entgegen, was kein gutes Zeichen ist. Alles deutet darauf hin, dass sich die Tapias mit den Zetas verbünden.

Was bleibt mir noch?, überlegt Adán.

Er ruft Nacho zu sich.

»Du musst nach Michoacán«, sagt Adán. »Mit La Familia reden.«

»Gerade jetzt kann ich Sondra nicht alleinlassen.«

»Sie ist deine Segundera, nicht deine Frau.«

»Danke, Adán, das weiß ich selbst.«

»Nur für einen Tag«, drängt Adán. »Sprich mit Nazario, erneuere die Beziehungen zu La Familia. Wir brauchen mehr Leute, und er kann sie liefern.«

»Nazario sieht in dir einen Verräter«, sagt Nacho. »Den Teufel, um es deutlich zu sagen.«

»Er paktiert auch mit dem Teufel, wenn es darum geht, die Zetas zu schlagen«, sagt Adán. Wenn Nazario Verstand hätte, denkt Adán, würde er sich mit den Tapias *und* den Zetas verbünden, mir alles Mark aus den Knochen saugen und sich dann gegen die Zetas wenden. Aber das kann er nicht – weil er glaubt, einen Heiligen Krieg gegen die Zetas zu führen. Das heißt, er wird mit mir paktieren.

El más loco, fürwahr. Der Oberirre.

Adán überzeugt Nacho, dass er nach Morelia fahren und mit Nazario reden muss, dann geht er hinauf zu Eva und redet mit ihr. Dass sie nicht weiß, wie sie mit dem Mord an Sal umgehen soll, dem Sohn der Segundera ihres Vaters, kann er verstehen. Aber dass sie unverhohlen ihre Trauer zeigt …

Sie weiß genau, welche Geschäfte ihr Vater betreibt, und jetzt wird sie direkt hineingezogen, das erste Mal. Adán muss ihr zudem eröffnen, dass sie die Finca, ihr neues Heim, verlassen werden. Dass sie in ein anderes Haus ziehen werden, irgendwo in Sinaloa.

Denn Diego kennt Adáns Aufenthalt, er kennt seinen Sicherheitsapparat, er hat die Hälfte seiner Wachen rekrutiert, obwohl Adán sie bereits durch seine neuen Leute ersetzt hat. In El Tuna ist es nicht mehr sicher, das muss er Eva erklären. Sie hat geweint wegen Sal, ihre Augen sind rot und verschwollen.

»Für wie lange?«, fragt sie, als er ihr sagt, dass sie wegmüssen.

»Ich weiß es nicht.«

»Tage? Wochen?«

»Ich sagte doch, ich weiß es nicht!«, fährt er sie an und bereut es sofort, als sie erschrickt. Er hat ihr nie ein hartes Wort gesagt und muss bedenken, dass sie erst achtzehn und dass hier alles neu für sie ist. »Ich sorge mich doch nur um deine Sicherheit.«

Er ist müde. Was er jetzt braucht, ist eine heiße Dusche und ein Scotch, dann muss er schlafen, weil sie in aller Frühe aufbrechen werden. Eine Polizeistaffel wird sie zur anderen Finca eskortieren, eine, von der Diego nichts weiß. Seiner jungen Frau die harte Realität zu erklären, in die sie hineingeboren wurde – das ist ihm jetzt zu viel.

Adán bereitet zwei Drinks, streift die Sachen ab und macht es sich in der Sitzdusche bequem. Während er den Scotch genießt, lässt er sich vom Dampf einhüllen, der seine verspannten Muskeln lockert.

Er leert sein Glas und duscht sich ab.

Als er ins Schlafzimmer zurückkommt, stellt er fest, dass ihn Eva falsch verstanden hat. Sie trägt ein himmelblaues Negligé und erwartet ihn im Bett, um ihn zu trösten.

Er muss an Magda denken, die beste Kennerin seiner Bedürfnisse. Magda hätte sich einen Scotch einschenken lassen und sich schlafend gestellt. Aber Magda ist nicht da – sie lebt jetzt in Mexico City. Reich, unabhängig und stur darauf bedacht, ihm den Piso für die Tonnen von Kokain zu bezahlen, die sie durch Laredo transportiert. Und in Puente Grande war sie nichts weiter als eine traumatisierte junge Frau, denkt er. Zweimal hat sie ihn in Culiacán besucht, sich mit ihm zum nachmittäglichen Rendezvous in einem seiner Häuser getroffen, und sie fehlt ihm sehr.

Jetzt wird Eva gekränkt sein, wenn ich sie nicht beglücke, denkt er. Dabei ist es in letzter Zeit zur Pflichtübung geworden – sie ist so eifrig bemüht, schwanger zu werden, dass er die Aufgabe als zusätzliche Bürde empfindet.

»Eva, Liebling, wir müssen morgen früh vor Sonnenaufgang weg.«

»Ich dachte nur, weil du so gestresst warst –«

Bei Gott, das bin ich, denkt er.

»– und es würde dir guttun.«

»Außerdem bin ich in Trauer.«

Eva dreht ihm abrupt den Rücken zu.

Das war dumm und grausam von mir, denkt er. Jetzt habe ich sie auch noch beschämt.

Er macht das Licht aus und nimmt sie in den Arm. »Ärger dich nicht. Ich liebe dich, und alles wird gut.«

Dieser verfluchte Salvador!, denkt er.

Die Tapias für Sals Befreiung zu opfern – und dazu noch vergeblich – war ein gigantischer Fehler. Sal ist trotzdem tot, mein ältester Freund ist mein ärgster Feind geworden, ich führe einen Krieg gegen die ganze Welt, den ich wahrscheinlich verlieren werde. Es hängt alles an einem Faden. Wenn sich Mexico City gegen mich stellt …

Wer hat mir das eingeflüstert?, fragt er sich. Vielleicht Nacho, um die Tapias loszuwerden, die er als Rivalen empfand? Und wer hat den Tapias das Abkommen verraten? Wer hat ihnen einen Tipp gegeben?

Aguilar?

Vera?

Es trifft ihn wie ein Schlag in die Magengrube.

Natürlich!

Adán verflucht sich für seine Dummheit, seine Blindheit.

Ich habe es ihm serviert, denkt er.

Ich habe es Keller serviert, auf einem silbernen Tablett.

Keller nimmt an der Trauerfeier teil, verfolgt, wie die Ehrengarde aufmarschiert und neben den drei mit Flaggen drapierten Särgen der ermordeten Polizeioffiziere Aufstellung nimmt.

Die AFI-Trooper tragen ihre blauen Uniformen, Splitterschutzwesten mit weißen Aufnähern »Policía Federale«, dazu dunkelblaue Kappen und schwarze Kampfstiefel, als wären sie im Einsatz.

Hinter ihnen stehen der Präsident, der Innenminister, der Marineminister, der Verteidigungsminister, der Generalstaatsanwalt und Gerardo Vera in Galauniform.

Die drei Offiziere waren Veras Freunde, Männer, die er in diese Positionen berufen hat, und er leitet die Ermittlungen persönlich, mit Unterstützung der SIEDO und in Verbindung mit Keller.

Aguilar hat die Ermittlungen im Fall Salvador Barrera übernommen. Jetzt steht er neben Keller. Ohne den Blick von den Särgen abzuwenden, flüstert er ihm aus dem Mundwinkel zu:

»Wer immer die Information an die Tapias weitergegeben hat, hat Blut an den Händen.«

»Worauf wollen Sie hinaus?«, fragt Keller, obwohl er genau weiß, worauf Aguilar hinauswill – und dass er recht hat. Ich habe die Information an die Tapias weitergegeben, denkt Keller, und damit muss ich leben.

Drei tote Cops.

Sal Barrera ist ihm scheißegal.

Die Medien haben keinen Wind von dem Deal gekriegt, mit dem das alles losging. Sie glauben, dass sich Adán Barrera und Diego Tapia verkracht haben, weil Diego Tapia aus Rache für den Tod seines Bruders drei Polizisten ermordet hat.

Wenn es nicht so traurig wäre, wäre es zum Lachen, denkt er. Welche Vorstellungen haben die von Adán Barrera? Adán als moralisch empörter Verfechter von Recht und Ordnung, dessen armer Neffe den Preis für die Prinzipienfestigkeit seines Onkels zahlen musste?

Jedenfalls ist innerhalb des Sinaloa-Kartells ein Krieg entbrannt, mit Nacho Esparza und seinem Schwiegersohn Adán auf der einen Seite. Die Tapias werden eine Allianz bilden müssen, aber mit wem? Mit den Zetas und dem Golfkartell? Mit Fuentes in Juárez? Mit La Familia? Mit Teo Solorzano?

Auch Barrera wird Verbündete suchen. Solorzano scheidet aus, aber die Zetas mit dem Golfkartell und mit Juárez könnten in Frage kommen, ebenso La Familia.

In den Boulevardzeitungen werden schon Wetten abgeschlossen wie beim Pferderennen, dass sich die anderen Kartelle mit den Tapias verbünden und Adán Barrera endlich den Garaus machen.

Schön wär's, denkt Keller. Aber das ist nicht Adáns Wette, nicht mal das Spiel, das er spielt.

Sein Spiel greift viel tiefer.

»Das haben Sie doch gewollt, nicht wahr?«, fragt Aguilar. »Weil Sie Barrera nicht kriegen, haben Sie die Tapias auf ihn angesetzt.«

Keller antwortet nicht. Lass ihn kommen, denkt er, lass ihn bohren, bis er sich verplappert.

»Waren Sie es?«, fragt Aguilar nun direkt. »Haben Sie unsere Absprache an die Tapias verraten?«

»Ist das eine Frage oder ein Vorwurf?«, fragt Keller. Und weiß jetzt, dass Aguilar nicht auf der Gehaltsliste der Tapias stand.

Aber vielleicht auf der von Barrera.

»Sowohl als auch«, antwortet Aguilar.

Kommandos werden gebrüllt, die Ehrengarde entsichert die Gewehre. Ein helles, scharfes Geräusch.

»Dann verdächtigen wir uns wohl gegenseitig«, sagt Keller.

Aguilar läuft rot an vor Wut. »Haben Sie mich auch schon verdächtigt, als Sie bei mir zu Hause am Tisch saßen?«

Gut, denkt Keller, jetzt ist es heraus. »Um ehrlich zu sein, ja.«

Eine Ehrensalve wird abgefeuert.

Präsident Calderón hält die Ansprache.

»Heute bekräftige ich mein Verspechen, nicht nachzulassen im Kampf um ein Mexiko, in dem die Ordnung obsiegt«, verkündet er. »Wir, alle Mexikaner und Mexikanerinnen, müssen heute bekennen: Das Maß ist voll. Wir sind hier zusammengekommen, um dieses Übel zu bekämpfen. Wir werden es nicht länger dulden. Unser Kampf ist kompromisslos. Alle Kräfte des mexikanischen Staats sind vereint, um die Strukturen jedes einzelnen Kartells zu zerschlagen. Wir sind entschlossen, die Straßen zurückzuerobern, die wir niemals hätten aufgeben dürfen.«

Gerardo Vera tritt vor und sagt nur einen Satz: »Wir lassen uns nicht einschüchtern.«

»Sie sind korrupt«, sagt Aguilar zu Keller, als sie wegtreten. »Ein korrupter Mensch und ein korrupter Beamter, und ich werde Sie zur Strecke bringen.«

Ganz meinerseits, denkt Keller.

Zu Weihnachten kommen die Barreras zurück nach Hause.

Adán hat mit seinen neuen Leuten eine neue Sicherheitsstruktur aufgebaut, die Regierung hat den Krieg gegen die Tapias eröffnet, und in dessen Verlauf sind die Tapias öfter auf der Flucht als er selbst.

Die Ermordung der drei hohen Polizeioffiziere hat das ganze Land erschüttert. Und Adáns PR-Kampagne hat sich gelohnt. Die Öffentlichkeit ist sich darin einig, dass die Tapias gejagt werden müssen wie tollwütige Hunde.

Die Tapias haben der Regierung einen Riesengefallen getan, denkt Keller. Es ist ein echter Spielwechsel – bislang hat die Bevölkerung nicht viel von Calderóns Krieg gegen die Drogen gehalten. Manche sind sogar dagegen auf die Straße gegangen. Aber die Empörung über die Mörder hat ein Gefühl des Patriotismus und der Verbundenheit mit der Regierung erzeugt, wie es lange nicht bestanden hat.

Die Tapias haben Calderón ein Mandat gegeben.

Und mir auch, denkt Keller.

Eva ist froh, wieder zu Hause zu sein.

Sie schmückt die Finca in La Tuna mit Adventssternblüten, ohne zu wissen, dass diese Blüten neues Leben für gefallene Krieger symbolisieren. Da es in Sinaloa eine starke deutsche Tradition gibt, bestellen Eva und Adán einen gigantischen Weihnachtsbaum für die Dorfkinder, und Eva setzt es sich in den Kopf, einen neuen Brauch ins Leben zu rufen.

Sie finanzieren eine Posada – ein Krippenspiel mit Kinderprozession vom Dorf zur Finca, wo Eva den Tausende Dollar teuren Baum aufstellen lässt, geschmückt mit Holzschnitzereien, die aus Deutschland importiert sind, und einer Krippenszene mit Keramikfiguren aus Tlaquepaque.

Die Kinderprozession, angeführt von Josef und Maria auf einem Esel, bewegt sich vom Dorf zur Krippenszene, neben der Eva eine riesige sternförmige *piñata* aufgehängt hat, einen Tontopf, der mit Süßigkeiten und Spielzeug gefüllt ist. Hinterher geht es ins Dorf, wo Eva und Adán ein großes Fest ausgerichtet haben, mit Krapfen, Maiskuchen und heißem Punsch, der mit Zimt und Vanille gewürzt ist.

Und gesungen werden Weihnachtslieder.

Adán wundert sich ein wenig über Evas Vorliebe für alte Bräuche, aber es gefällt ihm. Am Heiligen Abend besteht sie darauf, dass sie zur Christmette ins Dorf gehen, und sie erfreut sich an dem Feuerwerk, das danach abgebrannt wird.

Dann kommt das Mitternachtsmahl, diesmal mit dem traditionellen *bacalao* – Stockfisch mit Tomatensoße und Zwiebeln –, den Adán nicht ausstehen kann, aber trotzdem mitisst, weil er Eva an ihre Kindheit erinnert. Mehr gefällt ihm der Revoltijo de Romerita – ein Garnelengericht mit scharfer Pepitosoße.

Den Weihnachtstag verbringen sie geruhsam – sie schlafen lange und bereiten sich ein Mahl aus den Resten.

Drei Tage später kommen *Los santos inocentes,* um an den bethlehemitischen Kindermord zu erinnern. Der Tradition zufolge muss man nicht zurückgeben, was man an diesem Tag geborgt hat. Daher ruft Nacho an und will die Laredo-Plaza »ausborgen«. Adán lehnt ab, und sie plaudern ein paar Minuten über Belanglosigkeiten, bevor sie sich mit Glückwünschen fürs neue Jahr verabschieden.

Los santos inocentes ist auch der Tag, an dem man in Mexiko »in den April geschickt« wird, und zu den gängigen Scherzen gehören Zeitungsmeldungen wie die, dass Adán Barrera, obwohl totgesagt oder angeblich als Hilfskoch des Präsidenten beschäftigt, Moderator von *Der Preis ist heiß* werden soll. Eva versteckt die Zeitung vor ihm, aber er lacht, als er sie entdeckt, und liefert zu ihrem Vergnügen eine perfekte Parodie von Héctor Sandarti, dem langjährigen Moderator der Sendung.

Auf eine Silvesterfeier hat Adán keine Lust, aber Eva möchte zu gern, und damit sie nicht glaubt, mit einem alten Miesmacher verheiratet zu sein, fliegen sie nach Puerto Vallarta, wo seine Leute in einen Club gehen, alle Handys einsammeln, sich bei den Gästen entschuldigen und ihnen eröffnen, dass sie eingesperrt bleiben, bis *El Patrón* das Lokal verlassen hat. Als das alles geregelt ist, kommen Adán und Eva und schließen sich der Feier an. Sie trägt zu ihrem kurzen roten Kleid ein albernes Silvesterdiadem und hat Adán zu einem Smoking überredet – ihm aber versprochen, dass er ihn später ausziehen darf.

Eva tanzt wie wild, und Adán versucht mitzuhalten, aber er muss gestehen – wenn auch nur sich selbst –, dass er die Mitternacht schon herbeigesehnt hat, als sie sich Schlag zwölf, wie es der Brauch will, gegenseitig zwölf Weinbeeren in den Mund stecken, um das neue Jahr zu begrüßen.

Kurz danach verlassen sie den Club, die Gäste bekommen ihre Handys zurück und haben ihren Familien nun einiges zu berichten.

El día de los Reyes Magos, der Dreikönigstag, ist das nächste kirchliche Fest. Am Nachmittag des 5. Januar bekommen die Dorfkinder von Adán und Eva bereitgestellte Heliumballons, bestücken sie mit Zetteln, auf denen sie ihre guten und bösen Taten und ihre Geschenkwünsche verzeichnet haben, und lassen sie hoffnungsvoll gen Himmel steigen. Am Abend stellt Eva, wie sie es schon als kleines Mädchen tat, einen Schuh vor die Tür, durch welche die Heiligen Drei Könige eintreten werden, um dem Jesuskind zu huldigen. Und in der Nacht schickt Adán schwerbewaffnete Männer nach Juárez, wo sie fünf Schlüsselfiguren des Juárez-Kartells unter Vicente Fuentes erschießen.

Für einsame Menschen sind die Feiertage eine schwere Zeit. Für die Ledigen, die Verwitweten und besonders vielleicht die Geschiedenen, deren Einsamkeit den bitteren Beigeschmack der Reue enthält.

Marisol wollte Keller zum Fest nach Guadelupe einladen,

aber er hat abgesagt. Obwohl die Gefahr geringer geworden ist – keine der beiden Seiten wird sich jetzt, wo es ums Ganze geht, mit dem Mord an einem DEA-Agenten belasten –, aber mit seiner Angst möchte er lieber allein bleiben. Das Verhältnis mit Marisol neu zu beleben wird keins der damit verbundenen Probleme lösen, und auch für sie sieht er keinen Sinn in einer Fortsetzung.

Der Herbst war eine miese Zeit für ihn.

Luis Aguilar hat einen bürokratischen Feldzug gegen ihn eröffnet und alles getan, um zu erreichen, dass er in die USA zurückbeordert wird.

»Ich höre, du treibst Schindluder mit unserer Arbeitsvereinbarung?«, hat ihn Taylor vor ein paar Wochen am Telefon gefragt. *»Du agierst hinter Aguilars Rücken, suchst dir deine eigenen Quellen? Fängst du wieder solche Sachen an, Art? Oder willst du leugnen, dass du Kontakte zu den Tapias unterhältst?«*

»Ich habe ein bisschen Pfadfinder gespielt.«

»Aguilar sagt, dass du Geld nimmst, Art«, so Taylor weiter. *»Er sagt, du stehst auf der Gehaltsliste der Tapias.«*

»Mein Gott, Tim!«

»Würdest du den Lügendetektor bestehen?«

»Frag doch das Aguilar.«

»Heißt das, du hast Beweise gegen ihn?«

»Nein.« Noch nicht. Aber ich werde sie bekommen. »Wenn du mich testen willst, gehe ich.«

»Eine schwache Drohung, nach allem, was du dir da leistest.«

»Schau dir doch das Video an«, erwiderte Keller und zählte seine Erfolge auf: Osiel Contreras im Hochsicherheitstrakt von Houston, Alberto Tapia auf einer Totenbahre der Pathologie, das Sinaloa-Kartell in kleine Stücke zerschlagen. »Ich glaube, ich hab es nicht nötig, um Gnade zu winseln. Scheiße, Tim! Denkst du, ich bin korrupt?«

Taylor seufzte hörbar. »*Nein, natürlich nicht. Du bist alles Mögliche und Unmögliche, aber nicht korrupt. Du überschreitest deine Kompetenzen, das ist das Problem. Ohne die verdammte Mérida-Initiative hätte ich keine Chance, dich dort zu halten. Also häng die Latte tiefer, Art. Sagen wir, fünf Meter statt deiner üblichen zehn, okay?*«

Gar nicht so leicht, denkt Keller jetzt, wenn mich Aguilar von allem fernhält und Vera so besessen von den Tapias ist, dass er jede Vorsicht vergisst. Kommt noch dazu, dass mich Aguilar überwachen lässt, von SIEDO-Agenten, die alle meine Schritte verfolgen. Und dass meine Gespräche abgehört werden, darf ich schlicht voraussetzen.

Um sich nicht länger in Selbstmitleid zu suhlen, schiebt er ein Truthahn-Fertiggericht in die Mikrowelle und genießt es zusammen mit der Preiselbeersoße aus dem beiliegenden Plastiknäpfchen – eine gelungene Parodie auf ein Weihnachtsmahl.

Die Alu-Assiette auf den Knien balancierend, sitzt er vor dem Fernseher, sieht das mexikanische Programm und spült die Happen mit Scotch herunter. Er denkt an die Weihnachtsfeiern in besseren Zeiten, als die Kinder noch klein waren und die Familie in trauter Runde beisammensaß, ohne auch nur zu ahnen, dass es jemals anders kommen könnte.

Er überlegt, ob er die Kinder anruft, aber lässt es lieber bleiben, um sie nicht mit seiner Trübsal anzustecken. Vielleicht sind sie bei ihrer Mutter, vielleicht bei Freunden. Vielleicht ist Althea mit ihnen verreist – nach Utah zum Skilaufen, nach Hawaii zum Sonnenbaden. Vielleicht sind sie bei Altheas Eltern in Kalifornien.

Und ich hier, denkt Keller – Don Quijote im Kampf gegen Windmühlenflügel, Ahab auf der Jagd nach dem weißen Wal. Allein mit meiner Besessenheit, wie ein Junkie, der an der Nadel hängt.

Mein privater Drogenkrieg, meine persönliche Sucht.

Zwei Glas später ruft er Marisol an. »*Feliz Navidad!*«

»Feliz Navidad *dir auch!*«, antwortet sie. »*Lässt du es dir gut-gehen?*«

»Nicht wirklich.«

»*Bist du betrunken?*«

»Nein«, sagt er. »Vielleicht ein bisschen.«

Sie ist eine Sekunde still, dann sagt sie: »*Ich habe dich gebeten zu kommen.*«

»Ich weiß.«

»*Du fehlst mir.*«

»Du mir auch«, sagt Keller, dann, gegen jede Vorsicht: »Willst du nicht zu Silvester herkommen?«

»*Ich würde gern*«, sagt sie, »*aber ich hab zu viel zu tun. Trau-rigerweise sind die Feiertage auch die Tage der häuslichen Ge-walt. Kannst du nicht herkommen?*«

Er weiß, was er anrichtet, aber er sagt: »Zu den Tagen der häuslichen Gewalt? Nein, vielen Dank.«

Wenn er sie damit verprellen wollte, hat er es geschafft: »*Okay.*«

»Okay … Dann irgendwann mal.«

»*Mach's gut, Arturo.*«

Mach's gut, Marisol, denkt er. Und betrinkt sich wie seit lan-gem nicht. Am Morgen geht er unter die Dusche, rasiert sich und rafft sich dazu auf, ins Büro zu gehen. Die Botschaft ist während der Feiertage wie ausgestorben, in den Gängen herrscht eine fast unheimliche Stille.

Er setzt sich an seinen Schreibtisch, brütet über Geheimakten, Datenblättern, Analysen.

Der Sinaloa-Krieg (den ich losgetreten habe) hat überall in Si-naloa und Durango zu Todesopfern geführt, während die Kämpfe in Michoacán ohne Ende weitergehen und während die Falle (die ich ausgelegt habe) noch darauf wartet, zuzu-schnappen.

Aber der gewaltige Druck, der auf den Tapias lastet, muss die Dinge beschleunigen – unbedingt, denkt Keller. Denn sonst läuft mir die Zeit davon.

Und wie sieht Adán Barreras nächster Schachzug aus?

Laredo gehört jetzt ihm, überlegt Keller.

Bald hat er auch Tijuana zurück.

Was will er als Nächstes? Da gibt es nur eins – das Kronjuwel der mexikanischen Drogenschmuggler.

Juárez.

2. Journalisten

Uncle Tommy Gabriel
He played the blue piano,
While Frank and Ava Gardner danced
The wild Juarense tango.
Those were truly golden years
My uncle Tommy says,
But everything's gone straight to hell
Since Sinatra played Juárez.

Tom Russell, When Sinatra Played Juárez

Ciudad Juárez
2008

Pablo Mora hat so einen Kater, dass er froh ist, sich im Spiegel wiederzuerkennen.

Seine unrasierte Visage ist verquollen, seine Augen blutunterlaufen, sein Haar ein Rattennest, das dringend einen Friseur brauchte. Er putzt sich die Zähne – selbst das tut weh –, fischt ein paar Aspirin aus dem Medizinschrank und spült sie hinter, dann schlurft er zurück ins Schlafzimmer, sucht auf dem Bett das sauberste Hemd, zwängt sich in die Jeans und setzt sich hin, um die Schuhe anzuziehen. Er schnüffelt an den Socken – gerade noch akzeptabel – und bemerkt, dass die Schuhe ein bisschen Pflege brauchen, die sie nicht bekommen werden.

Es zieht ihn zurück ins Bett, aber er muss seine Artikel abliefern, und Herrera wird nicht erbaut sein, wenn er wieder eine Deadline verpatzt.

Und Ana, die keinen Schluck weniger als er getrunken hat, wird ihn auslachen wegen seiner Durchhängerei.

Kaffeekochen ist zu mühsam – er weiß nicht mal, ob noch

welcher da ist, und beim bloßen Gedanken an Frühstück wird ihm schlecht, also beschließt er, lieber ins Café gegenüber der Redaktion zu gehen.

Ricardo, der Wirt, hat ein Herz für verkaterte Journalisten.

Klar, denkt Pablo. Sonst könnte er seinen Laden gleich zumachen.

Pablo zieht die Wohnungstür hinter sich zu und geht die Stufen vom ersten Stock ins Parterre behutsam an. Es gibt auch einen Fahrstuhl, aber dem traut er nicht so recht.

Der verflixte Jaime, denkt er, als er in die frische Januarluft hinaustritt. Er hat sich von Ana überreden lassen, nach der Arbeit auf ein Bier zu Jaime zu gehen, obwohl sie beide wussten, wie das enden würde. Angefangen hatten sie mit einem Modelo, dann waren sie zu dunklem Indio übergegangen, und irgendwann kam Giorgio dazu und bestellte eine Runde Tequila, die sie auf die Idee brachte, noch auf einen Drink zu Fred zu gehen und sich einen Scotch zu genehmigen, der älter war als Pablos Großmutter.

Was er sich, wie ihm jetzt klar ist, gar nicht leisten konnte, weder gesundheitlich noch finanziell.

Mexikanische Journalisten kriegen einen Hungerlohn, und bei Provinzreportern in Juárez reicht es nicht mal für den Hunger – etwa hundert Dollar die Woche, ausgezahlt am Freitag. Die Miete ist zwar billig, aber er muss Unterhalt zahlen, was ihn jetzt auf die Frage bringt, ob er diese Woche mit Matteo dran ist.

Ist aber nicht so wichtig – er sieht seinen Sohn sowieso fast täglich. Matteo wird bald vier und kommt an den Punkt, wo seine Witze wirklich witzig werden. Victoria hat nichts dagegen, wenn er sich um ihn kümmert, daher holt er ihn neuerdings meist vom Kindergarten ab.

Das verübelt ihm seine Ex nicht.

Andere Dinge schon.

Allerdings ist sie *Wirtschafts*journalistin.

Eine völlig andere Welt.

Er steigt in seinen 96er Toyota Camry, der mit allem ausgestattet ist, was einen Reporter ausmacht – zwei Pappbecher für Kaffee, etliche leere Burrito-Tüten mit dem Schweinsgesicht, das ihn höhnisch angrinst, ein Straßenatlas der Stadt, den er eigentlich nicht braucht, ein Walkie-Talkie (von der Redaktion gestellt), das er dringend braucht, ein Polizeifunkscanner, der die Grundmelodie seines Arbeitsalltags bildet.

Der Camry ist nicht wesentlich besser in Form als Pablo. Er hat zwar keinen Kater, braucht aber dringend eine Lackierung, um all die Kratzer zu kaschieren, die ihm Pablo bei seinem stürmischen Einsatz für die Pressefreiheit zugefügt hat. Das hintere Seitenfenster ist von einem Stein getroffen worden, den ihm ein wütender Penner in Anapra nachgeworfen hat, die Wischergummis der Frontscheibe sind längst in der Sonne geschmolzen, und ein feiner Belag aus khakifarbenem Staub verfälscht das ursprüngliche Blau der Karosse zu einem kränklichen Grau.

»Warum kaufst du dir kein netteres Auto?«, hat ihn Victoria erst letzte Woche gefragt.

»Weil ich keins will«, hat er ihr geantwortet, obwohl es eher so ist, dass er sich keins leisten kann.

Außerdem ist ein nettes Auto nur von Nachteil für seine Arbeit. Die Bewohner der ärmeren Viertel werden neidisch und abweisend, wenn sie ein teures Auto sehen, und seine alte Karre ist nicht so verlockend für Autodiebe, die in Juárez eine wahre Plage sind.

Das Seltsame an den Autodiebstählen in Juárez ist, dass die Autos von selber wieder auftauchen – meist noch am selben Tag –, was die Polizei vor ein Rätsel stellte, bis Reporter wie Pablo dahinterkamen, dass Narcos der unteren Liga die Autos stehlen, um Drogen über die Grenze zu schmuggeln, und sie nach der Rückkehr einfach stehenlassen.

Jedenfalls, der Camry springt an, und Pablo fährt zur Redaktion.

Pablo liebt Juárez.

Er ist hier geboren, zur Schule gegangen, und er würde nie freiwillig wegziehen. Zugegeben: Juárez ist erschreckend kalt im Winter und brüllend heiß im Sommer, und man muss sehr hoffen, dass Frühling oder Herbst auf ein Wochenende fallen, damit man sie genießen kann. Die Stadt ist eher für ihre Staubstürme bekannt als für ihre landschaftlichen Reize, eher für ihre Bars als für ihre Sehenswürdigkeiten, und die berühmteste Erfindung der Stadt ist die Margarita. Aber mit Pablo und seiner Stadt ist es wie bei einem alten Ehepaar: Er liebt sie für ihre Schwächen genauso wie für ihre Stärken.

Und nimmt sie, wenn es sein muss, in Schutz.

Vielleicht weil Juárez immer nur als Durchgangsstation betrachtet wurde. Selbst der ursprüngliche Name, Paseo del Norte, besagte nichts weiter, als dass man dort über den Río Bravo in den Norden gelangt, aber Pablo erinnert die Leute – besonders die Amerikaner – gern daran, dass die Missionsstation Nuestra Señora de Guadelupe dort schon im Jahre 1659 gegründet wurde, zu einer Zeit, als Washington, D.C., nichts weiter war als ein Malariasumpf. 1888 wurde die Stadt in Ciudad Juárez umbenannt – zu Ehren des alten Demokraten Benito Juárez, der die Franzosen aus Mexiko hinausgeworfen hatte, und ihre Blütezeit erlebte sie in den 1880er Jahren unter der Vorherrschaft der Fünf Familien – der Ochoa, Cuarón, Provencio, Samaniego und Daguerre –, deren Nachfahren noch immer das Sagen haben. Sie schufen das Geschäftsviertel mit der alten Calle del Comercio, die heute Avenida Vicente Guerrero heißt, und der Avenida 16 de Septiembre, mit deren Namen der mexikanischen Unabhängigkeit gedacht wird.

Allerdings – und darauf ist Pablo stolz – war Juárez immer ein Hort der Revolution. Pancho Villa kam mit acht Männern, zwei Pfund Kaffee und fünfhundert Patronen in die Stadt, doch bald darauf war er Gouverneur von Chihuahua, besiegte den Diktator Porfirio Díaz und marschierte sogar in die USA ein. Juárez wurde jedoch bei den Kämpfen zerstört und nach

1913 wiederaufgebaut – weshalb das Zentrum ziemlich eintönig wirkt.

Die klassizistische Kathedrale hingegen stammt aus den frühen fünfziger Jahren, aus der nächsten Blütezeit der Stadt, als das alte Touristenviertel (das heute den brutal-hässlichen Namen PRONAF trägt) zum Party-Paradies für amerikanische Showstars wurde.

Die Leute kriegen feuchte Augen, wenn sie von »Old Juarez« erzählen, wo es Stierkämpfe, Bordelle und Nachtclubs gab, wo Frank Sinatra und Ava Gardner die Nächte durchfeierten.

Pablo mit seinen vierunddreißig Jahren war damals noch nicht auf der Welt, aber die Stadt, wie er sie kennt, ist ihm Heimat genug.

Häufig genug geändert hat sie sich auch zu seiner Zeit.

Und zwar gewaltig – in zwei Wellen. Erst in den Siebzigern, als die Amerikaner hier Fabriken bauten, wegen der mexikanischen Billiglöhne, dann noch einmal in den Neunzigern, als sie wieder abzogen, wegen der noch billigeren chinesischen Billiglöhne.

Die erste Welle erzeugte riesige Slums, da die Arbeiter aus ganz Mexiko kamen, besonders aus dem armen Süden. Die Stadt war dem Zustrom nicht gewachsen, in den *colonias* gab es praktisch keine Infrastruktur, und da die Fabriken vorwiegend an weiblichen Arbeitskräften interessiert waren, saßen Tausende Männer untätig herum, fühlten sich nutzlos, tranken schlechtes Bier und stiegen zunehmend ins Drogengeschäft ein.

In den *colonias* herrschten schlimme Zustände, und seit die Fabriken abgewandert sind, ist es noch schlimmer geworden. Jetzt sind nicht nur die meisten Männer, sondern auch die meisten Frauen arbeitslos.

Und die bettelarmen *colonias* haben sich wie ein Ring um die Stadt geschlossen, drängen sich an der Grenze nach El Paso, das auf dem anderen Flussufer liegt.

Juárez hat etwa anderthalb Millionen Einwohner, El Paso nur

ein Drittel davon, aber dort konzentriert sich der Reichtum, wenn man die reich gewordenen mexikanischen »Geschäftspartner« nicht rechnet (aber selbst die leben inzwischen in El Paso) – und natürlich die Narcos im Vorort Campestre mit ihren neuen Fertighäusern.

Und das, ob es Pablo gefällt oder nicht (und natürlich gefällt es ihm nicht), bestimmt die Lebenswirklichkeit dieser Doppelstadt – denn Juárez und El Paso sind untrennbar miteinander verbunden, aber durch eine willkürliche Grenze getrennt.

Wer kräftig genug ist, kann einen Stein von Juárez nach El Paso werfen. Man steht auf dem einen oder dem anderen Ufer und blickt in eine andere Stadt, ein anderes Land, eine andere Kultur. Aber viele Bewohner sind hier wie dort zu Hause, fast jeder hat Verwandte und Freunde auf der anderen Seite – El Paso ist immerhin zu achtzig Prozent hispanisch, und zwischen beiden Städten herrscht ein ständiges Hin und Her.

Das Wichtigste an der Doppelstadt sind also nicht die Bars und Clubs, die Läden und Bürohäuser, nicht mal die alte Stierkampfarena oder das Fußballstadion (die Heimat von Pablos Lieblingsmannschaft Los Indios) – das Wichtigste sind die vier Brücken.

Täglich werden sie von 2000 Lastwagen und 34000 Pkws überquert, täglich rollen legale Güter im Wert von über hundert Millionen Dollar über die Brücken, werden Drogen im Wert von geschätzten anderthalb bis zehn Millionen Dollar von Süden nach Norden geschmuggelt.

Das Geld fließt von Norden nach Süden.

Na ja, Geld und Waffen, denkt Pablo. Aber das ist eine andere Geschichte. Die Milliardenbeträge, die in Juárez ankommen, werden »neues Geld« genannt und zum großen Teil in Immobilien und ins Geschäft investiert.

Pablos Eltern sind weder arm noch reich, sie sind beide Professoren, haben ihn in einem Klima bescheidener, aber gepflegter Bürgerlichkeit aufgezogen und waren ein wenig enttäuscht, als er keine Akademikerlaufbahn einschlug.

Er ist »irgendwie« links wie die meisten Journalisten (im Unterschied zu Victoria, die als Wirtschaftsjournalistin an die freien Märkte glaubt und konservativ wählt) und liegt da auf einer Linie mit Ana, nicht aber mit dem Fotografen Giorgio, der ein überzeugter Kommunist ist und mit seinem langen Haar und dem wilden Vollbart wie ein Wiedergänger von Che Guevara wirkt, nur dass es ihm, wie Pablo ihm klargemacht hat, am entsprechenden politischen Ernst fehlt. Giorgio kann an keiner vollen Flasche und an keiner schönen Frau vorübergehen, und diese beiden Leidenschaften vertragen sich nicht so recht mit seinem revolutionären Eifer.

Pablo hofft, dass er nicht mit Ana schläft, doch der Verdacht ist nicht von der Hand zu weisen, weil sie bei diesem Thema merkwürdig schweigsam wird, obwohl sie sonst kein Blatt vor den Mund nimmt, was ihr Liebesleben angeht.

Ana steht auf schöne Männer.

Und ich, denkt Pablo, während er auf die Plaza del Periodista einbiegt, gehöre nicht zu dieser Sorte.

Erst recht nicht heute Morgen.

Mit ihr ins Bett zu gehen hat sich nach feuchtfröhlichen Abenden schon öfter angeboten, ein paarmal waren sie nahe dran, schreckten aber im letzten Moment davor zurück: Sie waren zu gut befreundet, um ihre Freundschaft leichtfertig aufs Spiel zu setzen. Aber die Anziehung beruht auf Gegenseitigkeit (was er bei sich selbst verstehen kann, bei ihr aber nicht) und ist von Bestand – und offenbar auch nach außen sichtbar, weil Victoria im Streit gern mal behauptet, dass nicht sie, sondern Ana seine wahre Liebe sei.

Auch um seine Trinkerei geht der Streit mit Victoria sowie um seine Vorliebe für abseitige Berichte aus den Schmuddelecken der Stadt, für die sich kein Mensch interessiert – ob er denn nicht ordentliche Artikel schreiben könne (das heißt über internationale Wirtschaft und Politik, was ihn beides völlig

kaltlässt). Pablo berichtet lieber über den alten Blumenver-
käufer an der großen Kreuzung, über jugendliche Sprayer,
über die Mütter in den Armenvierteln und ihre Probleme mit
der Kindererziehung.

Meist geht es dabei um Kriminalität, aber er schreibt auch
über den friedlichen Alltag in der Stadt, verfasst ab und zu
einen Reisebericht, eine Filmkritik, wenn er Herrera dazu
überreden kann – oder eine Restaurantkritik, denn die bringt
ihm eine meist recht gute Gratismahlzeit. Und solche Extra-
Beiträge werfen ein paar Extra-Pesos ab. Wenn Herrera einen
richtig guten Tag hat, schickt er ihn auch mal als Reporter ins
Fußballstadion, wo er über seine geliebten »Indios« berichten
kann.

Hin und wieder muss er zu Recherchen nach El Paso hinüber,
und die dortigen Redaktionen nehmen auch gern mal einen
seiner Artikel. Offenbar mögen sie die Gruselgeschichten
über die mexikanischen Gangster und die von ihnen ausge-
hende Bedrohung für die USA. Adán Barrera ist immer gut
für eine unbezahlte Stromrechnung. (In gewisser Weise profitieren wir alle von der *pista secreta,* denkt er jetzt.)

Pablo fährt an der Skulptur der Zeitungsjungen vorbei (für
die er sentimentale Empfindungen hegt), stellt das Auto auf
dem Parkplatz der Redaktion ab und läuft hinüber zum Café,
wo Ana, am Tresen stehend, ihren Kater mit Espressos bekämpft.

Er plumpst auf den Hocker neben ihr, sie knurrt ihm ein
»Hallo« zu. Ihr Gesicht wirkt ein wenig gequält, doch abgesehen davon sieht sie gut aus wie immer. Modisch, gepflegt,
frisch gebügelt.

Sie ist klein und zierlich und vergleicht sich manchmal mit
einem Vogel. Tatsächlich ist sie keine Schönheit – ihre Nase ist
spitz und scharf wie ein Schnabel, sie hat schmale Lippen und
keine nennenswerte »Figur« (»Wenn du scharf auf Möpse
bist, bin ich die falsche Adresse«, bescheidet sie potenzielle
Liebhaber), aber ihr kurzgeschnittenes schwarzes Haar ist

dicht und glänzend, was Pablo sehr gefällt, und ihre intensiven braunen Augen verraten Herzenswärme (wenn sie nicht gerade einen Kater hat).

Kurz und gut: Ana ist eine interessante Frau, auch wenn es manchmal ermüdend ist, ihr zuzuhören, weil sie eine Nervensäge sein kann, besonders, wenn es um Politik geht, über die sie mit einer Leidenschaft schreibt, die Pablo unbegreiflich und auch ein bisschen unheimlich findet.

An dieser Stelle vermengen sich ihre beruflichen Interessen, weil Kriminalität und Politik in Mexiko nur allzu oft ein und dasselbe sind. Fachlich können sie sich aufeinander verlassen und auch ihre Quellen teilen. Mit Giorgio zusammen, der die passenden Bilder liefert, bilden sie ein starkes Team und werden daher von Herrera als die »drei Amigos« bezeichnet.

Ricardo stellt den *café con leche* behutsam vor Pablo ab und zieht sich still zurück.

»Du bist eine Heilige«, sagt Pablo und lässt reichlich Zucker aus dem Zuckerspender in die Tasse rieseln.

»Deine Hüften werden sich bedanken«, sagt Ana.

Pablo weiß, dass er gut und gerne zwanzig Pfund abnehmen könnte – okay, dreißig – und seine Muskeln die Konsistenz von Götterspeise haben. Aber heute fängt er nicht mit Fasten an. Er müsste wieder dreimal wöchentlich zum Fußballtraining gehen, so wie früher.

Ja, müsste.

»Das war übrigens ein Vorwurf«, sagt er zu ihr.

»Du bist doch schon groß«, erwidert sie und starrt in ihre Tasse. »Du hättest auch nein sagen können.«

»Da halte ich es mit Oscar Wilde: ›Ich kann allem widerstehen, nur der Versuchung nicht.‹«

Meiner Versuchung kannst du ganz gut widerstehen, denkt Ana, doch ihren Frust schiebt sie ganz schnell auf den üblen Kater. Gestern Abend hat sie ihn mit der festen Absicht eingeladen, hinterher mit ihm ins Bett zu springen, doch dann siegte der Alkohol.

Vielleicht sollte es so sein.

Wäre es überhaupt so weit gekommen?, fragt sie sich jetzt. Selbst wenn er, sagen wir, verführbar gewesen wäre? Hättest du das durchgezogen oder einen Rückzieher gemacht wie sonst auch?

Wahrscheinlich Letzteres, sagt sie sich. Trotzdem, es wäre nett von ihm gewesen, mir die Wahl zu lassen. Aber es ist besser so. Liebhaber gibt's wie Sand am Meer, doch gute Freunde sind kostbar. Die soll man nicht einfach so vernaschen.

Außerdem steht Pablo auf schöne Frauen, wie man an seiner Ex sehen kann – eine große, schlanke, blonde Sinaloanerin mit fitnessgestähltem Körper. Ein Muster an Disziplin, jedenfalls. Pablo war völlig hinüber und stieg ihr mit einer Hartnäckigkeit nach, die er normalerweise nur für eine gute Story aufbrachte, und alle seine Freunde hätten ihm sagen können (wie sie es sicher untereinander taten), dass das nicht gutgehen konnte, dass sich Victoria nur zu ihm herabließ, um ihr besseres Selbst in ihm zu finden, und dass ihm einfach der Ehrgeiz fehlte, den sie letztlich von ihrem Partner erwartete.

Ana mag Victoria. Sie ist eine verdammt gute Journalistin und auch sehr nett, wenn man es schafft, sie aufzutauen. Ihrem Matteo ist sie eine wunderbare Mutter, und auch was die Besuchsregelung für Pablo betrifft, zeigt sie sich sehr großzügig. Sie waren einfach nicht füreinander gemacht.

Victorias Karriere geht steil nach oben, und Pablos Karriere …

Nun, Pablo schreibt über Straßendichter, die den Leuten ihre Verse unter den Scheibenwischer schieben. Er schreibt über die *ambulantes,* die fliegenden Händler. Gerade das macht ihn so liebenswert – wie einen großen, hässlichen Hund, den man nicht davon abhalten kann, aufs Sofa zu springen.

»Hast du Lust, heute Abend zu kommen? Ich mache Paella und lade ein paar Leute ein.«

»Vielleicht kriege ich Matteo.«

»Bring ihn mit«, sagt Ana. »Jimena würde sich freuen. Sie

kommt und Tomas auch. Giorgio vielleicht. Vorher gehen wir zur Cafebreria, zu Tomas' Lesung.«

Die Cafebreria ist Pablos zweite Heimat – ein Buchladen mit Café, wo sich die Künstler und Intellektuellen der Stadt treffen. Die Lesung wollte er sowieso besuchen, Anas Paellas sind zu Recht berühmt, und Jimena bringt vielleicht Polvorones von ihrer Bäckerei in Guadelupe mit.

»Ich würde eine Flasche Wein beisteuern«, sagt Pablo.

»Bring lieber Matteo mit«, erwidert Ana. Sie schlürft den letzten Rest aus ihrer Espressotasse und schaut auf die Uhr. »Komm, der Uhu wartet schon.«

Pablo trinkt seinen Kaffee aus und bereut es schon, nicht doch noch einen Happen gegessen zu haben. Er legt das Geld auf die Theke und geht mit Ana über die Straße zur Redaktion von *El Periódico*.

Oscar Herrera, »der Uhu«, ist der Nestor des mexikanischen Journalismus, der letzte Redakteur alter Schule. Er wacht über die Lokalredaktion und hat ein untrügliches Gespür für Faktenfehler, schiefe Formulierungen, literarischen Schwulst.

Sein Spitzname könnte nicht treffender sein. Herrera ist dick, seine schwere runde Brille vergrößert seine Augen, mit denen er gravitätisch blinzelt, und auch seine behaarten Ohrspitzen lassen keinen anderen Namen zu als ebendiesen.

Pablos Verhältnis zu ihm hat sich in den zehn Jahren seiner Reporterlaufbahn allmählich geändert: vom blanken Horror zu einer vagen Beklommenheit in seiner Gegenwart. Oscar Herrera – Doktor Oscar Herrera, um genau zu sein – ist ein Mann von Courage und Integrität, der Politikern, Generälen und Drogenbossen die Stirn bietet, wenn sie versuchen, Einfluss auf seine kritische Berichterstattung auszuüben.

Vor neun Jahren haben sie versucht, ihn umzubringen.

Narcos hatten sein Auto an einer Ampel überfallen, seinen Chauffeur erschossen und ihn mit drei Kugeln an Hüfte und

Bein verletzt (Pablo vermutet eher, dass es ein Anschlag der Armee im Auftrag der Regierungspartei PRI war, und seine Kollegen behaupten im Scherz, ein wütender Reporter habe sich an ihm rächen wollen), und seitdem geht der Uhu am Stock.

Er machte Fernsehgeschichte, als er den Stock bei der Entlassung aus dem Krankenhaus in die Kameras schwenkte und über die schlechte Ausbildung der Killer schimpfte. Dann fuhr er in die Redaktion und stutzte die Berichte über den Anschlag zurecht: stellte die Fakten richtig und korrigierte die Syntax.

Aber der Uhu kann auch anders.

Er hat drei Gedichtbände veröffentlicht, ein Buch über die Romane von Élmer Mendoza, und Pablo weiß mit Bestimmtheit, dass er jeden Samstag frühstücken geht und danach in seinem Wohnzimmer alte Langspielplatten mit Mahler-Sinfonien hört.

Jetzt sitzt Herrera in seinem Büro, das steife Bein neben dem Stock auf dem Tisch gelagert, und blinzelt Pablo mit seinen Eulenaugen an. »Und wie kommst du darauf, dass deine Story über Straßenmusikanten unsere Leser interessieren könnte?«

»Mich interessiert das Thema.«

Herrera blinzelt unbeeindruckt weiter. Natürlich – wenn sich ein Reporter für sein Thema erwärmt, recherchiert er gründlicher und schreibt mit mehr Elan. »Aber du willst über Musik schreiben, die der Leser nicht hören kann.«

»Doch, kann er«, widerspricht ihm Giorgio. »In der Online-Edition. Wir können Aufnahmen machen und als MP3 bringen.«

Herrera zieht die Brauen zusammen. Er kennt die neue Technik – das ist Teil seines Jobs –, aber das heißt nicht, dass sie ihm passt. Nur widerstrebend hat er den Videoclips in der Online-Ausgabe zugestimmt, weil er meint, dass die Leute den Fernseher einschalten sollen, wenn sie fernsehen wollen.

Aber der Chef hat sich durchgesetzt, und deshalb bringen sie auch Audio- und Videoclips.

Herrera setzt weiter auf das gedruckte Wort.

Und auf schöne Fotos, die der Botschaft auf die Sprünge helfen.

Fotos, die man nicht vergisst.

Er fragt Giorgio: »Kannst du das fotografieren?«

Zu Pablos Freude antwortet Giorgio: »Und ob ich das kann! Ich bringe starke Bilder mit, als Foto oder Film, ganz wie du willst.«

Giorgio ist schon ein Wahnsinnstyp, denkt Pablo. Wenn man ihn so sieht mit seiner kräftigen Statur und seinen roten Backen, möchte man meinen, er kommt gerade von einem morgendlichen Skiausflug, dabei hat er sie gestern alle unter den Tisch getrunken.

Er strotzt geradezu vor Energie, denkt Pablo nicht ohne Missgunst, wahrscheinlich steckt wieder eine Frau dahinter.

Der Uhu zeigt sich heute nicht sehr gnädig: »Acht Stunden, keine Sekunde mehr. Es gibt wichtigere Themen. Die Drogensituation.«

Pablo stöhnt.

Er hat keine Mietschulden, der Unterhalt ist gezahlt, ein Narco-Artikel wird daher eine Übung in Langeweile. Denn der typische Narco ist ein dumpf-brutaler Ganove – kennst du einen, kennst du alle.

Und überhaupt, wen interessiert's?

»Warum Tinte verschwenden auf dieses Pack?«

»Fünf ermordete Polizisten in Juárez«, erwidert Herrera. »Ich glaube, das ist Grund genug. Ich will wissen, was die ›Straße‹ denkt.«

Pablo hat schon über die Morde berichtet.

Vor gut zwei Wochen haben Heckenschützen mit Spezialgewehren fünf Männer in verschiedenen Teilen der Stadt ermordet. Zwei von ihnen, Miguél Romo und David Baca, waren Lokalpolizisten.

Vor zwei Tagen ist der Polizeihauptmann Julián Chairez von zweiundzwanzig Kugeln durchlöchert worden, als er an der Ecke Avenida Hermanos Escobar und Calle Plutarco Elías auf Streife war.

Sein Bruder war bereits im Mai ermordet worden.

Dann, gestern Morgen, wurde Kommandant Francisco Ledesma, der dritthöchste Polizeioffizier der Stadt, erschossen. Er saß in seinem Auto und wollte zur Arbeit fahren, als ein weißer Chevy-Van vor ihm hielt, ein Mann ausstieg, in aller Ruhe auf das Auto zuging und mit einer Neun-Millimeter-Pistole vier Schüsse durch das Türschloss abfeuerte.

Ledesma starb, bevor der Rettungswagen kam.

Seine Ermordung hat die Stadt in Aufruhr versetzt. Er war erst vierunddreißig und wurde geschätzt – auch weil er der Chef der »Pumas« war, der städtischen Taskforce gegen Bandenkriminalität.

Es gibt an die achthundert kleine Gangs in Juárez mit etwa vierzehntausend Mitgliedern – die meisten in den Armenvierteln am Stadtrand. Aus diesen Gangs rekrutieren die »großen« Gangs, die das Juárez-Kartell betreiben – Los Aztecas, Los Mexicles, Los Aristas Asesinos und La Línea –, ihren Nachwuchs.

Hinter den großen Gangs war Ledesma her, und das, vermutet Pablo, hat ihn das Leben gekostet.

Aber die Fakten sprechen eine andere Sprache.

Gangster ballern wild drauflos, doch hier hatte ein Profi gearbeitet – Profis schießen durch das Schloss und erzielen die genauen Treffer, auf die sie dann stolz sein können.

Fünf Lokalpolizisten – Chairez, Baca, Romo, noch mal Chairez und Ledesma.

Pablo kann es Herrera nicht verdenken, dass er einen Artikel will. Der wendet sich jetzt an Ana.

»Hör dich mal um, was unsere Offiziellen denken. Der Gouverneur ist heute in der Stadt und trifft sich mit dem Bürgermeister. Bring Zitate.«

»Fotos?«, fragt Giorgio.

»Wenn Ana ein Interview mit dem Gouverneur bekommt.«

»*Falls* Ana ein Interview mit dem Gouverneur bekommt«, korrigiert sie.

Pablo fährt hinaus in das Arbeiterviertel Galeana, um Victor Abrego zu treffen, einen Lokalpolizisten, den er von früher kennt.

Was Pablo seinen amerikanischen Kollegen nur sehr schwer erklären kann (weil es unerklärlich ist), sind die byzantinischen Strukturen des mexikanischen Justizapparats.

Wie in den USA gibt es in Mexiko drei Polizeiformationen: die Lokalpolizei, die Provinzpolizei, die Bundespolizei. Aber damit hören die Ähnlichkeiten auch schon auf. Das Besondere an der mexikanischen Lokalpolizei ist, dass sie nicht ermittelt. Ihre Rolle ist im Wesentlichen auf Wachfunktionen beschränkt: Streifendienst, Verkehrskontrolle, Zivilschutz. Sie sind die Ersten am Schauplatz eines Verbrechens – bergen die Opfer, sichern den Tatort –, doch dann ist ihre Aufgabe beendet.

Mit den Ermittlungen ist die Provinzpolizei und deren Staatsanwaltschaft betraut. Ein Lokalpolizist in Juárez, der mit einem Mordfall konfrontiert ist, übergibt ihn also der Staatsanwaltschaft oder einem Provinzpolizisten.

Außer der Mord fällt in die Zuständigkeit der Bundespolizei. So wie alles, was auf organisiertes Verbrechen oder Drogenkriminalität einer gewissen Größenordnung deutet. Dann übernimmt die Bundespolizei und die Bundesanwaltschaft.

Ein Narco-Mord in Juárez wird also mehrfach bearbeitet, gerät in das Kompetenzgerangel zwischen Lokalpolizei, Provinzpolizei und Bundespolizei und ihren jeweiligen Anwaltschaften sowie einem bunten Haufen von Geheimdiensten auf städtischer, Provinz- und Regierungsebene.

Kein Wunder, dass kaum Verbrechen aufgeklärt werden, denkt Pablo, als er in Galeana einen Parkplatz sucht.

Mexiko ist ein Paradies für Kriminelle.

Und noch ein Problem gibt es in Juárez, das jeder kennt: Die meisten Juarenser haben eine Heidenangst vor den Lokalpolizisten.

Aus gutem Grund. Weil viele von ihnen nicht nur unberechenbar und gewalttätig sind, sondern zudem zwei Herren dienen – dem Polizeichef und La Línea.

La Línea war – bis vor kurzem jedenfalls – der wichtigste militante Arm des Juárez-Kartells. Zusammengesetzt ausschließlich aus bediensteten und ehemaligen Lokal- und Provinzpolizisten, hält La Línea das Drogengeschäft – nun ja, auf Linie. Da will einer Drogen über die Grenze schmuggeln, ohne den Piso zu zahlen? La Línea regelt das. Da hat einer seine Ware verloren und behauptet, der Zoll habe sie beschlagnahmt? La Línea findet die Wahrheit heraus und straft die Schuldigen. Jemand macht ständig Probleme oder fängt ein Konkurrenzgeschäft an? La Línea zieht ihn aus dem Verkehr und lässt ihn verschwinden.

Doch wohin geht man, wenn man polizeiliche Hilfe braucht? Pablo glaubt nicht, dass alle oder auch nur die Mehrheit der Polizisten in Juárez für La Línea arbeiten, aber er ist sicher, dass die, die mitmachen, ausreichen, um alle, die nicht mitmachen wollen, zum Mitmachen zu zwingen, wenn sie nicht ihren Job oder gar ihr Leben riskieren wollen.

Sagen wir, dass zwei Bezirkschefs der Lokalpolizei – sechs gibt es in Juárez – zu La Línea gehören. Die zwei vergeben Posten, versetzen ihre Leute an Stellen, wo sie gebraucht werden, ziehen die ab, die nicht mitmachen, oder feuern sie. Sagen wir, ein Ermittler der Provinzpolizei gehört zu La Línea. Mit welchem Eifer wird er den Mord an einem Narco ermitteln, der sich mit dem Juárez-Kartell überworfen hat, einen Mord, den La Línea wahrscheinlich ausgeführt hat? Wird er die brauchbaren Beweismittel wirklich an die Bundespolizei – die Federales – weiterleiten, oder lässt er sie einfach verschwinden?

Es ist ein offenes Geheimnis in Juárez, dass die Cops Anrufe unter der Nummer 066 – über die Bürger anonym Anzeige erstatten können – direkt an das Kartell weiterleiten. Will ein Bürger also in einem Mordfall Hinweise geben, läuft er Gefahr, Opfer des nächsten Mordfalls zu werden.

Aber die neuesten Opfer sind allesamt Cops.

Pablo schließt das Auto ab und gibt dem *parquero* an der Ecke eine Fünfpesomünze, damit er ihm nicht die Räder klaut, dann läuft er die Straße hinunter, bis er Abrego findet. Abrego trägt die blassblaue Uniform der Lokalpolizei und eine dunkelblaue Schussweste mit den Lettern »policía municipal«.

Pablo missgönnt ihm die Weste nicht, doch manchmal denkt er, er könnte auch so eine gebrauchen.

»Ich hab zu tun, Pablo«, sagt Abrego, als er ihn nahen sieht.

»Tut mir leid wegen deiner Leute«, sagt Pablo.

»Kein Kommentar.«

»Komm schon«, sagt Pablo. »Der übliche Deal. Quellen sind tabu. Was ist da los?«

Es ist schwierig, einem Cop Fragen zu stellen, wenn einer seiner Kollegen ermordet wurde. Sie sind wütend, sie sind reizbar, und Abrego macht da keine Ausnahme. »Was los ist? Ein Scheiß-Narco hat einen *comandante* ermordet.«

»Gibt es ein Motiv?«, fragt Pablo. »Hinweise?«

»Ich nehme an, Ledesma hat es übertrieben und jemanden geärgert.«

»Vicente Fuentes?«

Abrego schüttelt den Kopf. »Das waren keine von hier.«

»Woher weißt du das?«

Jetzt wird Abrego sauer. »Weil ich dann was *gehört* hätte!«

Pablo hat keine Ahnung, ob Abrego für La Línea arbeitet oder nicht. Er glaubt, eher nicht, aber er wird sich hüten, ihn danach zu fragen. »Wenn es keine von hier waren, wer dann?«

»Fahr nach Sinaloa und frag dort.«

»Adán Barrera?«

Abrego zögert kurz. »Cops kriegen neuerdings Anrufe. Auf

ihren Privathandys. Oder sie werden von anderen Cops angesprochen.«

»Und was sagen die?«

»Dass neue Leute kommen«, sagt Abrego. »Aus Sinaloa. Und dass sie mit dem nächsten Bus verschwinden sollen.«

Wenn das stimmt, denkt Pablo, haben mindestens fünf Cops den Bus verpasst.

»Jetzt hau ab, Pablo«, sagt Abrego. »Ich hab zu tun, und dann muss ich zur Beerdigung.«

Pablo lädt einen Mordkommissar der Provinz Chihuahua zum Essen ein.

Comandante Sánchez ist dadurch nicht zu beeindrucken – so etwas wie eine Gratismahlzeit ohne erwartete Gegenleistung gibt es auch in Mexiko nicht.

Als er die köstliche Langustenplatte abgeräumt hat, blickt er zu Pablo hoch und fragt nur: »Also?«

»Was ist los in Juárez?«

»Warum fragen Sie *mich* das?«

»Haben Sie auch so einen Anruf bekommen?«, fragt Pablo.

»Von wem?«

»Von den ›neuen Leuten‹.«

»Wer hat Ihnen davon erzählt?«

Pablo antwortet nicht.

Dann sagt Sánchez: »Einen Anruf hab ich tatsächlich bekommen. Auf mein Privathandy, und woher haben die meine Nummer? Nach allem, was wir hören, sind sie an höhere Polizeioffiziere herangetreten, mit Geld. Ich vermute, Ledesma wollte keins nehmen.«

»Möchten Sie noch ein Bier? Ich nehme noch eins.« Pablo winkt dem Kellner und befragt Sánchez weiter. »Haben wir es hier mit einer Invasion zu tun?«

»Wenn Sie so gut Bescheid wissen, sagen *Sie's* mir doch.«

»Okay.« Pablo hat das Versteckspiel satt. »Steckt Adán Barrera dahinter, der sein altes Imperium zurückholen will?«

»Da waren Sie doch noch ein Kind«, sagt Sánchez.

»Ich habe die Geschichten gehört.«

Der Kellner bringt zwei Gläser Bier und stellt sie ab. Auf einen Blick von Sánchez entfernt er sich.

»Tun Sie sich einen Gefallen«, sagt Sánchez. »Hören Sie sich solche Geschichten nicht an.«

»Was soll das heißen?«

»Das wissen Sie selbst.«

»Sehr witzig!« Das Essen hat Pablos Kater gutgetan, auch das Bier, aber seine Kopfschmerzen sind geblieben, und dieses alberne Geplänkel macht sie nur schlimmer. Die ganze Welt weiß über Adán Barrera Bescheid – es gibt Bücher über ihn, Romane, Filme, Fernsehberichte. Die Narcos sind ein Medienhype. Die Mafiaschnulze der jungen Generation.

»Das ist doch alles Vergangenheit«, sagt Pablo. »Die Kartelle, die *patrones* – entweder eingesperrt oder tot. Sogar Osiel Contreras haben sie erwischt.«

»Aber Adán Barrera ist frei.«

Pablo ist bedient und will das Gespräch beenden. »Was wollen Sie damit sagen? Dass es einen ›Krieg‹ gibt? Dass Barrera in Juárez einmarschiert?«

»Ich sage nur, dass Sie sich solche Geschichten besser nicht anhören sollten«, sagt Sánchez und greift nach der Rechnung.

Das hat Pablo noch nicht erlebt.

Dass ein Cop zuerst nach der Rechnung greift.

Pablo braucht drei Stunden, bis er seinen alten Schulkumpel Ramón aufgespürt hat, und findet ihn im Kentucky, in Sichtweite der Santa Fe Bridge, die nach El Paso hinüberführt.

Pablo setzt sich auf den Nachbarhocker. »*Que paso?*«

»*Nada.*«

Von wegen *nada*, denkt Pablo. Wenn Ramón hier abhängt, hat das einen Grund – dann hat er einen Transport über die Grenze. Auch das gehört zu Juárez: Jeder kennt jemanden, der im Drogengeschäft tätig ist.

Das Kentucky ist ein Juwel des alten Juárez. Es eröffnete ein paar Wochen, nachdem in den USA die Prohibition erlassen wurde – und schon kamen die Gringos über die Brücke, um hier ungestört ihre Drinks zu kippen. Sinatra war ein häufiger Gast, auch Marilyn Monroe, und die Legende besagt, dass Al Capone einmal hierherkam, um einen Deal zu besiegeln, bei dem es um geschmuggelten Whiskey ging. Aber da hat Pablo seine Zweifel.

Den meisten gilt die Bar als Geburtsstätte der Margarita.

Das ist Juárez, denkt Pablo. Die Filmstars sind nicht von hier, die Schmuggelware fließt hier nur durch, und wir liefern die fruchtigen Cocktails.

Er bestellt ein Bier.

»Hast dich ja lange nicht blicken lassen, Alter«, sagt Ramón mit einem Hauch Vorwurf in der Stimme.

Tja, denkt Pablo. In der Oberschule waren sie Kumpels, haben alles zusammen gemacht, aber dann trennten sich ihre Wege. Pablo hat sich in die Arbeit gestürzt, Ramón ging in den Knast – wie so viele andere.

Wurde beim Autoklau erwischt und saß drei Jahre im zu Recht berüchtigten Gefängnis Puente Grande ab.

Wer da überleben wollte, musste zu Los Aztecas gehören.

Ramón wollte überleben.

Entstanden ist die Gang in amerikanischen Gefängnissen, wo sie Barrio Aztecas heißt, aber als die Häftlinge, die außerdem illegale Einwanderer waren, des Landes verwiesen wurden, fasste die Gang schnell in den mexikanischen Gefängnissen Fuß.

Dann in den Städten.

In Juárez gibt es ungefähr sechshundert Aztecas. Sie bedienen sich gern aus den kleineren Gangs, und es heißt, dass sie vom Juárez-Kartell mehr und mehr als Fußtruppe eingesetzt werden. Zusammen mit La Línea kontrollieren sie den Drogenhandel im Nordosten der Stadt, während sich Los Mexicles und Los Aristas Asesinos den Südwesten teilen.

Pablo hat Geschichten gehört, wie sie ihre Kontrolle ausüben: Sie feiern große Partys, auf denen sie einen Gefangenen unter großem Jubel prügeln und misshandeln. Dann graben sie ein Loch, füllen es mit trockenen Zweigen, stoßen das Opfer hinein und zünden ein Streichholz an. Pablo kann diese Geschichten nicht recht glauben und glaubt auch nicht, dass Ramón so etwas tun würde, aber es ist eine Tatsache, dass Los Aztecas vom Kartell einen Rabatt auf das Kokain erhalten, das sie über die Grenze schmuggeln.

Die Gang macht eine Menge Geld.

Los Aztecas sind militärisch organisiert – mit Generälen, Captains und Leutnants –, und nach Pablos letzten Informationen war Ramón als Leutnant auf dem aufsteigenden Ast. Er sieht wie ein Azteca aus: kurzes Haar, blaues Stirnband, weißes ärmelloses T-Shirt und tätowiert bis zum Hals.

Ramón mustert Pablo von oben bis unten. »Siehst echt scheiße aus, Alter.«

»Hatte eine harte Nacht.«

»Sieht mehr nach einem harten Monat aus«, sagt Ramón. »Brauchst du Geld?«

»Nein danke.«

»Wie geht's Matteo?«

»Danke, gut. Und deinen Kindern?«

»Dolores kann fast laufen«, sagt Ramón. »Und Javier, der spielt jetzt Fußball.«

»Wirklich wahr?«

»Komm doch mal vorbei«, sagt Ramón.

»Mach ich.«

»Ein Spiel gucken, paar Steaks grillen …«

»Klingt verlockend.«

Ramón winkt dem Barmann und zeigt auf sein Whiskeyglas, dann fragt er: »Also, was willst du wissen?«

»Fünf Polizistenmorde in zwei Wochen«, sagt Pablo. »Darunter ein Polizeikommandant, den sie ausgeknipst haben.«

»›Ausgeknipst‹. Du klingst ja richtig abgebrüht.«

Pablo muss kichern über seine Wortwahl, dann fragt er: »Wer war's?«

Ramón kippt sein frisch aufgefülltes Glas hinunter und fragt: »Willst du einen hochziehen?«

Pablo schüttelt den Kopf. »Ich muss Matteo abholen.« Das ist die Wahrheit, aber die andere Wahrheit ist, dass er seit Jahren kein Coke geschnupft hat. Okay, ab und zu mal ein Joint, aber selbst das ist selten geworden.

»Komm, gehen wir auf den Hof«, sagt Ramón. Dann zum Barmann: »*Narizazo.*«

Ich nehme eine Prise.

Pablo folgt ihm durch die Hintertür auf den Hof. Ramón zieht ein Medizinfläschchen aus der Tasche, schüttet ein wenig Coke auf seinen Daumennagel und zieht es hoch. »Man soll sich ja nicht an der eigenen Ware vergreifen«, sagt er. »Aber ich bin so verdammt müde neuerdings, dass ich am Nachmittag einen kleinen Kick brauche. Also, was hattest du gefragt?«

Pablo versteht. Klar, sie sind rausgegangen, damit Ramón seinen Kick bekommt, aber auch, um den wachsamen Ohren des Barmanns zu entgehen. »Diese Polizistenmorde. Ledesma«, wiederholt er.

»Das waren wir nicht, Alter.«

Pablo klopft auf den Busch: »War Ledesma bei La Línea? Oder die anderen Cops?«

»Spielt doch keine Rolle«, sagt Ramón. »Sinaloa will diese Plaza hier, also müssen sie die Cops neutralisieren. Egal ob die sauber sind oder nicht. Wenn die Cops nicht mitspielen, gehen sie über Bord.«

Da kommt meine Story, denkt Pablo. Das Sinaloa-Kartell hat eine Invasion gestartet und geht systematisch gegen La Línea vor, die Hausmacht des Juárez-Kartells.

Das muss seit Monaten geplant sein – die Infiltration, die nötig ist, um an Informationen heranzukommen, an Telefonnummern, Adressen, Lebensgewohnheiten der Polizisten.

Dafür brauchen sie Überwachung, Abhörtechnik, Informanten ...

Ramón kippt sich eine weitere Prise auf den Daumen. »Willst du wirklich nichts?«

»Ich glaube, das gibt Krieg«, sagt Pablo.

»Wieso? Der Krieg läuft doch schon«, sagt Ramón. »Sieh sie dir doch an, all die toten Cops. Das *ist* der Krieg.«

»Hängen Los Aztecas mit drin?«

»Das ist der Preis, den wir zahlen«, sagt Ramón. »Das billige Coke gab es nicht, weil wir so hübsche Kerle sind. Bisher mussten wir uns ein paar kleine Übeltäter vorknöpfen, jetzt geht es gegen die Profis von Barrera. Alles oberste Liga. Aber wir müssen tun, was getan werden muss. Na, und so weiter.«

Er grübelt kurz, dann sagt er: »Ich bin immer stolz auf dich, Alter, wenn ich deinen Namen in der Zeitung lese. Du hast dein Schäfchen ins Trockene gebracht.«

Pablo weiß nicht, was er sagen soll.

Dann nimmt ihn Ramón beim Arm. »Pablo, pass bloß auf. Komm diesen Typen nicht zu nahe. Das ist nichts für dich. Wenn du Infos brauchst, komm lieber zu mir. Und geh nicht so hausieren mit deinen Fragen. Das mögen die gar nicht.«

Sie verabreden einen Grillnachmittag vielleicht nächsten Sonntag, aber sie wissen beide, dass nichts draus wird. Pablo kehrt in die Redaktion zurück, schreibt den Artikel, dann holt er Matteo ab.

Pablo wartet am Eingang der Vorschule.

Er war der Meinung, Matteo sei noch zu klein für die Schule, ob nun »Vor-« oder nicht, aber Victoria hat erfolgreich argumentiert (natürlich erfolgreich, alle ihre Argumente sind erfolgreich), dass es nie zu früh sei für die Schule, besonders wenn es darum gehe, Matteo in einer guten Grundschule unterzubringen.

Pablo vermutet, dass es ihr vor allem darum ging, mehr Zeit für die Arbeit herauszuschinden. Da sie mehr verdient als er, war er nahe daran, seinen Job bei der Zeitung aufzugeben, sich stattdessen um Matteo zu kümmern und ein Jahr lang freiberuflich weiterzumachen, aber ein letzter Funke seines *machismo* hat ihn davon abgehalten.

Ihm war auch klar, dass sie sowieso nicht mitgemacht hätte. Mit der Begründung, dass er Matteos Alltag nicht ordentlich strukturieren würde. Womit sie recht hat, denkt Pablo, während die Kinder herausgerannt kommen. Unser Alltag wäre herrlich unstrukturiert.

Matteo ist die perfekte Kombination aus ihnen beiden.

Sein schwarz glänzendes Haar, ihre wachen blauen Augen. Ihre scharfe Intelligenz, seine Wärme. Die unbändige Neugier aber hat er von beiden.

Pablo ist natürlich voreingenommen, aber es kann gar keinen Zweifel geben, dass Matteo der hübscheste kleine Bengel der Schule ist. Und der schlauste, und der liebenswerteste – und natürlich der beste Fußballspieler. Und natürlich wird ihm, wie Victoria glaubt, seine ganze Zukunft verbaut, wenn er nicht auf die richtige Grundschule kommt.

Matteo rennt auf ihn zu, und er nimmt ihn in die Arme. Schon erstaunlich, denkt er, dass sich dieses Gefühl nie abnutzt.

»Hallo, Papi, wie geht's?«

»Gut geht's. Und dir?«

»Wir haben Zebras bunt gemalt.«

»Wirklich? Haben sie denn stillgehalten?«

Matteo quietscht vor Lachen. »Papi!«

»Was denn?«

»Das waren Papierzebras!«

»Papierzebras? Nie gehört.«

»*Bilder* von Zebras!«

»Ach so!«

»Dummer Papi.«

Pablo nimmt ihn bei der Hand, sie gehen los zur Bushaltestelle. Die einfachen Dinge des Lebens – und der ganze Drogenirrsinn ist wie weggeblasen.

»Schlafe ich heute bei dir?«, fragt Matteo.

»Ja.«

»Wie viele Schlafe?«

»Wie bitte? Ach so. Zwei Schlafe.«

»Au ja!« Er fasst Pablos Hand fester. Dann fragt er: »Was machen wir heute?«

»Wenn du willst«, sagt Pablo, »können wir in den Park gehen, zum Ballspielen. Später am Nachmittag liest Tomas aus seinem Buch vor. Möchtest du da hingehen?«

»Darf ich die Filzstifte mitnehmen?«

»Klar«, sagt Pablo. »Dann feiert Ana eine Party. Jimena kommt auch. Willst du mitkommen?«

»Ist Giorgio auch da?«

»Wahrscheinlich«, sagt Pablo. Alle mögen Giorgio.

Ich auch.

»Vielleicht lässt er mich ein Bild knipsen?«

»Sicher. Und wenn du müde wirst, kannst du dich auf Anas großem Bett schlafen legen.«

»Gehen wir in den Zoo?«

»Wenn, dann morgen.«

»Au ja!«

»Wie hast du deine Zebras angemalt?«, fragt Pablo.

»Blau und orange.«

Sehr gut, denkt Pablo. Das ist es, was zählt.

Die zwei Betonkästen der Cafebreria – der eine gelb, der andere Terrakotta – stehen an einem Platz unweit der Universität und bilden das Epizentrum des städtischen Geisteslebens.

Die Cafebreria vereint in sich alles, was Pablo an seiner Stadt liebt. Ein Kaffeehaus, einen Buchladen, eine Galerie, eine Bühne – und ein entspanntes Klima.

Er trifft sich hier mit Freunden, hört Musik, besucht Lesungen, kauft Bücher, die er sich eigentlich nicht leisten kann, und – nicht zu vergessen – bekommt einen starken Fairtrade-

Kaffee, für den er sich nicht zu schämen braucht. Mit dem zieht er sich meist in eine ruhige Ecke zurück und liest.

Jetzt sitzt er auf einem Klappstuhl, während Matteo zu seinen Füßen mit dem Malbuch beschäftigt ist – ein Tiger bekommt ein magenta- und türkisfarbenes Fell –, und Tomas Silva, dem Pablo nationale Bedeutung beimisst, liest aus seinem neuesten Roman.

Besonders gefällt ihm, dass Tomas seine Sätze ohne jede Ironie vorträgt. Er nimmt seinen Text ernst und liest ihn auch so, seine dunklen Augen hinter den Brillengläsern sehen traurig aus, und er hört sich an, als würde er jeden seiner Sätze auf die Goldwaage legen.

Ana sitzt ein Stück weiter in derselben Reihe, mit geschlossenen Augen, um sich ganz auf die Worte zu konzentrieren, während Giorgio seitlich im Gang steht und ab und zu ein Foto macht, natürlich ohne Blitzlicht.

Der Uhu hat sein lahmes Bein auf dem Nachbarstuhl hochgelegt, der Stock hängt an der Lehne seines Vordermanns. Er und Tomas kennen sich aus ihrer Studentenzeit und sind seither befreundet – daher wusste Pablo schon vorher, dass auch sein Chef zur Lesung kommen würde.

Doch nicht nur er, sondern alles, was im Kulturleben der Stadt Rang und Namen hat, ist heute vertreten – Schriftsteller, Dichter, Journalisten, Literaturfans, die man auf jeder Lesung sieht. Pablo erkennt ein paar Lokalpolitiker, die wohl demonstrieren wollen, dass auch sie kulturell interessiert sind.

Victoria aber ist nicht zu sehen, obwohl sie Tomas mag, beruflich und privat.

Wahrscheinlich muss sie arbeiten, denkt Pablo.

Victoria muss immer arbeiten.

Nach der Lesung beantwortet Tomas Fragen. Viele melden sich zu Wort, weil sie etwas wissen wollen, andere, weil sie ihr Wissen demonstrieren oder irgendwelche Thesen loswerden wollen. Tomas antwortet auf alles geduldig und ist sichtlich erleichtert, als es vorbei ist.

Danach das übliche Herumgestehe und Geplauder bei Kaffee oder Wein. Pablo spürt, dass er Matteos Geduld lange genug strapaziert hat. Er nimmt ihn bei der Hand und geht über den Boulevard in den Park, wo sie herumrennen und Ball spielen, bis Anas Party anfängt.

Vier Stunden später sitzt Pablo auf den Stufen, die von der Küche in den winzigen, umzäunten Garten führen. Ana bewohnt einen kleinen Bungalow in Mariano Escobedo, und Pablo hat schon manchen guten Abend hier draußen verbracht, auf den Küchenstufen gesessen oder Ana beim Grillen geholfen.
Heute ist volles Haus.
Am Ende hat Ana natürlich alle eingeladen, die auf der Lesung waren, und die meisten sind gekommen. Sie hat genug Paella gemacht, um eine kleine Armee zu verpflegen, doch viele haben schon gegessen und steuern – wie auch Pablo – Bier oder eine Flasche Wein bei. Das ist so üblich in Juárez, besonders in den linken Kreisen, egal welcher Couleur.
Pablo nippt an seinem Bier und hört schon leicht angesäuselt zu, wie Tomas mit Herrera über den romantischen Lyrismus Efraín Huertas diskutiert und Giorgio einer attraktiven Unbekannten die Machenschaften der Weltbank erläutert.
»Fiskalpolitik als Vorspiel«, meint Jimena und setzt sich zu Pablo auf die Stufen, nachdem er ein wenig zur Seite gerückt ist.
Sie ist lang und dürr und stammt aus einer Bäckerfamilie, die seit Generationen im Tal von Juárez lebt. Jetzt ist sie Anfang fünfzig, und seit ihre zwei Söhne erwachsen sind, engagiert sie sich stärker für soziale Themen, die sie oft in die Stadt führen.

Mit Pablo kam sie zusammen, als er über den *femicidio* schrieb, wie das Verschwinden und die Ermordung von Hunderten jungen Frauen später genannt wurde.
Dreihundertneunzig, um genau zu sein, denkt Pablo.

409

Mindestens hundert von ihnen hat er recherchiert. Sah die Opfer – wenn sie denn gefunden wurden, sprach mit den Familien, besuchte Beerdigungen und Trauerfeiern. Die Morde scheinen vorbei zu sein, ohne dass man mehr weiß als zu Beginn, aber Jimena, die eine Nichte verloren hat, gehört zu den Mitbegründerinnen einer Organisation, die Druck auf Polizei und Politiker ausübt, damit diese Verbrechen aufgeklärt werden.

Jetzt witzelt sie über Giorgio und seine erotischen Avancen.

»Einen gewissen Charme hat er ja«, stellt sie fest. »Wie sieht's denn bei dir aus? Massenhaft Affären?«

»Nicht in letzter Zeit«, sagt Pablo. »Zwischen Arbeit und Kinderbetreuung …«

»Matteo wird doch schon groß.«

»Allerdings.«

»So ein lieber Junge!«

Und Matteo mag Jimena, denkt Pablo. Sie war die Erste, zu der er ging, als sie eintrafen, setzte sich zu ihr und unterhielt sich mit ihr sehr ernsthaft über Zebras, Tiger und andere Tiere.

Sie brachte Matteo einen Teller von der Paella, und nachdem sie Pablos Erlaubnis eingeholt hatte, ein paar Zimtkrapfen. Und eben hat sie ihn in Anas Schlafzimmer schlafen gelegt und ihm vorgelesen, bis er eingeschlafen ist.

»Was macht Victoria?«, fragt sie jetzt.

»Was sie immer macht«, sagt Pablo. »Sie erobert die Welt.«

»Arme Welt«, sagt Jimena und rubbelt Pablos Kopf. »Armer Pablo. Unser großer kleiner Zottelbär. Wen verführt Giorgio da gerade?«

»Irgendeine Anwältin, glaube ich.«

»Und? Kriegt er sie rum?«

»Mal sehen.«

»Sicher nur eine Frage der Zeit«, sagt sie.

Aber Giorgio lässt die Anwältin stehen und setzt sich zu ihnen, als sie ins Haus gegangen ist.

»Nazilesbe«, sagt Giorgio.

»Aber, aber!«, protestiert Jimena.

»Linke Lesben sind was ganz Natürliches«, sagt Giorgio, »aber wenn sie rechts sind, kriegen die so was Komisches, ich weiß nicht … fast Amerikanisches. Man denkt sofort an Fox News.«

In Juárez empfängt man die amerikanischen Sender aus El Paso, und Giorgio hat eine morbide Vorliebe für Fox News entwickelt.

»Erzähl mir nur, du bist nicht scharf auf diese Weiber bei Fox News«, sagt Jimena.

»Genauso scharf wie du«, kontert Giorgio. »Ich will sie bekehren und setze auf die subversive Macht des Orgasmus.«

»Und schon ist es ein politischer Akt«, sagt Jimena.

»Ich bin sogar bereit, mich für die Sache zu opfern«, erwidert Giorgio.

»Wie hat sich denn die Frau auf diese Party verlaufen?«, fragt Pablo.

»Als Verehrerin von Tomas«, sagt Giorgio. »Sie hält ihn für ›bedeutend‹.«

»Das ist er auch«, fährt ihm Jimena in die Parade. »Und ihre Unterstützung für die Weltbank macht sie nicht automatisch zum Nazi, genauso wenig, wie sie zur Lesbe wird, nur weil sie deinem bezwingenden Charme widersteht.«

»Allein der Gedanke, neben ihr aufzuwachen!«, stöhnt Giorgio. »Wovon wollten wir reden?«

»Darüber, wie toll du im Bett bist«, schlägt Jimena vor.

»Gern, aber nach ein paar Mal wird es langweilig.«

»Armer kleiner Kater! Deine Probleme möchte ich haben.«

»Du solltest dich an sie ranmachen, Pablo«, sagt Giorgio. »Sie ist dein Typ.«

»Aber ich nicht ihrer«, sagt Pablo.

»Pablo hat die Liebe an den Nagel gehängt«, sagt Jimena.

»Wer spricht denn hier von Liebe?«

»Ach, hier geht's um Liebe?« Ana kommt aus der Küche und setzt sich auf Jimenas Schoß.

»Warum reden Frauen immer von Liebe?«, fragt Giorgio.

»Warum die Männer nicht? Das ist hier die Frage!«, erwidert Ana.

»Man kann lieben«, sagt Pablo, »oder drüber reden. Beides zugleich geht nicht.«

Ana juchzt, dann ruft sie laut: »Oscar, hast du gewusst, dass ein junger Hemingway in deiner Redaktion arbeitet?«

Der Uhu blinzelt verdutzt – er ist viel zu vertieft in seine Diskussion, um darauf einzugehen –, aber lächelt höflich, bevor er sich Tomas wieder zuwendet.

»Ich bin ein bisschen besoffen«, gibt Pablo zu.

»Aber recht hat er doch«, sagt Giorgio.

»Ach ja?«, ruft Ana. »Du kannst entweder lieben oder fotografieren, aber nicht beides zugleich?«

So wie sie klingt, ist sich Pablo fast sicher, dass die beiden zusammen ins Bett gehen.

»Ihr hättet Ana heute sehen sollen«, sagt Giorgio, um das Thema zu wechseln. »Sie hat unseren geschätzten Gouverneur zum Stottern gebracht.«

Ana lacht und liefert eine ziemlich gute Imitation des Provinzgouverneurs von Chihuahua: »›Was Ihre Frage nach einem sogenannten Kartell in Juárez betrifft, so existiert das nicht und hat nie existiert, und abgesehen davon hat meine Regierung großartige Fortschritte in seiner Bekämpfung gemacht, falls es existiert oder existiert hat, was natürlich nicht der Fall ist oder war, außer Sie legen mir Beweise vor, in welchem Fall ich keine Zeit habe, sondern sofort zu einer Besprechung muss.‹ Er ist ein Volltrottel, unser Gouverneur, aber gut erzogen. Er hat mir die Hand geküsst.«

»Hat er nicht!«, ruft Jimena ungläubig.

»Doch«, sagt Ana. »Ich bin prompt errötet.«

»Bist du nicht!«

»Nein, natürlich nicht«, sagt Ana. »Aber es war nicht so peinlich, wie ich dachte. Ist lange her, dass mir ein Mann die Hand geküsst hat.«

Pablo beugt sich vor und küsst ihr die Hand.

»O wie nett, Pablo!«, sagt Jimena.

Ana schaut ihn merkwürdig an, dann sagt sie: »Jedenfalls gibt es wichtigere Themen, jetzt wo uns die Rechten in die schöne neue Welt des freien Marktes führen und alle Jobs nach China abwandern und Bush alle Muslime abknallt, die sich noch bewegen.«

»Pass auf, Bush kann Spanisch«, sagt Giorgio.

»Das ist der Bruder«, korrigiert ihn Ana. »Der in Florida.«

Auf die Bush-Brüder folgt der Irakkrieg, auf den Irakkrieg die Emanzipation der Musliminnen, dann der Postfeminismus, die aktuelle Filmszene in Mexiko, Amerika und Europa (Giorgio kriegt einen Wutanfall wegen Buñuel) und wieder Mexiko, bis die relativen Vorzüge der Garnelen als Tacos das Gespräch auf die absolute Vorzüglichkeit von Anas Paella lenken, von dort auf Anas Kindheit, dann die von Jimena, auf die veränderte Rolle der Mutterschaft in der postindustriellen Gesellschaft und von dort auf die Malerei und Plastik bis hin zur Dichtung, woran sich Baseball anschließt, Jimenas (für Pablo) unerklärliche Vorliebe für amerikanischen Football (sie ist ein Dallas-Fan) zum (für Pablo) echten Fußball, seine zugegebenermaßen pubertäre Leidenschaft für das Spiel, eine Diskussion über die Wirrungen der Pubertät und den Verlust der Unschuld und die Frage, warum dieser Verlust ein Verlust sein soll. Jetzt stehen Herrera und Tomas Arm in Arm und skandieren Gedichte, Giorgio greift zur Gitarre und spielt ein Solo – das ist das Juárez, das Pablo liebt, das ist seine Stadt: die Gedichte, die hitzigen Debatten (Ana unterstreicht ihre Argumente mit rhythmisch geschwenkter Zigarette; Jimenas Worte verströmen sanft wie Wellen am Strand und spülen das zuvor Gesagte weg; Giorgio klingt schrill wie ein Saxofon, zu dem Pablo den Bass spielt – sie sind eine Jazzcombo des Meinungsstreits), die von Wein und Bier entfesselten Ideen, die sehnsüchtigen Klänge in dunkler Nacht. Das ist der sanfte Rhythmus, den er an Mexiko mag, das Lachen, der Duft der

Wüstenblumen, die zwischen dem Müll der Seitengassen blü-
hen, und jetzt singen sie alle –
México, ésta muy contento,
Dando gracias a millares …
– das ist sein Leben, das ist seine Stadt, das hier sind seine
Freunde, seine geliebten Freunde, und wenn das schon alles
ist, ist es doch genug für ihn, seine Welt, sein Leben, seine
Stadt, seine Menschen, sein traurig-schönes Juárez …
– *emperaze de Durango, Terreón y Ciudad de Juárez …*
Pablo singt hinaus in die milde Nacht.

Am schlimmsten sind die Sonntage.
Besonders dann, wenn er Matteo zu seiner Mutter zurückbringen muss. Auch Matteo ist traurig. Sind das seine eigenen
Gefühle, fragt sich Pablo, oder stecke ich ihn mit meiner Melancholie an?
Pablo macht ein einfaches Frühstück: Croissants, Butter,
Marmelade, mit Milch für Matteo und Milchkaffee für sich
selbst, dann gehen sie in den Park hinüber und treten den Ball.
Aber bei allem Scherzen und Lachen wissen sie, dass sie nur
die Zeit totschlagen, den Abschied vor sich herschieben, und
als Pablo nach einer Weile fragt, ob Matteo nach Hause möchte, sagt er ja.
Pablo gibt Victoria Bescheid, dass sie sich auf den Weg machen, sie fahren mit dem Bus in ihr Viertel und laufen bis zum
verschlossenen Tor der Wohnanlage, aber Pablo kennt den
Nummerncode, außerdem kennt ihn der Wachmann und lässt
ihn durch.
Victoria wartet schon vor dem Haus.
Sie nimmt Matteo in die Arme, küsst ihn und schickt ihn hinein: »Liebling, mach dich schon mal fertig zum Baden, Mami
muss noch mit Papi reden.«
Matteo umarmt seinen Vater und trottet ins Haus.
»Er sieht müde aus«, sagt Victoria. »Ist er zu lange aufgeblie-
ben?«

»Er hat sich bei Ana schlafen gelegt«, sagt Pablo mit etwas schlechtem Gewissen. »Zur üblichen Zeit.«

»Na ja, Ana ist ja auch vernünftig«, sagt sie. Sie selbst wirkt erschöpft, trägt Alltagssachen, und Pablo vermutet, dass sie den freien Tag fürs Arbeiten genutzt hat. Erschöpft oder nicht, sie sieht einfach nur gut aus, und Pablo spürt den Stich, den er bei ihrem Anblick immer spürt.

Dann sagt sie: »Pablo, ich habe Aussicht auf einen neuen Job. Einen besseren.«

»Großartig. Gratuliere.«

»Bei *El Nacional.* In Mexico City.«

Pablo spürt sein Herz stocken. »Aber den nimmst du nicht.«

»Eine überregionale Zeitung? Redakteurin des Wirtschaftsressorts? Ich bitte dich!«

»Was wird mit Matteo?«

Sie besitzt den Anstand, ein wenig bedrückt auszusehen. »Er kommt mit mir. Natürlich.«

»Er ist mein Sohn.«

»Das ist mir klar.«

Jetzt steigt so etwas wie Wut in ihm hoch. »Dann ist dir doch klar, dass ich als Vater gewisse Rechte habe?«

»Ich hatte auf deine Vernunft gezählt.«

»Auf *meine* Vernunft? Du willst mit meinem Sohn zweitausend Kilometer weit wegziehen!«

»Bitte bleib ruhig.«

»Ich schreie, wann *ich* will!«

»Sehr erwachsen von dir.«

»Du nimmst mir Matteo nicht weg!«

»Ich bleibe nicht in dieser … Grenzstadt«, zischt sie. »Nicht wenn sich die Chance bietet, woanders hinzugehen. Und denk auch mal an Matteo. Bessere Schulen, bessere Freunde …«

»Seine Schule ist gut genug, seine Freunde auch.«

»Das Problem mit dir –«

»Ach, heute nur *ein* Problem?«

»*Eins* der Probleme mit dir«, verbessert sie sich, »besteht darin, dass du nicht über deinen Dunstkreis hinausblickst. Hier passiert nichts, Pablo. Keiner, der hier lebt, entscheidet darüber, was hier passiert, weil die Leute, die etwas zu sagen haben, alle woanders sitzen. Das ist hier Provinz, und du bist hoffnungslos provinziell. Für Matteo will ich das nicht – und auch nicht für mich.«

Eine richtige kleine Rede, die sie ihm hält, und er ist sicher, dass sie sorgfältig eingeübt ist.

»Dass er ohne Vater aufwachsen soll, ist dir egal?«

»Du bist ein wunderbarer Vater. Aber –«

»Bitte keine Sprüche mit Aber!«

»– du hast keinen Ehrgeiz. Und Matteo spürt das.« Sie weicht seinem Blick aus, dann schaut sie ihm direkt in die Augen. »Du kannst ihn an den Wochenenden besuchen.«

»Das kann ich mir nicht leisten.«

»Oder ich bringe ihn her«, schlägt sie vor. »Wenn er ein bisschen älter ist, kann er allein fliegen.«

»Er ist vier!«

»Die Flugbegleiter kümmern sich sehr gut um die Kinder«, sagt Victoria. »Das sehe ich jedes Mal.«

»Das wird nicht passieren«, sagt Pablo.

»Ich habe schon zugesagt.«

»Ohne vorher mit mir zu reden.«

»Du siehst ja, was passiert, wenn ich's versuche«, sagt Victoria. »Du hörst mir nicht zu, du wirst emotional –«

»Da hast du verdammt noch mal recht! Ich werde emotional, wenn ich mein Kind verliere!«

»Du verlierst es doch nicht!«

»Dann lass ihn hier bei mir«, sagt Pablo. »Das ist das einzige Zuhause, das er kennt.«

»Das ist Teil des Problems«, sagt Victoria. »Er kann nicht bei dir leben, Pablo. Du bist halbe Nächte unterwegs. Du recherchierst, du trinkst, du treibst Gott weiß was …«

»Ich bin immer da und immer nüchtern, wenn er bei mir ist!«

»Ja, ich weiß.«

»Du bist diejenige, die weggeht, nicht ich«, sagt Pablo. »Das ist nicht fair.«

»Jetzt klingst du wie ein Kind.«

»Sehen wir mal, ob ich auch vor Gericht wie ein Kind klinge.«

»Das wirst du«, erwidert sie, weil es jetzt kein Zurück mehr gibt. »Ich hatte gehofft, dass es nicht so weit kommen würde. Aber ich habe mit einer Anwältin gesprochen –«

»Natürlich hast du das.«

»– und sie sagt mir, dass ich das Sorgerecht bekomme, wenn es dem Kindeswohl dient.«

»Du falsche Schlange!«

»Du kannst immer nach Mexico City umziehen«, sagt sie. »Such dir dort Arbeit, dann bist du in seiner Nähe. Ich könnte mit ein paar Leuten reden …«

»Journalisten gibt es dort zuhauf«, sagt er. »Leute von dort. Ich kenne Juárez. Juárez ist mein Thema.«

»Und mehr willst du nicht.«

»Mehr hab ich nie gewollt.«

»Meine Rede«, sagt sie.

Dreht sich um und geht, lässt ihn einfach stehen.

Victoria geht hinein und kämpft mit den Tränen, bevor sie Matteo ins Bad ruft.

Armer Pablo, denkt sie. Lässt sich von seinem Kummer auffressen. Seit dem *femicidio* ist er nicht mehr derselbe, und er merkt es nicht mal. Jeden Tag oder vielmehr jede Nacht kam er deprimiert und erschöpft nach Hause – während eine junge Frau nach der anderen verschwand und sich seine geliebte Stadt in ein Schlachthaus verwandelte. Er konnte nicht verstehen, was da vor sich ging, er fand keine Erklärung, weder für sich noch für seine Leser, und als die Morde aus den Schlagzeilen verschwanden, schien es, als hätte auch er seine Energie, seinen Ehrgeiz, seine unbändige Lebenslust verloren.

Er wollte nicht mit ihr darüber reden, wurde sogar wütend, wenn sie ihn darauf ansprach. War immer unterwegs, auf der Suche nach Antworten, und wenn sie sich beklagte, war sie die kaltherzige Zicke.

Der *femicidio* hat ihre Ehe zerstört.

Hat in gewisser Weise auch die Frau in ihr getötet.

Weil sie nie begriff, bis heute nicht, wie er eine Stadt lieben konnte, in der solche Dinge passierten.

Wenn die Sonntage am schlimmsten sind, dann sind die Sonntagabende die zusätzliche Steigerung des Schlimmsten, erst recht, wenn ihm die Ex eröffnet, sie werde ihm den Sohn wegnehmen, wenn er beschließt, einen Anwalt zu nehmen und zu kämpfen, und zugleich weiß, dass er sich keinen ordentlichen Anwalt leisten kann und dass sie sowieso gewinnt.

Und dass ein Rechtsstreit sein Kind zerreißen wird.

Und dass es keine guten Antworten auf diese Fragen gibt.

Er überlegt, ob er bei Giorgio Trost suchen soll oder bei Ana oder gar bei Ramón. Der wäre gut für einen Drink, weil er keine schlauen Reden hält, sondern einfach nur sagt: »Vergiss doch diese Kuh« und »Ein Mann lässt sich seinen Sohn nicht wegnehmen« – Sachen eben, die Pablo hören will.

Aber er ruft weder Giorgio noch Ana an (die vielleicht an diesem traurigen Abend miteinander ins Bett gehen, um sich gegenseitig zu trösten) und auch nicht Ramón. Er läuft allein durch die Altstadt von Juárez, von einer Bar in die nächste, trinkt in jeder seinen Whiskey, bis er sturzbetrunken ist, aber wenigstens ruft er nicht bei Victoria an und bettelt.

Er schafft es bis nach Hause, lässt sich aufs Bett plumpsen und schluchzt.

»Du siehst ja furchtbar aus«, begrüßt ihn Ana am nächsten Morgen im Café.

»Immerhin hast du mich erkannt«, erwidert Pablo.

»Darf ich fragen, was …«

Er erzählt ihr von Victoria und Matteo.

»Das ist ja schrecklich, Pablo.«

Pablo nickt.

»Hör zu«, sagt sie. »Ich rede mit Oscar. Er lässt seine Beziehungen in Mexico City spielen. Er wird dich ungern verlieren, aber –«

»Machen wir uns doch nichts vor, Ana«, sagt er. »Und bitte: Frag ihn nicht.«

Eine Woche später steht Pablo vor dem Denkmal der gefallenen Polizisten auf der Avenida Sanders.

Der bronzene Polizist hat die Augen im Gebet geschlossen, zu seinen Füßen liegt die Mütze eines Kollegen. Neben der Mütze, beschwert von einem Stein, lehnt ein Pappschild mit der Aufschrift: Für alle, die es nicht glauben wollten – Chairez, Romo, Baca, Gomez und Ledesma.

Die fünf Polizisten, die seit Monatsbeginn in Juárez ermordet wurden. Auf einem weiteren Schild steht: Für alle, die es immer noch nicht glauben wollen. Darunter die Namen von siebzehn weiteren Polizisten.

»Verstehst du das?«, fragt Pablo.

Giorgio ist zu beschäftigt mit seiner Knipserei, um Antworten zu geben, aber ohne die Kamera zu senken, fragt er zurück: »Was glaubst du, wer die Schilder aufgestellt hat?«

»Die ›neuen Leute‹«, sagt Pablo. »Sie geben den Polizisten von Juárez zu verstehen, besonders den siebzehn erwähnten, dass sie ins Sinaloa-Kartell einsteigen sollen, wenn ihnen ihr Leben lieb ist.«

»Das bestätigt deine Story«, sagt Giorgio.

Stimmt, denkt Pablo. Seine Story über die Polizistenmorde und das Sinaloa-Kartell hat Aufsehen erregt. Manche glaubten ihm, andere hielten sie für pure Fantasie, eine Ausgeburt der Paranoia.

Pablo schreibt die Namen der siebzehn Polizisten in sein Notizbuch.

Der sechste auf der Liste ist ein alter Bekannter, Victor Abrego, der ihm manchen Tipp gegeben – und ihn erst vor ein paar Tagen in die Wüste geschickt hat.

Scheiße, denkt Pablo.

Die Pappschilder, die in der Nacht an dem Denkmal aufgestellt wurden, haben Neugierige angelockt und auch die Medien – TV-Übertragungswagen und Radioreporter. Herrera wird einen schnellen Bericht erwarten.

Und sich damit in ein Dilemma stürzen, denkt Pablo. Sollen die Namen der Cops, denen mit dem Tod gedroht wird, in der Zeitung gedruckt werden oder nicht?

Schließlich haben die »neuen Leute« die Namen schon publik gemacht. Das ist das neue Gesicht des Drogenkriegs: Die Narcos bedienen sich der Medien. Früher haben sie im Verborgenen gemordet, jetzt machen sie es in aller Öffentlichkeit. Wahrscheinlich haben sie sich das bei al-Qaida abgeschaut. Wozu der ganze Terror, wenn keiner weiß, wer dahintersteckt?

Vielleicht wird das der Aufhänger meiner Story. »Die das Licht scheuten, morden nun am helllichten Tag.« Oder ist das zu trashig?

Herrera wird entscheiden.

Pablo fährt nach Galeana hinaus, um mit Abrego zu reden. Aber was zum Teufel soll ich ihn fragen?, überlegt er. *Hast du Angst um dein Leben? Wirst du vom Sinaloa-Kartell bedroht, weil du ein ehrlicher Cop bist oder weil du für La Línea arbeitest?* Dumme Fragen, die Abrego sowieso nicht beantworten wird. Aber vielleicht liefert er ihm ein paar Hintergrundinformationen.

Allerdings: Abrego ist nicht zu finden.

Weder an der Ecke noch auf der Straße oder in den Bars, wo er normalerweise sitzt.

Abrego hat sich verdrückt.

Aus alter Gewohnheit blickt Pablo auf die Uhr, ob es schon Zeit ist, Matteo abzuholen. Dann fällt ihm ein, dass Matteo nicht mehr da ist, sondern bei seiner Mutter in Mexico City.

Ein Monat ist seit dem Tag vergangen, als ihm Victoria den Sohn genommen hat. Ein Tag wie ein Schnitt mit dem Rasiermesser.

»Holst du mich von der Schule ab, Papi?«, hatte Matteo gefragt.

»Nein, mein Kleiner.« Pablo kniete sich vor Matteo. »Nicht jeden Tag.«

»Wer holt mich dann ab?«

»Du bekommst eine sehr nette Nanny«, sagte Victoria.

»Ich will keine Nanny!« Matteo fing an zu weinen. »Ich will meinen Papi.«

Pablo nahm ihn fest in die Arme. Als er ihn wieder abgesetzt hatte, flüsterte er Victoria ins Ohr: »Dafür hasse ich dich. Hast du das verstanden? Ich hasse dich und will, dass du stirbst.«

»Bleib auf dem Teppich, Pablo.« Sie schob Matteo auf den Kindersitz ihres VW Jetta und fuhr davon.

Matteo winkte ihm zu.

Das brach ihm das Herz.

Einmal ist Matteo mit dem Flugzeug von Mexico City zu Besuch gekommen, ein verängstigter kleiner Junge an der Hand einer Flugbegleiterin. Das Wochenende mit ihm war beglückend, aber Pablo muss sich fragen, ob er Matteo damit einen Gefallen tut oder nur sich selbst, denn der Abschied am Sonntag war schlimm für Matteo, der schon am Morgen Angst hatte, sein Frühstück nicht herunterbekam – und am Nachmittag nur noch weinte.

Nichts hasst Pablo so sehr wie seine eigenen Worte: »Wir sehen uns bald wieder!«

Pablo hat seine Wohnung gekündigt – die Miete geht für den Anwalt und die Fahrten nach Mexico City drauf. Er übernachtet auf Giorgios Sofa oder, wenn Giorgio »empfängt«, auf dem Sofa in Anas Wohnstube, siebzehn Meter und tausend Kilometer von ihrem Schlafzimmer entfernt.

Der Polizeifunk krächzt: »*Motivo 59!*«
»Scheiße«, sagt Pablo.
Motivo 59 ist der Code für ein Tötungsverbrechen. Er wartet eine Weile, bis der Sprecher ergänzt: »*Dos 92.*«
Zwei Männer.
Pablo springt ins Auto und fährt zur angegebenen Adresse.
Zwei Tote liegen draußen in der Colonia Córdoba Américas, mitten auf der Via Río Champotón, die Hände hinter dem Rücken mit Klebestreifen gefesselt.
»Langsam kriege ich Sehnsucht nach den Zeiten, als ich lebendige Leute fotografiert habe«, sagt Giorgio beim Knipsen.
»Gibt es Namen?«, fragt Pablo. Herrera will immer Namen. (»Der schäbigen Fiktion eines ›namenlosen Toten‹ werden wir uns nicht beugen«, hat er mal gesagt.)
»Ich bin hier nur der Fotograf.«
Pablo erfährt die Namen von den Cops, die die Papiere an sich genommen haben. Die beiden Toten heißen Jesús Durán und Fernando Gonzales, sie sind vierundzwanzig und zweiunddreißig Jahre alt gewesen.
»Das sind Sinaloaner«, sagt Pablo zu Giorgio. »Die gehören zu den ›neuen Leuten‹.«
»Jetzt nicht mehr«, antwortet Giorgio und beklagt sich über die immer gleichen Fotos, die er machen muss.
Wem sagst du das, denkt Pablo, als eine neue Durchsage kommt. »*Motivo 59. Un 92.*«
Ein Toter auf der Ladefläche eines Pick-ups in Galeana.
Es ist Abrego. Die Hände mit Kabelbinder gefesselt, im Mund einen dreckigen Lappen, ein Einschussloch im Hinterkopf.
Ein Anblick, den ein geringerer Autor als Pablo als »Hinrichtung« beschreiben würde.

Zwei Tage später berichtet Pablo über die Erstürmung eines Hauses im Viertel Pradera Dorada, wo die Einsatzkräfte der Armee fünfundzwanzig Sturmgewehre, fünf Pistolen, sieben Splittergranaten, 3494 Schuss Munition, acht Funkgeräte, mehrere Schusswesten und fünf Fahrzeuge mit sinaloanischen Kennzeichen beschlagnahmen.

Gleich am nächsten Tag stürmt die Armee ein weiteres Haus, nimmt fünfundzwanzig Leute fest und beschlagnahmt zehn Kalaschnikows, 13 000 Kokaintütchen, 2,1 kg Kokainpaste, 760 Gramm Marihuana, 401 Schuss Munition, Uniformen der mexikanischen Armee und der AFI sowie drei Fahrzeuge. Und einen Hubschrauber.

Pablo ist am Morgen darauf in der Lokalredaktion, als Herrera verkündet, dass eine Presseerklärung der städtischen Polizei eingegangen ist.

»Die Polizei rückt nicht mehr aus, wenn sie gerufen wird«, sagt Herrera, »sondern bleibt in den Wachen.«

»Also die Leute, die wir dafür bezahlen, dass sie uns beschützen, können nicht mal sich selber schützen«, meint Ana.

Aber der Rückzug in die Wachen ist auch keine gute Idee. Ein paar Tage nach der Presseerklärung wird ein Beamter entführt, dann noch einer. Zwei Tage später wird ein Polizeioffizier in der Kleinstadt Chihuahua mit Kopfschuss getötet.

Am nächsten Tag werden Pablo und Giorgio zur Calle Cocoyoc geschickt. Dort steht ein Haus, in dem die Armee vor drei Wochen fast zwei Tonnen Marihuana beschlagnahmt hat. Dann bekam sie einen Tipp, unter der Hofterrasse zu graben.

Als Pablo aus dem Auto steigt, muss er fast erbrechen.

Drei menschliche Rümpfe ohne Arme und Beine liegen auf dem Rasen. Daneben zwei abgetrennte Köpfe.

Im Verlauf eines langen Tages finden die Soldaten insgesamt neun verstümmelte Leichen unter dem Beton.

»Langsam komme ich mir wie ein Pornograph vor«, sagt Giorgio, als er seine Aufnahmen macht.

Gewaltporno, denkt Pablo und fragt sich, ob Herrera solche Fotos in der Zeitung dulden wird.

Viele Zeitungen drucken jetzt solche Sachen. Das ist ein neuer Industriezweig geworden – Skandalblätter mit den Fotos von Leichen, je blutiger, desto besser, verhökert an Straßenecken und Ampelkreuzungen. Man kann eine Menge Geld machen, wenn man für diese Zeitungen fotografiert, und Pablo fragt sich, ob Giorgio dazu fähig wäre.

Er möchte von den Soldaten wissen, ob die Toten schon identifiziert sind, aber die Soldaten lachen nur. Sie haben die Köpfe noch nicht mal den Körpern zugeordnet. Das macht der Gerichtsmediziner, indem er die Schnittmarken vergleicht, erklären sie Pablo.

»Enthauptungen?«, fragt er Ana am Abend bei einem Drink (okay, mehreren Drinks). »Seit wann gibt es denn so was?«

»Die sind nichts Neues«, sagt sie. »Erinnerst du dich an die Sache in Michoacán? Als letztes Jahr fünf Köpfe in einen Nachtclub rollten?«

»Aber das ist Michoacán«, wendet er ein. »Irgendwelche durchgeknallten Sektenanhänger.«

»So könnte man sagen.«

»Ich finde das nicht witzig.«

»Sorry.« Nein, denkt Ana, das ist nicht witzig. Das ist entsetzlich, ekelhaft, traumatisierend, und sie macht sich Sorgen um Pablo. Nachdem ihm Victoria den Sohn weggenommen hat, lebt er wie ein Vagabund – ist halbe Nächte unterwegs, trinkt zu viel, schläft mal hier, mal da.

Auch bei mir, sagt sie sich. Sie hat schon daran gedacht, ihn ins Bett zu holen, aber das ist keine gute Idee. Pablo rast durchs Leben wie ein führerloser Expresszug. Es wäre einfach Selbstzerstörung, bei ihm einzusteigen. Aber er tut ihr leid, und sie hat Angst um ihn. So wie um ihre Stadt und auch um sich selbst.

Gib es zu, sagt sie sich.

Du hast Angst.

In Nuevo Laredo wurden schon mehrere Journalisten ermordet. Jetzt ist der Krieg hier angekommen, und sie wird das Gefühl der Bedrohung einfach nicht los. Sie gehört zu den »abgebrühten« Reportern alter Schule, sie hat viel gesehen und viel darüber geschrieben.

Doch diesmal ist es anders.

Cops verkriechen sich in ihren Wachen ...

Enthauptete, verstümmelte Leichen, in Höfen verscharrt ...

Das klingt unwirklich, wie einer dieser Alpträume, wenn sie zu viel getrunken und zu viel gegessen hat.

Mit dem Unterschied, dass es diesmal keinen Wecker gibt, der dem Spuk ein Ende bereitet.

Nein, kein Wecker, es ist Pablo, der sie mit seinem Gelächter weckt.

Dieselbe Pressemitteilung, in der die Polizei von Juárez mitteilt, dass in den ersten zwei Monaten des Jahres 2008 bereits fünfundneunzig Menschen ermordet wurden, kündigt eine Großoffensive gegen Ampelsünder an.

Dann rückt die Armee ein. Der Bürgermeister von Juárez wollte keine Armeeeinsätze in seiner Stadt, aber jetzt hat er keine andere Wahl mehr. Seit die Polizei ihren Aufgaben nicht mehr nachkommt, häufen sich nicht nur die Morde, auch die »gewöhnliche« Kriminalität nimmt überhand.

Daher hat er mit der Zentralregierung ausgehandelt, dass sie Truppen schickt, während er die städtische Polizei von Grund auf reorganisiert. Die Regierung startet also »Operation Chihuahua« – mit viertausend Soldaten, hundertachtzig gepanzerten Fahrzeugen und Luftunterstützung, zu der ein Kampfhubschrauber zählt.

Die Katastrophe nimmt ihren Lauf.

Eine Polizistin wird von zweiunddreißig Kugeln durchsiebt, als sie die Tür zu ihrem Haus öffnet. Der Polizeichef der Kleinstadt Zirandaro an der Grenze nach Texas wird in seinem Auto erschossen, als er in seine Einfahrt einbiegt. Die

Armee muss die ganze Stadt übernehmen, weil daraufhin alle Polizisten gekündigt haben oder geflohen sind.

Als Polizisten vier Narcos in Juárez in ein Krankenhaus einliefern, dringen Killer ein und erschießen die Eingelieferten auf ihren Krankentragen. Das Personal versucht drei Stunden lang, die Polizei zu alarmieren, aber niemand kommt.

Es wird schlimmer und schlimmer.

Eine Vierundzwanzigjährige stirbt bei einer Schießerei in der Autowäsche, bei der sie arbeitet. Zwei Polizisten werden niedergemäht, als sie ihre Kinder zur Schule bringen. Ein zwölfjähriges Mädchen wird getötet, als Narcos sie bei einer Schießerei als lebenden Schutzschild benutzen.

Der Bürgermeister von Juárez eröffnet Ana im Interview, man habe ihn über die bevorstehende »Mordwelle« informiert, es handle sich um einen Krieg zwischen rivalisierenden Banden.

Der Gouverneur behauptet, dass unter den fünfhundert Toten allein in diesem Jahr – fünfhundert! – »nur fünf Unbeteiligte« seien.

Nur fünf, denkt Pablo.

Haben sie auch das ungeborene Kind im Bauch der vierundzwanzigjährigen Frau gezählt?

Es macht ihn wütend, dieses Morden, dieses Sterben.

Wütend, weil das nun den Ruf seiner Stadt ausmacht: Drogenkartelle und Massaker. Sie ist nicht mehr bekannt für die Avenida 16 de Septiembre, das klassische Victoria-Kino, die alten Kopfsteingassen, die Stierkampfarena, den Busbahnhof, das Restaurant La Fogata, die Buchläden (mehr als in El Paso), die Universität, das Ballett, die *garapiñados, pan dulce,* die Mission, die Plaza, die Kentucky-Bar, Fred's. Nein, nur noch für diese idiotischen Verbrechen.

Und mein Land Mexiko, das Land der Dichter und Schriftsteller – Octavio Paz, Juan Rulfo, Carlos Fuentes, Elena Garro, Jorge Volpi, Rosario Castellanos, Luis Alberto Urrea, Élmer Mendoza, Alfonso Reyes –, das Land der Maler und Bildhauer –

Diego Rivera, Frida Kahlo, Gabriel Orozco, Pablo O'Higgins, Juan Soriano, Francisco Goitia –, des Tanzes – Guillermina Bravo, Gloria und Nellie Campobello, Josefina Lavalle, Ana Mérida –, der Komponisten – Carlos Chávez, Silvestre Revueltas, Agustín Lara, Blas Galindo –, der Architekten – Luis Barragán Morfín, Juan O'Gorman, Tatiana Bilbao, Michel Rojkind, Pedro Ramírez Vásquez –, der Filmemacher – Fernando de Fuentes, Alejandro González Iñárritu, Luis Buñuel, Alfonso Cuarón, Guillermo del Toro –, der Schauspieler – Dolores del Río, »La Doña« María Félix, Pedro Infante, Jorge Negrete, Salma Hayek – und jetzt das Land der »berühmten« Narcos, die nichts weiter sind als mörderische Soziopathen und deren einziger Beitrag zur Kultur die *narcocorridas* sind – schmalzige Huldigungsarien, gesungen von talentlosen Heuchlern.

Mexiko, das Land der Pyramiden und Paläste, der Wüsten und Dschungel, der Berge und Strände, Märkte und Gärten, Boulevards und Gassen, Plazas und Patios ist jetzt nur noch ein Schlachthof.

Und wozu das Ganze?

Damit sich die Amis mit Drogen vollpumpen können.

Direkt hinter der Grenze beginnt der gigantische Markt, die unersättliche Distributionsmaschinerie, die hier die Gewalt schürt. Amerikaner kiffen, schnupfen, spritzen, was das Zeug hält – Marihuana, Kokain, Heroin, Crystal Meth –, und haben dann den Nerv, auf den Süden zu zeigen – nach »unten« auf der Landkarte – und mit erhobenem Zeigefinger auf das »mexikanische Drogenproblem« und die mexikanische Korruption zu verweisen.

Es ist aber nicht das »mexikanische Drogenproblem«, denkt Pablo, es ist das amerikanische Drogenproblem.

Und was die Korruption betrifft – wer ist korrupter: der Verkäufer oder der Käufer? Und wie korrupt muss eine Gesellschaft sein, deren Bürger Drogen brauchen, um ihrer Wirklichkeit zu entfliehen, und dafür Mord und Totschlag bei ihren Nachbarn in Kauf nehmen?

Korrupt bis auf die Knochen.

Das ist die große Story, sagt sich Pablo.

Das ist die Story, die geschrieben werden muss.

Die ich vielleicht schreibe.

Und die keiner lesen wird.

Pablo hält sich ganz gut – bis er mit dem Mordfall Casas konfrontiert wird.

Der Name von Polizeihauptmann Alejandro Casas war ebenfalls auf dem Pappschild verzeichnet. Er will seinen achtjährigen Sohn zur Schule fahren, als fünf Männer mit Kalaschnikows seinen Nissan Pick-up in der Ausfahrt erwarten.

Casas ist sofort tot.

Der linke Arm des kleinen Jungen wird von einem Dutzend Schüsse zerschmettert.

Der Rettungswagen ist schnell zur Stelle, aber das Kind verblutet auf dem Weg ins Krankenhaus.

Pablo kommt aus der Notaufnahme, schreibt wie gewohnt seinen Artikel, dann verlässt er die Redaktion mit der Absicht, sich fürchterlich zu betrinken. Draußen auf der Straße tritt ihm ein Unbekannter entgegen und schiebt einen Umschlag in die Brusttasche seiner zerknautschten Khakijacke.

»Was soll das?«, fragt er konsterniert. »Wer sind Sie? Was wollen Sie?«

»Nimm das«, sagt der Mann, der das Gesicht und die Statur eines Polizisten hat. Breite Schultern, die fast sein Sakko sprengen. Pablo kennt Dutzende von Cops, aber diesen kennt er nicht.

»Was soll das?«, wiederholt er.

»*El sobre*«, sagt der Mann.

Das Schweigegeld.

»Ich will es nicht.«

Das Lächeln des Mannes wird bedrohlich. »Ich habe nicht gefragt, ob du es willst. Ich sage nur: Nimm es.«

Pablo will ihm den Umschlag zurückgeben, aber der Mann

hält ihm die Jacke zu, bevor er in die Tasche greifen kann.

»Nimm es. Jeden Montag gibt es Nachschub.«

»Von wem?«

»Ist egal«, sagt der Mann – und ist schon verschwunden.

Pablo reißt den Umschlag auf.

Das Dreifache seines Wochenlohns.

In Scheinen.

Genug, um einen ordentlichen Anwalt zu bezahlen. Genug, um zweimal im Monat nach Mexico City zu fliegen und ein anständiges Zimmer zu mieten – wenn der Umschlag regelmäßig kommt.

Ein altes Sprichwort fällt ihm ein.

Wenn dich der Teufel lockt, redet er mit Engelszungen.

3. Jolly Coppers on Parade

Oh, they look so nice
Looks like angels have come
down from Paradise
Jolly coppers on parade.

Randy Newman, Jolly Coppers on Parade

Mexico City
2008

Keller geht durch den Mittelgang zum Altar der Vergebung.
Nun bin ich aber gespannt, denkt er.

Angeblich stammt der Name aus den Zeiten der Inquisition,
als die Verurteilten hier Absolution erhielten, bevor sie hinge-
richtet wurden.

Jetzt kniet Yvette Tapia vor dem Altar, ihr Gesicht ist ver-
schleiert.

Keller kniet sich neben sie.

Sie hat ihn vor einer Stunde angerufen und klang nicht munter
wie sonst, sondern eher gehetzt, was kein Wunder ist, wenn
man von Barrera *und* der Polizei gejagt wird. »Ich muss Sie
dringend sprechen.«

Die Kathedrale von Cuernavaca ist Hunderte von Jahren alt,
begonnen wurde sie 1562 – fast achtzig Jahre bevor die Pilger-
väter auf Plymouth Rock landeten, rechnet Keller aus. Da die
Steine des zerstörten Aztekentempels für den Gott Huitzilo-
pochtli in dem Bau stecken, ist sie in gewisser Weise sogar
noch älter. Sie wurde aber erst 1813 vollendet und hat Über-
schwemmungen, Erdbeben und Brände überstanden.

Beide knien nebeneinander und sprechen kein Wort. Dann
steckt sie ihm etwas zu. Keller schiebt es in die Tasche.

Yvette bekreuzigt sich, steht auf und geht hinaus.

Keller zwingt sich, so lange zu bleiben, wie ein ordentliches Gebet dauert, bevor er bei einem Priester die Beichte ablegt.

Vater, vergib mir, denn ich habe gesündigt. Ich habe gelogen und war unaufrichtig, habe einen Krieg angezettelt, der Menschenleben kostet und weitere kosten wird. Kurz, ich habe Menschen zum Mord verleitet und nähre Hass in meinem Herzen.

Nein, das sagt er nicht, er denkt es nur und beichtet stattdessen unzüchtige Gedanken. Als Buße werden ihm sechs Ave-Maria auferlegt, die er vor dem Altar spricht, dann verlässt er die Kathedrale.

Draußen auf der Straße kämpft er gegen die Versuchung, in die Tasche zu greifen und den Gegenstand zu berühren, den ihm Yvette zugeschoben hat. Zu gut kennt er die verräterische Geste von Dealern und ihren Kunden, die nach ihrer Ware tasten. Stattdessen bleibt er vor einem Imbiss stehen, kauft eine Tüte Fritten mit scharfer Soße und verzehrt sie in aller Ruhe, während er die Straße nach Beschattern absucht, die er möglicherweise von Yvette übernommen hat. Als er seine fettige Mahlzeit beendet hat, zerknüllt er die Tüte, wirft sie in einen Papierkorb und fährt zurück zur Botschaft.

Schließt seine Tür ab.

Es ist eine Tonkassette.

Keller setzt Kopfhörer auf und schiebt die Kassette ein.

»Der Feldzug in Michoacán muss auf jeden Fall fortgeführt werden. La Familia stellt eine ernste Bedrohung für die öffentliche Sicherheit dar. Das sind in Wirklichkeit Verrückte. Außerdem die größten Methamphetamin-Lieferanten des Landes.«

Keller erkennt die Stimme – Martín Tapia.

»Was ist mit den Zetas?«

Keller glaubt auch diese Stimme zu erkennen.

Gerardo Vera.

Vor Aguilars Haus wird Keller von den Wachen gestoppt.

Es ist schon spät, nach zehn, und die Wachen sind misstrauisch. Sie tasten Keller ab, finden nichts, wollen wissen, was er hier zu suchen hat, als Lucinda Aguilar die Haustür öffnet.

»Señor Keller?«

»Tut mir leid, wenn ich störe«, sagt Keller. »Ist Ihr Mann zu Hause?«

»Kommen Sie doch bitte herein!«

Als Keller den Korridor betritt, kommt Aguilar aus dem Arbeitszimmer und schaut ihn fragend an.

»Haben Sie einen Moment Zeit?«, fragt Keller.

»Wissen Sie, wie spät es ist?«

»Ich wollte warten, bis Ihre Kinder im Bett sind«, sagt Keller. Aguilar starrt ihn an, dann sagt er: »Nur zehn Minuten. Kommen Sie herein.«

»Kaffee?«, fragt Lucinda. »Ein Glas Wein?«

»Nein!«, faucht Aguilar.

Keller folgt ihm ins Zimmer. Aguilar setzt sich an den Schreibtisch und lässt Keller stehen.

»Ich möchte mich bei Ihnen entschuldigen«, sagt Keller. »Mein Verdacht gegen Sie war unbegründet.«

Aguilar wirkt überrascht, aber nicht besänftigt. »Danke. Meine Meinung über Sie ändere ich deshalb nicht. Ist das alles?«

Keller legt die Kassette auf den Schreibtisch.

»Was ist das?«, fragt Aguilar.

»Bitte abspielen.«

Aguilar schiebt die Kassette ein und hört zu.

»Der Feldzug in Michoacán muss auf jeden Fall fortgeführt werden. La Familia stellt eine ernste Bedrohung für die öffentliche Sicherheit dar. Das sind in Wirklichkeit Verrückte. Außerdem die größten Methamphetamin-Lieferanten des Landes.«

»Martín Tapia«, sagt Keller.

»Sie müssen es ja wissen«, erwidert Aguilar und drückt auf die Stopptaste. »Und Sie haben mich nicht informiert, weil Sie mich für einen Komplizen gehalten haben.«

Es ist eine Feststellung, keine Frage. Und Keller schweigt.

»Haben Sie Gerardo Vera informiert?«, fragt Aguilar.

»Nein.«

Aguilar lässt das Band weiterlaufen.

»*Was ist mit den Zetas?*«

Keller sieht ihn bleich werden. Aguilars Kiefermuskeln arbeiten, während er das Band zurückspult und noch einmal anhört.

»Das kann nicht sein«, sagt Aguilar und stoppt das Band.

Keller sagt nichts.

»Wo haben Sie das her?«

Keller schüttelt den Kopf, beugt sich vor und drückt auf Start.

»*Was ist mit den Zetas?*«

»*Die stehen jetzt unter unserem Schutz.*«

»*Mit ›unserem Schutz‹ meinen Sie …*«

»*Uns und Adán.*«

»*Er hat das ausdrücklich gesagt?*«

»*Adán hat uns beauftragt, Ihnen das ausdrücklich zu sagen, ja.*«

»*Gibt es da ein Problem?*«

Keller stoppt das Band. »Ich glaube, das ist Diego Tapia.«

Aguilar nickt und lässt es weiterlaufen.

»*Wir zahlen Ihnen schon eine halbe Million pro Monat.*«

Keller beginnt zu fürchten, dass Aguilars Kiefer bricht.

»*Das Geld ist nicht für uns bestimmt.*«

Es folgt Schweigen, dann sagt Martín Tapia: »*Wir sind zu einer ansehnlichen Bonuszahlung bereit, wenn dadurch alle Hindernisse aus dem Weg geräumt werden können.*«

»*Das wäre sicher hilfreich.*«

»*Ich nehme an, die gehen gern gegen La Familia vor. Mit religiösen Fanatikern kann man keine Geschäfte machen.*«

Aguilar stoppt das Band. »Über wen wird da geredet? Welche Regierungsebene ist da beteiligt?«

Jetzt, denkt Keller, muss ich entscheiden, ob ich diesem Mann traue oder nicht. Wenn Aguilar sauber ist, arbeitet er mit mir. Wenn nicht, verschwindet diese Kassette, und ich bin ein toter Mann. Keller atmet tief durch, dann erzählt er Aguilar alles.

Dass er Yvette Tapia beschattet hat, dass sie ihn zu den Amaros geführt hat – und damit nach Los Pinos.

Aguilar hört sich das an, begreift, dass sein engster Mitarbeiter korrupt ist, und bleibt schweigend sitzen. Keller kann sehen, wie er die Kombinationen durchdenkt – wie ein Mann vor dem Schachbrett.

Wie kompliziert die Lage ist, weiß Keller. Aguilar kann nicht wissen, wie weit die Korruption geht, welche Regierungskreise beteiligt sind. Sein Vorgesetzter, der Generalstaatsanwalt, wurde vom Präsidenten berufen. Und seine eigene Organisation, die SIEDO, ist die sauber? Aguilar weiß nicht, ob er den Leuten trauen kann, für die er arbeitet, er weiß nicht, ob er den Leuten trauen kann, die für ihn arbeiten. Und es geht hier nicht um Bürointrigen, um Karriere und Beförderung.

Es geht um Leben und Tod.

»Sie haben Frau und Kinder«, sagt Keller. »Wenn Sie sich da heraushalten wollen, wird Ihnen keiner einen Vorwurf machen.«

»Doch, ich«, sagt Aguilar.

Er geht aus dem Zimmer, und Keller hört ihn zu Lucinda sagen, dass er wegfährt und nicht sagen kann, wann er zurückkommt.

Sie sitzen in einem abgeschlossenen Raum tief im Inneren des SIEDO-Gebäudes und hören die Kassette ab. Wieder und wieder.

Sechs Stimmen lassen sich unterscheiden.

Martín Tapia war eine leichte Übung, trotzdem lassen sie ihn über das Stimmerkennungsprogramm laufen und vergleichen das Stimmprofil mit dem seiner abgehörten Anrufe. Und es passt.

Aguilar lässt alte Überwachungsbänder von Diego Tapia heraussuchen, auch sie liefern das passende Profil.

Dann die Stimme, die sie beide nicht hören wollten.

»Die Regierungspolitik auf diese Weise zu drehen ... das kostet einiges.«

»Geld ist kein Problem.«

»Es wäre sicher hilfreich.«

Aguilar vergleicht diesen letzten Satz mit einem anderen, den er über einen zweiten Kanal abspielt: *»Sie ergeben sich, oder Sie sterben. Sie haben keine andere Wahl. Die Narcos werden Mexiko nicht regieren.«*

Keller sieht die Stimmkurven auf dem Monitor.

Sie sind identisch.

Und gehören Gerardo Vera.

Aguilar nimmt sich darauf die anderen Stimmen vor. Es dauert Stunden, aber er bekommt Aufnahmen von Geheimdienstchef Roberto Bravo gebracht, der ein Verhör durchführt, von Verwaltungschef Aristeo, der bei seiner Ernennung eine Pressekonferenz gibt, von Comandante Reynaldo Galvén, der vor einer Gemeindevertretung spricht.

Bravo und Aristeo sind identisch mit Stimmen auf Kellers Kassette.

Galvén nicht.

»Stellen wir eine These auf«, sagt Aguilar beherrscht und sachlich, als würde er ein Seminar leiten. »Die Tapias waren die Zahlmeister des Sinaloa-Kartells. Vera und andere standen auf der Gehaltsliste, darunter hochrangige Regierungsmitglieder. Dann einigte sich Barrera mit uns, die Tapias im Austausch für seinen Neffen auszuliefern. Doch irgendwie –«

Er blickt Keller scharf an und fährt fort: »Irgendwie sind die Tapias dahintergekommen und haben den Bruch des Kartells herbeigeführt. Die Tapias haben die drei Polizeioffiziere ermordet und außerdem Salvador Barrera, zur Vergeltung für Alberto Tapia – und um ihre Position in einem Krieg gegen Barrera zu verbessern. Entweder wollten oder konnten sie nicht an Vera herantreten, auch haben sie nicht damit gerechnet, dass die öffentliche Empörung über die Morde die Regierung stärken würde, die sie als Barreras Verbündeten betrachten. Und deshalb haben sie Ihnen die Kassette zugespielt, die die ermordeten Offiziere und Vera belastet.«

Klingt plausibel, denkt Keller.

Bleibt zu fragen, was nun zu tun ist.

Aguilars erster Impuls ist es, Vera zu verhaften, aber das wäre unklug: Gerardo Vera hat sich nach den Morden an den Offizieren mit Sicherheitskräften umgeben, und es könnte zu Kämpfen zwischen Veras AFI-Leuten und Aguilars SIEDO-Leuten kommen.

Außerdem hat Vera das Ohr des Präsidenten – um das mindeste zu sagen.

Jetzt macht sich der Jurist in Aguilar bemerkbar. Die Kassette reicht nicht aus, um Vera zu überführen. Er könnte abstreiten, dass es seine Stimme ist, er könnte behaupten, ja, er sei dabei gewesen, aber nur, um die Tapias in die Falle zu locken, und als Beweis anführen, dass er die Zugriffe auf Alberto und Diego Tapia befohlen hat, und warum sollte er das tun, wenn er auf der Gehaltsliste der Tapias steht?

»Steht er nicht«, widerspricht Keller. »Er steht auf Barreras Gehaltsliste.«

»Beweisen Sie es«, kontert Aguilar.

Um Vera zu überführen, brauchen sie Zeugen, Abhörtechnik, sein Geldverkehr muss komplett durchleuchtet werden. »Und damit kriegen wir nur Vera«, sagt Aguilar. »Was ist mit dem personellen Umfeld des Präsidenten?«

Sie besitzen Informationen, die ausreichen, eine Regierung zu Fall zu bringen. Aber diese Regierung wird nicht gegen sich selbst ermitteln.

Was eine weitere Frage provoziert.

»Haben Sie vor, die Informationen an die DEA weiterzuleiten?«, fragt Aguilar.

»Das entspricht meinem Auftrag.«

»Meine Frage lautete anders.«

Knifflig, denkt Keller. Er arbeitet für die DEA, nicht für die SIEDO, für die USA, nicht für Mexiko. Er besitzt wichtige

Informationen mit direkten Auswirkungen auf die Ermittlungen und das Vorgehen der DEA, vielleicht sogar auf die Sicherheit von verdeckten Ermittlern – wenn die DEA Vera Informationen anvertraut, die er an Barrera weitergibt.

Eins ist jedenfalls sicher, denkt Keller. Vera hat Informationen über mich an Barrera weitergegeben.

Und die DEA kann etwas, was die SIEDO ganz bestimmt nicht kann: eine unabhängige Überprüfung der mexikanischen Regierung vornehmen. Sie hat die Überwachungstechnik, sie kann Computer hacken und Codes knacken, den Datenverkehr kontrollieren. Die SIEDO kann das auch, in gewissem Umfang, aber ohne ertappt zu werden? Wer weiß, welche Trojaner in den Computern der SIEDO versteckt sind?

Also, die DEA kann es, und wenn nicht die DEA, dann die CIA oder die NSA, aber werden sie es tun?

Sie sind geradezu vernarrt in Vera. Wäre er eine Frau, sie würden ihn heiraten. Seine Unterstützer in Washington – und er hat viele – werden argumentieren, dass er Ergebnisse liefert. Vielleicht ist es ihnen sogar egal, dass er diese Ergebnisse für Barrera liefert, solange er das Tijuana-Kartell, das Juárez-Kartell und jetzt das Golfkartell, die Zetas und La Familia in Bedrängnis bringt. Keller kann schon hören, wie Taylor sagt: *Vera kassiert also eine halbe Million im Monat, damit er Narcos erledigt? Wunderbar! Denn wir könnten ihm nicht so viel zahlen.*

Sei nicht so verdammt zynisch, ermahnt er sich.

Einer der beiden obersten mexikanischen Drogenbekämpfer ist gekauft? Natürlich muss die DEA informiert werden. Das Büro des mexikanischen Präsidenten ist in die Drogengeschäfte verwickelt? Das muss das Weiße Haus erfahren. Die USA wollen Mexiko über eine Milliarde Dollar zahlen – zur Bekämpfung des Drogenhandels.

Aber Keller weiß, was Aguilar von ihm will – und warum. Der SIEDO-Chef ist ein Patriot, er fühlt sich als Vertreter seines Landes, und jetzt ist er beschämt. Es wird ihn noch mehr beschämen, wenn der große Bruder USA eingreift, um gegen die Korruption in Mexiko vorzugehen. Das ist sein schlimmster Alptraum.

»Die Sache kommt ans Licht«, sagt Keller. »So oder so. Wenn wir nicht handeln, finden die Tapias einen, der es tut.«

Schöne neue Welt, denkt Keller. Indem mir die Tapias die Kassette zuspielen, werben sie praktisch amerikanische Unterstützung ein.

»Nur ein paar Wochen«, sagt Aguilar. »So viel Zeit brauche ich, um meine Ermittlungen abzuschließen. Wenn ich die Beweise liefern kann, die ich brauche, gehe *ich* zu Ihren Vorgesetzten. Dann gehen wir zusammen.«

Keller willigt ein.

Drei der Männer auf dem Tonbandmitschnitt sind tot.

Aber da war noch eine weitere Stimme.

Eine Stimme, die wir nicht identifiziert haben.

Die nicht viel sagt. Ein paarmal, wenn sich Martín Tapia äußert, reagiert sie mit Zustimmung: *chido, chido.*

Cool, cool.

Sie prüfen die Personalakten aller Offiziere, die Vera in die AFI geholt hat, und all derer, die nach seiner Beförderung von der Bundespolizei eingestellt wurden, und stellen fest, dass sie etwas miteinander gemein haben: Alle arbeiteten in den neunziger Jahren als Polizisten im hauptstädtischen Problembezirk Iztapalapa.

Galvén war dort Polizist.

Ebenso Bravo und Aristeo.

Sie finden noch mehr Kandidaten: Igor Barragán, Luis Labastida, Javier Palacios. Alle arbeiteten mit Vera in Iztapalapa, und alle wurden sie übernommen, als er die AFI aufbaute.

Jetzt ist Barragán Koordinator für regionale Sicherheit.

Labastida ist Chef der Aufklärung.

Palacios ist Chef für Sondereinsätze der AFI.

Alles unter Veras Schirm. Alle haben sie die Sicherheitsprüfung mit dem Lügendetektor bestanden.

Alle haben sie ihren Aufstieg zusammen mit Vera gemacht, aber wen hat er zu dem Treffen mit den Tapias mitgenommen?, fragt sich Keller. Der Betreffende muss jetzt schlottern vor Angst, nachdem drei seiner Kollegen und Komplizen ermordet wurden.

Oder ist er zu den Tapias übergelaufen?

Jedenfalls könnte er der Zeuge sein, den wir brauchen.

Sie suchen nach Stimmproben der drei Männer, aber finden keine.

Wie lautet die alte Regel?

Gibt die Gegenwart keine Antworten her, such in der Vergangenheit.

Einen Slum riecht man, bevor man ihn sieht.

Bei einem Professor am College hat Keller mal gelernt, dass die ganze Menschheitskultur eine Frage der Kanalisation ist. Dass erst die Technik, sauberes Wasser zufließen und schmutziges Wasser abfließen zu lassen, einer größeren Zahl von Menschen ermöglicht hat, an einem festen Ort zu leben, Städte und Zivilisationen aufzubauen. Ohne diese Technik wären die Menschen Nomaden, die ständig vor ihrer eigenen Scheiße davonlaufen.

In La Polvorilla, dem schlimmsten Slum von Iztapalapa, gibt es keine solche Technik. Der Fäkaliengestank von Menschen, Hunden, Eseln, Ziegen, Hühnern springt einen förmlich an, wenn man sich dem Viertel nähert. Die Straßen sind Kloaken, in denen eine stinkende Brühe steht, die wegen ihrer braunen Farbe »Tamarindenwasser« heißt.

Der Mangel an sauberem Wasser sorgt dafür, dass die Bewohner, das heißt vor allem die Frauen, in permanenter Armut leben, denn sie warten jeden Tag stundenlang auf irgendwelche Tankwagen, und an manchen Tagen kommt kein einziger, weil die Tankwagen in den anderen Slums gebraucht werden.

Die meisten »Häuser« bestehen aus Pappe und Sperrholz. Nachts streunen Rudel verwilderter Hunde durch die Gassen, auf der Suche nach Nahrung. Sie stöbern im Müll, erwischen das eine oder andere Huhn, manchmal sollen sie auch schon Kinder verschleppt haben.

Am bekanntesten aber ist dieser Barrio für seinen Drogenmarkt, für Taschendiebe, Prostituierte – und für das alljährliche Passionsspiel, das Zehntausende Besucher anlockt. Wenn einer gekreuzigt wird, denkt Keller, kommen die Leute in Scharen.

Auch jetzt ist viel los auf den Straßen.

Kleindealer, Huren, Kinderbanden. Sie mustern Keller neugierig – er ist nicht von hier, sucht vielleicht eine Hure.

Oder ist ein Schnüffler.

Keller ignoriert die Mädchen und ihre Flüche, auch die Kinder, die ihm Gras verkaufen wollen, während er an Hütten aus Wellblech und alten Reklametafeln vorbeiläuft.

Er bleibt vor einer Coca-Cola-Reklame stehen, die als Tür dient, und zwängt sich durch. Innen eine kahle Matratze und ein kaputter Korbstuhl, eine Kochplatte, an der Decke eine nackte Glühbirne – ein Draht führt nach außen und zapft irgendeine Stromleitung an.

Die Bewohnerin gehört zur seltenen Spezies der alten Crackhuren.

Die meisten leben nicht so lange, denkt Keller, obwohl es schwer ist, das Alter einer Crackhure zu schätzen. Mit zwanzig sehen sie aus wie vierzig, mit dreißig wie sechzig, mit vierzig werden sie zu Greisinnen unbestimmbaren Alters: faltiges Kinn, zahnloser Mund, toter Blick.

»Ester?«, fragt Keller. Er hat Geschichten über sie gehört. Und hat Tage gebraucht, sie aufzuspüren.

Ester klopft auf die Matratze – eine Einladung. Sie bietet ihm Halb-und-halb an, einmal um die Welt, schließlich einen Handjob, weil er auf ihre teureren Angebote nicht eingeht.

»Ester«, sagt Keller. »Ich habe Ihre Geschichte gehört. Sie

und der Polizist. Als Sie noch jung waren und eine Schönheit.«

»Ich war sehr schön!«

»Das sind Sie immer noch«, sagt Keller. »Erzählen Sie mir die
Geschichte?«

»*Un diabolito*«, sagt sie und verlangt eine Zigarette für ihr
Crack.

»Nach der Geschichte«, erwidert Keller.

Ester seufzt.

Sie war jung und eine Schönheit – keine Hure.

Glänzendes schwarzes Haar, dunkle Augen, lange Wimpern.

Fünfzehn Jahre und noch Jungfrau, als der Polizist sie sah. Sie
war mit ihrer Cousine auf dem Weg zum Fleischer, um Zie-
genfleisch für die Mutter zu kaufen, denn ihr kleiner Bruder
hatte Erstkommunion, und es sollte etwas Besonderes geben.
Sie trug ihr weißes Kleid, aus dem die braunen Beine und die
staubigen Füße hervorsahen.

»*Ahora vengo, cholla*«, rief ihr der Polizist aus dem Auto zu.
Komm mal her, kleine Nutte!

»Ich bin keine *cholla*«, rief sie zurück und lief weiter. Viele
Mädchen in La Polvorilla gehörten zu Gangs, aber sie schenkte ihre Liebe und ihren Körper nicht einfach weg. Jedenfalls
keinem dieser Straßenjungs.

»Die verpassen dir eine Krankheit oder ein Baby«, hatte die
Mutter gewarnt. »Machen dich süchtig nach Drogen und
schicken dich auf den Strich.«

Ihre Mutter musste es wissen, dachte Ester.

Genauso war es ihr ergangen.

Aber Ester war anders.

Sie war schön, und sie wusste es. Sie sah die Blicke der Jungs,
der Männer, sie sah sich selbst in dem kaputten Spiegel, der in
der Hütte stand, und wenn alle schliefen, betrachtete sie ihre
Brüste, ihren Bauch und ihr Gesicht, und begriff, warum die
Männer scharf auf sie waren. Eines Nachts merkte sie, dass

sich ihr großer Bruder nur schlafend stellte, um sie zu beobachten. Da wusste sie, dass auch er sie wollte.

In Polvorilla war das nichts Ungewöhnliches.

Ester war noch Jungfrau, aber sie war nicht blöd. Sie wusste alles über Sex, hatte nachts wach gelegen und zugehört, wenn ihre Mutter Männer mitbrachte. Das Stöhnen der Mutter, das Grunzen der Männer, das Getuschel. Sie hatte sich selbst berührt, kannte Mädchen, die es schon mit Männern gemacht hatten, hatte mit den Jungs gewitzelt und Anzüglichkeiten getauscht, aber sie wusste: Sie wollte einen richtigen Mann.

»Wohin des Wegs, kleine *mamacita*?«, fragte jetzt der Polizist und fuhr langsam neben ihr her.

Er war Polizist, weil in Polvorilla nur Polizisten mit solchen Autos fuhren.

»*Cabrón* kaufen«, sagte sie, und ihre Cousine lachte, weil *cabrón* auf Spanisch nicht nur »Ziegenbock« heißt, sondern auch »der Gehörnte«.

Auch der Polizist lachte, und da fing sie an, ihn zu mögen.

»Beim Fleischer, dem Betrüger da drüben?«, fragte er.

»Der ist kein Betrüger.«

»Alle Fleischer sind Betrüger«, sagte er. »Lass mich lieber mitkommen, damit er dich nicht betrügt.«

»Machen Sie, was Sie wollen«, sagte Ester, weil sich schöne Mädchen erlauben können, so etwas zu Männern zu sagen.

»Willst du einsteigen?«, fragte er.

»In ein Polizistenauto? Was sollen die Nachbarn denken?«

»Die Glückliche!, werden sie denken.«

»Ich glaube nicht«, erwiderte sie. »Sie werden denken, ich habe Probleme oder erzähle Geschichten.«

»Welche Geschichten kannst du schon erzählen!«

»Sie würden staunen!«

Inzwischen waren sie beim Fleischer angekommen. Der Polizist stieg aus, sein Begleiter rutschte ans Steuer und parkte das Auto. Ester stand im Laden und verlangte zwei Pfund Ziege, der Polizist kam herein und blieb hinten stehen. Als der Fleischer das Stück Ziege abwog, sagte der Polizist: »Nimm den Daumen von der Waage!«

Der Fleischer, Señor Padilla, den Ester schon ihre ganze Kindheit kannte, zog ein Gesicht, aber er sagte nichts – bis er Ester den Preis nannte.

»Pack das ein und gib ihr *meinen* Preis!«, sagte der Polizist.

Señor Padilla zog wieder ein Gesicht, sagte wieder nichts, sondern wickelte das Fleisch in braunes Papier und schob es Ester hin. Verwirrt reichte sie ihm das Geld, das ihr die Mutter mitgegeben hatte, aber Señor Padilla schüttelte den Kopf und nahm es nicht.

Der Polizist stellte sich an den Ladentisch. »Einmal in der Woche, jeden Freitag, gibst du ihr meinen Preis. Verstanden?«

»Ich habe verstanden.«

»*Chido.*«

Draußen auf der Straße fragte der Polizist: »Willst du mir nicht danke sagen?«

»Danke.«

»Ist das alles?«

»Was wollen Sie noch?«

»*Un besito.*«

Ein Küsschen.

Sie küsste ihn auf die Wange.

Der Mann im Auto lachte und drückte auf die Hupe. »Hey, wir haben zu tun, alter Bock!«

»Wie heißt du?«, fragte der Polizist.

»Ester.«

»Willst du mich nicht fragen, wie ich heiße?«

»Wenn Sie wollen«, sagte sie. »Also, wie heißen Sie?«

»Man nennt mich Chido«, sagte er. »Weil ich immer *chido* sage. Ich hoffe, wir sehen uns, Ester.«

Als sie weitergingen, sagte die Cousine zu Ester: »Der war mindestens dreißig Jahre alt!«

»Ich weiß«, sagte Ester.

Sie gingen nach Hause, und Ester gab der Mutter das Geld zurück. Die fragte, warum Padilla das Geld nicht genommen hatte. Ester sagte, es sei sein Geschenk zu Ernestos Kommunion. Die Mutter schaute sie seltsam an, stellte aber keine Fragen. Als sich Ester abends im Bett berührte, dachte sie an Chido.

Er lud sie zum Essen ein, nahm sie mit in Clubs, ging mit ihr tanzen. Er stellte sie seinen Polizeifreunden vor, und sie gingen zusammen aus, sie und Chido und die anderen Cops und ihre Freundinnen.

Chido kaufte ihr Kleider, damit sie gut aussah (»Deine Kleider sollen so schön sein wie du«), eins der anderen Mädchen ging mit ihr Make-up kaufen und zeigte ihr, wie man sich schminkte und frisierte.

Jeden Freitag ging sie zu Señor Padilla, wo schon das Fleischpaket auf sie wartete, und brachte Ziege oder Huhn, sogar Schwein und einmal auch Steaks nach Hause. Und dreimal in der Woche kam ein Mann und lieferte ihnen große blaue Flaschen mit Trinkwasser ins Haus.

Alles gratis.

»Hast du schon mit ihm geschlafen?«, fragte die Mutter.

»Mama, nein!«

»Achte darauf, dass er was benutzt oder auf deinem Bauch kommt«, sagte die Mutter. »Wenn du schwanger wirst, ist es vorbei mit der Liebe.«

Nach einem Monat nahm er sie mit auf die »Bude«, die er sich mit seinen Freunden teilte.

»Hier erholen wir uns am Tag von der Hitze«, erklärte er ihr. »Man kann nicht immer nur arbeiten, man muss auch mal entspannen.«

Er zeigte ihr das Schlafzimmer.

Es war sauber, mit hübschen Laken.

Er legte sie aufs Bett, knöpfte ihr die Bluse auf, und sie ließ sich küssen, seine Hand rutschte nach unten, wo sie sich bisher nur selbst berührt hatte, seine Lippen strichen sanft über

445

ihre Brüste, dann über ihren Bauch. Chido, Chido!, flüsterte sie. Er legte sich auf sie und drang in sie ein.

Er fühlte sich gut an, so gut, dass sie ihn mit den Beinen umklammerte, damit er für immer bei ihr blieb, aber als es gefährlich wurde, zog er sich zurück, und später ging er ins Bad, kam mit einem nassen Waschlappen zurück und wischte ihr den Bauch ab. Es fühlte sich angenehm kühl an.

»Wir setzen dich auf Pille«, sagte er. »Kondome sind blöd.«

»Ich habe geblutet«, sagte sie, »auf dein Laken.«

Chido zuckte die Achseln. »Wir kriegen neue.«

Einmal wöchentlich kam eine Frau zum Putzen.

Er stand wieder auf und holte Bier. Sie lagen auf dem Bett, schauten auf die sonnendurchglühte Straße hinaus, tranken das Bier, schliefen ein und liebten sich noch einmal.

Als sie abends nach Hause kam, sah die Mutter sie an und sagte nichts. Aber sie wusste Bescheid, weil Mütter so etwas eben wissen.

Bei einer Party in Chidos Bude fand Ester heraus, dass Chido verheiratet war. Sie waren schon etwa ein Jahr zusammen, als sie mit Gerardos Freundin Silvia im Bad vorm Spiegel stand und sich schminkte und Silvia ganz beiläufig Chidos Frau und Kinder erwähnte, dann Esters Gesicht im Spiegel sah.

»Hast du das etwa nicht gewusst?«

Ester schüttelte den Kopf.

»Dummchen«, sagte Silvia. »Die sind *alle* verheiratet.«

Ester feierte weiter und tat, als wäre nichts, aber später, als Chido sie nach Hause fuhr, stellte sie ihn zur Rede. »Na und?«, sagte er. »Dir geht es doch gut, oder? Ich sorge für dich und deine Familie, mache dir Geschenke, gehe mit dir weg. Ist das nichts?«

Sie musste zugeben, dass er recht hatte, aber sie sagte auch: »Ich dachte, wir würden irgendwann heiraten.«

»Das kannst du vergessen«, sagte Chido. »Wenn du wieder nach Wasser Schlange stehen willst, Posole essen willst, dann geh und heirate irgendeinen Straßenfeger. Ich schicke dir ein nettes Hochzeitsgeschenk.«

Ester ging ins Haus und legte sich auf die Matratze. Jetzt wusste sie, dass sie nicht seine Freundin war, sondern seine Segundera.

»Du behandelst mich wie eine Hure«, sagte Ester eines Tages zu Chido.

Chido ohrfeigte sie, packte sie bei den schwarzen Haaren und zog ihr Gesicht nahe heran. »Dass ich dich wie eine Hure behandle, kannst du haben. Ich stelle dich auf die Straße, dann weißt du, wie man sich als Hure fühlt. Jetzt zieh dir was Gutes an, wir gehen weg, und ich will mich nicht schämen mit dir.«

An dem Abend kamen sie spät zurück, und Ester war so müde, dass sie einfach umklappte. Chido musste zur Nachtschicht und sagte ihr, sie solle nach Hause gehen. Sie nickte, aber als er weg war, legte sie sich für ein Weilchen aufs Bett und schlief ein. Irgendwann wachte sie auf, weil jemand weinte. Sie öffnete die Schlafzimmertür einen Spaltbreit und sah Chido, Gerardo, Luis und einen vierten Mann, der als Autodieb bekannt war. Dieser Mann war es, der weinte. Sein Hemd war zerrissen, sein Gesicht verschwollen und blutverschmiert, und als Luis ihn auf einen Stuhl schubste, hörte sie Gerardo fragen: »Warum hast du den hierhergebracht?«

»Ist doch cool«, sagte Chido. »Keiner hat uns gesehen.«

»Jetzt brauchen wir eine neue Bude«, sagte Luis.

»Warum nicht?«, sagte Chido. »Die hier habe ich satt.«

Der Mann auf dem Stuhl weinte, und Ester sah, dass ihm die Pisse aus der Hose lief und sich auf dem Fußboden ausbreitete.

»Jetzt brauchen wir *wirklich* eine neue Bude«, sagte Chido.

»Wie oft haben wir dir gesagt, dass du an uns zahlen musst«, sagte Gerardo zu dem weinenden Mann.

Ester wollte die Tür schließen, aber sie hatte Angst, ein Geräusch zu machen.

»Es tut mir leid«, sagte der Autodieb. »Ich werde zahlen.«

»Zu spät«, sagte Gerardo.

Ester sah, wie Chido die Hand des Autodiebs flach auf den Tisch legte und festhielt, dann nahm Gerardo einen Hammer und schlug zu. Der Mann brüllte, und Ester wurde schlecht, als sie sah, dass die blanken Knochen aus der Hand herausragten.

»Jetzt kannst du weiter Autos klauen«, sagte Gerardo.

Der Mann brüllte erneut.

»Jesus Christus, halt's Maul«, sagte Chido.

Aber der Mann tat es nicht. Er schrie. Chido sah Gerardo an, der nickte. Chido nahm den Hammer und schlug dem Mann auf den Kopf.

Immer wieder.

Als sie dabei waren, den Mann hinauszuschleppen, blickte sich Chido um und sah Ester.

»Ich komme gleich«, sagte er zu den anderen. Er stieß Ester zurück ins Schlafzimmer, schloss die Tür und fragte: »Was hast du gesehen?«

»Nichts.«

»Genau«, sagte Chido. »Du hast nichts gesehen.«

Danach sahen sie sich drei Wochen nicht.

Als sie am ersten Freitag zum Fleischer ging, um das Fleischpaket abzuholen, nannte ihr der Fleischer den Preis, und sie sagte: »So viel habe ich nicht.« Er zuckte die Achseln und nahm ihr das Paket wieder ab. Dann blieb das Wasser in den großen blauen Flaschen aus. Ihre Mutter sagte: »Kein Wunder, dass er dich in die Wüste geschickt hat. Du siehst beschissen aus. Jetzt geh und warte auf den Tankwagen. Wir brauchen Wasser.«

Sie schob Ester einen Plastikeimer hin.

Drei Wochen später machte sich Ester auf die Suche nach Chido. Sie trank sich einen Rausch an und ging in das Restaurant, wo er freitagabends feierte. Dort sah sie ihn an einem Tisch mit Gerardo und Silvia.

Und ein paar anderen Frauen.

Ester ging an den Tisch und sprach Chido an. »Kann ich dich mal sprechen?«

Chido war überrascht und wurde wütend. »Verschwinde hier. Aber sofort!«

»Ich will nur mit dir sprechen.« Dann verlor sie die Fassung und fing an zu weinen. »Es tut mir leid. Ich liebe dich. Es tut mir leid.«

»Du bist besoffen«, sagte Chido. »Und high.«

Silvia stand auf und wollte sie wegführen. »Mach dich nicht lächerlich, Kleine«, sagte sie.

Aber Ester wurde wütend, stieß Silvias Arm weg und zeigte auf das schöne Mädchen neben Chido. »Wer ist diese Schlampe?«

»Jetzt reicht's«, sagte Chido.

»Sie bringen Leute um«, sagte Ester zu dem Mädchen, das dasaß und den rotgeschminkten Mund zu einem erschrockenen »O« formte. »Ich habe es gesehen!«

Chido und Gerardo standen auf, packten sie bei den Armen und gingen mit ihr auf den Hof. Chido war rot vor Wut, an seinen Augen sah sie, dass er bekokst war, und sie war plötzlich nüchtern und bekam große Angst, als er sie gegen eine Mauer presste.

»Was hast du gesehen?«, fragte Gerardo.

»Nichts.«

»Was hast du gesehen?«

Als sie nicht antwortete, sagte Gerardo zu Chido: »Du weißt, was zu tun ist.«

Ester wollte wegrennen, doch Chido packte sie und presste sie wieder gegen die Mauer. Dann sah er die leere Flasche daliegen. Eine grüne Weinflasche. Er zerschlug sie und hielt ihr den scharfkantigen Flaschenhals unter die Nase.

»Ich habe dir gesagt, dass du nichts gesehen hast«, sagte er.

»Ich habe nichts gesehen.«

»Du lügst, du Schlampe«, sagte Chido. »Gleich siehst du wirklich nichts mehr.«

Er ratschte ihr mit dem Flaschenhals über die Augen und hielt ihr mit der anderen Hand den Mund zu, weil sie schrie und schrie.

Als er sie losließ, brach sie zusammen, presste ihre Hände vor die Augen und spürte nichts als Blut. Dann hörte sie Chido sagen: »Was sie nicht sehen kann, kann sie nicht identifizieren. Cool!«

Wahrscheinlich hatten sie einen Streifenwagen gerufen, denn ein paar Minuten später erschienen zwei Cops, setzten Ester auf den Rücksitz und fuhren sie ins Krankenhaus. Die Ärzte gaben ihr Bestes, aber ihre Augen waren nicht zu retten, und so wurde sie die blinde Hure von La Polvorilla. Ihre Mutter meinte, du musst ja die Schwänze nicht sehen, die sie in dich reinstecken. Und die Männer kamen wegen des billigen Kitzels, von einem Mädchen bedient zu werden, das sie nicht sehen konnte. Wenn sie zum Tankwagen ging, um Wasser zu holen, stellten ihr manche bösen Jungs ein Bein, so dass sie das Wasser verschüttete, aber die meisten Leute waren nett und halfen ihr.

So war das damals, als sie jung war und noch keine Hure, sagt sie jetzt zu Keller. Von Chido Palacios hörte sie nie wieder etwas.

Javier »Chido« Palacios trinkt seinen Kaffee jeden Tag um vier Uhr nachmittags im selben Café. Das Café liegt nur ein paar Straßen vom AFI-Hauptquartier entfernt.

Bei schönem Wetter wie an diesem Tag im Mai sitzt er draußen auf dem Boulevard, schlürft seinen Espresso und lässt die Welt an sich vorüberziehen. Seine drei Bodyguards bleiben unauffällig in der Nähe: am Eisenzaun oder an der Tür zum Café.

Keller hat das an drei Tagen hintereinander beobachtet.

Nach einer langen Debatte mit Aguilar war beschlossen worden, dass er den ersten Kontakt aufnehmen sollte.

»Sie können das nicht machen«, hat er zu Aguilar gesagt.

»Wenn er abblockt, sind wir aus der Deckung. Außerdem haben Sie ihm momentan nichts anzubieten. Sie können ihn in Mexiko nicht schützen.«

Aguilar hat widerstrebend zugestimmt, und Keller hat begonnen, Palacios zu beschatten, um herauszufinden, wann er am besten ansprechbar ist. Heute, am dritten Tag, betritt Keller den Cafégarten und setzt sich an den Nachbartisch. Die Bodyguards bemerken ihn, scheinen aber keine Bedrohung in ihm zu sehen.

Wenn Palacios nervös ist, zeigt er es nicht. Er trägt einen gepflegten Maßanzug, sein schwarzes Haar mit den angegrauten Schläfen ist gut frisiert. Er wirkt »cool«, souverän – ein Mann, der das Leben im Griff hat.

Keller dreht sich ein wenig zur Seite und blickt ihn an.

Palacios macht den ersten Schritt. »Kennen wir uns?«

»Noch nicht, aber wir sollten uns kennenlernen, Chido.«

Palacios zuckt unmerklich zusammen, als er seinen alten Spitznamen hört. »Warum sollten wir das?«

»Weil ich Ihr Leben retten kann«, sagt Keller. »Darf ich mich zu Ihnen setzen?«

Palacios zögert einen Moment, dann nickt er. Keller steht auf, die Bodyguards setzen sich in Bewegung, aber Palacios winkt sie fort.

»Sie dachten, Sie hätten den ›Chido‹ in La Polvorilla zurückgelassen, nicht wahr?«, sagt Keller, als er an seinem Tisch Platz nimmt.

»So nennt mich seit Jahren keiner mehr«, sagt er gelassen. »Wer sind Sie?«

»Ich bin von der DEA.«

Palacios schüttelt den Kopf. »Die kenne ich alle.«

»Offenbar nicht.«

»Sie sagen, Sie wollen mein Leben retten?«, sagt Palacios. »Ich hatte nicht den Eindruck, dass es in Gefahr ist.«

»Wirklich nicht?«, fragt Keller. »Sie haben gerade drei Ihrer Freunde vom Izta-Kartell beerdigt. Die Tapias wollen Sie umbringen. Und wenn nicht die Tapias, dann Barrera. Sie stehen auf der Liste der gefährdeten Arten, und das müssten Sie wissen.«

»Ihre DEA-Kollegen würden jetzt sagen, dass Sie Bullshit reden.«

Jetzt muss ich da durch, denkt Keller. Ich kann ihn nicht anfüttern und vom Haken lassen. Dann rennt er sofort zu Vera. Also sagt er: »Sie waren im letzten Frühjahr auf einem Treffen mit Diego und Martín Tapia. Bei diesem Treffen wurde beschlossen, die Zetas zu unterstützen und stattdessen La Familia zu bekämpfen. Anwesend bei diesem Treffen waren außerdem Gerardo Vera, Roberto Bravo und José Aristeo.«

Palacios fällt in den Jargon von La Polvorilla zurück. »Du erzählst Scheiße, Mann.«

»Ich hab dich auf Band, du Arschloch.«

Palacios fängt plötzlich an zu schwitzen.

Keller kann dabei zusehen, wie sich die Schweißtropfen auf seiner Stirn formen, direkt unter dem Ansatz seiner sorgfältig geschnittenen Haare. Er gibt noch eins drauf: »Denk gut nach – du stehst mit einem Bein im Boot der Tapias, mit dem anderen Bein im Boot von Barrera, und beide driften auseinander. Du musst dich entscheiden. Deine Bodyguards kannst du mitnehmen nach Puente Grande, denn dort wirst du landen. Die Frage ist nur, ob sie dich in den Arsch ficken, *bevor* sie dir die Kehle aufschlitzen.«

»Ich war bei dem Treffen«, sagt Palacios, »um Beweise zu sammeln. Beweise gegen –«

»Vergiss es«, sagt Keller. »Denkst du, Vera wird dich decken? Ich weiß, ihr kennt euch aus dem Barrio und so weiter, aber wenn du glaubst, er setzt für dich seine Karriere aufs Spiel, dann kennst du ihn schlecht.«

»Vielleicht ist er auch auf dem Band.«

»Vielleicht«, sagt Keller. »Starten wir einen kleinen Wettlauf. Der Erste von euch beiden, der mit uns arbeitet, kriegt ein Dauervisum für die USA, und der Verlierer wird in den Arsch gefickt. Wie hättest du es gern?«

Palacios starrt ihn an.

Keller steht auf. »Ich bin zuerst zu *dir* gekommen, weil du was zu gewinnen hast, im Unterschied zu Vera. Zu ihm gehe ich in exakt vierundzwanzig Stunden, wenn ich nicht vorher von dir höre.«

Er legt einen Zettel mit einer Telefonnummer auf den Tisch.

»Schöner Tag, um Frauen auszugucken, nicht wahr?«, sagt Keller. »Übrigens, Ester Almanza lässt dich grüßen, du Stück Scheiße.«

Keller hält Daumen und kleinen Finger an Ohr und Kinn – ruf mich an! –, lächelt und geht hinaus auf den Boulevard.

Jetzt heißt es abwarten.

Und sich auf die schlimmstmögliche Wendung einstellen – dass Palacios zu Vera petzen geht und die AFI eine Gegenoffensive startet, die auf verschiedene Arten ablaufen kann, wahrscheinlich aber in Gestalt eines Überfalls auf die SIEDO mit dem Ziel, die belastenden Bänder zu erbeuten, Aguilar auf Druck von Los Pinos zu feuern und unter Anklage zu stellen.

Keller schließt auch eine andere Möglichkeit nicht aus – den Versuch, Aguilar kurzerhand zu ermorden.

»Das ist doch lächerlich«, sagt Aguilar, als ihm Keller diese Möglichkeit vor Augen hält.

Sie sitzen bei einem Brandy in seinem Arbeitszimmer, nachdem Keller bei ihm zu Abend gegessen hat. Lucinda hat wie immer hervorragend gekocht – Garnelen in scharfer Soße auf Reis –, und Caterina und Isobel plauderten lebhaft über Ballettstunden und Reitunterricht, ein wenig schüchterner über die Jungs, die sie bei einem Schulball kennengelernt hatten. Keller hatte schon vergessen, wie sich das anfühlt: Familie.

Sie haben sich in Aguilars Arbeitszimmer zurückgezogen, um Geschäftliches zu bereden, und jetzt sitzt Keller da, mit einem Handy in der Tasche. Er hat es eigens für Palacios Anruf gekauft – es fühlt sich an wie eine Zeitbombe, von der er *hofft*, dass sie hochgeht. Jede Sekunde ohne dieses Klingeln steigert die Wahrscheinlichkeit, dass Palacios zu Vera gegangen ist oder, schlimmer noch, zu den Tapias. »Das ist *nicht* lächerlich, Señor Aguilar. Ich glaube sogar, es ist besser, wenn Sie Ihre Familie für eine Weile aus der Schusslinie nehmen.«

»Wie soll ich ihnen das erklären, ohne sie in Angst und Schrecken zu versetzen?«

»Eine Ferienreise«, sagt Keller. »Wir bringen sie in den USA unter, die DEA sorgt für ihre Sicherheit.«

»Vera wird nicht so weit gehen, sich an den Familien zu vergreifen.«

»Aber Barrera wird es tun«, sagt Keller. »Das hat er schon unter Beweis gestellt.«

»Sie würden mich doch erst warnen, oder? Mich einschüchtern, damit ich kooperiere.«

»Wahrscheinlich«, räumt Keller ein. »Aber Sicherheit kann nicht schaden. Sehen Sie es so: Die Mädchen würden bestimmt gern ein paar Wochen auf einer Ranch in Arizona verbringen. Sie könnten reiten –«

»Westernsattel? Sich ihre Haltung verderben?«

»Señor Aguilar! Galvén, Aristeo und Bravo wurden beim Verlassen ihrer Häuser ermordet. Wollen Sie Ihre Familie dieser Gefahr aussetzen?«

»Natürlich nicht.«

»Also?«

»Ich denke darüber nach.«

Keller geht mit ihm die Möglichkeiten durch. Wenn Aguilars Vorgesetzter, Generalstaatsanwalt Eduardo Morina, ihn einbestellt und feuert oder die Ermittlungen einstellen lässt oder beides, bedeutet das, dass Morina involviert ist – in welchem Fall Keller so schnell wie möglich das Land verlässt, eine Kopie der Bandaufnahme im Gepäck.

Wenn sich Vera nicht auf Morina stützt, bedeutet das wahrscheinlich, dass der Generalstaatsanwalt sauber ist und gegen Vera ermitteln wird, wenn er genügend Hinweise hat, vor allem die Aussage von Chido Palacios. Wenn –

Das Handy vibriert.

Aguilar verfolgt, wie Keller es aus der Tasche gräbt, es zwei Sekunden ans Ohr hält, dann wegklickt.

»Parque México«, sagt Keller. »Lindbergh-Forum. In einer Stunde.«

Sie treffen sich unter der Pergola bei den großen Säulen des Lindbergh-Forums.

Eine gute Wahl, weil die Pergola einsam gelegen ist. Aber gefährlich, weil der Park möglichen Schützen Deckung bietet, besonders bei Nacht.

Keller weiß, dass er in eine Falle tappen könnte. Aber er hat sich sowieso schon zu weit vorgewagt. Vorsichtshalber behält er die Hand auf seiner Pistole unter dem Jackett.

Palacios steht am Ende der Pergola.

Er scheint allein gekommen zu sein.

»Ich will noch heute Nacht raus«, sagt er.

»Das kannst du vergessen, Chido.« Sobald Palacios die Grenze überquert, hat er kein Motiv mehr, auszupacken. Keller kennt das schon – die Quelle sitzt in einem Verhörzimmer auf der anderen Seite der Grenze und erzählt Märchen bis zum Abwinken. Nein, dieser Knochen muss sauber abgenagt werden, möglichst vorher und möglichst schnell.

»So wird die Sache laufen«, sagt Keller. »Du gibst uns Informationen, wir prüfen, ob sie stimmen. Wenn wir genug gegen Vera in der Hand haben, kriegst du dein Ticket.«

Palacios starrt ihn wütend an. Dann sagt er: »Ich will Visa für mich, meine Frau und meine zwei erwachsenen Kinder. Und ich brauche Immunität, damit ich Zugriff auf meine Konten habe.«

Diese Kanaille will nicht ins Zeugenschutzprogramm und nicht als Packer im Baumarkt arbeiten. Er will sich mit den dreckigen Millionen, die er beim Sinaloa-Kartell kassiert hat, ein flottes Leben machen.

»Das ist Sache der mexikanischen Staatsanwaltschaft«, sagt Keller.

Es ist riskant, die mexikanische Justiz ins Spiel zu bringen, aber lieber jetzt als später, denkt er sich. Palacios könnte sich querstellen, weil er glaubt, er hat es nur mit der DEA zu tun. Und tatsächlich stellt er sich quer. »Das war's dann«, sagt er und will gehen.

»Wenn du jetzt gehst, kommst du nicht weit«, sagt Keller. »Du bist tot, bevor du den Park verlässt. Glaubst du, deine Buddys schauen tatenlos zu, während du sie verkaufst?«

Keller kennt sein Geschäft. Nach der harten Tour kommt die sanfte: »Hör zu, in den Staaten liegt nichts gegen dich vor, auch nicht gegen Vera. Wenn dir das Justizministerium Schutz anbietet, dann nur aus Gefälligkeit gegenüber Mexiko. Die Ermittlungen laufen über die SIEDO, dort bleiben sie unter Verschluss.«

»Luis Aguilar?«, protestiert Palacios. »Dieser scheinheilige Hund?«

»Er ist dein Rettungsring, Chido.«

Palacios lacht. »Wo finde ich Aguilar?«

»In der Calle Chiapas. Er wartet in einem Auto.«

»Gehen wir.«

Erst treffen sie sich in Autos, in nächtlichen Parks, dann erfindet Aguilar eine neue »Segundera« für Palacios, eine SIEDO-Agentin mit dem Decknamen Gabriela, eine betörende Schönheit mit langen Beinen, einem Abschluss in Jura und Soziologie und schonungslosem Ehrgeiz. Aguilar versorgt Palacios mit Fotos, die er seinen Freunden zeigen kann (»Guckt mal, diese *chica* hab ich aufgerissen«), und legt die Treffen so, dass die beiden in den einschlägigen Bars in der Nähe des AFI-Hauptquartiers gesehen werden. Er beschafft ihr eine Wohnung und stellt sicher, dass man sie morgens zur Arbeit in einer nahe gelegenen Bank gehen und abends zurückkommen sieht.

An den Nachmittagen verhören sie Palacios.

Er versucht zu tricksen, hält sie mit Belanglosigkeiten hin, um sich belastende Aussagen zu ersparen. Sie müssen ihn unter Druck setzen, ins Kreuzverhör nehmen, mit Drohungen und Schmeicheleien zermürben. Er setzt sein Wissen ein wie ein Angler, der einen Köder auslegt, und muss unsanft daran erinnert werden, dass *er* derjenige ist, den *sie* am Haken haben.

»Das ist Ihnen doch klar, dass Sie an den Lügendetektor müssen«, sagt Aguilar zu ihm. »Wenn wir Sie der Lüge überführen, ist unsere Absprache null und nichtig. Also noch einmal: Barreras Flucht aus dem Gefängnis.«

»Wem unterstanden die Gefängnisse?«, fragt Palacios.

»Hören Sie auf mit Ihren Spielchen!«

»Galvén«, sagt Palacios. »Nacho Esparza hat fünfhunderttausend Dollar an Galvén gezahlt, die haben wir unter uns aufgeteilt.«

»Hat Vera einen Anteil bekommen?«

»Was glauben Sie denn?«

»*Ich* stelle hier die Fragen.«

»Dumme Fragen.«

»Damit müssen Sie leben«, seufzt Aguilar.

»Vera bekam wie üblich den Löwenanteil«, antwortet Palacios. »Ich habe einen Grundsatz: Friss wie ein Pferd, nicht wie ein Schwein. Vera sieht das anders.«

Dumm ist er nicht, denkt Keller. Er weiß, dass dieser Raum verwanzt ist und dass er Publikum hat, darunter letzten Endes auch der Generalstaatsanwalt und jede Menge Yankees bei der DEA und beim amerikanischen Justizministerium.

Als sie auf die gescheiterten Festnahmen Barreras zu sprechen kommen, fängt Palacios an zu lachen. Sie müssen ihre Fragen mehrfach wiederholen, bis er mit der Wahrheit herausrückt, und dann lacht er wieder. »Wollen Sie mich verarschen? Wir *hatten* ihn doch schon!«

»Wann? Wo?«

»In Nayarit«, sagt Palacios. »Als er mit dem Hubschrauber ausgeflogen wurde. Er und Nacho haben uns vier Millionen für die Flucht bezahlt.«

»Hat Vera –«

»– seinen Anteil kassiert? Klar doch!«

Auch in Apatzingán war er schon so gut wie erledigt, erzählt ihnen Palacios. »Aber wir haben ihn noch in der Nacht rausgeholt und einen Doppelgänger plaziert. Danach ging Barrera zurück nach Sinaloa.«

»Wohin genau?«, fragt Keller.

»Mein Deal betrifft Vera«, sagt Palacios, »nicht Barrera.«

Und sowieso weiß er es nicht, wie er beteuert. *El Patrón* zieht in den Bergen von Sinaloa und Durango von Finca zu Finca. Die Polizei schützt ihn, die Einheimischen schützen ihn, er hat jetzt seine eigene Privatarmee: Gente Nueva, die »neuen Leute«.

»Sind die für den Drogenkrieg in Juárez verantwortlich?«, fragt Aguilar.

»Das wissen Sie doch.«

Die Verhöre gehen weiter. Manchmal besucht Palacios »Gabriela« in ihrer Wohnung, dann wieder bucht er mit ihr eine Suite in einem Fünfsternehotel – im Habita, im St. Regis, Las Alcobas, im Four Seasons, aber niemals im Marriott. Es muss eine Suite sein, damit Gabriela außer Hörweite im Wohnraum warten und kurz vor oder nach Palacios verschwinden kann.

»Sieh wenigstens ein bisschen durchgevögelt aus«, sagt er im Habita einmal zu ihr. »Ich habe einen Ruf zu verlieren.«

Gabriela ist zu diszipliniert für eine passende Erwiderung.

Bei jedem Verhör versucht Palacios, Versteck zu spielen, aber Keller, unterstützt von Aguilar, bleibt hartnäckig bei seiner Taktik. Schließlich war er in seiner Jugend Amateurboxer, Mittelgewicht, und gar nicht mal schlecht. Da hat er Geduld gelernt: Den Gegner tänzeln und täuschen lassen, ihn langsam, aber sicher in die Seile treiben, wo er dann Farbe bekennen muss.

Palacios erzählt ihnen, wie es lief.

Eine Gruppe von Schutzpolizisten unter Führung von Gerardo Vera hat in Iztapalapa eine Bande gebildet, die sich auf

Drogenhandel, Schutzgelderpressung, Entführung und Auto-diebstahl spezialisierte. Aus der Bande wurde ein kleines Imperium, das Drogen für Nacho Esparza und die Tapias verschob, und bald hatten sie ein Monopol auf den Osten von Mexico City, das sie mit Drohungen, Verhaftungen und – wenn das nicht reichte – auch mit Überfällen, Entführungen und Morden verteidigten.

Das Izta-Kartell.

Die Tapias nutzten ihren Einfluss, um Vera bei der alten Bundespolizei unterzubringen. Über Jahre verhielt sich Vera korrekt – das Muster eines unbestechlichen Polizisten – und holte nach und nach seine alten Kumpane ins Boot. Auch sie blieben brav wie Chorknaben, bis sie in der Hierarchie hoch genug gestiegen waren, um dem Sinaloa-Kartell wertvolle Dienste zu leisten.

Als die neue Regierung beschloss, die alte, »korrupte« Bundespolizei zu reorganisieren, brach beim Sinaloa-Kartell der Jubel aus. Vera krempelte die Strukturen um, feuerte alle, die sich seiner Kontrolle entzogen, stellte willfährige Leute ein und hievte seine alten Freunde vom Izta-Kartell auf hohe Positionen.

Wie er das gemacht hat, ist einfach genial, muss Keller zugeben. Er benutzte die Lügendetektortests, um unliebsame Kollegen loszuwerden und seine eigenen Leute reinzuwaschen. Man konnte jeden belügen, nur Vera nicht. Man konnte Geld von den Narcos nehmen, es mussten nur die richtigen Narcos sein. Vera verwandelte die ganze AFI in eine effiziente, unbestechliche Organisation, die den Interessen des Sinaloa-Kartells diente.

Die AFI befreite Adán Barrera aus dem Gefängnis.

Stellte sicher, dass er allen Zugriffen entging.

Beseitigte Barreras Konkurrenten wie Osiel Contreras.

Führte Krieg gegen die vom Golfkartell gesteuerten Polizisten in Nuevo Laredo.

Vera musste keine Ermittlungen fürchten, weder von unten,

denn da saßen seine eigenen Leute, noch von oben, dank den Geldkoffern, die Yvette Tapia bei den Amaros ablieferte.

Ein wunderbares System, das reibungslos funktionierte, auch nach den Wahlen und unter der neuen Regierung, die Vera umgehend auf einen höheren Posten beförderte. Es hätte immer so weitergehen können.

Die Schmiergelder kamen von den Tapias und entstammten, wie Palacios vermutete, einem Gemeinschaftsfonds, in den auch Esparza und Barrera einzahlten. Es kostete eine schlappe Million, einen handzahmen AFI-Boss in einer bestimmten Region zu plazieren, dazu kam ein monatliches Zubrot von fünfzig- bis hunderttausend Dollar für den Mann, wovon er zwanzig Prozent an das Izta-Kartell abführte.

Fünfhunderttausend im Monat gingen an Vera und etwas weniger, je nach Rang, an seine Komplizen Galvén, Aristeo, Bravo und Palacios.

»Wie viel haben Sie kassiert?«, wird Palacios bei einem Verhör im Four Seasons von Aguilar gefragt, der seine Empörung kaum verhehlen kann.

»Zwei Millionen im Jahr«, erwidert Palacios gelassen.

Besondere Leistungen – die Flucht aus Puente Grande, die Blitzaktion von Nayarit, die Festnahme Contreras', die Zugriffe auf die Tapias – kosteten extra, wie er bereitwillig erzählt.

In solchen Fällen lief die Bezahlung über Nacho Esparza.

»Wo kam das Geld her?«, fragt Keller.

»Von Adán Barrera, glaube ich«, sagt Palacios. »Ich habe nicht danach gefragt.«

»Bis in welche Regierungskreise erstrecken sich die Zahlungen?«, fragt Aguilar.

Palacios zuckt die Schultern. »Soviel ich weiß, bekommt nur Vera etwas. Was er mit dem Geld macht, ist nicht meine Sache.«

»Los Pinos?«, fragt Aguilar. »Wir wissen, dass Zahlungen an Benjamin Amaro gegangen sind.«

»Dann wissen Sie mehr als ich.«

»Was ist mit Morina, dem Generalstaatsanwalt?«

»Keine Ahnung.«

Das nächste Verhör, im St. Regis, beginnt Aguilar: »Erzählen Sie uns von dem Treffen bei Martín Tapia.«

»Nur wenn Sie mir sagen, wann ich in die USA komme.«

»Wenn wir grünes Licht geben«, sagt Keller. Aber er versteht Palacios' Ängste. Mit jedem Tag wächst die Gefahr, dass er von den Tapias oder von Veras Leuten ermordet wird. Keller ist das relativ egal – immer weg mit dem Abschaum. Aber erst nachdem er ihn nach allen Regeln der Kunst ausgequetscht hat und eine brauchbare Zeugenaussage vorweisen kann.

»Ich will nach Arizona«, sagt Palacios. »Nicht Texas. Scottsdale würde mir gefallen.«

»Wir denken an Akron, Ohio«, sagt Keller.

»Und ein Auto«, sagt Palacios. »Landrover oder Range Rover.«

»Jetzt langt's aber«, sagt Keller. »Wir spielen hier nicht *Der Preis ist heiß*.«

»Tolle Sendung«, meint Palacios.

»Erzählen Sie uns von dem Treffen der Tapias«, beginnt Aguilar von vorn.

»Könnten wir nicht was zu essen bestellen?«, fragt Palacios. »Ich habe Hunger.«

Gabriela ruft den Zimmerservice und bestellt Sandwiches. Palacios greift sich ein Schinkensandwich und fragt mampfend: »Also, was wollen Sie hören?«

»War Vera anwesend?«

»Das wissen Sie doch.«

»Wissen *Sie* es?«

»Er saß neben mir.«

»Und –«

»Und Martín Tapia hat erzählt, dass sie mit dem Golfkartell Frieden geschlossen haben, auch mit den Zetas, und dass es jetzt gegen La Familia geht. Wer gegen wen, kann mir egal sein. Narco bleibt Narco.«

»Vera sagte, dass gewisse Leute mehr Geld wollen«, bohrt Aguilar nach. »Welche Leute?«

»Weiß ich nicht.«

»Sie wissen es nicht?«

»Fragen Sie Gerardo.«

Das nachfolgende Verhör eröffnet Aguilar mit: »Was wissen Sie über die Anschläge auf Diego und Alberto Tapias?«

»Was wissen *Sie* denn darüber?«, fragt Palacios zurück.

»Wie meinen Sie das?«

»Ich weiß nur, dass Gerardo ein Treffen wollte. Außerhalb des Büros. Gut, machen wir eben einen Spaziergang. Er war aufgeregt wie nie. Sie kennen ihn ja – eiskalt.«

»Und?«

»Er sagte mir, dass es jetzt gegen die Tapias geht«, sagt Palacios. »Ich dachte, mich trifft der Schlag. ›Die Tapias? Willst du mich verarschen? Das sind doch unsere Geldbringer!‹ Er sagte, das käme von oben.«

»Von wie hoch oben?«, fragt Keller dazwischen.

»Er hielt die Hand hoch, ziemlich weit über den Kopf«, sagt Palacios. »Also sagte ich: ›Adán Barrera wird das nicht gefallen.‹ Da starrte er mich nur an – bis ich begriff, dass die ganze Sache von Barrera ausging. Und ich sagte: ›Da mache ich nicht mit, das ist der reinste Selbstmord, gegen die Tapias vorzugehen‹, und er sagte: ›Deshalb dürfen wir es nicht verpfuschen.‹«

»Hat er gesagt, warum Barrera die Tapias beseitigen wollte?«

Palacios drückt sich vor einer Antwort, meint, Vera habe sich bedeckt gehalten, aber der Grund sei wohl, dass Diego zu viel Macht bekam und Alberto zu protzig auftrat und sie alle miteinander in den *Santa-Muerte*-Kult verstrickt waren, so dass sie für Adán Barrera zum Sicherheitsrisiko wurden.

All das stimmt, denkt sich Keller, trotzdem spürt er, dass Palacios lügt. Palacios tut so, als wüsste er nichts von Barreras

Tauschgeschäft, die Tapias für die Freiheit seines Neffen zu opfern.

Klar, dieses Wissen ist lebensgefährlich, denkt Keller.

»Und du hast es verpfuscht«, sagt er.

Palacios hebt protestierend die Hände. »Ich doch nicht! Galvén ist durchgedreht und hat Alberto erschossen. Bei Diego war es so, dass wir ihn nicht erwischt haben.«

»Nicht konnten oder nicht wollten?«, fragt Aguilar. »Stehen Sie noch auf Barreras Gehaltsliste? Schließlich sind Sie noch am Leben.«

»Vera auch«, wirft Keller ein.

»Scheiße!«, ruft Palacios. »Glauben Sie etwa, die Tapias machen mit uns Frieden, nachdem wir ihren kleinen Bruder umgebracht haben? Oder dass wir Adán Barrera hintergehen? Wir schweben in höchster Lebensgefahr!«

»Und du trinkst jeden Tag deinen Kaffee auf dem Boulevard«, sagt Keller.

»Wenn ich nicht gerade hier sitze und aussage«, erwidert Palacios. »Glauben Sie, das würde ich tun, wenn ich einen Separatfrieden mit Diego geschlossen hätte? Herrgott noch mal! Ist es denn so schwer, mir auch nur ein Fünkchen zu glauben?«

Das Versteckspiel geht weiter.

Aguilar will Namen hören, Zahlen, er will Palacios' Bankauszüge sehen, seine Verbindungsnachweise, seine E-Mails. Währenddessen spielt Keller sein eigenes Spiel. Er ringt sich dazu durch, mit Gerardo Vera essen zu gehen, ihn auf Drinks einzuladen, sich seine Probleme anzuhören.

In Sinaloa ist ein regelrechter Krieg zwischen Barreras Gefolgsleuten und denen der Tapias ausgebrochen.

Acht Tote bei einer Schießerei am Dienstag.

Weitere vier am Mittwoch …

Ende Juni ist die Zahl auf zweihundertsechzig angewachsen.

Dann, es ist gerade einen Tag her, werden sieben AFI-Söldner beim Sturm auf ein Haus der Tapias in Culiacán getötet.

Und am heutigen Morgen hing ein Spruch von einer Brücke in Culiacán: »An Gouverneur Padilla! Gehen Sie auf uns zu, oder wir kommen! Die ganze Regierung, die für Barrera und Esparza arbeitet, wird sterben!«

»Wir müssen uns bewegen«, sagt Keller zu Aguilar, nachdem sie eine weitere Plauderstunde mit Palacios verbracht haben. »Sonst fliegt uns das Ganze um die Ohren.«

»Sie sind mit den Tapias befreundet«, sagt Aguilar trocken. »Sagen Sie ihnen, dass wir noch ein bisschen Zeit brauchen.«

Dann streikt Palacios – er will nicht mehr aussagen, bis ihm das Asyl in den USA sicher ist.

»Sie halten mich seit Wochen hin«, sagt er. »Jetzt reicht es mir.« Und geht.

»Jetzt müssen wir zu unseren Chefs gehen«, sagt Keller, als Palacios weg ist.

»Ich weiß.«

Sie wechseln einen Blick und müssen fast lachen.

»Das gibt einen Riesenknall«, sagt Keller.

»Ich weiß.«

»Die DEA kriegt Anfälle, wenn ich ihnen die Wahrheit über Gerardo Vera sage. Sie beten ihn förmlich an. Ein Dauervisum für Palacios, das ist, als würde ich freies Geleit für Judas beantragen.«

»Ich muss Generalstaatsanwalt Morina informieren«, sagt Aguilar.

»Können Sie ihm trauen?«, fragt Keller. »Ihrem Boss? Wenn er nun gekauft ist?«

»Dann brauche ich das Zeugenschutzprogramm für mich selbst.«

»Guter Witz«, sagt Keller. »Aber es ließe sich arrangieren.«

»Ich würde Mexiko nie verlassen.«

»Warten Sie noch«, sagt Keller. »Ich bitte Sie darum. Wenn wir Palacios über die Grenze kriegen, fühlt er sich vielleicht sicher genug, um über die Leute ganz oben zu reden. Ich verspreche Ihnen, ich teile Ihnen alle Erkenntnisse mit, ich lasse Sie zu den Verhören einfliegen, wenn es geht. Sie wissen, dass es gute Gründe gibt, so lange zu warten. Wenn Sie jetzt zu Ihrem Chef gehen, könnte die ganze Ermittlung platzen.«

Und Palacios könnte ermordet werden, denkt Keller.

Aguilar muss das Gleiche gedacht haben, denn er sagt: »Gut, so lange warte ich noch. Ist Palacios über die Grenze, gehe ich zu Morina.«

»Einverstanden.«

»Und ...«

»Und was?«

»Die Pferderanch für Lucinda und die Mädchen? Ich glaube, das würde ihnen gefallen.«

»Ich kümmere mich darum.«

»Ich bin Ihnen sehr dankbar.«

Sie verlassen das Hotel auf getrennten Wegen.

Fühlt sich seltsam an, wieder in den Staaten zu sein, denkt Keller. Nach wie vielen Jahren? Drei oder vier?

Seltsam, diese Sprache zu hören, die hässlichen grünen Geldscheine zu zählen.

Washington im Juni ist heiß und schwül, und Keller ist schon schweißgebadet, bevor er das Taxi zur DEA bestiegen hat. Wenigstens hat er einen Flug zum National Airport bekommen, so dass er sich die Odyssee vom Dulles Airport in die Stadt sparen kann.

Tim Taylor nimmt die Nachricht seiner Sekretärin, dass Art Keller gekommen ist, um ihn zu sprechen, mit einem Enthusiasmus auf, der normalerweise für Darmspiegelungen reserviert ist. Er steckt den Kopf durch die Tür, stellt fest, dass an der Tatsache nicht zu rütteln ist, und winkt Keller herein.

»Halten Sie meine Anrufe«, sagt er zur Sekretärin.

Keller setzt sich an Taylors Schreibtisch.

»Tja«, sagt Taylor. »Wie läuft die Jagd auf Barrera? Nicht allzu gut, oder?«

Keller zieht die Kopie der Tapia-Kassette aus der Tasche, schiebt sie in Taylors Diktafon und drückt auf »play«.

»Die eine Stimme gehört Martín Tapia, die andere Gerardo Vera.«

Taylor wird weiß wie eine Wand. »Das ist doch Bullshit! Wo hast du das her?«

Keller sagt nichts.

»Keller mal wieder!«, stöhnt Taylor. »Wie zum Teufel willst du beweisen, dass das Vera ist?«

»Stimmerkennungssoftware.«

»Ist nicht zugelassen.«

»Ich habe einen Zeugen.«

»Wer ist das?«, fragt Taylor und sieht nicht glücklich aus. Erst recht nicht, als Keller ihm eröffnet, dass der Zeuge Palacios heißt. »Palacios? Das ist die Nummer drei der mexikanischen Polizeibehörde!«

Keller erzählt ihm von der Izta-Mafia, den drei ermordeten Polizeioffizieren und den Erkenntnissen, die er sich von Palacios' Aussage erhofft.

»Und du hast das alles auf Band«, sagt Taylor.

»Aguilar hat alles auf Band.«

Taylor steht auf und blickt aus dem Fenster. »In achtzehn Monaten ziehe ich den Stöpsel. Ich hab mir einen Trailer gekauft mit allem Drum und Dran, dann gehe ich mit der Frau auf Tour. Solche Geschichten wie diese hier kann ich nicht brauchen.«

»Ich brauche ein Dauervisum für Palacios«, sagt Keller. »Neue Papiere, das ganze Programm.«

»Was du nicht sagst.«

»Vielleicht das Gleiche für Aguilar, wenn hiervon was nach Süden durchsickert.«

»Durchsickert? Wir haben einen ganz dicken Draht zu Vera! Weißt du, wie viele Geheimdaten der von uns bekommt?«

»Ich ahne es.«

»Nein, tust du nicht«, sagt Taylor. »Weil wir ihn ausdrücklich angewiesen haben, diese Dinge möglichst nicht mit dir zu kommunizieren. Wenn das stimmt, was du sagst, ist jede unserer Operationen da unten – und viele auch hier bei uns – geplatzt. Wir müssen unsere Leute zurückholen, verdeckte Ermittler –«

»Wenn es stimmt, was ich sage, und es stimmt tatsächlich, ist das ganze mexikanische Justizsystem unterwandert«, sagt Keller.

»Palacios könnte sich das ausgedacht haben, um einen Freifahrtschein in die USA zu kriegen.«

»Könnte sein«, bestätigt Keller. »Aber wozu muss er dann fliehen? Wenn das alles Quatsch ist, muss er nicht um sein Leben fürchten.«

Taylor denkt kurz nach, dann geht er in die Luft. »Dein Auftrag war sehr klar und deutlich formuliert – du solltest die Fahndung nach Adán Barrera beratend unterstützen. Du warst nicht autorisiert, Ermittlungen zu Fragen der Korruption innerhalb einer ausländischen Polizeibehörde –«

»Du willst es also nicht wissen?«, fällt ihm Keller ins Wort. »Ich soll alles für mich behalten, bis Vera einen deiner Leute von Barrera foltern lässt?«

»Natürlich nicht!« Taylor stöhnt verzweifelt. »Hör zu. Ich muss damit in die Chefetage. Und du musst mitkommen, zur Verstärkung. Scheiße. *Scheiße!* Ich dachte, wir hätten endlich … Okay, lass mich mit dem Direktor telefonieren, ihm die Woche versauen. Du hältst dich zur Verfügung, so dass ich dich schnell erreiche. Bist du jetzt zufrieden, oder willst du noch mehr Porzellan zerschlagen?«

»Ich brauche Reservierungen für eine Pferderanch in Arizona.«

Taylor starrt ihn an.

»Für Aguilars Familie«, sagt Keller.

»Besprich das mit Brittany draußen.«

»Läuft die Finanzierung über –«

»Ja. Und jetzt hau ab.«

Bürokratische Schlachten sind blutig. Besonders, wenn andere bluten müssen.

Das geht Keller durch den Kopf, als er mit Taylor, dem DEA-Direktor, Vertretern des Justizministeriums, des Außenministeriums, der Einwanderungs- und Einbürgerungsbehörde und des Weißen Hauses am Tisch sitzt. Ein CIA-Mann ist wahrscheinlich auch noch da und sitzt irgendwo in der Ecke. Den Vorsitz hat der DEA-Direktor. »Wenn die Informationen des Agenten Keller der Wahrheit entsprechen, stehen wir vor einer Krisensituation.«

»Agent Keller«, blafft der Justizvertreter, ein Jurist mittleren Alters, der McDonough heißt, »liefert eine fragwürdige Bandaufnahme und einen noch fragwürdigeren Zeugen. Ich für meinen Teil denke, wir sollten unsere Beziehungen zu Mexiko nicht gefährden, nur weil ein korrupter Polizist Märchen erzählt.«

Keller kennt McDonough – den ehemaligen Staatsanwalt aus dem Eastern District des Staates New York. McDonough ist noch fetter geworden, sein Gesicht noch röter, seine Kinnbacken noch schwerer. Er ist gerade mal einen Doughnut vom dreifachen Bypass entfernt, denkt Keller.

»Dem schließe ich mich an«, sagt die Repräsentantin des Außenministeriums. Susan Carling hat rote Locken, ein kalkweißes Gesicht und einen Doktortitel aus Yale.

»Wo haben Sie dieses Band überhaupt her?«, fragt McDonough.

»Es wurde mir von einer Quelle innerhalb der Tapia-Organisation übergeben, mehr kann ich dazu nicht mitteilen«, sagt Keller.

»Das ist keine Option, Agent Keller«, sagt McDonough.

»Wieso haben Sie einen V-Mann innerhalb der Tapia-Organisation?«, fragt der DEA-Direktor. »Meines Wissen haben Sie dazu keine Akte angelegt.«

»Ich habe keinen V-Mann in der Tapia-Organisation«, erwidert Keller. »Jemand hat mir das Band übergeben und –«

»Unterhalten Sie Kontakte zu der Organisation?«, fragt Mc-Donough. »Wenn Sie keine Akte angelegt haben, ist das völlig unzulässig und begründet den Verdacht der –«

Taylor unterbricht ihn. »Vielleicht sollten wir über das wirkliche Problem reden, Ed. Wenn eine Quelle mit der Information zu Ihnen käme, dass der dritthöchste FBI-Beamte auf der Gehaltsliste des Gambino-Clans steht, würden Sie ihm auch nicht wegen Formalitäten am Zeug flicken. Ich habe dort unten Leute, die sich gewaltigen Gefahren aussetzen.«

»Potenziell«, sagt McDonough.

»Okay, gehen Sie doch unter ›potenzieller‹ Gefahr nach Tamaulipas und erzählen Sie mir, dass Sie dann noch Zeit haben für solche Erbsenzählereien«, sagt Taylor. »Keller schützt seine Quelle. Er mag ein Arschloch sein, aber er tut, was er tun muss. Also weiter.«

Der Mann vom Weißen Haus meldet sich zu Wort. »Die mexikanische Regierung reagiert äußerst empfindlich auf Korruptionsvorwürfe, besonders von unserer Seite. Wenn wir da eine Agenda entfalten, könnte das unsere jahrelange diplomatische Aufbauarbeit sabotieren, die endlich Früchte zu tragen beginnt. Ganz zu schweigen von der Düpierung des Kongresses.«

»Es liegt mir fern, den Kongress zu düpieren«, sagt Keller.

»Ihre Ironie können Sie sich sparen«, sagt der Mann. »Aber es war nicht leicht, die Mérida-Initiative durch den Kongress zu peitschen. Und die ist doch auf Betreiben der DEA zustande gekommen, oder nicht?«

Die Mérida-Initiative, das 1,6-Milliarden-Hilfsprogramm für Mexiko, mit dem der Drogenhandel bekämpft werden soll. Keller kennt inzwischen die Details: dreizehn Hubschrauber der Marke Bell 412EP, elf Blackhawk-Transporthubschrauber, vier CN-235-Transportflugzeuge sowie moderne Abhörtechnik, Röntgentechnik, Nachrichtentechnik. Nicht zu erwähnen die Spezialausbildung für Polizei und Militär.

Dieselbe Ausbildung, die auch die Zetas bei uns bekommen haben, denkt Keller.

»Und was sollen wir jetzt machen?«, fragt der Mann vom Weißen Haus. »Beim Kongress Abbitte leisten? Sorry, wir haben Mist gebaut, wir waren drauf und dran, anderthalb Milliarden Militärtechnik an eine Bande korrupter Polizisten zu liefern? Unsere Hubschrauber dem Sinaloa-Kartell zu übergeben? Nein, das kommt nicht in Frage!«

»Wir können die Mérida-Initiative nicht an diesem Punkt abwürgen«, sagt Mrs. Carling vom Außenministerium. »In drei Tagen erlangt sie Gesetzeskraft. Der Schaden für unsere mexikanischen Beziehungen wäre unabsehbar.«

»Was ist also unsere Option?«, fragt der DEA-Direktor. »Dass wir unsere Verbündeten im Glauben lassen, ihr oberster Polizeibeamter sei sauber, während er in Wirklichkeit –«

»Nicht in Wirklichkeit«, unterbricht ihn McDonough. »Sondern angeblich.«

»– während er *angeblich* im Sold der Drogenkartelle steht?«

»Wenn sie es nicht schon wissen«, sagt Keller.

»Wir wollen keinen internationalen Konflikt«, sagt der DEA-Direktor. »Nur ein Dauervisum für Palacios.«

McDonough beugt sich vor. »Das ist die innere Angelegenheit Mexikos. Das Justizministerium genehmigt ein Eingreifen nur, wenn der mexikanische Generalstaatsanwalt mit einer diesbezüglichen Bitte an uns herantritt. Was Mr. Palacios betrifft, können wir seine Geschichte nicht einfach für bare Münze nehmen.«

»Wir haben die Stimme von Gerardo Vera auf Band«, sagt Keller.

»Für diese Bandaufnahme gibt es keine gesicherte Beweiskette«, sagt McDonough. »Wir kennen die Herkunft nicht, das könnte eine Fälschung der Tapia-Organisation sein, um ihren Hauptgegner zu belasten. Und weil ihr das nicht gelingt, versucht sie, uns dafür zu benutzen.«

»Schauen Sie, Mr. Keller: Die Organisation könnte Palacios auf Sie angesetzt haben«, sagt Mrs. Carling. »Genau mit dem Ziel, die Mérida-Initiative zu Fall zu bringen.«

»Die den Kartellen sicher große Sorge bereitet«, ergänzt der Mann aus dem Weißen Haus.

»Ja, sie zittern vor Angst«, sagt Taylor.

Der DEA-Direktor wendet sich an McDonough: »Was verlangen Sie, damit Palacios sein Visum bekommt?«

»Bringen Sie ihn dazu, einen Sender zu tragen«, sagt McDonough. »Er soll mir Vera auf Band liefern, wie er sich im Rahmen des Tatvorwurfs selbst belastet, dann werden wir weitere Schritte erwägen.«

Taylor fragt Keller: »Ließe sich Palacios dazu bringen?«

»Das weiß ich nicht«, sagt Keller. »Vera ist nicht dumm. Er ist schon ausgerastet, als – «

»Wir reden von einer Einzelaktion, nicht von einem längeren Einsatz«, sagt der DEA-Direktor.

»Machen Sie den Versuch«, sagt McDonough. »Wenn Sie uns das Tonband mit Veras Stimme bringen, kriegen Sie das Visum.«

Er blickt zu Mrs. Carling hinüber, die bestätigend nickt.

»Was wird aus Aguilar?«, fragt Keller. »Wir brauchen Schutz für ihn und seine Familie.«

»Der Chef der SIEDO«, sagt McDonough, »hat reichlich Anlass, mit seinen Partnern auf unserer Seite zu konferieren. Wenn er sich aus irgendeinem Grund dafür entscheidet, nicht nach Mexiko zurückzukehren, lässt sich sicher eine Lösung finden.«

»Es geht aber nicht an, dass ein mexikanischer Geheimdienstoffizier Vorwürfe gegen sein Land erhebt, und wir geben ihm dafür die Einbürgerung«, sagt Mrs. Carling.

»Irgendein Modus lässt sich doch finden, oder?«, fragt McDonough müde.

»Die Alternative wäre«, sagt Keller, »dass ich Luis Aguilar persönlich über die Grenze bringe und vor der Haustür der *Washington Post* absetze, die mit Freuden eine Doppelseite über diese Regierung bringt, die keinen Finger rührt, um einen ehrlichen Ankläger und seine Familie zu schützen. Und ich sorge dafür, dass Ihre Namen richtig geschrieben sind.«

»Taylor, Sie haben recht, der Mann ist ein Arschloch«, sagt McDonough.

Taylor zuckt die Schultern.

»Keiner von uns möchte, dass die Außenpolitik über die Medien stattfindet«, sagt Mrs. Carling. »Ich hätte nichts dagegen einzuwenden, dass wir Mr. Aguilar in unserem Land willkommen heißen. Nur müsste er Diskretion wahren.«

»Gut«, sagt der DEA-Direktor. »Bleibt noch die Frage, ob wir unsere mexikanischen Partner informieren.«

»Wenn wir auf mexikanischem Boden gegen einen mexikanischen Spitzenbeamten tätig werden«, sagt Mrs. Carling, »ohne die zuständigen Stellen zu informieren, das heißt ohne deren Genehmigung, fordert das einen hohen diplomatischen Preis.«

»Wie bitte?«, fragt McDonough. »Soll das heißen, die Mexikaner lehnen die Mérida-Initiative ab? Verzichten auf das Geld?«

»Möglicherweise«, sagt sie. »Es würde ihren Stolz verletzen, und sie würden darin einen Vertrauensbruch sehen.«

»Wir vertrauen ihnen ja *wirklich* nicht«, sagt Taylor.

»Das ist genau die Haltung, die –«

Keller fällt Mrs. Carling ins Wort: »Wenn wir die Mexikaner jetzt informieren, bringen wir die ganze Operation in Gefahr.«

»Das Risiko müssen wir eingehen.«

»Es ist nicht Ihr Risiko«, sagt Keller, »sondern das von Palacios und Aguilar. Die könnten ermordet werden. Mitsamt ihren Familien.«

»Sehen Sie das nicht ein bisschen zu theatralisch?«, meint der Mann vom Weißen Haus.

»Nein«, sagt Keller. »Ich werde Palacios nicht mit einem Sender losschicken, wenn Sie die Mexikaner vorher benachrichtigen oder gar um Erlaubnis bitten.«

McDonough wendet sich an den DEA-Direktor. »Sind Sie hier der Chef, oder bestimmt Keller, wie Ihre Operation läuft?«

»Als Agent im Operationsgebiet«, sagt der Direktor, »kennt

Keller die Lage und die beteiligten Personen am besten, und ich vertraue auf sein Urteil und seine Diskretion.«

»Schicken Sie einen anderen Agenten«, sagt Mrs. Carling.

»Mit dem würde Palacios nicht kooperieren«, sagt Taylor. »Außerdem ist das ein Streit um Worte – die Mexikaner wissen längst Bescheid. Der Chef der SIEDO führt die Ermittlungen, und wir beteiligen uns nur als gute Nachbarn. Die Absprache mit seinen Vorgesetzten ist Sache Aguilars, nicht unsere. Und wir sind fein raus. Wenn die Mexikaner schreien, zeigen Sie einfach auf Aguilar und machen ein unschuldiges Gesicht.«

Die Stille im Raum zeigt an, dass ein Kompromiss erreicht ist. McDonough schaut auf die Uhr, dann auf Keller: »Sie haben Ihren Marschbefehl – schicken Sie Palacios mit einem Sender los.«

»Aber nicht drei Tage lang«, sagt der Mann vom Weißen Haus.

Keller hat verstanden. In drei Tagen tritt die Mérida-Initiative in Kraft.

Dann ist das Außenministerium glücklich.

Das Weiße Haus.

Die DEA.

Die Mexikaner auch.

Und die Waffenindustrie erst recht.

Und am glücklichsten wird Barrera sein, denn er bekommt neue Waffen für seinen Krieg gegen – nun, inzwischen so gut wie gegen alle.

Keller steht auf, sagt: »Vielen Dank für Ihre wertvolle Zeit«, und geht hinaus.

»Wenn das ausgestanden ist«, sagt McDonough, »feuern Sie den Kerl.«

»Das könnte Ihnen so passen«, sagt der DEA-Direktor.

Keller nimmt die Nachtmaschine nach Mexico City.

Er ist dankbar und überrascht – weil ihm Taylor und der DEA-Direktor so viel Rückendeckung geben. So müsste es immer sein, denkt er – beide Männer glauben an das, was sie tun, beide sind um die Sicherheit ihrer Leute besorgt. Und wenn es zu einem bürokratischen Scharmützel kommt, halten sie zu ihrer Firma.

Das hat sie nicht gehindert, ihm nach der Sitzung eine Standpauke zu halten, aber jetzt ziehen sie mit, schmieden Pläne, wie sie Palacios ein Visum besorgen können, bereiten mit der Einwanderungsbehörde die Anträge vor und bestellen Satellitenüberwachung für das Treffen zwischen Vera und Palacios.

»Wir lassen Veras Konten vom Justizministerium prüfen«, hat der DEA-Direktor gesagt.

»Das Justizministerium wird den Teufel tun«, war Kellers Erwiderung. »Dazu muss man Computer hacken, Kontenbewegungen nachverfolgen, Grundbücher studieren.«

»Sollen sie machen, was sie wollen«, sagt der Direktor. »Ich lasse das über die NSA laufen.«

Sie planen auch Präventivmaßnahmen – rufen verdeckte Ermittler zurück, überarbeiten die geheimdienstlichen Informationen, die an die AFI gehen, fahren alle Operationen gegen das Sinaloa-Kartell herunter.

»Brauchst du mehr Agenten?«, fragt Taylor. »Überwachung, Personenschutz, Nachrichtentechnik?«

»Nachrichtentechnik vielleicht«, erwidert Keller. »Alles andere eher nicht. Ich will nicht, dass Vera durch auffällige Aktivitäten gewarnt wird.«

»Und pass auf dich auf«, ermahnt ihn Taylor, als er ihn am Abflugschalter des National Airport verabschiedet. »Denk dran: Es sind fünf Millionen auf deinen Kopf ausgesetzt.«

»Ich dachte, zwei Millionen?«

»Barrera hat die Belohnung aufgestockt. Je mehr wir in die Fahndung investieren, desto wertvoller wirst du.«

Keller gönnt sich ausnahmsweise einen nächtlichen Scotch, um besser zu schlafen, aber der Scotch tut ihm den Gefallen nicht. Nach einem kurzen Nickerchen bleibt er wach, bis das

Flugzeug, wie man so schön sagt, über Mexico City niedergeht.

Hier fühlt er sich heimischer als in Washington, obwohl die Flughafenpolizisten seinen Hin- und Rückflug sicher längst bei den Tapias oder bei Nacho Esparza gemeldet haben – je nachdem, für wen sie arbeiten.

In der Halle trifft er Aguilar, der seine Familie verabschiedet.

»In einer Woche bin ich bei euch«, verspricht er seinen Töchtern, die wegen der plötzlichen Reise traurig und ein wenig verstört aussehen. »Vielleicht schon eher.«

»Warum kommst du nicht gleich mit?«

»Ich muss noch ein paar Arbeiten abschließen«, sagt Aguilar. »Dann bin ich bei euch. Ihr werdet staunen, wie gut ich mit Cowboyhut aussehe.«

»Warum müssen wir denn auf eine *Ranch*?«

»Das ist eine Art Wellness-Hotel«, sagt Lucinda. »Wannenbäder, Massage, Yoga – ihr werdet euch wohl fühlen.«

Es klingt mehr wie ein Befehl, aber die Mädchen geben Ruhe und umarmen ihren Vater zum Abschied.

»Ein paar Tage«, sagt er zu Lucinda. »Höchstens eine Woche.«

»Pass gut auf dich auf!«

»Natürlich.« Er küsst sie flüchtig und winkt seiner Familie nach, als sie zur Gepäckkontrolle geht.

Keller fährt mit ihm in die Stadt zurück und teilt ihm die Neuigkeiten mit: »Meine Chefs wollen, dass Palacios verdrahtet wird.«

»Und dann mit Gerardo Vera spricht?«

»Ja.«

»Das ist äußerst riskant.«

Ich weiß, denkt Keller.

Palacios kriegt einen Wutanfall.

Brüllt, wirft Sachen an die Wand, setzt sich hin, steht wieder auf und droht mit dem Abgang.

Aguilar bewahrt die Ruhe. »Sie machen einen Termin mit Gerardo. Zeigen Sie sich besorgt um Ihre Sicherheit und fragen Sie ihn, welche Vorkehrungen er trifft.«

»Gerardo ist kein Idiot!«, sagt Palacios. »Der riecht den Braten!«

»Sobald wir Belastendes von ihm auf Band haben«, sagt Aguilar, »arrangieren wir die Ausreise für Sie und Ihre Familie in die Vereinigten Staaten.«

»Da mache ich nicht mit.«

»Lassen Sie ihn laufen«, sagt Keller zu Aguilar. »Wir brauchen ihn nicht mehr.«

»Sie können mich doch jetzt nicht hängenlassen!«, protestiert Palacios.

»Dann lass dich verdrahten«, sagt Keller.

»Fickt euch!«

»Nein, fick *dich!*«, brüllt Keller. »Du hast uns die Zeit gestohlen, unsere Sandwiches gefressen und ansonsten gemauert. Geliefert hast du nur das absolute Minimum. Aber das Minimum reicht uns nicht! Ich gehe jetzt mit Vera ein Bier trinken und erzähle ihm, dass wir einen neuen V-Mann haben.«

»Das würden Sie niemals tun!«

»Und ob! Ohne diesen Sender bist du absolut wertlos für mich! Und weißt du, was wertlos bedeutet? Dass du mir kein Dauervisum wert bist, keine neue Identität, kein Haus, kein Auto und nicht mal dieses Sandwich!«

Er reißt Palacios das Sandwich aus den Fingern und knallt es an die Wand.

»Ich glaube, im Four Seasons können wir uns nicht mehr blicken lassen«, sagt Aguilar, als er den Schaden besieht.

»Zwei Tage gebe ich dir«, sagt Keller. »Du machst deinen Termin mit Vera, ich bereite deine Ausreise vor. Du trägst den Sender, besorgst uns, was wir brauchen, und du kannst abtauchen, bis du als Zeuge aussagst.«

»Von einer Zeugenaussage war nie die Rede.«

»Ohne deine Aussage ist der Mitschnitt wertlos«, sagt Keller.

»Eine beeidigte Zeugenaussage könnten wir auch schriftlich einreichen. Aber glaubst du, du kannst danach mit Vera auf Kumpel machen? Zusammen mit ihm Mädchen aufreißen wie in alten Zeiten?«

Palacios knickt ein.

»Verhalte dich wie immer«, erklärt ihm Keller. »Mach keine Dummheiten. Ruf mich an, wenn du den Termin hast.«

Der restliche Tag schleppt sich dahin wie ein träger, schlammiger Fluss. Erst am späten Abend kommt der erwartete Anruf.

»Morgen, achtzehn Uhr dreißig«, sagt Palacios.

»Wo?«

»Gerardo hat ein Liebesnest in Polanco«, sagt Palacios und nennt Keller die Adresse.

»Wir sehen uns siebzehn Uhr«, sagt Keller. »Las Alcobas. Dort wirst du verdrahtet.«

»Wäre Gabriela für einen Abschiedsfick zu haben?«, fragt Palacios.

»Das bezweifle ich.«

Es gibt eine Menge zu tun. Aguilar lässt Veras »Liebesnest« überwachen, um sein Kommen und Gehen zu dokumentieren, und bereitet den Ausstiegsplan vor: Ein Learjet 45 der SIEDO wird im Militärbereich I des Flughafens Mexico City warten. Ein Flug für Aguilar zum 18. Luftstützpunkt in Hermosillo, Sonora, wird angemeldet. In Hermosillo wechselt er auf ein amerikanisches Flugzeug der DEA und fliegt zum Biggs Army Airfield in El Paso, Texas. Die DEA in El Paso sorgt für die Freigabe des amerikanischen Luftraums und die Stationierung der Maschine in einem geschützten Hangar.

Palacios wird zur DEA in El Paso gebracht, verhört und unter verschärften Sicherheitsmaßnahmen nach Fort Bliss überstellt.

Aguilar wird seiner Familie nach Arizona folgen, den mexikanischen Generalstaatsanwalt Morina über die Vorgänge unterrichten und die weitere Entwicklung abwarten. Wird Vera verhaftet, kehrt Aguilar nach Mexiko zurück und bereitet die Anklage vor. Wenn nicht, wird er erwägen, in den USA zu bleiben, wo bereits ein Posten bei einer Washingtoner Beraterfirma für ihn reserviert ist.

Die Abhörmaßnahme wird Keller in einem Auto nahe der Wohnung Veras begleiten, ausgerüstet mit einem Gerät, das ihm erlaubt, das Gespräch zwischen Vera und Palacios mitzuschneiden.

Er wird Taylor im DEA El Paso benachrichtigen, sobald Palacios das Haus verlässt.

Palacios wird zwei Block weit zu Fuß gehen und, wenn alles wie geplant verläuft, ein Zivilfahrzeug der SIEDO besteigen und zum Flughafen fahren. Kommt es zu Zwischenfällen, geht er zu seinem eigenen Wagen, einem neueren Cadillac, in dem sein Chauffeur und ein Leibwächter warten.

Das alles für den Fall, dass Palacios die benötigten Aussagen bekommen hat.

Wenn nicht, wird er nach Hause fahren und ein neues Treffen mit Vera vereinbaren.

Der Tag, der endlos zu werden verspricht, beginnt für Keller mit einem späten Frühstück.

Mit Gerardo Vera.

Es ist Teil des Plans, Vera in Sicherheit zu wiegen. Keller kommt sich vor wie ein Schuft, aber er setzt sich mit Vera in ein Straßencafé und vertilgt eine große Portion *pollo muchacha,* obwohl er keinen Appetit hat. Vera hat Eggs Benedict und eine Bloody Mary bestellt. Er lehnt sich zurück und sagt mit süffisantem Lächeln: »Heute Abend passiert was.«

Keller spürt, wie sich sein Magen zusammenzieht. Hat Vera Verdacht geschöpft? Will er auf den Busch klopfen? »Und was?«, fragt Keller.

»Mit der Frau, die ich kennengelernt habe«, sagt Vera. »Sie ist eine Schönheit, und berühmt ist sie auch. Heute Abend, glaube ich, geht es zur Sache.«

»Inwiefern berühmt?«, fragt Keller.

»Ein Gentleman nennt keine Namen«, sagt Vera und grinst.

»Ziemlich berühmt, jedenfalls. Für ihre Schönheit und ihren ... Sex.«

Er freut sich wie ein kleiner Junge. Keller bekommt fast ein schlechtes Gewissen und muss an die alte Agentenweisheit denken, dass jede geglückte Operation Verrat bedeutet. Nein, das schlechte Gewissen ist echt, aber völlig irrational, wenn er diesen Mann strahlen sieht, der bis jetzt jeden Zugriff auf Barrera vereitelt hat, der zig Millionen Dollar Schmiergeld kassiert hat, der ein junges Mädchen festhielt, während sein Kollege ihr mit einem abgebrochenen Flaschenhals das Gesicht zerstörte.

Und *ich* fühle mich schuldig, wenn ich diesen Mann belüge? Was für ein Quatsch!, sagt sich Keller.

»Und was ist mit Ihnen?«, fragt ihn Vera.

»Was soll mit mir sein?«

»Haben Sie eine Frau?«

Keller schüttelt den Kopf.

»Aber Sie hatten mal eine, oder?«, fragt Vera. »Sie war Ärztin oder so ähnlich. Stimmt's? Ein Klasseweib.«

Ist das eine Drohung?, fragt sich Keller.

»Woher wissen Sie das?« Er versucht, möglichst gelassen zu klingen.

»Das ist mein Job«, sagt Vera. »Über alles Bescheid zu wissen. Nichts für ungut, Arturo. Ist nicht persönlich gemeint.«

»Es ist sowieso vorbei.«

»Sie hat die Stadt verlassen, wenn ich mich recht entsinne.«

Er weiß, wo Marisol ist, denkt Keller. Und es ist eine Drohung. Keller spürt einen Impuls – einen tiefsitzenden, atavistischen –, einfach aufzustehen und diesem grinsenden Mann eine Kugel in die breite Stirn zu schießen.

»Sie waren es, nicht wahr?«, fragt Vera jetzt.

»Wie meinen Sie das?«

»Sie haben den Tapias von dem Deal betreffend Salvador Barrera erzählt«, sagt Vera seelenruhig. »Ich war es jedenfalls nicht, und Luis Aguilar ist zu einer solchen Manipulation nicht fähig. Also bleiben Sie.«

Keller sagt nichts.

»Nein, mein Glückwunsch«, sagt Vera. »Wenn Sie Barrera knacken wollen, ist das der perfekte Schachzug. Seine Organisation spalten, seine Leute zur Entscheidung für die eine oder andere Seite zwingen – gut gemacht, *mi amigo!*«

Was soll das?, fragt sich Keller. Was bezweckt er damit? Will er mir drohen, will er die Lage peilen? Will er mich testen? Oder will er einen Deal mit mir machen? Verdammt!

»Ich weiß nicht, wovon Sie reden«, sagt Keller.

»Natürlich nicht«, erwidert Vera und lächelt noch immer. Er hebt den Finger, als der Kellner vorbeikommt, und zeigt auf sein leeres Glas. »Wo sind sie?«

»Ich verstehe nicht.«

»Die Tapias«, sagt Vera. »Wenn Sie Kontakt zu ihnen haben, wenn Sie wissen, wo sie sich aufhalten, sollten Sie es mir jetzt sagen.«

Der bearbeitet mich wie einen Informanten, denkt Keller. Scheiße, er bearbeitet mich genauso, wie *ich* einen Informanten bearbeite. »Ich habe keinen Kontakt zu ihnen und weiß auch nicht, wo sie sich aufhalten.«

So viel jedenfalls ist wahr. Er hat nichts von Yvette gehört, seit er sie über Barreras Tauschhandel informiert hat, und Diegos Aufenthalt hat er nie gekannt.

Der Kellner bringt eine neue Bloody Mary. Vera ignoriert sie und sagt: »Ich glaube, es wird Zeit, dass Sie Mexiko verlassen, Arturo.«

Keller schüttelt den Kopf. »Erst wenn ich Barrera habe.«

Das Lächeln verschwindet aus Veras Gesicht, und er sagt sehr ernst: »Das wird nicht geschehen. Hören Sie zu, Arturo: Das wird niemals geschehen.«

Mein Gott, denkt Keller. Deutlicher geht es nicht, wenn er mir sagen will, dass er auf Barreras Gehaltsliste steht.

Aber *warum?*

Vera beugt sich vor und bedeckt Kellers Hand. In einer anderen Kultur wäre das eine homosexuelle Geste, sagt sich Keller. Hier in Mexiko ist es das Zeichen einer echten Männerfreundschaft.

»Ich achte Sie«, sagt Vera. »Ich bewundere Sie. Aber Sie werden Barrera nie zur Strecke bringen, und jetzt ist Ihr Leben in Gefahr. Die Dinge geraten in Fluss, daher bitte ich Sie – nein, ich flehe Sie an –, das Land so schnell wie möglich zu verlassen. Heute noch. Ich versuche, Ihr Leben zu retten, Arturo.«

Und ich versuche, dein Leben zu zerstören, denkt Keller, während ihn das Schuldgefühl von neuem beschleicht.

»Stoßen wir an, mit einem richtigen Drink«, sagt Vera. »Auf unsere gerechte Sache. Wenn Sie dann morgen noch hier sind, muss ich Sie verhaften und ausweisen lassen. Zu Ihrer eigenen Sicherheit.«

Er bestellt zwei Whiskey, und sie trinken auf die gerechte Sache.

Keller fährt zurück in die Botschaft und wartet.

Verzehrt einen Lunch am Schreibtisch, der nach nichts schmeckt, verlässt das Büro vorzeitig, geht im Parque México spazieren und findet sich schließlich in der Bar des Hotels Las Alcobas ein, wo er sich eine Weile an einem Bier festhält, bevor er in das Zimmer 417 hinauffährt.

Aguilar ist schon da und hat einen Audiotransmitter Modell G1416 und eine Rolle Pflaster mitgebracht.

Palacios wird in zwanzig Minuten erwartet.

Chido Palacios sitzt an seinem gewohnten Tisch, trinkt seinen gewohnten Espresso und schaut den Frauen nach, die in kurzen Sommerkleidern vorbeiflanieren.

Sie sind schön, die Frauen – schlank, mit langen, gut gebräunten und fitnessgestählten Beinen, und er denkt mit Wehmut daran, dass er vorerst auf dieses besondere Vergnügen verzichten muss, aber es wird ja auch in Scottsdale Straßencafés geben, und wenn nicht dort, dann in Paris, und überhaupt: Schöne Frauen gibt es überall.

Er hat gerade eine aufreizende Brünette ins Auge gefasst, als ein Mann vor dem Zaun stehen bleibt, eine 38er Cobra auf ihn richtet, mehrere Schüsse abgibt und wegrennt.

Der Espresso fließt ihm übers Hemd, während er langsam im Stuhl zusammensackt, die Augen blicklos auf den blauen Himmel gerichtet.

Aguilar klickt sein Gespräch weg.

»Das war Vera«, sagt er. »Palacios ist tot. Ermordet.«

Tatsächlich, denkt Keller. Die Dinge geraten in Fluss.

Sie waren schon in Sorge, weil Palacios ausblieb, nicht auf Anrufe reagierte. Hatte er kalte Füße bekommen?

Auch Gabriela erschien nicht wie bestellt.

Sie versuchten gerade, sie aufzuspüren, als Veras Anruf kam.

»Sie beschuldigen die Tapias«, sagt Aguilar. »Das gleiche Tatmuster, die gleiche Waffe.«

Er erhebt sich vom Sofa und legt die Abhörvorrichtung sorgfältig in die Schachtel zurück. »Das war's dann.«

»Und Gabriela?«

»War die undichte Stelle«, sagt Aguilar. »Sie ist entweder schon tot oder auf dem Weg in ein Land, mit dem wir keinen Auslieferungsvertrag haben. Machen wir uns nichts vor, Arturo. Wir haben verloren.«

Er hat recht, denkt Keller.

Es ist vorbei.

Für diesmal.

»Was machen Sie jetzt?«, fragt er.

»Mit meinen Töchtern reiten«, sagt Aguilar. »Mit meiner Frau beraten, wie es weitergeht. Denn meine Karriere ist zu Ende.«

Er klemmt die Schachtel unter den Arm und verlässt das Hotelzimmer.

Keller läuft durch die Avenida Presidente Masaryk, als sein Handy klingelt.

»Wir waren es nicht.«

Yvette klingt gepresst, fast panisch.

»Bitte, Arturo, wir müssen uns treffen.«

Gerardo Vera öffnet die Tür seiner Stadtwohnung, als es klingelt. Vor ihm steht Luis Aguilar.

»Wie haben Sie mich gefunden?«, fragt Vera.

»Wollen Sie mich nicht hereinbitten?«

Sie treffen sich vor dem Palacio de Cortés in Cuernavaca, einem der frühesten Bauwerke der spanischen Eroberer.

Von Cortés auf den Trümmern eines Aztekentempels errichtet.

»Ich dachte, Sie wären außer Landes«, sagt Keller.

»Ich war im Ausland, Martín ist noch dort. Wir haben Palacios nicht ermordet.«

»Ich weiß«, sagt Keller. »Vera war es.«

»Ich habe Ihnen die Kassette vor zwei Wochen gegeben«, sagt sie. »Sie haben nichts daraus gemacht.«

»Ohne Palacios ist sie wertlos.«

»Wie kann das sein?« Sie ist aufgeregt, verängstigt. »Jetzt sind sie nicht mehr zu stoppen. Sie werden uns jagen und umbringen.«

»Wenn Martín zurückkommt und aussagt«, sagt Keller, »kann ich für seine Sicherheit garantieren. Und für Ihre.«

»Und wie viele Jahre Gefängnis?«, fragt sie.

»Nur für kurze Zeit. Vielleicht gar nicht.«

»Er müsste gegen seinen Bruder aussagen«, sagt sie. »Das wird er nicht tun.«

»Am Ende läuft alles auf eins hinaus, und Sie wissen es«, sagt Keller. »Ich kann Sie noch heute in die USA ausfliegen lassen, Yvette. Dort liegt nichts gegen Sie vor. Sagen Sie uns, was wir wissen müssen, und –«

»Dann werde ich an Mexiko ausgeliefert«, sagt sie. »Ich gehe nicht nach Puente Grande, Arturo. Ich hatte gehofft, Sie würden uns helfen.«

»Ich versuche es.«

Sie lächelt bitter. »Die gewinnen immer, nicht wahr?«

»Wer?«

»Die Polospieler.«

»Für gewöhnlich, ja.«

»Laura Amaro kennt mich nicht mehr«, sagt Yvette. »Keiner von denen. Wir dachten, wir gehören dazu. Aber das war eine Illusion.«

»Holen Sie Martín zurück.«

Yvette starrt ihn an. »Sie haben doch, was Sie wollten, nicht wahr? Sie haben Adáns Organisation gespalten, damit Sie beide Teile nacheinander zerstören können. Und es kümmert Sie einen Dreck, wie viele Menschen dabei draufgehen, wenn Sie nur an Adán Barrera herankommen. Gott beschütze uns vor den gerechten Männern!«

Sie dreht sich um und geht.

Kellers Handy klingelt.

»Ich hab's.«

Es ist Aguilar.

»Wie bitte? Wovon reden Sie?«

Aguilar klingt aufgeregt. *»Ich habe ein Band, auf dem sich Vera selbst belastet.«*

»Luis, was haben Sie gemacht?«

»Wo sind Sie?«

»In Cuernavaca. Auf dem Weg zurück in die Stadt.«

»Kommen Sie zum Flughafen. Beeilen Sie sich!«

»Luis, was haben Sie gemacht?«

»Kommen Sie! Wir haben nicht viel Zeit.«

»Luis, fliegen Sie ab. Warten Sie nicht auf mich. Fliegen Sie einfach ab!«

Keller fährt auf der 950 zurück nach Mexico City.

Die Straße führt durch den Tepozteco-Nationalpark, windet sich in Serpentinen über den Berg, vorbei an Seen und Wiesen, die im Mondlicht metallisch glänzen.

Was hast du gemacht, Luis?, fragt er sich jetzt. Dann begreift er. Aguilar hat das Hotelzimmer verlassen, sich den Transmitter angelegt und sich selbst mit Vera getroffen. Er muss ihn zur Rede gestellt haben, Vera hat ihm Aussagen geliefert, und Aguilar hat sie auf Band.

Und kann die Echtheit der Aufnahme bezeugen.

Aber Vera ist zu schlau, um auf so etwas hereinzufallen. Er muss Aguilar in Sicherheit gewiegt haben, um Zeit zu gewinnen.

Zeit zum Handeln.

Im Rückspiegel sieht Keller Scheinwerfer nahen.

Schnell.

Das Auto beginnt zu drängeln, was auf dieser kurvenreichen Straße gefährlich ist. Dann blinkt es mit der Lichthupe – es will überholen.

»Immer mit der Ruhe«, murmelt Keller, weicht an einer geeigneten Stelle rechts aus, und das Auto dröhnt an ihm vorüber.

»Arschloch«, sagt Keller.

Das Auto schneidet ihn und bremst ab. Zuerst denkt er, der Fahrer will ihm eine Lektion erteilen, doch schon nahen wieder zwei Scheinwerfer von hinten. Ein Auto, das dicht auffährt und ihn fast rammt.

Sie haben ihn in der Klemme.

Keller versucht zu überholen, aber das Auto vor ihm blockiert ihn. So rast die Dreierformation durch eine Doppelkurve mit steilen Abhängen, dann folgt eine gerade Strecke.

Das Auto vor ihm bremst.

Der Verfolger – ein Jeep Wrangler – setzt zum Überholen an und zieht mit Keller gleich. Keller wirft sich flach auf den Sitz, während rotes Mündungsfeuer aufblitzt und Kugeln seine Scheibe zertrümmern.

Er richtet sich schnell wieder auf, reißt das Lenkrad nach links und rammt den Wrangler, der von der Fahrbahn abkommt und in den gegenüberliegenden Felshang kracht.

Das Auto vor ihm stellt sich quer und blockiert die Straße.

Der Instinkt befiehlt ihm, auf die Bremse zu treten, aber das wäre tödlich. Er kann schon die Gewehrmündungen sehen, die sich auf ihn richten.

Keller geht aufs Gas.

Er hält direkt auf die Fahrertür zu.

Der Aufprall ist fürchterlich.

Sein Gesicht knallt gegen den Airbag, sein Kopf wird nach hinten gerissen.

Benommen tastet er nach der Sig Sauer. Sein rechter Arm ist betäubt, er kann den Griff nur mit Mühe halten. Mit der linken Hand löst er den Gurt und drückt den Türgriff nach unten.

Die Tür lässt sich öffnen, Gott sei Dank. Er steigt aus.

Aus seiner gebrochenen Nase strömt das Blut.

Der Fahrer des gerammten Autos ist eindeutig tot – Genickbruch. Aber der Beifahrer klettert auf der anderen Seite heraus. Als er Keller sieht, stützt er den Gewehrlauf auf das rauchende Wrack und zielt.

Die Zeit zum Zielen hätte er sich nicht nehmen dürfen.

Keller schießt ihn zweimal in den Kopf.

Dann taumelt er rückwärts. Seine Knie sind wie Gummi, er merkt, dass er blutet.

Und bricht zusammen.

Aguilar tippt auf seinem Handy herum.

Keller nimmt nicht ab.

Der Pilot meldet sich über Lautsprecher. »*Señor? Wir haben Starterlaubnis. Aber nur für kurze Zeit.*«

Aguilar möchte noch auf Keller warten. Doch das Material, das er bei sich trägt, ist kostbar, es darf nicht gefährdet werden. Auch Veras Leute können jeden Moment auftauchen.

»Starten Sie«, ruft Aguilar und schmiegt sich in den dick gepolsterten Sitz.

Ein seltsames Gefühl, allein in der Kabine zu sein, die zehn Passagiere fasst. Er schaut aus dem Fenster, während das Flugzeug langsam auf Startposition fährt, dann durchstartet und abhebt. Aguilar blickt hinab auf das Lichtermeer der mexikanischen Metropole und fragt sich, ob er die Stadt jemals wiedersehen wird.

Adán schaut auf die Uhr.

Der erwartete Anruf bleibt aus. Der Anruf mit der Nachricht, dass er gleich eine Leiche besichtigen darf. Es war gefährlich, nach Mexico City zu fliegen, aber nicht wegen der Polizei. Zu fürchten hat er die Sicarios der Tapia-Brüder. Doch das Risiko lohnt sich, wenn er Kellers Leiche zu sehen bekommt.

Arthur Keller.

Der Unschuldsengel.

Unbefleckt und unbestechlich.

Das muss man ihm lassen, denkt Adán mit Blick auf Magda, die ihm an ihrem Couchtisch gegenübersitzt. Fast hätte er mich erwischt. Er hat die Lücke in meiner Verteidigung erkannt und durchstoßen, eine Lücke, die nur unter größten Schwierigkeiten zu stopfen war.

Aber jetzt ist sie fast geschlossen.

Chido Palacios, der letzte Vertreter der »Izta-Mafia«, ist tot, die Nachricht läuft über alle Kanäle, als Schuldiger ist Diego Tapia ausgemacht.

Der Rest ist in Kürze erledigt.

Und Keller dürfte bereits in der Hölle schmoren.

Er schaut wieder auf die Uhr, Magda registriert es. Sie registriert alles, und das bewundert er an ihr. Sie ist eine großartige Partnerin, pflegt die Beziehungen zu den Kolumbianern, sorgt für den reibungslosen Kokainnachschub, für ihren eigenen Reichtum und ihre eigene Sicherheit. Das glatte Gegenteil der verängstigten, traumatisierten Frau, die damals im Zellenblock von Puente Grande an ihm vorbeigeführt wurde.

»Was ist?«, fragt sie, als sie seinen Blick bemerkt.

»Nichts.«

Im Unterschied zu ihr hat Adán keine Freunde.

Sein Schwiegervater Nacho ist ein Ratgeber, Partner und potenzieller Rivale. Adán muss kaum befürchten, dass Nacho seinen Schwiegersohn ermordet, aber ganz bestimmt verfolgt er seine eigenen Pläne.

Nur bei Magda kann er offen reden, und er würde auch jetzt lieber mit ihr sprechen als mit ihr schlafen, obwohl natürlich auch beides geht. Früher hat er über das alte Klischee von der »Einsamkeit der Macht« nur lachen können. Jetzt lacht er nicht mehr, jetzt bekommt er diese Einsamkeit zu spüren. Keiner, der nicht entscheiden muss, was *er* zu entscheiden hat, kann ihm diese Einsamkeit nachfühlen.

Wenn er Menschen reihenweise beseitigen muss.

Der Krieg um Juárez ist bei weitem blutiger als erwartet.

Vicente Fuentes ist nur eine Galionsfigur, er hat sich in einen Schlupfwinkel zurückgezogen, vielleicht nach Texas, aber die Leute von La Línea führen einen harten Kampf – und ebenso Los Aztecas. Die Juarenser verteidigen ihre Hochburg mit Klauen und Zähnen.

Dazu kommt der Krieg mit Diego.

Ein Krieg, den er selbst verschuldet hat, durch eine fürchterliche Panne, bei der er Keller beinahe seinen ganzen Sicherheitsapparat in die Hände gespielt hätte. Aber woher sollte er wissen, dass Martín Tapia seine Treffen mit der Izta-Mafia auf Band aufnahm? Woher sollte er wissen, dass Keller mit den Tapias zusammensteckte, vielleicht sogar mit Yvette in einem Bett?

Hör auf, nach Entschuldigungen zu suchen, ermahnt er sich.

Du hättest es spüren müssen. So etwas zu spüren ist dein Job.

Aber jetzt ist er – hoffentlich noch rechtzeitig – aufgewacht.

Er sieht schon wieder auf die Uhr.

Der Krieg mit Diego ist schrecklich.

So viele Tote auf beiden Seiten. Genau das wollte er vermeiden. Eine sinnlose Vergeudung von Kräften. Er besitzt die Ressourcen, um gleichzeitig gegen Fuentes, die Tapias, das Golfkartell mitsamt seinen Zeta-Söldnern Krieg zu führen, aber der Krieg wird härter, als er geglaubt hat.

Und er hat größere Pläne für Juárez, Pläne, die weit über die Stadt hinausreichen.

Die Zetas sind ein Problem, und sie werden langsam zum Hauptproblem. Von all seinen Feinden ist Heriberto Ochoa der stärkste, der klügste, der skrupelloseste, der organisierteste. Er war so schlau, mit den Tapias zu koalieren, das war der richtige Schritt. Und er tut auch das Richtige, wenn er sich aus dem Kampf um Juárez heraushält. Adán durchschaut Ochoas Strategie: Sollen sich Fuentes und Barrera gegenseitig abschlachten. Er kommt, wenn sie am Boden sind, und räumt ab.

Am Ende des Tages, denkt Adán, heißt es nur noch: Ochoa oder ich.

Magda gießt sich ein Glas Moët ein, von dem sie immer genügend auf Eis legt, wenn Adán nach Mexico City kommt. »Du bist mit deinen Gedanken mal wieder bei Keller.«

Er zuckt die Schultern. Nachdenken muss er über vieles.

»Sie werden schon anrufen«, beruhigt sie ihn und lenkt ihn mit Geschäftsthemen ab – Kilopreisen, Transportproblemen, Personalentscheidungen. Ihre Beziehung, obwohl sie auch miteinander schlafen, ist in letzter Zeit eher freundschaftlich und kollegial. Er verlässt sich zunehmend auf ihr Urteil, und sie hat neue Ideen zum Ausbau des Geschäfts. Sex ist das Geringste, was uns verbindet, denkt sie jetzt.

Magda hat zwar Liebhaber, aber nicht so viele, wie man glauben sollte. Während einige wenige durch Magdas Reichtum zu sexuellen Höchstleistungen angestachelt werden, passiert bei einer überraschend großen Zahl von Männern das genaue Gegenteil, und sie hat keine Lust, wieder eine Nacht mit einem Schlappschwanz zu verbringen und ihm zu versichern, es sei doch ganz nett, einfach so zu kuscheln.

Denn das ist es *nicht*.

Sie ist auch nicht bereit, den anderen Weg zu gehen – sich junge Männer zu nehmen – oder eigentlich noch Kinder –, die sich von ihr Geschenke und Geld versprechen, tolle Restaurantbesuche und Reisen. Die sind zwar munterer und potenter, aber sie ist viel zu stolz, um sich in die Rolle einer »Silberlöwin« zu fügen.

Ich bin auch keine dieser »Mütter im besten Alter«, denkt sie, ich bin überhaupt keine Mutter, und sie bemerkt mit Verwunderung, dass dies zu einer Quelle wachsender Traurigkeit wird.

Sicher ist es nur ein biologischer Reflex, sagt sie sich, aber sie ertappt sich immer wieder bei solchen Gedanken, während der Toresschluss naht und die Aussichten auf einen Mann, den sie zum Vater ihres Kindes machen kann, in weite Ferne rücken.

Außerdem ist ihr Arbeitstag bis an den Rand ausgefüllt.

Adán reißt sie aus ihren Gedanken. »Müsste er jetzt nicht langsam hier sein?«, fragt er.

»Er wird schon kommen.« Sie lächelt begütigend. »Ich habe ihm gesagt, es sei geschäftlich, aber wahrscheinlich rechnet er mit mehr.«

Aber sicher rechnet er mit mehr, denkt Adán, denn er kennt ihn nur zu gut.

Es ist immer wichtig, die Stärken eines Mannes zu kennen.

Wichtiger, als seine Schwächen zu kennen.

Die schrille Stimme der Nachrichtensprecherin füllt den Raum. Beide schauen zum Fernseher hinüber.

Ein Learjet 45 ist in der Luft in Brand geraten und in ein Geschäftshaus gestürzt, kaum einen Kilometer von Los Pinos entfernt. Neun Tote, darunter der Pilot und der Kopilot – und der einzige Passagier.

Adáns Freude hält sich in Grenzen.

Nach allem, was er weiß, war Luis Aguilar ein anständiger Kerl.

Mit Frau und Kindern.

Er hört Stimmen im Hausflur, Wachmänner walten ihres Amtes, dann kommen Schritte die Treppe herauf.

»Na bitte«, sagt Magda.

Der Wachmann lässt Gerardo Vera ein.

Er geht strahlend auf Magda zu, doch sein Lächeln gefriert, als er Adán im Ohrensessel sitzen sieht.

»Ich hatte nicht erwartet –«

»Nein«, sagt Adán vergnügt, »das Rendezvous mit meiner Partnerin sollte ohne mich stattfinden.«

»Es ist rein geschäftlich.«

»Das ist egal«, sagt Adán. »Ich wollte Sie sprechen, aber nicht deshalb. Palacios ist tot, Aguilar ist tot. Keller dürfte inzwischen auch tot sein.«

»Dann sind wir also quitt«, sagt Vera.

»Nicht ganz.«

Vera scheint verwirrt, doch an seiner Miene sieht Adán, dass er langsam begreift. »Sie haben die Dinge aus dem Ruder laufen lassen, Gerardo. Sie sind kompromittiert.«

»Verstehe.« Vera wirft einen Blick auf die Champagnerflasche. »Darf ich?«

Er gießt sich Champagner ein und leert das Glas mit einem Schluck. »Hervorragend. Sehr gut. Ich bettle nicht um mein Leben.«

»Das habe ich auch nicht erwartet.«

»Sie wissen, dass meine Leute draußen warten.«

»Ihre Leute sind gegangen.«

»Wir haben es weit gebracht, Sie und ich«, sagt Vera. »Sie waren ein kleiner Habenichts, der in Tijuana Jeans vom Lastwagen herunter verkaufte, ich war Streifenpolizist im Slum. Ein beachtlicher Aufstieg, nicht wahr?«

»Allerdings.«

»Warum jetzt aufhören?«

»Sie haben gerade Ihren ältesten Freund umbringen lassen und an der Beseitigung Ihres engsten Kollegen mitgewirkt.

Um ganz ehrlich zu sein, Gerardo: Ich kann Ihnen einfach nicht trauen.«

Magda erhebt sich.

»Eine Bitte noch«, sagt Vera. Er beugt sich vor und schnuppert an ihrem Hals. »Dieser Duft. Männer streiten sich, was an einer Frau das Schönste ist. Ich sage, es ist der Hals. Wo er in die Schulterpartie übergeht. Genau hier. Danke.«

Sie nickt und geht aus dem Zimmer.

Vera greift nach seiner Pistole im Achselhalfter.

Der Bodyguard schießt ihm den Hinterkopf weg.

Adán erhebt sich aus dem Ohrensessel und folgt Magda ins andere Zimmer.

Es ist alles bereinigt. Es gibt keinen »rauchenden Colt« mehr, der die frühere oder die jetzige Regierung der PAN belasten könnte.

Nur eins macht ihn unruhig.

Er wartet noch immer auf den Anruf, dass Keller tot ist.

Art Keller liegt im Heck eines Suburban mit abgedunkelten Scheiben, als er zu sich kommt.

Ein Sanitäter in Zivil, aber mit militärischem Haarschnitt ist damit beschäftigt, seine Wunden zu reinigen.

»Wer sind Sie?«, fragt Keller.

Der Sanitäter beantwortet die Frage nicht, fragt aber Belanglosigkeiten, um Keller wach zu halten. Keller, der nichts weiter will als schlafen, kombiniert, dass er ein Schädel-Hirn-Trauma haben muss und daher nicht schlafen darf. So geht es weiter, bis das Auto Mexico City erreicht hat und den Paseo de la Reforma hinauffährt. Keller vermutet, es geht zur Botschaft, aber das Auto biegt vorher ab, in einer Gegend voller Banken und Geschäftshäuser, zwängt sich an der Hausnummer 265 durch eine Einfahrt und hält vor einem Stahltor. Der Fahrer zeigt dem Wachmann seine Karte, das Tor rollt zur Seite, und das Auto taucht in das Labyrinth eines Parkhauses. Sie verfrachten Keller auf eine Trage und bringen ihn zu einem klinikartigen Raum, wo ein amerikanischer Sanitäter, der genauso militärisch aussieht, die Erstuntersuchung vornimmt und ihn röntgen lässt.

»Wo bin ich?«, fragt Keller.

»Schädel-Hirn-Trauma, Nasenbein gebrochen, Schulter verrenkt, zwei Rippen gebrochen, mehrere Geschosssplitterverletzungen«, sagt der Sanitäter. »Sie sind ein Überlebenskünstler, Sir.«

»Wo *bin* ich?!«

»Innerliche Schmerzen? Irgendwas, was Sie nicht genannt haben, Sir?«

»Wo zum Teufel bin ich?«

»Gleich kommt jemand, der Sie sprechen will.«

Es ist Tim Taylor.

»Aguilar hat uns alarmiert«, sagt Taylor. »Weil er die Verbindung zu dir verloren hatte. Wir haben Leute losgeschickt, dich zu suchen. Was, verdammt noch mal, wolltest du in Cuernavaca?«

»Luis ist also durchgekommen«, sagt Keller. »Und ist jetzt in El Paso.«

»Aguilar ist tot.« Taylor berichtet ihm vom Absturz des Learjet und sagt: »Du hast meine Frage nicht beantwortet.«

»Das werde ich auch nicht«, sagt Keller. »Vera hat das Flugzeug zum Absturz gebracht.«

»Vera ist ermordet aufgefunden worden«, sagt Taylor. »Dasselbe Tatmuster wie bei den anderen Polizeioffizieren. Erschossen bei einem Rendezvous. Dieser Mord und auch der Absturz des Learjet wird den Tapias zugeschrieben.«

»Die Tapias haben nichts damit zu tun«, sagt Keller. »Das war Barrera.«

»Das wissen wir.«

Also ist es vorbei, denkt Keller.

Aguilar ist tot, die Bänder wurden beim Absturz zerstört.

Palacios ist tot.

Vera ist tot.

Barrera hat gründlich aufgeräumt und seine Spuren beseitigt.

»Kannst du laufen?«

»Ich glaube«, sagt Keller.

Er müht sich hoch, seine Rippen brennen wie Feuer. Seine Knie sind wacklig vom Schock und von den Medikamenten, aber er schafft es, Taylor durch den Flur und zu einem Fahrstuhl zu folgen, der sie in die siebte Etage bringt. Dort sieht er noch mehr Militärpersonal, allerdings in Zivil, und Leute, die aussehen wie Buchhalter und Computer-Nerds.

Keine der Bürotüren ist gekennzeichnet.

Alle Türen sind geschlossen.

»Was du hier siehst, existiert nicht«, sagt Taylor. »Offiziell ist das ein Rechenzentrum, das die Verwendung der Gelder aus der Mérida-Initiative prüft. In Wirklichkeit tummeln sich hier verschiedene Behörden – FBI, CIA, wir, das Büro für Alkohol, Tabak und Feuerwaffen, das Finanzministerium, Innere Sicherheit, Nationale Aufklärung, NSA, Militärgeheimdienst –, du verstehst.«

Er öffnet die Tür zu einem Raum, in dem ein Dutzend Leute an Computern sitzen. »Alles auf neuestem Stand. Ver- und Entschlüsselungstechnik, Satellitenüberwachung, Abhörtechnik, Abhörsicherheit. Komm weiter.«

Am Ende des Flurs bleibt er vor einer Spezialtür stehen. Er blickt in einen Augenscanner, die Tür öffnet sich, und sie betreten eine Lounge mit bequemen Sitzmöbeln, mit Kaffeemaschine und Bar.

Auf einem der Sofas sitzt ein Mann, etwas jünger als Keller, mit einem Glas Bier. Schwarzes, kurzgeschnittenes Haar. Mittelgroß, mit der Statur eines Gewichthebers. Er steht auf und streckt Keller die Hand entgegen. »Arturo Keller – Roberto Orduña.«

»Admiral Orduña«, sagt Taylor, »ist Kommandeur der FES, einer neuen Sondereinheit der mexikanischen Kriegsmarine – etwa zu vergleichen mit unseren Seals.«

»Zuerst möchte ich Ihnen versichern, dass mich das Schicksal von Luis Aguilar sehr betroffen macht«, sagt Orduña. »Er war ein guter Mann. Möchten Sie einen Drink? Kaffee? Das ist Ihr Gebäude, aber mein Land. Daher sollte ich mich als guter Gastgeber erweisen.«

Ist ja gut. Sag endlich, was du willst, denkt Keller.

Sie setzen sich um einen Couchtisch.

»Wir sind dabei, den Krieg zu verlieren«, beginnt Orduña ohne Umschweife. »Die Drogen auf unserer Seite der Grenze werden immer mehr, immer stärker und immer billiger. Die Kartelle haben mehr Einfluss als je zuvor, sie haben die Staatsmacht unterwandert und drohen zu einer Schattenregierung zu werden. Der Krieg zwischen den Kartellen erzeugt eine Gewalt erschreckenden Ausmaßes. Was wir bisher getan haben, zeigt keine Wirkung.«

Das weiß Keller auch.

Die Strategie der Kriminalisierung ist etwa so wirksam wie ein Kehrbesen gegen eine Springflut. Die Strategie, die Drogenkriminellen aller Kategorien zu inhaftieren, schafft nur einen Jobmarkt mit ungehemmtem Zustrom.

»Wir müssen etwas Neues versuchen«, sagt Orduña. »Der juristische Ansatz funktioniert nicht. Daher brauchen wir einen militärischen Ansatz.«

»Bei allem Respekt«, sagt Keller. »Ihr Präsident hat den Kampf gegen die Drogen bereits militarisiert. Das hat die Lage nur verschlimmert.«

»Weil er dem falschen Modell folgt«, erwidert Orduña. »Aufstandsbekämpfung versus Terrorismusbekämpfung. Sind Sie mit der Debatte um die beiden Doktrinen vertraut?«

»Nur vage.«

Orduña nickt. »Die Aufstandsbekämpfung, das Modell der vergangenen dreißig Jahre, basiert auf der Abwehr von terroristischen Attacken, während die Politik in einer Weise auf die Bevölkerung einwirkt, dass den Terroristen die Unterstützung entzogen wird. Das ist etwa identisch mit unserem bisherigen Vorgehen gegen die Drogenhändler, sofern man die Drogenhändler mit Terroristen vergleichen kann.«

»Mehr und mehr werden sie zu Terroristen«, sagt Keller.

»Al-Qaida hat dreitausend Amerikaner umgebracht«, sagt Taylor. »Es mag herzlos klingen, aber das ist nur ein Bruchteil dessen, was wir an Drogenopfern haben, Jahr für Jahr. Und wir stecken Milliarden in die Strafverfolgung.«

»Ganz genau«, bestätigt Orduña. »Aufstandsbekämpfung ist teuer, zeitraubend und letztlich ineffektiv, weshalb Ihr Militär jetzt zur Doktrin der Terrorismusbekämpfung übergeht, die auf Offensive statt auf Abwehr setzt: begrenzte, präzise Angriffe auf Primärziele, zum Beispiel die Verhaftung von Kartellführern wie Contreras. Trotzdem ist der positive Anreiz, so einen Job zu übernehmen, sehr stark, die Abschreckung hingegen sehr schwach. Verhaften wir einen Kartellführer, nimmt sofort ein anderer seinen Platz ein.«

Taylor ergänzt: »Wir dagegen stellen fest, dass immer weniger Dschihadisten bereit sind, Spitzenpositionen einzunehmen, weil wir diese Art der Beförderung in ein Todesurteil verwandeln. Sobald einer die Führung übernimmt, schicken wir eine Drohne oder ein Spezialkommando.«

»Ich möchte wissen«, sagt Orduña, »wer dann noch Boss eines Kartells, sagen wir, des Sinaloa-Kartells werden will, wenn seine zwei Vorgänger getötet wurden. Die Botschaft lautet: ›Ihr könnt gern Milliarden verdienen, aber ihr habt nichts davon, weil ihr das nicht überlebt.‹ Genauso wollen wir vorgehen. Die Aufstandsbekämpfung durch Terrorismusbekämpfung ersetzen.«

»Sie sprechen da von einem Programm gezielter Tötungen«, sagt Keller.

»Festnahme, wenn nötig, Tötung, wenn möglich«, präzisiert Orduña.

Keller verzieht das Gesicht.

»Ich weiß, was Sie denken«, sagt Orduña. »Sie denken, das ist nichts Neues, und alle Informationen, die Sie an Vera weitergegeben haben, landeten sofort beim Sinaloa-Kartell. Die AFI war gekauft und bestochen, aber nicht meine Einheit.«

»Das hat Vera auch gesagt.«

»Nicht meine Einheit!«, beharrt Orduña. Seine Leute haben sich nicht beworben, erklärt er, sie werden nach ihren Fähigkeiten ausgesucht, von der Truppe bestätigt, dann erst ausgebildet.

Erst in einem Geheimcamp in den Bergen der Huasteca Veracruzana, anderthalb Jahre lang in Waffentechnik, Überwachung, Angriffs- und Verteidigungstaktik, Fahrtechnik, Klettertechnik, Überlebenstraining.

Wenn sie diese Tortur durchstehen, werden sie in einem kolumbianischen Geheimcamp auf den Antidrogeneinsatz vorbereitet. Wie man die Privatarmeen der Kartelle infiltriert, wie man Drogenlabors, Drogendepots aufspürt, wie man aus Hubschraubern abspringt, im Dschungel und Gebirge kämpft.

Die Männer, die auch das überstehen, durchlaufen in Arizona eine dritte Ausbildung, die sich auf Terrorismusbekämpfung spezialisiert – die »Neutralisierung und Ausschaltung« terroristischer Bedrohungen. Sie lernen die Techniken der Spionage und Gegenspionage, Überlebenstechniken als Gefangene und unter Folter. Sie werden gewaltigen körperlichen und psychischen Belastungen ausgesetzt, und wenn sie die überstanden haben, erlernen sie die Anwendung »weicher« und »harter« Verhörtechniken.

Danach kommen sie zurück nach Mexiko, wo sie einen Sold von dreißigtausend Peso im Monat erhalten sowie einen Bonus von zwanzigtausend Peso für jeden riskanten Einsatz, was sie weitgehend gegen die Bestechungsversuche der Narcos immunisiert.

Ein weiterer Anreiz ist, plump gesagt, das Beutemachen.

Die FES-Söldner dürfen einen Teil ihrer Beute behalten – Uhren, Schmuck, Geld. Das machen Soldaten zwar seit jeher, aber Orduña hatte den genialen Einfall, das Plündern zu legalisieren und zu ermutigen.

Seine Leute nehmen keine Schmiergelder, aber sonst nehmen sie alles, was sie kriegen.

»Jeder meiner Männer weiß«, sagt er, »dass er nicht verhaftet und ins Gefängnis gesteckt wird, wenn er Bestechungsgeld nimmt. Er verschwindet einfach in der Wüste.«

Orduña hat eine schmutzige Truppe aufgebaut, die einen schmutzigen Krieg führen soll, denkt Keller. Ob ihm das bewusst ist oder nicht: Er hat seine eigene Version der Zetas geschaffen.

»Wir haben eine Liste von siebenunddreißig Kernzielen«, sagt Orduña.

»Steht Barrera auf der Liste?«

»Die Nummer zwei.«

»Wer ist Nummer eins?«

»Diego Tapia. Sie werden verstehen, dass die Öffentlichkeit, die nichts vom ›Izta-Kartell‹ weiß, dies von uns erwartet. Und unsere Ehre erfordert es. Aber ich schwöre Ihnen: Wenn Sie mit mir zusammenarbeiten, helfe ich Ihnen, Adán Barrera zu töten.« Lächelnd fügt er hinzu: »Hoffentlich, bevor es ihm gelingt, *Sie* zu töten.«

»Diese Operation läuft abgekoppelt von allem anderen«, sagt Taylor. »Keine Verbindung zu den normalen DEA-Aktivitäten, die wie gewohnt weitergehen, natürlich in Zusammenarbeit mit der mexikanischen Regierung. Die neue Einheit agiert von hier aus und nur zusammen mit den mexikanischen Marines. Die Kosten werden von den Mérida-Geldern abgezweigt, es gibt also keine Budgetgrenzen, kein Kontrollgremium, kein Innen- oder Justizministerium, nur das Weiße Haus, das aber zu diesen Dingen nicht Stellung nehmen wird.«

»Welche Rolle soll *ich* da spielen?«, fragt Keller.

»Sie würden die amerikanische Seite vertreten«, sagt Taylor. »Operationsbasis hier und bei der DEA El Paso. Ausschließlich Militärflüge. Ziviler Personenschutz durch die FES. Höchste Sicherheitsstufe, Zugang zur höchsten Geheimhaltungsstufe.«

»Ich behalte freie Hand«, fordert Keller. »Ich arbeite allein. Keine Betreuer, keine Bürospitzel.«

»Du kriegst nur die logistische Unterstützung, die du verlangst«, sagt Taylor.

»Und wenn die Sache ans Licht kommt, schlagen sie mich ans Kreuz.«

»Die Nägel behalte ich im Mund.«

Was für ein Irrsinn, denkt Keller. Ich soll den Chef eines Tötungsprogramms spielen.

Wie Operation Phoenix, damals in Vietnam.

Nur dass ich diesmal der Macher bin.

»Warum ich?«, fragt Keller. »Du bist nicht gerade der Präsident meines Fanclubs.«

»Du bist ein einsamer, verbitterter Mensch, Art«, sagt Taylor. »Ich habe keinen anderen, der so verbissen und so gut ist wie du.«

Wenigstens eine ehrliche Ansage, denkt Keller.

Und Taylor hat recht.

Er übernimmt den Job.

Und muss an den Satz denken, den er einmal von einem Priester gehört hat:

Satan kann dich nur mit dem verführen, was du schon hast.

4. Das Tal

Darum siehe, es kommt die Zeit,
spricht der Herr, dass man's nicht
mehr heißen soll Thopheth und das
Tal Ben-Hinnom, sondern Würgetal.

Jeremia 7:32

Tal von Juárez
Frühjahr 2009

Sie verlassen Juárez auf der Carretera Federal 2 in östlicher Richtung.

Die zweispurige Fernstraße verläuft parallel zum US Freeway 10, dazwischen der Grenzfluss Río Bravo.

Ana hat darauf bestanden, ihren Toyota selbst zu steuern, weil sie Pablo nicht traut (wegen seiner alten Karre), und Giorgio darf alles knipsen, was er will. Herrera hat sie zu dritt losgeschickt, um sie über die zunehmende Gewalt im Tal von Juárez berichten zu lassen.

Vor zwei Monaten hat Präsident Calderón Truppen dorthin entsandt, eine ganze Armee mit Panzerfahrzeugen und Hubschraubern, um die Kämpfe zwischen dem Sinaloa- und dem Juárez-Kartell zu beenden, die das Tal in ein Schlachtfeld verwandeln.

Pablo schaut hinaus auf den Streifen Grünland, der den Río Bravo flankiert. Hier wurde früher Baumwolle angebaut – Baumwolle und ein bisschen Weizen –, aber die *maquiladoras* oder Billiglohnfabriken haben die Landarbeiter weggelockt, und die Baumwollfelder liegen seitdem brach.

Das war schon immer Banditenland, denkt Pablo und wendet den Blick nach rechts, zur braunen Sierra. Lange war es beherrscht von der Familie Escejada, die nach Süden kam, als

Texas unabhängig wurde, so wie die meisten alten Familien im Tal, die den landgierigen Yankees weichen mussten.

Die Escejadas machten das, was viele taten – sie züchteten Rinder und beteiligten sich an der althergebrachten und wechselseitigen Tradition der Grenzüberfälle, vertrieben erst die Komantschen, dann die Apachen und bauten Baumwolle an, als das Ende der Sklaverei im Norden eine neue Nachfrage schuf.

Am Anfang des 20. Jahrhunderts begannen sie mit dem Schmuggel von Marihuana und Opium, während der Prohibition kamen Whiskey und Rum dazu. Die Escejadas wurden reich vom Schwarzhandel, aber der richtige Reichtum kam erst, als Nixons »Krieg gegen die Drogen« die *pista secreta* zu einem hochprofitablen Geschäft machte. Aus den kleinen Ortschaften des Tals kommt man nach kurzer Fahrt oder gar zu Fuß nach Texas, und obwohl der Hauptstrom der Drogen durch Ciudad Juárez fließt, ist der Wert dieses Nebenschauplatzes nicht zu verachten.

Bis vor kurzem haben die Escejada-Brüder José »El Rikin« und Oscar »la Gata« den Drogenhandel in dieser Gegend beherrscht und für einen zerbrechlichen Frieden zwischen Sinaloa und Juárez gesorgt, indem sie beiden Kartellen gegen einen Piso Zugang zu ihrer Plaza verschafften.

Die Escejadas sind keine Engel. Vor zwei Jahren haben sie »Polo« Amaya ermordet, den Bürgermeister von Guadelupe, dann seinen Sohn, als er die Nachfolge antrat. Sogar seine Frau und Tochter haben sie niedergeschossen. Es gibt nur fünf oder sechs prominente Familien im Tal, wie Pablo weiß. Die Fehden zwischen ihnen sind blutig und haben eine lange Geschichte.

Aber es herrschte Frieden im Tal, auch wenn in Ciudad Juárez die Fetzen flogen, jedenfalls bis vor zwei Monaten, als die Armee Oscar la Gata verhaftete und das Sinaloa-Kartell diese Gelegenheit zu einem Vorstoß nutzte. Die Invasion der Sinaloaner zwang José El Rikin, sich für eine Seite zu entscheiden, und er entschied sich für das Juárez-Kartell.

Seitdem ist das Tal eine Kampfzone.

»Ich bin nicht als Kriegsberichterstatter angestellt«, sagt Pablo. »Wir sollten Gefahrenzulage verlangen.«

Giorgio ist natürlich fasziniert. Er wollte immer Kriegsfotograf werden und sieht auch aus wie einer – mit grünem Hemd, khakifarbener Cargohose und Weste. Er macht schnell ein paar Fotos von einem Konvoi aus drei Panzerwagen, der ihnen auf der Straße entgegenkommt.

Pablo sieht, wie Ana das Lenkrad umklammert. Sie ist nervös wegen der vielen Lastwagen und Armeefahrzeuge, und man kann nie wissen, ob in diesen Fahrzeugen Sicarios sitzen und man unversehens in ein Feuergefecht gerät, vielleicht gar in einen Dreifrontenkrieg.

Er ist erleichtert, als sie den Armee-Kontrollpunkt erreichen, eine improvisierte Befestigung aus Sandsäcken, Stacheldraht und Sperrholz kurz vor Guadelupe. Inzwischen ist es außerhalb des schützenden Grüngürtels brütend heiß, und Pablo schwitzt aus allen Poren, als Ana hält und der Posten herüberkommt.

Pablo weiß sehr gut, dass es nicht nur die Hitze ist, die ihn zum Schwitzen bringt, auch die Angst. Soldaten machen ihn immer nervös, erst recht, wenn sie gereizt sind. Dieser hier trägt Tarnfarben, einen Gefechtshelm und eine schwere Schussweste – die Hitze wird ihn kaum heiter stimmen.

Ana lässt das Seitenfenster herunter.

»Was wollen Sie hier?«, fragt der Soldat.

»Presse«, sagt Ana.

»Alle drei?«

»Ja.«

»Sagen Sie dem Mann, er soll mich nicht fotografieren!«

»Giorgio, um Himmels willen«, flüstert Pablo.

Giorgio senkt den Apparat.

»Ausweise«, befiehlt der Soldat.

Sie reichen ihm die Presseausweise, und er studiert sie sorgfältig, obwohl Pablo bezweifelt, dass er lesen kann. Die meisten

Soldaten sind Jungs vom Land, die zur Armee gingen, um dem Hunger und dem Nichtstun zu entkommen, und lesen können sie in den wenigsten Fällen.

»Aussteigen!«, ruft der Soldat.

Bloß nicht!, denkt Pablo. Regel Nummer eins bei Kontrollen besagt, dass man niemals aussteigen darf. Sobald du aussteigst, bist du ihnen ausgeliefert – sie können dich verprügeln, ausrauben, in einen Graben stoßen. Sie können dich in ihre Baracke mitnehmen oder auf einen Lastwagen verfrachten und in ihr Hauptquartier verschleppen. Herrera hat sie mit dem Auftrag losgeschickt, zu erkunden, was mit solchen Leuten passiert.

Jetzt werden zwei weitere Soldaten aufmerksam und kommen herüber. Einer von ihnen nimmt das Sturmgewehr von der Schulter und geht zur Beifahrerseite.

»Aussteigen!«, brüllt der erste Soldat und richtet sein Gewehr auf Ana.

»Nein, nein, nein!«, schreit Pablo. Er streckt die Hände nach oben. »Ist alles gut, wir sind Reporter. *Reporter!*«

Giorgio schiebt Ana einen Zehndollarschein zu. »Gib ihm den Schein.«

Anas Hand zittert, als sie dem Soldaten den Schein hinhält. Der senkt den Lauf, stopft den Schein in die Hosentasche, beäugt die Ausweise ein weiteres Mal und reicht sie zurück. Er wedelt mit der Hand, und ein Soldat hebt die Schranke.

»Weiterfahren!«

»Jesus Christus«, stöhnt Pablo.

Die Stadt Guadelupe hat um die fünftausend Einwohner und besteht aus einem rechteckigen Straßennetz im flachen Wüstenland. Die Häuser sind klein, meist aus Schlackesteinen, dazwischen ein paar Lehmbauten, viele bunt bemalt, in lebhaften Blau-, Rot- und Gelbtönen.

Die Bäckerei der Familie Abarca liegt im Mittelpunkt der Stadt, direkt an der Haupt- und Durchfahrtsstraße, und seit drei Generationen ist sie auch der soziale Treffpunkt, den die Leute aufsuchen, wenn sie ein Anliegen oder ein Problem haben.

»*Ir a ver a los panaderos*« ist eine alte Redensart in Guadelupe.

Beim Bäcker vorbeischauen.

Die Abarcas werden schon helfen.

Fordert der Vermieter Geld, das man nicht hat, reden die Abarcas mit ihm. Muss man einen Antrag ausfüllen und kann nicht schreiben, füllen ihn die Abarcas aus. Hat ein Kind Probleme in der Schule, suchen sie den Lehrer auf. Haben die Soldaten Anwohner verhaftet, erkundigen sie sich beim Kommandeur.

So etwas ist in letzter Zeit zu oft passiert.

Jimena erwartet sie schon vor der Tür.

»Hattet ihr Ärger auf der Herfahrt?«, fragt sie, als sie aus dem Auto steigen. Sie trägt einen gelben Kittel über verwaschenen Jeans und ist mit Mehl bestäubt.

»Nein«, lügt Ana.

Pablo hofft, dass sie hineingehen. Ihm ist heiß, seine Nerven sind noch in Aufruhr, und aus der Bäckerei kommt das betörende Aroma von *pan dulce,* der Ingwergeruch der Marranitos, der Anisduft der Semitas, und er sieht auch schon die Empanadas im Fenster liegen.

Es ist fast Essenszeit, aber am liebsten hätte er ein eiskaltes Bier. Jimena macht seine Hoffnungen zunichte, indem sie sagt: »Marisol erwartet uns schon.«

Sie folgen Jimena zum größten Gebäude der Stadt, dem Rathaus, und treffen die Stadträtin im Obergeschoss.

Marisol Salazar Cisneros, eigentlich *Doktor* Marisol Salazar Cisneros, ist nicht nur Stadträtin, sie ist auch Ärztin. Als Jimena den Termin mit ihr vorschlug, machte sich Pablo im Internet kundig – sie stammt aus einer Pflanzerfamilie außerhalb von Guadelupe, machte Karriere in der Hauptstadt und kam dann zurück, um hier eine Landpraxis zu eröffnen.

Beeindruckend, dachte Pablo und hatte sich schon sein Urteil über diesen übereifrigen Gutmenschen gebildet.

Womit er nicht gerechnet hat, ist ihre Schönheit, die ihn so einschüchtert, dass er kaum wagt, ihr die Hand zu geben. Sie bittet ihre Besucher an den Tisch, und Giorgio fängt sofort an, sie zu fotografieren, was in Pablo eine völlig irrationale Aufwallung von Eifersucht erzeugt.

»Sie sind mit Jimena befreundet?«, fragt Marisol.

»Wir kennen uns seit dem *femicidio*«, sagt Ana. »Pablo hat damals eng mit ihr zusammengearbeitet.«

»Ich glaube, ich habe Ihre Artikel gelesen«, sagt Marisol zu ihm.

»Danke«, erwidert er und kommt sich sofort töricht vor. Wenigstens rasieren hätte er sich können. Oder zum Friseur gehen.

»Ihnen vielen Dank, dass Sie mit uns sprechen«, sagt Ana. »Der Bürgermeister hat abgelehnt.«

»Der Bürgermeister ist in Ordnung«, sagt sie. »Aber er ist …«

»Eingeschüchtert?«, hilft Ana nach.

»Sagen wir, zurückhaltend.«

»Hat er Drohungen erhalten?«, fragt Pablo, der langsam seine Stimme wiederfindet.

»Ich weiß es nicht.«

»Aber Sie wurden bedroht«, sagt er.

Vor einem Monat, erzählt sie, kam sie aus dem Nachbarort Práxedis G. Guerrero, von einer Schwangerenuntersuchung, und ein SUV drängte sie von der Fahrbahn ab. Sie bekam es mit der Angst zu tun, umso mehr, als drei Männer mit Sturmhauben ausstiegen und Kalaschnikows über ihrem Kopf abfeuerten.

»Kalaschnikows? Sind Sie sicher?«, fragt Pablo.

»Ganz sicher«, sagt Marisol. »Leider sind wir hier alle zu Waffenexperten geworden.«

Das nächste Mal, sagten die Männer zu ihr, komme sie nicht so leicht davon. Sie solle lieber lernen, die Beine breit zu machen und die Klappe zu halten.

»Was haben Sie denn gesagt?«, fragt Ana.

»Es geht nicht so sehr darum, was ich *gesagt* habe, vielmehr darum, was ich *gefragt* habe«, sagt Marisol. »Wenn einer nach dem anderen in die Praxis kommt, mit Prellungen und Schädelfrakturen, die von Kolbenhieben herrühren, mit Spuren von Elektroschockern, stellt man Fragen. Ich habe Antworten von den Kommandeuren verlangt.«

»Was haben die geantwortet?«, fragt Pablo.

»Ich solle mich um meine eigenen Angelegenheiten kümmern. Ich erklärte, dass Leute mit solchen Verletzungen genau meine Angelegenheit sind.«

»Worauf sie was erwiderten?«

»Dass sie für Recht und Ordnung zuständig sind. Und dass sie es sehr begrüßen würden, wenn ich mich nicht in ihre Arbeit einmische.«

Sie beharrte darauf, es sei ihre gesetzliche Pflicht als Ärztin und als Stadträtin, sich einzuschalten, wenn die Armee es als ihre Aufgabe betrachte, unschuldige Menschen zu verletzen.

»Die Armee geht davon aus«, erklärt ihnen Jimena, »dass es hier keine Unschuldigen gibt. Sie werfen uns allen vor, mit den Escejadas und dem Juárez-Kartell zusammenzuarbeiten.«

Sie brechen in Häuser ein, um nach Narcos, Drogen, Waffen, Geld zu suchen, erzählt ihnen Jimena. Sie stehlen alles, was ihnen in die Hände fällt, und wenn man sich beschwert … landet man in Marisols Praxis.

»Wenn man Glück hat«, ergänzt sie. »Wenn nicht, verbinden sie einem die Augen und bringen einen zum Armeestützpunkt in Práxedis. Dort sind jetzt acht junge Männer aus Guadelupe, und wir erfahren nicht mal, was mit ihnen geschieht.«

»Hast du dich an die Justiz gewandt?«, fragt Ana.

»Natürlich. Aber unter Kriegsrecht gilt das normale Recht nicht mehr. Das Tal steht unter Kriegsrecht, daher kann die Armee machen, was sie will.«

Also ein Dreifrontenkrieg, meint Pablo. Die Anwohner sind in einem mörderischen Dreieck gefangen. Das Juárez-Kartell fordert Loyalität, das Sinaloa-Kartell fordert den Seitenwechsel, und die Armee verfolgt ihre eigenen Ziele. Auch die Bewohner, die nicht in irgendwelche Kämpfe verwickelt sind, werden von drei Seiten drangsaliert.

Jimena widerspricht seiner Darstellung.

»Es gibt keine drei Seiten«, sagt sie, »nur zwei. Die Armee und die Sinaloaner sind ein und dasselbe.«

»Das ist ein schwerwiegender Vorwurf«, sagt Ana und macht eifrig Notizen.

»Ich kann das erklären«, sagt Jimena. »Die Soldaten überfallen ein Haus unter dem Vorwand, dass sie dort Drogen oder Waffen vermuten. Sie schlagen alles kurz und klein, verhaften vielleicht Bewohner, normalerweise aber nicht. Doch in der Nacht oder in der Nacht darauf kommen die neuen Leute und töten alle in dem Haus.«

»Das heißt, dass die Soldaten als Suchhunde für das Sinaloa-Kartell fungieren?«, fragt Pablo. »Dass sie Mitglieder des Juárez-Kartells erschnüffeln, und dann kommen die Sinaloaner und erschießen sie?«

»Manchmal tragen die Killer schwarze Sturmhauben wie die Federales und wie die Armee«, sagt Marisol.

»Die Armee macht Jagd auf die Juárez-Leute«, bestätigt Jimena. »Los Escejados, Los Aztecas, die Reste von La Línea. Die Armee rottet sie aus. Dass sie Jagd auf die Sinaloaner machen, kann ich nicht erkennen.«

»Eine einseitige Geschichte«, bestätigt Marisol.

Sie machen einen Rundgang durch die Stadt.

Die Straßen sind selbst zur Mittagszeit fast leer. Ein paar alte Leute, ein paar Kinder sitzen im Schatten ihrer Lauben, hinter einer Barriere aus Sandsäcken stehen mehrere Soldaten und schauen herüber. Pablo hat das unheimliche Gefühl, aus geschlossenen Fensterläden beobachtet zu werden. Manche Häuser sind mit Einschusslöchern übersät oder von Granateinschlägen beschädigt.

Pablo sieht überraschend viele verlassene Häuser. Bei einigen

stehen nur noch die Mauern, andere sehen unversehrt aus, als
wären die Bewohner in die Ferien gefahren.

»Die kommen nicht zurück«, sagt Jimena. »Die sind bedroht
worden, von dem einen oder dem anderen Kartell, am ehesten
aber von der Armee.«

»Warum sollte die Armee ihnen drohen?«, fragt Ana.

»Damit sie ihnen die Häuser wegnehmen kann«, sagt Jimena.
»Und ihr Land.«

Sie sieht Pablos zweifelnde Miene.

»Kommt mit«, sagt sie.

Sie zwängen sich in Marisols Auto, und Marisol fährt aus dem
Ort heraus, über einen Sandweg zwischen Weizenfeldern am
Rande des Río Bravo. In einer Senke steht ein bescheidenes
Bauernhaus unter Akazien – ein Lehmbau aus dem 19. Jahr-
hundert mit rotem Ziegeldach.

Marisol hält vor dem Haus. »Wartet hier.«

Sie warten beim Auto, während sie anklopft. Ein paar Minuten später kommt sie mit einer jungen Frau zurück, die ein
kleines Mädchen an der Hand hält.

Pablo sieht Brandnarben am rechten Arm des Mädchens.

»Das ist Daniela Ortega und ihre Tochter Paola«, sagt Marisol.
Daniela schüttelt ihnen die Hand, Paola versteckt sich hinter
der Mutter und lugt hinter ihrem Rücken hervor.

»Das sind Reporter aus der Stadt«, erklärt Marisol. »Erzählst
du ihnen deine Geschichte? Dein Name wird nicht erwähnt.«

»Wir ändern alle Namen«, sagt Ana.

Daniela erzählt ihre Geschichte.

Eines Tages kamen Soldaten in einem Lastwagen mit verdeck-
ten Nummernschildern und wollten ihren Mann sprechen.
Als Alfredo vom Feld kam, verlangten sie fünfzigtausend
Dollar von ihm.

»Wir haben keine Dollars«, sagte Alfredo.

»Wie viel Hektar Land hast du?«, fragte ein Soldat. Aus seinem Auftreten schloss Daniela, dass er der Kommandeur war.

»Achtundzwanzig«, sagte Alfredo.

Der Kommandeur überlegte und sagte: »Fünfzigtausend Dollar, oder du trittst uns dein Land ab.«

»Das ist unser Land«, erwiderte Alfredo. »Seit hundertsechzig Jahren.«

»Nächste Woche kommen wir wieder.«

Was nun? Daniela war im siebenten Monat schwanger, und sie mussten die Saat einbringen, wenn sie nicht alles verlieren wollten. Sie machten es wie die meisten Leute im Tal.

Sie schauten beim Bäcker vorbei.

Jimena hörte sich alles an und fuhr mit ihnen nach Práxedis, wo sie den befehlshabenden Offizier zu sprechen verlangte. Sie bekamen zur Antwort, er sei zu beschäftigt, aber sie warteten den ganzen Tag, bis er herauskam, dann erzählten ihm die Ortegas ihre Geschichte.

»Können Sie die Leute identifizieren?«, fragte Coronel Alvarado.

»Nein.«

»Die Nummer des Fahrzeugs?«

»Die Nummern waren alle verdeckt.«

Alvarado zuckte die Schultern. »Dann kann ich Ihnen nicht helfen. Das waren bestimmt keine Soldaten, sondern Narcos. Sie sagen, Sie wohnen an der Grenze?«

»Ja.«

»Na, sehen Sie. Die Narcos wollen Ihr Land haben – zum Schmuggeln.«

»Können Sie die Familie nicht vor Überfällen schützen?«, fragte Jimena.

Das sei unmöglich, sagte Alvarado. Er habe nicht die Leute, um jedes Stück Land zu schützen.

Die Ortegas fuhren nach Hause. In der nächsten Woche kamen die Soldaten zurück, und Alfredo sagte, er werde nichts bezahlen und auch sein Land nicht hergeben. »Schade«, sagte der Anführer.

Am Tag darauf war Daniela in der Küche, als sie ein Geräusch hörte. Sie rannte hinaus und sah die Scheune brennen. Ein Humvee raste davon, dann kam Paola aus der Scheune, und der Ärmel ihrer Bluse stand in Flammen. Daniela warf sie zu Boden und erstickte das Feuer.

Alfredo kam vom Feld gerannt, sie packten Paola ein und fuhren mit ihr, so schnell es ging, nach Guadelupe.

»Ich habe sie behandelt«, sagt Marisol. »Aber viel konnte ich nicht tun. Wir haben sie ins Allgemeine Krankenhaus nach Juárez gebracht, doch die Narbenbildung ließ sich nicht mehr verhindern. Vielleicht können wir irgendwann eine Hauttransplantation machen, aber ...«

Nach dem Brand kamen die Soldaten zurück.

»Wir hörten, ihr hattet einen Unfall«, sagte der Anführer.

»Das war kein Unfall«, sagte Daniela.

»Bösen Leuten passieren böse Sachen«, erwiderte er. »Ihr seid Narcos. Ihr arbeitet für die Escejadas.«

»Das ist eine Lüge.«

Der Anführer schlug sie.

Alfredo wollte ihr zu Hilfe eilen, aber die anderen Soldaten packten ihn, schlugen ihn mit Gewehrkolben und hielten ihn fest, während der Anführer Daniela zu Boden warf, ihr wieder und wieder in den Bauch trat und rief: »Weg mit der Escejada-Brut!«

Daniela kann nicht weiterreden.

»Sie hat ihr Baby verloren«, sagt Marisol. »Als ich zu ihr hinauskam ...«

»Was werden Sie jetzt tun?«, fragt Ana leise.

Daniela zeigt mit dem Kopf nordwärts über den Fluss, wo Pablo den Verlauf des Freeway 10 sieht. »Wir gehen. Ich habe einen Cousin in El Paso, der Alfredo Arbeit besorgen kann.«

Hundertsechzig Jahre Tradition, denkt Pablo. Hundertsechzig Jahre Plackerei, und alles ist zum Teufel.

Die Banditenregel: Wir nehmen dir alles, weil wir es können.

Marisol formuliert es präziser: »Man kann sich dem Eindruck

nicht verschließen, dass die Leute, die uns schützen sollen, in Wirklichkeit gekommen sind, um uns zu vertreiben.«

»Wir könnten euch mindestens noch sechs weitere Fälle nennen«, sagt Jimena. »Sie wollen uns hier weghaben.«

»Und?«, fragt Ana. »Was werdet ihr tun?«

»Wir bleiben«, sagt Jimena.

Marisol nickt.

Sie fahren nach Práxedis.

Jimena begleitet sie, Marisol muss in Guadelupe bleiben, weil sie Sprechstunde hat. Es ist ein schöner Tag, der Himmel zeigt ein fast unwirkliches Blau, bestückt mit reinweißen Bilderbuchwolken.

Trotzdem wird ihnen beklommen zumute, während sie immer tiefer in die Wüste hineinfahren, ins Banditenland. Sie passieren einen weiteren Kontrollpunkt (der wieder zehn Dollar kostet, diesmal ohne Bedrohung durch Gewehre), bevor sie in die kleine Stadt einfahren.

Die Straßen sehen hier ähnlich aus – kaum Bewohner, dafür Soldaten, zerschossene Häuser, manche verlassen. Pablo bemerkt, dass die kleine *tienda* mit Brettern vernagelt ist.

»Die Narcos haben dort jemanden niedergeschossen«, erklärt ihm Jimena. »Der Eigentümer bekam Angst und hat seinen Laden geschlossen.«

»Wo kaufen die Leute jetzt ein?«, fragt Ana.

»In Guadelupe, glaube ich.«

Der Armeestützpunkt hat sich in einem ehemaligen Gymnasium etabliert. Jetzt ist das Gebäude von Stacheldrahtrollen und Sandsäcken umgeben, die Zufahrt endet an einem Blechtor mit Wachhäuschen.

»Fahr nicht zu nahe heran«, warnt Jimena.

Sie parken eine Ecke entfernt und gehen zu Fuß zur Wache.

»Ich möchte Coronel Alvarado sprechen«, sagt Jimena.

Der Posten kennt sie schon. Sie kommt fast jeden Tag mit dem gleichen Anliegen. »Der Coronel hat zu tun.«

»Wir warten«, sagt Jimena. »Richten Sie ihm aus, dass ich mit drei Reportern aus Juárez hier bin. Nein, *m'ijo*, im Ernst. Er wird Ihnen böse sein, wenn Sie ihm nicht Bescheid sagen.«

Der Posten geht telefonieren.

Nach ein paar Minuten kommt ein Gefreiter heraus und führt sie hinein, in ein provisorisches Büro mit Schreibtisch und ein paar Klappstühlen. Alvarado legt seine Zigarette im Aschenbecher ab, blickt von seinen Papieren auf und lädt sie mit einer Handbewegung zum Sitzen ein. »Señora Abarca, was kann ich heute für Sie tun?«

Ein lackierter Typ, denkt Pablo. Gutsitzende Uniform, glatt zurückgekämmtes sandfarbenes Haar, blassblaue Augen, die durch einen hindurchschauen: die Sorte Mensch, die er seit jeher verabscheut und – okay – fürchtet.

»Sie haben immer noch acht junge Männer aus meiner Stadt in Gewahrsam«, sagt Jimena und fängt an, die Namen aufzuzählen – Velázquez, Ahumada, Blanco …

»Ich habe Ihnen schon wiederholt erklärt, dass dies eine Armeeangelegenheit ist und Sie keinerlei Befugnis –«

Ana zeigt ihren Presseausweis und fragt: »Wird diesen Männern irgendetwas vorgeworfen, und wenn, was?«

Alvarado richtet den Blick auf Giorgios Kameras und sagt: »Keine Fotos.«

»Keine Fotos«, sagt Ana zu Giorgio und wiederholt: »Wird diesen Männern irgendetwas vorgeworfen, und wenn, was?«

»Diese Männer werden noch vernommen«, sagt Alvarado.

»Vernommen oder verhört?«, fragt Pablo.

»Wer sind Sie?«

»Pablo Mora. Von derselben Zeitung.«

»Müssen Sie zu dritt hierherkommen?«

»So fühlen wir uns sicherer«, sagt Pablo. »Wir haben Berichte, dass in dieser Einrichtung gefoltert wird.«

»Diese Berichte sind unwahr«, sagt Alvarado. »Das sind Propagandalügen, die von den Drogenkriminellen ausgestreut werden, und manche Journalisten sind so dumm, sie zu wiederholen.«

»Dann haben Sie sicher nichts dagegen, wenn wir mit diesen jungen Männern reden«, sagt Ana.

»Sagte ich ›dumm‹?«, fragt Alvarado. »Ich hätte ergänzen sollen: ›korrupt‹.«

»Was wollen Sie damit sagen?«

»Dass einige Journalisten auf den Gehaltslisten der Kartelle stehen«, sagt Alvarado.

Pablo spürt, wie ihm das Blut zu Kopf steigt, und er hofft, man sieht es ihm nicht an.

»Wir haben Ärzte in Guadelupe –«, beginnt Jimena.

»Dr. Cisneros?«, fragt Alvarado.

»Ja. Dr. Cisneros hat wiederholt darum gebeten, diese Männer zu untersuchen – und keine Antwort bekommen.«

»Wir haben sehr gut ausgebildetes medizinisches Personal«, sagt Alvarado.

»Sie ist die Ärztin dieser jungen Männer.«

»Dr. Cisneros ist eine Frau?«, fragt Alvarado.

»Sie haben sie schon mindestens zehnmal getroffen«, sagt Jimena.

»Dürfen wir die Gefangenen sehen? Ja oder nein?«, sagt Pablo.

»Nein.«

»Warum nicht?«

»Die laufenden Ermittlungen könnten beeinflusst werden – durch deren Äußerungen oder durch Ihre Berichte.«

»Ist nicht die Polizei für solche Ermittlungen zuständig?«, fragt Ana.

»Jetzt sind andere Zeiten.«

»Gibt es Befürchtungen, dass auch die örtliche Polizei von den Narcos bezahlt wird?«, fragt Pablo. »Und wenn, von welchem Kartell?«

Alvarado antwortet nicht.

»Wäre es möglich, die Gefangenen zu sehen, auch ohne mit ihnen zu sprechen?«, fragt Ana.

»Dann hätten Sie ja nichts zu berichten«, meint Alvarado.

»Doch. Ob sie gefoltert werden oder nicht«, sagt Ana.

»Aber Sie haben mein Wort«, sagt Alvarado. »Reicht Ihnen das nicht?«

»Nein«, sagt sie.

Alvarado starrt sie hasserfüllt an – mit dem Blick, den Machos für aufmüpfige Frauen reservieren.

Pablo rafft seinen Mut zusammen und bombardiert den Offizier mit Fragen: Haben Sie vor, diese Männer unter Anklage zu stellen? Wenn, mit welcher Begründung? Wann? Und wenn nicht, wann werden sie freigelassen? Warum bekommen wir sie nicht zu sehen? Liegen Beweise gegen sie vor? Und wenn, welche? Warum bekommen sie keine Anwälte? Wo waren Sie vorher eingesetzt?

Alvarado stoppt ihn mit erhobener Hand. »Ich habe nicht die Absicht, mich einem Verhör zu unterziehen.«

»Ist das Folter für Sie?«, fragt Pablo.

»Ihrer Zeitung habe ich nichts mitzuteilen.«

»Dann können wir also drucken, dass Sie die Auskunft verweigern«, sagt Ana.

»Drucken Sie, was Sie wollen.« Alvarado steht auf. »Wenn Sie mich jetzt entschuldigen wollen? Ich habe zu arbeiten.«

»Ich habe mich ans Rote Kreuz und an Amnesty International gewandt«, sagt Jimena.

»Dies ist ein freies Land.«

»Wirklich?«, fragt sie.

»Ja. Außer Sie begehen Straftaten«, sagt Alvarado. »Sie sind doch keine Straftäterin, Señora Abarca?«

Eine deutliche Drohung.

Er füllt einen Passierschein aus und überreicht ihn Ana. »Damit kommen Sie ohne Schwierigkeiten nach Juárez zurück. Und ich rate Ihnen, dort zu bleiben. Die Straßen sind momentan sehr gefährlich.«

»Wirklich?«, fragt Ana. »Es gibt doch überall Kontrollposten!«

»Sehr mutig, die beiden Frauen«, sagt Ana auf der Rückfahrt nach Juárez.

»Ja, wirklich«, bestätigt Pablo.

»Und du bist scharf auf die Frau Doktor«, sagt sie.

»Wer wäre das nicht?«, fragt Giorgio von hinten.

»Ich«, sagt Ana.

»Nur weil du anders gepolt bist«, sagt Giorgio. »Oder bist du etwa bi?«

»Klar doch. Deine pubertären Fantasien will ich dir nicht nehmen.«

»Die brauche ich auch – zur Ablenkung«, sagt Giorgio.

»Ablenkung wovon?«

»Von alldem«, sagt er. »Mord, Korruption, Unterdrückung – immer das gleiche Lied. Und von der Tatsache, dass wir nach wer weiß wie vielen Revolutionen immer wieder in derselben Scheiße landen. Aber schau mal, was ich habe.«

Er beugt sich vor und zeigt ihr ein Foto auf dem Display.

Eine hübsche Nahaufnahme von Alvarado.

»Wie hast du das gemacht?«, fragt Pablo.

»Während du ihn mit Fragen bombardiert hast, habe ich Bilder geschossen.«

»Ob Oscar das drucken wird?«

»Wie denn?«, fragt Ana. »Wir haben doch nichts zu bieten. ›Offizier verneint Folterung von Gefangenen‹? Das ist das Gegenteil einer Story. ›Offizier gibt Folterung zu‹ – das wäre eine Meldung wert.«

»Da steckt eine größere Story drin«, sagt Pablo. »Wenn wir den beiden Frauen glauben können, hat sich die Armee mit dem Sinaloa-Kartell verbündet, um das Juárez-Kartell zu bekämpfen, aber nicht nur das. Auch um die normale Bevölkerung aus dem Juárez-Tal zu vertreiben. Wenn das wahr ist, wird das Tal vom Sinaloa-Kartell nicht nur beherrscht, sondern kolonisiert.«

Wenn das wahr ist, sind Sinaloa-Kartell und Armee nur zwei Namen für ein und dasselbe Monstrum.

Am Abend kommt Ana aus ihrer Küche, setzt sich zu Pablo auf die Treppe und zündet eine Zigarette an.

»Du hast ja wieder mit Rauchen angefangen«, sagt Pablo.

»Ja. Als ich wieder anfing, in die Leichenhäuser zu gehen.«

Pablo versteht. Ganz wird man den Geruch in der Nase nicht los. Aber die Zigaretten helfen.

»Was hältst du von der Sache heute?«, fragt Pablo.

»Das wird eine starke Story.«

»Und? Wird Oscar die drucken?«

»Wir brauchen mehr als nur Spekulationen«, sagt sie. »Die Ortega-Geschichte wird er nehmen, wenn wir die Personen- und Ortsnamen ändern. Und es ist zumindest eine Meldung wert, dass die Armee in Práxedis widerrechtlich Leute gefangen hält.«

Sie sitzen und genießen die milde Nachtluft. Aus einem Nachbarhaus wehen Norteño-Melodien herüber. Dann bricht Ana plötzlich das Schweigen: »Pablo, ich muss dir was sagen.«

»Nur zu.«

»Es ist mir sehr peinlich. Mit Giorgio oder Oscar kann ich nicht darüber sprechen.«

»*Dios mío*, bist du schwanger?«

»Quatsch!«, schnaubt sie. »Nein, es ist nur … als du weg warst … kam vor der Redaktion ein Mann auf mich zu und gab mir einen Umschlag.«

Pablo spürt, wie sich sein Magen zusammenzieht. »Einen Umschlag?«

»*Un sobre*«, sagte er. Ein Kuvert.

»Mit Geld?«, fragt Pablo und muss würgen. »Wie hast du reagiert?«

»Na ja, ich wusste nicht, wer der Kerl war. Einer von der Polizei? Der Laufjunge irgendeines Politikers, ein Narco?«

»Also, was hast du gemacht?«

»Na, was schon. Ich habe den Umschlag weggeschoben und gesagt, ich sei nicht interessiert.«

Pablo will, muss ihr sagen, dass ihm das Gleiche passiert ist, aber die Scham hält ihn zurück. Ana war schon immer die Bessere, denkt er. Jeden Montag erscheint wie versprochen (oder wie angedroht?) der Mann vor der Redaktion und überreicht ihm den *sobre*. Pablo weiß nicht, was er mit dem Geld anfangen soll, also steckt er es in einen immer dicker werdenden Umschlag in seinem Rucksack.

Man könnte das Geld der Wohlfahrt spenden, hat er sich gesagt, den Armen geben, den Obdachlosen (Scheiße, denkt er, der Obdachlose bin ich!). Oder der Kirche, wenn einem nichts Besseres einfällt.

Und warum tust du's nicht?

Weil du es gebrauchen könntest, ist die Antwort. Reisekosten, Anwaltskosten, Prozesskosten.

Bisher hat er es nicht angerührt, aber es wartet auf ihn, ein wachsender Geldberg.

Und das Merkwürdige ist, dass sie nichts von ihm fordern. Er soll keinen Artikel schreiben, niemanden ermorden, niemanden verraten – nichts. Sie kommen einfach jeden Montag, genauso zuverlässig wie der montägliche Kater, und geben ihm das Kuvert.

Er weiß immer noch nicht, wer sie sind. Juárez-Kartell? Sinaloa-Kartell? Oder andere?

Er hat sogar daran gedacht, sich Herrera anzuvertrauen, aber er fürchtet seine Reaktion. Wird er ihn dafür verachten oder gar rauswerfen? Pablo kann sich nicht leisten, seinen Job zu riskieren.

Also hält er den Mund.

Und der Stapel wächst.

Der Verrat beginnt mit Lügen, die im Schatten des Schweigens gedeihen.

»Schläfst du heute auf meinem Sofa?«, fragt Ana.

»Wenn es dir recht ist?«

»Giorgio fährt wahrscheinlich nach Guadelupe, um die Ärztin anzubaggern.«

»Er ist nicht ihr Typ.«

»So?« Ana amüsiert sich (und ärgert sich ein bisschen) über Pablos Gewissheit und denkt: Tut mir leid für dich, lieber Pablo, aber Giorgio ist der Typ so ziemlich aller Frauen. Sie steht auf und trinkt ihr Bier aus. Zerdrückt die Zigarette auf der Stufe und geht hinein. »Bis morgen früh dann.«

Pablo bleibt noch eine Weile sitzen, genießt die Stille. Dann wirft er sich auf die Couch und träumt ein wenig von Marisol, Entschuldigung, Doktor Marisol Cisneros. Wie deprimierend, denkt er – selbst meine Fantasien sagen mir, dass ich nicht in ihrer Liga spiele.

Am Morgen fährt er mit Ana in die Redaktion. Der Uhu hört aufmerksam zu, als sie ihre Story skizzieren. Sie sollen gemeinsam einen beschreibenden Artikel über das Tal schreiben, empfiehlt er ihnen – über die Atmosphäre dort, die Armeepatrouillen, die Kontrollpunkte, die zerschossenen Häuser.

»Und einen separaten Artikel über die Familie Ortega«, sagt er. »Den halten wir zurück, bis feststeht, dass sie außer Landes sind. Jetzt könnt ihr nicht schreiben, dass es die Armee war. Nur dass die *Vermutung* besteht.«

»Ist das dein Ernst, Oscar?«

»Habt ihr Beweise, dass es Soldaten waren?«

»Sie hat es gesagt.«

»Dann schreibt das«, sagt Herrera. »Ana, du schreibst über die Männer, die in Práxedis festgehalten werden. Zitiere den Coronel mit seiner Auskunftsverweigerung, erkundige dich in den anderen Orten, ob es dort auch Verhaftete gibt.«

»Was machen wir mit der Vermutung von Jimena Abarca und Marisol Cisneros, dass die Armee mit dem Sinaloa-Kartell unter einer Decke steckt?«

»Keine Quellen nennen, keine Namen«, sagt Herrera. »Ihr schreibt nur: Einige Anwohner des Tals äußern die Vermutung, dass die Armee das Sinaloa-Kartell begünstigt, etwas in der Art.«

Alle drei Artikel erscheinen noch in derselben Woche.

Pablos »Hundertsechzig Jahre« steht in der Sonntagsausgabe und wird – mit Giorgios Fotos von dem kleinen Mädchen mit den Brandnarben – von drei amerikanischen Zeitungen übernommen.

In Juárez ist die Hölle los.

Das Juárez-Kartell und die mit ihm verbündeten Zetas haben Plakate aufgehängt – mit der Ankündigung, dass alle achtundvierzig Stunden ein Polizist sterben wird, so lange, bis der neue Polizeichef, ein ehemaliger Armeeoffizier, zurücktritt.

Nach den ersten zwei Morden ist der Polizeichef zurückgetreten. Die Zetas haben darauf dem Bürgermeister eine Botschaft übermittelt: »Wenn wieder so ein Arschloch, das für Barrera arbeitet, Polizeichef wird, sterben Sie als Nächster.« Überall in der Stadt hängen Ankündigungen mit der Drohung, den Bürgermeister und seine Familie zu enthaupten. Er bringt Frau und Kinder nach El Paso, bleibt aber, entgegen anderslautenden Gerüchten, in der Stadt und lässt sich rund um die Uhr bewachen.

Die Regierung schickt weitere fünftausend Soldaten nach Juárez.

Der neue Polizeichef ist ebenfalls ein ehemaliger Armeegeneral, der Bürgermeister hat die gesamte städtische Polizei entmachtet und angekündigt, dass die Armee alle Polizeiaufgaben übernehmen wird.

Faktisch steht Juárez unter Kriegsrecht.

Der Sommer sengt den Frühling weg.

Aus der Bruthitze wird sengende Hitze.

Und die Gewalt in und um Juárez geht weiter.

Am Tag des Sommeranfangs werden achtzehn Menschen in der Stadt ermordet. Pablo, Ana und Giorgio zischen durch die Stadt wie Tropfen in der heißen Pfanne. In der bettelarmen Colonia Anapra, direkt an der Grenze, wird ein Leichnam ohne Kopf und Gliedmaßen gefunden, ein enthaupteter Torso im blutigen T-Shirt.

Pablo ist froh, dass er und nicht Ana zum Fundort gerufen wurde.

Bis zum Wochenende sterben drei weitere Menschen, während die Zeitungen berichten, dass die Mérida-Initiative mit ihrem 1,6-Milliarden-Programm in Kraft getreten ist.

Im Juli wird der für Entführungen zuständige Polizeioffizier selbst entführt, und der Leiter der städtischen Gefängnisverwaltung wird in seinem Auto niedergeschossen, zusammen mit seinem Leibwächter und drei anderen Personen.

Im August denkt Pablo, er hat alles gesehen, als er zu einer *colonia* im Südwesten der Stadt gerufen wird, zu einer Reha-Klinik für Suchtkranke. Es ist halb acht Uhr abends und noch so hell, dass er das Blut auf dem Gehweg vor dem kleinen, frisch geweißten Gebäude sieht. Das Gittertor zur Vorderveranda steht offen. Polizisten überall.

Pablo zählt zehn Tote auf der Veranda, und inzwischen ist er erfahren genug, um zu wissen, dass diese Männer – Patienten der Klinik – herausgezerrt, an die Wand gestellt und mit Schüssen in den Hinterkopf getötet wurden.

Er blickt auf. Ein Toter mit Einschusslöchern im Rücken umklammert die Sprossen der Feuerleiter.

Die aufgeregten Nachbarn erzählen ihm, was passiert ist. Ein Armeelaster hat an der Ecke gehalten. Dann kam ein anderes Fahrzeug, die einen sagen, ein Humvee, die anderen, ein Suburban, und kurz darauf fielen die Schüsse.

Die Anwohner schrien um Hilfe, riefen Rettungswagen, rannten zum Armeelaster und redeten auf die Besatzung ein. Der Lkw rührte sich nicht vom Fleck, die Soldaten halfen nicht, die Sanitäter kamen nicht. Die überlebenden Patienten und die Nachbarn begannen damit, die dreiundzwanzig Verwundeten in Schüben zum Krankenhaus zu fahren, als endlich ein Rotkreuzfahrzeug kam und die übrigen Verletzten mitnahm.

Pablo schaut sich die Patronenhülsen an, bevor sie beseitigt werden. Als Beweismittel dienen sie sowieso nicht, weil es, wie er inzwischen weiß, keine Verhaftungen und auch keine Ermittlungen geben wird.

Wie auch andere Reporter in der Stadt wird Pablo langsam zum Forensik-Experten. Die Hülsen sind vom Kaliber 9 mm und 7,62 mm, 40er und 5,56 mm. Die 7,62er können von Kalaschnikows stammen, der Standardwaffe der Narcos, oder von Armeegewehren. Die 5,56er passen zu verschiedenen Natowaffen, die von der mexikanischen Armee verwendet werden, die 9er und 40er zu Pistolen – Glock oder Smith & Wesson.

Pablo sieht einen Cop, den er schon kennt – von einem der letzten Mordfälle. »Gibt es Verdächtige?«

»Was glauben Sie denn?«

»In fünfzig Metern Entfernung stand ein Lkw mit Soldaten«, sagt Pablo. »Die haben nichts unternommen.«

»Wirklich nicht?«

Stimmt, denkt Pablo. Sie haben die Straße blockiert, den Überfall vielleicht sogar abgesichert, die Polizei und die Rettungswagen ferngehalten.

»Warum bringt denn jemand Reha-Patienten um?«, fragt Pablo.

»Weil die Kartelle hier ihre Sicarios verstecken«, sagt der Cop.

»Oder weil sie Angst haben, dass ein Ex-Gangster auf Entzug zu viel ausplaudert. Wenn Sie keine Hinweise haben, dann entfernen Sie sich bitte. Ich muss Beweise sammeln, die sowieso nicht verwendet werden.«

»Den Hülsen nach könnte es sich um Militärwaffen handeln.«

»Gehen Sie ein Bier trinken, okay?«

Pablo trollt sich und fährt zu Jaime, ein Bier trinken. Beim neunten Bier bekommt er einen Anruf von Ana.

Die Armee hat den ältesten Sohn von Jimena abgeholt.

Die Torwache will sie nicht zu Coronel Alvarado vorlassen. Als sie versichern, dass der Ü-Wagen bald eintrifft und sie nicht gehen werden, ohne mit Alvarado gesprochen zu haben, kommt Alvarado schließlich zum Tor.

Zuerst leugnet er jede Kenntnis von Miguel Abarca.

»Wir haben mindestens zehn Zeugen, die gesehen haben, wie er auf einen Armeelaster geworfen wurde«, sagt Jimena.

»Leider«, sagt Alvarado, »benutzen die Narcos manchmal gestohlene Uniformen und Armeefahrzeuge.«

»Passen Sie so schlecht auf Ihre Ausrüstung auf, dass sie von den Leuten gestohlen wird, die Sie bekämpfen sollen?«, sagt Ana. »Haben Sie eine Liste der gestohlenen Fahrzeuge?«

Alvarado will weder leugnen noch bestätigen, dass seine Leute Miguel Abarca verhaftet haben.

»Aber Sie können es überprüfen«, sagt Pablo. »Auf Ihre Gefangenen passen Sie vermutlich besser auf als auf Ihre Fahrzeuge.«

Mit einem wütenden Blick auf Pablo schickt Alvarado einen Leutnant los, das Tagesprotokoll einzusehen. Der Mann kommt mit der Nachricht zurück, dass sie tatsächlich einen »Abarca, Miguel, dreiundzwanzig Jahre« in Gewahrsam haben.

»Aufgrund welcher Vorwürfe?«, fragt Jimena.

»Er steht unter Verdacht«, sagt Alvarado.

»Mein Sohn zu sein?«, fragt Jimena.

»Mit Drogenhändlern zu kooperieren.«

»Das ist lächerlich«, sagt Jimena. »Mein Sohn ist Bäcker.«

»Osiel Contreras war Autohändler«, sagt Alvarado. »Adán Barrera war Buchhalter.«

»Ich will zu meinem Sohn«, sagt Jimena.

»Das ist nicht möglich.«

»Als Mitglied der Stadtverwaltung von Guadelupe«, sagt Marisol, »fordere ich Zugang zu Miguel Abarca.«

»Sie haben hier keine Befehlsgewalt.«

»Dann als seine Ärztin.«

»Wenn seine Mutter nicht so eifrig demonstrieren und besser auf ihren Sohn aufpassen würde, wäre er jetzt vielleicht nicht hier.«

»Ach, darum geht es?«, sagt Jimena.

»Ist es nicht so?«, sagt Alvarado. »Sie suchen doch die Öffentlichkeit! Ich habe selbst gesehen, dass Sie die Presse herholen.«

»Das sind meine Freunde.«

»Genau wie ich sage.«

Pablo sieht sich um und stellt fest, dass die Unruhe vor dem Tor Zuschauer anlockt. Die Sache spricht sich herum, es kommen immer mehr Leute aus den umliegenden Straßen. Die Bewohner von Práxedis kennen die Abarcas, und Marisol Cisneros ist ihre Ärztin.

Einer fängt an, die Soldaten zu beschimpfen.

Dann fliegt ein Stein.

Eine Flasche kracht gegen den Zaun.

»Hört auf damit!«, schreit Jimena.

»Sehen Sie?«, sagt Alvarado. »Sie schüren Unruhe!«

Die Soldaten werden nervös. Pablo sieht, wie sie zu den Gewehren greifen, Bajonette werden aufgepflanzt.

»Hört auf, mit Gegenständen zu werfen!«, schreit Marisol.

Die Würfe hören auf, doch ein Anwohner beginnt zu rufen: »Miguel! Miguel! Miguel!«, und andere stimmen ein: »Miguel! Miguel! Miguel! Miguel!«

»Diese Leute tun Ihrem Sohn keinen Gefallen«, sagt Alvarado.

Aber der Sprechchor geht weiter, immer mehr Leute kommen. Die Handys haben Hochbetrieb, die Leute telefonieren, fotografieren, filmen. Bald ist das ganze Tal alarmiert – Práxedis, Guadelupe, El Porvenir.

»Ich lasse die Straße räumen«, sagt Alvarado zu Jimena, »und mache Sie persönlich für die Unruhe verantwortlich.«

»Wir machen *Sie* für die Unruhe verantwortlich!«, erwidert ihm Marisol.

Als Giorgio Fotos von der Menschenansammlung macht, brüllt Alvarado Ana an: »Sagen Sie ihm, er soll damit aufhören!«

»Ich kann ihm nicht vorschreiben, was er zu tun hat«, sagt Ana.

»Lassen Sie meinen Sohn frei!«, ruft Jimena.

»Ich reagiere nicht auf Drohungen.«

»Ich auch nicht.«

Mit ausgebreiteten Armen drängen Jimena und Marisol die Menge auf ungefähr zwanzig Meter Abstand zurück, aber während die Schatten des Sommerabends länger werden, wächst die Menge auf über zweihundert Leute.

Zwei TV-Übertragungswagen treffen ein.

»Sie sind heute Abend Thema in den Nachrichten von Juárez«, sagt Marisol zu Alvarado. »Morgen früh auch in El Paso. Warum lassen Sie ihn nicht laufen? Ich kenne Miguel. Er ist nicht mal politisch aktiv.«

»Wenn Señora Abarca geruht, sich um ihre eigenen Angelegenheiten zu kümmern«, sagt Alvarado, »lässt sich vielleicht darüber reden.«

»Dann ist Miguel also Ihre Geisel!«

»Das haben *Sie* gesagt, nicht ich.«

»Ich wende mich an den Gouverneur«, sagt Marisol. »Auch an den Präsidenten, wenn es sein muss. Ich habe meine Verbindungen.«

»Allerdings, Dr. Cisneros. Das ist hier nicht Ihre gesellschaftliche Ebene.«

»Heißt das, ich bin kein Indio?«

»Das sind wieder Ihre Worte«, sagt Alvarado. »Ich stelle nur fest, dass Sie eher in einen Salon von Mexico City gehören als auf eine staubige Straße.«

»Meine Familie lebt hier schon seit Generationen.«

»Ja, als *patrones*. Auch Sie sollten sich entsprechend verhalten.«

»Oh, das tue ich, Coronel!«

Am Straßenrand, ein Stück abseits, sinkt Jimena in Anas Arme. »Sie tun ihm was an. Sie bringen ihn um. Ich weiß es!«

»Nein«, sagt Ana. »Jetzt sind zu viele Augen auf sie gerichtet.«

Pablo bringt seinen Laptop zu einem kleinen Tabakladen,

zahlt für den Internetzugang und mailt seinen Bericht. Eine Minute später ruft ihn Herrera an. *»Wie geht's euch? Seid ihr in Sicherheit?«*

»Kein Problem.«

»Wie hält sich Jimena?«

»Den Umständen entsprechend.«

»Sag Giorgio, ich brauche die Fotos.«

»Mache ich.«

»Glaubst du, sie lassen ihn frei?«

»Nein, glaube ich nicht«, sagt Pablo. »Der Gesichtsverlust für diesen Alvarado wäre zu groß.«

Der Menschenauflauf wird zur Belagerung.

Als es dunkel wird, gehen Kerzen an, die Nachtwache beginnt.

Marisol ruft den Gouverneur an und erhält den Bescheid, er werde sich »ganz bestimmt« kümmern. Dann ringt sie sich dazu durch, ihren Ex-Mann anzurufen. Der ruft einen Freund an, der einen Freund anruft, der mit jemandem in Los Pinos spricht, der ankündigt, sich »ganz bestimmt« zu kümmern.

Miguel wird nicht freigelassen. Weder in der Nacht noch am nächsten Morgen.

Die Menge zerstreut sich, aber jemand hat geregelt, dass immer ein paar Leute vor dem Tor warten, mit bemalten Schildern, die Miguels Freilassung fordern.

Und Jimena Abarca geht in den Hungerstreik.

Der Hungerstreik von Jimena Abarca schafft es nicht in die Weltnachrichten.

Nicht mal in die überregionale Presse.

Herrera allerdings … Herrera bringt jeden Tag eine Schlagzeile auf der Titelseite und erklärt seiner Redaktion: »Wenn wir über diese Dinge nicht berichten, ist die Zeitung ihr Papier nicht wert.«

Drei Tage hintereinander beherrscht Jimenas Hungerstreik die Titelseite, ergänzt durch Anas und Pablos Berichte über die Zustände im Tal von Juárez, über die Verletzung der Menschenrechte, über die Armeewillkür.

Pablo ist in der Redaktion, als die ersten Anrufe kommen. Anfangs rufen noch die Offiziellen an. Der Kommandierende General beschwert sich bei Herrera, dass er einseitig berichte.

»Wir berichten nicht einseitig«, antwortet Herrera nicht sehr originell. »Wir berichten, was zu berichten ist.«

»Sie berichten nicht ausgewogen«, sagt der General.

»Das tun wir gern. Was wollen Sie von Ihrer Seite beitragen? Sie können es mir am Telefon mitteilen, oder ich schicke unsere Reporterin zu Ihnen.«

»Wir geben gegenwärtig keine Interviews.«

»Wenn das der Beitrag von Ihrer Seite ist, drucken wir das so«, sagt Herrera.

Ein Pressereferent des Gouverneurs ruft an, um sich ebenfalls zu beschweren und darauf hinzuweisen, dass die anderen Zeitungen solche Meldungen nicht auf ihren Titelseiten bringen.

»Ich bin nicht der Redakteur der anderen Zeitungen«, antwortet Herrera. »Ich bin nur Redakteur unserer Zeitung, und das schon seit längerem. Meiner Erfahrung nach gehören solche Meldungen auf die Titelseite.«

Er legt auf, klopft ein paarmal mit dem Spazierstock gegen den Schreibtisch und sagt: »Als Nächster ruft der Verleger an. Aber erst nach der Mittagspause, wenn er denkt, dass ich satt bin und ein Gläschen Wein intus habe.«

Der Anruf kommt fünf Minuten nach zwei, zehn Minuten nachdem Herrera in die Redaktion zurückgekehrt ist. Er hört sich die Vorwürfe an, äußert Verständnis für die wütenden Anrufe, die der Verleger aus dem Verteidigungsministerium, dem Büro des Gouverneurs und sogar aus Los Pinos bekommt, und sagt mit sanfter Stimme, er werde nichts an seiner bisherigen Verfahrensweise ändern, aber in der morgigen Ausgabe zusätzlich einen bissigen Leitartikel bringen.

Er stellt das Telefon laut, damit Pablo und Ana mithören können.

»*Berichte sind die eine Sache*«, sagt der Verleger. »*Leitartikel eine ganz andere.*«

»Meine ganze Berufsauffassung beruht auf diesem Prinzip«, sagt Herrera und lächelt Pablo an. »Ich freue mich, dass wir uns einig sind.«

»*Sie stellen sich also mit Ihrer Zeitung auf den Standpunkt, dass es in Práxides zu Ausschreitungen der Armee kommt.*«

»Nicht nur in Práxides. Im ganzen Tal von Juárez.«

»*Ich weiß nicht, ob das der Vorstand unterstützen kann.*«

»Dann sollte mich der Vorstand am besten gleich entlassen.«

»*Aber Oscar, davon war überhaupt nicht die Rede!*«

»Solange ich Redakteur dieser Zeitung bin, bin *ich* der Redakteur und derjenige, der die Leitartikel schreibt.«

Typisch Herrera, denkt Pablo. Entschieden, zupackend, respekteinflößend. Aber er merkt auch, dass der Uhu gealtert ist. Das boshafte Glitzern in seinen Augen ist ein wenig matt geworden, dafür blinzelt er öfter, und seine Hüfte scheint ihm zu schaffen zu machen. Ebenso natürlich die Vorgänge in Juárez. Wie uns allen, denkt Pablo.

Nach zwei Tagen Hungerstreik und Herreras ätzendem Leitartikel kommen die anderen Anrufe.

Die anonymen.

Die Drohungen.

Hören Sie auf damit, zu Ihrem eigenen Besten.

Glauben Sie nur nicht, dass Ihnen nichts passieren kann.

»Ich weiß sehr gut, dass mir was passieren kann«, erwidert Herrera. »*Dios mío,* ich habe schließlich schon drei Kugeln abbekommen.«

»*Das sollte Ihnen eine Lehre sein.*«

»Leider war ich immer ein schlechter Schüler. Schon meine Lehrer sind an mir verzweifelt.«

»Von wem kommen die Anrufe?«, fragt Pablo voller Schuldgefühle wegen der Kuverts.

»Was weiß ich?«, sagt Herrera. »Von den Narcos? Von der Regierung?«

»Wo ist der Unterschied?«, fragt Ana.

»Ich mache den Unterschied, solange du nicht das Gegenteil beweist«, erwidert er. Er mahnt seine Reporter zur Vorsicht, und er verstärkt die Sicherheitsmaßnahmen im Bereich der Redaktion. Aber er berichtet weiter über Jimena Abarca.

In den ersten drei Tagen, erklärt Marisol, bezieht der Körper seine Energie aus der eingelagerten Glukose. Das ist natürlich qualvoll, wie jeder weiß, der hungern muss, aber nicht tödlich.

Nach drei Tagen beginnt die Leber, die Fettreserven des Körpers aufzubrauchen, ein Vorgang, der Ketose genannt wird und der dauernde Schäden verursachen kann. Geht der Hungerstreik in die dritte Woche, zehrt der Körper an den Muskeln und an lebenswichtigen Organen. Es kommt zum Verlust von Knochenmark.

Das Ganze heißt Hungerstoffwechsel. Marisol erklärt Ana und Pablo das »4-4-40«-Grobmuster: Man überlebt vier Minuten ohne Atmung, vier Tage ohne Wasser, vierzig Tage ohne Nahrung.

Jimena hungert jetzt den siebenten Tag.

Zum Glück ist sie bereit, Wasser zu trinken, aber Vitamine und andere Zusätze lehnt sie ab. Sie besetzt eine Liege im Haus einer Freundin in Práxedis, ganz in der Nähe der Militärbasis, und wird von Tag zu Tag schwächer. Schon immer mager, wirkt sie jetzt beängstigend ausgemergelt.

Die Armee macht keine Anstalten, Miguel freizulassen, droht stattdessen mit der Verhaftung und Zwangsernährung von Jimena, falls nötig.

»Das ist ein schleichender Selbstmord, und wir schauen ihr dabei zu!«, protestiert Ana. Abwechselnd mit anderen Frauen der »Bewegung« leistet sie Jimena Gesellschaft. Draußen sitzen noch weitere Leute, um sicherzustellen, dass die Armee, wenn sie Jimena verhaften will, dies nicht ohne Widerstand und ohne Zeugen tun kann.

»Du bist doch Ärztin«, sagt Ana zu Marisol. »Bist du nicht zum Eingreifen verpflichtet? Sonst wäre es doch Beihilfe zum Selbstmord.«

»Ich kann sie nicht zwangsernähren«, sagt Marisol. »Das wäre Folter.«

»Auch wenn sie sonst verhungert?«, fragt Pablo.

Marisol vermittelt zwischen Alvarado und Jimena und versucht fieberhaft, einen Kompromiss herbeizuführen. Bricht Jimena den Hungerstreik ab, wenn Alvarado ihr erlaubt, Miguel zu sehen? Beide lehnen ab. Kann ihn die Armee nicht an die Provinzpolizei von Chihuahua ausliefern? Jimena geht darauf ein, Alvarado nicht. Und wenn ihn die AFI in Gewahrsam nimmt? Alvarado stimmt zu, Jimena nicht.

Beide verschanzen sich in ihren Positionen.

Jimena verlangt Miguels bedingungslose Freilassung, Alvarado bleibt hart.

Und taktiert.

Am achten Tag bekommt Jimena einen Brief von Miguel mit der Bitte, ihren Streik zu beenden.

»Das ist ein Schwindel«, sagt Jimena.

»Aber es ist doch seine Handschrift, oder?«, wendet Ana ein.

»Er wurde gezwungen.«

»Er will nicht, dass seine Mutter stirbt.«

»Auch sie will das nicht«, sagt Jimena und lässt den Kopf auf das Sofakissen sinken. »Auch sie nicht.«

Später am selben Tag bekommt sie einen Anruf.

»*Mama, mir geht es gut.*«

»Haben sie dir was getan?«

»*Mama, bitte iss wieder!*«

»Haben sie dich zu diesem Anruf gezwungen?«

»*Nein, Mama.*«

Dann wird ihm das Telefon weggenommen. Jimenas jüngerer Sohn Julio beschwört sie: »Mama, bist du jetzt beruhigt? Bitte, hör auf mit dem Hungern!«

»Erst wenn sie ihn freilassen.«

»Miguel sagt, sie haben ihm nichts getan.«

»Was sollte er auch sonst sagen? Wenn ich aufgebe, haben sie gewonnen.«

»Das ist kein Spiel«, meint Ana.

»Nein, das ist Krieg«, erwidert Jimena. »Der Krieg, den es immer gab.«

Pablo versteht. Der Krieg zwischen Arm und Reich, zwischen den Mächtigen und den Ohnmächtigen.

Die einzige Waffe der Schwachen ist es, die Mächtigen zu beschämen. Wenn sie denn der Scham fähig sind.

Die Leute in der »Bewegung« tun ihr Bestes – sie protestieren täglich vor der Armeebasis, vor dem Amtssitz des Gouverneurs, Freunde in Mexico City demonstrieren sogar vor Los Pinos. Die Bewohner des Tals boykottieren die Soldaten, die in den Läden von Práxedis, Guadelupe, El Porvenir oder Ojinaga nicht einmal einen Schokoriegel, ein Bier, eine Briefmarke zu kaufen bekommen.

Pablo hört munkeln, dass manche auch über fragwürdige Methoden nachdenken. Wenn die Armee das Sinaloa-Kartell unterstützt, warum sollen wir dann nicht das Juárez-Kartell unterstützen? Die Gangster der Familia Michoacana haben Armeeeinrichtungen angegriffen, die Zetas haben Gefängnisse überfallen und Häftlinge befreit. Wenn uns die Armee sowieso wie Feinde behandelt, dann soll sie es auch mit Feinden zu tun bekommen. Dann soll sich der passive Widerstand in eine Revolution verwandeln. In Chihuahua hat das Tradition.

Jimena verbittet sich dieses Gerede.

»Wir besiegen sie nicht, indem wir so werden wie sie«, sagt sie.

Andere sind sich da nicht so sicher.

Marisol setzt ihre eigenen Waffen ein – ihr Aussehen und ihren Charme –, um die Medien zu aktivieren. Die Kameras lieben sie, wie die Journalisten sagen, und sie setzt diesen Vorteil gezielt ein, indem sie sich mit ihrem weißen Kittel präsentiert und in drastischen, doch mediengerechten Worten beschreibt, wie der Hungerstreik Jimenas Gesundheit langsam, aber sicher untergräbt.

Sie weiß genau, was sie tut, wenn sie das Schicksal der Abarcas in eine Seifenoper verwandelt – und hofft, dass eine möglichst kurze Telenovela mit glücklichem Ausgang daraus wird.

Marisol wird populär als *La Médica hermosa*, die »schöne Ärztin«, die Leute schalten die Nachrichten ein, um sie zu sehen, und der Fall Jimena Abarca wird in ganz Mexiko zum Thema. Das ist unwürdig und der Sache unangemessen, sagt Marisol zu Pablo und Ana, wenn keiner zuhört. Aber es könnte die einzige Möglichkeit sein, Jimenas Leben zu retten. Nicht zu vergessen Giorgios Fotos.

Es war eine geniale Idee von Giorgio, sagt sich Pablo, Jimena jeden Tag zu fotografieren und die Verschlimmerung ihres Zustands in der Zeitung zu dokumentieren.

Tag für Tag greifen die Leser nach der Zeitung und *sehen,* wie sich diese Frau zu Tode hungert. Und es sind schöne Fotos – sorgfältig und kunstvoll komponiert, jedes eine *pietà,* das Bildnis einer Mutter, die um ihren Sohn trauert.

Der Absatz der Zeitung steigt.

Die Bilder werden zum Tagesgespräch – *Hast du Jimena heute schon gesehen?* Die Zeitungsjungen rufen: *Habt ihr Jimena heute schon gesehen?*

Ein anonymer Spender finanziert eine Plakatwand an der Ausfahrt der Brücke Paso del Norte, so dass die Leute, die aus El Paso kommen, als Erstes gefragt werden: *Haben Sie Jimena heute schon gesehen?*

Da die Fotos für sich sprechen, muss niemand fragen, was das Ganze bedeutet.

Die Armee reagiert mit einer Kampagne eigener Machart. Der Oberbefehlshaber des 11. Militärdistrikts veranstaltet eine Pressekonferenz, auf der er verkündet: »Diese Frau ist nicht die heilige Johanna. Sie ist nur eine Marionette der Kartelle.«

Ana nimmt an der Pressekonferenz teil, um Fragen zu stellen.

»Gibt es Tatsachen, die Jimena Abarca mit Drogenkriminalität in Verbindung bringen? Und wenn, warum werden diese Tatsachen nicht genannt?«

»Das wäre ein Eingriff in die laufenden Ermittlungen.«

»Wenn Sie solche Tatsachen kennen«, hakt Ana nach, »warum werden sie nicht an die Justiz weitergeleitet, damit ein Verfahren eröffnet werden kann?«

»Das wird zu gegebener Zeit geschehen.«

»Was heißt ›zu gegebener Zeit‹?«

»Dann, wenn wir so weit sind.«

»Werden Sie so weit sein, bevor Jimena Abarca verhungert ist? Oder erst danach?«

»Wir zwingen Señora Abarca nicht zum Hungerstreik«, sagt der General. »Das tut sie auf eigene Verantwortung. Wir lassen uns durch solche Taktiken nicht drangsalieren und unter Druck setzen.«

Am nächsten Morgen erscheint das Foto des wohlgenährten Generals neben dem der abgemagerten Jimena, darunter steht: Drangsaliert und unter Druck gesetzt?

Am Tag darauf erscheint in einer großen texanischen Tageszeitung ein Leitartikel mit der Überschrift: Werden die Mérida-Milliarden dafür ausgegeben? Ein demokratischer Abgeordneter aus Kalifornien stellt im Kongress dieselbe Frage. Dies veranlasst einen Spitzenbeamten des Weißen Hauses, bei der DEA anzurufen und nachzufragen, was zum Teufel dort unten wieder los ist und warum die DEA nichts unternimmt. Es stehen Wahlen mit knappem Ausgang bevor, der betreffende Kandidat kommt aus einem Grenzstaat mit hohem Hispano-Anteil. Vor einem Monat war John McCain in Mexico City, um die Mérida-Initiative als gewaltigen Schritt nach vorn zu preisen, und das Letzte, was er braucht, ist die öffentliche Wahrnehmung, dass das von ihm gepriesene Hilfsprogramm dazu dient, mexikanische Mütter zu foltern.

Der DEA-Direktor ruft einen Kollegen im mexikanischen Verteidigungsministerium an, der hört eine Weile zu, dann sagt er: »Wir können uns nicht von einer einzigen Frau in die Knie zwingen lassen. Was für eine Botschaft wäre das?«

»Vielleicht, dass der Klügere nachgibt?«, erwidert der Direktor. »Tun Sie, was Sie für richtig halten, aber wenn Sie wollen, dass die Lieferung von Hubschraubern und Flugzeugen weitergeht, rate ich Ihnen, ganz schnell einen Rückzieher zu machen.«

Es ist geradezu ein Axiom, dass Konflikte irgendwann an den Punkt geraten, wo sich beide Seiten festfahren. Das trifft auf Kriege und Schlachten zu, auf Prozesse und Streiks, auch auf diesen Konflikt. Jimenas Unterstützer wissen nichts von den Anrufen aus Washington und dem immensen Druck, der nun auf der Armee lastet.

Sie sehen nur, dass sich die Armee nicht bewegt.

Und dass Jimena scheitert.

Eines Abends bekommt Ana einen Wutanfall. »Ich halte das nicht mehr aus!«, schreit sie Pablo an, der sie in die Arme nimmt. »Ich halte das nicht aus, dass sie stirbt!«

»Sie wird nicht sterben«, sagt Pablo, obwohl auch er das Schlimmste befürchtet. »Die Armee kann nicht gewinnen.«

»Und wenn doch?«

Pablo hat keine Antwort darauf.

Adán Barrera sieht die schöne Ärztin im Fernsehen.

»Sie sieht richtig toll aus!«, schwärmt Magda.

»Mag sein.« Adán ist erfahren genug, um solche gefährlichen Klippen zu umschiffen. Aber Magda hat recht. Diese Frau ist wirklich umwerfend. Und sie kommt blendend rüber. Kein Wunder, dass sie zum Medienstar geworden ist.

»Und sehr militant«, fügt Magda hinzu.

Sie liegen zusammen im Bett, in einer Wohnung in Badiraguato, wohin sie ihn immer bestellt, wenn sie das Bedürfnis hat, mit ihm zu schlafen – was in letzter Zeit immer seltener vorkommt.

»Findest du?«, fragt er.

»Mach dir nichts vor, *carino*«, sagt Magda. »Die Welt hat sich geändert. Jeder moderne Krieg ist ein Dreifrontenkrieg: ein militärischer Krieg, ein politischer Krieg, ein Medienkrieg. Und gewinnen kannst du nur, wenn du alle drei zugleich führst.«

Sie hat recht, denkt Adán.

Sie hat absolut recht.

Er steigt aus dem Bett und ruft Nacho an. »Wer ist dieser Miguel Abarca überhaupt? Gehört er zu Fuentes? Los Aztecas? La Línea?«

»Er ist ein Niemand«, sagt Nacho. »Ein Bäckersohn.«

»Nein, er ist kein Niemand mehr«, sagt Adán. »Und auch die Mutter nicht. Die Armee macht sie zu Berühmtheiten.«

Er hat ihn so satt, diesen endlosen Stumpfsinn. Dass die Armee zuschaut, wie aus einem simplen Vorfall ein riesiges Medienspektakel wird.

Adán hat Pläne für das Tal von Juárez. Dort Aufsehen zu erregen gehört nicht dazu. Er gewinnt gerade den Krieg gegen das Juárez-Kartell, und ein Haufen Idioten in Uniform tut alles, um ihm den Sieg zu vermasseln.

»Ich will diese Artikel nicht mehr lesen«, sagt er. »Ich will diese Ärztin nicht mehr im Fernsehen haben. Diese Sache muss schnell beigelegt werden, und zwar im Guten.«

»Einverstanden.«

»Und wir müssen die Medien besser kontrollieren«, sagt Adán. »Bei dem Geld, das wir zahlen, sollte man meinen –«

»Es wird daran gearbeitet.«

Ich kann das nicht mehr hören, sagt sich Adán, als er aufgelegt hat, und geht erst mal duschen. An den Medien wird »gearbeitet«, an der Jagd auf Diego Tapia wird »gearbeitet«, an der Bekämpfung der Zetas wird »gearbeitet«, an Kellers Abschuss wird »gearbeitet«. Wann werden diese Sachen endlich *erledigt*?

Mitten in der Nacht wird Marisol vom Telefon geweckt.

Sie erschrickt, weil sie denkt, es geht um Jimena.

Ja, es geht um Jimena, aber es ist Coronel Alvarado, der anruft.

»Ich habe einen Vorschlag für Sie«, sagt er.

Oscar Herrera betritt die Lokalredaktion.

»Eben kam ein Anruf. Sie haben Miguel Abarca freigelassen.«
Als Pablo, Ana und Giorgio im Tal eintreffen, sind Miguel und Jimena schon in ihrem Haus in Guadelupe, und Marisol ist damit beschäftigt, Jimena schonend wieder ans Essen zu gewöhnen.

»Tut mir leid, dass ich euch nicht informiert habe«, sagt sie. »Aber so war die Abmachung – keine Presse bei Miguels Freilassung. Sie wollten keine Berichte und Bilder über seinen bejubelten Empfang bei der Masse.«

»Das können wir verstehen«, sagt Ana.

»Ich hoffe, ihr versteht auch das Folgende«, sagt Marisol. »Ihr dürft Miguel nicht interviewen und fotografieren.«

»Warum nicht?«, fragt Giorgio.

»Er liegt bei mir in der Praxis. Gebrochenes Nasenbein, gebrochene Rippen, an den Fußsohlen Brandwunden von Elektrofolter. Aber er ist am Leben, Kinder, und Jimena auch!«
Sie fahren zurück nach Juárez und bringen eine einfache Meldung, dass Miguel Abarca ohne Anklage aus der Haft entlassen wurde und dass Jimena Abarca ihren Hungerstreik beendet hat. Miguels Verletzungen erwähnen sie nicht. Die nächste Ausgabe zeigt außerdem ein Foto von Jimena, die an einem Protein-Shake nippt, und in den Abendnachrichten verabschiedet sich Marisol mit einem letzten Auftritt von den Zuschauern und beschreibt den Zustand ihrer Patientin als stabil.

Der Name Abarca verschwindet aus den Schlagzeilen, weil die Zetas bei einer Unabhängigkeitsfeier in Morelia, Michoacán, Handgranaten werfen und acht Menschen töten.

Und in Juárez geht der Zermürbungskrieg weiter.

Pablo berichtet, dass ein Polizeioffizier auf einem Hotelparkplatz erschossen wurde, dass elf Personen in einer Bar, sechs bei einer Familienfeier ermordet wurden, sechs weitere vor einer *tienda* an die Wand gestellt und ebenfalls erschossen wurden.

Er schreibt den Bericht über die 334 Lokalpolizisten von Juárez, die entlassen wurden, weil sie durch die Eignungsüberprüfung fielen.

All das stört den Mann nicht, der jeden Montag kommt und ihm das Kuvert zuschiebt.

»Ich sagte Ihnen doch, ich will das nicht«, sagt Pablo.

»Und ich sagte Ihnen schon, das interessiert keinen. Spenden Sie das Geld der Wohlfahrt, wenn Sie es nicht wollen.«

Der nächste Fall, zu dem Pablo gerufen wird, ist ein enthaupteter Leichnam, der mit den Füßen an einer Brücke aufgehängt und mit einer Botschaft versehen ist: Ich, Lorenzo Flores, habe meinem Boss gedient, dem Hundeficker Barrera.

»Hundeficker?«, fragt Giorgio, als er sein Foto besieht. »Das ist neu.«

»Die Zetas«, sagt Pablo.

»Woher weißt du das?«

»Die Enthauptung. Das machen die so.«

Der Kopf findet sich später auf der Plaza del Periodista.

Mexico City
Dezember 2009

Nur Keller kennt die Identität der Informantin mit dem Tarnnamen Maria Fernanda.

Im gesamten Schreckensjahr 2009, als sich Gewalt und Blutvergießen wie eine Seuche über ganz Mexiko ausbreiteten, blieb er in seinem Bunker in Mexico City und konzentrierte sich wie versprochen auf die Tötung von Diego Tapia.

Aber man kann nur töten, was man aufspürt.

Es liegt nicht am fehlenden Eifer.

Bei der FES gibt es keine Drückeberger. Orduña hat sogar ein eigenes Satellitenüberwachungsprogramm von den Franzosen gekauft, das von der Europäischen Weltraumorganisation ESA gemanagt wird.

Es kann Tapia nicht aufspüren.

Ebenso wenig wie die amerikanischen Ortungssysteme.

Was Keller an Technik braucht, bekommt er.

Dafür hat Taylor gesorgt.

»Mein Wort gilt ohne Einschränkung«, hat Taylor seinen Leuten verkündet. »Es gibt keine geheime Einsatzgruppe in Mexico City, und sie bekommt von euch alles, was sie braucht. Wenn Keller etwas haben will, gibt es kein Warum, sondern nur das Wann. Wenn Keller eine große Pizza mit Schokocreme und Fritten und einer Kirsche obendrauf bestellt, wird die in Windeseile geliefert, ohne Wenn und Aber. Wer Fragen hat, kommt zu mir. Aber Fragen werden nicht gestellt. Hat noch jemand Fragen?«

Keiner.

Das liegt zu einem guten Teil daran, dass sich die neue Regierung in Washington einem neuen Trend der Terrorismusbekämpfung verschrieben hat. Es heißt, im Weißen Haus gebe es eine »Tötungsliste«, in der die führenden Dschihadisten erfasst sind, und dass diese Strategie auf den Krieg gegen die Drogen ausgeweitet wird.

Nicht so sehr, weil wir die Narcos jetzt als Terroristen definieren, sagt sich Keller, sondern weil die Methoden des »Kriegs gegen Terror« zwangsläufig auf den »Krieg gegen die Drogen« abfärben. Die Schlacht gegen al-Qaida hat die Grenzen des Denkbaren, Erlaubten und Machbaren verschoben. So wie der Krieg gegen den Terror den Geheimdiensten militärische Aufgaben zugewiesen hat, wird die Polizei nun durch den Krieg gegen die Drogen militarisiert. Die CIA arbeitet im Mittleren Osten mit Drohnen und gezielten Tötungen, die DEA unterstützt das mexikanische Militär bei »Festnahmen« von Drogenbossen, die immer öfter zu Exekutionen werden.

Mexiko hat die Militarisierung des Kriegs gegen die Drogen vorangetrieben, die USA schwenken in dieselbe Richtung.

Klar, denkt Keller. Auch mein Krieg gegen die Drogen hat sich im Lauf der Jahre geändert. Früher ging es um Razzien und Beschlagnahmen, um ein ständiges Katz-und-Maus-Spiel mit dem Ziel, das Zeug aus dem Verkehr zu ziehen, jetzt spielen die Drogen selbst kaum noch eine Rolle.

Der eigentliche Drogenschmuggel ist fast zur Nebensache geworden.

Ich bin kein Drogenfahnder mehr, ich bin jetzt Jäger.

Er hat das Kloster verlassen, weil er Barrera jagen will. Wenn er nebenher andere Narcos erledigt, kann es nicht schaden. Zumal wenn es dazu dient, Barrera auf der Spur zu bleiben. Der andere Grund ist, dass er Roberto Orduña mag und ihm sogar vertraut. Noch immer betroffen von Luis Aguilars Tod und erbittert über Gerardo Veras Verrat, wollte er keine engen Arbeitsbeziehungen mehr, erst recht keine Freundschaften.

Aber nun ist doch eine Freundschaft daraus geworden, eine ganz besondere, die eine gemeinsame Grundlage hat.

Rache.

Die Freundschaft entstand bei einem spätnächtlichen Gelage nach einem langen, ergebnislosen Arbeitstag. Ein sehr teurer Single Malt löste die Hemmungen und erleichterte die Verständigung.

Keller erfuhr, dass Orduña aus einer schwerreichen Familie stammt (»weshalb ich gegen Bestechung immun bin«) und dass sie ein gemeinsames Anliegen haben.

Eine offene Rechnung.

Felipa Muñoz.

Felipa, neunzehn Jahre alt, Model und Cheerleaderin des führenden Fußballclubs von Tijuana, hatte Beziehungen zu einem jungen Mann, der irgendwie mit den Tapias verbandelt war.

Ihr enthaupteter Leichnam wurde auf dem Fußballplatz gefunden – der Rumpf in zwei schwarzen Plastiksäcken, der

Kopf in einem dritten. Ihre Füße waren zerschmettert, ihre Finger abgeschnitten – die übliche Folter für Informanten –, obwohl das plumpe Vorgehen auf Amateure deutete, nicht auf Profis. Die zwei Täter, Felipas zweiundzwanzigjähriger »Freund« und sein neunundvierzigjähriger Komplize, wurden bei einer Geschwindigkeitskontrolle festgenommen, und die Polizei fand auf ihren Handys Videoaufnahmen der Folterung. Die beiden waren offenbar dahintergekommen, dass Felipa Informationen an einen Polizisten weitergab, und wollten sich bei ihren Bossen beliebt machen.

Felipa Muñoz war Orduñas Patenkind.

Er hatte sie als Täufling in den Armen gehalten, ihre Seele Gott befohlen.

»Ich hasse die Narcos«, so Orduña zu Keller in jener Nacht. »Tapia, Contreras, Ochoa, Barrera – alle.«

Sie stießen miteinander an.

Das war ein Vertrauensbeweis. Keller verstand Orduña und fasste ebenfalls Vertrauen zu ihm.

Arbeitete mit ihm zusammen, um Diego Tapia zur Strecke zu bringen.

Alle Bemühungen führten zu der Erkenntnis, auf die es fast immer hinausläuft: Sie brauchten eine Quelle.

Das Verhältnis zwischen einer Quelle und ihrer »Kontaktperson«, überlegt Keller, als er zum Treffen mit Maria Fernanda in einem Kino unterwegs ist, ist das einer gegenseitigen Verführung auf allerniedrigstem Niveau, denn beide versuchen, den anderen übers Ohr zu hauen.

Aber die Sache geht tiefer.

Du musst die Quelle für dich gewinnen, sie (oder ihn) überzeugen, dass dein Bett wärmer und sicherer ist als das, in dem sie gegenwärtig schläft. Du musst ein Freund sein, aber nicht zu freundlich, du musst Versprechen machen, aber keine, die du nicht halten kannst. Du musst deine Quelle absichern, darfst aber nicht zögern, sie tödlichen Gefahren auszusetzen.

Du musst ihr das Gefühl geben, dass sie eine Zukunft hat, auch wenn du selbst nicht daran glaubst.

Gleichzeitig versucht die Quelle, dich zu verführen. Sie zeigt ein bisschen Bein, ein bisschen Ausschnitt und verspricht dir mehr. Sie darf aber nur damit locken, denn wenn sie alles gibt, ist sie abgeschöpft und wird wertlos. Also spielt sie die Schüchterne, die Spröde.

Keller macht Maria Fernanda unmissverständlich klar, was er von ihr will, als er in der spärlich besuchten Matineevorstellung hinter ihr sitzt.

»Weihnachten steht vor der Tür«, sagt er. »Ich will Tapia serviert kriegen, zusammen mit meinem Braten.«

»Leichter gesagt als getan.«

»Ich habe nicht behauptet, dass es leicht ist«, sagt Keller, »und es ist mir egal. Sie haben mich angefüttert, und jetzt will ich mehr.«

»Ich habe mehr als fünfzig Festnahmen geliefert.«

Das stimmt, denkt Keller. Gestützt auf Maria Fernandas Informationen, hat die FES eine ganze Kompanie Tapia-Söldner einkassiert, einschließlich Waffen, Geld und Drogen. Ein guter Fang, der aber die Festnahme von Diego Tapia umso dringlicher macht, denn jede Verhaftung verkürzt die Lebenserwartung der Quelle, und genau darauf hebt Keller ab, als er zu ihr sagt: »Ich möchte nicht Sie sein, wenn Ihnen Diego auf die Schliche kommt. Sie müssen ihm zuvorkommen.«

»Ich weiß aber nicht, wo er ist.«

»Ich will Tapia«, sagt Keller und geht. Jetzt ist die beste Zeit, ihn zu kriegen, denkt er auf dem Rückweg ins Büro.

Für Narcos sind die Feiertage eine ernste Sache. Die Bosse müssen es richtig krachen lassen, wenn sie nicht das Gesicht verlieren wollen. Und das kann sich keiner leisten, nicht in diesem Jahr, wo alle Loyalitäten und Bündnisse auf der Kippe stehen. Tapia wird eine rauschende Party feiern, und »Maria Fernanda« wird Keller gefälligst die Adresse verschaffen.

Zwei Wochen später ruft die Quelle an.

»Ahuatepec, Avenida Artista 1158, heute Abend.«

Keller schaut sich das Haus im Internet an, eine große Villa in einer geschützten Wohnanlage außerhalb von Cuernavaca.

»Tapia ist ein arroganter Hund«, sagt Orduña, als ihm Keller die Adresse nennt. Diego hat Dutzende Gäste eingeladen, zwanzig der teuersten Callgirls von Mexico City, auch Ramón Ayala kommt, einer der bekanntesten mexikanischen Norteño-Sänger, und seine Band.

»Wir wollen kein Blutbad«, sagt Orduña. Auch Keller kennt die politischen Spielregeln. Eine Schießerei in einer Reichensiedlung ist etwas ganz anderes als eine Schießerei in einem Slum. Vielleicht fühlt sich Tapia deshalb so sicher.

»Wir wissen, wo er sich aufhält«, sagt Keller. »Jetzt bleiben wir an ihm dran.«

Keller telefoniert noch einmal mit Maria Fernanda.

Dann macht er es sich gemütlich und verfolgt die Party aus der Ferne.

Eddie hofft inständig, dass es Ziege war.

Diego hat seine Teilnahme an der Party gefordert, und Eddie wollte sich drücken. Aber Diego blieb hart: »Vergiss es, *m'ijo*, du kommst.« Also fuhr Eddie hin, und es waren die üblichen Leute da – die Bodyguards, ein paar Zetas und eine ganze Schwadron Huren, alle schnupften, was das Zeug hielt, und dann wurde das Festmahl serviert.

An der Festtafel beim Chili verde kommt Diego auf Manuel Esposito zu sprechen, seinen Sicario vom Sinaloa-Kartell – ein echter Kerl, ein eiskalter Killer –, der sich leider auf die Seite der Barreras geschlagen hat, und als einer der Gäste fragt, was wohl aus ihm geworden sei, setzt Diego ein seltsames Lächeln auf und sagt: »Vielleicht esst ihr ihn gerade.«

Alle lachen, was für ein Witz!, doch da wird Diego ernst: »Nein, wirklich, vielleicht esst ihr ihn gerade.«

Eddie legt den Löffel hin.

»Es heißt doch, man soll essen, was man tötet, oder nicht?«, sagt Diego. »Außerdem: Das Fleisch eines starken Gegners macht stark.«

Eddie denkt, er muss kotzen, direkt auf seinen Teller. Jedenfalls, mit dem Essen ist es vorbei, obwohl es wahrscheinlich nur ein Scherz war. Aber bei Diego weiß man nicht mehr, woran man ist. Und Eddie ist sauer. Kann es sein, dass dieser Irre ihn soeben zum Kannibalen gemacht hat?

So was kann nur Unheil bringen.

Das muss einem aufs Gemüt gehen.

Einen zum Vegetarier machen.

Sowieso hat Eddie keine Zeit für diesen ganzen Zirkus.

Er ist dick im Geschäft – und wieder verheiratet.

Na ja, mehr oder weniger verheiratet, da er ja nie geschieden wurde. Aber er hat sich mal wieder ein Tex-Mex-Girl angelacht, die Tochter eines seiner wichtigen Kokainschieber, und sie haben sich in Acapulco von einem Priester trauen lassen, der den Papierkram nicht so wichtig nahm und vielleicht auch gar kein richtiger Priester war.

Anschließend Honeymoon in Acapulco, und im Handumdrehen war sie schwanger. Jetzt ist also ein Kind unterwegs, deshalb hat Eddie keinen Nerv für Diegos perversen Totenkult und sein Gefasel von Kannibalismus, ob da nun was dran ist oder nicht.

Dann muss er auch noch nach seiner Pfeife tanzen, ihm in Mexico City Gesellschaft leisten, in der Stadt oder in der Umgebung, wo er viele Häuser und Verstecke hat, die er um keinen Preis aufgeben will.

Die Besuche bei Diego sind riskant, weil die Federales hinter Eddie her sind wie der Teufel, und sie sind auch extrem lästig, weil ihn der Boss ständig drängt, mehr Barrera-Leute umzulegen und »seinen Teil der Last« in diesem Krieg zu tragen.

Also, erstens ist es verdammt noch mal nicht *meine* Last, denkt Eddie. Ich hab den Krieg mit El Señor nicht angefangen, ich habe nur gemacht, was von mir verlangt wurde, nämlich den Neffen weggeputzt. Und jetzt soll ich meinen Arsch hinhalten?

Eddie will sich aus dem Krieg raushalten, in Sinaloa *und* in Juárez, denn was juckt ihn Juárez? Selbst wenn sie siegen, kriegt er kein Stück von der Plaza, also scheiß drauf. Folglich hält er sich zurück, lässt seine Jungs hier und da mal was machen, wenn sie sich ihre Sporen verdienen wollen, aber das war's dann auch.

Doch jedes Mal, wenn er Diego sieht, kommt dieses Thema wieder hoch.

Und Diego ist total durchgeknallt, wenn er bekokst ist, und bekokst ist er jetzt ständig, wie es scheint. Huren, Suff und Coke, dann noch die Knochenlady, es wird von Mal zu Mal verrückter.

Die ganze Karre läuft sowieso vor den Baum. Polizisten umlegen! Das haben wir früher nicht gemacht. Das war nicht unsere Art von Geschäft. Auch nicht, was da jetzt abgeht, diese Zeta-Scheiße, in die Diego eingestiegen ist – Erpressung, Entführung und so weiter.

Das kann nicht gutgehen, das bringt Stress. Und Stress kann sich Eddie momentan nicht leisten. Mit dem Coke, das in den Norden geht, macht er über hundert Millionen im Jahr, dazu kommen zwanzig Millionen in Monterrey – das Ganze ist also keine Geldfrage, sondern eine Frage der Lebensqualität.

Die DEA hat zwei Millionen auf seinen Kopf ausgesetzt, die mexikanische Regierung auch, und wer weiß heute noch, welcher Cop auf welcher Gehaltsliste steht? Es herrscht das reine Chaos da draußen, ganz zu schweigen von der Barrera-Truppe, bei der er ganz oben auf der Abschussliste steht, weil er Sal Barreras Karriere verkürzt hat.

Deshalb ist Eddie immer auf Achse, wechselt ständig die Wohnungen und Häuser in Acapulco und Monterrey. Er muss nicht nur seine Geschäfte in beiden Orten gleichzeitig betreiben, er muss auch permanent den Arsch bewegen, um sich nicht zur Zielscheibe zu machen.

Aber das hier ist wirklich eine irre Party, muss er zugeben, wenn er auf den Tausend-Dollar-Blondkopf hinabschaut, der ihm gerade die Murmeln beknabbert. Er war nie ein Norteño-Fan, sein Geschmack geht eher in Richtung Pearl Jam, aber es ist schon saucool, diesen Grammy-Gewinner live zu erleben, mit *Chaparra de mi amor.* Irgendwie so, wie wenn Johnny Fontane im *Paten, Teil I,* auf Connies Hochzeit singt, nur besser, weil der Blowjob gleich mitgeliefert wird.

Selbst Diego ist in Stimmung, läuft zwischen den Gästen herum und spielt Santa Claus, verteilt teure Uhren, Schmuck und Kuverts – den *aguinaldo,* wie das Weihnachtsgeld genannt wird. Auch mit Tombola-Losen wirft er um sich – für die spätere Verlosung von Autos und Häusern. Jawohl, Diego weiß, wie man seine Leute bei der Stange hält. Und die Frauen, die er aufgetrieben hat, sind einsame Spitze, direkt aus dem mexikanischen *Playboy.* Hier geht die Post ab, während Barrera auf seinen Partys nur die Ehefrauen, aber keine Segunderas duldete. Hier sind Ehefrauen ausdrücklich tabu.

Was in Ahuatepec passiert, bleibt in Ahuatepec, sagt sich Eddie.

Und das ist auch gut so, weil die Kerle hier in aller Offenheit vögeln, der Alkohol in Strömen fließt, Coke im Überfluss vorhanden ist, sich die Tische unter den Fressalien biegen (Eddie hofft nur, dass das Hühnchen in den Fajitas wirklich Hühnchen ist).

Disneyland für Narcos.

Die mexikanische Spitzenbraut bringt ihn zum Schuss, er zieht den Reißverschluss hoch und stürzt sich ins Getümmel. Diego schiebt sich an ihn heran und überreicht ihm ein verpacktes Geschenk.

Eine brillantenbesetzte Audemars Piguet.

Eddie schätzt ihren Wert auf eine halbe Million.

»Diego, du beschämst mich«, sagt Eddie. Sein Geschenk für Diego war ein Paar handgemachte Lucchese Alligator Boots, das acht Riesen gekostet hat (und Diego trägt sie mit Stolz), aber trotzdem.

»Du hast mir Salvador Barrera serviert«, sagt Diego. Er bedenkt Eddie mit einer bärenhaften Umarmung und flüstert ihm ins Ohr: »Ich liebe dich, *m'ijo.*«
Jetzt wird es Eddie echt mulmig wegen der Stiefel.

Sie bleiben fünf lange Tage an Tapia dran.
Während in Mexico City die übliche Weihnachtshektik herrscht, bunkern sich Keller und Orduña ein, verfolgen Tapias Bewegungsmuster und warten, dass er sich irgendwo aufhält, wo sie auf ihn zugreifen können. Sie müssen behutsam vorgehen – die Regierung duldet keine weiteren Zivilopfer, und sie selbst haben auch keine Lust darauf.
Sie haben Tapia permanent auf dem Radar, und er macht viele Anrufe bei Maria Fernanda, die sie aufzeichnen.
Derweil macht er keine großen Sprünge, er zieht nur in der Gegend von Cuernavaca von einem Versteck ins nächste. Eins liegt in der Nähe einer Schule – nicht gut. Ein anderes an einer Einkaufsstraße – auch nicht gut. Endlich richtet er sich auf zwei Tage in einem Apartment in Lomas de Selva ein, in einem fünfzehnstöckigen Wohnturm.
»Das ist das Hochhaus im Elbus-Komplex«, sagt Orduña. »Aber wir wissen nicht, welche Etage.«
Dreißig Minuten später ruft Maria zurück.
»Wo waren Sie?«, fragt Keller. »Wenn Sie ein doppeltes Spiel mit mir treiben –«
»*Keiner spielt hier.*«
»Er ist im Hochhaus, Elbus-Komplex«, sagt Keller. »Welche Etage?«
»*Zweite. 201.*«
Tapia erwartet einen General und drei Offiziere des 24. Militärdistrikts zum Dinner.
»*Ich hoffe, diesmal kneifen Sie nicht.*«
Sie haben nicht die Absicht, zu kneifen.
Die FES ist eine Elitetruppe, die sich Keller in den früheren Jahren seiner Jagd auf Barrera gewünscht hätte. Das wird kein

plumper AFI-Frontalangriff, sondern eine hochprofessionelle, gut geplante Operation.

Zivile FES-Leute bewegen sich auf den Straßen um den Wohnkomplex und melden, dass die vierzig Tapia-Sicarios in drei konzentrischen Ringen postiert sind – zwei davon um das Gebäude, der innere in der Lobby. Sechs zusätzliche Bodyguards sind im Apartment, und die Abhörstation unweit des Hochhauses bestätigt, dass neben Diego Tapia sieben verschiedene Stimmen zu hören sind.

Die besten FES-Scharfschützen mit unbeschränkter Schießerlaubnis für Tapia postieren sich auf den Dächern der Nachbargebäude und nehmen alle Ausgänge ins Visier.

Orduña will das Risiko ziviler Opfer ausschließen, so gut es geht. Seit fünf Stunden schon sind seine Zivilkräfte mit aller Diskretion dabei, die Bewohner der Nachbarhäuser in die Kellerräume zu bringen.

Andere beginnen, Tapias Sicherheitskräfte auf der Straße zu eliminieren, schleichen sich mit Messern und Pistolen an und räumen sie lautlos ab, ziehen ihre Sachen über und stecken ihre Telefone ein. Tapias äußerer Schutzring ist nun Orduñas äußerer Schutzring.

Und drei Offiziere vom 24. Militärdistrikt, die auf dem Weg zum Abendessen sind, werden mit ihrem Auto gestoppt und festgenommen.

Zweihundert FES-Leute warten einen Kilometer entfernt in gepanzerten Fahrzeugen. Andere sitzen in M17-Hubschraubern. Zwei Panzer des Typs M1A2-Abrams, finanziert von der Mérida-Initiative, stehen bereit.

Orduña macht Nägel mit Köpfen.

Diego ist sauer, weil seine Gäste ausbleiben.

Vielleicht, denkt Eddie, wissen sie, welche Mahlzeit Diego auf seiner letzten Party serviert hat. Er sitzt mit ihm am Tisch und wartet, fünf Sicarios sind in den Fluren postiert, noch mehr halten Wache in der Lobby.

»Ich glaube nicht, dass sie noch kommen«, sagt Eddie.

»Warum denn nicht?«, fragt Diego.

Eddie spürt Diegos Nervosität. Die Armee gehört ihm. Wenn die zu Barrera überläuft, steckt er in der Scheiße. Und jetzt kommen diese Armeetypen nicht. Gehen nicht mal ans Telefon.

»Verdammter Mist«, sagt Eddie. »Ich will hier weg.«

»Du gehst?«

»Ich weiß nicht, Mann«, sagt Eddie. »Ich hab einfach kein gutes Gefühl.«

»Bleib ruhig«, sagt Diego. »Ich habe vierzig Mann draußen. Wo ist das Problem?«

»Ich muss dringend Sachen erledigen, das ist das Problem«, sagt Eddie. »Die Frau geht mir auf den Keks, ich soll mit ihr ein Körbchen kaufen, Babysachen ... ich hab zwei Dealer in Monterrey, die muss ich zur Brust nehmen ...«

»Dann geh!« Diego ist beleidigt. »Verschwinde!«

»Diego ...«

»Und die Uhr, die ich dir geschenkt habe? Die gefällt dir, oder?«

»Klar. Tolles Modell. Du trägst doch noch meine Stiefel, oder?« Er küsst Diego auf die Wange und steht auf. »Wir sehen uns, Tío!«

»Bis dann.«

Eddie fährt mit dem Lift nach unten und geht hinaus auf den Platz.

Keller hört den Funkspruch im Hubschrauber.

»*Ziel erfasst.*«

»Stopp!«, ruft Orduña. »Ich wiederhole: Stopp. Lasst ihn laufen.«

Fünf lange Minuten später hört Keller Orduñas Befehl: »Start!«

Der Hubschrauber hebt ab, fliegt über Lomas de Selva und landet auf dem Dach des Hochhauses. Nachdem das Dach gesichert ist, evakuieren ein paar FES-Leute die Bewohner der obersten Stockwerke, während Keller und die anderen durchs Treppenhaus in die zweite Etage hinunterlaufen.

Dann rasen gepanzerte Fahrzeuge heran, stoppen vor dem Eingang, FES-Leute feuern mit 7,62-Maschinenpistolen und M16-Sturmgewehren in die Lobby, mähen Tapias Sicarios nieder, bevor sie auch nur zucken können. Sie stürmen die Lobby, sichern die Verwundeten und rennen die Treppe hoch. Kommandos hallen durch den Flur der zweiten Etage, als eine Handgranate aus der Tür des Apartments 201 fliegt. Sicarios schießen aus den Fenstern auf Soldaten vor dem Gebäude, andere versuchen, sich durchs Treppenhaus zu kämpfen.

Keller kommt hinter einem Leutnant die Treppe herunter, als vor ihnen eine Handgranate platzt. Der Leutnant wird umgeworfen, ein Splitter hat die Schlagader über der Schutzweste getroffen. Keller duckt sich hinter ihn und fühlt seinen Puls – nichts. Nur das viele Blut überall.

Keller schießt sich den Weg frei, während FES-Leute hinter ihm nachdrängen. Sie sind gut ausgebildet, kombinieren Deckung und Vorstoß und treiben die Sicarios in das Apartment zurück.

Tapia und seine fünf Leute verschanzen sich, richten sich auf eine Belagerung ein. Über Kopfhörer ist Keller mit der Abhörstation verbunden. Er hört, wie Tapia mit Crazy Eddie Ruiz telefoniert.

»Wo bist du, m'ijo? Wir stecken bis zum Hals in der Scheiße. Wir halten hier nicht lange durch.«

»Gib's auf, Diego. Ich kann nichts machen.«

»Klar kannst du. Ich kämpfe. Komm mit ein paar Jungs.«

»Das bringt nichts, Tío. Die haben Hunderte von Leuten. Hubschrauber. Panzer. Gib lieber auf.«

Sekundenlanges Schweigen, dann sagt Tapia: *»Okay, m'ijo, du kümmerst dich um meine Kinder, okay? Ich nehme ein paar von diesen Hunden mit ins Jenseits. Die letzte Kugel ist für mich.«*

Sie halten drei weitere Stunden durch.

Umgekippte Sofas und Tische als Deckung nutzend, verschießen sie ihre Kalaschnikow- und AR15-Munition, bis ihnen nur noch Handgranaten bleiben. Die FES-Leute, in Rage wegen des toten Leutnants, riskieren keine weiteren Opfer. Die halten den Druck aufrecht, ziehen die Schlinge langsam zu und zwingen die Narcos, ihre Munition aufzubrauchen.

Gegen neun Uhr, als es relativ ruhig ist, gibt Orduña Befehl zum Angriff.

Eine kleine C4-Haftladung sprengt die Wohnungstür weg.

Drei FES-Leute, ihre M16-Gewehre im Anschlag, gehen hinein. Jeder tötet einen Sicario mit einem kurzen Feuerstoß in die Brust. Ein vierter Sicario schiebt sich den Pistolenlauf in den Mund und drückt ab. Der letzte springt aus dem Fenster, die Scharfschützen erwischen ihn im Flug, und er ist schon tot, als er auf dem Beton aufschlägt.

Keller sieht Tapia durch eine Hintertür fliehen. Über den Flur zum Lastenfahrstuhl. Er will also doch nicht bis zur letzten Patrone kämpfen, denkt Keller.

Die Fahrstuhltür öffnet sich.

Zwei FES-Männer treten heraus und feuern je eine Salve von 5,56-Hohlspitzgeschossen ab. Tapia taumelt rückwärts, zurück in das Apartment, und geht zu Boden.

Aber noch atmet er.

Orduña kommt aus dem Flur herein. Er steht über Tapia und blickt Keller an.

Keller dreht ihm den Rücken zu, dann hört er zwei Schüsse. Als er wieder hinschaut, sieht er zwei saubere Einschusslöcher in Tapias Stirn. *El Jefe de Jefes, El Barbas,* ist tot.

Er sieht schon jetzt wie ein Anachronismus aus – der einst athletische Hüne mit Vollbart und langem Haar dürr und ausgemergelt wie ein toter Bär nach einem zu langen Winter.

Diego Tapia, Symbol einer Epoche, die nun vorbei ist.

Orduña geht hinaus.

Keller bückt sich und zieht Tapia die Stiefel aus.

Er entfernt den Positionsmelder vom linken Stiefel und steckt ihn in die Tasche.

Was nun kommt, dürfte eigentlich nicht passieren.

Die Disziplin der FES-Leute bricht zusammen. Ob aus Rache, Erleichterung oder schierem Übermut, ziehen ein paar Söldner dem Toten die schwarzen Jeans herunter und schieben ihm das Hemd hoch, um seine Wunden zur Schau zu stellen. Dann verstreuen sie die Peso- und Dollarscheine, die sie im Apartment gefunden haben, über der Leiche, machen Fotos und Videos und fangen an zu twittern.

Als Orduña wütend dazwischengeht, ist der Schaden angerichtet.

Die Bilder stehen im Netz.

Noch in der Nacht läuft Keller über den Zócalo, um »Maria Fernanda« zu treffen.

Crazy Eddie wartet im Schatten der Eschen. Pflaumenfarbenes Polohemd, weiße Jeans und Laufschuhe, smart wie ein Model.

»Narco Polo«, denkt Keller. Er geht auf Eddie zu und sagt: »Er ist tot.«

Eddie nickt. »Diego war kein schlechter Kerl.«

»Wenn Sie es sagen.«

»Die Drogen haben ihn zerstört. Und die Knochenlady. Als er damit anfing, war für mich Schluss.«

»Sie haben einen Chip bei mir gut«, sagt Keller. »Warum lösen Sie ihn nicht ein? Ich hole Sie hier raus.«

»›Let that pick-up man on in‹?«

»Ich verstehe nicht.«

»Ein alter Rodeo-Song«, sagt Eddie. »Nein, mein Ritt ist noch nicht zu Ende.«

»Hey, Eddie, Sie stehen ziemlich weit oben auf der Liste.«

Genauer gesagt, er ist gerade einen Platz nach oben gerückt.

»Stimmt«, sagt Eddie. »Aber was Ihre Jungs da machen, das bringt's nicht. Die knallen die Leute einfach ab.«

»Es muss nicht so enden«, sagt Keller.

»Die Zetas«, sagt Eddie, »die sollten Sie sich vornehmen. Die Verkörperung des Bösen.«

»Danke für den Tipp.«

»Scheiß drauf.« Eddie schaut kurz über die Schulter. »Wissen Sie was? Irgendeiner wird das Zeug immer verkaufen. Das geht auch, ohne dass man Frauen und Kinder umbringt. Und wenn es sowieso einer macht, warum nicht ich?«

Keller lässt ihn gehen. Er hätte ihn hochnehmen können, an Ort und Stelle. Aber das war nicht der Deal.

Adán Barrera sieht die Fotos mit der zerschossenen Leiche seines besten Freunds und sagt zu Nacho: »Eigentlich müsste ich mich freuen.«

»Wir drei waren schließlich mal Freunde.«

»Ich denke eher an Chele und die Kinder.«

Nacho nickt stumm. Er mag Chele, alle mögen sie.

Sie bereden noch Geschäftliches – Martín Tapia könnte weiter gegen sie vorgehen, aber das wäre schlimmstenfalls eine Belästigung. Eddie Ruiz wird nicht in Diegos Fußstapfen treten. Er baut seine eigene Organisation auf, und solange er sich aus dem Krieg raushält, wird Adán ihn in Ruhe lassen. Die Abrechnung wegen Sal kann warten.

Als Nacho weg ist, geht Adán ins Schlafzimmer. Eva schläft schon – oder tut so.

Schon seltsam, denkt Adán, wie es leer um einen wird.

Am nächsten Morgen werden zwei verstümmelte Leichen entdeckt. Aufgehängt an einer Brücke in Culiacán – es sind zwei von Diego Tapias Sicarios, und neben ihnen hängt ein Schild: »Dieses Gebiet hat schon einen Besitzer – Adán Barrera.«

Heriberto Ochoa, der oberste Zeta, starrt wütend auf die Fotos von Tapias Leiche.

Und wird nachdenklich.

Die Regierung hat nun doch kapiert, dass man Elitetruppen braucht, um gegen Elitetruppen vorzugehen. Keiner hat das kommen sehen, und keiner – weder Diego noch Martín, nicht mal Barrera – hatte die Chance, diese neue Spezialeinheit rechtzeitig zu infiltrieren oder zu kaufen.

Und die FES ist verdammt gut.

Eine knallharte Herausforderung für die Zetas.

Als alter Elitesöldner weiß er, wie der Zugriff auf Tapia zu bewerten ist. Das war keine Festnahme, das war eine Hinrichtung.

Und clever gemacht.

Aber *das* da, denkt er mit Blick auf die Fotos, das war unnötig. Den Mann ausziehen und dem Spott preisgeben, mit seiner Ermordung prahlen und das Ganze im Internet verbreiten?

Das können wir uns nicht bieten lassen.

Wir müssen ihnen zeigen, dass so was nicht geht.

Dass wir uns davon nicht schrecken lassen.

Dass wir diejenigen sind, die Schrecken verbreiten.

Er gibt die nötigen Befehle.

Keller stellt sich an die Seite, als der flaggengeschmückte Sarg von Lieutenant Angulo Córdova vorübergetragen wird – von sechs FES-Söldnern in Kampfanzügen und blauen Schusswesten mit der weißen Aufschrift »MARINA«. Córdova wird in seiner Heimat beerdigt, der Kleinstadt Ojinaga am Südufer des Río Bravo.

Unter Trommelwirbel und Trompetenklang wird der Sarg durch das Spalier aus Freunden, Verwandten und Anwohnern getragen. Einfache und arme Leute, stellt Keller fest, gekleidet in das Beste, was sie haben – die Frauen tragen schlichte Kleider, die Männer Jeans und weiße Hemden. Sie wirken ernst und bedrückt, manche weinen, und Keller wird mal wieder auf den Unterschied zwischen Mexiko und den USA gestoßen. Die Yankees wachsen an ihren Siegen, die Mexikaner an ihrer Leidensfähigkeit.

Auch Marisol ist unter den Trauergästen.

Sie wechseln einen Blick, über den Sarg hinweg.

Er sieht ihre Augen unter dem schwarzen Schleier.

Keller reiht sich mit Orduña in den Trauerzug ein, als er sich in Bewegung setzt, angeführt von einer Ehrengarde in weißer Matrosenkluft. Die Kapelle spielt einen Trauermarsch.

Wenigstens hinterlässt er keine Witwe und keine Kinder, denkt Keller. Aber eine trauernde Mutter, gestützt von Córdovas Schwester, einen Bruder und eine Tante.

Hinter den Angehörigen geht Marisol.

Die Weihnachtsdekorationen, denkt Keller, machen das Ganze noch trauriger.

Orduña spricht am Grab, lobt Córdovas Charakter, seinen Mut, seine Aufopferung. Als er geendet hat, hebt ein alter Mann mit zerknautschter Jacke und Schlapphut die Hand und bittet ums Wort.

»Ich kenne diesen Mann seit seiner Kindheit«, sagt er. »Er war ein guter Junge und ein guter Mensch. Er hat für seine Familie gesorgt, und er starb für unsere Republik. Unsere *Republik.* Wir dürfen unsere Republik nicht den Drogenhändlern und Kriminellen überlassen. Ich bin sehr traurig, dass Angulo tot ist, aber er ist im Kampf gegen diese Unmenschen gestorben. Mehr habe ich nicht zu sagen.«

Orduña dankt ihm und gibt der Ehrengarde ein Signal. Die Gardisten heben die M16-Gewehre und geben drei Salutschüsse ab. Dann, auf Orduñas Befehl, pflanzen sie die Bajonette auf und verharren in einer Gedenkminute. Zwei Marines nehmen die Flagge vom Sarg, falten sie zusammen und überreichen sie Córdovas Mutter.

Eine Trompete bläst, während der Sarg hinabgelassen wird.

Keller ist unschlüssig, ob er Marisol nach der Zeremonie ansprechen soll. Es ist ihm peinlich – sie haben lange nichts voneinander gehört, der Kontakt ist irgendwann abgerissen.

Sie löst sein Dilemma, indem sie auf ihn zugeht. »Schön, dich zu sehen.«

»Dich auch«, sagt er. »Ich nehme an, du kennst die Familie.«

»Seit meiner Kindheit«, sagt sie. »Jetzt bin ich ihr Hausarzt. Was führt dich hierher?«

Keller zögert mit der Antwort, dann sagt er: »Ich habe mit ihm zusammengearbeitet.«

»Oh.«

Er kann ihr die naheliegende Frage von den Augen ablesen, aber er beantwortet sie nicht und ist froh, als sie von Córdovas jüngerer Schwester angesprochen werden.

»Meine Mutter möchte Sie gern in ihr Haus bitten. Sie beide.«

»Ich will mich nicht aufdrängen«, sagt Keller.

In der Nacht vor dem Begräbnis hat es eine Totenwache gegeben, zu der Freunde kamen, um Abschied zu nehmen. Die Zeit nach dem Begräbnis ist der Familie vorbehalten.

»Bitte kommen Sie«, sagt die Schwester.

Es ist ein bescheidenes Haus. Auf dem Tisch ist Essen angerichtet, Córdovas Mutter sitzt auf einem Polsterstuhl in der Ecke. Irma Córdova ist eine gutaussehende Frau. Sie trägt eine schwarze Stola über der schwarzen Hose und strahlt eine stille Eleganz aus. Ihr eisengraues Haar ist zum Knoten gesteckt. Keller kann sehen, woher Angulo seine Stärke genommen hatte. Sie winkt Keller heran.

»Sie waren bei ihm, als er starb«, sagt sie.

»Ja«, antwortet Keller. »Es ging sehr schnell. Er musste nicht leiden.«

Sie nimmt seine Hand und schließt die Augen.

»Ihr Sohn war ein tapferer Mensch«, sagt Keller. »Sie dürfen stolz auf ihn sein.«

»Das bin ich auch.« Sie öffnet die Augen. »Aber sagen Sie mir: War es die Sache wert?«

Keller drückt ihre Hand.

Er bleibt noch ein paar Stunden, spricht mit der Familie. Ein paar Cousinen sind da und auch Orduña, irgendwann erzählen sie Geschichten aus Angulos Kindheit, seiner Jugend, dann kommen die lustigen Anekdoten, verhaltenes Lachen und wieder Tränen. Es wird schon dunkel, als Orduña aufbricht. Die Fahrt zum Flughafen ist weit, das Flugzeug nach Mexico City wartet.

Marisol blickt Keller an und sagt: »Ich fahre jetzt zurück.«

»Nach Guadelupe?« Auch das eine lange Fahrt auf gefährlichen Straßen durch ein gefährliches Land.

»Ja.«

»Allein?«, fragt Keller.

Sie denkt kurz nach, bevor sie antwortet: »Eine Begleitung könnte ich gebrauchen.«

Keller geht zu Orduña und teilt ihm mit, dass er nicht mit ihm zurückfährt.

Orduña lächelt. »*La Médica hermosa?* Ich kann's dir nicht verdenken.«

»Wir kennen uns schon länger.«

»Ich weiß Bescheid, Arturo.«

»Hast du ein Problem damit?«

»Ich bin nur eifersüchtig«, sagt Orduña. »Geh mit Gott.«

Als sich Keller und Marisol verabschieden, steht Irma Córdova auf und besteht darauf, sie zur Tür zu bringen.

»Vielen Dank, dass Sie gekommen sind«, sagt sie.

»Es war mir eine Ehre«, erwidert Keller.

Sie nimmt noch einmal seine Hand und blickt ihm in die Augen. »Arturo – Sie vergelten einen Mord nicht durch Töten – Sie vergelten ihn durch Leben.«

Es sind neunzig Meilen bis Guadelupe.

Neunzig Meilen auf der Carretera 2 – jedes Auto, jeder Lkw könnte mit Narcos besetzt sein, jede Begegnung kann tödliche Folgen haben, und die Kontrollposten sind nicht minder gefährlich. Die Soldaten kennen Marisol und warten nur darauf, sie zu schikanieren, aber der Gringo am Steuer verwirrt sie, besonders, als er die DEA-Marke zückt.

»Sie haben Angst vor dir«, sagt Marisol, als sie den Kontrollpunkt vor Práxedis hinter sich haben.

Keller zuckt die Schultern.

»Hier im Tal wird die Armee nicht sehr geschätzt«, sagt sie.
»Warum das?«
Sie erzählt ihm die ganze Geschichte – den Landraub, die Verhaftungen, die Folterungen. Bei einer anderen Zeugin hätte er an Übertreibung geglaubt, an eine entfesselte Paranoia, aber Marisol muss er ernst nehmen, selbst als sie schlussfolgert: »Die Armee bekämpft nicht die Kartelle, die Armee ist selbst ein Kartell.«
Er ist noch dabei, das alles zu verarbeiten, als sie fragt: »Was machst du bei der FES? Ich dachte, du wärst so was wie ein Politikberater.«
»Nein, dachtest du nicht«, erwidert er.
»Stimmt«, gibt sie zu. »Ich hab es nur gehofft.«
»Ich kann das nicht mit dir machen, Marisol.«
»Was machen?«
»Den Cop spielen, der seiner Frau nicht sagen darf, was er macht. Das hab ich einmal versucht. Und es ging nicht.«
»Dann sprich«, sagt sie. »Dann sag es mir.«
Wieder einer dieser Momente, denkt er. Entweder er antwortet nicht, oder er kommt ihr mit ein paar halbgaren Ausflüchten, auf die sie nicht hereinfällt, und die Beziehung ist endgültig beendet. Oder er packt aus, und es passiert ... aber was?
»Ich jage Narcos«, sagt Keller. »Und ich töte sie.«
»Verstehe.«
Es wird kalt im Auto.
»Und ich höre damit nicht auf, bis ich Barrera habe.«
»Warum gerade ihn?«
Keller fängt an zu erzählen und kann nicht mehr aufhören. Er erzählt ihr alles – über seine Freundschaft mit dem jungen Barrera, über den späteren Barrera, der Kellers Kollegen Ernie Hidalgo folterte und ermordete. Er erzählt von den zwei Kindern, die Barrera von einer Brücke in den Tod stürzte. Dass Barrera die Ermordung von neunzehn unschuldigen Menschen befahl, Frauen und Kindern, nur um einen nicht

existenten Informanten zu bestrafen, den Keller erfunden hatte, um seine wahre Quelle zu schützen.

»Du gibst dir also selbst die Schuld«, sagt Marisol.

»Nein, ihm«, sagt Keller. »Nein, uns beiden.«

»Und deshalb tust du das alles.«

»Er hat Menschen umgebracht, die ich geliebt habe«, sagt Keller. »Er ist das Böse. Ich weiß, das ist ein altmodisches Konzept, aber ich bin nun mal ein altmodischer Mensch. Die Wahrheit an der Sache ist, dass auch er mich umbringen will und dass ich deshalb nicht mit dir zusammen sein kann.«

Sie fahren schweigend durch die Nacht, bis sie in Guadelupe ankommen. Keller ist erschrocken vom Anblick der kleinen Stadt – Fenster und Geschäfte mit Brettern vernagelt, Fassaden mit Einschusslöchern, Armeepatrouillen in grünen Lkws, die durch die Straßen fahren und ihre Suchscheinwerfer auf Häuser und Grundstücke richten.

Sie nennt ihm den Weg zu ihrem Haus, einem alten Lehmbau am Rand der Stadt, und er hält in der Einfahrt. Steigt aus, hält ihr die Tür auf und fragt: »Wo ist das Hotel?«

»Möchtest du das Hilton oder lieber Four Seasons?«, fragt sie.

»Wieder so ein blöder Witz. Es gibt hier kein Hotel … Ich dachte, du bleibst bei mir.«

»Du sollst nicht denken, dass ich darauf spekuliert habe«, sagt er.

»Mein Gott, Arturo, jetzt komm aber!«, sagt sie. »Und kein Wort davon, dass du auf der Couch schlafen willst, oder ich erwürge dich.«

Keller folgt ihr ins Haus und dann ins Schlafzimmer, wo sie ihr schwarzes Kleid aufknöpft. »Tod war heute genug«, sagt sie. »Den habe ich satt. Señora Córdova hatte recht. Der Tod wird mit dem Leben vergolten.«

Sie steigt aus dem schwarzen Kleid und hängt es in den Schrank.

»Ich will dich, aber richtig«, sagt sie. »Heute ist heute, und morgen ist morgen.«

In derselben Nacht stürmen Zetas das Haus der Córdovas.

Angulo Córdovas Tante, sein Bruder und seine Schwester, die auf Sofas im Wohnzimmer schlafen, werden zuerst erschossen. Dann dringen sie ins Schlafzimmer vor und erschießen Irma Córdova in ihrem Bett.

Bevor sie gehen, machen sie Fotos von den Leichen und stellen sie ins Internet, mit dem Kommentar: »Das ist für die Schändung unseres Freundes Diego, ihr FES-Motherfucker. Mit freundlichen Grüßen – La Compañía Z.«

Als sie am Morgen die schreckliche Nachricht bekommen, einigen sich Keller und Marisol schweigend darauf, dass es das Böse gibt und dass es zu Taten fähig ist, die ihre Vorstellungskraft übersteigen.

Ab jetzt verbindet sie eine stille Übereinkunft: Sie werden sich gemeinsam dem Bösen entgegenstellen.

Und sie werden leben.

TEIL IV

PIKBUBE UND LA COMPAÑÍA Z

Gather up your tears,
Keep them in your pocket,
Save them for a time
When you're really going to need them.
The Band Perry, If I Die Young

1. Frauensache

Nun, schürze dich auf,
kratz Wolle, mein Schatz,
Und iss Bohnen dazu!
Doch der Krieg ist die Sache der Weiber!

Aristophanes, Lysistrate

Ciudad Juárez
Januar 2010

Keller schiebt die Kanüle durch die Watte und zieht die Spritze auf. Nicht viel, nur ein paar Kubik. Jetzt hat er dreihundert kleine Kokainspritzen, auch *colmillos* – Vampirzähne – genannt, einsatzbereit.

Er zeigt die Spritze »Mikey-Mike« Wagner, einem Meth-Dealer mit Zeta-Kontakten aus Horizon City, Texas.

Mikey-Mike gerät in Panik – und das soll er auch.

Am Tag nach der Ermordung der Córdova-Familie hat Orduña eine neue Sondereinsatzgruppe innerhalb der FES geschaffen, von der selbst die mexikanische Kriegsmarine nichts weiß, zusammengesetzt aus den Besten der Besten. Sie nennen sich Matazetas und erhalten schwarze Kampfanzüge.

Ihr einziger Auftrag geht aus dem Namen hervor.

Matazetas – Zeta-Killer.

Keller ist von Anfang an dabei.

Operation eins: Aufspüren der Zetas, die an den Córdova-Morden beteiligt waren.

Er fährt nach Juárez, überquert die Grenze nach El Paso auf der Express-Spur und trifft sich mit dem DEA-Agenten, an den Taylor ihn verwiesen hat. Der sieht aus wie ein Meth-Junkie, klapperdürr, langes Zottelhaar und Kinnbart, aber das Gesicht unter der schmuddligen roten Basecap erkennt er wieder: Das ist der Mann, mit dem Taylor vor Jahren zu ihm ins Kloster gekommen war, um ihn vor Barrera zu warnen.

»Jimenez, oder?«, fragt Keller.

»Ja.«

»Du weißt, was ich vorhabe?«

»Ja.«

»Bist du gut in solchen Sachen?«

»Perfekt.«

»Du weißt, dass deine Tarnung bei diesem Einsatz auffliegen kann, oder?«, sagt Keller.

»Umso besser. Dann bin ich diese Drecksäcke endlich los.«

Sie fahren in die Halbwüste, um bei »Mikey-Mike« Wagner zwei Pfund Meth zu besorgen. Jimenez hat eine Sporttasche mit fünfzigtausend Dollar dabei, Treffpunkt ist ein früheres Autokino, das aus ein paar rissigen Betonplatten besteht und von Wüstenhasen bevölkert ist.

Stahlpfosten ragen schief aus dem Sand wie alte Panzersperren. Die Imbissbude, von Wind und Sonne gebleicht, steht noch. Das Dach ist eingefallen, doch auf einem verwitterten Schild erkennt man einen gut gefüllten Eimer Popcorn.

Wagner kommt in einem Dodge-Van.

Klar, denkt Keller. Ein Meth-Junkie.

Früher wurde das Zeug hier in der Gegend hergestellt, in Badewannen irgendwo im Buschland zurechtgebraut und meist von Biker-Gangs verkauft. Dann merkten die Kartelle, dass sich damit Geld machen ließ, bauten riesige Labors in Mexiko, brachten das Zeug über die Grenze und übernahmen den Straßenverkauf. Es gibt immer noch ein paar Wüstenköche, aber das Hauptgeschäft machen die Kartelle, und Wagner hat einen netten Deal mit den Zetas: Er verkauft ihnen Waffen und bekommt dafür Rabatt auf das Meth, das sie ihm liefern.

Keller sieht den knubbligen Wagner aus dem Van steigen und fragt sich, ob er den Zetas die Mordwaffen besorgt hat.

Wagner ist nicht amüsiert, weil Jimenez einen zweiten Mann mitgebracht hat.

»Wer ist das?«, fragt er.

»Mein Partner«, sagt Jimenez.

»Davon war nicht die Rede.«

»Ich konnte die fünfzig Riesen nicht allein auftreiben«, sagt Jimenez.

»Willst du nun ins Geschäft kommen oder nicht?«, fragt Keller.

»Ich hab keine Lust, an Amateure zu verkaufen«, sagt Wagner und beäugt Keller misstrauisch. Er trägt ein altes schwarzes Hemd und blaue Jeans, die seine Kimme entblößen.

»Dann fick dich«, sagt Keller. »Wir kaufen woanders.«

»Komm schon, Mikey«, sagt Jimenez. »Ich habe hier fünfzig Riesen in Cash. Denkst du, das war leicht, die aufzutreiben? Denkst du, wir fahren für nichts und wieder nichts in diese Einöde?«

»Woher wissen wir, dass das Zeug was taugt?«, fragt Keller.

»Wollt ihr sehen?«

»Zeig her«, sagt Jimenez.

Wagner geht zum Van und kommt mit einer Pfundpackung zurück. Er zieht ein Messer aus der Tasche, klappt es auf und macht einen Schlitz in die Folie.

Keller sieht sich das Meth an. Es hat eine schöne blaue Farbe, kristallklar, nicht trüb, und besteht aus spitzen Kristallen.

»Wenn ihr den Chlortest machen wollt, nur zu«, sagt Wagner.

»Nein, ich will's probieren«, sagt Keller.

»Dann hol mal deine Pfeife raus«, sagt Wagner und wühlt in der Packung, um ein passendes Kristall zu suchen.

»Gleich«, sagt Keller. Er greift in die Jackentasche, zieht statt der Pfeife eine Spritze heraus und rammt sie Wagner in die Halsschlagader. Wagner sackt sofort zusammen, Keller und Jimenez fangen ihn auf, schleppen ihn zum Auto und stoßen ihn in den Kofferraum. Wagner will sich wehren, aber er lallt nur noch »Ich hab meine Rechte«.

Keller knallt die Kofferklappe zu und fährt zurück nach El Paso, wo er Jimenez absetzt.

Er zeigt auf den Kofferraum: »Da stecken dreißig Jahre bis ›lebenslänglich‹ drin, wenn das in die Hose geht.«

»Keine Sorge«, sagt Jimenez, »es gibt keinen Knast in den Staaten, der mich länger als eine Woche behält.«

Keller fährt zurück über die Brücke – »nichts zu deklarieren« – und zu einem Lagerhaus außerhalb von Juárez, wo die FES einen Stützpunkt eingerichtet hat. Sie schnallen Wagner an einen Holzstuhl und warten, dass er zu sich kommt.

Als Wagner so weit ist, eröffnet ihm Keller, dass er leider überhaupt keine Rechte hat, weil er jetzt in Mexiko ist, und dass die Männer mit den schwarzen Sturmhauben FES-Söldner sind – und sehr wütend wegen des Zeta-Mords an der Familie Córdova.

»Wenn ich die ranlasse, häuten sie dich bei lebendigem Leibe, und das meine ich nicht metaphorisch. Also noch mal zum Mitschreiben, Mikey: Sie werden dich häuten.«

»Das ist doch alles Bluff«, sagt Wagner. »Ihr seid Cops, und Cops dürfen keinen einfach so umbringen.«

»Wir sind hier in Mexiko, und ich kann mit dir machen, was ich will, du Blödmann«, brüllt ihn Keller an. Das Problem ist, dass er nicht weiß, was er machen soll, wenn Wagner seine Karte ausreizt. Ein Teil von ihm blufft nicht, ein Teil von ihm weiß, dass er die Sache durchzieht. Seit dem Mord an Ernie Hidalgo hat er nicht so viel Wut, so viel Hass in sich gespürt. Genug Wut, genug Hass, um einen amerikanischen Staatsbürger zu entführen und über die Grenze zu schmuggeln.

»Eine trauernde Familie zu ermorden, in der Nacht nach der Beerdigung. Ich kann mir nichts Schlimmeres vorstellen als das.«

»Ich habe nichts damit zu tun«, sagt Wagner und schüttelt den Kopf, noch immer groggy von dem Zeug, das ihm Keller gespritzt hat.

»Du hast ihnen die Waffen verkauft, stimmt's?«, sagt Keller tonlos. »Oder du kennst einen, der einen kennt, der es war, und du wirst es mir sagen.«

»Einen Scheiß werde ich«, sagt Wagner und richtet den Blick auf die Spritze, die Keller gezückt hat.

»Dann läuft die Sache jetzt folgendermaßen: Wir machen Party wie anno 1999, und ich verpasse dir die *colmillos*. Einen Schuss nach dem anderen. Erst wirst du dich köstlich amüsieren, du wirst high sein wie noch nie. Nach den nächsten *colmillos* wird dir schlecht. Aber richtig schlecht. Dir verschwimmt alles, du siehst Sachen, die gar nicht da sind. Und das ist noch der schöne Teil, denn dann fängst du an zu schwitzen, und danach kommt die Angst, eine Scheißangst, bis dir die Sicherungen durchbrennen. Nach den nächsten *colmillos* verengen sich deine Arterien, dein Herz fängt an zu rasen, dass du denkst, es springt dir aus dem Hals, aber das stimmt nur zur Hälfte, denn in Wirklichkeit wird es explodieren, in deinem Brustkorb, und du bist tot. Dann bringe ich dich zurück über die Grenze und werfe dich irgendwo ab. Die Cops werden denken, dass du Zetas reinlegen wolltest und sie dir die Kokainkur verpasst haben, aber es ist ihnen scheißegal, weil du eh nur ein kleiner Meth-Dealer bist.«

Keller setzt ihm den ersten Schuss. »Jetzt geht die Post ab. Du kannst nichts mehr machen, nur noch stopp sagen, wenn du abspringen willst.«

Es folgen zwei weitere Spritzen. »Reines Kokain – Sorte Rolex. Das hab ich Diego Tapia persönlich abgenommen. Fühlt sich gut an, was?«

Wagner räkelt sich verzückt, während die Droge seine Stirnlappen passiert und voll ins Reptilienhirn einschlägt.

»Willst du jetzt auspacken, solange du noch glücklich bist?«, fragt Keller.

»Die Zetas machen mich kalt!« Wagner lacht vor Wonne.

»Du Arschloch! *Ich* mache dich kalt!«

»Das kannst du haben.« Wagner lacht und lacht, und Keller setzt ihm noch zwei Schuss.

»Aber du stirbst glücklich.« Jetzt muss auch Keller lachen. Wagner lacht. »Und wie!«

»Weißt du, was wir machen?«, sagt Keller. »Du gibst mir, was ich will, und ich bringe dich zurück. High, aber lebend.«

»Nein, du bringst mich um, damit ich nicht plaudere«, sagt Wagner.

»Was willst du schon ausplaudern? Ein paar Typen haben dich betäubt, dich nach Mexiko verschleppt und dir Kokain gespritzt? Diesen Scheiß glaubt dir keiner, und wenn doch, juckt es keinen.«

Noch zwei Schuss.

»O Mann, ist das gut!«

»Noch ist es gut.«

Wagner geht mit, das muss man ihm lassen. Er treibt es auf die Spitze, um zu sehen, wer zuerst aufgibt. Er zieht alles voll durch, die Euphorie, das Lachen, er bleibt auch hart, als er das Zittern kriegt und alle möglichen Halluzinationen.

»Das soll aufhören!«, schreit er plötzlich.

Wer weiß, was er gerade sieht, denkt Keller.

»Du bestimmst, wann es aufhört. Gib mir einen Namen.«

Wagner bleibt hart. Seine gefesselten Hände umklammern die Armlehnen, dass die Knöchel weiß werden, er ruckt mit dem Kopf.

Drei weitere Schuss. Keller will nicht, aber er muss an die Fotos denken, die er gesehen hat. Irma Córdova, zerfetzt von Kugeln. Das macht es ihm leichter, diesen Dreckskerl mit der Nadel zu traktieren.

Du hast Halluzinationen, Mikey?

Weißt du, was *ich* sehe?

Die Hölle, die *ich* sehe, ist real!

Wagner bekommt einen Schweißausbruch. Erst Tröpfchen auf der Stirn, dann strömt ihm der Schweiß wie ein Tropenregen übers Gesicht, seine Füße fangen an zu tanzen, sie steppen über den Betonfußboden, seine Schenkel wippen, bis er an einen alten Klapperkasten erinnert, der über Kopfsteine holpert.

»Aufhören!«, fleht er.

»Besser wird's nicht mehr, Mikey«, sagt Keller.

Und verpasst ihm einen Schuss.

»O verdammt!«

Aber er bleibt hart. Während sein Gesicht rot wird, sein Brustkorb zu pumpen anfängt. Für einen Moment fürchtet Keller, dass er seine kostbare Quelle verliert. Er drückt zwei Finger an Wagners Halsschlagader und sagt: »Sieht nicht gut aus. Hundertzehn. Das Rennen kann losgehen.«

»Hör auf, du Sauhund!«

»Gib mir einen Namen!«

»Kann ich nicht.«

»Jetzt sind's hundertvierzig, Mikey«, sagt Keller. »Du warst schon kurz vorm Abschnappen, mal sehen, wie lange du –«

Wieder eine Spritze. Über hundert sind verbraucht.

Das überlebt der nicht, denkt Keller.

Aber kannst du das machen?, fragt er sich.

Und setzt drei weitere Schuss. Eins, zwei, drei.

Wagners Gesicht wird scharlachrot, seine Venen quellen hervor, sein Brustkorb pumpt wie in einem schlechten SF-Film.

»Die Tachykardie steigert sich«, sagt Keller und hält ihm die nächste Spritze unter die Nase. »Nach dieser hier machst du den Abflug.«

»Das … das traut ihr euch nicht.«

»Wetten, doch?«

»Nein … das könnt ihr mit mir nicht …«

Keller zuckt die Schulter und bereitet die nächste Spritze vor.

»Carrejos!«, schreit Wagner. »José Carrejos. Sie nennen ihn El Chavo.«

»Verkaufst du ihm Waffen?«, fragt Keller und drückt die Spritze weiter gegen Wagners Arm. »Hast du ihm Waffen verkauft, du Dreckskerl?«

»Ja, doch!«

Keller nimmt die Spritze weg. »Wo finden wir Carrejos?«

»Weiß ich nicht! Bitte gebt mir …«

Keller löst die Fessel seines linken Arms und gibt ihm das

Handy, das sie ihm abgenommen haben. Alle gespeicherten Daten sind schon kopiert. »Ruf ihn an.«

»Was ... was soll ich ... sagen?«

»Mir egal. Hauptsache, er bleibt eine Weile dran.«

Wagner findet die Nummer und drückt sie. »Chavo, ich bin's ... Mikey ... nein, geht mir gut, ich bin nur high ... voll auf dem Trip, Mann. Hey, braucht ihr Jungs noch was? Die zwei Pfund ... die hab ich ... gerade verkauft ... und ich ... ich ...«

Der Techniker hebt den Daumen.

Sie haben Carrejos lokalisiert.

Keller nimmt Wagner das Handy weg, schaltet es aus und sagt zum Sanitäter: »Kümmert euch um ihn. Damit er wieder runterkommt.«

Der Sanitäter schaut ihn verständnislos an. *Warum?*, aber er tut es. Eine halbe Stunde später sitzt Mikey-Mike Wagner auf dem Beifahrersitz und schläft selig, während Keller zurück nach El Paso fährt. Er bringt ihn zum Busbahnhof und rüttelt ihn wach.

Wagner kapiert nicht, wo er ist.

Keller gibt ihm ein Busticket. »Chicago. Das ist Sinaloa-Gebiet, dort kommen die Zetas nicht hin. Wenn du dich hier noch mal blicken lässt, legen sie dich um. Und wenn nicht sie, dann ich. Jetzt hau ab.«

»Danke.«

»Fick dich. Geh krepieren.«

Auf der Rückfahrt klingelt sein Handy. Ein Mann von der FES, sie haben Carrejos, und er redet.

Klar, denkt Keller. Sie haben einen Mexikaner auf mexikanischem Boden, und nichts kann sie davon abhalten, zu machen, was sie wollen – die Mörder der Familie Córdova aufspüren.

Sie werden alles aus Carrejos rausholen, was er weiß, ihm dann, wenn er Glück hat, eine Kugel in den Kopf schießen und seine Leiche in der Wüste entsorgen.

All das kann Keller egal sein, er will nur die Informationen, obwohl ihn die Jagd auf die Zetas von seinem eigentlichen Ziel abbringt – Barrera aufzuspüren. Es ist wie mit einem Fluss: Eine kleine Abweichung an der Quelle, und der Fluss sucht sich ein neues Bett, das sich immer weiter von seinem ursprünglichen Lauf entfernt.

Jetzt fährt er zu Marisol.

Sie wollen zu einer Silvesterparty.

Wie sich herausstellt, ist das Lokal keine Bar und kein Restaurant, sondern ein Buchladen mit Café. Und sie hat recht. Die Cafebreria besitzt die Atmosphäre eines kulturellen Treffpunkts, sie bietet Zuflucht vor dem Irrsinn, der von der Stadt Besitz ergriffen hat.

Marisol stellt ihn ihren Freunden vor. Die sind nett, aber er fühlt sich beklommen, weil er sofort als Fremder zu erkennen ist, als Gringo, als amerikanischer Regierungsbeamter, als Fremdkörper, der diesen Schriftstellern, Dichtern, Aktivisten und selbsternannten Intellektuellen bedrohlich vorkommen muss.

Trotzdem – und obwohl er sich eher abseits hält – spürt er eine Wärme, die er lange nicht erlebt hat. Die Herzlichkeit dieser Menschen ist echt und mit Händen zu greifen, ihr Humor ist sanfter als der, den er aus Cuernavaca kennt, und es scheint sie nichts anderes zusammenzuhalten als die Freundschaft und eine Art gemeinsame Utopie, selbst wenn ihm die wirr und kaum realistisch vorkommt.

Eine Freundin von Marisol, die Journalistin ist, lädt ihn mit Marisol zum Nachfeiern in ihr Haus ein, und da Marisol freudig nickt, nickt auch er.

Es sind dieselben Leute, die er dort vorfindet, es gibt schlichten Wein und billiges Bier, und Keller hat das Gefühl, dass auch Joints kreisen würden, wäre er nicht da, und er will ihnen sagen, dass er nichts dagegen hat, aber weiß nicht, wie er das Thema angehen soll.

Er steht in dem kleinen Hof und nippt an seinem Bier, als ein dicklicher Mensch mit Dreitagebart und langem schwarzem Haar auf ihn zukommt.

»Pablo Mora.«

»Art Keller.«

»Ich schreibe für *El Periódico*«, sagt Pablo, der offenbar reichlich getrunken hat. »Wir haben über Sie nachgedacht und sind zu dem Schluss gekommen, dass Sie eine Art Spion sind. Wenn das der Fall ist – welche Art von Spion sind Sie?«

»Ich arbeite für die Regierung«, sagt Keller. »Aber ich bin kein Spion.«

»Schade. Es wäre lustiger, wenn Sie ein Spion wären. Aber warum sind Sie hier?«

»Marisol hat mich mitgenommen.«

»Wir alle lieben Marisol«, sagt Pablo. »Ich liebe Marisol. Ich meine, ich liebe sie *wirklich*.«

»Das kann ich Ihnen nicht verübeln.«

»Aber ich verüble *Ihnen* das«, sagt Pablo. »Wie kann sie einen Gringo lieben?«

»Na ja. Ich bin nur ein halber Gringo«, sagt Keller. »Halb Gringo, halb *pocho*.«

»Ein *pochingo*.«

»*Pochingo?*«, fragt Marisol, die mit halbem Ohr zugehört hat.

»Ich erklär's dir später«, sagt Keller.

»Du bist okay, *pochingo*«, sagt Pablo. »Ich hole mir noch ein Bier. Willst du auch eins?«

»Danke, ich hab.«

»Okay.«

Pablo entfernt sich.

»Er ist ziemlich angeheitert«, sagt Keller.

»Ja, das ist ein bisschen traurig mit Pablo«, sagt Marisol.

»Ich mag ihn. Er ist in dich verliebt.«

»Nur verknallt. Er wäre in Ana verliebt, wenn er eine Spur Verstand hätte. Und du? Amüsierst du dich?«

»Ja, sehr.«

»Nett von dir, dass du mich anschwindelst.«

»Nein, wirklich.«

»Komm, gehen wir zu Ana«, sagt sie. »Ich würde mich freuen, wenn ihr Freunde werdet.«

Sie setzen sich zu der zierlichen Frau auf die Treppe, die gerade mit einem älteren Mann diskutiert. Keller vermutet, dass es sich bei dem Mann mit Hornbrille und Stock um den berühmten Oscar Herrera handelt, auf den die Barreras vor Jahren einen Anschlag verübt haben.

»Erklär mir den Unterschied, Oscar«, sagt Ana. »Erklär mir, warum das keine Besatzungsarmee ist.«

»Weil es die Armee unseres eigenen Landes ist«, sagt Herrera.

»Trotzdem: das Kriegsrecht.«

»Das bestreite ich nicht«, erwidert er. »Ich bestreite nur, dass es sich um eine Besatzung handelt, und ich frage auch, was die Alternative ist. Wir haben eine Polizei, die sich nicht durchsetzen kann oder will, eine Polizei, die sich vor lauter Angst nicht auf die Straße traut. Was soll die Regierung sonst machen? Sich der Anarchie ausliefern?«

»Die Anarchie geht von der Armee aus!«

»Entschuldige, wenn ich unterbreche«, sagt Marisol. »Ich wollte euch mit meinem Freund bekannt machen. Oscar Herrera, das ist Arturo Keller.«

»*Mucho gusto.*«

»Ganz meinerseits.«

»Wir sprachen gerade über die traurigen Zustände in dieser Stadt«, sagt Herrera. »Aber was mich betrifft: Ich freue mich, unterbrochen zu werden. Sie sind Amerikaner, Señor Keller?«

»Ja. Aber nennen Sie mich Art.«

»Sie sprechen so gut Spanisch«, sagt Herrera. »Lesen Sie auch Spanisch?«

»Ja.«

»Wen lesen Sie?«

Keller zählt auf. Roberto Bolaño, Luis Urrea, Élmer Mendoza …

»Doktor Cisneros!«, ruft Herrera. »Sie haben es geschafft! Sie haben einen zivilisierten Amerikaner gefunden. Setzen Sie sich, Arturo! Setzen Sie sich zu mir!«

Keller quetscht sich neben ihn, und Herrera nimmt seinen Stock beiseite, damit er Platz hat. Sie reden über *Die wilden Detektive, Kolibris Tochter* und den Kriminalroman *Silber,* bis sich Herrera verabschiedet, um die Nacht der Jugend zu überlassen, wie er sagt.

Marisol bringt ihn hinaus und hilft ihm bei der Taxisuche.

Ana kommt gleich zur Sache: »Marisol ist schwer verliebt in Sie. Das wissen Sie doch, oder?«

»Ich hoffe es«, sagt er.

»Ich bin mir nicht sicher, ob ich ihr das wünschen soll«, sagt Ana. »Ein Amerikaner und – wir haben darüber gewitzelt, dass Sie ein Spion sind. Aber so abwegig ist die Vermutung nicht, oder?«

Keller sagt nichts.

»Seien Sie gut zu ihr«, sagt Ana.

»Das werde ich«, sagt Keller. »Wie ist das mit Ihnen und Pablo?«

Sie schaut zu Pablo hinüber, der neben Giorgio steht und lacht. »Ich weiß gar nicht mal, ob es ein ›ich und Pablo‹ gibt.«

»Er scheint mir ein netter Kerl zu sein.«

»Vielleicht ist das sein Problem«, sagt Ana. »Er ist ein netter Kerl mit einem weichen Herz, und er hängt an seiner Ex, seinem Sohn – und Marisol.«

»Er ist nur ein bisschen verknallt.«

»Aber er ist so gar nicht ihre Liga. Das ist nicht mehr lustig. Nein, das Problem mit Pablo ist, dass wir Kollegen sind und uns vielleicht ein bisschen zu gut kennen.«

»Das ist keine schlechte Grundlage für eine Beziehung.«

Anas Stimme wird ernst. »Wenn Sie Einfluss auf Marisol haben, versuchen Sie doch bitte, ihren politischen Ehrgeiz zu bremsen. Der ist zu gefährlich.«

»Ich wollte Sie um das Gleiche bitten.«

»Auf mich hört sie nicht.«

»Na, vielleicht, wenn wir es beide versuchen.«

»Abgemacht.«

Sie schütteln sich die Hand, als Marisol zurückkommt.

»Ihr seid schon beim Händeschütteln?«

»Wir haben gerade Freundschaft geschlossen«, sagt Keller.

»Sehr gut«, sagt Marisol. »Das hatte ich gehofft.«

Er fährt mit ihr hinüber nach El Paso, wo ihm die DEA ein Zimmer stellt – in einem Wohnhotel, das kaum luxuriös ist, aber nicht so bedrückend wie ein Motel. Das ist besser, als mitten in der Nacht nach Guadelupe zu fahren. Als sie dort ankommen, fragt Marisol: »Ach, übrigens, was ist ein *pochingo*?«

»Halb *pocho*, halb Gringo.«

»Verstehe. Welche Hälfte will jetzt mit mir ins Bett gehen?«

Beide, wie sich herausstellt.

Neujahr 2010 wird zum blutigsten Tag in der Geschichte von Juárez.

Sechsundzwanzig Tote in vierundzwanzig Stunden.

Neunundsechzig Tote in ganz Mexiko.

Keller gibt Marisol einen Abschiedskuss und fährt nach Nuevo Laredo.

Um Zetas zu jagen.

Carrejos hat ein volles Geständnis abgelegt.

Ja, ich habe Waffen bei Wagner gekauft und sie an das Zeta-Kommando übergeben, das den Auftrag hatte, die Córdovas zu töten. Ja, Heriberto Ochoa – Z1, El Verdugo – hat den Auftrag persönlich erteilt, um ein Exempel zu statuieren. Ja, ich saß am Steuer, aber ich bin nicht hineingegangen, das schwöre ich bei den Augen meiner Mutter, ich habe nicht geschossen, ich war nur der Chauffeur. Bitte hören Sie auf damit!

Er nannte sogar die Namen der Mörder.

José Silva.

Manuel Torres.

Und den ihres Anführers – Braulio Rodríguez – Z20 oder *El Gonzo.*

An der Zahl erkennt Keller, dass Rodríguez zur Kerntruppe der Zetas gehört. Das bedeutet, dass er wichtig ist, ein Führungsmitglied – und dass der Mord an den Córdovas auf höchster Ebene beschlossen wurde.

Rodríguez stand schon vorher auf der Abschussliste der FES. Und bestimmt hat er mit Ochoa in Chiapas gedient. Die Ermordung von Frauen ist also nichts Besonderes für ihn.

Carrejos hat auch verraten, wo sich die Mitglieder des Tötungskommandos aufhalten. .

Silva und Torres in Nuevo Laredo.

Rodríguez in Veracruz.

Was hat der in Veracruz zu suchen?, fragt sich Keller.

Die Hafenstadt in der südlichen Golfregion liegt weit vom Schuss, in einer Gegend, die früher mal eine Hochburg der Tapias war und nun angeblich von Crazy Eddie Ruiz kontrolliert wird.

Die Frage, was Rodríguez dort treibt, haben sich auch die Verhörspezialisten der FES gestellt, die gerade dabei sind, das Carrejos-Verhör auszuwerten, und Keller hat ihnen seine Vermutungen mitgeteilt: Das sei wahrscheinlich eine Beförderung; zur Belohnung für die Mordaktion habe er Veracruz als Plaza erhalten, und er sei angetreten, Ruiz diese Plaza abzujagen.

Häfen sind wichtig für die Kartelle. Nicht unbedingt zur Verschiffung von Drogen, vielmehr als Umschlagplatz der importierten Ausgangsstoffe für die Methamphetamin-Produktion, die in »Superfabriken« stattfindet, den neuen *maquiladoras.*
Mazatlán an der sinaloanischen Pazifikküste befindet sich fest in den Händen des Sinaloa-Kartells, Lázaro Cárdenas weiter südlich ist umstritten zwischen den Zetas und der Familia Michoacana, Matamoros an der nördlichen Golfküste wird vom Golfkartell beherrscht, und alle diese Häfen sind wichtig für

die Einfuhr der Chemikalien, die zumeist aus China kommen. Und jetzt auch der Hafen von Veracruz, den Eddie braucht, um seine Produktion in Gang zu halten, dort, aber auch in Monterrey und Acapulco, wo er versucht, die Reste der Tapia-Organisation unter seiner Führung zu vereinen.

Die Zetas haben andere Pläne – sie wollen Veracruz für sich. Und Rodríguez – Z20 – hat den Auftrag, dies zu bewerkstelligen.

Aber alles der Reihe nach, denkt Keller.

José Silva ist in Nuevo Laredo geortet worden, dem alten Tummelplatz von Eddie Ruiz, bevor die Zetas die Stadt für das Golfkartell eroberten. Dort treibt Silva sein Unwesen als Zuhälter und bietet in seinem Bordell Flüchtlingsmädchen aus Mittelamerika feil. Das Bordell in Boy's Town ist klein, es befindet sich im Obergeschoss eines Hauses am vorderen Ende der Calle Cleopatra.

Keller sieht exakt wie ein besoffener Gringo aus, der über die Grenze gekommen ist, um sich eine Billighure zu leisten. Gelbes Poloshirt, Jeans, weiße Golfmütze, Alkoholfahne. Er läuft an den Straßenhuren vorbei und betritt Casa las Nalgas, wo er sich an die schäbige Bar setzt, ein Bier bestellt und wartet, bis die Frauen zur »Parade« herunterkommen.

An diesem frühen Nachmittag sind vier Frauen verfügbar. Keller wählt ein vielleicht siebzehn Jahre altes Mädchen mit schlechtsitzendem Negligé, das die mageren Brüste kaum verhüllt. Sie wirkt wie unter Drogen, als sie ihn die schmalen, knarrenden Stufen hinauf in einen engen Raum führt. Die alte Matratze ist mit einem Laken bedeckt.

An der Wand über dem Kopfende befindet sich ein Klingelknopf.

Keller hat bemerkt, dass das Mädchen unten an der Bar einen Blick mit Silva gewechselt hat. Er macht die Tür hinter sich zu, schließt aber nicht ab.

Das Mädchen sagt: »Bitte das Geld.«

»Nein.«

Sie schaut ihn an, überrascht und verängstigt. »Bitte!«

»Dafür habe ich noch nie bezahlt«, lallt er. Er holt einen Latexhandschuh aus der Tasche und zieht ihn über. »Na, komm.«

Sie weicht vor ihm zurück und drückt auf den Klingelknopf.

Keller zieht die nicht registrierte, schallgedämpfte Beretta, die er von der FES bekommen hat, unter dem Hemd vor und lauscht auf die nahenden Schritte. Die Tür geht auf, Silva kommt herein und brüllt: »Hey, du Schnapsnase –«

Keller verpasst ihm zwei Schüsse in die Brust.

Das Mädchen schreit.

Silva schlägt lang hin. Keller stellt sich über ihn und schießt ihm in den Hinterkopf, dann nimmt er einen Pikbuben aus der Tasche – die Visitenkarte der Matazetas – und legt ihn auf den Toten. Er wirft die Beretta hin, geht die Treppe hinunter und hinaus auf die Straße, wo ihn ein Auto der FES erwartet.

Manuel Torres locht auf dem Golfplatz ein.

Bestimmt weiß er schon, was mit Silva passiert ist. Auch dass Carrejos' entstellte Leiche in einem Graben außerhalb der Stadt gefunden wurde – mit einem Pikbuben, der an sein Hemd geheftet war. Er kann sich ausrechnen, dass die FES hinter ihm her ist. Sie wissen, dass er sich in Nuevo Laredo aufhält, aber sie können nicht wissen, wo, denn er benutzt keinen Computer und passt höllisch mit seinen Handys auf. Er hält keinen Kontakt zu seinen Kumpanen, sie können ihn unmöglich finden.

Aber sie finden seine Mutter.

Dolores Torres ist siebenundachtzig Jahre alt und nicht sehr gesund. Sie lebt in El Carrizo, einem zentral gelegenen Viertel, und geht jeden Tag zum Markt.

An diesem Morgen hält ein Rettungswagen mit eingeschaltetem Blinklicht neben ihr. Zwei Sanitäter steigen aus, nehmen sie bei den Ellbogen und führen sie sanft zur Hecktür.

»Alles in Ordnung«, sagt der eine Sanitäter. »Wir helfen Ihnen.«

»Aber es geht mir gut, ich –«

»Bleiben Sie ganz ruhig. Wir kümmern uns um Sie.«

Sie helfen ihr in den Rettungswagen und legen sie auf die Trage. Mindestens fünfzig Passanten sehen es und schauen dem Wagen nach, der in Richtung Krankenhaus fährt. Mindestens drei von ihnen benachrichtigen Manuel Torres, dass seine geliebte Mutter auf der Straße zusammengebrochen ist und ins Krankenhaus gebracht wurde.

Keller wartet in einem Van, der auf der Calle Maclovio Herrera parkt, gegenüber der Notaufnahme des Krankenhauses. Nach etwa zwanzig Minuten kommt ein Chevrolet Suburban angerast. Am Steuer ein Zeta, auf dem Beifahrersitz ein Bodyguard.

Hinten sitzt Torres.

Das Auto ist noch nicht zum Stehen gekommen, als Torres schon die Tür öffnet und herausspringt.

Die zwei FES-Scharfschützen haben leichtes Spiel. Zwei M4-Gewehre mit Schalldämpfer hinterlassen ihre Einschusslöcher auf der Brust und im Kopf von Torres.

Ein Pikbube flattert aus dem Seitenfenster des Van, als er davonfährt.

Ein kalter böiger Wind weht Unrat über den Parkplatz des S-Mart, auf dem Pablo in seinem Auto sitzt und frühstückt.

Er hört den Polizeifunk ab und bekommt das Signal *»Motivo 59«.*

Wieder ein Mord.

»Eins einundneunzig.«

Eine Frau.

Pablo startet den Motor, knüllt die Verpackung des Burrito zusammen und fährt zur angegebenen Adresse, einem Restaurant in Uni-Nähe, wo er schon öfter gegessen hat. Giorgio war schneller als er, aber er fotografiert nicht. Er steht neben dem Auto des Opfers und blickt nach unten.

Jimena Abarca liegt neben der Beifahrertür. Ihr Körper ist

verdreht, ihr ausgestreckter rechter Arm ruht in einer Blutlache, ihre Hand umklammert die Autoschlüssel.

Sie hat neun Einschüsse in Gesicht und Brust.

Die Skandalreporter treffen ein, einer zückt die Kamera.

Giorgio stellt sich vor ihn und sagt: »Nicht.«

»Was soll das, Giorgio?«

Giorgio stößt ihn weg. »Ich sage, keine Fotos, verdammt noch mal!«

Der Mann verzieht sich.

Pablo steigt in sein Auto, atmet tief durch und ruft Ana an.

Sie beerdigen Jimena in Guadelupe.

Es kommen Hunderte, aus Juárez und aus dem ganzen Tal. Es wären Tausende geworden, denkt Marisol, wenn nicht so viele über den Fluss in den Norden gegangen wären. Manche bleiben auch weg, weil sie Angst haben, gesehen und fotografiert zu werden. Und vielleicht als Nächste begraben werden. Die Armee aber ist präsent, in voller Stärke, falls es zu Gewaltausbrüchen kommt – und um Fotos von den Teilnehmern zu machen.

»Die wissen schon, warum sie hier sind«, zischt Marisol, als sie dem Sarg zum Friedhof folgen. »Die haben sie umgebracht.«

»Das kannst du nicht wissen«, sagt Keller.

»Ich weiß es.«

Zeugen im Restaurant hatten gesehen, dass vier Männer auf Jimena zugingen, als sie zu ihrem Auto wollte, sie kannten also ihre Gewohnheiten und wussten, dass sie gern dort frühstückte. Eine Frau, die in ihrem Auto saß und sich wegduckte, als die Männer kamen, hörte einen zu Jimena sagen: »Du denkst wohl, du kannst uns auf der Nase rumtanzen.«

Jimena hatte sich gewehrt, war mit dem Autoschlüssel auf sie losgegangen.

»Natürlich hat sie sich gewehrt«, sagt Marisol. »Natürlich hat sie gekämpft.«

Eine Frau mit Autoschlüssel gegen vier Männer mit Pistolen.

Es war so wenig geblieben von ihrem Gesicht, dass der Sarg bei der Totenwache geschlossen bleiben musste.

»Die Armee hat sie umgebracht«, sagt Marisol. »Weil sie sich nicht einschüchtern ließ.«

Auch Marisol lässt sich nicht einschüchtern.

Sie spricht an ihrem Grab. »Jimena Abarca war meine Freundin, und in diesem Tal war sie allen eine Freundin. Sie versagte niemandem ihre Hilfe, ihren Zuspruch, ihre Unterstützung, sie bestand auf ihrer Würde, ihrem Mut, ihrem Optimismus … und *sie* …«

Zu Kellers Entsetzen zeigt Marisol auf die Soldaten.

»… haben sie dafür getötet.«

Sie richtet ihren anklagenden Blick auf die Soldaten, auch auf Coronel Alvarado, der vor Wut bleich wird.

»Jimena ist gestorben, wie sie gelebt hat«, spricht sie weiter. »Im Kampf. Möge das für uns alle gelten. Ich hoffe, es gilt für mich. Ade, Jimena. Ich habe dich geliebt. Wir alle werden dich immer lieben. Möge Gott dich in seine Arme schließen.«

Jetzt ist auch der Priester wütend.

Marisol, denkt Keller, schafft es, alle wütend zu machen.

Am Abend haben sie deshalb Streit.

Keller bleibt bei ihr in Guadelupe und will sie zur Flucht überreden.

Die Stadt ist schon tot, argumentiert er. Die Hälfte der Häuser sind verlassen, nur ein kleiner Kramladen hat manchmal geöffnet, der Bürgermeister und die anderen Ratsmitglieder sind geflohen, keiner will diesen Job übernehmen. Auch die Lokalpolizisten sind weggelaufen, und Keller kann es ihnen nicht verübeln. So geht es nicht nur in Guadelupe zu – alle Kleinstädte in Grenznähe haben das gleiche Problem.

»Du bist hier nicht sicher«, sagt Keller. »Besonders jetzt, nachdem du dich zur Zielscheibe gemacht hast.«

»Ich habe hier meine Praxis, und *sie* haben mich zur Zielscheibe gemacht«, sagt sie.

Sie starren sich kurz an, dann sagt Keller: »Komm, wohne bei mir.«

»Ich fliehe nicht nach El Paso«, sagt sie. »Das wird nicht passieren.«

»Dein verfluchter Stolz, Marisol … Okay, dann komm nach Mexico City. Du kannst dort auch eine Praxis –«

»Ich werde hier gebraucht.«

»– eröffnen. In Iztapalapa, wenn dir das lieber ist.«

»Es geht nicht darum, was mir lieber ist, Arturo«, sagt sie wütend. »Es geht um die Tatsachen: Erstens, ich bin die einzige Ärztin im Tal. Zweitens, das hier ist meine Heimat. Drittens –«

»Drittens«, unterbricht sie Keller, »Sie können dich umbringen.«

»Ich laufe vor niemandem weg.«

Nein, sie läuft nicht weg, sie tut das Gegenteil.

Am nächsten Abend hält sie in ihrer Praxis eine Versammlung ab. Um die dreißig Bewohner des Tals erscheinen, die meisten von ihnen Frauen. Was kein Wunder ist – sehr viele Männer sind tot, im Gefängnis oder im Norden.

Das ist Marisols Argument.

»Was die Männer nicht können oder wollen«, sagt sie, »müssen die Frauen tun. Es war immer Aufgabe der Frauen, eine Heimstatt zu schaffen und zu bewahren. Jetzt sind unsere Heimstätten bedroht wie nie zuvor. Die Armee *und* die Narcos wollen uns aus unseren Häusern vertreiben. Wenn wir uns nicht selbst helfen, hilft uns niemand.«

Die Versammlung dauert drei Stunden.

Sie endet damit, dass zwei Frauen aus Guadelupe in den Stadtrat eintreten. Drei weitere Frauen tun das in anderen Grenzstädten. Eine achtundzwanzigjährige Jurastudentin ist bereit, die einzige Polizeistelle in Práxedis zu übernehmen, eine andere übernimmt diesen Posten in Esperanza.

Und Marisol wird die neue Bürgermeisterin von Guadelupe.

Sie hält eine Pressekonferenz ab. *La Médica hermosa* hat keine Schwierigkeiten, die Medien zu mobilisieren, und sie blickt direkt in die Kameras, als sie verkündet: »Dies ist unsere Botschaft – an die Politiker, an die Armee, an die kriminellen Kartelle. An die Banditen, die Jimena Abarca erschossen haben, an die Zeta-Feiglinge, die die Familie Córdova im Schlaf ermordet haben. Ich bin hier, um euch zu sagen, dass es euch nichts nützt. Wir sind hier, und wir bleiben hier. Wir werden weiter für die armen Bewohner des Tals eintreten, die ihr Leben lang schuften müssen, um ihre Kinder satt zu machen. Wir haben keine Angst vor euch, aber ihr habt Grund, Angst vor uns zu haben. Wir sind Frauen, wir kämpfen um unsere Familien und um unsere Häuser. Es gibt keine Macht, die stärker ist.«

Ausgelöst durch den Mord an Jimena Abarca, beginnt im Tal von Juárez die »Frauenrevolte«.

Nur ein Posten ist unbesetzt.

Guadelupe hat keinen Polizisten.

Zwei der ehemaligen Cops wurden ermordet, der dritte ist in die USA geflohen.

Marisol sitzt mit Keller im Rathaus und erklärt ihm das Problem.

Er ist wütend auf sie.

Nicht nur, weil sie in Guadelupe bleibt. Sie hat sich direkt ins Fadenkreuz gestellt und dazu noch die Scheinwerfer auf sich gerichtet. Er muss bald weg, jetzt versucht er, sie wenigstens davon zu überzeugen, dass sie eine Pistole braucht.

»Ich besorge dir eine«, sagt er. »Eine kleine Beretta, die passt in deine Handtasche.«

»Ich kann nicht schießen.«

»Das bringe ich dir bei.«

»Wenn ich eine Pistole habe«, sagt sie, »biete ich ihnen einen Vorwand, auf mich zu schießen, oder?«

Er sucht nach einer Erwiderung, als es an die Tür klopft.

»Herein!«, ruft Marisol.

Die Tür geht auf, und eine junge Frau steht vor ihnen, etwa

einen Meter achtundsiebzig groß, langes schwarzes Haar, kräftig gebaut, mit breiten Hüften, aber nicht dick.

»Erika, nicht wahr?«, fragt Marisol.

Die Frau nickt. »Erika Vallés.«

»Du arbeitest bei deinem Onkel Tomas, nicht wahr?«

Ihr Onkel ist Immobilienmakler im Tal.

»Wir können keine Häuser mehr verkaufen«, sagt sie und blickt zu Boden.

»Was kann ich für dich tun?«, fragt Marisol.

Erika blickt sie an. »Ich möchte mich um den Job bewerben.«

»Welchen Job?«

»Polizeichef.«

Keller ist konsterniert.

Marisol lächelt. »Wie alt bist du, Erika?«

»Neunzehn.«

»Ausbildung?«

»Ich war ein Semester an der ITCJ«, sagt sie und meint damit die Technische Hochschule von Juárez.

»Hast du Rechtswesen studiert?«

Erika schüttelt den Kopf. »Nein, Computer.«

Jetzt schüttelt Keller den Kopf. Ein neunzehnjähriges Mädchen ohne Ausbildung will Polizeichefin von Guadelupe werden? Eine Traumtänzerin.

Marisol fragt sie: »Warum willst du das, Erika?«

»Das ist wenigstens ein Job«, sagt sie. »Keiner will ihn. Ich glaube, ich kann das.«

»Und warum glaubst du das?«

»Ich bin stark«, sagt Erika. »Ich spiele Fußball mit den Jungs und schlage mich ganz gut.«

»Ist das alles?«

Erika blickt wieder zu Boden. »Ich bin nicht dumm.«

»Davon gehe ich aus«, sagt Marisol.

Erika blickt auf. »Dann habe ich den Job?«

»Bist du vorbestraft?«

»Nein.«

»Drogen?«

»Ein bisschen gekifft«, sagt sie. »Als ich noch jung war.«

Als sie noch *jung* war? Keller kommt aus dem Staunen nicht heraus.

»Aber jetzt nicht mehr«, ergänzt Erika.

»Erika«, sagt Marisol. »Du weißt, dass Menschen in diesem Job ihr Leben verloren haben.«

»Ich weiß.«

»Und du willst es trotzdem machen?«

Erika zuckt die Schultern. »Jemand muss es ja.«

»Und du weißt auch, dass wir keinen anderen Polizisten haben«, sagt Marisol. »Zumindest vorläufig wärst du dein eigener Chef.«

»Ist mir recht!« Erika strahlt.

»Na gut«, sagt Marisol. »Ich vereidige dich.«

Hast du vollends den Verstand verloren?, denkt Keller und sendet Marisol einen Blick, der genau ausdrückt, was er denkt. Sie schaut ihn irritiert an und kramt in ihrem Schreibtisch nach der Eidesformel für den Polizeichef.

Als sie vereidigt ist, fragt Erika: »Bekomme ich eine Waffe?«

»Wir haben hier ... wie heißt die? ... eine AR15«, sagt Marisol. »Weißt du denn, wie man damit schießt?«

»Das weiß doch jeder.«

Jesus Maria, denkt Keller.

»Okay«, sagt Marisol. »Wann kannst du anfangen?«

»Heute Nachmittag?«, fragt Erika. »Ich muss nur meiner Mama Bescheid sagen.«

»Sie muss ihrer Mama Bescheid sagen!«, ruft Keller, als sie gegangen ist. »Das ist der reine Irrsinn, Marisol!«

»Alles hier ist Irrsinn«, erwidert sie. »Sie soll ja keine Morde aufklären oder Narcos verhaften. Nur Falschparker aufschreiben, Streife fahren, damit es keine Einbrüche gibt ... Warum soll sie das nicht können?«

»Weil die Narcos hier keine Polizisten haben wollen«, sagt Keller. »Und keine Art von Exekutive.«

»Tja«, sagt Marisol. »Wir bleiben trotzdem.«

Keller schüttelt den Kopf.

»Aber«, sagt sie, »die Pistole nehme ich.«

Ein paar Wochen später erscheinen Botschaften im Tal.

Weiße Bettlaken, schwarz besprüht mit den Namen der Todeskandidaten, sind an den Mauern befestigt. An den Telefon-
leitungen hängen Spruchbänder mit der Aufschrift: »Ihr habt
48 Stunden Zeit zu verschwinden.«

Flugblätter drohen mit der Ermordung von Polizisten und
Verwaltungskräften.

Marisols Name steht auf der Liste.

Auch der von Erika.

Und die Namen der Polizistinnen und Stadträtinnen in den
anderen Städten.

Während der Karwoche werden Flugblätter aus Lastwagen
abgeworfen, die der ganzen Bevölkerung von Porvenir und
Esperanza verkünden: »Ihr habt nur noch ein paar Stunden
Zeit zu verschwinden.«

Am Karfreitag wird eine Brandbombe auf die Kirche von
Porvenir geworfen, das alte Holzportal geht in Flammen auf.

Der Exodus beginnt.

Die Anwohner fliehen nach Juárez oder zu Verwandten im
Süden, oder sie versuchen, über die Grenze zu kommen.

Keller drängt Marisol, ebenfalls zu fliehen. Nach einem Besuch bei der DEA in El Paso erscheint er in ihrem Büro und
hält ihr die Drohungen vor Augen.

»Woher weißt du das?«, fragt sie.

»Ich weiß alles«, sagt er, und das ist kaum übertrieben. Er bekommt die täglichen Lageberichte aller wichtigen Geheim-
dienstquellen und erfährt zwangsläufig, was im Tal von Juárez
vor sich geht.

»Wenn du alles weißt, dann sag mir, ob es die Armee ist oder
das Sinaloa-Kartell, oder ob es da überhaupt einen Unterschied gibt.«

Keller weiß auch das.

Die Zetas expandieren westwärts, entlang der Fernstraße 2. Nachdem sie die Provinz Coahuila genommen haben, dringen sie in die Provinz Chihuahua vor.

Es gibt Anzeichen, dass dieser Krieg gegen das Sinaloa-Kartell schon begonnen hat. Adán Barrera tut alles, um die Grenzregion zu halten, und er siedelt Sinaloaner in den Gegenden an, die von ihren Bewohnern verlassen werden.

Adán Barrera entvölkert das Juárez-Tal nicht, er *kolonisiert* es.

Es ist eine bizarre Wiederholung der Geschichte dieses Landstrichs, denn viele der vertriebenen Familien kamen ursprünglich als »Militärkolonisten«, um gegen die Apachen zu kämpfen. Nur dass die Apachen diesmal die Zetas sind. Im ländlichen Norden ihrer Stammprovinz Tamaulipas verfahren die Zetas und das Golfkartell in ähnlicher Weise: Sie vertreiben widerspenstige Bauern von ihrem Land und siedeln stattdessen ihre treuen Vasallen an.

»Das sind die Sinaloaner«, sagt Keller zu Marisol. »Aber die Armee tut nichts, um sie aufzuhalten.«

»Um das mindeste zu sagen.«

»Marisol, du musst hier weg«, sagt Keller. »Ich bewundere dich für das, was du hier versuchst – und *wie* ich dich bewundere! Aber es geht einfach nicht. Du und dein halbes Dutzend Frauen! Gegen das Sinaloa-Kartell kommt ihr nicht an.«

»Weil die Leute, die mich schützen sollen, dieselben sind, die mich umbringen wollen.«

»Ja. Gut. Okay.«

»Nein, es ist nicht okay! Wenn wir uns den Drohungen beugen –«

»Ihr habt keine andere Wahl, Marisol!«

»Es gibt immer eine andere Wahl«, sagt Marisol. »Ich habe mich entschieden zu bleiben.«

Keller geht ans Fenster und blickt hinaus auf die abgestorbene Stadt. Ein paar Klapptische unter einer Zeltbahn im Park dienen als provisorische Verkaufsstelle, Unrat weht durch die Straßen. Warum will sie für diese Einöde kämpfen und sterben?

»Mari, ich muss am Montag nach Mexico City. Ich flehe dich an – bitte, komm mit!«

Erika hat sich diesen Moment ausgesucht, um hereinzuplatzen. In Jeans und Kapuzenshirt, mit geschulterter AR15.

»Erika«, sagt Marisol, »Arturo meint, wir sollten lieber fliehen.«

»Niemand würde euch dafür verachten«, sagt Keller.

»Doch«, sagt Erika. »Ich.«

Marisol strahlt Keller triumphierend an.

»Das ist hier nicht Hollywood«, sagt er, »wo die tapferen Frauen zusammenhalten und *Kumbaya* singen – bis zum Happy End. Das ist –«

Als er Marisols Gesicht sieht, bereut er seinen Satz sofort.

Mit leiser Stimme sagt sie: »Nein, das hier ist kein Kino. Das weiß ich nur zu gut. Meine beste Freundin ist ermordet worden. Die Stadt, in der ich aufgewachsen bin, ist verwüstet. Die Leute, mit denen ich groß geworden bin, packen ihre Sachen und ziehen als Flüchtlinge umher.«

»Es tut mir leid. Das war dumm von mir.«

Bei einem dunkelroten Sonnenuntergang laufen sie vom Bürgermeisterbüro zu ihrem Haus. Vorbei an der zugenagelten Bäckerei, vorbei am Kramladen, der auch geschlossen ist, weil die Besitzer über die Grenze nach Fabens gezogen sind.

Drei Soldaten stehen hinter Sandsäcken und Stacheldraht und schauen ihnen nach.

»Die wissen, wer du bist«, sagt Marisol. »Der große Gringo von der DEA.«

Keller ist nicht begeistert, dass man ihn hier kennt, aber wenigstens ist Marisol durch seine Anwesenheit ein wenig geschützt. Erika bleibt fünf Schritt hinter ihnen, das Gewehr schussbereit in der Hand.

Sie ist Marisol völlig ergeben.

Und ihrem Job.

»Danke, Erika, jetzt kommen wir zurecht«, sagt Marisol, als sie vor ihrem Haus stehen. Sie verabschieden sich mit einem Wangenkuss, dann macht Erika kehrt und läuft zurück.

Marisols Haus ist ein restaurierter alter Lehmbau mit neuem rotem Blechdach. Es ist klein, aber gemütlich, mit dicken Wänden, die vor Hitze und Kälte schützen. Die Fenster sind mit Granatengittern versehen, auf deren Einbau Keller bestanden hat.

Als Marisol die weiße Jacke abstreift, sieht Keller das Achselhalfter mit der Beretta Nano. Sie gießt zwei Glas Weißwein ein und reicht ihm eins. Er ist froh, dass sie die Waffe trägt. Er hat sie gekauft und ist mit ihr in die Wüste gefahren, um ihr das Schießen beizubringen.

Sie hat sich als überraschend gute Schützin erwiesen.

Jetzt lässt sie sich in den großen alten Sessel plumpsen, kickt die Schuhe weg, legt die Füße hoch und stöhnt: »Mein Gott, was für ein Tag!«

»Karfreitag«, sagt Keller.

»Das hab ich ganz vergessen. Keine Prozession. Weil keiner mehr da ist.«

Das ist bitter, denkt Keller. Anstelle der traditionellen Karfreitagsprozession die Prozession der Flüchtlinge. »Möchtest du heute Abend in die Kirche gehen?«, fragt er Marisol.

Sie schüttelt den Kopf. »Ich bin müde. Und ehrlich gesagt, falle ich langsam vom Glauben ab.«

»Das glaube ich dir nicht.«

»Eine lustige Antwort, wenn man drüber nachdenkt«, sagt sie. »Lass dich nicht abhalten zu gehen, aber am liebsten möchte ich noch ein Glas Wein, ein geruhsames Abendessen – und dann ins Bett.«

Genau so machen sie es.

Keller findet etwas Huhn im Tiefkühlfach und kocht Arroz con Pollo mit grünem Salat, während sie lange duscht. Beim Essen sehen sie ein amerikanisches Fernsehspiel, dann gehen sie ins Bett.

Am Samstagmorgen schläft Marisol aus, und Keller bringt ihr den Kaffee ans Bett.

Sie mag ihn weiß und süß.

»Du bist ein Engel«, sagt sie, als er ihr die Tasse reicht.

»Das höre ich zum ersten Mal.«

Marisol nimmt sich Zeit mit der Morgentoilette, dann geht sie mit Keller ins Rathaus, damit sie die Feiertagsruhe zum Arbeiten nutzen kann. Er hat seinen Laptop mitgenommen und geht die aktuellen Berichte durch.

Eine streng geheime Analyse der DEA und der CIA kommt zu dem Schluss, dass das Sinaloa-Kartell den Kampf um Juárez gewonnen hat. La Línea ist praktisch ausgelöscht, Los Aztecas kämpfen noch, aber die Führung ist dezimiert und in Auflösung begriffen.

Keller liest es mit gemischten Gefühlen. Es wurmt ihn, dass Barrera gesiegt hat, aber sein Sieg könnte der Gewaltspirale endlich ein Ende bereiten. So weit ist es nun gekommen, denkt er. Wir hoffen darauf, dass die eine Mörderbande die andere Mörderbande besiegt.

Im Anhang wird Keller zum Kommentar aufgefordert. Er schreibt, das Juárez-Kartell scheine in der Stadt Juárez besiegt zu sein, doch würden die mit dem Kartell verbündeten Zetas in der ländlichen Region entlang der Grenze zunehmend aktiv, und das Sinaloa-Kartell ergreife Gegenmaßnahmen.

Dann liest er eine E-Mail-Korrespondenz zwischen der DEA und der SIEDO, die über den Verbleib von Eddie Ruiz spekuliert. Ist er in San Pedro? Monterrey? Acapulco? Ein anderer Agent will ihn in Veracruz gesichtet haben. Alle stimmen darin überein, dass er abgetaucht ist, weil er von den Zetas *und* von Martín Tapia gejagt wird.

Martín Tapia ist wieder im Lande und versucht, die Reste der Organisation zu einem »Südpazifik-Kartell« zusammenzuschweißen. Doch es scheint nicht besonders gut für ihn zu laufen. Wichtige Tapia-Leute sind zu Ruiz übergelaufen, der ohnehin über die besten Killer verfügt. Und wie es heißt, hat

Martín – vielleicht aus Trauer – den *Santa-Muerte*-Kult seines toten Bruders übernommen. Er verliert sich zunehmend in abergläubische Rituale, und seine Frau ist alles andere als glücklich damit.

Martín Tapia wird in Cuernavaca vermutet, seine Frau Yvette soll irgendwo in Sonora wohnen.

Keller nimmt sich die weiteren Meldungen vor.

Die CIA warnt vor einer verstärkten Präsenz der Zetas in Mittelamerika, speziell im Petén, der Nordprovinz von Guatemala, und in der Stadt Cobán. Der Bericht erwähnt auch, dass die Zetas in aller Offenheit Kaibiles anwerben, in den Slums von El Salvador auch Mitglieder der MS13-Bande.

Klar, denkt Keller. Kann man verstehen.

Die Zetas kämpfen an fünf Fronten zugleich und brauchen Truppen.

Kellers »Zeta-Offensive« ist derweil zum Erliegen gekommen.

Die FES weiß, dass sich Rodríguez, Z20, in der Gegend von Veracruz aufhält. Als Anführer eines Zeta-Trupps hat er das Haus eines dortigen Polizeioffiziers mit Brandgranaten überfallen.

Der Holzbau ging in Flammen auf. Um ganz sicherzugehen, warteten Rodríguez und seine Killer vor dem brennenden Haus, um Überlebende zu erschießen.

Es überlebte niemand.

Der Polizeioffizier, seine Frau und seine vier kleinen Kinder starben in den Flammen.

Keller und Marisol gehen in der Osternacht zur Messe, schon weil das die Bewohner von Guadelupe von ihrer Bürgermeisterin erwarten. Die Kirche ist nur spärlich besucht. Nach altem Brauch ist die Marienstatue heute schwarz verhüllt, und niemandem entgeht die Aktualität dieser Trauergeste.

Das ganze Tal, denkt Keller, macht ein Martyrium durch.

Marisol nimmt nicht am Abendmahl teil, auch Keller nicht.

Während sie in der Kirchenbank warten, macht sich Kellers Handy bemerkbar, und er geht hinaus.

Ein DEA-Mann aus El Paso ruft ihn an. Sie haben ein Handy-telefonat zwischen Rodríguez und seinem Cousin aufgezeichnet, und sie haben eine Adresse in Veracruz.

Keller ruft sofort bei Orduña an. Wenn sie schnell handeln, können sie Z20 erwischen.

Geplant hatte er, über Nacht zu bleiben, dann mit Marisol nach Juárez zu fahren – zum Ostermahl bei Ana und ihren Freunden. Dann wollte er nach Mexico City fliegen, und sie wollte zurück nach Guadelupe, zu einem Treffen der Bürgermeister und Stadträte der Grenzregion. Als sie aus der Kirche kommt, eröffnet ihr Keller, dass er abreisen muss. Sie gehen nach Haus, er packt seine Sachen.

»Bitte geh nach El Paso«, sagt er.

»Das kann ich nicht. Ich habe hier zu tun. Und morgen früh fahre ich in die Stadt und feiere Ostern mit den anderen.«

»*Te quiero, Mari.*«

»*Te quiero también, Arturo.*«

Marisol und Ana verlassen die Osterparty und fahren getrennt nach Guadelupe. Ana will bei Marisol übernachten und am Montag am Bürgermeistertreffen teilnehmen. Sie folgt Marisol auf der Fernstraße 2.

Ana wird einen Artikel über das Treffen schreiben, um die Leser mit der »Frauenrevolte« in Chihuahua bekannt zu machen. In Juárez und in den kleinen Städten überall in der Provinz werden die Frauen aktiv, besetzen Positionen in Verwaltung und Polizei, um für Ordnung und Transparenz zu sorgen.

Marisol ist müde und hätte am liebsten bei Ana in Juárez übernachtet, aber das Treffen ist für acht Uhr morgens angesetzt, außerdem möchte sie Erika nicht allzu lange allein lassen. Die junge Frau macht ihre Sache gut, aber sie ist erst neunzehn Jahre alt.

Die Party war schön – gutes Essen, gute Gespräche –, obwohl Marisol ihren Arturo vermisst hat. Sie ist froh, dass er ihre

Freunde mag und sie ihn, alles andere würde die Beziehung sehr komplizieren.

Die Nacht ist kalt, sie trägt einen dicken Pullover und darüber ein Tuch. Die Pistole, die Arturo ihr gegeben hat, steckt in der Handtasche, die leicht erreichbar auf dem Beifahrersitz liegt. Wie seltsam, unsere Beziehung, denkt sie. Sie weiß, dass sie ihn liebt, mehr, als sie ihren Mann geliebt hat, wahrscheinlich so, wie sie nie jemanden geliebt hat. Er ist alles, was man sich nur wünschen kann – intelligent, lustig, zärtlich, ein guter Liebhaber –, aber der Druck, der auf dieser Beziehung lastet, ist gewaltig.

Er muss verstehen – klar, verstehen tut er es –, aber er muss *akzeptieren,* denkt sie, dass ich mit meiner Arbeit genauso verwachsen bin wie er mit seiner. Und wenn ich bedroht bin, so ist er es auch. Arturo ist altmodisch in dieser Hinsicht – der Umgang mit Gefahren sei nichts für Frauen, glaubt er, das sei Männersache.

Und Arturo ist viel amerikanischer, als er denkt. Er lebt in dieser typisch amerikanischen Überzeugung, dass jedes Problem lösbar ist, während die Mexikaner wissen, dass das nicht unbedingt stimmt.

Sie drückt die Taste eines Senders in El Paso, der Country-Music spielt – eins ihrer heimlichen Laster.

Tja, Miranda Lambert und ich. Sie muss kichern.

Rodríguez atmet noch, trotz der vier Schusswunden. Die Sauerstoffmaske versorgt ihn mit Atemluft, sein Brustkorb hebt und senkt sich, während der Rettungswagen quer durch Veracruz zum Krankenhaus rast.

Keller vermutet, dass er überleben wird. Sie haben ihn kurz vor Hellwerden in seinem Versteck aufgespürt und überwältigt. Zur Beute gehören fünf gepanzerte Fahrzeuge, Funkausrüstung und sein berühmter vergoldeter und brillantenbesetzter Colt M1911.

Einer der Matazetas, sein Gesicht ist hinter der Sturmhaube

verborgen, wendet sich an Keller: »Gehört der zu den feigen Schweinen, die Leutnant Córdovas Familie ermordet haben?« Keller nickt.

Der Matazeta sagt zum Sanitäter, der das Beatmungsgerät bedient: »Dreh dich weg, mein Freund.«

»Was?«

»Dreh dich weg, mein Freund«, wiederholt der Matazeta.

Der Sanitäter zögert, aber er gehorcht. Der Matazeta schaut Keller an, der aus dem Fenster blickt, dann beugt er sich über Rodríguez und nimmt ihm die Sauerstoffmaske weg. Der Brustkorb beginnt, hektisch zu pumpen. Z20 gerät in Panik und keucht. »Ich will einen Pfarrer.«

»Fahr zur Hölle«, sagt der Matazeta.

Und legt ihm einen Pikbuben auf die nackte Brust.

Marisol sieht Scheinwerfer im Rückspiegel nahen und wundert sich, warum Ana sie überholt.

Als sie zu dem Auto hinüberschaut, schiebt sich ein Gewehrlauf aus dem Seitenfenster.

Das rote Mündungsfeuer blendet sie, sie spürt einen Stoß gegen die Brust, ihr Auto kommt von der Straße ab.

Ein neutraler Pkw holt Keller vom Krankenhaus ab und bringt ihn zum Marinestützpunkt La Boticaria bei Veracruz. Sein Einsatz muss geheim bleiben, dieser in Veracruz genauso wie alle anderen. Er besteigt einen Learjet 25, der aus Mérida-Geldern finanziert wurde, um nach Mexico City zurückzufliegen. Orduña erwartet ihn an Bord. »Ich höre, Rodríguez hat nicht überlebt.«

»Auf dem Transport ins Krankenhaus kam es zu Komplikationen.« Was wahr genug ist, denkt Keller. Orduña versteht ihn auch so. Keiner von denen, die an der Ermordung der Familie Córdova beteiligt waren, wird lebend der Polizei oder den Ärzten übergeben. Rodríguez wusste das, weshalb er seine vergoldete Pistole zog und wild um sich schoss.

594

Er war der letzte Mittäter, damit ist das Kapitel abgeschlossen.

Nein, nicht ganz.

Sie müssen an die Männer herankommen, die den Mordbefehl erteilt haben.

Keller macht es sich bequem und gießt sich einen Scotch ein.

Als das Flugzeug abhebt, reicht ihm Orduña das *Forbes Magazine*. »Lies mal. Das wird dir gefallen.«

Keller blickt ihn fragend an.

»Seite acht«, sagt Orduña.

Keller blättert und sieht es: Adán Barrera ist die Nummer 67 auf der jährlichen Reichenliste.

»Forbes!«, sagt Keller und wirft die Zeitschrift beiseite.

»Keine Sorge«, sagt Orduña. »Wir kriegen ihn.«

Keller ist sich nicht so sicher.

Er gießt noch zwei Fingerbreit Scotch auf seine Eiswürfel und entspannt.

Gleich nach der Landung klingelt sein Handy.

»Hier ist Pablo Mora.«

Der Mann klingt völlig aufgelöst.

»Es geht um Marisol.«

Marisol wird es nicht schaffen.

Das sagen die Ärzte zu Keller.

Sie wurde in den Bauch getroffen, in die Brust, ins Bein, hinzu kommen eine Oberschenkelfraktur, Rippenbrüche, ein kaputter Wirbel, verursacht durch den nachfolgenden Aufprall. Auf der Fahrt zum Krankenhaus blieb sie dreimal weg, zwei weitere Male auf dem OP-Tisch, wo ihr ein Stück Dünndarm entfernt wurde. Jetzt kämpft sie mit einer Blutvergiftung. Sie hat hohes Fieber, ist sehr geschwächt und wird – ehrlich gesagt, Señor – nicht mehr aus dem Koma erwachen.

Wenn doch, besteht die hohe Wahrscheinlichkeit eines Gehirnschadens.

Keller fliegt sofort mit einer Militärmaschine nach Juárez. Im

Wartebereich des Krankenhauses trifft er auf Pablo Mora und Erika.

Erika weint. »Ich habe sie nicht geschützt! Ich habe sie nicht geschützt!«

Mora berichtet Keller, was er weiß.

Sie hatten gerade den Kontrollpunkt passiert, als ein Auto von hinten kam, Ana überholte und mit Marisol gleichzog. Ana hat das Mündungsfeuer gesehen. Marisols Auto kam von der Straße ab und landete im Graben. Der Angreifer hielt an und wendete.

Ana trat auf die Bremse und warf sich flach auf den Sitz.

Das Auto raste an ihr vorbei und verschwand.

Ana hatte sich bei ihrem Bremsmanöver am Arm verletzt, aber es gelang ihr, Marisol in ihr Auto zu schleppen und sich auf den Weg zurück nach Juárez zu machen. Der Rettungswagen kam ihr auf der Landstraße entgegen, und die Sanitäter übernahmen alles Weitere.

Aber Marisol hat zu viel Blut verloren.

Ein Pfarrer wird geholt, der ihr die Sakramente erteilt.

Nach ihm geht Keller hinein. Marisols grünlich bleiches Gesicht ist voller Schweiß. Ein Tubus im Mund unterstützt ihre Atmung, ein Gewirr von Schläuchen versorgt sie mit Schmerzmitteln und Antibiotika. Die Bauchwunde, ein klaffendes rotes Loch, bleibt geöffnet, damit die Infektion gestoppt wird. Auf ihrer Stirn glänzt das Salböl.

Marisol überlebt die Nacht und den folgenden Tag.

In der Nacht darauf kommt es wieder zum Herzstillstand. Sie wird in den OP zurückgebracht, wo innere Blutungen gestoppt werden. Die Ärzte sind überrascht, als die Sonne aufgeht und sie noch am Leben ist. Sie hält den Tag durch, die Nacht und auch den folgenden Tag.

In dem kleinen Vorraum ihres Krankenzimmers wird eine Wache eingerichtet. Keller ist dort, Ana, und Pablo Mora kommt immer mal herein. Oscar Herrera sitzt über Stunden bei ihnen, Frauen aus Juárez und dem Tal lösen sich bei der Wache ab.

Es ist schon vorgekommen, dass die Mörder ins Krankenhaus eingedrungen sind, um Verletzte zu erschießen, und das werden sie nicht dulden.

Auch Orduña tut alles, um das zu verhindern.

Zwei FES-Leute in Zivil zeigen sich in der ersten Nacht und werden von anderen abgelöst, rund um die Uhr.

Niemand kommt an Marisol Cisneros heran.

Auch Erika Vallés weicht nicht von ihrer Seite.

Am dritten Morgen kommt die Nachricht, dass Cristina Antonia, eine der neuen Stadträtinnen von Guadelupe, vor den Augen ihrer elfjährigen Tochter erschossen wurde. Marisol überlebt diesen Tag und auch den nächsten, als die zweite Stadträtin, Patricia Ávila, vor ihrem Haus niedergeschossen wird.

Keller muss mit Erika reden. »Du musst dort weg. Ich besorge dir ein Visum für die andere Seite.«

»Ich gehe nicht weg.«

»Erika –«

»Was wird Marisol denken?«

Marisol liegt im Koma, will Keller antworten. Doch er sagt: »Sie möchte, dass du lebst. Sie würde dich von dort wegschicken.«

Erika bleibt stur. »Ich gehe aber nicht weg.«

Dann erscheint Coronel Alvarado, um sein Mitgefühl auszudrücken. Der Oberkommandierende des Militärdistrikts bringt Blumen.

Keller verstellt ihm den Weg ins Krankenzimmer.

»Sie war eine Meile vom Kontrollpunkt entfernt, als sie beschossen wurde.«

»Was wollen Sie damit unterstellen?«

»Ich will damit gar nichts unterstellen«, sagt Keller. »Ich stelle nur fest, dass Ihre Soldaten bewaffnete Banditen passieren lassen – in beiden Richtungen. Und dass unter den Augen

Ihrer Soldaten zwei weitere Frauen in Guadelupe ermordet wurden.«

Alvarado wird bleich vor Wut. »Ich kenne Ihren Ruf, Señor Keller.«

»Sehr gut.«

»Das hat ein Nachspiel.«

»Darauf können Sie wetten«, sagt Keller. »Und jetzt raus!«

Am dritten Tag lässt sich Keller von Ana überreden, nach Hause zu fahren, zu duschen, sich umzuziehen, ein wenig zu schlafen. Er bemerkt, dass ihm zwei FES-Leute folgen und sich vor dem Haus in El Paso postieren.

Er kommt gerade aus der Dusche, als das Handy klingelt.

»Nicht auflegen«, sagt Minimum Ben Tompkins.

»Was wollen Sie?«

»Jemand lässt Ihnen ausrichten, dass es nicht seine Leute waren, die den Anschlag auf Ihre Freundin verübt haben.«

»Sagen Sie dem Jemand, dass ich ihn töten werde.«

»Überlegen Sie doch mal«, sagt Tompkins. »Er hat alles bekommen, was er wollte. Warum soll er das aufs Spiel setzen, indem er Frauen ermorden lässt?«

Da ist was dran, denkt Keller. Barrera hat Juárez übernommen und das Tal so gut wie in der Tasche. »Marisol Cisneros hat ihn im Fernsehen angegriffen«, wendet er ein.

»Sie hat auch die Zetas angegriffen«, erwidert Tompkins. »Unser Freund lässt Ihnen ausrichten, dass sich zwischen ihm und Ihnen nichts geändert hat, aber dass er gegen die Frauen nicht vorgegangen ist.«

Tompkins legt auf.

Was soll das?, überlegt Keller. Barrera ist es völlig egal, ob ich ihm Greueltaten anlaste oder nicht. Aber auf sein öffentliches Image war er immer sehr bedacht. Wenn er mit der Ermordung der Frauen und dem Anschlag auf die beliebte Ärztin in Zusammenhang gebracht wird, bringt ihm das schlechte Presse.

Die Zetas dagegen sind ins Tal gekommen, um ein Zeichen zu

setzen, als sie die Familie Córdova ermordeten. Ihr Ruf bei der Presse stützt sich auf Einschüchterung und Terror. So verlockend es ist, Barrera den Anschlag auf Marisol anzulasten – der Verdacht gegen die Zetas hat Hand und Fuß.

Er steht wieder an Marisols Krankenbett, als sie die Augen öffnet.

»Arturo?«, fragt sie mit schwacher Stimme. »Bin ich tot?«

»Nein«, sagt er. »Du lebst.«

Gott sei Dank, Gott sei Dank, Gott sei Dank, du lebst.

Marisols Genesung ist ein langer, schmerzhafter Prozess mit ungewissem Erfolg.

Bei einer weiteren Operation wird ihre Bauchwunde verschlossen, eine Weile später wird ihr ein künstlicher Darmausgang gelegt.

Es dauert noch Wochen, bis Keller sie im Rollstuhl aus dem Krankenhaus schieben kann. Für die kurze Fahrt über die Brücke nach El Paso hat er einen privaten Krankentransport bestellt.

»Ich will nicht nach El Paso«, sagt Marisol. »Das kann ich nicht machen.«

»Die Anträge sind schon durch.«

Er hat ihr ein Visum beschafft. Anfangs gab es Widerstände – bis Keller den Allgewaltigen in der Chefetage mitteilte, entweder erhalte Cisneros ein Visum, oder die Tötungsstrategie der FES werde morgen früh auf CNN verkündet.

»Damit machst du dir keine Freunde«, hat ihn Taylor gewarnt.

»Ich brauche keine Freunde.«

Marisol bekommt das Visum.

»Das ist ja alles sehr schön«, sagt sie jetzt, »aber niemand hat dich darum gebeten. Ich fahre zurück nach Guadelupe.«

»Marisol …«

»Ich will nach Hause, Arturo«, sagt sie. »Bitte. Ich will nach Hause.«

Widerstrebend sagt er dem Fahrer, dass sie nach Guadelupe wollen. Der Fahrer sträubt sich ebenso.

»Sehen Sie das Auto hinter uns?«, sagt Keller. »Marines von der FES. Sie können beruhigt nach Guadelupe fahren.«

Sie richten sich in Marisols Haus ein.

Keller wird ihr Pfleger, Koch, Physiotherapeut und Bodyguard, während das Haus weiter von der FES bewacht wird. Er räumt hinter ihr auf, bereitet ihr die einfachen Mahlzeiten, die die Ärzte ihr erlauben, und hilft ihr, von den Schmerzmitteln loszukommen.

Sie hat fast immer Schmerzen, und die Ärzte sagen, eine vollständige Heilung sei nicht möglich, nur ein kluges »Schmerzmanagement«. Aber allmählich schafft sie es, aufzustehen, sie lernt, an Krücken zu laufen, dann mit dem Stock. Als sie das erste Mal allein in ihren kleinen Garten gehen kann, ist das ein Glückstag für sie.

Mit bitterer Genugtuung registriert Keller, dass die Zetas, die in der Presse fast durchweg für die Anschläge auf die Frauen verantwortlich gemacht werden, alles ableugnen und eine PR-Kampagne starten. Sie veranstalten in Ciudad Victoria eine Muttertagsparty, verschenken Waschmaschinen und Kühlschränke und hängen Spruchbänder auf: »Wir achten und lieben die Frauen – 40 und der Henker.«

Sie organisieren auch ein Kinderfest im städtischen Fußballstadion mit Musikkapellen, Clowns, Hüpfburgen und Hunderten teuren Geschenken. »Geschenke sind nicht genug. Eltern sollen ihre Kinder lieben – Ochoa der Henker und Compañia Z.«

Und die von den Zetas gekauften Journalisten behaupten in ihren Artikeln, dass *La Médica hermosa* verunglückt sei, weil sie nach einer Party betrunken nach Hause fuhr, und dass das Ausmaß ihrer Verletzungen maßlos übertrieben werde.

Zwei Wochen später teilt sie Keller mit, dass sie wieder arbeiten wird.

»Waaas?«

»Ich gehe wieder arbeiten.«

»In der Praxis?«

»In der Praxis und im Rathaus.«

»Du bist verrückt.«

»Denk, was du willst.«

»Die haben dich fast umgebracht!«, sagt Keller. »Du hast Glück, dass du noch am Leben bist!«

»Dann sollte ich dieses Geschenk nicht vergeuden, oder?«

»Ist das dein Eigensinn«, fragt Keller, »oder ein Märtyrerkomplex?«

»Das musst gerade du sagen!«

»Du bist nicht die heilige Johanna«, sagt Keller.

»Und du bist nicht mein Vormund.«

Er kann sie nicht umstimmen. Nachts im Bett fragt sie ihn: »Arturo? Kannst du mich so lieben?«

»Wie meinst du das?«

»Ich kann verstehen, wenn du das nicht mehr möchtest. Die Narben, mein Bauch, der schreckliche Beutel. Das Hinken. Ich bin nicht mehr die Frau, in die du dich verliebt hast. Du warst immer gut zu mir, hast immer zu mir gestanden, aber ich kann dir nicht verdenken, wenn du mich verlassen willst.«

Er berührt ihre Wange. »Du bist schön.«

»Besitz den Anstand, mich nicht zu belügen.«

»Du willst die Wahrheit hören?«

»Bitte!«

»Ich möchte nicht ohne dich leben.«

Zwei Tage später lässt sie sich von ihm in ihre besten Kleider helfen. Sie verbringt viel Zeit mit ihrer Frisur und dem Make-up. Die Wirkung ist verblüffend. In ihrem kleinen schwarzen Kleid sieht sie wunderschön aus – stark und sexy –, und ihr Hinken kann nichts daran ändern.

So fährt sie zur Pressekonferenz, die sie einberufen hat. Vor allen Kameras schiebt sie den Träger ihres Kleids herunter und hebt den Arm, um ihre Wunden zu zeigen. Die zerklüfteten, noch roten Narben unter ihrem Arm und neben ihren Brüsten, die bläuliche OP-Narbe am Bauch.

»Ich wollte allen meinen verwundeten, verwüsteten, ›gedemütigten‹ Körper zeigen«, verkündet sie, »weil ich mich für ihn nicht schäme, weil dieser Körper bezeugen kann, dass ich trotz aller körperlichen und seelischen Verletzungen weitermachen werde und die Kraft dazu besitze.«

Marisol zieht das Kleid wieder über die Schulter und fährt fort: »Die, die mir das angetan haben und meine Schwestern ermordet haben, sollen wissen, dass sie verloren haben. Mit anderen tapferen Frauen werde ich dafür sorgen, dass die Ermordeten nicht umsonst gestorben sind. Andere sind an ihre Stelle getreten. Und wenn ihr mich tötet, werden andere an *meine* Stelle treten. Ihr könnt uns nicht besiegen!«

Sie verkündet, dass sie an ihren Arbeitsplatz zurückkehren wird und dass jeder wissen soll, wo sie ist.

Keller schaut ihr nach, wie sie die staubige Straße hinabhinkt, mit Erika Vallés dicht an ihrer Seite, vorbei an den zerschossenen Häusern, durch eine Geisterstadt.

2. Was wollt ihr von uns?

Haltet die Schnauze, da oben!
Man hört die Pantomime nicht mehr!

Jacques Prévert, Kinder des Olymp

Ciudad Juárez
Januar 2010

Pablo ist genervt, als der Polizeifunk schon wieder ein »*Motivo 59*« meldet.

Damit ist sein freier Samstagabend gelaufen. Es ist fast Mitternacht, der Weg hinaus nach Villas de Salvárcar ist weit. Das dichtbebaute Arbeiterviertel liegt eingequetscht zwischen Fabriken im Südosten der Stadt. Viele Häuser stehen dort leer, weil die Bewohner mit den *maquiladoras* weggezogen sind.

Außerdem ist es kalt, die Heizung seines Autos taugt einen Dreck, er bibbert am ganzen Körper. Erst gestern hat es vierzehn Tote gegeben, er ist kreuz und quer durch die Stadt gefahren, um so viele Schauplätze wie möglich zu sehen, obwohl die Morde kaum noch Nachrichtenwert haben.

Eine Sensation wäre es, wenn es *keine* Toten gäbe.

Geschlecht und Anzahl der Toten wurden nicht genannt – nur der Code für »Tötungsdelikt«. Er hat also das übliche Bild erwartet, als er in die Straße Villa del Portal einbiegt.

Doch die ist voller Menschen – manche schreien, manche weinen, andere umarmen und trösten sich. Es sind schon etliche Reporter da, Fotografen, selbst das Fernsehen mit mehreren Übertragungswagen.

In der Nummer 3010 ist irgendwas Außergewöhnliches passiert.

Hinter Pablo halten Rettungswagen, dann ein Auto mit Federales, die sofort von der Menge beschimpft werden. *Vierzig Minuten! Wo habt ihr gesteckt? Feiglinge! Drückeberger!*

Pablo steigt aus und tritt in eine Blutlache. Dann sieht er Giorgio vor dem Haus, Fotos machen.

»Was ist passiert?«, fragt er.

»Ein paar Teenager haben in dem leerstehenden Haus Geburtstag gefeiert. Dann hielt offenbar ein ganzer Trupp von Sicarios vor dem Haus, ging rein und fing an zu schießen. Manche rannten weg, zu den Nachbarn, die Sicarios verfolgten sie und erschossen sie dort. Die Leute haben Hilfe angefordert, aber niemand kam.«

Pablo weiß, dass es ein paar Straßen weiter ein Krankenhaus gibt.

»Die Sicarios sind in ihre Autos gestiegen und weggefahren«, sagt Giorgio. »Erst als sie weg waren, kamen die Federales.«

»Wie viele Tote?«, fragt Pablo.

Giorgio zuckt die Schultern.

Es sollen fünfzehn sein.

Vier Erwachsene, elf Jugendliche.

Dazu fünfzehn Verwundete.

In den Tagen darauf erfährt Pablo weitere Einzelheiten. Die Kids hatten mit dem Wissen ihrer Eltern dort gefeiert, sie hatten auch die Erlaubnis der Hauseigentümer.

Als die Sicarios kamen, hörten Zeugen Rufe wie »Alle erschießen«. Die meisten starben im Wohnzimmer, wo sich die Toten stapelten. Andere sprangen aus dem Fenster und rannten in die Nachbarhäuser – und die Mörder ihnen nach.

Nach fünfzehn Minuten war es vorbei.

Die offene Frage: Wer war es?

Und warum?

Pablo fährt in den Vorort Galeana, um Ramón aufzuspüren. Er findet den Leutnant der Aztecas zusammengesunken in einer Spelunke, stockbetrunken. Ramón blickt mit geröteten Augen zu ihm hoch, als er sich an den Tisch setzt.

»Was ist?«

»Villas de Salvárcar.«

»Fahr zur Hölle.«

»Wir sind doch schon drin, oder wie siehst du das?«, antwortet Pablo. Er stellt sein Glas ab. »Was zum Teufel ist da passiert?«, fragt er. »Wer hat dieses Massaker angerichtet?«

Ramón schüttelt den Kopf. »Willst du krepieren? Ich nicht. Oder doch. Aber ich hab Kinder, verstehste?«

»Wer war's? Gente Nueva? La Línea?«

Ramón blickt über die Schulter, beugt sich näher heran. »Das war 'n Irrtum. Sie hatten den falschen Tipp.«

»Wer war's?«

Ramón tippt sich an die Brust. »Wir. Los Aztecas.«

»Jesus Maria! Hast du auch –«

»Nein. Ich lande in der Hölle, aber nicht deswegen.« Sein Kopf sackt nach unten, aber er kommt wieder hoch. »Das war'n andere. Die hatten Befehle. Die dachten, das wär eine Party der AA.«

»So wie in der Reha-Klinik?«

»Nein, AA – Los Aristas Asesinos. Die Gang, die für Barrera kämpft. Sie dachten, diese Kinder wären AA-Mitglieder.«

»Und das waren sie nicht.«

»Jetzt wissen die das auch«, sagt Ramón.

»Wer hat das befohlen?«

Ramón zuckt die Schulter. »Was weiß ich? Da sieht keiner mehr durch. Du kriegst Befehl, einen umzulegen, und du legst ihn um. Du weißt nicht, warum, du weißt nicht, für wen. Dann ist der Mann, der das befohlen hat, tot, und es kommt ein anderer.«

»War es Fuentes?«

»Dieser Versager? Der ist weg. Einfach abgehauen. Den kümmert das nicht mehr. Scheiße, mich auch nicht. Keiner kümmert sich hier noch um irgendwas.«

Ramón fängt an zu heulen. Dann sagt er: »Hau lieber ab. Ist nicht mehr sicher hier. Die legen uns alle um, Alter. La Línea, Los Aztecas, alle.«

»Wer ist ›Die‹?«

»Gente Nueva«, sagt Ramón. »Das sind die Neuen hier, verstanden?«

Pablo schiebt sein Glas weg und zwängt sich hoch.

»Hey, komm doch mal bei uns vorbei«, sagt Ramón. »Ein Bier trinken, Fußball gucken.«

»Mach ich«, sagt Pablo und geht hinaus.

Am nächsten Tag sitzt Pablo mit Ana und Herrera in der Lokalredaktion, als der Präsident, der gerade in der Schweiz weilt, in einer Pressekonferenz zum Massaker in Villas de Salvárcar Stellung nimmt.

»Die wahrscheinlichste Hypothese lautet«, so Calderón, »dass die Anschläge auf Rivalitäten zwischen Drogenorganisationen zurückgehen und die Jugendlichen irgendwelche Verbindungen zu den Kartellen hatten.«

»Hat er das wirklich gesagt?« Ana ist fassungslos.

»Ja, das hat er wirklich gesagt«, bestätigt Herrera. »Wir bringen das als Aufmacher.«

Calderóns Behauptung bringt ganz Juárez gegen ihn auf und Tausende Mexikaner im ganzen Land. Rücktrittsforderungen kommen von allen Seiten, auch von den Familien der Ermordeten.

Oscar Herrera verleiht der Forderung mit einem scharfen Leitartikel Nachdruck.

Der Präsident und Kabinettsmitglieder besuchen Juárez, entschuldigen sich bei den Familien und versprechen soziale Hilfsprogramme im Wert von zweihundertsechzig Millionen Dollar für die Stadt.

Es nützt ihnen wenig.

So leicht lassen sich die Juarenser nicht besänftigen.

Am Tag nach Calderóns Besuch hängt ein Spruchband über einer Hauptstraße: »Das ist zur Information für die Bürger, damit sie wissen, dass die Bundesregierung Adán Barrera deckt, der für das Massaker an Unschuldigen verantwortlich ist … Adán Barrera wird seit seiner Freilassung von der PAN gedeckt. Sein Pakt gilt bis heute. Warum schlachten sie Unschuldige ab? Warum treten sie uns nicht offen gegenüber? Was ist das für eine Mentalität? Wir fordern die Regierung auf, gegen alle Kartelle vorzugehen!«

Am nächsten Tag versammeln sich Hunderte an der Zufahrt zur Grenzbrücke, um gegen die Gewalt der Drogenkartelle zu protestieren.

Villas de Salvárcar wird zum Symbol des Widerstands gegen die verfehlte staatliche Drogenpolitik. Zum Wendepunkt im Krieg gegen die Drogen.

La Tuna, Sinaloa
Februar 2010

Seit sich das Golfkartell und die Zetas entzweit haben, herrscht Krieg zwischen ihnen.

Die Kräfteverhältnisse zwischen den Kartellen haben sich verschoben, die Karten werden neu gemischt.

Adán hat gewusst, dass es so kommen würde, dass die Zetas, ursprünglich die Hilfstruppe des Golfkartells, die Macht an sich reißen würden. Aber dass es so schnell geht und so spektakulär abläuft, hätte er nicht zu träumen gewagt.

Er steht in der Küche und bereitet sein Frühstück. Das gehört zu seinen kleinen Freuden – er liebt die morgendliche Stille und die einfachen Verrichtungen des Tischdeckens und Kaffeekochens.

Genügend Zeit zum Nachdenken, bevor ihn der Alltag mit seinen unablässigen Forderungen überfällt.

Er erhitzt etwas Rapsöl in der Pfanne und schlägt ein Ei hinein. Da er ein paar Pfunde zugelegt hat und sein letzter Labortest erhöhte Cholesterinwerte anzeigte, hat er seine morgendliche Ration von zwei Eiern auf eins halbiert. Während das Ei in der Pfanne brutzelt, denkt er über Gordo Contreras nach, den sogenannten Kopf des Golfkartells.

Gordo muss ein Volltrottel sein.

Ein paar seiner Leute haben einen hochrangigen Zeta entführt und umgebracht, einen engen Freund von Miguel Morales, genannt Forty oder Z40.

Forty war außer sich und stellte Gordo eine Frist von einer Woche. Bis dahin sollte er die Mörder ausliefern.

Und Gordo steckte in der Klemme. Lieferte er die eigenen Leute aus, war er als Boss des Golfkartells erledigt und musste den Zetas die Stiefel lecken. Tat er es nicht, bedeutete das Krieg mit den Zetas. Gordo hat seine eigene Truppe, Los Scorpiones, aber die ist nicht mit den Zetas zu vergleichen.

Adán schaufelt das Spiegelei auf seinen Teller und spritzt ein wenig Tabasco drüber, als Ersatz für das Salz, das ihm Eva verboten hat.

Gordo lieferte die Killer nicht aus.

Darauf entführte Forty sechzehn Sicarios des Golfkartells und folterte sie in einem Keller zu Tode.

Adán hat mit Magda gewettet, welche der beiden Parteien sich zuerst bei ihm melden wird. Es wäre ein kluger Schachzug der Zetas, ihm den Verzicht auf Juárez anzubieten, wenn sie dafür seine Unterstützung gegen das Golfkartell bekommen.

Doch auch Ochoa und seine Zetas machen neuerdings katastrophale Fehler.

Sie sind nicht mehr, was sie mal waren.

Die ursprüngliche Kernmannschaft aus ehemaligen Elitesöldnern ist durch Verschleiß und Verhaftungen dezimiert, jetzt müssen sie unerfahrene Leute rekrutieren und ausbilden. Manche, die herumlaufen und sich als »Zetas« ausgeben, sind gar keine, und »Zeta« ist zu einer Art Grusel-Etikett verkommen, vergleichbar mit »al-Qaida«.

Adán muss sich wirklich fragen, ob Ochoa den Verstand verloren hat. Die Familie des Marineoffiziers nach dessen Beerdigung zu erschießen war eine so unfassbare Dummheit, dass er es kaum glauben kann. Die Öffentlichkeit reagierte folgerichtig mit Empörung, und danach hat die neue Spezialeinheit der Marine, die FES, ebenso folgerichtig eine Vendetta gestartet, die den Zetas nun schwer zu schaffen macht.

Und der amerikanische Geheimdienst hilft ihnen dabei.

Dass Keller mit diesen Profikillern gemeinsame Sache machen würde, stand ja zu erwarten, zu denen passt er wie der Topf zum Deckel. Und wenn die FES gerade so schön dabei ist, die Zetas abzuschlachten, wäre es nur dumm von Adán, die Aufmerksamkeit auf sich zu lenken, indem er Keller tötet.

Nein, es ist viel besser, wenn ihm Keller die Arbeit des Tötens abnimmt.

Mit ihm abrechnen kann er später, obwohl ihn diese Warterei frustriert. Geduld ist eine Tugend, aber wie die meisten Tugenden auch eine Qual.

Wenn Ochoa geglaubt hat, er könnte Herzen erobern, indem er die trauernde Familie eines Helden heimtückisch im Bett ermorden lässt, dann hat er sich geschnitten. Vielleicht schüchtert er damit die Bevölkerung ein, aber niemals Orduña und seine Leute, die nun erst recht darauf brennen, die Zetas zu Tode zu hetzen.

Und die Zetas hören nicht auf, die Leute in Angst und Schrecken zu versetzen. Vor allem mit Sachen wie Entführung und Erpressung verdienen sie jetzt genauso viel wie mit dem Drogenhandel. Aber während der Drogenhandel die Allgemeinheit nicht weiter interessiert, verwahrt sie sich entschieden dagegen, als Geisel genommen zu werden.

Das spielt mir direkt in die Hände, denkt Adán, als er das Geschirr in den Ausguss stellt. Die Zetas lassen uns gut dastehen, zumindest als kleineres Übel. Nach den Córdova-Morden hat keiner mehr was dagegen, wenn die Regierung die Zetas zur obersten Priorität erhebt.

Trotzdem ist die Lage kompliziert. Ochoas Zetas bekriegen mich in Juárez und Sinaloa, Eddie Ruiz in Monterrey, Veracruz und Acapulco, La Familia in Michoacán, die Marines überall, und jetzt bedrängt mich auch noch das Golfkartell in Tamaulipas.

Doch das Besorgniserregende ist, dass die Zetas expandieren.
Mexiko ist dabei das kleinste Problem.

Denn sie expandieren in Guatemala.

In den letzten drei Jahren haben sie sich dort breitgemacht, sich mit dem Lorenzana-Clan gutgestellt, indem sie Lorenzanas Hauptrivalen Juancho León beseitigten sowie zehn weitere Konkurrenten bei einem vorgeblichen Friedenstreffen.

Vor Monaten erst haben sie die für den Kokaintransfer so wichtigen Landebahnen gegen guatemaltekische Sondereinheiten verteidigt. Und jetzt hat Adán erfahren, dass sich bereits mehr als vierhundert Zetas in Guatemala tummeln, besonders in der Hauptstadt und in der Provinz Petén – und dass sie über Piratensender weitere Ex-Söldner rekrutieren.

Das ist gefährlich, weil siebzig Prozent der mexikanischen Kokainimporte über Guatemala laufen.

Die Kartelle nutzen Guatemala schon lange als Trampolin.

Das heißt seit den achtziger Jahren, als die Drogenflugzeuge aus Kolumbien dort auftanken mussten, bevor sie nach Guadalajara weiterflogen. Im gegenwärtigen »Krieg gegen die Drogen« ist das Land als Umschlagplatz – und als Markt – sogar noch wichtiger geworden. Das Kokain, das in den Petén eingeflogen wird, kann von dort ganz leicht über die mexikanische Grenze und weiter nach Norden transportiert werden. Jetzt vertreiben die Zetas dort die Bauern von ihrem Land, damit sie Stützpunkte errichten können.

Die guatemaltekische Regierung hat tausend Soldaten in den Petén geschickt, mit gepanzerten Fahrzeugen, Hubschraubern, Überwachungstechnik. Der Petén war immer neutraler Boden gewesen – ruhig und sicher –, und jetzt lenkt Ochoa dort die Aufmerksamkeit der Regierung auf sich, ganz zu schweigen von der DEA.

Das kann Adán nicht dulden – seine Kokaintransporte laufen über El Salvador und Guatemala, seine Trassen lässt er sich von den Zetas nicht streitig machen.

Adán tritt aus der Küchentür und läuft über den großen Rasen hinab zur Talsenke mit dem Wäldchen aus Tomatenbäumen. Es ist noch kühl und ganz still, doch beim ersten Sonnenstrahl fangen die Vögel zu singen an.

Ohne auf die Sicarios zu achten, die ihm in diskretem Abstand folgen, läuft er durch das Wäldchen. Hier rücken die Konflikte und Kämpfe, die sein Leben beherrschen, in weite Ferne.

Eva geht es gut, aber Eva wird nicht schwanger.

Ein Problem, das *ihr* Leben beherrscht, wie es aussieht.

Nämlich dann, wenn Sex mit einem schönen zwanzigjährigen Mädchen zur Pflichtübung wird. Eva läuft mit dem Fieberthermometer im Mund herum, hantiert mit Kalendern und Uhren, ruft ihn zum Vollzug, wenn der richtige Zeitpunkt gekommen scheint, nervt ihn mit neuen Stellungen, die nicht dem Lustgewinn, sondern der Befruchtung dienen sollen.

Eva ist frustriert und hat Angst, dass er sie – trotz gegenteiliger Versicherungen – verlassen wird.

Und sie ist voller Unruhe.

Was er verstehen kann.

Das Leben auf einer entlegenen Finca ist nicht unbedingt das Wahre für ein lebhaftes Mädchen ihres Alters. Sie muss sich hier wie eine Gefangene vorkommen, trotz Swimmingpool, Fitnessstudio, Reitpferden, Satellitenschüssel und Netflix. Sie fährt zum Shoppen nach Badiraguato und Culiacán, würde aber lieber in den Clubs von Mazatlán und Cabo tanzen gehen. Er versucht, ihr das zu ermöglichen, aber es ist schwierig, und sie hasst den Aufwand an Vorbereitung und Sicherheit, den selbst ein kurzer Ausflug erfordert.

Sie vermisst ihre Freundinnen, die manchmal zu Besuch kommen dürfen, aber jeder Besuch ist ein Sicherheitsrisiko, das sich Adán, während er seine Kriege führt und während die FES unter den Narcos wütet, eigentlich nicht leisten kann.

Zum Trost lässt er sie alle paar Wochen für ein paar Tage nach Mexico City fahren wie auch heute wieder, aber er weiß, dass es bestenfalls aufschiebende Wirkung hat.

Wenn sie sich langweilt, liegt es nicht an ihrer Umgebung, sondern daran, dass sie sich weigert, erwachsen zu werden. Manche Frauen werden durch ihr Schicksal verhärtet und verbittert, aber bei Eva passiert das Gegenteil – sie ist auf eigensinnige Art naiv, betont ahnungslos, wie zum Trotz kindlich. Permanent fröhlich, ständig »überschäumend«, was einem auf die Nerven gehen kann, und im Bett zeigt sie Eifer und Leidenschaft, ist aber immer noch so täppisch wie in der Hochzeitsnacht.

Der Knackpunkt ist, dass sie nicht liefert, was von ihr erwartet wird: einen Erben.

»Was willst du? Sie hat dir doch ein Kind geschenkt«, sagt Magda, als er sich mit ihr in Badiraguato trifft. »Sich selbst.«

»Sehr witzig.«

»Also im Ernst: Was wirst du tun?«

»Was schlägst du vor?«

»Such dir eine andere.« Sie lässt es eine Weile im Raum stehen und fährt fort: »Komm schon, du liebst sie doch gar nicht. Das kannst du mir nicht erzählen.«

»Ich hänge aber an ihr.«

»Ich hänge an meinem Golden Retriever«, sagt sie. »Eva ist ein Kind, und sie wird von Tag zu Tag kindischer. Es ist schon fast unheimlich. Im Ernst: Ich sorge mich um ihren Geisteszustand. Du nicht?«

»Für eine Frau ist so ein Leben nicht leicht.«

»Na, vielen Dank, das war mir neu!«, erwidert Magda.

Was wird Nacho sagen, fragt sich Adán, wenn ich mich von seiner Tochter scheiden lasse? Schluckt er es, oder nimmt er es als Vorwand, die Allianz aufzukündigen? Nein, so direkt reagiert er nicht. Er wird zum Schein akzeptieren und dann die Machtbasis, die ich ihm in Tijuana gegeben habe, benutzen, um gegen mich vorzugehen. Er wird sich auf seine alten Verbündeten in Juárez besinnen und die Rebellion gegen mich schüren – aber es bis zuletzt leugnen.

Flüchtig überlegt er, ihn zu beseitigen. Es wäre ein Leichtes, den Mord den Zetas in die Schuhe zu schieben. Wenn Nacho dann begraben und eine angemessene Trauerfrist verstrichen ist, kann er Eva den Laufpass geben, mit ausreichend Geld natürlich, damit sie sich ihren Lebensstil auch weiterhin leisten kann.

Er geht zurück zum Haus.

Eva ist noch nicht aufgestanden, und aus irgendeinem Grund ärgert ihn das. Er würde sie gern wecken, mit der Begründung, dass sie ihren Flug verpassen wird, aber da zwei Learjets mit Besatzung bereitstehen, zieht die Begründung nicht.

Er betrachtet sie im Schlaf.

Magda hat recht.

Sie ist ein Kind.

Der Krieg zwischen dem Golfkartell und den Zetas ist extrem grausam – wie jeder Bürgerkrieg.

Und man kann dieses Gemetzel nur Krieg nennen.

Wo die Sicarios früher heimlich operierten, fahren jetzt offene Trucks mit Hunderten Bewaffneten durch den Norden der Golfprovinz Tamaulipas. In Nuevo Laredo, Reynosa und Matamoros sprechen die Maschinengewehre und Granatwerfer, auch in den kleinen Städten entlang der Grenze zwischen Matamoros und Laredo.

Dieses Gebiet, genannt *La frontera chica* – die Kleine Grenze –, ist strategisch von Bedeutung, und das aus drei Gründen: Erstens bildet es eine Pufferzone zwischen den Zetas in Nuevo Laredo und dem Golfkartell in Matamoros.

Zweitens grenzt es an die USA und ist daher für den Drogenschmuggel interessant.

Der dritte Grund hat nichts mit Drogen zu tun, sondern mit einem anderen kostbaren Gut: Energie.

In der Gegend von Reynosa gibt es reiche Erdgasvorkommen. Der mexikanische Energiekonzern Pemex erschließt und bohrt dort schon seit Jahren, hundertdreißig Förderanlagen gibt es bereits, weitere tausend sollen hinzukommen.

Amerikanische Ölfirmen wollen einsteigen, doch auch die Kartelle drängen ins Geschäft. Die Kleine Grenze bietet ideale Voraussetzungen dafür.

Auch deshalb verwandeln sich Kleinstädte wie Ciudad Mier, Camargo und Miguel Alemán in Schlachtfelder.

In Mier fing es an, als fünfzehn Pick-ups, gekennzeichnet mit dem Logo des Golfkartells, durch die Straßen donnerten und Sicarios ausspuckten, die das Maschinengewehrfeuer auf die Polizeistation eröffneten. Dann stürmten sie das Gebäude und verschleppten sechs Polizisten, die nie wieder auftauchten.

Das Golfkartell errichtete Straßensperren, riegelte die Stadt ab, trieb die Zeta-Anhänger zusammen und stellte sie auf dem Marktplatz an die Wand. Die Toten wurden enthauptet, ihre Köpfe in einer Reihe ausgelegt. Einem jungen Mann, als Zeta-Späher bezichtigt, wurde der Arm abgesägt, bevor sie ihn an einem Baum erhängten.

Die Zetas schlugen zurück, die Kämpfe zogen sich über sechs Tage hin und verwandelten sich in einen Krieg der Heckenschützen. So ging es auch in Camargo und Miguel Alemán.

Nicht anders als in Irak, Gaza oder im Libanon kämpften die rivalisierenden Banden in den Straßen, in ausgebrannten Läden und Häusern und vertrieben die Bewohner.

Barrikaden wurden errichtet.

Die Städte wurden zu Geisterstädten.

Nicht Ochoa hat sich bei Barrera gemeldet, sondern Gordo Contreras.

»Wette gewonnen, du schuldest mir hundert Dollar«, sagt Adán zu Magda.

»Ich hätte auf Ochoa geschworen!«, sagt sie.

»Der ist zu arrogant.«

»Das Golfkartell verliert«, sagt sie. »Aber das kann dir egal sein. Du hilfst beiden, den Krieg fortzusetzen, bis sie sich gegenseitig ausgeblutet haben. Dann kommst du und holst dir Tamaulipas. Matamoros, Reynosa, Laredo – alles.«

Adán zuckt die Schultern. Wie immer hat sie ihn und die Lage genau verstanden.

»Hast du über deinen Preis nachgedacht?«, fragt sie. »Gordo wird glauben, dir reicht es aus, wenn du ihn als Verbündeten gegen Ochoa gewinnst. Aber ich glaube, wir können mehr rausholen. Freien Zugang zu den Häfen. Das würde den Zugang zum europäischen Markt erleichtern.«

»Bist du da immer noch engagiert?«

»Das kann ich auch dir nur raten«, sagt Magda.

Denn es lohnt sich. Ein Kilo Kokain bringt in den USA vierundzwanzigtausend Dollar, in Europa mehr als das Doppelte. Auch wenn Magda die Anteile der europäischen Partner und die Schmiergelder herausrechnet, bleibt ein Profit, der nicht zu verachten ist. Wenn Adán nicht einsteigen will, wird sie es ohne ihn machen, obwohl sie seinen Schutzschirm gut gebrauchen könnte.

»Dann hast du's mit der 'Ndrangheta zu tun, die das Geschäft dort beherrscht. Aber die 'Ndrangheta hat sich ans Golfkartell gebunden.«

»Weil wir keinen Vorstoß gemacht haben«, sagt sie. »Wenn ich mit denen rede, tun sich sicher Wege auf.«

Nicht wegen ihrer schönen Augen, sondern weil es von Vorteil für die 'Ndrangheta ist, wenn sie mehr als eine Bezugsquelle haben. Und der europäische Markt für Kokain wächst und wächst. Das Heroin kommt meist noch immer über die Türkei aus Afghanistan und Pakistan, Marihuana über Marokko aus Nordafrika, aber das Kokainmonopol dem Golfkartell zu überlassen ist eine Dummheit. Wenn sie die Ware für 5500 Dollar einkauft und für 55 000 Dollar loswird, muss sie gar nicht lange rechnen.

Außerdem würde sie gern mal wieder nach Europa, es mit eigenen Augen sehen statt als naives Mädchen unter Jorges Fuchtel. Sie könnte das Angenehme mit dem Nützlichen verbinden, ein paar Museumsbesuche einstreuen, vielleicht ein bisschen shoppen. Und Erholung könnte sie auch gebrauchen. Erst jetzt, da sie weiß, was dazugehört, ein Multimillionen-Unternehmen zu führen, begreift sie so richtig, warum Adán damals in Puente Grande immer so beschäftigt war.

»Die Mätresse des Königs« nennt man sie.

Wohl wahr. Auch die Pompadour hatte einen Vollzeitjob.

»Aber wenn du nicht willst, versuche ich's auf eigene Faust. Ach, übrigens: Hast du deine Königin endlich geschwängert?«

»Sei nicht so!«

»Ich bin aber so.«

»Nein, noch nicht.«

»Es heißt, dass die Hundestellung am besten –«

»Ich muss doch sehr bitten, Magda!«

»Aus Puente Grande habe ich dich gar nicht so prüde in Erinnerung. Wenn du mich fickst, musst du mir die hundert Dollar erlassen.«

»Bei mir zu Hause?«

»Aber nicht in deinem Ehebett, wenn du so zimperlich bist. Ach, vergiss es. So ein Hausmütterchen wie dich will ich nicht.«

Adán stürzt sich auf sie.

In derselben Nacht bietet ihm Gordo Contreras den Zugang zu seinen Hafenstädten Matamoros und Reynosa an – und zu seinem europäischen Drogennetzwerk.

Adán stimmt zu, um das zu tun, was er sowieso vorhat: die Zetas zu besiegen.

Eva schließt die Wohnung im Luxusviertel Bosques de las Lomas auf und lässt sich aufs Bett fallen.

Miguel, der Bodyguard, bringt den Koffer herein. »Wo willst du ihn hinhaben?«

»Aufs Bett«, sagt sie. »Und dich auch.«

Miguel lächelt. Er stellt den Koffer ab und legt sich auf sie.

Sie öffnet den Hosenstall seiner engen Jeans. »Genau das wollte ich. Und zwar jetzt. Der Flug hat ja ewig gedauert!« Eva hilft mit der Hand nach, obwohl es nicht nötig ist.

Mit der anderen Hand öffnet sie ihren eigenen Reißverschluss, dann windet sie sich aus ihren Jeans heraus. Sie ist schon feucht, und im nächsten Moment ist er in ihr drin.

»Ah, ist das gut!«, stöhnt sie.

Miguel ist fünfundzwanzig, kräftig, geschmeidig und muskulös, und seine Ungeduld gefällt ihr. Sie will genommen werden, und sie packt ihn bei den Schultern, als er auf ihrem Bauch kommen will. »Schon gut, bleib drinnen.«

»Bist du sicher?«

»Die Pille.«

Danach, als sie neben ihm liegt, muss sie lachen.

»Was ist?«, fragt Miguel.

»Weißt du, was mein Mann mit dir macht und mit deinem schönen Schwanz, wenn er das rauskriegt?«

»Das will ich mir lieber nicht ausmalen.«

»Aber du sollst ihm solche Sachen melden«, sagt sie. »Du bist doch sein Spion, oder? Wirst du's ihm melden?«

»Nein.«

»Das ist gut. Denn ich mag deinen schönen Schwanz genau dort, wo er ist.«

Sie beugt sich nach unten und nimmt ihn in den Mund.

»Kannst du noch mal?«, fragt sie und richtet sich auf.

»Wenn du weitermachst.«

Eva macht weiter.

Sie braucht ein Baby.

Pablo schiebt die restliche *torta* in den Mund und wischt sich mit dem Handrücken die Avocadocreme von den Lippen.

Die *torta* mit Huhn, Ananas und Avocado war für ihn ein Teil von Juárez, eine der Kleinigkeiten, die den Charakter der Stadt ausmachen. Jetzt schmeckt er sie kaum noch – es ist einfach Fastfood, das er braucht, um bei Kräften zu bleiben.

Denn er ist erschöpft.

Zu Tode erschöpft.

Wenn ihn einer fragen würde, wie es ihm geht – nicht dass es einer täte –, würde er antworten, dass er körperlich, geistig und emotional am Ende ist.

Moralisch vielleicht auch, wenn es so etwas gibt wie moralische Erschöpfung.

Ja, die gibt es, beschließt er.

Du fängst voller Idealismus an, mit moralischer Kraft eben, doch dann wird diese Kraft zermürbt, Schlag auf Schlag, bis zur Erschöpfung, und du machst Dinge, die du nie für möglich gehalten hättest. Oder lässt Dinge ungetan, die du anpacken müsstest.

Oder so ähnlich.

Man sollte meinen, es gibt da einen Punkt, wo es nicht mehr weitergeht, aber den gibt es nicht, keinen Vorfall, den man benennen könnte. Nein, es ist nichts Dramatisches, nur der dumpfe, eintönige Prozess der Zermürbung.

Vielleicht war es jener Tag, als an einem einzigen Nachmittag fünfundzwanzig Menschen erschossen wurden – und die eine Leiche mit einem der inzwischen langweiligen Narco-Sprüche versehen war: »Adán Barrera, wenn du unsere Söhne schlachtest, schlachten wir deine Familien.«

Vielleicht war es auch das nächste Massaker – vierzehn Jugendliche, bei einer Geburtstagsparty mit Maschinengewehren niedergemäht. Oder die zwei enthaupteten Leichen der Täter, die am nächsten Tag gefunden wurden.

Oder die abstumpfende Wiederkehr des Immergleichen, der Horror, der zum Alltag geworden ist, seit die Juarenser auf ihrem Weg zur Arbeit achtlos über Leichen gehen.

Oder die fortwährenden Durchsagen des Polizeifunks, die nun einen perversen Dreh bekommen, weil die Narcos dazu übergegangen sind, ihre *narcocorridas* auf derselben Frequenz abzuspielen, wenn sie einen Polizisten des gegnerischen Kartells ermordet haben. An der Art der Lobgesänge kann man nun erkennen, von welcher Seite der Mordanschlag ausging. Und seit die Morde fast zur Normalität geworden sind, bringen die Kartelle diese Lieder schon *vorher,* um unter den ausersehenen Opfern Angst und Schrecken zu verbreiten.

Oder es ist die Routine, zu der die Berichterstattung verkommen ist. Die Reporter sind immer die Ersten, die sich am Tatort einfinden, aber wenn die Narcos noch dort sind, um ihre Opfer sterben zu sehen, müssen sie warten. Erst wenn sie grünes Licht bekommen, dürfen sie berichten und fotografieren – oder sie bekommen Befehl zu verschwinden. Es kommt auch vor, dass die Mörder einen Zettel auf der Leiche hinterlassen, auf dem die Reporter lesen können, was sie berichten dürfen und was nicht.

Den Reportern folgen die Bestatter, die mit ihren schwarzen Anzügen an Aaskrähen erinnern.

Dann erst erscheint vielleicht die Polizei, gefolgt von den Sanitätern, die nur anrücken, wenn die Polizei schon da ist. Mehr als einmal hat Pablo mit den Sanitätern dagesessen und gewartet, weil die Killer sie mit vorgehaltenen Gewehren vom Schauplatz fernhielten, bis das Opfer verblutet war. Wenn es dann so weit war, wurden sie herangewinkt: »Jetzt könnt ihr ihn haben.« Oder die Narcos schalten sich in die Frequenz des Rettungsdienstes ein und verbieten den Sanitätern, bestimmten Opfern zu Hilfe zu eilen.

Vielleicht ist es auch die traurige Tatsache, dass er nichts mehr empfindet, wenn er die Frau, die Mutter, die Schwester, das Kind des Opfers schreien und weinen hört. Oder dass ihn der Anblick verstümmelter, enthaupteter Leichen nicht mehr schockiert oder auch nur verstört. Köpfe und Gliedmaßen vermischen sich in seiner Stadt mit all dem anderen Unrat, und in den Slums laufen die Straßenköter mit blutigen Lefzen und schuldbewussten Blicken umher.

Sechs Tote …

Vier Tote …

Zehn Tote …

Die Armee verhaftete vier Mitglieder von La Línea, die insgesamt zweihundertelf Morde gestanden.

Die »Neue Polizei«, bestehend aus sorgfältig ausgewähltem und geprüftem Personal, wurde in Juárez mit großem Trara in ihr Amt eingeführt. Eine neu eingestellte Polizistin wurde im Bus erschossen, als sie ihre erste Schicht antreten wollte.

Elf weitere Menschen starben am nächsten Tag.

Acht am Tag darauf.

Offenbar lief alles so gut in Juárez, dass der Oberste Staatsanwalt der Provinz befördert und zum Drogenbeauftragten der mexikanischen Regierung ernannt wurde.

Das ist der Zerfall des Staates, denkt Pablo.

Der Zerfall der Zivilisation.

Doch es bleibt die Frage nach dem Warum.

Nicht im großartig existenziellen Sinn – Pablo ist längst darüber hinaus, sich mit solchen Fragen zu befassen –, sondern ganz praktisch.

Schließlich heißt es doch, der Krieg sei vorüber.

Das wollen uns die *Politiker* einreden – ihre Politik sei so erfolgreich, dass sie die Armee aus der Stadt abziehen und die »Neue Polizei« ins Amt einsetzen können. Aber warum gehen die Morde weiter, wenn der Krieg zu Ende ist?

Auch realistische Begründungen für ein Ende des Krieges – dass die Sinaloaner ihn gewonnen und die Plaza Juárez unter

Kontrolle haben – können nicht erklären, warum das Schlachten unvermindert weitergeht. Warum bringt der neue Friede nicht wenigstens einen Tag ohne Morde?

Und warum sind die Opfer jetzt meist die kleinen Fische, die Straßendealer, die Bettler, die Gestrandeten?

Pablo kennt die Antwort, und sie macht ihn wütend.

Das hat nichts mit dem grenzüberschreitenden Drogenschmuggel zu tun, denn das ist der Binnenmarkt. Es reicht nicht mehr aus, den Ursprung alles Bösen im US-Drogenmarkt zu sehen. Der Drogenumsatz in Juárez ist winzig, gemessen an dem, was über die Grenze geht, aber er ist ein nicht zu verachtender Faktor.

Meist geht es um den Straßenhandel mit Kokain und Heroin. Nicht dass Barrera die Gewinne braucht – sie sind höchstens ein Taschengeld für ihn –, aber er kann den Resten des Juárez-Kartells nicht das Feld überlassen. Wenn er ihnen gestattet, den Drogenhandel im Stadtzentrum, in La Cima und anderen Vierteln zu kontrollieren, wird das zu einer Geldquelle, mit der sie ein Comeback finanzieren könnten.

Und das darf Barrera nicht dulden.

Daher sind die Morde eine Art »Säuberungsaktion«.

Und die Kleindealer, die ihre Tütchen verkaufen, werden zwischen Los Aztecas und Sinaloa aufgerieben – wer für die einen verkauft, wird von den anderen getötet. Die winzigen Kramläden, die Drogen verkaufen, trifft es genauso. Selbst die Kunden sitzen in der Klemme. Kaufen sie bei Sinaloanern, werden sie von Juarensern ermordet, kaufen sie bei Juarensern, werden sie von den neuen Leuten ermordet. Die Eckensteher, die als Späher arbeiten, die Säufer und Obdachlosen, die Bettler und Straßenmusikanten – alle riskieren ihr Leben, wenn sie der anderen Seite dienen.

Und die Polizei? Die Armee? Die schert das einen Dreck, denkt Pablo. Wann hat sich je einer für den Abschaum interessiert? Nein, die Cops, die Politiker und die Geschäftsleute freuen sich im Gegenteil über die prächtige Gelegenheit, die armen Schlucker aus dem Straßenbild verschwinden zu lassen und das Ganze dem »Krieg der Kartelle« anzulasten.

Die großen Zeitungen machen begeistert mit. Sie zeichnen hübsche Frontverläufe mit farbigen Zonen, um anzuzeigen, welches Kartell welche Plaza, welches Viertel kontrolliert. Das sieht nett und übersichtlich aus – man kann sogar Partei für die eine oder andere Seite ergreifen –, aber das ist alles Unsinn, zumindest in Juárez.

Denn diese Grenzlinien gibt es längst nicht mehr.

Als Barrera im Verein mit den Bundespolizisten und der Armee die Strukturen von La Línea und Los Aztecas zerstörte, ging auch die Kontrolle über Hunderte kleine Kramläden und Straßenbanden verloren, die trotzdem weiter Drogen verkaufen und Schutzgelder von Ladenbesitzern, Bus- und Taxifahrern erpressen und selbst von Frauen, Kindern und alten Leuten Wegzoll fordern.

Ein Großteil der Mörder, die da draußen ihr Unwesen treiben, sind arme Schlucker, die nicht mal wissen, für welches Kartell sie töten. Wenn sie überleben wollen, führen sie blindlings ihre Befehle aus. Der Kontaktmann kann alles Mögliche sein – Sinaloaner, Juarenser, Azteke oder gar Zeta. Er kann an einem Tag das eine sein und am nächsten Tag das andere.

Die Morde müssen nicht mal mit Drogen zu tun haben. Im allgemeinen Chaos wird auch aus Rache oder Eifersucht getötet, wegen alter Fehden oder nicht gezahlter Schutzgelder. Alles egal.

Sie gehen los und töten und werden getötet, dann ist Vergeltung fällig, und so gewinnt der Krieg seine Eigendynamik – das alles ohne Militär, ohne Offiziere, die Kriegsziele und Frontverläufe mit bunten Stecknadeln fixieren.

Tatsache ist, dass auch die großen Bosse die Übersicht und die Kontrolle verloren haben.

Selbst wenn sie wollten, könnten sie das Töten nicht mehr stoppen. Barrera ist es egal. Er sichert sich seine Transitwege, und ihn juckt es nicht, wenn die Stadt stirbt, wenn nichts von ihr bleibt als die Schmuggelrouten in die USA.

Den Preis zahlen die, die ihn immer zahlen, die Armen und Schwachen, die sich nicht in Wohnanlagen verbarrikadieren oder nach El Paso ziehen können.

Niemand kann die Gewalt aufhalten. Sie regiert sich selbst, weil keiner eine andere Antwort kennt als immer neue Gewalt. Das ist die Wahrheit, die Pablo schreiben will. Dem Land ins Gesicht schreien, den USA, der ganzen Welt.

Aber er kann es nicht.

Er darf es nicht.

Gestern Morgen hat ihm der Mann, der ihm immer das Kuvert gibt, auch einen Befehl gegeben.

»Der Anschlag auf *La Médica hermosa*«, hat er gesagt.

»Das ist Monate her.« Pablo spürte, wie die Angst in ihm hochstieg.

»Du wirst schreiben, dass die Zetas dahinterstecken.«

»Woher soll ich das wissen?« Er hörte seine Stimme zittern.

»Weil *ich* es dir sage.«

Pablo begriff sofort. Giorgios Fotoserie mit den Wunden von Marisol Cisneros hatte Empörung im ganzen Land ausgelöst, mehr noch als der Anschlag selbst. Nun wurde auch klar, woher das Geld kam. Vom Sinaloa-Kartell, von den neuen Leuten.

Pablo raffte seinen Mut zusammen. »Haben Sie Beweise?«

»Das Geld auf deinem Konto«, sagte der Mann. »Mehr Beweise brauchst du nicht.«

»Das Geld habe ich noch«, sagte Pablo. »Ich gebe es zurück.«

»Du denkst wohl, wir spielen hier Fangeball?«, sagte der Mann. »Du hast das Geld genommen, zurückgeben geht nicht. Steck's dir in den Arsch, wenn du willst. Oder deiner Freundin. Die Zetas waren es. Das ist die Wahrheit. Du willst doch die Wahrheit schreiben, oder?«

»Ja.«

Der Mann schob Pablo gegen die Hauswand. »Ach, übrigens, deine Freunde, deine Kollegen, sind dir die was wert?«

»Ja, natürlich.«

»Dann weißt du ja, was du zu tun hast«, sagte der Mann und ließ ihn stehen.

Pablo zitterte und fühlte sich wie betäubt. Er ging in die nächste Bar, bestellte einen Whiskey, dann noch einen, in seinem Kopf drehte es sich.

Was soll ich nur machen?, fragte er sich.

Was soll ich nur machen?

Als Pablo dann in seinem Artikel schrieb, er habe aus sicherer Quelle erfahren, dass die Zetas für die Anschläge auf die Frauen im Tal von Juárez verantwortlich seien, rief ihn Herrera in sein Büro.

»Sichere Quelle?«, fragte der Uhu.

Pablo nickte.

»Wer steckt dahinter? Dein Bekannter bei Los Aztecas?«

»… Ja.«

Herrera klopfte mit dem Stock auf den Boden. »Wir brauchen mehr Hintergrund. Geh los und recherchiere.«

Am Abend, als Pablo sein Bier in Fred's Bar trank, kam Ramón zu *ihm*. Der Azteke schob sich auf den Nachbarhocker. »Ich habe keine Zeit, deshalb gleich zur Sache. Du schreibst an einer Story über die Schießereien im Tal?«

»Möglich.«

»Komm mir nicht dumm!«, fuhr ihn Ramón an. »Wenn du überhaupt was schreibst, dann schreibst du, dass Sinaloa dahintersteckt!«

»Ich habe was anderes gehört.«

»Ach ja? Was hast du denn gehört?« Weil Pablo nichts sagte, bohrte er nach: »Hey, was hast du gehört?«

»Dass es die Zetas waren.«

»Wer hat dir das erzählt?«

Pablo schüttelte den Kopf.

»Du nimmst Geld von Sinaloa«, sagte Ramón. »Okay. Niemand hat dir was getan. Bis jetzt. Aber jetzt müssen wir handeln.«

»›Wir?‹ Arbeitest du etwa für die Zetas?«
»Die Zetas übernehmen hier alles«, sagte Ramón. »Wir sind jetzt alle Compañia Z. Du auch.«
Ramón packte ihn bei der Schulter. »Die haben mich *geschickt*, Pablo. Ich soll dir sagen, dass du schreiben sollst, was sie verlangen. Das nächste Mal komme ich nicht, um mit dir zu reden. Zwing mich nicht dazu, Pablo. Bitte!«
Ramón warf ein paar Scheine hin und ging.
Pablo hätte sich beinahe eingepisst.
Er saß in der Falle. Eingeklemmt zwischen Sinaloa-Kartell und Zetas. Nachdem er eine Weile durch die Straßen geirrt war, fand er Ana und Giorgio im Kentucky. Ihr Arm war inzwischen gut verheilt, und der Scherz über ihre gescheiterte Karriere als Konzertcellistin war auch nicht mehr ganz frisch. Giorgio blieb für einen Mann, der gerade Erfolge feierte, seltsam einsilbig. Sicher war es bedrückend gewesen, Marisols Verletzungen zu sehen und zu fotografieren, dachte Pablo. So eine schöne Frau, so ein wunderbarer Mensch, zum Krüppel geschossen und von Schmerzen gequält. Da war es sicher taktvoll von Giorgio, sich zurückzuhalten.
Vielleicht ist er sensibler, als ich dachte.
»Du bist so still heute Abend«, sagte Ana zu Pablo.
»Nur müde.«
»Das ist alles?«
»Ja.«
Sie tranken noch ein paar Bier, dann verabschiedete sich Giorgio nach El Paso, um bei seiner aktuellen Freundin zu schlafen, einer amerikanischen Soziologin, die über das »Phänomen der Gewalt in Ciudad Juárez« promovieren wollte.
»So weit haben wir's gebracht«, sagte Ana. »Wir sind ein ›Phänomen‹.«
»Anscheinend ja«, sagte Giorgio.
»Kann man Fotos in einer Dissertation bringen?«
»Ich bin so was wie ihre anonyme Quelle«, erwiderte Giorgio. »Also, bis morgen.«

In der Nacht fand Pablo keinen Schlaf. Ein Ausweg war nicht in Sicht. Als er in die Redaktion kam, fragte ihn Herrera nach dem Artikel. Pablo antwortete ausweichend und ging bald wieder. Er besorgte sich eine *torta* und wollte sich ins Auto setzen, um sich zu sammeln. Als er einstieg, fand er einen Zettel auf dem Sitz. »Wo ist die Story? Mach keine Spielchen mit uns!«

Ich sterbe mit meiner Stadt, denkt Pablo jetzt, als er losfährt, zu einem neuen Mordfall. Er knüllt die Verpackung der *torta* zusammen und wirft sie auf den Boden.

Der einst florierende Markt ist fast menschenleer, weil die Touristen ausbleiben. Eine berühmte Bar nach der anderen muss schließen. Selbst der Mariscal, das Rotlichtviertel an der Santa Fe Bridge, wirkt entvölkert.

Am Tatort muss er sich zwingen, aus dem Auto zu steigen.

Wieder so ein Pechvogel, ein Opfer der Säuberung.

Normalerweise ist Giorgio vor ihm da, aber Giorgio liegt wahrscheinlich noch mit der Amerikanerin im Bett.

Dann sieht er ihn daliegen.

Ana erfährt es von Pablo.

Er betritt die Lokalredaktion, nimmt sie beim Arm und sagt es ihr, und sie schreit, ihre Knie geben nach, sie sinkt ihm in die Arme, und beinahe hätte er gesagt: Es ist meine Schuld. Es ist meine Schuld. Hätte ich ihm was gesagt, vielleicht wäre …

Aber du hast nichts gesagt, denkt Pablo.

Und du sagst auch jetzt nichts.

Weil du ein Feigling bist.

Und weil du vor Scham im Boden versinkst.

Herrera schreibt den Nachruf auf Giorgio, voller Zorn und Trauer, verfasst mit der für ihn typischen Sorgfalt.

Giorgios Beerdigung wird zur Horrorshow.

Die gesamte Journalistengilde von Juárez ist vertreten, auch Marisol Cisneros mit Art Keller, alles läuft wie immer, doch als Pablo den Friedhof verlässt, sieht er ein Auto auf der anderen Straßenseite, und auf der Kühlerhaube liegt etwas.

Er geht hinüber.

Ein abgetrennter Kopf, der Mund zu einem makabren Grinsen verzerrt. Am Halsstumpf ist Herreras Nachruf befestigt.

Abends versammeln sie sich bei Ana zu einer Feier in gedrückter Stimmung. Pablo, Oscar Herrera, Marisol und ihr Amerikaner und noch ein paar andere. Eine geschrumpfte Gruppe, denkt Pablo, mit geschrumpften Seelen.

Sie sitzen stumm da und trinken.

Auf ein paar scheiternde Versuche, etwas Lustiges über Giorgio zu erzählen, folgt ein früher Aufbruch. Marisol sieht müde und gequält aus, sie muss zurück nach Guadelupe, und die anderen nutzen die Gelegenheit, ebenfalls zu verschwinden.

Als bis auf Pablo alle gegangen sind, sagt Ana, die schon ziemlich betrunken ist: »Komm, bring mich ins Bett.«

»Ana …«

»Los, fick mich, Pablo.«

Sie lieben sich, auf hastige, wütende Art, hinterher schluchzt Ana.

Am Tag danach zeigt Herrera ihnen einen Leitartikel, den er drucken will.

»*An die Herren, die sich um die Vormacht in der Plaza Ciudad Juárez streiten*«, liest er vor. »*Wir möchten Sie darauf hinweisen, dass wir Journalisten sind und keine Hellseher. Daher hätten wir gern eine Erklärung von Ihnen, was Sie von uns erwarten, was Sie gedruckt sehen wollen und was nicht, damit wir wissen, woran wir sind. Gegenwärtig sind Sie faktisch die Herren dieser Stadt, aufgrund der Tatsache, dass die rechtmäßigen Autoritäten trotz unserer wiederholten Forderungen nicht in der Lage sind, unsere Kollegen vor Anschlägen zu schützen. Mit dieser unleugbaren Tatsache konfrontiert, richten wir uns an Sie, weil wir nicht möchten, dass dieser Auseinandersetzung noch weitere Kollegen zum Opfer fallen. Betrachten Sie dies bitte nicht als Kapitulation, sondern als*

Angebot eines Waffenstillstands. Wir möchten zumindest wissen, welche Regeln gelten, denn selbst in einem Krieg behalten Regeln ihre Geltung.«

Der Artikel macht weltweit Schlagzeilen, auch in mexikanischen Medienkreisen findet er Widerhall, weil schon so viele Journalisten in Chihuahua, Tamaulipas, Nuevo León und Michoacán ermordet wurden.

Besonders die Zetas haben mit ihrem Terror für Friedhofsstille gesorgt: Die Medien in ihren Hochburgen Nuevo Laredo und Reynosa bringen überhaupt keine Berichte über den Drogenkrieg, die Leute auf den Straßen haben Angst, das Wort »Zeta« auch nur in den Mund zu nehmen, und sprechen lieber vom »letzten Buchstaben«.

Die Redaktion erhält Hunderte von Anrufen und E-Mails.

Doch von den Kartellen – nichts.

Keine Erwiderung, keine Forderungen, keine Regeln.

Pablo kennt die Forderungen, und er braucht kein Reglement, um die Regeln zu kennen: Schreib nur das, was wir dir sagen, oder wir töten dich. Nimm das Geld, oder wir töten dich. Verkauf uns deine Seele, oder wir töten dich.

Eine bittere Lektion, auch für solche, die glauben, sie könnten ihre Seele nur ein bisschen verkaufen. Man verkauft sie als Ganzes – und für immer.

Gegen Abend wird Pablo von dem Mann angesprochen, der ihm immer das Kuvert übergibt.

»Hey, Klugscheißer, morgen sehen wir deinen Artikel in der Zeitung, oder ...«

Er grinst und richtet zwei Finger wie eine Pistole auf ihn.

Ana ist schon im Bett, als er zurückkommt. Weil er sie nicht wecken will, schläft er auf der Couch. Oder versucht es, ohne viel Erfolg. Er nimmt sich vor, Matteo einen Abschiedsbrief zu schreiben, aber das kommt ihm dann zu melodramatisch vor.

Er beschließt, einen Sinaloa-Artikel zu schreiben.

Dann beschließt er, einen Zeta-Artikel zu schreiben.

Aber er schreibt keinen von beiden.

Am nächsten Morgen, beschließt er, überreiche ich Oscar meine Kündigung.

Und fahre über die Brücke.

Am Morgen sucht er nach Worten, um es Ana zu sagen.

Aber er findet keine.

Weil ich ein Feigling bin, denkt er.

Vielleicht sage ich ihr einfach nur, dass ich Angst habe, dass ich nicht enden will wie Armando Rodríguez oder Giorgio. Sie wird mich verachten, aber nicht so hassen, wie wenn sie erfährt, dass ich Geld genommen habe.

Einfach sagen, dass ich Angst habe.

Sie wird mir glauben.

Fünfmal nimmt er Anlauf, aber er bringt keine Silbe heraus. Auf der Fahrt zur Redaktion versucht er es noch einmal. Er kommt sich vor wie auf einem Fließband, das unausweichlich auf die Schlachtermesser zurast – und er kann nicht schreien, um das Band zu stoppen.

Sie parken vor der Redaktion und gehen auf die andere Straßenseite zu Ricardo, um Kaffee zu trinken.

Pablo sieht das enttäuschte, verzagte Gesicht des Uhus vor sich.

Er hat daran gedacht, ihm die Kündigung einfach per E-Mail zu schicken, aber das wäre dann doch zu erbärmlich gewesen. Oscar hat das Recht auf eine Erklärung von Mann zu Mann, auf eine Entschuldigung. Und auch er, Pablo, hat es verdient, Oscars verletzten Blick und Oscars Worte in sein Gedächtnis einzubrennen, das Büro in Schande zu verlassen, den Schreibtisch zu räumen, die verstohlenen Blicke im Nacken zu spüren und dann Ana alles zu erklären. Oder es zu versuchen.

Und dann was? Er schlürft seinen Milchkaffee und blickt hinüber zum Redaktionsgebäude, der einzigen beruflichen Heimat, die er je hatte. Als Journalist bist du erledigt – keine

Zeitung wird dich nehmen. Bestenfalls kannst du für die Skandalblätter schreiben, wie ein Geier auf Beute lauern.

Dich von Leichen ernähren.

Nein, denkt er. Das will und kann ich nicht.

Aber habe ich eine Wahl? Wenn die Narcos merken, dass sie ihr Geld an mich verschwendet haben, bin auch ich eine Leiche. Mach dir nichts vor: Als Journalist hast du keine Zukunft, und auch in dieser Stadt hast du keine Zukunft.

Oder sonst irgendwo in Mexiko.

Du musst über die Brücke.

Ein *pocho* werden.

»Du bist ja heute extrem gesprächig«, sagt Ana zu ihm.

»Hmmmm.«

»Na bitte, das war schon ein Anfang.«

Er setzt die Tasse ab und steht auf. »Ich gehe rüber.«

»Ich komme mit.«

Er überquert die Straße und zeigt der Wache den Ausweis, obwohl sie ihn kennen. Im Fahrstuhl wird ihm klar, dass es vielleicht sein letztes Mal ist, aber jetzt kann er nicht mehr zurück.

Er muss etwas sagen, bevor er Oscars Büro betritt.

»Ana …«

»Was ist?«

»Ich –«

Da geht die Tür auf, Oscar tritt auf den Flur und ruft den ganzen Redaktionsstab in den Konferenzraum, zu einer Sofortbesprechung.

»Ich bin nicht bereit, das Leben der Menschen aufs Spiel zu setzen, für die ich beruflich und persönlich verantwortlich bin«, sagt er, als alle Platz genommen haben. »Ich bin auch nicht bereit, über eine Lage zu berichten, der selbst die besten Journalisten, und zu denen zähle ich euch, emotional nicht mehr gewachsen sind. Kurzum: Wir werden nicht mehr über die Drogensituation berichten.«

Ana steht auf, mit hochrotem Gesicht, fast in Tränen. »Wir

machen einen Rückzieher? Kriechen zu Kreuze? Lassen uns einschüchtern?«

Auch Oscar muss sich beherrschen. Mit bebender Stimme sagt er: »Ich glaube nicht, dass wir eine andere Wahl haben, Ana.«

»Aber wie soll das gehen?«, fragt Pablo. »Was machen wir, wenn es einen Mord gibt? Einfach schweigen?«

»Wir berichten, dass es einen Mord gegeben hat«, sagt Oscar, »dabei belassen wir's. Wir stellen keine Verbindung zum Drogenkrieg her.«

»Das ist absurd«, sagt Ana.

»Wohl wahr«, erwidert Oscar. »Aber unsere ganze Realität hat sich in eine Absurdität verwandelt. Also: Nichts mehr über den Drogenkrieg. Das ist keine Bitte, sondern eine Anweisung. Ich werde den Rotstift schwingen und alles streichen, was die Sicherheit unserer Mitarbeiter gefährdet. Ist das klar?«

»Mir ist nur klar«, sagt Ana, »dass das der Tod einer bedeutenden Zeitung ist.«

»Die ich mit Freuden zu Grabe trage«, erwidert Oscar, »bevor ich auch nur einen von euch zu Grabe trage. In der morgigen Nummer mache ich das bekannt, damit die Narcos Bescheid wissen.«

»Und was ist mit Giorgio?«, ruft Ana.

Der Uhu hebt eine Augenbraue.

»Recherchieren wir da? Oder nehmen wir es einfach hin?«

Denn die Polizei, denkt Pablo, nimmt den Mord einfach hin. So wie die fünftausend anderen Morde seit dem Ausbruch des Kriegs der Kartelle, von denen kein einziger zu einer Verurteilung geführt hat. Sie alle kennen die Tatsachen – keiner bei der Polizei macht sich die Mühe, den Mord an Giorgio aufzuklären. Und jetzt sagt ihnen Oscar, dass auch sie stillhalten sollen.

Dieser mutige Journalist, der sich selbst von einem Attentat nicht schrecken ließ, stützt sich jetzt auf seinen Stock, sieht alt und müde aus und sagt mit seinem Schweigen, dass auch er zum Schweigen gebracht wurde.

Aber nicht Ana.

Am Abend sitzen sie im Oxido, einem Club im Geschäftsviertel, der noch nicht geschlossen ist, und sie trinkt wieder ein paar Gläser über den Durst.

»Warum habe ich das Geld nicht genommen?«, fragt sie.

»Wie meinst du das?«, fragt Pablo.

»Als mir die Narcos Schmiergeld angeboten haben, hätte ich es nehmen sollen«, erklärt sie. »Die sind doch jetzt unsere Bosse, oder? Dann sollen sie uns auch bezahlen.«

Pablo verschluckt sich fast an seinem Bier.

»Ich nehme das nicht hin«, sagt sie. »Die haben unseren Freund und Kollegen ermordet! Das nehme ich nicht hin!«

»Ana, du hast es doch gehört. Was sollen wir machen?«

»Druck«, sagt Ana. »Druck auf die Behörden, bis sie etwas unternehmen.«

»So wie beim Mord an Jimena?«, fragt Pablo. »So wie beim Anschlag auf dich und Marisol? Was ist mit den zwei Frauen im Tal von Juárez? Was ist mit den Dutzenden Morden, die wir jede Woche sehen? Welche Behörde hat da was unternommen?«

»Ich sorge dafür, dass sie sich wenigstens schämen«, sagt Ana.

»Ana, die sind schamlos.«

Und er bekommt Angst um sie. Wenn sie so weitermacht, wird sie die Nächste sein.

»Aber ich nicht«, sagt Ana. »Ich bin nicht schamlos.«

»Oscar druckt es nicht, wenn du etwas schreibst.«

»Ich weiß.«

Ein wenig später bugsiert er sie in ein Taxi und bringt sie nach Hause. Er legt sie ins Bett und geht wieder hinaus.

Pablo ist kein geborener Held.

Er weiß das und kann damit leben. Aber jetzt geht es nicht um ihn, jetzt geht es um Ana. Er muss verhindern, dass sie sich kopfüber ins Unglück stürzt. Wenn ich rauskriege, wer

Giorgio ermordet hat und warum, denkt er, kann ich die Story unter Pseudonym in einer amerikanischen Zeitung unterbringen. Vielleicht beruhigt sie das, oder es zwingt sogar die Polizei dazu, etwas zu unternehmen.

Und Pablo sieht nicht aus wie ein Held – auch das weiß er. Mit seinem bekleckerten schwarzen T-Shirt unter dem bekleckerten und lose heraushängenden schwarzen Hemd. Passend dazu die alte Windjacke und die rote Los-Indios-Kappe, auch seine Wampe ist nicht zu übersehen.

Jetzt klingelt er an Ramóns Tür. Es dauert eine Weile, dann geht Licht an, die Tür öffnet sich einen Spalt.

»Ramón, ich bin's.«

Ramón löst die Sicherheitskette und richtet eine Pistole auf Pablos Gesicht. »Verdammt noch 'mal, was willst du hier?«

»Ich muss mit dir reden.«

Ramón lässt ihn rein. »Aber nicht die Kinder wecken, okay?«

Sie gehen in die Küche. Ramón hat sich ein Reihenhäuschen geleistet, Preislage mittlerer Angestellter.

»Wo bleibt dein Scheißartikel, Pablo?«, fragt Ramón.

Pablo erzählt ihm von Herreras Entschluss, keine Drogenartikel mehr zu bringen.

»Ich glaube, dann bist du aus der Schusslinie«, sagt Ramón.

»Sehr schön. Spart uns beiden viel Ärger.«

»Warum wurde Giorgio Valencia ermordet?«

»Verdammt! Gerade hast du deinen Arsch gerettet!«

»Warum?«

»Er hat die falschen Fotos gemacht.«

»Welche falschen Fotos?«

»Die Cisneros«, sagt Ramón. »Du kennst sie persönlich, oder? Die hätt ich gern vernascht, ich meine, bevor sie, du weißt schon, im Graben landete. Freu dich lieber und stell keine Fragen. Hätte auch dich treffen können.«

»Und warum nicht mich, sondern Giorgio?«

»Du warst nicht auf der Gehaltsliste der Zetas.«

Pablo denkt, er hört nicht recht. »Was sagst du da?«

»Dein Giorgio war nicht sauber«, sagt Ramón. »Der war genauso dreckig wie du. Nur hat er bei den Zetas kassiert und sie dann verarscht, indem er diese Narbenfotos rausbrachte. Ich hab auch ein paar tolle Narben, Pablo. Willst du mal sehen?«

»Wer hat das gemacht? Kennst du Namen?«

»Spinnst du? Du willst wohl, dass sie uns gleich zusammen erschießen!« Pablo hält die Luft an, weil er Isobel die Treppe herunterkommen hört. Sie betritt die Küche und starrt Pablo verschlafen an.

»Hallo, Pablo.«

»Hallo, Isobel. So sieht man sich wieder.«

Sie blickt Ramón fragend an.

»Geh zurück ins Bett«, sagt er. »Ich bin gleich da.«

»Komm doch mal zum Essen vorbei«, sagt Isobel zu Pablo.

»Mache ich.«

Isobel geht wieder schlafen.

»Namen?«, fragt Ramón. »Du willst *Namen?* Mach dich nicht lächerlich. Die sind doch alle eine Sorte. Ich sag dir nur, Pablo, lass die Finger davon. Lass bloß die Finger davon. Ich, ich habe mich entschlossen. Ich verschwinde von hier. Isobel ist wieder schwanger, ich habe drüben ein bisschen was zurückgelegt. Muss nur noch paar kleine Sachen erledigen, dann bin ich hier weg. Solltest du auch so machen.«

»Juárez ist meine Stadt.«

»Ja, toll!«, sagt Ramón. »Nur dass es Juárez nicht mehr gibt. Nicht die Stadt, die wir mal kannten.«

Als Pablo zu Ana zurückkommt, ist sie wieder munter. »Wo hast du gesteckt?«, fragt sie ihn.

»Wir sind nicht miteinander verheiratet, Ana.«

»War nur eine Frage.«

»Ana, lass das Thema Giorgio ruhen, okay?«

»Hast du was erfahren?«

»Lass es einfach ruhen.« Es bricht dir nur das Herz – wenn du nicht vorher erschossen wirst.

»Pablo, was hast du erfahren?«
»Dass Frank Sinatra nicht zurückkommt.«
»Was soll das heißen?«
Er antwortet nicht.
Es gibt keine Antworten.

Victoria, Tamaulipas
Oktober 2010

Don Pedro Alejo de Castillo hört Lärm vor seinem Landhaus und geht nachschauen.

Lupe, die Köchin, sieht verstört aus, und Don Pedro hasst Ruhestörer, besonders, wenn sie Lupe erschrecken. Sie lebt seit mehr als dreißig Jahren bei ihm, als einzige Frau im Haushalt, seit Doroteas Tod vor sechs Jahren.

Don Pedro ist siebenundsiebzig und noch immer eine stattliche Erscheinung, schlank und aufrecht. Er tritt aus der Tür und sieht Männer auf SUVs und Trucks, die vor dem Haus herumkurven, mit Gewehren in die Luft schießen, laut hupen und Obszönitäten brüllen.

All das missfällt Don Pedro entschieden.

Und nur Rüpel benutzen solche Wörter in der Gegenwart von Frauen.

Drei Männer steigen aus und kommen zu seiner Veranda. Gekleidet sind sie wie *vaqueros* – mexikanische Cowboys –, doch er sieht sofort, dass sie noch nie in ihrem Leben gearbeitet haben.

Er besitzt zweihundert Hektar, was für diese Gegend nicht viel ist, aber für ihn ausreichend. Und das Land liegt an einem schönen See mit Wildenten und reichen Fischgründen. Fast jeden Morgen vor Hellwerden geht er dorthin.

»De Castillo?«, fragt einer der Männer.

Grob und unhöflich.

»Ich bin Don Pedro Alejo de Castillo«, erwidert er.

»Ist das Ihr Land?«

»Ja.«

»Wir sind die Zetas«, sagt der Mann, als ob er Don Pedro damit erschrecken könnte.

Don Pedro hat die vage Vermutung, dass die Zetas irgendeine Drogenbande sind, die in den Städten ihr Unwesen treibt, aber sie können ihm keine Angst einjagen. Er hat wenig mit der Stadt zu tun und noch weniger mit Drogen.

»Was wollen Sie?«, fragt er.

»Dieses Grundstück ist beschlagnahmt«, sagt der Mann.

»Also verschwinde von hier.«

»Nein. Ich denke nicht daran.«

»Hey, Opa, das ist keine Bitte, das ist ein Befehl. Punkt Mitternacht bist du weg, oder es knallt.«

»Verlassen Sie meinen Grund und Boden!«

»Wir kommen wieder.«

»Da bin ich gespannt.«

Don Pedro verhält sich wie ein Aristokrat, aber er ist keiner. Sein Vater hatte eine Sägemühle, Pedro musste schon als Kind hart arbeiten. Später übernahm er das Geschäft, machte aus einer Mühle zwei, dann fünf, dann zwölf und wurde ziemlich reich. Don Pedro hat diese Hazienda nicht geerbt, er hat sie sich verdient, so wie er sich den »Don« verdient hat – mit harter Arbeit.

Sein Hab und Gut gibt er nicht einfach preis.

Er hat das Haus mit eigenen Händen gebaut, mit der Hilfe von Nachbarn, und jedes Detail mit Liebe geplant. Zwei Etagen, die Mauern sind aus dickem Lehm mit tiefen Fensterhöhlen. Die massive Haustür ist von einem schattigen Portal überdacht, gestützt von handgeschnitzten Säulen aus den eigenen Sägewerken. Die Decke des weißgekalkten Wohnraums besteht aus dicken Holzbalken und feinem Lattenwerk, der Fußboden aus polierten Terrakottafliesen, die mit indianischen Teppichen belegt sind, in der Ecke steht ein Kamin aus Ton.

Ein schlichtes, würdevolles, schönes Haus.

Don Pedro ist wie immer tadellos gekleidet. Auch Dorotea hatte sehr auf sich geachtet, und er war ihr ein würdiger Gatte. Wenn er ihr Blumen aufs Grab legt, das sich auf einem Hügel oberhalb ihres geliebten Sees befindet, dann immer mit Anzug und Krawatte.

Heute trägt er Jägerjoppe und Khakihose, dazu eine Strickkrawatte und Jagdstiefel. Don Pedro ist Gründungsmitglied des Jagd- und Angelclubs »Manuel Silva«, und das Anwesen wird dem Club nach seinem Tod übereignet, mit der Verfügung, dass Lupe und Tomas, der seit fünfunddreißig Jahren bei ihm arbeitet, dort ihren Lebensabend verbringen dürfen.

Kinder, die sein Erbe antreten könnten, waren ihm nicht vergönnt. Als sich Dorotea einmal bei ihm dafür entschuldigen wollte, legte er ihr den Finger auf die Lippen und sagte: »Mein Sonnenschein bist *du*.«

Jetzt weint Lupe.

Sie muss den Wortwechsel mit den Kerlen da draußen gehört haben, das gefällt Don Pedro gar nicht, weil es ihm weh tut, wenn Frauen weinen, und die »Zetas« sinken noch tiefer in seiner Achtung, weil man in Gegenwart von Frauen nicht über solche Dinge redet.

»Ich glaube, es ist besser, wenn Sie in die Stadt fahren und das Wochenende mit Ihren Enkelkindern verbringen«, sagt er zu ihr.

»Don Pedro –«

»Weinen Sie nicht. Alles wird gut.«

»Aber –«

»Die schöne Ente von gestern Abend reicht noch für heute«, sagt er. »Die kann ich mir aufwärmen. Packen Sie ein paar Sachen ein.«

Er findet Tomas in der Scheune, beim Putzen des neuen John-Deere-Traktors, auf den sie beide sehr stolz sind.

»Was waren das für Leute?«, fragt Tomas.

»Ein paar Rüpel, Idioten.« Er bittet Tomas, Lupe nach Victoria zu bringen und dort zu bleiben, in dem Hotel, wo Don Pedro ein Guthaben hat.

»Ich bleibe bei Ihnen«, sagt Tomas. Sein Haar ist grau geworden, und seine kräftigen Hände sind von Arthritis verkrümmt. »Ich kann schießen.«

»Das weiß ich.« Auch Tomas muss alles gehört haben, denkt Don Pedro. Aber Tauben und Enten sind keine Menschen. Nicht mal Rehe sind Menschen. »Sie müssen sich um die anderen kümmern. Die schicke ich auch weg.«

»Dann bleiben Sie ja ganz allein, Don Pedro.«

Exakt, denkt Don Pedro. »Ein alter Mann braucht ab und zu ein bisschen Einsamkeit.«

»Ich lasse Sie nicht im Stich«, sagt Tomas. »Ich habe Ihnen jahrzehntelang gedient –«

»Dann fangen Sie jetzt nicht an, mir zu widersprechen«, sagt Don Pedro. Aber er darf den Stolz dieses Mannes nicht verletzen. »Nehmen Sie das Gewehr mit, das gute von Beretta. Ich verlasse mich auf Sie, dass alle sicher in die Stadt kommen. Und jetzt machen Sie sich fertig, damit Sie nicht im Dunkeln losmüssen.«

Er geht in sein Arbeitszimmer, setzt sich in seinen alten, rissigen Ledersessel und liest wie jeden Nachmittag. Heute im *Erzgauner* von Quevedo. *»Ich stamme aus Segovia; mein Vater nannte sich Clemente Pablo ...«*

Er ist eingeschlafen, als Tomas hereinkommt, um Bescheid zu sagen, dass sie reisefertig sind. Don Pedro geht vors Haus und sieht Lupe in dem alten Geländewagen sitzen, das Köfferchen auf dem Schoß, und hinten Paola und Estebán.

Alle weinen.

Estebán ist ein Nichtsnutz, faul wie alle Neunzehnjährigen, aber hundertmal anständiger als diese »Zetas«. Er sorgt gut für die Pferde, und sicher wird mal was aus ihm.

Paola ist ein anmutiges Geschöpf, als Dienstmädchen völlig unbrauchbar. Sie kann nur hoffen, von einem sehr verliebten jungen Mann geheiratet zu werden und ihm hübsche Kinder zu schenken.

Keiner dieser lieben Menschen soll heute Nacht hier sein.

»Macht euch ein schönes Wochenende und benehmt euch«, sagt Don Pedro zu ihnen. »Am Montagmorgen will ich euch hier sehen, und kommt mir nicht zu spät.«

Paola will etwas sagen. »Don Pedro –«

»Nun fort mit euch!«

Er schaut dem Auto nach, das auf der holprigen Straße davonrumpelt.

Als sie außer Sichtweite sind, geht er hinunter zum See. Wie Dorotea diesen See liebte! Hier hat er damals mit ihr gelegen, und er muss an den Duft des wilden Flieders denken, der sie umgab.

Der Pfarrer, der sie traute, kam auf einem Esel über den Río Bravo geritten, er war ins Wasser gefallen, verspätete sich um eine Stunde und war trübsinnig wie ein nasser Hund, aber das machte nichts.

Pablo wartet, bis die Sonne über dem See untergeht.

Er sieht die Enten im grünen Uferdickicht verschwinden.

Dann geht er zurück zum Haus.

Er schließt die Waffenkammer auf und trifft eine sorgsame Auswahl. Eine Krag 30-40, eine Mannlicher-Schönauer, die Winchester 70, die Winchester 74 – und die Savage 99.

Mit jedem dieser feinen Gewehre ist eine Erinnerung verbunden. Bei der Savage muss er an die Reise nach Montana denken, zusammen mit Julio und Teddy, die schon lange tot sind, und an den bernsteinfarbenen Whiskey, mit dem sie sich am Lagerfeuer aufwärmten.

Die Winchester-Flinten, die benutzte er auf den langen Streifzügen durch Durango – und die Mannlicher auf dem Trip nach Kenia und Tanganjika, wo er lange Nachmittage mit Dorotea unter dem Zeltdach verbrachte oder sie vor dem Zelt saß und las oder malte und wo der alte afrikanische Koch eine bessere Ziege zubereitete, als sie es in Mexiko konnten.

Die Krag ... ja, die Krag, die war ein Geburtstagsgeschenk von Dorotea, und sie freute sich so, weil er sich so freute ...

Don Pedro nimmt jedes Gewehr einzeln und lehnt es neben den Fenstern an die Wand. Dann legt er eine Munitionsschachtel neben jedes Gewehr.

Er wärmt die restliche Ente auf, öffnet eine Flasche Rotwein und speist mit Behagen. Die Ente hat er selbst geschossen, so wie er auch die Tauben schießt, die Lupe so köstlich mit Wildreis zubereitet.

Nach dem Essen geht er hinauf und nimmt ein langes Bad, schrubbt sich, bis seine Haut rosig glüht, dann rasiert er sich gründlich und trimmt sorgsam seinen schmalen Lippenbart, weil es ihm wichtig ist, Dorotea zu gefallen.

Dessen eingedenk, wählt er ein frisches weißes Hemd mit französischen Manschetten und den Manschettenknöpfen, die sie ihm zum zehnten Hochzeitstag geschenkt hat, dann die Jägerjoppe aus Tweed, eine Hose aus Schurwolle und die Seidenkrawatte in sattem Burgunderrot, die sie ganz besonders mochte.

Zufrieden mit seinem Anblick im Spiegel, geht er wieder nach unten, gießt sich zwei Fingerbreit Single Malt Scotch ein und liest weiter im Quevedo, bis er wieder im Sessel einschläft.

Geweckt von Autohupen und Gebrüll, schaut er auf die Kaminuhr. Es ist kurz nach vier Uhr morgens, ein wenig vor seiner normalen Zeit. Er geht ans Fenster mit der Savage und schaut hinaus. Die Idioten kurven mit ihren Autos umher wie Indianer in einem schlechten Western, juchzen, schießen in die Luft und brüllen noch mehr von ihren Obszönitäten.

Endlich stoppen sie, und der Mann, der am Tag zum Haus gekommen war, reckt sich aus der Luke seines Fahrzeugs.

»Castillo, du Sohn einer –«

Don Pedros Schuss trifft ihn in die Stirn.

Don Pedro geht ans nächste Fenster.

Männer springen aus den Fahrzeugen. Don Pedro zielt auf einen, der rennt, bedenkt beim Zielen, dass der Mann langsamer ist als ein Reh, und erledigt ihn mit einem einzigen Schuss aus der Krag. Geht ans nächste Fenster und sieht Schüsse durch das Fenster kommen, das er gerade verlassen hat.

Die glauben offenbar, dass alle so beschränkt sind wie sie selbst, denkt er.

Er legt die Mannlicher an und sucht sich den Kerl aus, der gerade das Kommando übernommen hat, schießt ihn zwischen die Augen und geht zum nächsten Fenster.

Einer der Idioten hat eine besonders schlaue Idee. Er wirft sich hin und kriecht wie eine Schlange auf die Haustür zu. Don Pedro hat schon viele Klapperschlangen mit der Pistole erlegt, nie mit dem Gewehr, doch das Prinzip ist das gleiche. Er macht mit der Winchester 70 kurzen Prozess, als zwei weitere Zetas auf die Tür zurennen.

Er behält die Winchester 70, greift nach der 74 und nimmt drei Meter von der Tür entfernt Aufstellung, in jeder Hand ein Gewehr.

Es gibt einen kleinen Knall, die Tür springt auf, Don Pedro feuert beide Gewehre ab, trifft beide »Zetas« mitten in den Bauch.

Sie liegen auf der Veranda und brüllen, winden sich vor Schmerzen und verschmutzen die ganze Veranda mit ihrem Blut. Das kriegt man nur mit Scheuersand weg – der faule Estebán wird sich schwarzärgern.

Don Pedro geht ans erste Fenster zurück und sieht die »Zetas« rennen, hinter ihren Fahrzeugen Deckung suchen. Er hört sie beraten, dann sieht er die Rohre herauskommen, in denen er Granatwerfer vermutet, und das ist ärgerlich, weil es dann kein Haus mehr geben wird, in das Lupe zurückgehen kann. Aber er hat ein Testament bei Armando Sifuentes in der Stadt aufgesetzt, mit besonderen Verfügungen im Falle eines Feuers, und er kann darauf vertrauen, dass der Notar das Rechte tut.

Er weiß nun auch, dass er nicht mehr da sein wird, um das

Haus in Ordnung zu bringen, und das macht ihn ein wenig traurig, aber vor allem spürt er große Freude, weil er bald mit Dorotea vereint sein wird, und ist froh, dass er ordentlich rasiert ist.

Als das Feuer ausbricht, riecht er nicht den Brandgeruch, sondern den Duft von wildem Flieder.

Castillos Hazienda ist eine rauchende Ruine, als Keller mit der FES-Einheit eintrifft. Vier tote Zetas liegen vor dem Haus, zwei verwundete zusammengekrümmt auf der Veranda.

Tomas hatte den Marinestützpunkt in Monterrey alarmiert, sie waren mit dem Hubschrauber losgeflogen, so schnell sie konnten, und Keller ist wütend, weil sie zu spät gekommen sind.

Tomas findet Don Pedros Leiche und kniet weinend neben ihm.

Mit ein wenig Nachhilfe holen sie aus den verwundeten Zetas heraus, was passiert ist. Keller erfährt, dass sie nicht in den Anschlag auf Marisol verwickelt waren, wohl aber einer der Toten.

Ich schulde dir was, Don Pedro, denkt Keller.

Der muss ein wahrer Held gewesen sein. Er hat den Zetas solche Angst eingejagt, dass sie ihre Toten zurückließen und sich nicht mal in die Nähe des Hauses wagten, um die Verwundeten zu holen.

Die kommen nicht noch einmal, denkt Keller.

»Wo sind sie jetzt?«, fragt einer der Marines.

Der Zeta will es nicht verraten. »Ich habe einen Eid geschworen.«

»Ihr habt auch einen Eid geschworen, niemals einen verwundeten Kameraden zurückzulassen«, sagt Keller. »Was ist damit? Glaubt ihr, die werden für eure Familien sorgen? Die Zeiten sind vorbei. Sagt uns, wo sie sind, und wir bringen euch ins Krankenhaus. Ich glaube nicht, dass ihr überlebt, aber ihr sterbt nicht unter Qualen.«

»Wir haben Morphium«, meint ein FES-Mann.

Der andere Verwundete stöhnt. »In einem Camp. Eine Stunde nordwärts von hier. Bei San Fernando.«

Der FES-Mann nimmt eine von Don Pedros Winchesters und schießt beide Zetas in den Kopf.

Morphium.

»Don Pedro hat sechs Zetas erledigt«, staunt der Mann.

»Er war ein großartiger Mensch«, sagt Tomas. »Ich wünschte, Sie hätten ihn gekannt.«

Ich auch, denkt Keller.

Mexiko ist ein Land der Mythen und Legenden, und Keller weiß, dass man Don Pedro de Castillos Mut besingen wird. Nicht in verlogenen *narcocorridas,* sondern in echten *corridas.*

In Liedern, die einen Helden besingen.

Keller wacht schweißgebadet auf, und Marisol schaut ihn besorgt an.

Sie weiß, was mit ihm los ist. Sie liest die Zeitung, sieht die Nachrichten, sie kann sich vorstellen, womit er sich befasst, wenn er nicht bei ihr ist. Sie reden nicht darüber, aber er weiß, dass sie es weiß.

Keller kam in der Nacht zurück, verdreckt, erschöpft, gereizt. Und stumm.

Worüber soll er auch reden?

Sie hat ihre eigenen Sorgen, sagt er sich. Ständig Schmerzen, ständig Kummer und ständig Angst, ob sie es zugibt oder nicht. Das Letzte, was sie gebrauchen kann, ist ein Pflegefall an ihrer Seite.

Also hält er sich zurück.

Aber sie sieht die Nachrichten. Oder was davon geblieben ist – die Kartelle reagieren neuerdings mit Mord und Gewalt auf die kritische Berichterstattung. Vor dem Fernsehstudio von Ciudad Victoria ist eine Autobombe explodiert, nachdem es über das »Massaker von San Fernando« berichtet hatte.

Jetzt also schaut ihn Marisol besorgt an und sagt: »Ich kann den Ventilator einschalten.«

»Schon gut.«

Er steht auf und geht unter die Dusche.

An diese Träume musst du dich gewöhnen, sagt er sich. Er träumt noch immer von den Toten in El Sauzal, und das ist dreizehn Jahre her. Neunzehn Menschen aufgereiht und mit Maschinenpistolen zusammengeschossen.

Das war der Wendepunkt für ihn.

Ein unvorstellbarer Horror.

Heute ist das die durchschnittliche Bilanz eines Tages, kaum eine Nachricht wert. Selbst »Kanal 44«, der Skandalsender von Juárez, schränkt seine blutige Berichterstattung ein. Man kann den Fernseher ausschalten, denkt Keller, aber nicht das Gehirn. Erst recht nicht im Schlaf. Du wirst die Träume nicht los, wahrscheinlich nie wieder. Und du musst dich damit abfinden.

Marisol hat das Frühstück fertig, als er aus dem Bad kommt. Er will das nicht. Er will nicht, dass sie sich überanstrengt. Und wenn er ihr das sagt, erwidert sie, er solle sie nicht wie ein Baby behandeln. Kaum sitzt er am Tisch, sagt sie: »Ich glaube, du musst etwas unternehmen.«

»Wie meinst du das?«

»Das weißt du genau.« Sie nimmt behutsam Platz und lehnt den Stock an den Tisch. »Ich bin weder deine Mutter noch deine Therapeutin, deshalb solltest du dir jemanden suchen.«

»Ich fühle mich gut.«

»Nein, tust du nicht.«

»Fang nicht wieder an.«

»Posttraumatische Belastungs…«

»Du fängst ja doch an.«

»Sorry.«

Er gräbt den Löffel ins Fleisch der Pampelmuse, lässt ihn stecken und stellt den Teller mit der Pampelmuse ins Spülbecken. Ein Berater, Therapeut, Psychiater? Was soll ich dem erzählen? Alles, was ich im Kopf habe, unterliegt der Geheimhaltung. Und selbst wenn ich dürfte – ich könnte es nicht.

Hey, neulich habe ich einen gefoltert. Habe ihn an die Batterie angeschlossen, bis er alle Greueltaten gestanden hat. Ach ja, dann hab ich mich weggedreht, damit ein Kollege einen Gefangenen hinrichten konnte, und das geht mir irgendwie nach. Dann habe ich einen im Bordell erschossen. Und einen vor dem Krankenhaus, nachdem ich seine alte Mutter entführt hatte. Und dann die Sache mit dem Massengrab …

Eine amerikanische Drohne hat das Zeta-Camp nach dem Mord an Castillo lokalisiert.

Dass die USA im Krieg gegen die Narcos Drohnen nach Mexiko schicken, ist streng geheim. Das Weiße Haus weiß es, Keller weiß es, Taylor weiß es, Orduña weiß es.

Die FES stürmte das Camp, eine alte Finca, kurz vor Tagesanbruch.

Bulldozer förderten in der roten Erde ein Massengrab zutage, nach Kellers Schätzung Wochen alt, mit achtlos hineingeworfenen Leichen.

Ein festgenommener Zeta gab Aufklärung.

Die Zetas stoppten einen Bus auf der Fernstraße 101 außerhalb von San Fernando. Die meisten Passagiere waren Flüchtlinge aus Mittelamerika, die in die USA wollten. Die Zetas stiegen zu und überprüften die Handys, ob jemand eine Nummer in Matamoros gewählt hatte, denn sie vermuteten neu angeworbene Rekruten des Golfkartells unter den Flüchtlingen.

Um sicherzugehen, erschossen sie alle.

Ochoa gab den Befehl, Forty führte ihn aus.

Es dauerte zwei Tage, bis die Leichen geborgen und alle Leichenteile zugeordnet waren.

Achtundfünfzig Männer, vierzehn Frauen.

Die Marines von der FES warteten nicht auf das Ergebnis, sondern verfolgten die Spur der Täter. In den drei darauffolgenden Tagen stürmten sie fünf Camps, die einer der drei

festgenommenen Zetas verraten hatte, und töteten siebenundzwanzig Zetas.

Die drei Festgenommenen starben an ihren Verletzungen.

Posttraumatische Belastungsstörung?, fragt sich Keller jetzt.

Nichts daran ist »post«. Nichts ist vorbei, nichts ist vergangen. Wir leben Tag für Tag mit dieser Scheiße.

Schon erstaunlich, diese menschliche Fähigkeit – vielleicht geboren aus der Not, denkt er –, unter den unmenschlichsten
Bedingungen ein Gefühl für Normalität zu bewahren. Wir
leben praktisch im Krieg, unter ständiger Bedrohung, und tun
so, als wäre alles normal.

Wir kochen unser Essen, mit der Pistole in Griffweite, wir
sitzen und reden über den Alltag, obwohl zu diesem Alltag
die täglichen Opferzahlen in Juárez gehören. Wir sehen fern
und schlafen dabei ein, während die Fenster vergittert und die
Türen dreifach verriegelt sind.

Immer öfter kommt Erika zu ihnen herüber, und weder Marisol noch Keller müssen sich das Offenkundige eingestehen –
dass Erika fast so etwas wie eine Tochter für Marisol geworden ist, seit sie weiß, dass sie keine eigenen Kinder haben
wird. Erika kommt nie ohne irgendein Mitbringsel – Suppen-
dosen, Obst, eine Blume, eine DVD. In letzter Zeit schläft sie
meist in der kleinen Kammer und ist schon da, wenn Keller
morgens aufsteht.

Marisol hat ihn noch ein paarmal sanft gedrängt, sich wegen
der Alpträume behandeln zu lassen, es dann aber im Einver-
ständnis, dass sie beide erwachsen sind, aufgegeben.

Außerdem, denkt Keller, ist gegen Alpträume kein Kraut gewachsen.

Jetzt macht Marisol Steaks mit Reis, Erika steuert den Salat
bei, und Keller hat von unterwegs zwei Flaschen anständigen
Rotwein mitgebracht. Sie essen, trinken Wein und machen es
sich bequem, um im amerikanischen Fernsehen *Modern Fa-
mily* zu sehen.

Erika ist wie gebannt von der Serie. Keller rechnet nach, dass sie fünf Jahre jünger ist als seine eigene Tochter. Fünf Jahre jünger als Cassie – und riskiert ihr Leben wie jemand, der sich freiwillig nach Irak oder Afghanistan meldet.

Nein – noch stärker, viel stärker.

Hier steht sie fast allein gegen eine hoffnungslose Übermacht an Feinden und Waffen. Sie lümmelt auf dem Sofa, in Jeans und Sweatshirt – die AR15 lehnt neben der Tür an der Wand –, lacht und sucht Bestätigung in Marisols Gesicht, ob die Stelle wirklich zum Lachen ist.

Es ist ein Fall von Heldenverehrung – Erika verehrt Marisol. Marisol weiß es.

»Was meinst du?«, hat sie Keller vor ein paar Wochen gefragt. »Soll ich ihr eine Stilberatung empfehlen?«

»Eine was?«

»Eine Stilberatung«, sagt Marisol ungeduldig. »Das kennst du doch aus dem Fernsehen. Frisur, Make-up, Mode …«

»Warum nicht?«, sagt Keller, ohne genau zu verstehen, was sie meint.

»Ich weiß nicht«, sagt Marisol. »Vielleicht kränkt es sie. Sie ist ja hübsch. Aber ihre Garderobe und die Frisur … sie läuft rum wie ein Lausbub. Ein bisschen Make-up und zehn Pfund weniger, und die Jungs singen unter ihrem Balkon.«

Und Keller hat gedacht, Erika sei lesbisch.

»Nein, nein«, sagt Marisol. »Sie ist sogar verknallt in den einen Sanitäter in Juárez. Netter Kerl, ganz süß.«

»Ich bin sicher, dass sie für alles dankbar ist, was von dir kommt«, sagt Keller.

»Ich weiß nicht. Vielleicht mache ich mal eine Andeutung. Oder ich fahre mit ihr nach El Paso, ziehe den ganzen Girlie-Kram durch, Friseur, Wellness, Lunch …«

»Frauen beim Lunch – das begreife ich nie.«

Jetzt fällt ihm auf, dass Marisol schon Einfluss auf Erika genommen hat. Auch ohne »Stilberatung« ist ihr langes Haar, wenn nicht geschnitten, so doch gebürstet, und er glaubt auch eine Spur Eyeliner zu entdecken.

Sie ist einfach ein Prachtmädchen, die Erika, und die Leute, die ihren Polizeijob zuerst als Witz auffassten, sehen die Sache jetzt anders. In einer Stadt, die halb verlassen ist, rechnet man mit Einbruch und Plünderei, aber dank Erika kommt so was kaum vor, und die Unerbittlichkeit, mit der sie Parksünder verfolgt, macht die Einwohner schon fast stolz auf ihr geordnetes Gemeinwesen.

»Man kann sagen, was man will, aber die Erika macht ihren Job«, bestätigen sich die Einwohner, und selbst die Soldaten respektieren sie, wenn auch unter Grollen. Keiner pfeift oder johlt ihr hinterher, wenn sie vorbeigeht. Das hat sich so ergeben, wie Marisol erzählt, als ihr ein Soldat »Lesbe« nachrief und sie ihm einen solchen Schwinger versetzte, dass er zu Boden ging. Der Soldat wurde zum Gespött seiner Kameraden, und seitdem wagt es keiner mehr, ihr »Lesbe« oder irgendwas anderes nachzurufen.

Als die Folge vorbei ist, steht Erika auf. »Ich muss jetzt los.«

»Bleib doch noch«, sagt Marisol.

»Nein, morgen muss ich früh raus. Aber kann ich beim Wegräumen helfen?«

»Nein, dafür habe ich Keller.«

Erika küsst Marisol auf beide Wangen. »Danke für das Essen.«

»Danke dir für den Salat.«

»Traust du dich, zu Fuß zu gehen?«, fragt Keller.

»Klar.« Erika schultert das Gewehr, winkt zum Abschied und geht.

»Gehört zur Stilberatung auch eine andere Bewaffnung?«, fragt Keller.

»Manche Männer stehen auf so was.«

Später im Bett sagt sie: »Wir haben uns nicht geliebt seit ...«

»Ich will dir nicht weh tun.«

»Ich dachte, du wärst ... abgestoßen.«

»Um Gottes willen, nein!«

»Wenn ich mich auf die Seite lege, mit dem Rücken zu dir ...«

Sie schiebt sich mit dem Po an ihn heran. Er hält sie bei den Schultern, streichelt ihr Haar und bewegt sich behutsam in ihr, selbst wenn sie ihn aufmunternd schubst. Als er kommt, sagt sie: »Oh, das ist schön!«

»Was ist mit dir?«

»Nächstes Mal. Kannst du schlafen?«

»Mal sehen.« Er ist nicht sicher, ob er schlafen will. »Und du?«

»O ja!«

Auch Keller schläft ein.

Seine Träume sind grausam und blutig.

Ciudad Juárez
Herbst 2010

Der Blog erscheint erstmals kurz vor dem 1. November, dem Tag der Toten, und erregt landesweit Aufsehen.

Pablo entdeckt die Website mit dem Namen *Esta Vida* – »Dieses Leben« – eines Morgens in der Redaktion und ruft Ana herüber. »Hast du das gesehen?«

Esta Vida zeigt Fotos vom Massengrab in San Fernando, die irgendjemand aus den Polizeiakten herausgeschmuggelt hat. Sie sind unbearbeitet, entsetzlich, brutal, und in großen roten Lettern steht darunter: »Wer sind diese Zetas, und warum ermorden sie unschuldige Menschen?«

»*Dios mío*«, sagt Ana. »Das ist ja hart!«

Keine Zeitung kann und will so was drucken, selbst wenn sie es wagen, über den Drogenkrieg zu berichten. Schädel, Skeletteile, Kleiderfetzen, die aus der roten Erde ragen. Der begleitende Kommentar nennt Details, die nur der Polizei bekannt sind, und unterzeichnet ist er von *El Niño salvaje*.

»›Das wilde Kind‹?«, fragt Pablo.

Am nächsten Tag wieder ein Bericht, betitelt »Terror in Tamaulipas«. Er analysiert ausführlich den Krieg zwischen dem Golfkartell und den Zetas und stellt Mutmaßungen darüber an, wie sich der Tod von Gordo Contreras auf die Kämpfe auswirken wird.

»Wer immer das ›wilde Kind‹ sein mag«, sagt Pablo, »es kennt sich aus.«

»Das ist der neue Journalismus«, meint Oscar Herrera, der ihnen beim Betrachten der Bilder über die Schultern schaut.

»Die einen nennen es Demokratisierung der Medien, die anderen nennen es Anarchie. Das Problem ist die fehlende Nachprüfbarkeit. Da kann jeder behaupten, was er will. Ich bleibe dabei, dass der Redakteur seine Funktion hat.«

Der Blog, der am nächsten Tag erscheint, betrifft die Redaktion direkt.

»Wer ermordete Giorgio Valencia?« ist eine klassische Reportage mit Fotos: Giorgio bei der Arbeit, Giorgios Leiche am Tatort, sogar ein Foto vom grinsenden Kopf auf der Motorhaube vor dem Friedhof.

»Das ist ja widerwärtig!«, sagt Pablo.

»Seine Ermordung ist widerwärtig!«, zischt Ana zurück.

»Mein Gott … Ana …«

»Schau mich nicht so an. Ich bin nicht das ›wilde Kind‹!«

Der lange Artikel stellt die Frage, warum der Mord nicht verfolgt wird, kritisiert die Provinz- und die Zentralregierung für ihr »systematisches Wegschauen«, wenn es um Journalistenmorde geht, und behauptet, im Zusammenhang mit dem Anschlag auf Marisol Cisneros habe es den Versuch einer Nachrichtensperre gegeben.

Der nächste Blog »Die Säuberung« ist noch schockierender als alles, was es je in den Skandalblättern von Juárez zu lesen und zu sehen gab. Fotos zeigen einen zerhackten menschlichen Torso auf einer Straße der Stadt. Der Text beschreibt das mörderische Treiben in Juárez, das neuerdings vor allem die arme Bevölkerung zu treffen scheint, und äußert lautstarke Zweifel, ob die Regierung überhaupt ans Eingreifen denkt oder ob sie einfach zusieht, wenn die »sozial Gestrandeten« wie Unrat in die Gullys gespült werden.

Damit trifft der Artikel genau die Überlegungen Pablos, die er in seiner Zeitung nicht mehr artikulieren darf, die er nur Ana gegenüber geäußert hat, weshalb er Ana nun geradeheraus fragt: »Bist du das ›wilde Kind‹?«

»Ich bin alles andere als ein wildes Kind.«

Für ihn war es ein schlimmer Herbst. Einmal war er in Mexico City, um Matteo zu besuchen – ein bedrückendes Zusammentreffen, das ihm die zunehmende Entfremdung von seinem eigenen Sohn vor Augen führte und den obligatorischen Streit mit Victoria zur Folge hatte, verschärft noch durch ihre Mitteilung, dass sie eine »ernsthafte Beziehung« habe.

»Wer ist es?«

»Ein Redakteur hier bei der Zeitung.«

»Ist er mit Matteo zusammengetroffen?«

»Ich werde ihn nicht von ihm fernhalten, Pablo.«

»Wohnt er bei dir?«

»Natürlich nicht.«

»Ich will nicht, dass Matteo aufwacht und *ihn* vorfindet.«

»Wir sind diskret«, sagt Victoria und beendet die Diskussion mit der schmallippigen Miene, die er früher mal erotisch fand und die er jetzt nur noch hasst.

Und die Gewalt in Juárez geht unvermindert weiter. Überfälle auf Partys scheinen im Herbst 2010 der große Hit zu sein. Sechs Tote bei der einen Party, vier Tote bei der anderen, fünf Tote bei der nächsten. Pablo berichtet pflichtgemäß, aber immer nur das, was er berichten darf – die Zahl der Opfer, den ungefähren Zeitpunkt, die ungefähre Gegend. Keine Namen, keine Adressen und um Gottes willen keine Mutmaßungen über Täter oder Motive, weil das die Narcos verärgern könnte. Er erlebt, wie Oscar Herrera vor seinen Augen schrumpft, und das fast buchstäblich. Der »Uhu« scheint immer kleiner zu werden, immer abgezehrter, gebrechlicher. Auf Partys oder Lesungen sieht man ihn so gut wie gar nicht mehr.

Die Zeitung druckt weiter ihre zahnlosen, nichtssagenden Berichte.

Nicht so *Esta Vida.*

Der nächste Blog »Unser neuer Wortschatz« bringt eine Liste mit Bezeichnungen für die verschiedenartigen Mordopfer:

Encajuelados – Tote im Kofferraum.

Encobijados – Tote, in Decken gewickelt.

Entambados – Tote in Benzintonnen, oft mit Säure oder Mörtel übergossen.

Enteipados – Tote, mit Klebeband umwickelt.

»Das ist der neue Wortschatz unserer Medien, unserer Nation«, fährt der Artikel fort. »Wir brauchen neue, spezielle Wörter, um die vielen Varianten des Mordens zu beschreiben. Unsere Sprache, unsere hergebrachten Vorstellungen vom Tod lassen uns im Stich. Die schwarze Pest hat uns das Lied ›Der Plumpsack geht um‹ gebracht, der Krieg gegen die Drogen schenkt den Kindern unserer Slums ein neues Lied: ›*Encajuelados, Encobijados, Entambados,* alle fallen um‹.«

Aber *Esta Vida* beschränkt sich nicht auf Juárez oder auf die Zetas, der Blog berichtet auch über La Familia in Michoacán, über das Sinaloa-Kartell, die Polizei, die Armee, die Kriegsmarine, die städtischen und staatlichen Behörden.

Der Blog »Wer kürt den Sieger?« löst landesweit Empörung und Diskussionen aus – Diskussionen, die in der geknebelten Presse nicht mehr vorkommen. Unverblümt wird der Regierung vorgeworfen, mit dem Sinaloa-Kartell gemeinsame Sache zu machen, und zum Beweis wird eine Statistik geliefert: Unter den 97 516 Festnahmen im Zusammenhang mit Drogendelikten finden sich nur 1512 Festnahmen, die mit dem Sinaloa-Kartell in Verbindung gebracht werden können, und darunter finden sich viele Kartellmitglieder, die bei Adán Barrera und Nacho Esparza in Ungnade gefallen waren.

Los Pinos reagiert mit Wut und Empörung – in einer landesweit übertragenen Pressekonferenz. Der Präsident verteidigt das Vorgehen der Bundespolizei, spricht von den Opfern unter den Polizisten und ereifert sich darüber, dass diese Opfer von »dem verbalen Heckenschützen, der sich feige hinter der Anonymität verbirgt«, auch noch verhöhnt werden.

Die Folge ist, dass *Esta Vida* Tausende neue Leser gewinnt.

Am nächsten Tag berichtet *Esta Vida* über eine Frau in Nuevo Laredo, die ermordet wurde, weil sie die Polizei über die Schutzgelderpressungen der Zetas informiert hatte. Das Foto zeigt den Kopf der Frau, der zwischen ihren entblößten Schenkeln liegt, und schlägt jeden Gruselporno um Längen, doch die eigentliche Obszönität ist die *narcomensaje,* die bei der Toten liegt: »Wir haben diese Alte umgelegt, weil sie die Polizei auf uns gehetzt hat. So geht es allen Verrätern. Mit freundlichen Grüßen, Compañia Z.«

Am Tag darauf gibt es eine neue Entwicklung, und diesmal ist es Ana, die Pablo herbeiruft. »Schau dir das an!«

Esta Vida bringt einen Brief, den die Zetas an das »wilde Kind« geschrieben haben: »Vielen Dank, dass du für uns Reklame machst. Du hilfst uns, unsere Botschaft in der Welt zu verbreiten.«

Aber vom nächsten Blog sind die Zetas dann nicht mehr so begeistert. Er nennt sich »Acht Zetas enthauptet« und zeigt das Foto der acht Enthaupteten, die auf der Ladefläche eines Pick-ups liegen, dazu die *narcomensaje:* »So geht es den Unterstützern der Zetas. Hier habt ihr eure *halcones,* ihr dreckigen Hunde. Mit freundlichen Grüßen, das Golfkartell.«

Die Blogs führen in der Lokalredaktion zu hitzigen Debatten. »Wir müssen uns fragen«, doziert Herrera, »ob der Blog *Esta Vida* von den Morden berichtet oder ob er die Morde geradezu provoziert. Mit anderen Worten: Begehen die Narcos jetzt Greueltaten mit der gezielten Absicht, in dem Blog damit zu prahlen? Ist es so weit gekommen, dass die Morde nur noch zählen, wenn sie in den sozialen Medien verbreitet werden? Werden wir bald von Facebook-Morden und Twitter-Morden sprechen?«

Nicht zum ersten Mal in seiner Karriere erweist sich Herrera als Prophet. Alles, was er befürchtet hat, wird wahr in diesem

Herbst 2010, aber *Esta Vida* ist der Star des Internets, Fernsehreporter und die sozialen Medien fragen: »Wer ist das wilde Kind?«

Die Frage wird zum nationalen Thema, das »wilde Kind« hält alle in Atem.

Jeder neue Blog schockiert, jeder neue Blog provoziert.

»Töten die Marineinfanteristen Gefangene?« – »Die Bewohner von Ciudad Mier verlassen ihre Stadt« – »Don Alejo de Castillo – ein greiser Held« – »Was wurde aus Crazy Eddie?« Dann erscheinen neue *narcomensajes* an den Brücken, Denkmälern und Straßenecken des Landes: »Wildes Kind – wenn du unsere Toten zeigst, bist du der Nächste. Compañia Z.« – »Wildes Kind – du weißt nicht, mit wem du es zu tun hast – Gente Nueva« – »Wildes Kind – bezähme dich!« und, in aller Direktheit: »Wildes Kind, wir kriegen dich!«

Das wilde Kind lässt sich nicht schrecken.

Esta Vida berichtet, dass einhunderteinundneunzig Zetas aus einem Gefängnis in Nuevo Laredo verschwanden »wie 191 Houdinis« und dass zweiundvierzig Wachen wegen »Fluchthilfe« verhaftet wurden. *Esta Vida* zeigt ein Foto von zwei Männern vor einer Bar in Acapulco, deren Gesichter gehäutet wurden. *Esta Vida* beschreibt eine Weihnachtsfeier in Monterrey, die von Bewaffneten gestürmt wurde – die vier entführten Studenten sind nicht wieder aufgetaucht.

In der Cafebreria findet eine Silvesterfeier statt, bei der Pablo betroffen feststellt, wie klein ihr Kreis geworden ist. Jimena tot, Giorgio tot, Oscar ein Schatten seiner selbst, Marisol schwerbehindert, Ana in Trauer, er selbst versunken in … Apathie? Melancholie? Depression?

Und so wie bei der Feier geht es in der ganzen Stadt zu.

In einem Artikel, den Oscar ihn schreiben ließ, hat er konstatiert, dass seit dem Herbst 2010 etwa 7000 Menschen in Juárez ermordet wurden, 10 000 Geschäfte geschlossen wurden, 130 000 Jobs verlorengingen und 250 000 Menschen vertrieben wurden.

Meine Stadt, denkt Pablo.

Eine Stadt in Trümmern.

Und mein blutendes Land.

2010, das *annus horribilis* des mexikanischen Drogenkriegs, geht endlich zu Ende.

Die amtlich bestätigte Zahl der Opfer des Drogenkriegs in ganz Mexiko beläuft sich im Jahr 2010 auf 15 273.

Doch statt zu sinken, denkt Pablo, steigen die Zahlen ins Unermessliche.

3. An jedem Morgen

An jedem Morgen heulen neue Witwen,
Und neue Waisen wimmern, neuer Jammer
schlägt an des Himmels Wölbung,
dass er tönt.

Shakespeare, Macbeth, IV:3

Acapulco
2011

Eddie hat es satt.
Das Umhergeziehe, das Fliehen, das Kämpfen.
Die Tatsache, dass er nichts von seinem Reichtum hat.
Ich bin Multimillionär, denkt er, als er wieder mal einen anderen Unterschlupf aufsucht, diesmal in Acapulco, und ich lebe wie ein Landstreicher.
Ein Obdachloser mit zwanzig Luxusvillen.
Erst letzte Woche hingen vier Enthauptete von einer Brücke in Cuernavaca mit der Botschaft: »So geht es denen, die den Verräter Crazy Eddie Ruiz unterstützen.«
Unterschrieben mit: »Martín Tapia und das Südpazifik-Kartell«. Können die Idioten keine Karten lesen?, denkt Eddie. Seit wann liegt Cuernavaca im Südpazifik?
Eddie findet es beleidigend, dass ihn Martín Tapia für den Verräter seines Bruders hält. Zwar hat er damit recht, aber wie kann er es einfach so behaupten? Martín hasst ihn also ohne Grund, und das ist nicht fair.
Hassen tun ihn auch die Zetas, und die haben einen wirklich guten Grund.
Es ist immer derselbe.
Sie wollen haben, was er hat.
Erst war es Nuevo Laredo, jetzt sind es Monterrey, Veracruz

und Acapulco. Sie wollen auch seinen Kopf, aber den kriegen sie erst recht nicht.

Er denkt zurück an den Tag – wie lange ist das her? Fünf Jahre? –, als er in Nuevo Laredo mit diesen Arschlöchern im Auto saß. Da hätte ich ihnen eine Kugel verpassen sollen, denkt er. Nur dass ich keine Kanone hatte.

Apropos Arschlöcher. Eddie ist sich ziemlich sicher, dass Ochoa in der anderen Liga spielt. Klar, auch ich achte auf mein Äußeres, aber dieser Typ – die Frisur, die Cremes, der Military-Look! Wenn der »Henker« das nächste Mal als Bauarbeiter, als Indianerhäuptling, Biker oder Cop auftritt, wundert ihn das gar nicht.

Hallo, Heriberto, du kannst mir mal den Schwanz lutschen.

Allegorisch gesprochen.

Acapulco halte ich, kein Problem.

Veracruz wahrscheinlich auch.

Monterrey wird schwierig, dank Diegos vorausschauender Taktik, die Zetas dorthin zu locken. Und die haben sich locken lassen. Haben wahrscheinlich Hunderte von ihren Leuten und massenhaft Waffen in der Stadt und Umgebung plaziert.

Mit diesen FES-Marines ist auch nicht zu spaßen. Wie die es geschafft haben, Diego einfach wegzuputzen. Und seitdem sind sie eher noch besser geworden. Sind sogar in Matamoros eingefallen und haben das Golfkartell mitsamt Gordo Contreras plattgemacht – in der größten Schlacht von Mexiko seit der Revolution. Bis nach Texas konnte man das Geballer hören. Vielen Dank auch, ihr Idioten, dass ihr den Fettsack Gordo umgelegt habt. Jetzt haben die Zetas da oben Ruhe und können ihre Leute zu mir nach Süden schicken.

Und Keller, dieser Schweinehund, ist schlimmer als alle anderen.

Die Idee mit dem Pikbuben ist aber nicht schlecht. Hätte von mir sein können – eine Visitenkarte. Zum Beispiel ein Pikbube mit meinem Gesicht. Könnte man mit Photoshop reinkopieren und gesondert drucken.

Eddie geht in die Küche und schüttet Erdbeeren, Blaubeeren, Proteinpulver und Wasser in den Mixer. Die Blaubeeren sind voller Anti-was-weiß-ich-Gene, das Proteinpulver ist gut für die Muskeln, und für die muss ich dringend was tun.

Seit ein paar Monaten haben es die Federales auf ihn abgesehen, verhaften seine Leute, beschlagnahmen seine Ware, fahnden nach ihm. Das muss man ernst nehmen, denn die Feds wollen ihn auf keinen Fall *lebend* erwischen. Dafür weiß er viel zu viel.

Wenn die ihn erwischen, dann machen sie kurzen Prozess.

Selbst die DEA beteiligt sich an der Jagd auf Eddie. Vor einer Woche hat der Zoll Coke im Wert von neunundvierzig Millionen Dollar erbeutet, und letzten Monat wurden neunundsechzig Zollbeamte – die Hälfte davon Eddies Leute – wegen Bestechlichkeit angeklagt.

So was ist extrem lästig.

Zur Erwiderung hat er der Regierung seine Position in einem offenen Brief noch einmal klargemacht: »Es wird sich immer einer finden, der das Zeug verkauft, also warum nicht ich? Ich töte keine Frauen, Kinder oder Unschuldige. Mit besten Empfehlungen, Narco Polo.«

Er unterschreibt jetzt mit »Narco Polo«, um den Leuten den »Crazy Eddie«-Quatsch auszutreiben.

Ich bin nicht crazy, denkt er.

Ich bin der vernünftigste Typ, den ich kenne.

Angewidert schluckt Eddie den Smoothie. Genussvoll schlürfen ist nicht angesagt, weil es da nichts zu genießen gibt.

Er besitzt vier Nightclubs in drei Städten, ab und zu werden die geschlossen, damit er seine Partys veranstalten kann. Seine Jungs werden weiträumig in der Gegend postiert, er lädt die heißesten Frauen ein, sucht sich eine oder zwei aus, wirft ein bisschen Ecstasy ein und feiert. Vorher hatte er Barbara, einen bekannten Serienstar, aber Barbara war genervt von dem ganzen Sicherheitskram, und ihre »Leute« fingen an, sich um ihr »Branding« zu sorgen.

Nachdem er den Smoothie geschafft hat, geht er in den Fitnessraum und bewegt ein paar Hanteln. Man soll zwar immer einen Helfer dabei haben, aber so ein Typ kann sich schnell mal vertun und ihm die Hantelstange auf die Gurgel fallen lassen.

In dieser Welt kannst du keinem trauen außer dir selbst.

Er ist froh, als er die Haustürklingel hört, macht sich etwas frisch, während die Wachen den Besucher kontrollieren, dann kommt Julio die Treppe herauf.

»Möchtest du ein Wasser?«, fragt Eddie.

»Ja, ein Wasser nehme ich«, sagt Julio.

Sie gehen mit ihren Wassergläsern hinaus aufs Deck mit Ozeanblick. Wenn, dann sind *wir* das Pazifikkartell, nicht dieser Provinz-Yuppie, denkt er. Er setzt sich zu Julio an den Tisch.

»Können wir jetzt mit dem Drehbuch anfangen?«

»Hast du das Treatment gelesen?«

»War das ein Treatment oder eine Outline?«, fragt Eddie zurück. Er hat das bis zur dritten Seite gelesen und den Rest durchgeblättert. Das Ding war siebenundzwanzig Seiten lang.

»Die Outline zu einem Treatment, könnte man sagen«, erklärt ihm Julio. »Wenn du damit einverstanden bist, schreiben wir das richtige Treatment.«

»Dann das Drehbuch?«

»Na ja. Die Outline zum Drehbuch.«

Eddie hat seine Lieblingsfilme. *Der Pate,* natürlich, *Goodfellas,* auch die Drogenfilme. *Scarface, Miami Vice* ... Auch er möchte was zum Genre beitragen. Seine eigene Story – die lebensechte, harte, dreckige Story eines leibhaftigen Drogenlords. Alles genauso, wie es ist. So einen Film hat die Welt noch nicht gesehen.

Sie denken an den Titel »Narco Polo«, und der Hauptheld, der Drogenlord – das muss man sich auf der Zunge zergehen lassen –, spielt wirklich Polo. Eddie schießt hunderttausend Dollar Eigenkapital zu und hofft, mit dem Drehbuch Investoren zu locken.

Wenn er je ein Drehbuch von dem Kerl geliefert kriegt. Schreiberlinge …

»Gefällt dir die Outline?«, fragt Julio.

»Ja«, sagt Eddie. »Ein paar Sachen sind echt gut. Aber du kannst mich nicht zweimal heiraten lassen ohne Scheidung dazwischen. Ich bin doch kein Heiratsschwindler!«

»Ich denke eher, das macht dich interessant.«

»Klar. Aber Priscilla findet mich dann *zu* interessant. Du weißt doch, schwangere Frauen, die Hormone und so weiter. Und die Szene, wo ich der Razzia entkomme … Ich glaube, da bin ich zu schnell weg. Ich müsste mir meinen Weg freischießen. So wie bei *Scarface*. ›*Say hello to my little friend.*‹«

»Okay, das geht.«

»Und das Ende«, sagt Eddie. »Da sterbe ich.«

»Das ist das Gesetz des Genres«, sagt Julio.

Julio trägt enge schwarze Jeans und schwarze Lederschuhe, und das in der Hitze von Acapulco. Vielleicht, weil er auf der Filmhochschule war, denkt Eddie. Deshalb hat er ihn ja angeheuert – und weil er Sachen sagt wie »das Gesetz des Genres«.

»Al Pacino ist nicht gestorben.«

»Doch. In Teil drei.«

»Teil drei zählt nicht«, sagt Eddie. »Liotta in *Goodfellas* ist nicht gestorben … De Niro in *Casino* ist auch nicht gestorben.«

»Aber sie nehmen kein glückliches Ende. Sie brauchen ihre Strafe.«

»Wie meinst du das?«, fragt Eddie. »Ich brauche meine Strafe?«

Julio wird noch bleicher, als er eh schon ist, und murmelt: »Na, für deine Verbrechen.«

»Meine Verbrechen also«, sagt Eddie. »Wenn du Verbrechen haben willst, dann musst du dir Leute wie Diego suchen, Ochoa, Barrera. Ich bin der Gute in dem Film, der Anti…«

»Held.«

»Hä?«

»Du bist der Antiheld.«

»Okay.« Eddie schmollt ein Weilchen, dann sagt er: »Casting.«

»Denken wir da noch an Leo DiCaprio?«

»Der ist mir ein bisschen zu … vordergründig, wenn du verstehst, was ich meine.«

»So etwa. An wen denkst du?«

»Ich denke, wir sollten mal was ganz Neues probieren …«, sagt Eddie und blickt hinaus auf den Ozean. »Wie findest du, wenn ich meine eigene Nummer aufrufe?«

»Das heißt?«

»Dass ich mich selber caste. Als mich. Ich meine, das wär doch der Hit, oder? Das hat's noch nicht gegeben.«

Narco Polo – die wahre Geschichte eines Drogenlords mit Eddie Ruiz in der Hauptrolle, einem echten Drogenlord.

Julio nimmt einen langen Schluck aus seinem Glas, dann fragt er: »Wie soll denn das gehen, Eddie? Ich meine, du weißt doch, du bist zur Fahndung ausgeschrieben. Wie willst du zum Set gehen? Wie willst du PR machen?«

»Komm doch mal aus deiner Kiste, mach dich locker«, sagt Eddie. »Ich kann Interviews geben, von geheimen Orten. Das wär doch ein Gag, oder? Stell dir das im Fernsehen vor!«

»Kannst du denn spielen?«

»Wo ist das Problem? Man bringt seinen Text, und das mit Gefühl. Ich nehme Unterricht. Ich nehme einen verdammten Lehrer. Was immer!«

Sie beschließen, das Casting aufzuschieben, bis sie ein Drehbuch haben. Mit einem Treatment können sie Leo sowieso nicht ködern. Eddie gibt noch ein paar Hinweise, dann verabschiedet sich Julio, um sich ein anderes Ende auszudenken.

Als Julio weg ist, geht Eddie in den zweiten Stock, zum schalldichten Raum. Es hat sich als praktisch erwiesen, so einen Raum in allen Häusern zu haben. Man kann die Musik aufdrehen, ohne die Nachbarn rebellisch zu machen, und wenn man einen Gast bearbeitet, kann man das in aller Ruhe, ohne

dass besagte Nachbarn von den Schreien belästigt werden –
oder man selbst, wenn man schlafen will.

Gerade jetzt hat er so einen Gast.

Vergeltung für die vier abgetrennten Köpfe, die auf einem
Bürgersteig in Acapulco lagen, neben einem Schild, auf dem
stand: »So geht es allen Idioten, die für den Homo Eddie Ruiz
arbeiten.«

Die sollen endlich aufhören, mich Homo zu nennen, denkt
Eddie.

Ich bin keiner.

Ochoa vielleicht, aber nicht ich.

Das muss Projektion sein – so hat Julio das genannt.

Die vier Toten sind die neuesten in einer ganzen Mordserie in
Acapulco, und den Taxifahrern geht es dabei richtig an den
Kragen. Auch das ist extrem lästig, denn es war Eddies Idee,
Taxifahrer als *halcones* anzuheuern, und die Idee war nicht
schlecht. Taxifahrer haben den besten Überblick, wer kommt
und geht, am Flughafen, am Bahnhof, am Busbahnhof. Sie
sind Tag und Nacht auf der Straße, sie kennen die Clubs, die
Bars, die Bordelle, sie halten die Augen offen.

Die Zetas haben sich das von ihm abgeguckt, jetzt heuern
sie ihre eigenen Taxifahrer an und bringen Eddies Taxifahrer
um.

Daher muss Eddie *ihre* Taxifahrer umbringen und so weiter
und so fort, jedenfalls sind es schlechte Zeiten für die Taxifahrer von Acapulco, während Eddie und die Zetas gegenseitig
ihre *halcones* abschlachten, und dann findet er vier der eigenen Leute mit abgeschnittenen Köpfen.

Eddie weiß, wessen Spezialität das ist, das mit den abgeschnittenen Köpfen. Das war die verrückte kleine Ratte – Chuy.

Der ließ die Köpfe rollen wie Bowling-Kugeln.

Aber eins muss man ihm lassen.

Der kleine *pocho* konnte kämpfen.

Brauchte man einen, der zuerst durch die Tür ging, konnte
man auf Chuy rechnen.

Brauchte man einen, der den Rückzug deckte, machte er auch das. Scheiße, wir haben eine Menge angestellt, wir beiden.

Ich frage mich, wo er steckt.

Wahrscheinlich immer noch bei La Familia, wenn er nicht tot ist.

Lässt immer noch die Köpfe rollen für Gott.

Jedenfalls muss ich Martín Tapia und seine schwulen Zeta-Kumpels mal kräftig in die Fresse hauen. Der Kampf ums Territorium ist die eine Sache, das gehört dazu, aber diese Botschaften mit »Homo« und »Crazy Eddie«, die müssen aufhören.

Osvaldo sitzt vor der Tür des schalldichten Raums. Er ist sein neuer Vize und Chef-Bodyguard. Früher bei der Marine-infanterie, ausgebildet bei den Kaibiles in Guatemala, daher schreckt auch er nicht davor zurück, den einen oder anderen Kopf zu amputieren, wenn es sein muss. Er behauptet, drei-hundert Leute gekillt zu haben, aber das ist sicher übertrie-ben, denkt Eddie.

»Alles in Ordnung da drinnen?«, fragt er. »Alles paletti?«

»Alles in Ordnung.«

Klar, Osvaldo weiß nicht, was »paletti« ist. Osvaldo kann eine Menge, aber Kreuzworträtsel gehören nicht dazu.

Eddie geht hinein.

Selbst mit zusammengebundenen Händen und Füßen hat sie einen prächtigen Arsch.

Vielleicht *weil* sie an Händen und Füßen zusammengebunden ist, denkt Eddie. Zusammengebunden an Händen und Füßen also, liegt sie mit schwarzer Bluse, schwarzem BH, schwarzen Höschen und schwarzen Strümpfen vor ihm auf der Matrat-ze, im Mund einen Knebel. Geiler Anblick, denkt er, das muss Julio unbedingt ins Drehbuch aufnehmen.

Eddie blickt hinab auf Yvette Tapia.

»Hey, was mache ich jetzt mit dir?«

Die Eisprinzessin.

Er hat sie sich geschnappt, zum Schutz seiner Familie.

Okay, seiner Familien.

Die Zetas haben den wohlverdienten Ruf, Frauen und Kinder abzuschlachten. Priscilla ist mit ihrer Mutter in Mexico City und dort ganz gut aufgehoben, aber Eddie denkt sich, Señora Tapia als Geisel ist so viel wert wie eine gute Lebensversicherung. Und sie hat es ihm leichtgemacht, indem sie in Almeda einfach die Straße langlief, ganz allein und offensichtlich getrennt von ihrem Mann.

Dann schickte er Martín eine Botschaft. »Ich habe die liebliche und charmante Mrs. Tapia. Wenn du sie nicht wöchentlich in Einzelteilen auf Trockeneis geliefert haben willst, dann lass meine Familie in Ruhe. Übrigens: Ich bin nicht homosexuell. Mit besten Grüßen, Narco Polo.«

Er bekam Antwort: »Bitte tu ihr nichts. Das ist eine Abmachung.«

Ja, mit Martín hat er nun eine Abmachung. Aber wie sich zeigt, verstehen die Zetas die Abmachung ganz anders, denn er hat auch eine Antwort von Martíns Kumpel Forty. »Uns ist scheißegal, was du mit ihr machst. Sie ist keine von uns. Du hast sowieso nicht die Pingpongs, sie umzulegen, du Schwuchtel.«

Da ist es wieder. »Schwuchtel«.

Schlechte Nachrichten für Martín. Denn das heißt, dass er der Juniorpartner der Zetas geworden ist – und kein besonders geschätzter, wenn sie seine Frau einfach so zum Abschuss freigeben. Schlechte Nachrichten auch für sie, weil er jetzt beweisen muss, dass er sehr wohl die Eier hat, sie umzulegen, wenn er nicht will, dass sich die Zetas an seiner Familie vergreifen. »Pingpongs« ist allerdings nicht schlecht, auch das muss Julio im Drehbuch anbringen, irgendwie.

Eddie beugt sich über Yvette und nimmt ihr den Knebel aus dem Mund.

»Ich tue alles«, sagt sie. »Martín schickt dir Millionen.«

»Na ja. Geld hab ich selber.«

»Alles, was du willst. Blasen, ficken. Du kannst mich sogar in den Arsch ficken. Wie findest du das? Willst du mich in den Arsch ficken?«

Mein Gott, denkt er. Wer wollte das nicht?

»Du kannst es filmen«, sagt sie. »Du kannst es filmen und jedem zeigen. Ins Internet stellen ...«

»Du verkaufst dich unter Wert, ich mag das nicht.«

»Ich bin im besten Alter«, sagt sie. »Ich hatte nie Kinder, alles ist noch eng und fest.«

»Hör auf!«

»Ich kann Sachen, von denen haben die jungen Dinger keine Ahnung. Ich kann dir Sachen zeigen ... Weißt du, was Rimming ist? Das mache ich mit dir. Und ich mache es gern. Wenn du mich satthast, setz mich einfach vor die Tür. Bitte!«

Das ist ja zum Kotzen, denkt Eddie.

Er beschließt, dem Ganzen ein Ende zu machen.

»Hör zu«, sagt er. »Es ist nicht wegen Martín. Dein Mann liebt dich. Es ist wegen Ochoa und diesen Kerlen. Denen bist du egal. Und das bringt mich in eine sehr schwierige Lage.«

Sein Handy klingelt.

Es ist Priscilla, und sie weint. Eddie geht hinaus, um zu telefonieren. »Was ist los? Ist was mit dem Baby? Ist was mit dir?«

Sie ist fast hysterisch. »*Die Polizei war hier, sie haben nach dir gesucht.*«

»Welche Polizei?«, fragt er. Er hat ihr hundertmal erklärt, dass es verschiedene Sorten Polizei gibt.

»*Die Federales.*«

Zur Hölle mit den Federales, denkt Eddie.

»Was ist mit dir? Haben sie dir was getan?«

»*Sie haben mich rumgeschubst*«, sagt sie und beruhigt sich langsam, »*mehr nicht. Aber sie sagten, sie wissen, wo du bist, und sie stecken mich ins Gefängnis ... Die Wohnung ist ein Chaos. Sie sagten, sie kommen zurück.*«

»Ist deine Mom auch da?«, fragt Eddie. Als Priscillas Mutter ans Telefon kommt, sagt er ihr: »Fahrt zum Haus in Palacio. Ich schicke Leute. Sie bringen euch mit dem Flugzeug nach Laredo.«

Priscilla meldet sich zurück.

»Ist okay, Baby«, sagt Eddie. »Mach dir keine Sorgen, alles wird gut.«

Leider nicht, denkt er, als er wegklickt.

Die Federales müssen einen von seinen Leuten in die Zange genommen haben, und er hat ihnen die Adresse verraten.

Jetzt zerbröselt mir alles unter den Fingern, denkt Eddie.

Er ruft Osvaldo und geht mit ihm zu Yvette Tapia hinein. Sie windet sich wie eine Schlange, aber sie kriegen sie zu packen. Als sie getan haben, was zu tun war, entsorgen sie sie auf einem leeren Grundstück.

»Ich will ein Tüteneis«, sagt Eddie.

»Was?«, fragt Osvaldo.

»Ein Tüteneis«, wiederholt Eddie. »Ist das so schwer zu kapieren? Ein gottverdammtes Tüteneis!«

Sie fahren in die Altstadt von Acapulco, zur Strandpromenade, wo John Wayne ein Hotel besaß, und Eddie kauft sich seine Eistüte.

Erdbeere.

Er setzt sich auf die Bank, schaut den Pussys von den Kreuzfahrtschiffen nach, sieht die alten Männer, die ihre Gesichter in die Sonne halten, die jungen Mütter mit ihren Kindern.

Eddie schaut hinaus auf die Klippen, auf den Ozean.

Da geht einer auf die vierzig zu und begreift, dass einiges von dem, was er wollte, nicht in Erfüllung gehen wird. Er wird nie in der Football-Liga spielen, er wird nie Tahiti umsegeln, er wird nicht der Star seines eigenen Films.

Er wird nicht mal Forty und Ochoa umlegen.

Sorry, Chacho.

»Wir sollten uns hier besser nicht zeigen«, meint Osvaldo, der sichtlich nervös wird.

»Was du nicht sagst.«

Tapias Leute, die Zetas, die Federales – alle wissen wahrscheinlich, dass er hier ist. Sie haben ihre *halcones* überall. Er steht auf und läuft die Promenade entlang, holt sein Handy raus und tippt eine Nummer ein.

Das Problem ist, er hat es satt.

Er ist mit allem durch.

»Ich will meinen Chip einlösen«, sagt Eddie. »Ich stelle mich.«

»*Nur zu*«, antwortet Keller.

»Nicht in Mexiko.« In einem mexikanischen Knast würde er keine fünf Minuten überleben. Wenn ihn Diegos Leute nicht kriegen, dann kriegen ihn die Zetas. Wenn die danebenhauen, dann Barrera bestimmt nicht. Falls er es überhaupt bis in eine Gefängniszelle schafft, was zu bezweifeln ist. »Sie müssen mich hier rausholen.«

»Haben Sie je einen amerikanischen Staatsbürger getötet?«, fragt Keller.

»Nur einen, bevor ich achtzehn wurde, und das war ein Unfall.«

»Sie wissen, wo das US-Konsulat ist?«

»Im Hotel Continental.«

»Gehen Sie dorthin«, sagt Keller. »Sind Sie bewaffnet?«

»Was denken Sie denn?«

»Werfen Sie das Ding weg. Auch Dope, alles, was Sie haben. Gehen Sie geradewegs dorthin, benutzen Sie den Namen Hernán Valenzuela. Tun Sie alles, was der Konsul sagt. Ich sehe Sie heute Abend.«

»Keller? Erst muss ich noch was loswerden.«

»Scheiße. Was denn?«

Die Polizei von Acapulco findet Yvette Tapia auf einem leeren Grundstück, mit verbundenen Augen, geknebelt, an Händen und Füßen gefesselt. Sie ist ziemlich verschmutzt, aber ansonsten wohlauf.

Um ihren Hals hängt eine Pappe mit der Aufschrift: »Seid

Männer und keine Feiglinge. Lasst die Familien in Ruhe. Ich gebe euch diese Frau wohlbehalten zurück. Ich töte keine Frauen und Kinder. Eduardo Ruiz.«

Crazy Eddie ist verschwunden.

San Fernando, Tamaulipas
2011

Chuy fährt in einem vollen Bus nach Norden. Auf der Fernstraße 101, genannt »Highway of Hell«. Er schaut hinaus auf die staubige Tiefebene von Tamaulipas, die so ganz anders aussieht als die waldigen Berge von Michoacán.

In denen Nazario jetzt begraben liegt.

Chuy und ein paar andere haben den Leichnam des großen Führers heimlich in die Berge geschafft und beigesetzt, und schon Wochen später gab es überall in Michoacán Schreine und Gedenkstätten für ihn. Nazario wird jetzt als Heiliger verehrt, er hat sogar schon Wunder vollbracht.

La Familia hat einen neuen Führer ernannt, aber Chuy ist damit fertig.

Er will nach Hause.

Nach Laredo.

All die Kämpfe in Michoacán, und er war fast überall dabei.

Er war dabei, als sie den Polizeikonvoi überfielen. Sein Trupp erledigte acht Federales, aber der Konvoi kam durch. Und als sie Hugo Salazar festnahmen, führte Chuy persönlich die fünfzig Leute an, die den Polizeistützpunkt mit Bazookas und Maschinengewehren angriffen. Sie beschossen Armee- und Polizeikonvois und stürmten in acht Tagen elf Städte.

Bei den Kämpfen nahmen sie zwölf Federales gefangen, folterten sie zu Tode und warfen die Leichen bei La Huacana auf die Straße.

Salazar konnten sie nicht befreien.

Aber die Armee schickte jetzt mehr als fünftausend Soldaten

mit Hubschraubern, Flugzeugen und Panzerwagen, und der Krieg ging weiter. Mal siegte La Familia, mal siegte die Armee, die immer mehr Führer von La Familia einfing, doch die Führer wurden jedes Mal ersetzt.

Mal kämpften sie gegen die Federales, mal gegen die Armee, mal gegen die Zetas, und irgendwann war es Chuy egal, gegen wen er kämpfte, denn er kämpfte für Nazario, und er kämpfte für Gott. Irgendwann kam der Befehl, dass es weiter gegen die Zetas ging, und es war ihm recht, weil er nie aufgehört hatte, gegen die Zetas zu kämpfen.

Und Köpfe abzuschneiden.

Wie viele schon?

Er hatte aufgehört zu zählen.

Sechs? Acht? Zwölf?

Er ließ sie an den Straßenrändern liegen, hängte sie an Brücken auf und machte immer weiter wie im Traum.

An manche Sachen erinnert er sich, an andere nicht.

Zum Beispiel an den Überfall auf den Konvoi der Federales, als er zwölf Mann auf einer Brücke warten ließ, bis der Konvoi an der Tankstelle aufgetankt hatte und dann auf der Straße näher kam. Sie lehnten sich aufs Geländer und eröffneten das Feuer, wobei sie fünf Federales erschossen und sieben weitere verletzten.

Mit demselben Trick erledigten sie einen Monat später zwölf Federales, doch dann lernten die dazu und schickten ihren Konvois Hubschrauber voraus, aber Nazario persönlich lobte Chuy für seinen Mut.

Er erinnert sich an den Tag, als sie sechs Diebe auf dem Kreisverkehr von Zamora im Kreis laufen ließen, sie mit Stacheldraht peitschten und Schilder tragen ließen: »Ich bin ein Krimineller, und La Familia bestraft mich.« Außerdem hängten sie eine Botschaft auf: »Das gilt für alle: Verurteilt uns nicht. La Familia säubert eure Stadt.«

Chuy erinnert sich auch an den Tag, als Nazario *El Fusion de Antizetas* verkündete und sich offiziell mit dem Sinaloa-

Kartell und dem Golfkartell verbündete, um das Land von der Zeta-Plage zu befreien. Das war einer seiner Freudentage, weil die Zetas Flor geschändet und ermordet hatten.

In jener Woche erbeutete er vier Zeta-Köpfe in Apatzingán.

Und Nazario ernannte ihn zu einem der Zwölf Apostel. Damit gehörte er zu Nazarios Leibwache. Er begleitete den Führer überallhin, wachte über seine Sicherheit, wenn er den armen Bauern Darlehen gab, Kliniken und Schulen spendete, Brunnen und Bewässerungskanäle anlegen ließ.

Die Menschen liebten Nazario.

Sie liebten La Familia.

Doch dann geschah es.

Nazario spendierte den Kindern von El Alcate eine Weihnachtsfeier. Es war ein stimmungsvoller Tag, und Chuy stand Wache, während Nazario Spielzeug, Kleidung und Süßigkeiten verteilte. Chuy hörte die Hubschrauber, bevor er sie kommen sah, ein dumpfes Dröhnen, das von überall her zu kommen schien. Er packte Nazario beim Arm und rannte mit ihm in ein Haus, während Federales und Soldaten mit Armeefahrzeugen das Dorf stürmten.

Als er Nazario in dem Haus in Sicherheit gebracht hatte, half Chuy den anderen, Autos anzuzünden und die Straßen zu verbarrikadieren, aber sie wurden aus den Hubschraubern beschossen. Die Armeehubschrauber schossen nicht nur auf die Soldaten der Familia, auch auf die Eltern und die Kinder, die zur Weihnachtsfeier gekommen waren.

Chuy sah das Mädchen hinfallen, und Rauch stieg aus ihrem Rücken, wo die Kugel getroffen hatte, er sah ein Baby, das in den Armen seiner Mutter erschossen wurde.

Darauf rannte er zurück ins Haus, ging ans Fenster und erwiderte das Feuer mit seiner R15. Ein anderer im Haus rief die Kameraden in Morelia an und befahl ihnen, Straßen zu blockieren und Kasernen anzugreifen, damit Armee und Polizei keine Verstärkung schicken konnten.

Den ganzen Nachmittag, die ganze Nacht und den ganzen

Folgetag verteidigten sie das Dorf. Chuy organisierte das Sperrfeuer, wenn sie Nazario von Haus zu Haus brachten. Die Armee setzte Granaten, Raketen und Tränengas ein, zündete Häuser und Hütten an. Die Bewohner, die fliehen konnten, flohen, andere duckten sich in Badewannen oder legten sich flach auf den Boden.

Die Kameraden in Morelia meldeten, der Ort sei von zweitausend Soldaten eingekreist. Mit Lautsprechern wurde Nazario zur Kapitulation aufgefordert, aber er weigerte sich. Er sagte, er sei im Garten Gethsemane, und er werde nur Gott das Zepter übergeben.

Am Nachmittag des zweiten Tages ging ihnen die Munition aus. Die sechs Apostel, die noch am Leben waren, beschlossen, bei Sonnenuntergang einen Durchbruch zu wagen und Nazario aus dem Dorf hinauszubringen.

Sie richteten sich auf eine längere Belagerung ein, während die Schlacht zu einem Gefecht der Heckenschützen wurde. Sie teilten die Munition auf, zwei Bazookas und ein paar Handgranaten, und verschanzten sich in einem Haus am westlichen Ortsrand, um die Dunkelheit abzuwarten.

Zwei von den sechs Aposteln waren schon angeschossen und hatten sich mit Stoffstreifen verbunden.

Bei Sonnenuntergang sprach Nazario mit allen ein Gebet.

Vater unser, der du bist im Himmel,
Geheiligt werde dein Name.
Dein Reich komme.
Dein Wille geschehe ...

Zwei, die freiwillig zurückblieben, sorgten für das Sperrfeuer, während Chuy aus der Tür stürmte, hinter sich Nazario, den er mit seinem Körper deckte. Ein Kamerad hielt Nazario beim linken Arm, ein anderer beim rechten Arm.

Die Bazooka sprengte eine Bresche in den Belagerungsring, Chuy rannte los, um durchzukommen. Leuchtpatronen erhellten das Dunkel. Der Mann rechts von Nazario ging zu Boden, Chuy nahm seinen Platz ein, schoss mit der freien

Hand und rannte, dann erreichten sie die Bäume, liefen zwischen ihnen durch, und Chuy merkte, dass Nazario langsamer und schwerer wurde. Er schaute ihn an und sah das klaffende Loch, aber er war zu klein, um den Führer zu tragen, Nazario stolperte und fiel. Sie schleppten ihn noch ein Stück weiter, doch er starb, bevor sie hundert Meter zurückgelegt hatten.

Sie versteckten sich im Dickicht, bis ein paar Kameraden aus Morelia kamen, dann legten sie den Führer auf die Ladefläche eines Trucks, fuhren in die Berge und begruben ihn an einem geheimen Ort, damit niemand das Grab entweihen konnte.

Schon drei Tage später behaupteten Leute, Nazario sei ihnen erschienen und habe gesagt, alles werde gut, er werde sie nie verlassen, aber Chuy sah nichts mehr von Nazario und hörte ihn auch nicht sagen, dass alles gut würde.

Chuy lief zu Fuß nach Morelia.

Er suchte sich ein billiges Zimmer im Slum und schlief zwei Tage durch. Als er wieder aufwachte, stellte er fest, dass der Krieg vorüber war.

Flor war tot.

Und er hatte keinen Führer mehr.

Chuy beschloss, nach Hause zu fahren.

Sein Geld reichte für das Busticket nach Uruapan, für den Bus von dort nach Guadalajara, von dort nach Nuevo Laredo. Dann musste er nur noch über die Brücke, um nach Hause zu kommen.

Da war er vier Jahre nicht gewesen.

Ein Kriegsveteran und erst siebzehn Jahre alt.

Er blickt hinaus auf die Mesquitebäume, Kreosotbüsche und Feigenkakteen und dahinter die rötlich braunen Hirsefelder.

Im Bus ist es heiß und eng.

Es fahren vielleicht siebzig Leute mit, drei Viertel davon Männer, meist Einwanderer aus El Salvador und Guatemala, die in die USA wollen, um Arbeit zu finden. Chuy sitzt neben einer

Frau mit einem kleinen Jungen. Er vermutet, dass sie aus Guatemala kommt, aber sie sucht keinen Kontakt und er auch nicht.

Chuy sieht aus wie jeder andere Teenager.

Jeans, schwarzes T-Shirt, eine schmuddlige Kappe der LA Dodgers.

Der Bus hält in San Fernando, wo Chuy eine Orangenlimonade und einen Burrito kauft, dann steigt er wieder ein, isst den Burrito, trinkt die Limonade und macht ein Nickerchen.

Er wird vom Zischen der Bremsen geweckt und wundert sich.

Ist das schon Valle Hermoso? Chuy schaut durch die Frontscheibe und sieht, dass vier quer gestellte Pick-ups die Straße blockieren. Daneben stehen Männer mit AR15-Gewehren.

Entweder Golfkartell oder Zetas, sagt sich Chuy.

Die Männer gehen auf den Bus zu, einer brüllt: »Mach auf, Arschloch. Oder soll ich dich abschießen?«

Er trägt eine schwarze Uniform mit Schussweste.

Das ist Z40, genannt Forty.

Chuy zieht sich unauffällig die Kappe ins Gesicht.

Wenn Forty ihn erkennt, ist er geliefert.

Zitternd öffnet der Fahrer die Tür, die Männer steigen ein, richten ihre Pistolen auf die Passagiere und brüllen: »Ihr seid alle am Arsch!«

Forty befiehlt dem Fahrer, auf einen Feldweg abzubiegen, der Bus holpert etwa zehn Meilen über die Felder, bis er in einer flachen Einöde hält. Chuy sieht alte Armeelaster mit Planen und ein paar Busse mit zerbrochenen Scheiben und platten Reifen.

Die Zetas befehlen allen Männern auszusteigen.

Chuy steigt aus, mit gesenktem Kopf. Es ist heiß, die Sonne brennt. Kein Schatten weit und breit.

Die Zetas stellen die Männer in eine Reihe und sortieren sie nach Alter und körperlicher Verfassung. Die Alten und Schwachen werden abgesondert, an den Füßen gefesselt und zu einem Lastwagen getrieben. Chuy verfolgt, wie Zetas die attraktiveren Frauen aus dem Bus holen. Sie werden von ihren Kindern getrennt und auf einen anderen Lkw verfrachtet.

Er weiß, was ihnen passieren wird.

Forty nimmt vor den restlichen Männern Aufstellung. »Okay. Wer will leben?«

Ein Teenager nässt sich ein. Forty sieht den Fleck, der sich auf den verblichenen Jeans ausbreitet, er geht auf ihn zu, zieht die Pistole und schießt ihm in den Kopf. »Okay, ich frage noch mal. Wer leben will, soll die Hände heben.«

Alle heben die Hände.

Chuy blickt in eine weite Ferne und hebt ebenfalls die Hände.

»Gut!«, brüllt Forty. »Jetzt wollen wir mal sehen, was ihr könnt und wer hier Mumm hat.«

Auf einen Pfiff bringen andere Zetas Baseballschläger und mit Nägeln gespickte Keulen und werfen sie ab. »Jeder nimmt sich eine Keule und kämpft mit seinem Nebenmann. Die Gewinner werden Zetas, und die Verlierer … die sind im Eimer.«

Ein älterer Mann fängt an zu weinen. Er ist gut gekleidet, mit weißem Hemd und Khakihose, und klingt wie jemand aus El Salvador. »Bitte, Señor. Zwingen Sie mich nicht dazu. Ich gebe Ihnen all meinen Besitz. Ich habe ein Haus, ich überschreibe Ihnen das Haus, aber bitte verschonen Sie mich!«

»Du willst gehen?«, fragt Forty.

»Ja, bitte.«

»Dann geh.« Forty nimmt dem Mann die Keule ab, und als er sich zum Gehen wendet, holt Forty aus und schlägt ihm mit der Keule an den Hinterkopf. Der Mann taumelt und fällt. Wirbelt eine kleine Staubwolke auf. Forty schlägt weiter auf den Mann ein, bis sein Kopf ein blutiger Klumpen ist. Dann dreht er sich zu den Männern um und fragt: »Will noch jemand gehen?«

Keiner regt sich.

Chuys Gegner ist offensichtlich ein Campesino. Massig, kräftige Hände, aber kein Kämpfer. Und er hat Angst, obwohl er einen Kopf größer und einen halben Zentner schwerer ist als Chuy. Mit erhobenem Baseballschläger geht er auf ihn los.

Chuy duckt sich weg, schwingt die Nagelkeule und zerschmettert dem Campesino die Kniescheibe. Der fällt vornüber und versucht, zurückzuweichen, doch Chuy tötet ihn mit zwei Hieben in den Nacken.

»Der Hänfling kann ja kämpfen!«, schreit Forty.

Einen schrecklichen Moment lang fürchtet Chuy, dass Forty ihn erkennt, aber der ist von den anderen Kämpfen abgelenkt.

Die meisten dauern lange – diese Leute haben keine Kampferfahrung, ihr Vorgehen ist plump und brutal.

Endlich ist das vorbei.

Die Hälfte der Männer stehen noch, manche schwer verletzt.

Die Zetas treiben die, die laufen können, zurück in den Bus.

Die anderen erschießen sie.

Der Bus fährt die Überlebenden weiter ins Land hinein, zu einem Camp, an das sich Chuy noch erinnern kann.

Am Abend steigt dort eine Party.

Während Chuy mit den anderen in einer Reihe auf der Erde sitzt, hört er die Schreie der Frauen aus einem Wellblechbau.

Davor stehen fünfzig leere Benzintonnen, und alle paar Minuten wird ein menschlicher Körper – tot oder fast tot – in ein Fass gestoßen und angezündet.

Er hört die Schreie.

Und das Lachen.

Er wird es nie vergessen.

Und den Gestank in seiner Nase wird er nie mehr los.

Forty kommt zu den elf Überlebenden herüber und sagt: »Mein Glückwunsch. Willkommen bei der Compañia Z.«

Chuy ist wieder ein Zeta.

Sie schicken ihn nicht nach Nuevo Laredo oder nach Monterrey.

Sie schicken ihn ins Tal von Juárez.

Guadelupe, Chihuahua

Das Telefon reißt ihn aus dem Schlaf.

Keller wälzt sich zur Seite und nimmt ab.

Es ist Taylor, und Taylor sagt: »*Einer unserer Leute ist ermordet worden.*«

Keller fühlt sein Herz stocken.

Er denkt an Ernie Hidalgo.

»Wer?«, fragt er.

»*Du kennst ihn*«, sagt Taylor. »*Richard Jimenez. Ein guter Mann.*«

Ja. Ein guter Mann.

Keller muss sich beherrschen. »Was ist passiert?«

Jimenez und ein anderer Agent waren unterwegs auf der Fernstraße von Monterrey nach Mexico City. Keiner weiß, was die beiden dort wollten und warum sie allein fuhren, in einem Auto mit Diplomatenkennzeichen. Sie wissen nur, dass ihr Auto zum Halten gezwungen und von vierzehn Zetas umstellt wurde, die sie zum Aussteigen aufforderten.

Die Agenten weigerten sich und schrien den Zetas entgegen, sie seien Amerikaner.

»Mir scheißegal«, sagte der Zeta-Anführer.

Die Agenten riefen das US-Konsulat in Monterrey an, dann die amerikanische Botschaft in Mexico City, und sie hörten, ein Hubschrauber der Federales werde in vierzig Minuten eintreffen.

Die vierzig Minuten waren ihnen nicht vergönnt.

Die Zetas durchsiebten das Auto mit mehr als neunhundert Schüssen. Als der Hubschrauber kam, war Jimenez verblutet, der andere Agent schwer verletzt, aber es bestand Hoffnung, und er wurde mit einem Rettungshubschrauber nach Laredo transportiert.

»*Du musst nach Monterrey*«, sagt Taylor. »*Sofort.*«

»Was ist?«, fragt Marisol.

»Ich muss weg.«

Sie weiß, dass Fragen zwecklos sind. »Ist es was Schlimmes?«

»Ja.«

Keller telefoniert, während er sich anzieht, und wird mit Orduña verbunden. Der FES-Kommandeur nimmt beim ersten Klingeln ab. *Ich hab's gehört. Bin unterwegs. In Juárez wartet ein Flugzeug auf dich.«*

Marisol ist aufgestanden. Auf ihren Stock gestützt, zieht sie den Bademantel über. Sie blickt Keller fragend an.

»Einer unserer Leute ist ermordet worden«, sagt er.

»Das tut mir so leid!«

Sie ist zu nett, denkt Keller. Jeden Tag werden so viele Mexikaner ermordet, dass kein Hahn mehr danach kräht.

»Ja«, sagt er. »Mir auch.«

Marisol sitzt am Schreibtisch und arbeitet sich durch die Papierberge.

Diese kleine Stadt zu verwalten erfordert einen unendlichen bürokratischen Aufwand, und sie will schnell fertig werden, damit sie zur Nachmittagssprechstunde in die Praxis hinüberkann. Sie beschließt, gleich im Büro Mittag zu essen, und ruft Erika an, ob sie mitessen will, aber Erika ist aufs Land gefahren, um einen Hühnerdiebstahl zu untersuchen.

Hühnerdiebstahl, denkt Marisol.

Richtig schön, so ein kleines Stückchen Normalität.

Vielleicht kommt Erika dann zum Abendessen.

»Gibt es ein Motiv?«, fragt Keller, der mit Orduña am Schauplatz des Überfalls steht. Das Auto ist von der Fahrbahn gedrängt worden, die Karosse ist mit Einschüssen übersät wie eine Hollywood-Attrappe. Aber das Blut im Inneren ist real.

»Warum schießen die Zetas auf Amerikaner?«

Dann sieht er die Erklärung.

Auf dem Boden neben dem Gaspedal, blutbefleckt, liegt ein Pikbube.

Die Zetas wissen, dass amerikanische Agenten mit der FES zusammenarbeiten.

Sie sind nicht an mich rangekommen, denkt Keller, daher haben sie andere genommen. Aber was Jimenez und sein Kollege auf der Fernstraße 57 wollten, mitten im Kriegsgebiet, bleibt unerfindlich.

So oder so gewinnt der Drogenkrieg für die Amerikaner erschreckende Aktualität. Ein Einsatzkommando der US-Marines in Honduras hat sich ein Gefecht mit Drogenschmugglern der Zetas geliefert, und im Raum Juárez wurden mehrere Amerikaner ermordet. Aber seit Ernie Hidalgo ist kein amerikanischer Agent in Mexiko zu Tode gekommen, und Keller weiß, dass es eine massive Erwiderung geben wird.

Vielleicht ist es den Zetas egal.

Vielleicht fühlen sie sich unbesiegbar.

Vor einer Woche erst wurde ein neues Massengrab bei San Fernando entdeckt, und es heißt, der Fund stehe mit der Busentführung auf der Fernstraße 101 in Verbindung, bei der die meisten Passagiere ermordet wurden.

Gerüchte von grausigen Folterungen und Gladiatorenkämpfen machen die Runde. Schwer zu sagen, ob solche Geschichten stimmen, aber Tatsache ist, dass die Zetas große Teile Mexikos mit ihrem Terror überziehen und dass auch Amerikaner ihres Lebens nicht mehr sicher sind.

Später am Tag, während Keller, Orduña und die FES die Gegend nach den Angreifern durchkämmen, machen die Zetas unmissverständlich klar, wie sie die Dinge sehen. Heriberto Ochoa übermittelt der Presse ein Kommuniqué, das der amerikanischen und der mexikanischen Regierung den Krieg erklärt:

»Weder die Armee noch die Marine, weder CIA noch DEA können uns widerstehen. Mexiko ist und bleibt unter der Herrschaft der Zetas.«

Chuys Trupp schleicht sich ein wie der Morgennebel.

Sie sind auf der Fernstraße 2 Richtung Westen gefahren und kurz vor dem Kontrollpunkt Práxedis zu Fuß weitergelaufen, immer am Río Bravo entlang, um das Ufer als Deckung zu nutzen, bis sie zum Stadtrand von Guadelupe kamen.

Jetzt müssen sie warten.

Chuy macht ein Schläfchen.

Er wacht auf, als er angestoßen wird, und er sieht eine Frau, die ihr Haus verlässt. Sie geht am Stock.

Die Polizistin, vor der sie gewarnt wurden, ist nicht in Sicht. Auch der DEA-Agent nicht.

Forty hat ihnen versprochen, dass er den Mann aus dem Weg räumen wird, und er hat Wort gehalten.

Marisol steht in der Küche und schneidet Zwiebeln für den Eintopf. Erika wollte längst da sein. Wo steckt das Mädchen?, fragt sie sich.

Sie tut Butter und Olivenöl in die Pfanne, dazu eine gepresste Knoblauchzehe, um das Hühnerfleisch anzubraten, bevor es in den Topf kommt. Arturo mag es so, schade, dass er nicht da ist. Er ist unterwegs, um zu tun, was immer er zu tun hat, daher muss er heute wohl verzichten.

Marisol hört ein Auto.

Das muss Erika sein.

Sie schaut aus dem Fenster und sieht die Scheinwerfer. Aus irgendeinem Grund ist ihr unheimlich zumute. Sei nicht albern, sagt sie sich, trotzdem wirft sie einen Blick auf die Beretta, die griffbereit auf dem Hackblock liegt.

So leben wir, denkt sie.

Aber wo ist Erika?

Auf ihrem Handy meldet sich der Anrufbeantworter.

Keller biegt auf die Fernstraße 2 ein.

Nach der vergeblichen Verfolgungsjagd ist er nach Juárez zurückgeflogen. Morgen findet eine Dringlichkeitssitzung bei der DEA in El Paso statt, Taylor kommt aus Washington herüber, und Keller hofft, er kann noch einen ruhigen Abend mit Marisol verbringen, bevor er hinüberfährt. Alle in

Mexiko stationierten Beamten der DEA und der Zollbehörde sind zurückgerufen oder halten sich unter strengen Sicherheitsauflagen in den Konsulaten auf, aber Keller meint, dass ihn das nicht betrifft.

Er lebt hier ständig unter Todesdrohung, seit seinem ersten Tag, also was soll's? Allein dieser Beraterjob dauert schon länger als der amerikanische Einsatz im Zweiten Weltkrieg. Wenn man die Leute nach dem längsten amerikanischen Krieg fragt, antworten sie meist »Vietnam« oder »Afghanistan«, aber beides ist falsch.

Amerikas längster Krieg ist der Krieg gegen die Drogen.

Vierzig Jahre, denkt Keller, und kein Ende. Ich war dabei, als er erklärt wurde, und bin immer noch dabei. Seitdem ist der Strom der Drogen nur gewachsen, seitdem sind die Drogen noch stärker und noch billiger geworden.

Aber eigentlich geht es gar nicht mehr um Drogen, oder?

Er will Marisol Bescheid geben, dass er zum Abendessen zurück ist. Besetzt. Er hat sie gebeten, die »Halten-Funktion« zu buchen, aber sie findet so etwas unhöflich.

Er wählt Erikas Nummer.

Nur der Anrufbeantworter.

Magda liebt ihr neues Auto – ein taubenblauer VW Jetta, perfekt für den dichten Verkehr in und um Mexico City, leicht zu parken, so wie jetzt an der Shopping-Mall Plazas Las Américas im Vorort Ecatepec.

Sosehr ihr der erfolgreiche Trip nach Europa gefallen hat, so froh ist sie nun, wieder zu Hause zu sein. Und irgendwie ist es symptomatisch für das »neue Mexiko«, dass der Frauenarzt seine Praxis inmitten der glitzernden Einkaufspassage betreibt, zwischen Nordstrom und Macy's, zwischen Bettengeschäften und Sanitärbedarf.

Alles ist zum Geschäft geworden, denkt sie, selbst die Babys.

Wie wird wohl Adán auf die Neuigkeit reagieren?

Soll sie es ihm überhaupt sagen?

Viele Frauen erziehen ihre Kinder heutzutage allein, für Magda ist das finanziell überhaupt kein Problem. Dass sie Multimillionärin ist, erstaunt sie immer von neuem, aber ganz sicher braucht sie keinen Mann, um sich mit Babynahrung, Windeln und all den Dingen zu versorgen, die ein Baby braucht. Sie kann ganze Kompanien von Kindermädchen beschäftigen, wenn es sein muss, und sie hat auch keinen Chef, bei dem sie um Mutterschaftsurlaub betteln muss.

Nach ihren diplomatischen Avancen in Europa wird ihr Reichtum noch bedeutend wachsen.

Die Italiener, das heißt die 'Ndrangheta, waren begeistert von ihr, und wichtiger noch: Sie haben sie als Partner respektiert, sie kann also darauf bauen, dass sie neue Abnehmer findet, nicht nur in Italien, auch in Frankreich, Spanien, Deutschland.

Welche gute Nachricht soll ich Adán zuerst überbringen?, fragt sie sich, als sie sich ans Steuer setzt. Dass ich einen neuen Markt in Europa erschlossen habe – oder dass er endlich Vater wird?

Wie wird er darauf reagieren?

Wird er sich von seiner Eva scheiden lassen und mich heiraten?

Will ich das überhaupt?

Meine Freiheit und Unabhängigkeit habe ich mir hart erkämpft – warum soll ich mich mit einem Ehemann befrachten? Auch so wird der Sohn von Adán Barrera – wenn es denn ein Junge wird – von der Macht und dem Reichtum des Vaters profitieren. Und wenn es ein Mädchen wird? Dann sollen sie alle zur Hölle fahren. Auch als Mädchen erbt ihr Kind eine schöne Stange Geld und kann seinen Einfluss geltend machen. Denn seine Mutter ist eine nicht zu verachtende Größe im mexikanischen Drogengeschäft.

Magda hat den Parkplatz verlassen und ist ein paar hundert Meter gefahren, als eine Polizeisirene hinter ihr aufheult.

»Verdammt!«

Seit ihrer Verhaftung damals am Flughafen hat sie Angst vor der Polizei. Die Angst ist irrational, weil Mexico City von Nacho Esparza kontrolliert wird und sie seinen Schutz genießt. Jetzt kann sie Geld und Kokain in beliebigen Mengen durch seine Plaza bewegen, ohne den Piso zu bezahlen – als Belohnung dafür, dass sie die kolumbianische Kokain-Connection für Adán aufgebaut hat.

Sie fährt an den Rand und sieht im Rückspiegel, dass zwei Polizisten aussteigen. Einer kommt zu ihr, und sie lässt die Scheibe herunter. Der Polizist trägt eine Sturmmaske, aber das macht ihr keine Sorgen. Heute verbergen die meisten Polizisten ihr Gesicht. Sie zeigt ihr charmantestes Lächeln. »Was habe ich angestellt?«

»Haben Sie gewusst, dass Ihr rechtes Rücklicht kaputt ist?«

»Nein, ich –«

Der andere Cop steigt hinter ihr ein und schiebt ihr einen Pistolenlauf in den Nacken. »Einfach ruhig bleiben, und alles wird gut.«

Der erste Cop setzt sich auf den Beifahrersitz und sagt: »Losfahren.«

Magda fädelt sich in den Verkehr ein. »Sie machen einen großen Fehler«, sagt sie. »Wissen Sie überhaupt, wer ich bin?«

Der Polizist zieht sich die Maske herunter.

Es ist Heriberto Ochoa. Z1.

Jetzt bekommt sie richtig Angst, erst recht, als ihr Ochoa befiehlt, auf ein leeres Grundstück neben einer Baustelle abzubiegen. Die Pistole bohrt sich tiefer in ihren Nacken, es bleibt ihr nichts übrig, als zu gehorchen.

»Wie war es in Europa?«, fragt Ochoa. »Hat die Reise was gebracht?«

Mein Gott, denkt sie, woher weiß der das? »Ja.«

»Mit wem hast du geredet?«

»Das wissen Sie doch.«

»Klar weiß ich das«, sagt Ochoa. »Mit denen wirst du nicht mehr reden.«

»Na gut. Dann eben nicht.«

»Darauf kannst du schwören. Zieh die Bluse aus.«

Ihre Finger zittern, als sie den obersten Knopf aufmacht. Eine schwarze Seidenbluse. Neu. Teuer.

»Gaaanz langsam«, sagt Ochoa. »Wie beim Striptease.«

Sie gehorcht.

»Jetzt der BH.«

Magda nimmt ihn ab.

Ochoa beglotzt ihre Brüste. »Nett. Lutscht da Barrera dran? Ich hab dich was gefragt. Also?«

»Ja.«

»Zieh den Rock aus.«

Magda öffnet den seitlichen Reißverschluss und windet sich aus dem Rock. Hinter dem Steuer ist das nicht leicht, aber sie schafft es, und der Rock fällt. Sie hat Angst, doch unter ihrer Angst wächst eine ungeheure Wut. Die Wut, dass Männer so etwas tun, dass sie es tun, weil sie es können. Das hat nichts mit Sex zu tun, nur mit Erniedrigung, und gerade das macht sie wütend. Dann sieht sie das Messer in Ochoas Hand. »Nein. Bitte! Ich mache alles, was Sie sagen!«

»Alles?«, fragt Ochoa. »Was tust du für Barrera?«

»Alles.«

»Barreras Reste will ich nicht«, sagt Ochoa.

Der Mann auf dem Rücksitz packt sie bei den Schultern und hält sie fest, während Ochoa ihr eine Plastiktüte über den Kopf stülpt. Magda bekommt keine Luft. Wenn sie zu atmen versucht, stülpt sich die Plastikfolie in ihren Mund. Sie schlägt mit den Beinen aus, biegt den Rücken durch, zerrt mit den Händen an der Plastiktüte.

Als Ochoa die Tüte wegzieht, ist sie fast erstickt. Magda schnappt hastig nach Luft, dann röchelt sie: »Bitte ... ich bin schwanger.«

»Von Barrera?«, fragt Ochoa.

Sie nickt.

Er stülpt ihr die Tüte wieder über den Kopf. Sie windet sich in

Qualen, bäumt sich auf, macht sich nass, dann zieht er die Tüte wieder herunter.

»Die Welt braucht keinen neuen Barrera«, sagt Ochoa.

Er beugt sich zur Seite, und der Mann hinter Magda drückt ab.

Zwei Stunden später erhält die Polizei einen anonymen Hinweis. In der Avenue Maravillas, Ecke Calle 16, findet sie einen taubenblauen Jetta vor – und im Kofferraum eine Frauenleiche.

Ihr Bauch ist aufgeschnitten, in ihre Brust ist ein großes Z eingeritzt.

Marisol hört etwas.

Das Alleinsein ist ihr unheimlich, und sie schämt sich deswegen. Das ist nur der Wind in den Bäumen, sagt sie sich.

Aber sie springt auf, als das Telefon klingelt.

Es ist Arturo.

»In zwanzig Minuten bin ich da.«

»Ein Glück!«, sagt sie.

»Alles in Ordnung?«

»Ja, natürlich.« Sie geht ans Fenster und schaut hinaus. »Erika sollte längst hier sein, aber sie kommt nicht.«

»Sie hat nicht angerufen?«

Marisol hört ihm die Beunruhigung an. »Wahrscheinlich ist sie bei Carlos.«

»Bleib im Haus, bis ich komme«, sagt Keller. *»Hast du die Beretta bei dir?«*

»Ja, doch.«

»Geh ins Badezimmer. Schließ dich ein!«

»Arturo, sei nicht albern.«

»Verdammt, Mari, tu, was ich dir sage! Ich rufe in zwei Minuten wieder an.«

Marisol glaubt, Leute in den Bäumen zu sehen. Das bilde ich mir nur ein, denkt sie. Arturo macht mich nervös.

»Was ist los?«, fragt er, weil sie schweigt.

»Nichts. Ich bilde mir nur ein, dass da draußen Leute sind.«

»*Geh sofort ins Bad!*«, brüllt er.
Sie geht ins Bad und schließt ab.

Chuy beobachtet das Polizeiauto, das langsam vorbeifährt.
Jetzt ist es so weit.
Er greift nach seiner R15.
Chuy hat noch nie eine Frau getötet.
Es gab mal Zeiten, da tat man so was nicht, aber die Zeiten
sind vorbei. Er macht sich deswegen keine Gedanken, denkt
auch nicht an den Eid, den er bei La Familia geschworen hat –
Frauen zu achten und zu schützen.
Er hat so viele tote Frauen gesehen, und sie sterben wie jeder
andere.
Diese hier soll erst gequält werden.
Gefangen, gequält, verstümmelt.
Als Warnung.

Erika hält vor dem Rathaus und rennt die Treppe hoch, um
ihr Sweatshirt zu holen. Dann fährt sie weiter zu Marisol.
Dort kann sie ihr Handy aufladen.

Keller ruft Erika an.
Noch immer nichts.
Er ruft Taylor an. »Schick sofort Leute zum Haus von Mari-
sol Cisneros in Guadelupe.«
»*Keller* –«
»Wir reden später. Bitte sofort!«
»*Ich hab jetzt keine Leute, die* –«
»Bitte sofort!«, sagt er und ruft Orduña an. »Ich brauche so-
fort Männer in Guadelupe.«
»*Am nächsten dran sind die in Juárez.*«
»Schick sie im Hubschrauber. Sofort.«
Er ruft Marisol an.
»Bleib dran und leg nicht auf. Hab keine Angst, in fünf Minu-
ten bin ich da.«

»*Ich höre was da draußen*«, sagt sie.

»Wahrscheinlich ist es nichts«, sagt Keller. Sein Herz rast.

»Aber wenn sie reinkommen, schieß durch die Badezimmertür. In Bauchhöhe. In Höhe des Türknaufs. Verstehst du mich? In Bauchhöhe!«

»*In Bauchhöhe. Arturo ... ich hab Angst!*«

»Noch fünf Minuten, dann bin ich da.«

Chuy sieht die Polizistin aus dem Auto steigen.

Als sie nach ihrem Gewehr greift, sind seine Leute schon auf ihr drauf. Sie wehrt sich heftig, aber sie reißen ihr das Gewehr aus der Hand, öffnen die Heckklappe ihres Autos und stoßen sie hinein.

Sie brüllt, schreit, trommelt gegen die Heckklappe.

Marisol hört Erika.

Schreien, fluchen.

Sie soll im Bad bleiben. Marisol hält sich die Ohren zu, presst die Augen zusammen und wartet auf Arturo. Aber es geht nicht. Sie zieht sich vom Boden hoch, nimmt ihren Stock und geht hinaus. Sie hört Arturos Stimme. *Alles in Ordnung? Ich bin gleich da. Es wird alles gut.* Und sie sagt: »Gut. Ich komme zurecht.«

Marisol öffnet die Haustür und sieht Männer, die Erika in ihr Auto stoßen. Zitternd hebt sie die Pistole und schießt.

Chuy hört die Kugel an seinem Kopf vorbeischwirren. Er blickt sich um und sieht die Frau in der Haustür, die eine kleine Pistole auf ihn richtet. Er hebt das Gewehr, will sie abknallen, aber ihm fällt ein, dass Forty sie lebend will. Dann hört er das Auto von der Landstraße heranrasen, sieht die Scheinwerfer nahen, hört die Schüsse, die aus dem Auto kommen.

Er senkt das Gewehr, springt auf den Beifahrersitz des Polizeiautos und ruft »*Vámonos!*«

Keller sieht Marisol in der Haustür stehen, die Pistole in der Hand. »Sie haben Erika!«, schreit sie und zeigt die Straße hinab.

Er fährt weiter, dem Auto nach.

Runter von der Straße.

Querfeldein.

Hinunter zum Flussufer, unter den Bäumen entlang. Er hört das Auto, aber es ist schneller als er, das Motorengeräusch entfernt sich.

Ein Schuss zersplittert seine Frontscheibe.

Keller fährt weiter, bis der Heckenschütze seinen rechten Vorderreifen trifft. Das Auto gerät ins Schleudern und landet im Graben. Er öffnet die Beifahrertür, macht aber nicht den Fehler, die Tür als Deckung zu nutzen. Die Profis unter den Sicarios schießen durch die Autotüren. Er taucht ab, rollt sich seitwärts vom Auto weg, dann zurück zum Rand des Grabens.

Er hört wieder, wie sich das andere Auto entfernt, und weiß jetzt, was da gelaufen ist. Sie haben einen Scharfschützen abgesetzt, um ihn zu stoppen.

Eine Kugel pfeift an seinem Kopf vorbei.

Der Kerl muss ein gutes Gewehr haben. Mit Nachtsicht.

Keller hat nur seine Pistole. Und keine Zeit, wenn er Erika helfen will.

Er bewegt sich, macht ein bisschen Geräusch, wartet auf den nächsten Schuss und schreit auf, als er vorbeizischt, rutscht etwas tiefer in den Graben. Es dauert keine dreißig Sekunden, und der Schütze naht.

Keller wartet.

Er kann ihn jeden Moment treffen, aber er liegt still, bis über ihm Füße im Laub rascheln. Dann schnellt er hoch und packt den Mann bei den Beinen. Das Mündungsfeuer blitzt auf, direkt neben seinem Gesicht, er reißt dem Mann die Beine weg, wirft sich auf ihn, drückt ihm das Gewehr flach auf die Brust.

Keller rammt ihm den Pistolengriff in die Schläfe, wieder und wieder, bis der Körper unter ihm erschlafft. Er zieht dem Mann das Sat-Handy aus der Gürteltasche, drückt auf den Anrufknopf und sagt: »Ich habe euren Mann. Bringt sie zurück, oder ich töte ihn.«

Er hört eine helle Jungenstimme, und die Stimme sagt: »Töte ihn.«

Die Verbindung ist weg.

Keller geht zu seinem Auto, versucht vergeblich, es aus dem Graben zu bugsieren, und kehrt zu dem Mann zurück.

Der ist groggy, aber bei Bewusstsein.

Das ist gut, Keller braucht ihn noch.

»Wohin wird sie gebracht?«, brüllt Keller.

»Ich weiß nicht.«

Dafür hab ich keine Zeit, denkt Keller. Dafür hat Erika keine Zeit. Er nimmt das Gewehr, das daliegt, benutzt es als Keule und zerschmettert dem Mann das linke Bein. Die Knochen krachen, und der Mann brüllt.

»Ich weiß es nicht!«

Keller packt ihn beim Fuß und presst ihm das Bein gegen die Brust, bis sich das gebrochene Schienbein durch das Fleisch spießt.

Der Mann heult wie ein Wolf.

»Hör zu, Drecksau, ich kenne kein Pardon. Du wirst noch um deinen Gnadenschuss betteln. Aber vorher sagst du mir, wohin sie gebracht wird.«

»Ich weiß es nicht!«, heult der Mann.

Keller packt das aufgeplatzte Fleisch des Schienbeins mit beiden Händen und zieht es nach unten, legt den Knochen frei.

Der Mann brabbelt los und sagt, was er weiß.

Er ist ein Zeta ... er weiß nicht, wohin sie fahren ... irgendeine tote Gegend ... der Anführer heißt Jesus the Kid ... sie sollten die Ärztin entführen und die Polizistin auch ...

»Wohin? Wo ist sie?«

Keller zieht noch mehr Fleisch ab.

Der Mann erbricht sich.

Seine Finger krallen sich in die Erde. Er weint, jammert, kriecht rückwärts, hinterlässt eine blutige Schleifspur.

Sie suchen die ganze Nacht.

Marine- und Armeehubschrauber leuchten das Flussbett mit Scheinwerfern aus. Militärfahrzeuge fahren alle Straßen und Wege ab. Normale Bürger – wenn man ihren Mut als »normal« bezeichnen kann – machen sich mit ihren eigenen Fahrzeugen auf die Suche nach Erika Vallés.

Gefunden wird nur das Polizeiauto. In einem Gebüsch am Flussufer.

Chuy liegt in einem trockenen Bachbett und verfolgt den ganzen Trubel von ferne.

Sie haben das Auto am Flussufer stehenlassen und sind mit der Polizistin durch die alten Baumwollfelder nach Süden gelaufen, in die Wüste.

Jetzt liegt sie neben ihm.

Er hat ihr den Hemdsärmel abgeschnitten und in den Mund gestopft, damit sie nicht schrie, nicht so laut, jedenfalls.

Er wird Zeit, zu verschwinden. Solange die Armee noch am Fluss beschäftigt ist.

In der Deckung des Bachbetts führt er seinen Trupp davon.

Sie finden Erika kurz nach Tagesanbruch.

Die Geier haben ihnen den Weg gewiesen.

Keller hockt sich neben Erika, sammelt die Teile ein, die von ihr geblieben sind, und legt sie behutsam in den Leichensack.

Den Pikbuben, der auf ihrer Brust lag, steckt er in die Tasche.

Die FES-Söldner bringen Keller zu Marisols Haus.

Jetzt stehen Soldaten Wache vor dem Haus. *Jetzt* sind Federales und Provinzpolizisten da.

Jetzt.

Coronel Alvarado steht abseits mit einem Trupp Soldaten. Als

Keller auf ihn zugeht, sagt er: »Es tut mir leid zu hören, dass –«

Keller holt aus und schlägt ihm mitten ins Gesicht. Alvarado taumelt zurück, wird von einem Soldaten gehalten und zieht die Pistole, als seine Männer auf Keller losgehen.

Keller richtet seine Sig Sauer auf Alvarados Gesicht.

Ein Dutzend Gewehrläufe zielen auf Keller.

»Na los!«, sagt Keller. »Geben Sie Befehl. Oder ich erschieße Sie auf der Stelle. Das schwöre ich bei Gott! Mir ist alles egal.«

Alvarado wischt sich Blut vom Mund. »Verschwinden Sie. Verschwinden Sie aus meinem Land.«

»Das ist nicht Ihr Land«, sagt Keller. »Sie haben dieses Land nicht verdient.«

Jemand berührt ihn am Ellbogen, und er holt aus.

Es ist Orduña.

»Komm«, sagt Orduña. »Diese Schweine sind es nicht wert.«

Er führt Keller ins Haus.

Marisol sitzt am Küchentisch. Sie sieht verhärmt aus. Vor ihr steht eine Tasse Tee, die sie nicht angerührt hat.

Sie blickt auf, als er hereinkommt.

Ein Blick mit der verzweifelten Hoffnung auf gute Nachricht.

Er würde alles drum geben.

Aber er schüttelt den Kopf.

Ihr Gesichtsausdruck ist erschreckend. Sie altert in Sekunden.

»Ich will sie sehen«, sagt sie schließlich und steht auf.

»Nein, Mari.«

»Ich muss zu ihr!«

Keller hält sie fest. »Bitte nicht. Das ist kein Anblick für dich.«

»Ich muss mich um sie kümmern.«

»Das übernehme ich«, sagt Keller. »Ich kümmere mich um sie.«

Marisol bricht schluchzend zusammen. Keller überredet sie später, eine Beruhigungstablette zu nehmen, und als sie eingeschlafen ist, geht er hinaus.

Die Soldaten sind weg, ersetzt durch FES-Söldner.

»Ich brauche ein Fahrzeug«, sagt er zu Orduña. »Einen Jeep.«

»*Wir* können die Leiche überführen«, sagt Orduña.

»Das muss ich selbst machen.«

Orduña lässt einen Jeep bringen, Marines helfen Keller dabei, den Leichensack aufzuladen.

Zu den bitteren Ironien des Drogenkriegs gehört es, dass es keinen Bestatter mehr in Guadelupe gibt. Keller muss nach Juárez fahren, wo das Geschäft der Leichenbestatter blüht. Er bittet Orduña, sich um Marisol zu kümmern.

»Sie ist in Sicherheit«, sagt Orduña.

Keller steigt ein und fährt nach Juárez.

Die Soldaten am Kontrollpunkt winken ihn respektvoll durch, und er fährt zu dem Bestattungsinstitut, das ihm Pablo Mora empfohlen hat. Der Reporter kennt alle Bestatter der Stadt und wartet schon mit Ana, als Keller eintrifft.

»Wie geht es Marisol?«, fragt Ana.

»Nicht gut.«

»Ich fahre zu ihr«, sagt Ana.

»Das wäre nett.«

Der Bestatter lässt sich von dem Anblick nicht aus der Ruhe bringen. Er hat so etwas schon zu oft gesehen und tröstet Keller mit einem Satz, der pervers wäre, wenn er nicht von Herzen käme: »Wir flicken sie wieder zusammen.«

»Okay.«

»Wir machen was Gutes aus ihr. Sie werden sehen.«

Sie war schon vorher gut, denkt Keller.

Verdammt gut.

Eine neunzehnjährige Frau, die freiwillig einen Job übernimmt, in dem ihre Vorgänger systematisch ermordet wurden? Und dafür wurde auch sie ermordet, in Stücke gehackt, um allen zu zeigen, wer in diesem Land die Macht hat.

Nein, denkt Keller, um *mir* zu zeigen, wer in diesem Land die Macht hat.

Er geht zum Jeep zurück.

Sie fangen ihn von der Straße weg, und wie sie das tun, ist professionell.

Er hört die Schritte, aber jemand hat ihm schon die Pistole in die Nieren gerammt, bevor er blankziehen kann. Sie schieben ihn in einen Van, stoßen ihn zu Boden, ziehen ihm eine Kapuze über den Kopf, schon fährt der Van weiter, eine Sache von Sekunden.

Es geht hinaus aufs Land, die Fahrt dauert lange. Als der Van endlich hält, macht sich Keller auf das Kommende gefasst. So gut es geht. Er hört die Tür aufgehen, fühlt sich von Händen gepackt, die ihn herausziehen, auf die Beine stellen und wegführen.

Gute Luft, denkt er.

Er hört eine Befehlsstimme und erkennt sie: Coronel Alvarado.

Alvarado arbeitet für Barrera. Es ist also nur eine Frage der Zeit, denkt Keller, dass sie mir die Kugel geben.

Jemand nimmt ihm die Kapuze ab, und er sieht Alvarado.

Das hat er erwartet.

Wen er nicht erwartet hat, ist Tim Taylor.

Adán hörte ein gurgelndes Geräusch und merkte dann erst, dass es von ihm selbst kam. Während er den Anruf mit der Nachricht entgegennahm.

Nacho Esparza überbrachte ihm die Nachricht.

Nacho, der Todesbote mit der salbungsvoll gedämpften Stimme eines Leichenbestatters. Die einen wollüstigen Unterton bekam, als er im Detail beschrieb, was die Zetas mit Magda gemacht hatten.

»Ich rufe dich zurück«, sagte Adán und wankte in Richtung Treppe.

Warum?, fragte er sich. Warum tun sie das? Sie ausziehen, misshandeln, das widerwärtige Erkennungszeichen einritzen? Warum?

Er kniete sich vor die Toilette und erbrach sich wieder und wieder, bis seine Bauchmuskeln und sein Rachen weh taten.

Erschöpft legte er den Kopf auf die gekreuzten Arme.

»Für Morgenübelkeit bin eher ich zuständig«, sagte Eva hinter ihm.

Er drehte sich um. Da stand sie und lächelte auf ihn herab.

»Ich habe irgendwas Falsches gegessen, vermutlich.«

»Scharfes Essen verträgst du nicht mehr«, sagte Eva. »Ich habe es der Köchin hundertmal gesagt, aber sie hört nicht. Wir sollten sie entlassen.«

»Wie du willst.«

Eva ließ kaltes Wasser laufen, feuchtete einen Waschlappen an und drückte ihn an seine Stirn. Das war ihre neue Rolle – mütterlich, fürsorglich, sanftmütig. Die hatte sie eingeübt, nachdem ihr der Arzt bestätigt hatte, dass sie schwanger war. Sie war erst im zweiten Monat, aber sie zeigte schon das gewisse Leuchten, das Adán auf ihr Make-up zurückführte.

Als sie ihn ausreichend bemuttert hatte, legte sie sich zurück ins Bett. Adán putzte sich die Zähne, machte eine Mundspülung und ging wieder nach unten.

Es ist vorbei, sagte er sich.

Dieses ständige Auf-der-Hut-Sein, zu jeder Sekunde, in jeder Lebenslage.

Es war Zeit, sich den Gegnern zu stellen, dem Krieg ein Ende zu machen, die Dinge ein für alle Mal zu regeln.

Zeit, mit Ochoa abzurechnen.

Zeit, mit Keller abzurechnen.

Er rief Nacho an und gab die nötigen Anweisungen.

Jetzt sitzt er da und wartet auf den Mann, den sie ihm liefern sollen.

»Wie lange arbeitest du schon für Barrera?«, fragt Keller. »Die ganze Zeit?«

»Nein«, sagt Taylor.

Sie stehen vor einem Fertigbau auf dem Land. Das könnte auch irgendwo in den USA sein, aber so lang war die Fahrt nicht. Wahrscheinlich sind sie noch im Tal von Juárez.

»Also nur jetzt«, sagt Keller. »Du arbeitest nur jetzt für ihn.«

»Die Zetas haben einen von unseren Leuten ermordet!«, brüllt ihn Taylor an. »Und ich mache vor nichts mehr halt ... Ausgerechnet du müsstest das verstehen. Denkst du, mir gefällt das? Ich habe mein Leben damit verbracht, gegen Dreckskerle wie Barrera zu kämpfen, aber wenn die Alternative heißt: Er oder die Zetas, entscheide ich mich lieber für ihn.«

»Du hast also deinen Deal gemacht«, sagt Keller. »Und was bin ich? Die Zugabe?«

»Es ist nicht, wie du denkst.«

»Fahr zur Hölle.«

Alvarado mischt sich ein. »Sie sind Amerikaner. Sie können es sich leisten, sauber zu bleiben. Wir hatten nie die Wahl, weder die Menschen noch das Land. Sie haben doch Erfahrung. Sie wissen doch, dass wir nicht die Wahl haben, Geld zu nehmen oder abzulehnen. Wir haben nur die Wahl, Geld zu nehmen oder zu sterben. Wir werden gezwungen, uns für eine Seite zu entscheiden, und wir entscheiden uns für die, mit der wir am besten klarkommen. Was sollten wir sonst machen? Das ganze Land ging vor die Hunde, die Gewalt wuchs von Tag zu Tag. Um das Chaos zu beenden, mussten wir uns für den wahrscheinlichen Gewinner entscheiden und ihm helfen, zu siegen. Sie, die Amerikaner, verachten uns dafür, und gleichzeitig schicken Sie uns Milliardensummen und Waffen, um die Gewalt zu schüren. Sie machen uns zum Vorwurf, dass wir die Dinge verkaufen, die Sie kaufen wollen. Das ist absurd.«

Und sehr bequem, denkt Keller. Du schlägst dich auf Barreras Seite und kassierst mit vollen Händen – Geld, Land, Macht.

»Hör mir zu, Keller«, sagt Taylor. »Ein einziges Mal in deinem Leben. Hör mir einfach zu.«

Sie bringen ihn ins Haus.

Er ist alt geworden.

Adán Barrera hatte mal eine jungenhafte Ausstrahlung, aber das ist vorbei. Das dichte schwarze Haar, das ihm in die Stirn fiel, ist einem ergrauenden Bürstenschnitt gewichen, um die Augen haben sich Falten gebildet.

Er ist alt geworden, denkt Keller. Und ich auch.

Keller sieht die Bodyguards, die außer Hörweite warten. Sie erschießen mich direkt vor seinen Augen, denkt Keller. Oder er tut es selbst, wenn er den Mut aufbringt.

So oder so. Für Barrera eine Sache der persönlichen Genugtuung.

Vielleicht lässt er ihn vorher foltern.

Das dauert länger, steigert aber seine Genugtuung.

Keller vergisst sein Stresstraining, die nackte Panik greift ihm an die Kehle.

Noch immer schwarzer Anzug und weißes Hemd, stellt Keller fest, als sich Barrera ihm gegenübersetzt. Seltsam, dem Mann so nahe zu sein, den er jetzt seit mehr als fünf Jahren jagt. Aber da sitzt er. Adán Barrera, leibhaftig.

»Wir müssen reden, Arturo«, sagt er. »Wir haben es zu lange vor uns hergeschoben.«

»Rede.«

»Meine Tochter ist erstickt«, sagt Barrera. »Hast du das gewusst?«

»Nein.«

»Aber so ist es.«

»Wenn du mich umbringen willst, dann tu's. Ich muss hier nicht stehen und mir deine Rechtfertigungen anhören.«

»Wenn ich dich hätte töten wollen«, sagt Barrera, »wärst du schon tot. Ich bin kein Sadist wie Ochoa. Ich muss mir deinen Tod nicht ansehen, ich muss ihn auch nicht hinauszögern. Ich habe Mr. Taylor gebeten, herzukommen, damit du sicher bist, dass ich dich heute nicht belangen werde.«

»Nur damit es klar ist«, sagt Keller. »Ich werde dich belangen. Heute und immer.«

»Die Zetas haben einen deiner Kollegen ermordet«, sagt Barrera. »Gerade du solltest wissen, dass sich damit die Gesamtlage ändert. Deine Vorgesetzten schrecken vor nichts zurück, um ihn zu rächen, und auch du wirst vor nichts zurückschrecken. Glaub mir, ich respektiere das.«

»Du respektierst gar nichts.«

»Ich weiß, was du von mir denkst«, sagt Barrera ruhig. »Du hältst mich für das leibhaftige Böse. Ich denke dasselbe von dir, aber wir wissen beide, dass da draußen noch viel größere Gefahren lauern.«

»Die Zetas?«

Barrera nickt. »Du warst in San Fernando. Du hast gesehen, wozu sie fähig sind. Jetzt haben sie eine neue Greueltat begangen.«

»Und du willst mir erzählen, dass dich das beeindruckt.«

»Sie haben jemanden ermordet, der mir sehr nahesteht«, sagt Barrera. »Und jemanden, der *dir* sehr nahesteht.«

»Was soll das jetzt?« Keller wird kotzübel von Barreras Gerede.

»Ich habe dich herbringen lassen, um dir einen Waffenstillstand anzubieten«, sagt Barrera.

Keller traut seinen Ohren nicht. Ein Waffenstillstand? Seit über dreißig Jahren ist Krieg zwischen ihnen.

»Wir schließen Frieden«, fährt Barrera fort, »um die Zetas zu bekämpfen.«

»Mein Hass reicht für dich *und* die Zetas.«

»Ich stimme dir zu, dein Hasspotenzial ist unbegrenzt«, sagt Barrera. »Ich rechne sogar darauf. Aber was dir fehlt, sind die Ressourcen. Und mir geht es genauso.«

»Worauf willst du hinaus?«

»Die Zetas siegen«, sagt Barrera kühl. »Bald haben sie Tamaulipas, Nuevo León und Michoacán ganz unter Kontrolle. Sie operieren in Acapulco, Guerrero, Durango und sogar in Sinaloa. Im Süden schicken sie ihre Leute nach Quintana Róo und Chiapas, um die Grenze nach Guatemala zu kontrollieren. Wenn sie auch Guatemala haben, ist es vorbei. Dann beherrschen sie den ganzen Kokainmarkt, nicht nur den amerikanischen, auch den europäischen. Wenn du private Gründe brauchst, dann lass dir sagen, dass sie auch ins Tal von Juárez vordringen. Die Ermordung von Erika Vallés, der Mordversuch an Dr. Cisneros – das war nicht ich. Sie werden es wieder versuchen. Und irgendwann schaffen sie es.«

Jetzt schaltet sich Taylor ein. »Die mexikanische Regierung wird alles tun, um das Vordringen der Zetas zu stoppen. Anderenfalls wird sie zu einer reinen Schattenregierung. Die FES ist mit unserer Unterstützung die bei weitem wirksamste Waffe gegen die Zetas. Wir können sie zerstören.«

»Und wozu brauchst du mich?«, fragt Keller. »Du hast doch die Regierung schon auf deiner Seite, offenbar auch die mexikanische.«

»Du besitzt die Loyalität von Orduña und der FES«, erklärt ihm Barrera. »Das ist eine starke Kombination. Und die sollten wir nutzen. Außerdem …«

»Was?«

Barrera lächelt verlegen. »Du bist der Beste, den sie haben, nicht wahr? Taylor kann dich abziehen und einen anderen schicken, aber der wäre immer nur ein Ersatz. Und Ersatz kann ich nicht gebrauchen. Das Gleiche gilt für dich. Auch du willst nicht irgendeinen Verbündeten, sondern den besten, den du kriegen kannst, und der bin ich. Du hasst mich, aber du brauchst mich. Und mir geht es genauso.«

»Und wenn ich nein sage, bin ich ein toter Mann.«

»Wenn du mein Angebot ablehnst, verlässt du dieses Treffen unbeschadet, aber deine Vorgesetzten lassen dich fallen, und zwischen uns bleibt alles beim Alten.«

»Ich werde dir nicht dabei helfen, wieder der oberste Drogenboss zu werden.«

»Glaubst du, irgendjemand glaubt noch an den sogenannten ›Krieg gegen die Drogen‹?«, sagt Barrera. »Ein paar Streifenpolizisten vielleicht, ein paar kleine bis mittlere Agenten wie du – aber in den oberen Rängen der Regierung? In den Chefetagen der Wirtschaft? Ernstzunehmende Leute können sich das gar nicht mehr leisten. Nach dem Bankencrash von 2008

zum Beispiel hat nur noch das Drogengeld für Liquidität gesorgt. Ohne uns wäre die gesamte Wirtschaft zusammengebrochen. General Motors musste aus der Pleite herausgekauft
werden. Wir nicht. Und was ist jetzt? Denk an all die Milliarden Drogengeld, die in Immobilien, Aktien, Firmengründun-
gen stecken. Nicht zu vergessen die Millionenerträge aus dem
›Krieg gegen die Drogen‹ – Waffenproduktion, Flugtechnik,
Überwachung. Gefängnisbau. Glaubst du, die Wirtschaft lässt
sich diese Geschäfte entgehen? Und denkst du mal einen
Schritt weiter, dann weißt du, warum die USA die Zetas nicht
siegen lassen. Die Zetas wollen an die Ölvorräte, sie bohren in
Tamaulipas, doch das werden die Ölfirmen niemals dulden.
Exxon, Mobil, BP – alle sind auf meiner Seite, weil ich ihnen
nicht ins Geschäft pfusche. Und sie mir nicht in meins. Fazit:
Der Drogenhandel bleibt. Es wird immer einen geben, der das
Zeug verkauft. Jetzt heißt es: Ich oder Ochoa. Und ich bin die
bessere Wahl. Ich sorge für Frieden und Stabilität. Ochoa
bringt Terror und Leid. Du weißt das, und du weißt, dass du
alles tun musst, um ihn zu besiegen, sonst kannst du dir selber
nicht mehr in die Augen sehen.«
»Ich werde es trotzdem versuchen.«
Barrera schaut ihn bedeutungsvoll an, lange. Dann sagt er:
»Ich bekomme Familienzuwachs. Zwillinge, übrigens. Die
will ich großziehen, ohne gejagt zu werden. Ich will nicht,
dass sie so leben müssen wie ich. Auch du wirst nicht wollen,
dass dein Nachwuchs solchen Belastungen ausgesetzt ist.
Wenn du deine Fehde beendest, tue ich das auch.«
Die Fehde beenden, denkt Keller.
Nach all den Jahren.
Er denkt an Tío Barrera. An Ernie Hidalgo.
Die Kinder auf der Brücke. Die Toten von El Sauzal.
Unmöglich.
Dann denkt er an die ermordete Familie Córdova, an Don
Pedro de Castillo, die Leichen im Massengrab von San Fer-
nando.

Keller sieht Erikas Überreste vor sich.

Marisols Entsetzen.

Barrera hat recht. Die Zetas haben versucht, auch sie zu töten, und sie werden es wieder versuchen, so lange, bis sie es geschafft haben.

Und noch eine Wahrheit, der er ins Auge sehen muss, eine hässliche Wahrheit. Auch darin hat Barrera recht: Mein Hasspotenzial ist unbegrenzt.

Ich will Rache.

Und ich verkaufe meine Seele dafür.

»Ich will sie alle tot sehen«, sagt Keller. »Jeden Einzelnen.«

»Gut«, sagt Barrera.

»Gib mir dein Wort«, sagt Taylor zu Keller. »Dein Rachefeldzug gegen Adán Barrera ist vorüber.«

»Du hast mein Wort«, erwidert Keller.

»Schwören wir auf unsere unsterblichen Seelen, auf das Leben unserer Kinder.« Barrera streckt ihm die Hand entgegen.

Keller nimmt sie.

Warum nicht?, denkt er.

Jetzt gehören wir alle zum Kartell.

»Das ist ein neuer Anfang«, sagt Taylor.

Es heißt, dass die Liebe alles besiegt.

Das ist falsch, sagt sich Keller.

Der Hass besiegt alles.

Er besiegt sogar den Hass.

TEIL V

DIE SÄUBERUNG

Normalerweise köpfen sich Menschen nicht gegenseitig
oder begehen Massenmorde, nur weil sie andere
Menschen oder eine andere Gruppe hassen. Diese
Dinge passieren, weil seelisch tote Politiker ethnische
Gewalt als Waffe im Kampf um die Macht benutzen.

David Brooks

1. Dschihad

Die US-Regierung hat in den vergangenen Jahren
einiges veranstaltet, was sie als Kriege bezeichnet:
Krieg gegen Aids, Krieg gegen Drogenmissbrauch,
gegen Armut, gegen Analphabetismus, gegen den
Terror. Für jeden dieser Kriege werden Budgets
geschaffen, Gesetze, Ämter, Beamte, Briefköpfe –
alles, was eine Bürokratie braucht, um dir einzureden,
dass es wirklich stattfindet.

Bruce Jackson

Nuevo Laredo, Tamaulipas
April 2012

Auf den Ladeflächen von Müllautos werden vierzehn ge-
häutete Zetas gefunden.

Sehr sinnig, das mit den Müllautos, denkt Keller.

Er besichtigt die entstellten Leichen, mit denen Barrera signa-
lisiert, dass er sich Nuevo Laredo zurückholt – und fragt sich,
warum ihn der Anblick kaltlässt. Als er vor Jahren in El Sauzal
auf neunzehn Ermordete gestoßen war, hatte ihn das in den
Grundfesten erschüttert, aber nun spürt er gar nichts. Damals
hatte er geglaubt, der Anblick der neunzehn von Maschinengewehren zerfetzten Männer, Frauen und Kinder sei das
Schlimmste, was ihm je begegnen würde, heute weiß er es
besser.

Er liest die *narcomensaje,* die bei den Leichen liegt: »Ab jetzt
säubern wir Nuevo Laredo von den Zetas, denn wir wollen
eine freie und friedliche Stadt. Wir sind Narcos, die keinen
Ärger mit ehrlichen Arbeitern oder Geschäftsleuten wollen.
Ich werde den Abschaum lehren, wie in Sinaloa gearbeitet
wird – ohne Entführung, ohne Erpressung. An die Adresse

von Ochoa und Forty: Ihr macht mir keine Angst. Vergesst nicht, dass ich euer wahrer Vater bin. Adán Barrera.«

Keller findet das patriarchalische Getue interessant.

Adán ist wieder Vater – im vergangenen Sommer ist Eva Barrera nach Los Angeles geflogen und hat ihm zwei Söhne geschenkt. DEA und Justizministerium waren machtlos. Als US-Bürgerin, gegen die nichts vorlag, konnte sie kommen und gehen, wie sie wollte. Also gebar Eva ihre Zwillinge in der besten Klinik, die man für Geld bekommt, erholte sich ein paar Tage und flog nach Mexiko zurück, wo sie in den Bergen von Sinaloa oder Durango »verschwand«, vielleicht auch in Guatemala oder Argentinien, je nachdem, welchem Gerücht man glauben wollte.

Es heißt, dass Barrera seit der Geburt der Zwillinge von neuem Elan erfüllt ist, und vielleicht sind sie sogar der Anlass für die Eroberung der Provinz Tamaulipas gewesen. Weil er für jeden Sohn eine Plaza braucht – Nuevo Laredo für den einen, Juárez für den anderen. Und Tijuana, um Nacho Esparza bei Laune zu halten. Jedenfalls hat der Mann, der so lange keinen Erben produzieren konnte, plötzlich zwei, und benannt sind sie nach seinem toten Onkel und seinem toten Bruder.

Apropos Müll, denkt Keller.

Der grausige Fund ist nicht Barreras erster Ausflug in die Welt der »Leichen-PR«.

Vor ein paar Monaten schon haben maskierte Gangster eine belebte Kreuzung in Veracruz blockiert und fünfunddreißig nackte und verstümmelte Leichen abgeworfen, zwölf davon Frauen, und eine *narcomensaje* hinterlassen: »Gegen Erpressung und gegen die Ermordung Unschuldiger! So ergeht es den Zeta-Schweinen in Veracruz und ihren Unterstützern in der Politik. Bürger von Veracruz! Lasst euch nicht erpressen, zahlt kein Schutzgeld. Diese Plaza hat einen neuen Eigentümer. Adán Barrera.«

Während die meisten Zeitungen und TV-Stationen vor einer ausführlichen Berichterstattung zurückschreckten, brachte

Esta Vida die grausigen Fotos der nackten Leichen, die auf die Straße gekippt wurden wie – eben wie Müll. Über die Bilder waren die Zetas fast genauso wütend wie über den ganzen Vorfall, und sie drohten dem »wilden Kind« wieder einmal mit furchtbarer Vergeltung.

Am nächsten Tag stellte sich heraus, dass die fünfunddreißig Toten wahrscheinlich nicht das Geringste mit den Zetas zu tun hatten. Eine maskierte »Bürgerwehr« hielt eine Pressekonferenz ab und entschuldigte sich für den Fehlgriff, versicherte aber, sie kämpfe weiterhin gegen die Zetas.

In den folgenden drei Wochen tötete die »Bürgerwehr« fünfundsiebzig Zetas in Veracruz und Acapulco; beide Städte waren den Zetas erst nach dem Niedergang der Tapia-Organisation und dem Verschwinden von Crazy Eddie in die Hände gefallen. Gerüchte besagen, dass die Sinaloaner den Hafen von Veracruz brauchen, um sich die Chemikalien für die Herstellung von Methamphetamin zu beschaffen, und bestärkt werden die Gerüchte durch andere, die besagen, dass Adán Barrera in der Stadt gesehen wurde.

In Durango häuften sich die Leichen auf beiden Seiten der Front. Elf hier, acht dort, achtundsechzig in einem Massengrab, irgendwann stieg die Zahl der Toten auf über dreihundert. Zetas gerieten beim Einmarsch nach Nayarit in einen Hinterhalt, siebenundzwanzig wurden von Barreras Sicarios niedergemäht. Sieht aus, als hätten die Sinaloaner einen Tipp bekommen, denkt Keller. Als hätten ihnen die Amerikaner Satellitenbilder des Zeta-Konvois geliefert.

Nach der Ermordung von Jimenez haben die US-Geheimdienste ihre Präsenz in Mexiko dramatisch ausgeweitet. Es gibt dort jetzt sechzig DEA-Agenten, vierzig Beamte der Zoll- und Einwanderungsbehörde, zwanzig Justizbeamte und Dutzende Agenten anderer Geheimdienste. Viele ihrer technischen Kapazitäten in puncto Aufklärung und Überwachung stehen der FES zur Verfügung, die ebenfalls Zetas tötet – achtzehn bei einem dreitägigen Gefecht in Valle

Hermoso, dem die Zetas fünfzig Trucks mit bewaffneter Verstärkung zuführten.

Ein FES-Trupp stürmte ein Zeta-Trainingscamp an der Grenze nach Texas und tötete zwölf. Eine weitere Schlacht wurde in Zacatecas ausgefochten, wo über zweihundertfünfzig Zetas gegen die FES antraten, die FES fünfzehn Zetas tötete und siebzehn gefangen nahm. Bei einem Hubschrauber-Angriff auf ein anderes Camp wurden neunzehn weitere Zetas verhaftet.

Und mit Hilfe der US-Geheimdienste kommt die FES auch an die Zeta-Führungsspitze heran, verhaftet Bosse, Scharfschützen, Finanziers. Mehr als achtzig Zetas wurden im Zusammenhang mit dem ersten Bus-Massaker von San Fernando verhaftet. Sechs Zetas, darunter einer mit dem Spitznamen »Tweety«, sitzen wegen der Ermordung des Agenten Jimenez im Gefängnis, obwohl es keiner von ihnen bis in eine Zelle geschafft hätte, wäre es nach Keller gegangen.

Ein einwöchiger Feldzug in Veracruz führte zur Verhaftung einundzwanzig weiterer Zetas und zur Beschlagnahme einer Gehaltsliste, auf der achtzehn städtische Polizeibeamte aufgeführt waren, mit monatlichen Zahlungen zwischen hundertfünfundvierzig und siebenhundert Dollar – je nach Dienstrang.

Zwei ehemalige Admirale übernahmen die Polizeiführung in Veracruz und Boca del Río.

Gestützt auf einen »anonymen Hinweis« – so nennen sich die Tipps der US-Geheimdienste –, fingen die Marineinfanteristen der FES den Boss der Plaza Veracruz, der bestätigte, dass die Ermordung von Erika Vallés auf den persönlichen Befehl Ochoas zurückging.

»Warum wurde Cisneros nicht getötet?«, fragte Keller beim Verhör.

»Z1 meinte, die kommt als Letzte dran«, sagte der Zeta-Boss aus. »Erst sollte sie ihre Freundin sterben sehen. Aber sie haben es verpfuscht.«

»Wo ist Z1 jetzt?«

Der Mann wusste es nicht. Das »verschärfte« Verhör zeigte, dass er es wirklich nicht wusste. Auch nicht, wo sich Forty versteckt hielt.

Vielleicht in Monterrey?

Einst die Hochburg des wirtschaftlichen Aufschwungs unter der PAN, mit schicken Wolkenkratzern und Glitzerboulevards, exklusiven Geschäften und Restaurants, hat sich die Stadt in den letzten Jahren in einen Alptraum verwandelt.

Die Polizei hat weitgehend die Kontrolle verloren, das Verbrechen triumphiert.

Geschäfte und Restaurants werden regelmäßig ausgeraubt, es gibt offene Kämpfe in den Straßen – ein Mann wurde verfolgt, erschossen und vor den Augen der entsetzten Passanten an einer Brücke aufgehängt.

Als ein Edelrestaurant den Fehler machte, sinaloanische Küche zu servieren, betraten um Mitternacht, während die jungen Gourmets von Monterrey bei Bier und Aguachile saßen, sieben bewaffnete Zetas das Lokal, befahlen allen, sich auf den Boden zu legen, sammelten Brieftaschen und Handys ein. Dann trennten sie die Männer von den Frauen, trieben die Frauen in die Toiletten und vergewaltigten sie.

Die Betroffenen wagten es nicht, Anzeige zu erstatten, weil ihnen die Zetas die Ausweise abgenommen hatten, um sich gegebenenfalls an ihnen zu rächen.

Es kam noch schlimmer.

Ein Zeta-Kommando versuchte, ein Spielcasino zu erpressen, das für das Waschen von Drogengeldern bekannt war. Die Eigentümer weigerten sich zu zahlen. Keller hat auf den Überwachungsvideos gesehen, wie zwei Pick-ups an einer Tankstelle hielten und Plastikfässer mit Benzin volltankten. Andere Überwachungskameras zeigten dann, wie die Autos an einem Samstagnachmittag gegen vierzehn Uhr vor dem Casino halten. Sieben Zetas stiegen aus, betraten die Lobby des Casinos und eröffneten das Feuer. Dann rollten die anderen Zetas die Fässer ins Casino und zündeten sie an.

Die Notausgänge waren vorher mit Vorhängeschlössern und Ketten versperrt worden.

Dreiundfünfzig Menschen sterben in den Flammen oder an Rauchvergiftung.

Fünf der Angreifer, die in der Woche darauf verhaftet wurden, sagten aus, sie wollten niemanden töten. Sie wollten nur ein wöchentliches Schutzgeld von hundertdreißigtausend Peso erpressen.

Gefährlicher aber sind die Zustände im nördlichen Guatemala, in der Provinz Petén. Nachdem die Zetas dort siebenundzwanzig Campesinos ermordet und zahllose andere von ihren Äckern vertrieben haben, festigt Ochoa dort seine Macht.

Wenn er Guatemala kontrolliert, verliert Barrera seine Hauptroute für den Kokainschmuggel nach Mexiko.

Während das geschwächte Golfkartell den Zetas in Matamoros kaum noch Widerstand leistet, ist in Reynosa der Kampf zwischen beiden Gruppierungen neu entbrannt, und in beiden Städten herrscht Chaos.

Weder die FES noch das Sinaloa-Kartell können etwas daran ändern, dass die Zetas weite Teile Mexikos beherrschen. Sie haben die Presse zum Schweigen gebracht und vielerorts die Polizei unterwandert, um ungestört ihr Terrorregime zu entfalten.

Und nun hat Barrera den Krieg in die Zeta-Hochburg Nuevo Laredo hineingetragen.

Wieder einmal.

Diese arme Stadt, denkt Keller, als er den Platz mit den Müllautos verlässt.

Erst kämpften hier die Sinaloaner gegen das Golfkartell und die Zetas.

Dann Golfkartell und Zetas gegeneinander.

Jetzt kämpfen die Sinaloaner gegen die Zetas.

Na ja, *wir* und die Sinaloaner.

Ich und die Sinaloaner.

Ich und mein neuer Freund Adán Barrera.

Barrera hat seine Aktivitäten nach Nuevo Laredo verlegt – und Keller ebenfalls. Er bewohnt jetzt ein unscheinbares »Wohnhotel« auf der amerikanischen Seite, pendelt zwischen Laredo und Mexico City und macht nur gelegentliche Abstecher nach Guadelupe, um Marisol zu besuchen.

Die Leichtigkeit, mit der wir uns geliebt haben, ist verloren, denkt Keller, als er wieder zum Flugplatz fährt. Leicht ist es nur noch vor dem Hintergrund des Schweren, das wir erlebt haben. Und das Schwere ist durch das Gefühl der Schuld vermehrt – Marisols Schuld, Erika den gefährlichen Job überlassen zu haben, Kellers Schuld, sie beide nicht beschützt zu haben.

Dazu kommt das Gefühl des unwiederbringlichen Verlusts.

»Seien wir ehrlich«, hat Marisol eines Abends in einer ihrer düsteren Phasen gesagt: »Wir waren hier eine kleine Scheinfamilie, nicht wahr? Mit Scheinehe und einer Scheintochter. Bis die Wirklichkeit zuschlug.«

»Dann lass uns heiraten«, hat Keller erwidert. »Aber in Wirklichkeit.«

Sie starrte ihn ungläubig an. »Glaubst du im Ernst, das könnte helfen?«

»Vielleicht.«

»Aber wie?«

Darauf hatte er keine Antwort.

Die weiteren Gründe für die Schwermut zwischen ihnen haben sich einfach angesammelt. Er hat einmal gelesen, dass die Puritaner ihre Ketzer hinrichteten, indem sie ihnen Steine auf die Brust türmten, bis sie von ihnen erdrückt oder erstickt wurden. Ein wenig fühlt er sich so – und auch Marisol, wie er vermutet. Das wachsende Gewicht der vielen Toten, der vielen Greuel, das sie erdrückt und ihnen die Luft zum Atmen nimmt.

Aber wir trennen uns nicht. Dafür sind wir beide zu stur und zu stolz, sagt er sich. Unser ungesprochenes Jawort werden wir nicht rückgängig machen, die stille Übereinkunft, dass wir unseren Weg gemeinsam gehen, wohin er uns auch führt.

Sie bleiben also zusammen.

Na ja, so gut es eben geht.

Immer öfter arbeitet er im Geheimdienstbunker von Mexico City, in Laredo, oder er nimmt an den Einsätzen der FES teil, mal hier, mal dort, je nachdem, wo es gerade brennt. Marisol ist höflich genug, Bedauern zu zeigen, wenn er wieder wegmuss, aber insgeheim sind sie beide erleichtert, wenn der Druck nachlässt, den sie sich gegenseitig auferlegen.

Die schmerzliche Wahrheit ist, dass sie sich nicht in die Augen sehen können, ohne dass sich der Gedanke an Erika dazwischendrängt.

»Das Schuldgefühl der Überlebenden«, hat Keller ihr eines Abends erklärt.

»Du magst meine psychologischen Erklärungen nicht, und ich mag deine ebenso wenig«, war ihre Erwiderung darauf.

»Ob du sie magst oder nicht, ist mir egal –«

»Na, vielen Dank.«

»Ich will nur nicht, dass du dieser Todessehnsucht verfällst.«

»Ich habe keine Todessehnsucht.«

»Beweise es. Zieh mit mir in die Staaten.«

»Ich bin Mexikanerin.«

»Dann komm nach Mexico City.«

»Nein.«

Seine Seele hatte er eh schon an den Teufel verkauft, da kam es auf eine kleine Bonuszahlung nicht mehr an. Keller bat also Barrera, die Armee im Tal von Juárez anzuweisen, dass *La Médica hermosa,* die Freundin eines wichtigen Verbündeten, unter allen Umständen und um jeden Preis zu schützen sei.

»Glaubst du, ich bin blind?«, sagte Marisol ein paar Tage später. »Denkst du, ich sehe die Soldaten nicht, die vor dem Haus patrouillieren? Vor dem Rathaus? Vor der Praxis? Von denen war früher nichts zu sehen. Auch sind sie mir nicht nachgefahren, außer um mich zu schikanieren.«

»Schikanieren sie dich immer noch?«, fragte Keller.

»Nein, sie sind übertrieben nett. Was hast du getan?«

»Etwas, was ich viel früher hätte tun sollen.« Nur dass ich früher, ohne das gottverfluchte Bündnis mit Barrera, nicht die Möglichkeit dazu hatte.

»So viel Macht hast du?«, staunte Marisol. »Aber ich will die Bewacher nicht.«

»Mir egal.«

Marisol zog eine Augenbraue hoch. »Mein Wille ist dir egal?«

»In diesem Fall, ja.« Keller wollte keinen Streit, aber Streiten war besser als Schweigen, als wortlos mit abgewendetem Blick beieinanderzusitzen, oder Seite an Seite im Bett zu liegen, mit dem Verlangen, sich zu berühren oder wenigstens miteinander zu sprechen, es aber nicht zu können. »Ich will dich nur beschützen.«

»Du bist nicht mein Schutzpatron.«

Doch, denkt Keller, das bin ich.

Ich bin ein *patrón*.

Das ist jetzt mein Job.

Vierzehn Zetas, bei lebendigem Leib gehäutet.

Und mindestens neun von ihnen wurden deshalb gefasst, weil ich die Überwachungsdaten geliefert habe.

Er holt sich sein »Abendessen« beim Imbiss und geht zurück in sein Zimmer.

Keine zwei Wochen später schlagen die Zetas zurück und töten dreiundzwanzig Barrera-Leute. Vierzehn werden enthauptet, neun hängen an einer Brücke neben einem Transparent mit der Aufschrift: »Ihr verfickten Barrera-Huren, so mache ich es mit jedem, den ihr schickt, um meine Plaza zu erobern. Diese Männer haben geweint und um Gnade gewinselt. Die anderen sind davongekommen, aber ich kriege euch, früher oder später. Wir sehen uns, ihr Ficker. Compañia Z.«

Die Polizei von Nuevo Laredo leugnet umgehend, dass Barrera seine Killer in der Stadt postiert, und veranlasst ihn dazu, sechs abgeschnittene Köpfe in Kühlboxen vor einer städtischen Polizeistation abzustellen, zusammen mit der Nachricht: »Wollt ihr Beweise, dass ich hier bin? Was darf es sein? Die Köpfe von Zeta-Führern? Macht nur so weiter, und es werden noch mehr Köpfe rollen. Ich töte keine Unschuldigen wie du, Forty. Alle Toten waren Abschaum – mit anderen Worten: Zetas. Euer Vater Adán.«

Wieder erscheinen die grausigen Bilder in *Esta Vida*.

Und wieder schwören die Zetas, dass sie das »wilde Kind« aufspüren werden.

Das Problem ist, sagt sich Keller, dass wir nicht an Ochoa oder Forty herankommen. Wir können die Zetas nur besiegen, wenn wir dieser doppelköpfigen Schlange die Häupter abschlagen. Wir können so viele Unterbosse erledigen, wie wir wollen: Solange wir Forty und Ochoa nicht haben, bleiben die Zetas Sieger.

Forty hat offensichtlich die Aufgabe, Nuevo Laredo gegen Barreras Vormarsch zu verteidigen, doch er lässt sich in der Stadt nicht blicken. Barreras Leute suchen nach ihm, die FES sucht nach ihm, die Amerikaner suchen nach ihm – vergeblich. Sie finden nur seine Handschrift vor: Leichen, die von Brücken hängen oder in Gräben liegen.

Und Ochoa ist genauso schwer zu packen wie Barrera. Er zieht von Schlupfwinkel zu Schlupfwinkel, wird mal in Valle Hermoso, mal in Saltillo gesehen. Es heißt, er trifft sich monatlich mit Forty, auf Fincas am Río Bravo, in Sabinas oder Hidalgo. Oder sie jagen Zebras, Gazellen und andere »Exoten« in privaten Wildgehegen in Coahuila oder San Luis Potosí. Oder sehen ihre Pferde laufen, indem sie, umrundet von Bodyguards, die Rennen aus ihren gepanzerten Autos verfolgen.

In allen Zeta-Territorien heuern sie Späher an. Kleinhändler und Straßenkinder, die nach der Polizei oder der FES Ausschau halten, mit Trillerpfeifen oder Handys Alarm geben. Dazu kommen *los tapados* – die Verkappten –, Straßenkinder, die Zeta-Slogans an die Häuser kleben oder laut protestieren, wenn Soldaten oder Federales auftauchen.

Die Regierung ist unfähig, Ochoa aufzuspüren, und er macht sich einen Spaß daraus. Nur dreihundert Meter von einem Stützpunkt der 18. Militärzone entfernt hat er eine Kirche bauen lassen, auf deren Schild zu lesen ist: »Zentrum für Verkündung und Seelsorge, gestiftet von Heriberto Ochoa.« Sein Nextel-Handy benutzt er nur einmal, dann wird es entsorgt und durch ein neues ersetzt. Wie Barrera scheut auch Ochoa die protzigen Auftritte der anderen Narcos. Er besucht keine Clubs und Restaurants, er wirft nicht mit Geld um sich.

Er tut nur eins: Töten.

Die Jagd auf Ochoa erinnert an die Jagd auf Barrera – mit dem Unterschied, dass die mexikanische Regierung diesmal aufwendige Technik einsetzt. MexSat, die nationale Satellitenüberwachung, betreibt zwei Boeing-702HP-Satelliten – zusammen mit den Bodenstationen in Mexico City und Hermosillo haben sie mehr als eine Milliarde Dollar gekostet. Die Satelliten suchen in ganz Mexiko nach Spuren von Forty und Ochoa, doch sie finden nichts.

Amerikanische Drohnen kreisen über der Grenzregion wie Habichte auf der Jagd nach Mäusen.

Auch sie finden nichts.

»Vielleicht suchen wir an der falschen Grenze«, sagt Keller eines Tages zu Orduña. »Vielleicht sind sie gar nicht in Mexiko, sondern in Guatemala?«

Ochoa kennt sicher die klassischen Guerilla-Strategien – sich ins benachbarte Ausland absetzen und ungestört von dort aus operieren.

Zum Beispiel in Guatemala, wo Barrera keine starken Kräfte hat und wo die FES nicht tätig werden darf. Selbst Orduña wird es nicht wagen, ins neutrale Ausland vorzudringen. Die Annahme klingt plausibel – in Guatemala werden die Zetas zunehmend aktiv, und vielleicht hat Ochoa beschlossen, seinen Krieg von dort aus zu führen.

»Mag sein«, sagt Orduña. »Aber wir reden von achthundert Meilen Grenze. Regenwald, Dschungel, Gebirge.«

»Gab es nicht neulich einen Massenmord in Guatemala?«, fragt Keller. »Siebenundzwanzig Tote in einem Dorf? Wo war das?«

Eins der Massaker, die früher mal Schlagzeilen machten, aber heute an der Tagesordnung sind. Orduña forscht in den Akten und lokalisiert den Schauplatz.

Dos Erres ist ein kleines Dorf in der Provinz Petén, mitten in einem Waldgebiet unweit der mexikanischen Grenze.

Orduña bestellt Satellitenfotos.

Zwei Tage später betrachtet er sie zusammen mit Keller.

Das Dorf selbst wirkt ganz gewöhnlich – ein Fahrweg, der sich zwischen Häusern und Hütten durchschlängelt, eine kleine Kirche und ein größeres Haus, das aussieht wie eine Schule. Aber östlich vom Dorf erkennt man ein frisch gerodetes Viereck, auf dem, wie es scheint, ordentlich aufgereihte Zelte stehen.

»Offenbar ein Militärlager«, sagt Orduña. »Ein Biwak.«

»So wie sie von Söldnern gebaut werden?«, fragt Keller.

Sie bestellen schärfere Aufnahmen und bekommen sie. Jetzt sieht man deutlich die Uniformierten, Jeeps mit aufmontierten Maschinengewehren, »Dschungelküchen«, Latrinen.

Das Dorf selbst wirkt merkwürdig verlassen.

Keine Kinder auf dem Schulhof.

Nur ein paar Leute in der Umgebung der Kirche.

Die paar Zivilisten scheinen Frauen zu sein, aber gemessen an der Zahl der Häuser, gibt es zu wenige Bewohner in dem Dorf.

»Das sind die Zetas«, sagt Orduña. »Sie haben die Bewohner vertrieben und nur ein paar behalten, die für sie arbeiten müssen.«

Kochen, putzen, den Männern zur Verfügung stehen.

»Schau dir das an.« Keller zeigt auf die Kirche und auf die Schule. Um die Gebäude sind Menschen postiert.

»Ob das Wachen sind?«, fragt Orduña. »Bodyguards? Vielleicht wohnen Forty und Ochoa in der Kirche und in der Schule?«

Genau wie bei der Armee, denkt Keller. Offiziere haben Privilegien. Die zwei Bosse hausen nicht im Zelt, sondern bekommen die größten Gebäude.

Der nächste Satellitenlauf bringt neue Aufnahmen.

Und eine nette Entdeckung.

Keller studiert das Foto.

Dann fliegt er nach El Paso.

Fort Bliss – ein krasser Fall von Fehlbenennung, denkt Keller. Von wegen »Wonne«. Es gibt nichts Tristeres als diese Ansammlung öder Zweckbauten in der Halbwüste vor El Paso.

Von Crazy Eddie hat er nicht viel gehört, seit er ihn in einer Art Luftlandemanöver aus Acapulco herausgeholt hat.

Eine dieser Nacht-und-Nebel-Aktionen, von denen die Rechtsaußen-Republikaner immer raunen. Zwei Minuten nach Eddies Anruf hatte Keller eine abhörsichere Satellitenverbindung nach Washington, auf die seine mexikanischen Kollegen keinen Zugriff hatten. Nicht auszudenken, wenn die Mexikaner, Orduña inklusive, erfuhren, dass einer der meistgesuchten Verbrecher Mexikos in die USA entführt wurde.

Eine Stunde später schon saß Keller im Hubschrauber einer mexikanischen Tarnfirma der CIA, der ihn auf dem Dach des Acapulco Continental absetzte. Dort traf er auf einen sehr nervösen Konsularbeamten. Der führte ihn in einen Konferenzraum, und in dem Konferenzraum saß Eddie Ruiz.

»Narco Polo«, dachte Keller. Ruiz trug ein himmelblaues Polohemd mit weißen Chinos und Sandalen.

Er wirkte erschöpft, aber ruhig.

»Wir fliegen jetzt mit dem Hubschrauber nach Ciudad Juárez«, sagte Keller. »Von dort bringt uns ein anderer Hubschrauber nach Fort Bliss, Texas. Wenn Sie während dieser Überführung versuchen sollten zu fliehen, schieße ich Ihnen eine Kugel in den Kopf. Haben Sie das verstanden?«

»Ich bin doch schon auf der Flucht«, erwiderte Ruiz.

Auf der ganzen Fahrt sagte er kein einziges Wort.

In Fort Bliss wurden sie schon von Beamten erwartet. Ein Jurist des Außenministeriums las ihm gewissermaßen seine Rechte vor: »Als amerikanischer Staatsbürger befinden Sie sich hier in Schutzhaft, die auf Ihrer vollumfänglichen Kooperation im Rahmen der laufenden Ermittlungen basiert. Haben Sie das verstanden?«

»Klar.«

Ein Staatsanwalt vom Justizministerium nahm den Ball auf: »Sie sind unter dem sogenannten Kingpin-Statut wegen Drogenhandels angeklagt. Vorläufig können Sie sich auf dem Gelände frei bewegen. Sollten Sie versuchen zu fliehen oder die Zusammenarbeit verweigern, werden Sie in ein Bundesgefängnis überführt und sofort unter Anklage gestellt. Wenn das so weit klar ist, haben Sie das Recht auf einen Anwalt. Wenn Sie sich keinen Anwalt leisten können –«

Ruiz musste leise kichern. Seine Anwälte schuldeten *ihm* Geld.

»– wird Ihnen einer gestellt. Wünschen Sie das?«

»Nein.«

»Wahrscheinlich werden Sie wegen Drogenhandels unter Anklage gestellt. Doch wird in Ihrer Akte Ihre bisherige und zukünftige Mitwirkung vermerkt und von der Staatsanwaltschaft im Strafantrag sowie vom Vorsitzenden Richter in der Urteilsfindung angemessen berücksichtigt. Haben Sie noch Fragen?«

»Kann ich eine Cola haben?«

»Ich glaube, das lässt sich regeln.«

»Noch was«, sagt Ruiz, »ich will meine Familie sehen.«

»Welche denn?«, fragte Keller.

»Beide natürlich. Arschloch.«

Es war keine leichte Sache, erst die eine, dann die andere Familie nach Fort Bliss zu bringen.

In der mexikanischen Narco-Szene herrschte große Aufregung wegen Eddies Verschwinden, die Drähte liefen heiß. Sowohl die Narcos als auch die Polizei wollten wissen, was da passiert war.

Die einen meinten, er sei ermordet worden, aus Rache für die Entführung von Martín Tapias Frau, andere hielten das für Blödsinn, weil er sie ja freigelassen hatte. Wieder andere behaupteten, er sei gerade deshalb ermordet worden, *weil* er sie freigelassen hatte, von seinen eigenen Leuten, die darin ein Zeichen der Schwäche sahen.

Aber in einem waren sich alle einig: Am Tag seines Verschwindens war Eddie in Acapulco gesehen worden, auf der Strandpromenade, mit einer Eistüte.

Alle suchten sie nach ihm – oder seiner Leiche. Und sicher hatten sie auch seine zwei Familien im Visier.

Seine zweite Frau, eine amerikanische Staatsbürgerin, war in die USA gefahren und hielt sich angeblich in der Region El Paso auf, doch da sie im neunten Monat schwanger war, wäre sie sowieso gekommen, um das Kind zur Welt zu bringen.

Keller stellte den Kontakt zu beiden Familien her.

Ex-Frauen – und in diesem Fall nicht nur eine – erfreuen sich bei den Ermittlern einer gewissen Beliebtheit, weil sie gern auspacken, aber Eddie schickte seiner Teresa mehr Geld, als sie zum Leben brauchte, und ihre Eltern hatten, bis sie aufflogen, Eddies Kokaindollars gewaschen, daher glaubte Keller nicht, dass sie Schwierigkeiten machen würde.

Teresa wohnte in Atlanta, und als sie Keller die Tür öffnete, wurde sie bleich.

»O mein Gott!«

»Ihrem Mann geht es gut, Mrs. Ruiz.«

Sie schnappte sich die Kinder, sechs und neun Jahre alt, aber sie flogen nicht nach El Paso, wo der Flughafen wahrscheinlich überwacht wurde, sondern nach Las Cruces und von dort aus mit dem Auto. Keller brachte sie zu Eddies Unterkunft auf dem Gelände des Forts und ließ sie allein. Am Morgen sammelte er sie wieder ein und brachte sie zurück nach Las Cruces.

Komplizierter war es bei Priscilla.

Priscillas Tochter Brittany war zwei, und Priscilla stand kurz vor der Niederkunft. Keller hatte keine Lust, sie nach El Paso zu kutschieren, wo es etwa genauso viele Späher gab wie in Juárez. Stattdessen steckten sie Eddie in eine Armeeuniform und fuhren ihn nach Alamogordo, wo ihn Priscilla, Brittany und Priscillas Mutter in einem Motel erwarteten. Keller ließ das Auto von El Paso aus verfolgen, um sicherzugehen, dass sie nicht beschattet wurden.

Er schenkte Eddie den Nachmittag mit seiner zweiten Familie, dann fuhr er ihn zurück nach Fort Bliss, wo Eddie ein gemütliches Quartier bewohnte und rund um die Uhr von US-Marshals bewacht wurde.

Eddie äußerte weitere Wünsche – er wollte ein iPod mit Songs von den Eagles, von Steve Earle, Robert Earl Keen und etwas Carrie Underwood. Er wollte weitere Familientreffen. Und er wollte den Superbowl in HDTV sehen, möglichst mit einer ordentlichen Portion Chili und einem kalten Bier.

»Shiner Bock«, spezifizierte er.

Er verfolgte, bei Chili und Bier und in Begleitung von zwei US-Marshals, auf einem 60-Zoll-LED-Bildschirm, wie die Packers die Steelers schlugen.

Keller jedoch lehnte Eddies Einladung ab.

Jetzt breitet er die Fotos von Dos Erres auf Eddies Couchtisch aus. »Sind sie das? Forty und Ochoa?«

»Ja.«

Keller schaut sich die zwei Männer an, die vor der Schule von Dos Erres stehen. Beide tragen schwarze Baseballkappen, aber ihre Gesichter sind erkennbar. Einer ist fett und hat einen buschigen Schnauzbart, der andere ist hager, raubvogelartig, gutaussehend.

»Sind Sie sicher?«, fragt Keller.

»Die haben Chacho García vor meinen Augen verbrannt«, sagt Eddie. »Glauben Sie, ich werde diese Visagen je vergessen? Ich habe mir geschworen, die beiden Dreckskerle umzulegen.«

Da haben wir was gemeinsam, denkt Keller.

Er lässt Eddie in Fort Bliss sitzen und fliegt nach Washington.

Keller haut auf den Tisch. »Wir wissen verdammt noch mal genau, wo sie sind! Wir haben ihre Identität und die genaue Position!«

Er zeigt auf die Fotos, die auf dem Tisch ausgebreitet sind.

Der Mann vom Drogendezernat des Außenministeriums brüllt zurück: »Und genau da liegt das Problem! Die sind im Ausland!«

Keller ist auf dem schnellsten Weg nach Washington geflogen, um sich für einen Militärschlag gegen die Zetas in Dos Erres starkzumachen. Aber es läuft nicht gut. Die Regierung, die den halben Mittleren Osten mit ihren Drohnen überzieht, weigert sich, irgendeine Art von Angriff – bemannt oder unbemannt – in Guatemala zu genehmigen.

»Wir haben doch dort schon Marines im Antidrogeneinsatz«, argumentiert Keller.

Operation Mantillo Hammer hat im Kampf gegen den Drogenhandel dreihundert US-Marines und mehrere Antiterroreinheiten in Guatemala stationiert.

»Die sind in ausschließlich in beratender Funktion stationiert«, sagt der Vertreter der Navy-Luftlandetruppe, »und dürfen ihre Waffen nur zur Selbstverteidigung einsetzen. Wir können nicht einfach die Staatsgrenzen überschreiten und jeden sanktionieren, wie wir wollen.«

»Erzählen Sie das mal Bin Laden«, sagt Keller. »Ach nein, geht nicht, der ist ja schon tot.«

Ziemlich cool, wie der Präsident das durchzieht, hat er damals gedacht. Reißt Witze wie Al Pacino bei der Taufe im *Paten,* während er den Einsatz befiehlt.

»Das war Bin Laden«, sagt der Navy-Mann jetzt.

»Ochoa ist genauso schlimm.«

»Bleiben Sie auf dem Teppich.«

»Glauben Sie, Ochoa ist kein Terrorist?«, erwidert Keller. »Dann erklären Sie mir mal, was ein Terrorist ist. Ist das einer, der unschuldige Zivilisten tötet? Massenmorde begeht? Bomben legt? Welche Kriterien fehlen hier?«

»Er hat diese Akte nicht in den Vereinigten Staaten begangen«, wendet der Mann vom Innenministerium ein.

»Ochoa verkauft massenhaft Drogen in die USA«, sagt Keller.

»Er schleust Menschen in die USA. Er unterhält Waffenlager und bewaffnete Zellen in den USA. Er hat die Ermordung eines US-Bundesagenten befohlen. Und trotzdem ist er keine terroristische Bedrohung für die USA?«

»Die Zetas sind nicht offiziell als Terrororganisation eingestuft«, sagt der Mann vom Innenministerium. »Und selbst wenn, ist es komplizierter, als Sie glauben. Selbst bei Dschihadisten erfordert der Zugriff die vorherige Einberufung eines ›Tötungsausschusses‹, der die Notwendigkeit, die juristischen Implikationen und die ethische Rechtfertigung beurteilt.«

»Berufen Sie ihn ein«, sagt Keller. »Ich stehe als Zeuge zur Verfügung.«

Ich liefere die ethische Rechtfertigung.

Der Horror geht weiter, ohne Ende.

Erst letzte Woche haben Zetas eine Pipeline angezapft, um Erdöl zu stehlen, und dabei eine Explosion ausgelöst, die sechsunddreißig Unschuldige das Leben kostete. Wäre das in den USA passiert, hätte die Katastrophe tagelang die Schlagzeilen beherrscht, hätte der Kongress nach Konsequenzen geschrien. Aber weil es in Mexiko passiert ist, kräht kein Hahn danach.

»Wir haben keinen Anlass zum Eingreifen«, sagt der Mann von Innenministerium.

»Wir haben Monate an Zeit und Millionen von Dollars investiert, um diese Leute aufzuspüren«, sagt Keller. »Und jetzt, wo wir sie lokalisiert haben, legen wir die Hände in den Schoß?«

Exakt.

Ochoa hat sich eine Schutzzone gesucht, wo ihn die Amerikaner nicht anrühren werden.

Weil er ein mexikanischer Narco ist, kein Dschihadist.

Plötzlich hat Keller eine Idee.

Aber er braucht einen Einstieg, um sie in die Tat umzusetzen.

Den findet er auf einer Pferderanch in Oklahoma.

Fortys kleiner Bruder Rolando züchtet Pferde auf einer Ranch bei Ada, Oklahoma.

Rolando Morales ist ein besonders erfolgreicher Züchter. Erst kürzlich hat er ein Hengstfohlen für eine knappe Million ersteigert und damit die ganze Branche geschockt. Manche Leute finden das merkwürdig, weil er Maurer war, bevor er sich die Multimillionen-Ranch zulegte und sich die teuersten Heißblüter in den Stall holte. Laut FBI belief sich sein höchstes Jahreseinkommen auf neunzigtausend Dollar.

In Rennkreisen wird daher gern über die Herkunft seines Geldes gerätselt, aber das FBI weiß es schon: Das Geld kommt von seinem großen Bruder in Nuevo Laredo, und die Pferderanch bei Ada ist eine Geldwäscherei.

Es geht ganz einfach.

Die Zetas schicken Rolando Morales Geld, mit dem er Pferde weit über dem Marktwert ankauft und dann an die Zetas zum Realwert weiterverkauft.

Das Geld ist gewaschen.

Die Pferde bekommen sie obendrein.

Und sie mischen mit in einer Königsdisziplin des Sports. Schon fast rührend, denkt Keller, wie sehr die Narcos nach sozialem Status gieren – Polo, Pferderennen. Was kommt danach, der America's Cup?

Das Publikum hier in Ruidoso bietet ein anderes Bild als der Polo-Club von Mexico City. Hier sieht man Cowboyhüte, superteure Westernstiefel, Edeljeans und Türkisschmuck – getragen von den Aristokraten des amerikanischen Westens, Leuten mit genügend Zeit und Geld für ihr aufwendiges Hobby.

Der große Außenseiter des heutigen Derbys der Zweijährigen ist ein Hengst mit dem Namen »Cartel One«. Ziemlich dreist, diese Namensgebung, findet Keller und schaut sich das Pferd an, als es vom Jockey in die Startbox geführt wird.

»Haben Sie gewettet?«, fragt ihn Miller, der FBI-Mann, der für »Operation Fury« zuständig ist und die Renngeschäfte der Brüder Morales untersucht. Miller hat sich bei Keller gemeldet, weil laut Dienstbefehl alle Hinweise auf »Forty« Morales an Keller weitergeleitet werden müssen.

»Ich bin keine Spielernatur«, sagt Keller.

»Setzen Sie ein paar Dollar auf Cartel One.«

»Bei einer Siegchance von eins zu acht?«

»Cartel One ist eine sichere Bank.«

Cartel One hat einen schwachen Start und kommt lange nicht aus der Innenbahn heraus. Dann, wie durch ein Wunder, öffnet sich eine Bresche, der Jockey startet durch, und Cartel One läuft als Dritter in die Zielgerade ein. Die zwei Spitzenreiter fallen zurück, und Cartel One gewinnt um eine Nasenlänge.

Keller blickt zum Paddock hinunter, wo Rolando, seine Frau und seine Freunde Luftsprünge machen, sich jubelnd in die Arme fallen. Ein bisschen viel Begeisterung für ein gekauftes Rennen, denkt Keller. Miller hat ermittelt, dass Zehntausende Dollars an andere Jockeys und Trainer geflossen sind.

Das Preisgeld für dieses Derby beträgt eine glatte Million.

Kein schlechter Tagesumsatz.

Trotzdem ein Klacks für die Zetas, die mehr als eine Million gegeben hätten, um diese Million zu »gewinnen«. Was sie sich kaufen, ist der Status, mit dem sie prahlen können. Rolando sieht aus wie sein großer Bruder: genauso korpulent, die gleichen schwarzen Locken, auch der dicke Schnauzbart ist identisch. Nur dass er einen weißen Cowboyhut anstelle der schwarzen Baseballkappe trägt.

»Wir dachten, wir nehmen ihn am Flughafen fest«, sagt Miller.

»Haben Sie genug Klagepunkte?«

»Geldwäsche, illegaler Drogenhandel, Steuerbetrug«, sagt Miller. »O ja, es reicht.«

»Tun Sie mir den Gefallen und verschieben Sie die Festnahme«, sagt Keller.

»Aber nicht lange«, erwidert Miller. »Morales plant einen Europatrip.«

»Wirklich?« Keller ist elektrisiert.

»Die große Tour. Erst Italien, dann Schweiz, Deutschland, Frankreich und Spanien. Wir zapfen seine E-Mails an.«

»Sicher mit der ganzen Familie«, sagt Keller, um seine Aufregung zu verbergen.

»Nein, nur er.«

Klar, das wird kein »Europatrip«, auf den man seine Frau mitnimmt, das wird eine Geschäftsreise. Und Keller glaubt zu wissen, worin das Geschäft besteht.

Er hofft inständig, dass Rolando Morales als Botschafter der Zetas zur 'Ndrangheta geschickt wird.

Zur reichsten Verbrecherorganisation der Welt.

Die 'Ndrangheta hat ihren Sitz in Kalabrien und lässt die viel ältere und berühmtere sizilianische Mafia aussehen wie einen armen Cousin vom Lande. Achtzig Prozent des europäischen Kokains wird von der 'Ndrangheta über den Hafen von Gioia Tauro eingeschmuggelt. Der Gewinn, den die 'Ndrangheta aus dem Drogenhandel zieht, beläuft sich auf jährlich fünfzig Milliarden Dollar, das sind satte 3,5 Prozent des italienischen Bruttosozialprodukts.

Einen potenteren Partner kann man sich nicht wünschen.

Früher unterhielt das Golfkartell Exklusivbeziehungen nach Italien, jetzt konkurriert Barrera mit den Zetas um den europäischen Markt. Das vordergründige Motiv für den sadistischen Mord an Magda Beltrán war die Tatsache, dass sie Geschäftsbeziehungen zur 'Ndrangheta eingefädelt hatte.

Fliegt Morales in diplomatischer Mission für die Zetas nach Europa?, fragt sich Keller.

Kriege werden mit Geld ausgefochten, und der europäische

Markt würde jedem Kartell einen entscheidenden finanziellen Vorsprung verschaffen, Geld, mit dem man Waffen, Ausrüstungen, Politiker kaufen kann, vor allem aber Söldner.

Wenn die Zetas die 'Ndrangheta mit Kokain beliefern und gleichzeitig Barreras Nachschubrouten durch Guatemala kappen, haben sie alles, was sie brauchen, um ihn in Mexiko vernichtend zu schlagen.

Die diplomatische Mission von Rolando Morales – wenn es sich um eine solche handelt – eröffnet den Zetas ungeahnte Möglichkeiten.

Ungeahnte Möglichkeiten nicht nur für die Zetas, auch für Art Keller.

»Lassen Sie ihn fahren«, sagt er zu Miller.

»Zurück nach Oklahoma?«

»Nein, nach Europa«, sagt Keller.

Sie filmen ihn im Stadion San Siro – AC Mailand gegen Juventus Turin.

Keller sieht das Video in der Marinebasis Quantico, streng bewacht vom FBI, das wenig Neigung zeigt, die eigenen Ermittlungen zu gefährden, die Jahre gedauert und Millionen gekostet haben und ihnen aufsehenerregende Urteile und dicke Schlagzeilen bringen sollen. Auch die DEA ist kaum davon erbaut, dass ein Zeta-Emissär das Land verlassen darf und sich möglicherweise der Verhaftung entzieht.

Das ist nur die innenpolitische Seite des Problems.

Kellers Plan erfordert ein international abgestimmtes Vorgehen – nicht nur mit der italienischen Direzione Antidroga, auch mit der Interpol, der Schweizer Einsatzgruppe, dem deutschen BND, der französischen Sûreté, der belgischen Algemene directie bestuurlijke politie und der spanischen CNP – Cuerpo Nacional de Policía.

Die bürokratischen Hürden sind entnervend, die Sprachbarrieren tückisch, Keller muss sich diplomatischer Floskeln bedienen, die er längst vergessen hat. Ohne den Schutzschirm

Interpol wäre das Ganze überhaupt unmöglich. Am Ende erklären sich alle Beteiligten bereit, Morales' Schritte zu verfolgen, aber keine Verhaftungen vorzunehmen, wobei jedes Land nach Abschluss der Operation tun kann, was es für richtig hält.

Die Logistik ist mindestens genauso kompliziert: Die verschiedenen Dienste müssen die Überwachung untereinander abstimmen, Video-, Audio- und Fotobeweise austauschen, eine lückenlose Beobachtung organisieren, die aber keinen Verdacht wecken darf. Wenn das alles klappt, kann Morales die Ermittler wie ein Lotse durch das europäische Drogennetzwerk führen.

Seine erste Station ist Mailand, wo ihn die italienischen Spezialisten im Visier haben und jetzt live nach Quantico übertragen, wie er seinem Übersetzer etwas ins Ohr brüllt, der es an Ernesto Giorgi, den Unterboss der mailändischen 'Ndrangheta-Niederlassung, weitergibt.

Der Lärm im Stadion – Gebrüll, Gesänge, Trommelschlagen – ist gewaltig. Keine Chance, Abhörtechnik einzusetzen, was zweifellos der Grund ist, warum sich Morales und Giorgi ausgerechnet hier treffen. Keller beherrscht die Technik des Lippenlesens nicht, aber der DEA-Spezialist an seiner Seite hat sie gelernt – Giorgi war mit Osiel Contreras befreundet, und Morales erklärt ihm gerade, warum sich die Zetas gegen ihre alten Bosse gewendet haben und warum die 'Ndrangheta nun mit ihnen zusammenarbeiten soll.

Der Verrat, denkt Keller, ist kein Thema zwischen ihnen; Geschäft ist Geschäft. Was sie aber nicht mögen, sind Niederlagen und Verluste, und die Bosse der 'Ndrangheta haben garantiert von den Schlägen gegen die Zeta in Veracruz gehört.

Das Getöse im Stadion explodiert.

Giorgi springt auf und brüllt, fuchtelt mit den Armen, während der Mailänder Torschütze gefeiert wird. Als Giorgi wieder sitzt, beugt er sich zu Morales hinüber und sagt etwas.

Keller blickt seinen Spezialisten fragend an.

»*Wir hatten vor, Geschäfte mit der Frau zu machen. Magda Beltrán*«, übersetzt der Mann.

Keller braucht keinen Übersetzer, um Morales' spanische Antwort zu verstehen. Er kann sie von seinem Mund ablesen: »*Ella está muerta.*«

Sie ist tot.

Giorgi und Morales speisen in einem Séparée des Cracco.

Zwei Michelin-Sterne.

Morales hat den Nachmittag in Mailand mit Shopping verbracht, jetzt trägt er einen grauen Armani-Anzug und braune Schuhe von Bruno Magli, dazu ein rotes Seidenhemd ohne Krawatte. Giorgi gibt sich konservativer in seinem Kaschmirsakko von Luciano Natazzi.

Die im Punktstrahler versteckte Kamera liefert ein gutes Bild, und diesmal ist auch der Ton kristallklar, während Morales mehrfach betont, dass die Zetas den gesamten Petén und damit auch den Kokainnachschub unter Kontrolle haben.

Giorgi ist nicht überzeugt und äußert Bedenken.

Giorgi: Barrera hat die Regierung in der Hand.

Morales: Das ist eine Übertreibung.

Giorgi: Er kontrolliert die Armee und die Bundespolizei. Erzählen Sie keine Märchen.

Morales: Es stehen Wahlen ins Haus. Die PAN wird verlieren. Die Gewinner werden den sogenannten Krieg gegen die Drogen, der Barrera einseitig begünstigt, so nicht fortsetzen. Dann werden die Karten neu gemischt.

Giorgi: Und Sie haben das Geld, da einzusteigen?

Morales: Wenn wir beide ins Geschäft kommen, haben wir das Geld.

Morales hat recht, denkt Keller.

Der PRI-Kandidat, Peña Nieto, macht die Beendigung des Drogenkriegs zum Wahlkampfthema. Der andere Bewerber, López Obrador, geht sogar noch weiter; er will die Mérida-Gelder zurückweisen und DEA wie CIA aus dem Land werfen. Das ist der große Unbekannte in der Rechnung. Kein Wunder, dass Barrera noch vor den Juli-Wahlen und vor dem Machtantritt Nietos im Dezember so viel wie möglich an sich reißen will.

Und die Ironie der Geschichte, denkt Keller: Uns geht es genauso.

Wir müssen die Zetas vor Toresschluss besiegen.

»Wer sind die?«, fragt er, als zwei Männer hereinkommen und sich mit an den Tisch setzen.

Keiner im Raum kennt sie – weder die FBI-Ermittler noch die von der CIA. Keller ruft Alfredo Collitto an, seinen italienischen Kollegen, der das Video von Rom aus verfolgt. Er lässt die Bilder durch sein Erkennungsprogramm laufen und liefert dreißig Minuten später ihre Identität: Die zwei Männer sind der *Vangelista* und der *Quintano* – der zweite und der dritte Mann für Berlin.

»Die 'Ndrangheta hat zweihundertdreißig Verbindungsleute in Deutschland«, sagt Collitto am Telefon. »Dieser Rolando Morales knüpft ja wirklich interessante Kontakte.«

Morales wird Giorgi auch zusichern, dass er alle Geschäfte in Deutschland über die 'Ndrangheta laufen lässt, sagt sich Keller.

Er schaut den Männern noch eine Weile beim Plaudern zu. Als das Geschäftliche beredet ist, geht es um Fußball, Pferde und Frauen.

Von Mailand fährt Morales mit dem Zug nach Zürich, wo er mit Bankern und potenziellen Dealern verhandelt, dann weiter mit dem Zug nach München zu einem Treffen mit der örtlichen 'Ndrangheta und ein paar deutschen Komplizen.

Von München geht es nach Berlin. Die zwei Männer aus dem Mailänder Restaurant holen ihn vom Adlon am Brandenburger Tor ab, die BND-Beschatter folgen ihnen nach Kreuzberg, wo sie in einer Bar der Oranienstraße auf drei Männer treffen, die der BND als türkische Einwanderer identifiziert.

Nächste Station ist die alte Hansestadt Rostock, eine Hochburg der 'Ndrangheta. Morales verschwindet auf einem Segler im Yachthafen, bleibt zwei Stunden und nimmt ein Hotel in der Kröpeliner Straße. Laut BND gehören die Bootseigner zu einem Drogenring, der im ehemaligen Ostdeutschland operiert.

Dann Hamburg. Nach dem Treffen mit der örtlichen 'Ndrangheta und einem Hamburger Verbindungsmann geht es gemeinsam auf die Reeperbahn, einer aufgepeppten Version der Boy's Town von Nuevo Laredo mit deutlich mehr Neon in schrillen Pink-, Rot-, Lila- und Grüntönen. Morales und seine Begleiter lassen Etablissements mit Namen wie Dollhouse, Safari und The Beach Club links liegen und steuern zielstrebig auf den Club Relax zu, der mit maskierten Frauen in Reizwäsche wirbt.

Er ist nicht nur unser Lotse, sagt sich Keller, als Morales Stunden später aus dem Club herauskommt. Er ist ein Bazillus, der sich im *corpus narcoticus* ausbreitet wie eine Seuche.

Überall in den europäischen Polizeizentralen werden Spinnendiagramme an die Wände gemalt, und sie wachsen von Tag zu Tag. Vernetzen Morales' Kontakte mit deren Kontakten und immer so weiter. Das gehört zu Kellers Plan, er freut sich, wie gut er funktioniert, aber das ist nur der eine Teil.

Von Hamburg fliegt Morales nach Paris und steigt gleich auf einen Flug nach Lyon um, wo die Sûreté die Observierung übernimmt. Überall, wo er Station macht, das gleiche Programm: Er trifft sich mit der 'Ndrangheta, mit Dealern und Geldleuten und verbreitet die frohe Botschaft von Heriberto Ochoa – dass die Zetas in Guatemala siegen werden, dass sie in Mexiko siegen werden, dass Barrera nach den Wahlen erledigt ist, dass jetzt die Zeit ist, auf den fahrenden Zug aufzuspringen.

Sie treffen sich in Parks, Fußballstadien, Restaurants, Stripperlokalen und Bordellen.

Die Rechnungen zahlt Morales, und er reist weiter.

Von Lyon per Bahn nach Montpellier, von Montpellier über die spanische Grenze nach Girona und dann nach Barcelona. Wunderbar, denkt Keller. Jetzt ist Spanien dran.

Das Kokain, das nicht über Gioia Tauro nach Europa gelangt, kommt über Spanien herein, meist über die kleinen Fischerhäfen an der galicischen Küste, zunehmend auch über den Flughafen Madrid.

Spanien mit dem höchsten Kokainkonsum in ganz Europa ist schon für sich genommen ein interessanter Markt. Das meiste kommt direkt aus Kolumbien, und der Deal läuft so, dass die galicische Mafia, Os Caneos, die Hälfte der Lieferungen auf eigene Rechnung verkauft und im Gegenzug erlaubt, dass die andere Hälfte durch ihr Territorium zu den europäischen Abnehmern transportiert wird.

Über seinen spanischen CNP-Verbindungsmann Rafael Imaz erfährt Keller, dass Morales ein Treffen plant – im Top Damas, dem schicksten Bordell Barcelonas.

»Ein wahrer Glücksfall«, sagt Imaz zu Keller am Telefon.

»Haben Sie Kontakte in dem Bordell?«

»Es gehört uns«, sagt Imaz stolz.

Natürlich ist es komplett verdrahtet; Keller und Imaz können die beiden Teilnehmer des Treffens in Augenschein nehmen, als sie das Bordell betreten. Imaz identifiziert sie sofort als Hafenbeamte.

Während Morales und seine Gäste die Spezialitäten des Hauses genießen, hört sich Keller Dinge an, auf die er lieber verzichten würde, doch dann versammeln sie sich in einem Séparée zu einer entspannten Verhandlung.

Morales: Wir liefern in Versandbehältern – erst einmal kleine Mengen von acht bis zehn Kilo.

Beamter: Mit welcher Beteiligung können wir rechnen?

Morales: Fünftausend.

Beamter: Euro oder Dollar?

Morales: Euro.

Beamter: Haben Sie schon mit Os Caneos verhandelt?
Morales: Warum sollten wir? Die sind doch weit weg.
Beamter (lacht): Sie wollen die Ware nicht mit ihnen teilen,
was?
Morales: Sagen wir, wir halten Ausschau nach anderen Ver-
triebswegen.
Zweiter Beamter: Haben Sie das mit unseren italienischen
Freunden geklärt? Ich möchte da kein Misstrauen aufkom-
men lassen.
Morales: Was wir hier machen, ist denen egal.

Am Ende einigen sie sich auf eine Zahl: achttausend Euro pro Lieferung, die den Zoll von Barcelona passiert.

Nach dem Bordellbesuch schlendert Morales durch die engen, gewundenen Gassen des Viertels El Raval. Ein spanischer Ermittler hält Keller und Imaz per Funk auf dem Laufenden.

Barcelona hat den größten islamischen Bevölkerungsanteil aller spanischen Städte, meist Pakistani, aber auch Marokkaner und Tunesier. Das amerikanische Konsulat unterhält hier, wie Keller weiß, eine geheime Antiterroreinheit, aus der Sorge heraus, dass Barcelona das nächste Hamburg werden könnte – eine europäische Basis für Dschihadisten.

Der Bin-Laden-Einsatz liegt noch kein Jahr zurück, alles wartet auf den großen Vergeltungsschlag.

»Morales läuft durch das pakistanische Viertel«, erklärt Imaz.

Es funktioniert!, jubelt Keller im Stillen. Bitte, lieber Gott, lass ihn in die Falle tappen! Es hat Wochen gedauert, das vorzubereiten, Wochen privater Gespräche mit Imaz, geheimer Verhandlungen mit dem spanischen Geheimdienst CNI, Wochen des Austauschs von Informationen und Daten.

Entweder es klappt, oder es klappt nicht.

Der Ermittler folgt Morales zu einem Wohnhaus, wo er an die Tür klopft und nach ein paar Sekunden eingelassen wird. Die CNI hat das Haus schon lange im Visier – als Stützpunkt der Tehrik-i-Taliban, die lose mit al-Qaida verbunden sind.

Keller hört sich den Audio-Stream an. Neben ihm sitzen die

Jungs vom FBI, die immer mehr die Ohren spitzen. Sie ahnen schon, was ihnen blühen könnte – dass sie den Fall Rolando Morales und ihre ganze Vorarbeit an andere Dienste abgeben müssen –, und sie werfen Keller böse Blicke zu oder vermeiden den Augenkontakt, während sie angespannt lauschen.

Morales: Wie ist Ihr Name?

Ali: Nennen Sie mich Ali Mansur. Das ist mein Dschihad-Name.

Morales: Okay. Sie sprechen sehr gut Englisch.

Ali: Ich war in Ohio auf dem College. Wollen wir über Lebensläufe reden oder übers Geschäft?

Morales: Sie haben sich an uns gewandt.

Ali: Können Sie uns Kokain verkaufen?

So viel sie wollen, versichert ihm Morales. Erste Qualität, geliefert über den Hafen von Barcelona. Ware gegen Geld.

Toll, denkt Keller. Großartig. Aber es fehlt noch was. Komm schon, Ali!

Ali: Können Sie Waffen liefern?

Keller hält die Luft an – und schon kommt es.

Morales: AR15, Raketenwerfer, Handgranaten, was Sie wollen.

Einer vom FBI flucht.

Ali: Wo beschaffen Sie die?

Morales: Das kann Ihnen doch egal sein, oder?

Ali: Die Qualität ist mir nicht egal.

Morales: Die Waffen sind gut.

Morales bleibt eine Stunde in dem Haus. Der CNI-Mann macht Fotos von ihm, als er herauskommt und ein Taxi stoppt, das ihn in das Fünfsternehotel Murmuri bringt.

»Sie schulden mir was«, sagt Imaz über sein Privattelefon zu Keller.

Keller legt auf und lässt sich mit der Antiterroreinheit im Konsulat von Barcelona verbinden.

»Was wissen Sie über eine Gruppierung mit dem Namen Tehrik-i-Taliban?«, fragt Keller den Chef.

»Eine Menge.« Die CIA hat Tehrik-i-Taliban in Barcelona

schon seit achtzehn Monaten im Visier. »*Warum? Gibt es eine Drogen-Connection?*«

»Es könnte sein.« Keller erzählt ihm von Morales' Besuch in El Raval.

»*Diese Zetas, was ist das? Eine Art Kartell?*«

»Mein Gott, wo leben Sie?«, fragt ihn Keller.

»*Hier.*«

»Na fein. Die Zetas sind gerade im Anrücken.«

»*Sehr gut. Ich wäre Ihnen dankbar für alles, was Sie uns dazu mitteilen können.*«

Was ich dir mitteilen wollte, habe ich dir schon erzählt, denkt Keller. Die Lüge nämlich, dass Ali eine große Nummer bei Tehrik-i-Taliban ist und keiner von Imaz' Agenten.

Das brauchst du nicht zu wissen, genauso wenig wie das Innenministerium, die CIA, das FBI, die Homeland Security. Sie alle sollen glauben, dass die Zetas planen, Waffen an islamistische Terroristen zu liefern.

Sagt man in Washington »Narco«, erntet man ein Gähnen. Sagt man »Narco-Terrorismus«, bekommt man ein Budget und freie Hand. Das Sinaloa-Kartell hat jede Berührung mit allem, was auch nur entfernt nach Terrorismus aussieht, peinlichst vermieden. Wenn die Zetas nun mit al-Qaida-Ablegern Geschäfte machen, beschwören sie die gesamte Antiterrormaschinerie auf sich herab.

Jetzt ist Morales ein Fall für die CIA, dort laufen die Drähte heiß, ein Koordinierungskomitee stimmt das weitere Vorgehen mit der DEA ab.

Dann wird es umgesetzt.

In einem Monat werden die Zetas zwanzig Kilo Kokain und eine nette Kollektion von Waffen an eine vermeintliche islamistische Terrorgruppe liefern. Die Lieferung wird platzen, die Europakontakte der Zetas werden aufgerollt wie ein billiger Teppich, die 'Ndrangheta wird die Zetas fallenlassen wie eine heiße Kartoffel.

Und Barrera wird den Kokainexport nach Europa übernehmen.

Sinaloa
Mai 2012

Adán legt Blumen und eine Flasche sehr guten Wein auf Magdas Grab. Eine kleine Sentimentalität – die gleiche Sorte hat er ihr bei seinem ersten Date geschenkt, im Gefängnis Puente Grande, vor ewigen Zeiten. Er spricht ein Gebet für ihre Seele – für den Fall, dass es einen Gott gibt und ihre Seele Fürsprache braucht.

Sie war die eine große Liebe seines Lebens.

Die andere war Gloria, seine Tochter.

Auch sie hat er begraben.

Adán erhebt sich und wischt den Sand von seinen Knien. Es ist an der Zeit, die Vergangenheit abzulegen und mit ihr alle Bitterkeit. Es gilt, an die Zukunft zu denken. Du hast jetzt zwei Kinder, zwei gesunde Söhne, und du musst ihnen den Weg bereiten.

Er geht zurück zum Auto, in dem ihn Nacho erwartet.

»Erzähl Eva nichts davon«, sagt er beim Einsteigen.

»Keine Sorge, mit Segunderas kenne ich mich aus.«

»Im Moment habe ich keine, falls du dir Gedanken machst.«

»Nein, tue ich nicht«, erwidert Nacho, »es geht mich auch nichts an, solange du meine Tochter anständig behandelst. Und meine Enkelsöhne.«

Nacho ist ein aufopferungsvoller Großvater. Ständig kommt er, um Raúl und Miguel Ángel zu besuchen, bringt ihnen Geschenke, mit denen sie nichts anfangen können. Bald feiern sie ihren ersten Geburtstag, und Adán graut schon davor, weil Eva mit ihrer Familie ein Fest von fast schon feudalen Ausmaßen plant.

Und du machst das alles mit, denkt Adán.

Dass die Kinder, die er eher aus Gründen der Geschäftsnachfolge in die Welt gesetzt hat, so tief in sein Gemütsleben eingreifen würden, hat er nicht gedacht. Aber insgeheim muss er sich eingestehen, dass er diese Jungen mit einer Hingabe liebt, die er nicht für möglich gehalten hat.

Alle Klischees werden wahr.

Er lebt für seine Kinder.

Und würde für sie sterben.

Nachts steht er manchmal auf, schleicht sich ins Kinderzimmer und sieht ihnen beim Schlafen zu. Ein wenig spielt dabei die Angst eines Vaters mit, der schon einmal ein Kind verloren hat. Aber abgesehen von diesem Wermutstropfen erfüllt ihn ein fast körperliches Wohlbehagen, die eigenen Kinder einfach so zu betrachten.

»Die Wahlen«, sagt Nacho. »Die PAN wird die Wahlen verlieren.«

»Der Krieg gegen die Drogen bringt eben keine Stimmen«, erwidert Adán trocken. »Hast du Verbindungen geknüpft?«

»Zur zukünftigen Regierung?«, fragt Nacho. »Einige schon. Ich kann aber nicht garantieren, dass sie ausreichen.«

»Die neue Regierung muss sich entscheiden«, sagt Adán. »Wir oder Ochoa. Und sie werden sich für uns entscheiden.«

»Stimmt«, sagt Nacho. »Solange es einen Ochoa gibt. Wenn die Zetas keine Bedrohung mehr sind … könnte sich die Regierung gegen uns wenden.«

»Und was willst du dagegen tun?«

»Es wäre taktisch klug, die Zetas nicht ganz zu vernichten, sondern nur zu beschädigen«, sagt Nacho. »Reste von ihnen sollten aktiv bleiben, als eine Art Gegengewicht. Um sicherzustellen, dass wir das kleinere Übel bleiben.«

Adán schaut aus dem Fenster, während ihn Nacho langsam durch den Friedhof fährt. So viele Freunde liegen hier, denkt er. So viele Feinde. Manche von denen habe ich selbst hierher befördert.

»Sie haben Magda ermordet«, sagt Adán. »Dass wir uns mit denen arrangieren, kannst du nicht ernstlich von mir erwarten.«

Ochoa, Forty und ihre Schergen dagegen sind vertierte, sadistische Mörder. Man muss nur sehen, was sie den Leuten in den Bussen angetan haben, wie sie mit Frauen und Kindern umspringen. Die Erpressungen, die Entführungen, der Benzinbombenanschlag auf das Spielcasino … Kein Wunder, dass sich die Stimmung gegen die Narcos wendet. Die Zetas machen uns zu Monstern. Die Zetas müssen vernichtet werden.

»Wir werden alle nicht jünger«, sagt Nacho jetzt. »Ich würde mich gern zur Ruhe setzen, mit meinen Enkelsöhnen spielen …«

»Du träumst auch vom Schaukelstuhl?«

»Das nicht. Ich denke eher ans Angeln«, sagt Nacho. »Wir haben Milliarden. Mehr Geld, als die Kinder unserer Kindeskinder im Leben ausgeben können. Ich würde gern aussteigen, die Geschäfte dem Junior übergeben. Ich weiß nicht … vielleicht die ganze Familie da rausholen.«

»Und wie soll das gehen?«, fragt Adán. »Wir proklamieren unseren Ausstieg, verteilen zum Abschied goldene Uhren, und die Ochoas dieser Welt lassen uns in Ruhe leben?«

»Nein, so natürlich nicht«, sagt Nacho. »Aber wenn wir uns mit ihnen einigen, die Plazas aufteilen –«

»Wir sind am Siegen!«

»In Guatemala siegen wir nicht«, sagt Nacho. »Und uns läuft die Zeit davon. Der neue Präsident wirft unsere Freunde aus der Regierung und die Amerikaner aus dem Land.«

Adán widerspricht ihm. »Wir hatten gute Beziehungen zur PRI, und die werden wir wiederbekommen.«

»Die Zeiten haben sich geändert, Adanito.«

Die Verniedlichung seines Namens ärgert Adán. Dass Nacho den weisen Alten spielt, ist ihm zuwider. umso mehr, als Nacho recht hat. Wir haben unseren Job gemacht und Unbeteiligte herausgehalten. Jetzt empört sich das ganze Land über die sinnlose Gewalt. Allein das Chaos, das – auch durch mein Zutun – in Juárez entstanden ist, hat solche Ausmaße angenommen, dass ich es nicht mehr eindämmen kann, selbst wenn ich wollte. Den Krieg gegen die Zetas werden wir gewinnen. Aber um welchen Preis! Erst gestern wurden bei Badiraguato sechzehn von unseren Leuten mit abgetrennten Köpfen gefunden.

Und Nacho hat auch recht, was Guatemala betrifft.

Dort sind wir zu schwach, und wenn wir Guatemala verlieren ...

Wir dürfen Guatemala nicht verlieren.

Unsere Zukunft – welch bittere Ironie! – hängt jetzt allein von Art Keller ab.

Tim Taylor ist wütend. »Hast du vollends den Verstand verloren?«

Keller sitzt ihm im Büro der DEA El Paso gegenüber und lässt ihn ausreden, bevor er antwortet.

»Nein, Tim, ich glaube nicht, dass ich den Verstand verloren habe.«

»Ich muss aber davon ausgehen, weil du offenbar erwartest, dass wir eine illegale Waffenlieferung nach Spanien genehmigen.«

»Genauer gesagt, erwarte ich, dass wir eine illegale Waffenlieferung nach Mexiko genehmigen, die dann nach Spanien geht – zusammen mit einer Ladung Kokain.«

»Hast du nie von ›Fast and Furious‹ gehört?«, fragt Taylor.

»Doch.«

Jeder kennt die berüchtigte DEA-Operation, die so jämmerlich in die Hose ging. Bei einem Versuch, die Strukturen des Waffenschmuggels nach Mexiko aufzudecken, hatte die DEA eine illegale Waffenlieferung nach Mexiko genehmigt und dann ihre Spur verloren. Die Waffen wurden vom Sinaloa-Kartell und den Zetas zur Verübung zahlreicher Morde benutzt, auch für den Mord am Agenten Jimenez. Es heißt sogar, dass Jimenez und sein Kollege bei dem Versuch ums Leben kamen, Waffen zurückzuholen, die aus der verlorengegangenen Lieferung stammten.

»Wenn du vergessen hast, was da gelaufen ist, nimm dir die alten Kongress-Anhörungen vor. Ich glaube, die lassen sich streamen.«

»Stimmt.«

»Aber du willst, dass wir denselben Fehler noch einmal machen, diesmal in Europa. Wenn wir diese Waffen aus den Augen verlieren, haben wir einen internationalen Eklat.«

»Morales liefert die Waffen nicht an die Narcos«, sagt Keller. »Er liefert sie an unsere eigenen Leute.«

»Weil du, und das auf eigene Faust, eine Pseudo-Terrorzelle gegründet hast –«

»Nicht auf eigene Faust. Zusammen mit dem spanischen Geheimdienst –«

»– um einen amerikanischen Staatsbürger zu ködern –«

»Man nennt das ›Sting-Operation‹, Tim. Hast du etwa ein ethisches Problem damit, die Zetas in die Falle zu locken? Wir haben ein Riesenglück, dass sie mitspielen und die Waffen an uns liefern – statt an *echte* al-Qaida-Verbündete.«

»Trotzdem und zuallererst: Du hättest die Genehmigung dafür gebraucht.«

»Hätte ich sie bekommen?«, fragt Keller.

»Nein.«

»Dann bitte ich jetzt darum.«

»Jetzt, wo du im achten Monat schwanger bist.«

»Die Zeit drängt«, sagt Keller. »Wenn die PRD die Wahlen gewinnt, werfen sie uns aus dem Land. Wenn die PRI gewinnt, werden sie uns dulden, aber sie werden weder uns noch die FES auf Ochoa loslassen. Wenn wir die Zetas erledigen wollen, müssen wir schnell handeln. Du weißt genauso gut wie ich, was passiert, wenn sie bei Waffenlieferungen an Dschihadisten erwischt werden. Dann stehen wir im Oval Office und holen uns die Vollmachten, und weder Innennoch Justizministerium können uns aufhalten.«

»Das hast du ja hübsch eingefädelt, Art.«

»Willst du Ochoa, oder willst du ihn nicht?«

»Das ist doch nicht die Frage!«

»Also?«

Taylor steht auf. »Ich will von der ganzen Sache nichts wissen, bis sie gelaufen ist.«

»Das kannst du haben.«

»Wenn das wieder in die Hosen geht«, sagt Taylor, »dann tu mir einen Gefallen. Bleib in Mexiko. Oder, besser, emigriere nach Belize. Irgendwohin, wo man dich nicht ausliefert. Ich gehe bald in Rente. Die will ich in Ruhe genießen und nicht im Gefängnis absitzen.«

In der Nähe der mexikanischen Grenze gibt es etwa siebentausend Waffengeschäfte.

Das sind drei Geschäfte pro Meile.

Die meisten dieser Waffen sind nicht zur Jagd geeignet.

Jetzt parkt Keller gegenüber dem Waffengeschäft »XX ARMS« in Scottsdale, Arizona, und sieht, wie der Strohmann den Laden betritt.

Die mexikanische Regierung behauptet, dass neunzig Prozent der von den Kartellen verwendeten Waffen aus den USA kommen, doch das stimmt nicht, wie Keller weiß. Die meisten dieser Waffen stammen aus den Arsenalen mittelamerikanischer Armeen, aber die vielen Waffenläden in Grenznähe haben trotzdem etwas zu bedeuten, genauso wie die vielen Narcos südlich der Grenze.

Kaum hatte Keller grünes Licht von Taylor, ließ er Morales' Handys und E-Mails anzapfen und kam ganz schnell auf die Adressen von fünf Waffenläden – in Scottsdale, Phoenix, Laredo, El Paso und in Columbus, New Mexico.

Keller sieht den Strohmann hineingehen und drei AR15-Sturmgewehre aus rumänischer Produktion kaufen. Mit mehr Exemplaren würde er die Waffenbehörde auf den Plan rufen – daher nur drei. Der Strohmann füllt das Formular 4477 aus, auf dem er sich als »wirklicher Käufer« deklariert. Der Händler weiß genau, was hier läuft und für wen die Waffen bestimmt sind.

Alles geht so glatt und reibungslos, dass es keine dreißig Minuten dauert, bis der Mann aus dem Laden kommt, die neu gekauften Waffen in seinem Dodge Charger verstaut und losfährt. Ein Ermittler folgt ihm bis zu seinem Vororthaus. Er isst zu Abend, sieht ein bisschen fern und fährt später am Abend in die Wüste, wo er die Waffen einem Mittelsmann der Zetas übergibt.

Diese Transaktion wird so lange in verschiedenen Geschäften entlang der Grenze wiederholt, bis Morales die fünfzig Sturmgewehre beisammenhat, die er den »Dschihadisten« liefern will.

Nach Süden gelangen die Waffen auf ähnliche Weise wie die Drogen nach Norden: Sie werden in Fahrzeugen versteckt und über die Grenze gefahren. Kellers Leute verfolgen die Lieferung nach Veracruz, wo die Waffen und das Kokain in Container verpackt und auf einen Frachter nach Barcelona verladen werden.

Morales kauft ein Flugticket erster Klasse.

Keller verfolgt per Video im Marinestützpunkt Quantico, was sich in einem Lagerhaus des Freihafens von Barcelona tut, und wünscht inständig, er wäre dort.

Aber Rafael Imaz befindet sich vor Ort – mit zwanzig schwerbewaffneten Sondereinsatzkräften des spanischen Geheimdiensts. Weitere Kräfte warten ein paar Straßen entfernt in zivilen Fahrzeugen. Auf dem Monitor sieht Keller den Mann, den sie Ali nennen, und drei seiner Glaubensbrüder, wie sie im Lagerhaus auf Morales warten.

Alles steht auf Messers Schneide.

Die Lieferung müsste eintreffen, und Morales müsste erscheinen, um den Handel perfekt zu machen. Doch wenn etwas schiefgeht, wenn es ein Leck gibt, wenn die Zetas die Falle wittern, wird Morales nicht erscheinen, und die Drogen – schlimmer noch, die Waffen – verschwinden auf Nimmerwiedersehen.

Fast and Furious – die europäische Variante.

Morales hält sich schon seit zwei Tagen in Barcelona auf, genießt die Sonne, die katalanische Küche, die schönen Frauen auf der Rambla. Die zwei Hafenbeamten hat er wieder zu einer Nacht im Top Damas eingeladen, was Keller in der Hoffnung bestärkt, dass er das Treffen mit Ali durchziehen wird. Aber das Ganze könnte eine Finte sein – Ochoa ist schließlich ein geschulter Stratege der Konspiration, und Keller würde ihm das durchaus zutrauen.

Der Frachter ist gestern Morgen eingetroffen, mit dem Löschen der Ladung wurde sofort begonnen, doch bislang hat sich Morales dem Freihafen nicht genähert. Und Ali hat sehr deutlich gemacht, dass er die Übernahme nur mit Morales persönlich abwickelt – ohne Mittelsmänner, ohne Fernkontakt. Jetzt ist Morales schon dreißig Minuten überfällig. Das ist bedenklich, sagt sich Keller, weil die Lieferung sonst wohin verschwinden kann, während wir Morales durch Barcelona verfolgen.

Ali zumindest trägt einen Sender.

»*Tut sich was?*«, fragt ihn Imaz, und Keller hört mit.

»*Noch nicht*«, sagt Ali.

Dann ruft der Mann an, der Morales beschattet: Morales habe sein Hotel in Begleitung von zwei Männern verlassen und fahre in Richtung Hafen.

Alles wartet.

Eine Stunde später fährt ein Lkw mit zwei Containern ins Lagerhaus ein. Morales und seine zwei Begleiter folgen zu Fuß. Morales ist in bester Stimmung. »*Allahu akbar!*«, ruft er.

Ali spielt seine Rolle. »Sie kommen zu spät.«

»Wir wollten nur sichergehen, dass keine falschen Gäste zur Party erscheinen«, sagt Morales.

»Nächstes Mal kommen Sie bitte pünktlich. Wenn es ein nächstes Mal gibt«, sagt Ali.

»Nächstes Mal müssen Sie mich ja nicht persönlich antreten lassen«, erwidert Morales.

»Gefällt es Ihnen nicht in Barcelona?«, fragt Ali. »Meine Brüder nahmen an, dass Sie sich hier sehr wohl fühlen.«

»Huren gibt es auch in Oklahoma«, sagt Morales.

»Zeigen Sie mir bitte die Ware.«

Morales' Begleiter öffnen einen Container. Er nimmt ein Paket Heroin heraus und hält es in die Höhe.

Keller verfolgt das Geschehen auf dem Monitor. Alles wird aufgezeichnet, Bild und Ton.

»Wollen Sie probieren?«, fragt Morales.

»Sie sind zu klug, um mich zu betrügen«, sagt Ali. »Ich möchte die Waffen sehen.«

Der zweite Container wird geöffnet.

Ali tritt näher und schaut hinein.

»Langen Sie zu«, sagt Morales.

Ali nimmt ein Gewehr und wiegt es in der Hand. »Munition?«

»Ohne Munition ist ein Gewehr unbrauchbar«, sagt Morales. »Es ist alles da.«

Getreu dem Drehbuch fragt Ali: »Können Sie mir Granatwerfer liefern?«

»Granatwerfer?«, fragt Morales. »Wow!«

»Und? Können Sie?«

»Die kosten ihren Preis«, sagt Morales. »Wir könnten sie aus Guatemala holen, aus El Salvador. Und da wir gerade von Geld reden …«

Ali nickt seinen Begleitern zu. Sie bringen vier Diplomatenkoffer, öffnen sie und zeigen Morales die sauber gestapelten Dollarbündel. »Wollen Sie zählen?«

»Ich vertraue Ihnen auch so.«

Alis Begleiter schließen die Koffer und überreichen sie Morales' Leuten.

»*Los!*«, spricht Imaz in sein Mikrofon.

Seine Truppe stürmt durch eine Seitentür ins Lagerhaus. Gleichzeitig besetzt sie die Ausgänge. Sie sind sehr schnell und sehr gut, Morales hat keine andere Wahl, als die Hände hochzunehmen.

Keller verfolgt am Monitor, wie Imaz auf ihn zugeht. »*Sorpresa, hijo de puta!*«

Überraschung, du Hurensohn.

741

»*Können Sie mir Granatwerfer liefern?*«

»*Granatwerfer? Wow!*«

»*Und? Können Sie?*«

»*Die kosten ihren Preis. Wir könnten sie aus Guatemala holen, aus El Salvador …*«

Der Mann vom Drogendezernat des Außenministeriums schaltet den Ton aus und blickt quer über den Konferenztisch zu Keller hinüber, der ihn erwartungsvoll anschaut.

»Ich habe verstanden«, sagt der Mann. »Aber Sie haben den Kauf gestoppt und das Netzwerk zerstört. Der Fall ist abgeschlossen. Gute Arbeit.«

»Glauben Sie, die lassen es bei dem einen Versuch?«, fragt Keller. »Ich habe Ihnen soeben den Beweis erbracht, dass die Zetas Waffen an islamistische Terroristen liefern, und daher –«

»Schon verstanden.«

Die ganze Runde ist mal wieder versammelt: Keller, Taylor, der DEA-Direktor, CIA, Heimatschutz, Justizministerium, Außenministerium, das Weiße Haus.

Kurz gesagt, ein Rudelfick, denkt Keller.

Aber mehr Rudel als Fick.

»Ich verstehe noch immer nicht«, sagt der Mann vom Weißen Haus, »warum wir das Ganze nicht den Guatemalteken überlassen und mit den Marines, die schon dort sind, Hilfestellung bieten.«

»Aus dem gleichen Grund, weshalb ihr die Pakistani nicht in die Bin-Laden-Aktion einbezogen habt«, sagt Taylor. »Ihr könnt nicht wissen, wer in der dortigen Regierung mit den Zetas zusammenarbeitet.«

»Guatemala ist der Lage nicht gewachsen«, wirft der CIA-Stationschef für Guatemala ein. »Jedes Mal, wenn sie gegen die Zetas vorgehen, kassieren sie Prügel. Also halten sie sich raus.«

Der CIA-Vertreter schlägt einen Drohnenangriff vor.

»In Mittelamerika?«, protestiert der Mann vom Heimatschutz.

»Wir haben alles dort«, sagt der CIA-Mann. »Wir haben die Drohnen, sie müssen nur mit einer Rakete bestückt werden.«
»Denken Sie an die Kollateralschäden«, sagt der Mann vom Außenministerium. »Dann haben wir wieder einen Zwischenfall.«
»Dass die Zetas weiter Drogen und Waffen an Dschihadisten verkaufen, darf aber nicht geduldet werden«, meint jetzt der Heimatschützer. »Auf gar keinen Fall.«
»Das heißt, wir müssen reingehen«, sagt Keller.
»*Rein*gehen?«, ruft der Mann vom Weißen Haus. »Genau das wollen wir nicht. Sie wissen doch, wie lange wir schon versuchen, aus Irak und Afghanistan *raus*zukommen!«
»Für die Bin-Laden-Aktion sind Sie reingegangen«, wendet Taylor ein.
»Im Falle Bin Laden war die amerikanische Öffentlichkeit zu Opfern bereit«, sagt der Mann vom Weißen Haus. »Bei ein paar Drogenschiebern, die keiner kennt, ist das nicht zu erwarten. Wenn wir Leute bei einer verdeckten Operation in Mittelamerika verlieren, schreien die Republikaner nach dem Impeachment und wollen Köpfe rollen sehen.«
»Wir haben doch jetzt schon Leute dort«, wendet Keller ein.
»Als Berater«, erklärt der Drogendezernent.
Keller lehnt sich zurück und wirft die Hände hoch.
»Letzten Endes«, sagt der Mann vom Weißen Haus, »zählt hier nur eine Auffassung, und das ist meine. Um es deutlich zu sagen, hat die DEA hier am Tisch überhaupt nichts zu suchen. Und die Antwort ist nein. Wenn die zwei Zielpersonen in Mexiko auftauchen, und Ihre mexikanischen FES-Kräfte können sie erledigen, dann prima. Mein Beifall. Aber auf keinen Fall genehmigen wir irgendeine Rambo-Aktion im Dschungel von Guatemala. Thema beendet. Diese Sitzung hat nie stattgefunden.«
Er steht auf und geht.

Keller verbringt den Abend in seinem Hotelzimmer und brütet vor sich hin.
Ochoa und Forty können sich in Guatemala sicher fühlen,

niemand wird ihnen was tun. Sie können ungestört weitermorden, weiter Angst und Schrecken verbreiten. Und wir sitzen auf der anderen Seite, fett und glücklich, kaufen ihre Drogen und finanzieren ihre Morde.

Er starrt gerade auf das Hoteltelefon, als es klingelt.

Tim Taylor will ihm sein Bedauern aussprechen – ein seltener Moment der Harmonie, denkt Keller, während Taylor über arschlose Politiker und kastrierte Bürokraten herzieht. Auch er hat sich wacker geschlagen und braucht jemanden, um sich auszuweinen.

»Wie wär's mit einem Bier?«, fragt Taylor.

»Okay, gern.«

»Ich komme auf dein Zimmer«, sagt Taylor. »Und noch was: Ich bringe zwei Leute mit.«

Fünf Minuten später steht er vor der Tür, zusammen mit dem CIA-Mann aus der Sitzung und einem Mann, den Keller nie gesehen hat. Der sieht wie Anfang sechzig aus, trägt einen teuren grauen Anzug ohne Krawatte, dazu Cowboystiefel, und er stellt sich nicht vor.

Alle setzen sich, Keller holt vier Büchsen Bier aus dem Kühlschrank.

Der CIA-Mann fängt an. »Mein Kollege ist von der Energiebranche. Wir sind uns einig, dass wir diesen Guatemala-Einsatz wollen.«

Der Kollege sagt: »Die Zetas behindern die Erschließung von Öl- und Gaslagerstätten in Nordmexiko, da stehen Milliarden auf dem Spiel. Natürlich zählen auch die humanitären Aspekte.«

»Natürlich«, bestätigt Keller.

Die Gründe können ihm egal sein.

»Mit unseren Leuten können wir das nicht machen«, sagt der CIA-Mann. »Wir müssen uns bei privaten Sicherheitsfirmen bedienen. Die meisten dort sind ehemalige US-Sondereinsatzkräfte – Seals, DEVGRU, Delta Force. In Afghanistan und Irak hat es doch geklappt, oder? Reingehen, den Übeltäter schnappen, rausgehen.«

»Wie läuft die Finanzierung?«, fragt Taylor. »Mit der DEA ist das nicht zu machen.«

»Das Geld kann ich beschaffen«, sagt der Kollege. »Gegen gewisse Zusicherungen.«

»Und welche?«, fragt Keller.

»Nun«, sagt der Kollege. »Wir wollen nicht, dass eine Gruppe Narcos von den Ölfeldern vertrieben wird, um einer anderen Gruppe Narcos Platz zu machen.«

»Sie wollen also die Garantie von Adán Barrera, dass er sich von den Ölfeldern fernhält«, sagt Keller.

»Etwas in der Art. Können Sie uns das garantieren? Können Sie für Barrera sprechen?«

Was für eine seltsame Welt, denkt Keller. »Ja, das kann ich.«

»Sie sind wohl ziemlich eng mit ihm, was?«

»Wir sind ein Herz und eine Seele.«

»Dann ist Geld kein Problem.«

So wird es beschlossen. Die Ölbosse werden eine Firma in Virginia anheuern. Eine private Söldnertruppe wird in den Petén eindringen und Ochoa und Forty töten.

»Wie stellen wir sicher, dass sie dort sind?«, fragt der CIA-Mann. »Wir brauchen ein festes Datum, an dem sie sich wirklich dort aufhalten.«

»Darum kümmere ich mich«, sagt Keller. »Und ich nehme an dem Einsatz teil.«

»Auf keinen Fall«, sagt Taylor.

»Was ist, wenn Sie dabei draufgehen?«, fragt der CIA-Mann. »Wie sollen wir das erklären?«

»Mir kann es dann egal sein«, sagt Keller.

»Du bist persönlich zu sehr involviert«, sagt Taylor.

Da hast du verdammt noch mal recht, denkt Keller. Ochoa hat den Befehl gegeben, Marisol zu überfallen. Er hat den Mord an Erika befohlen.

Ich bin persönlich involviert. Und wie!

»Ich nehme daran teil, oder die Sache läuft nicht«, sagt Keller.

»Das wird deine Beerdigung«, erwidert Taylor. »Aber vorher

reichst du deine Kündigung ein. Dann sorgen wir dafür, dass dich die Sicherheitsfirma einstellt. Auf keinen Fall darfst du mit der DEA in Verbindung gebracht werden, wenn die Sache schiefläuft.«

»Seit sieben Jahren versuche ich zu kündigen, Tim.«

»Diesmal ist es endgültig.«

Das wird es auch, denkt Keller.

»Eine andere Frage«, sagt Taylor. »Was machen wir mit dem Weißen Haus?«

Der Ölboss scharrt mit dem Stiefel und grinst. »Was glauben Sie denn, wer uns hergeschickt hat?«

Keller reichte die Kündigung ein, und es hieß, er habe kündigen müssen – wegen zu enger Beziehungen zur ehemaligen Tapia-Organisation –, doch die DEA habe ihm, um einen weiteren Skandal zu vermeiden, eine weiche Landung bei einer privaten Sicherheitsfirma ermöglicht.

Nach »Fast and Furious« wollte niemand einen weiteren Skandal.

Marisol erfährt die Wahrheit von Keller.

Jedenfalls so viel, wie sie erfahren darf.

»Eine private Sicherheitsfirma?«, fragt sie und hebt eine Augenbraue. Sie ist nicht dumm, sie kann sich ihren Teil denken.

»Nur für einen Einsatz«, sagt er.

»… und das waren seine letzten Worte.«

»Du in deinem Glashaus wirfst mit Steinen?«, sagt Keller.

»Ich jedenfalls höre danach auf.«

In den letzten Monaten haben sie sich kaum gesehen. Er ist viel mit der FES unterwegs, um Zetas zu jagen, oder in Europa oder in Washington. Selbst wenn er in El Paso arbeitet, hat er immer weniger Zeit und bleibt meist dort, statt die Fahrt zu ihr nach Guadelupe zu machen.

Auch sie hat reichlich zu tun, um die Stadt wenigstens provisorisch zu verwalten, ohne einen einzigen Polizisten für ein wenig Ordnung zu sorgen, Anträge auf Hilfsmittel zu stellen, die Praxis weiterzuführen. Die Gewalt im Tal von Juárez hat nachgelassen, sie weiß, dass sie auf Kellers Geheiß von der Armee geschützt wird, und er hat ihr versichert, dass es so bleiben wird.

Aber seinen Seitenhieb muss sie erwidern: »Deine Kündigung ist doch nichts als eine Farce. Du spielst weiter deine Rolle im Antidrogenkrieg. Was ist das für ein Einsatz?«

Er schnippelt Möhren fürs Essen, schnippelt weiter und antwortet nicht.

»Du bringst noch mehr Leute um, stimmt's?«, bohrt sie. Er schweigt, aber sie lässt nicht locker. »Hast du das nicht satt? Haben wir das nicht alle satt?«

»Es geht um Ochoa«, sagt er, ohne aufzublicken. »Bist du jetzt glücklich?«

»Glaubst du, das könnte mich glücklich machen?«

»Er hat Erika ermorden lassen!«

»Das weiß ich selbst!« Sie lehnt sich zurück und starrt ihn an. »Du kennst mich überhaupt nicht.«

»Na gut, werfen wir uns Pauschalvorwürfe an den Kopf.«

»Weißt du was? Fick dich selbst!«

Marisol greift nach ihrem Stock und hinkt aus der Küche. Keller hört die Schlafzimmertür knallen. Er atmet tief durch, legt das Messer hin und folgt ihr. Als er das Schlafzimmer betritt, zieht sie gerade ihre Bürokleidung aus. Er sieht ihre Narben, den Kolostomiebeutel, und muss an ihre sarkastische Bemerkung denken, dass sie nun ihre eigene Scheiße mit sich herumschleppt.

»Ja«, sagt sie, als sie seinen Blick sieht, »das hat Ochoa mir angetan. Ochoa hat Erika ermorden lassen. Aber wer hat Jimena ermordet? Wer hat die Menschen hier im Tal abgeschlachtet? Das war dein neuer bester Freund Adán Barrera. Ihr arbeitet jetzt alle zusammen, nicht wahr? Deine Regierung, meine Regierung. Ihr habt immer mit ihm zusammengearbeitet.«

»Was sagst du da?«, fragt er. »Dass ich Teil der Maschinerie bin?«

»Verzeih mir, aber bist du das nicht?«

»Ich habe einen Pakt mit dem Teufel geschlossen, um die Zetas zu vernichten!« Die Bitterkeit in seiner Stimme ist nicht zu überhören.

»Etwa für mich?«, fragt Marisol. »Du hast deine Seele verkauft, um mich zu rächen? Darum habe ich dich nicht gebeten. Und ich will es auch jetzt nicht. Wenn du Rache willst, dann mach das mit dir aus. Benutze mich nicht als Vorwand!«

»Was willst du denn sonst?«

»Ich will, dass es aufhört!«, schreit sie. »Ich will, dass all das aufhört!«

»Das will ich auch.«

»Dann tu es. Mach Schluss. Wenn du Ochoa tötest, nimmt ein noch schlimmerer Mörder seinen Platz ein, und du weißt es. Ich weiß nicht mal, wie viele Menschen du getötet hast, seit wir uns kennen, Arturo. Vielleicht haben sie es alle verdient. Ich behaupte nicht mal, dass sie es nicht verdient haben. Ich weiß nur, dass *du* es nicht verdient hast … und ich auch nicht.«

»Nur noch dieses eine Mal.«

»Dann geh«, sagt sie. »Bitte geh und tu, was du glaubst, tun zu müssen. Nur …«

»Was?«

Sie schaut ihm in die Augen. Lange.

»Wenn du das tust«, sagt sie, »dann weiß ich nicht, ob ich dich zurückhaben will.«

»Okay.«

»Art –«

»Nein«, sagt er. »Du hast dich klar ausgedrückt. Mach's gut, Marisol. Ich wünsche dir alles erdenkliche Glück.«

Keller geht, um seinen Dschihad zu kämpfen.

Der Verlobungsring, den er in El Paso gekauft hat, steckt in seiner Tasche.

2. Plaza del Periodista

I said a la favela los colores
The streets are getting hotter.
There is no water to put out the fire.
Mi canto la esperanza.

Carlos Santana, Maria Maria

Ciudad Juárez
2012

Mit schlechtem Gewissen loggt sich Pablo bei *Esta Vida* ein. Der heutige Blog bringt einen Videoclip von fünf Männern, die mit nacktem Oberkörper in einem Lagerhaus knien, jeder mit einem großen Z auf der Brust. Hinter ihnen stehen Männer in Militärkluft mit dem Logo des Golfkartells.

Aus dem Off kommt die Stimme eines Bewachers, der den Gefangenen Fragen stellt. Einer nach dem anderen gesteht, dass er ein Zeta ist und Verbrechen begangen hat.

Dann das Aufheulen einer Kettensäge.

Die Kamera bleibt auf die Gefangenen gerichtet, doch Pablo wendet den Blick ab. Ein paar Augenblicke später sieht er die abgetrennten Köpfe auf dem Boden liegen, während der Sprecher verkündet, dass es allen »Zeta-Schweinen« so ergehen wird.

Der Blog ist ein Schock für Pablo – nicht nur der Bilder wegen, mit denen die Zetas verhöhnt und provoziert werden. Denn es folgt noch ein Bericht über die Entführung eines Reporters in Veracruz. Drei Männer haben ihn auf dem Parkplatz seiner Redaktion überwältigt und in einen Van verschleppt. Seine Leiche wurde in einem städtischen Park gefunden, zusammen mit der Botschaft: »So ergeht es Verrätern und Klugscheißern. Herzliche Grüße, die Zetas.«

Das ist der vierte Journalistenmord in Veracruz allein in den letzten zwei Monaten. Zwei Fotoreporter wurden in Plastiksäcken aus einem Kanal gefischt, eine Reporterin wurde misshandelt und erwürgt.

Beim Lesen spürt Pablo, dass er Durchfall bekommt. Er möchte es auf das höllisch scharfe Aguachile und die vielen Biere vom gestrigen Abend schieben, aber er weiß, was es ist: die Scheißangst.

Er klickt schnell die Seite weg, als er Ana kommen hört.

»Du weißt doch, dass die Redaktion das Surfverhalten kontrolliert«, sagt sie. »Sie können dich feuern, wenn du dir Nackedeis anguckst.«

»Recherche«, sagt Pablo.

»Das sagen sie alle.«

Neuerdings verbringt er mehr Zeit in der Redaktion, weil es weniger zu berichten gibt. Die Gewaltexzesse in Juárez sind zwar nicht vorüber, aber sie haben offenbar ihren Höhepunkt überschritten.

Manche schreiben das dem neuen Polizeichef zu, einem ehemaligen Armeeoffizier namens Leyzaola, der seit einem Jahr im Amt ist, nachdem er in Tijuana »aufgeräumt« hat. An seinem ersten Arbeitstag fand er auf der Treppe zu seinem Büro eine gefesselte Leiche vor, zusammen mit einer Grußbotschaft der Narcos und der schon üblichen Drohung, dass jeden Tag einer seiner Leute getötet werde, wenn er nicht zurücktrete.

Aber Leyzaola trat auch dann nicht zurück, als schon fünf Polizeibeamte erschossen waren. Er befahl seinen Leuten, ihre Wohnungen zu verlassen, und besorgte ihnen Hotelzimmer. Dann gab er eine Pressekonferenz: »Die Verbrecher müssen überwältigt werden, so oder so. Es gibt all diese Legenden und Mythen um die Narcos, sie seien unbesiegbar, allmächtig. Damit müssen wir aufräumen, und wir müssen sie als das behandeln, was sie sind: Verbrecher.«

Natürlich versuchten sie, ihn zu ermorden. Sie lauerten seinem Konvoi auf, beschossen ihn und töteten einen Beamten, aber sie trafen ihn nicht. Er reagierte mit einer weiteren Pressekonferenz und verkündete, dass er sich einen Stadtbezirk nach dem anderen vornehmen werde, beginnend mit dem Zentrum.

Er machte sein Versprechen wahr und brachte die Polizei zurück auf die Straßen. Und siehe da, diese Beamten überlebten. Manche meinten, weil die Narcos Angst vor Leyzaola hatten. Denn schneller als die Polizeistreifen machten Gerüchte über gefolterte Narcos in Tijuana die Runde. Andere erklärten den Rückgang der Gewalt damit, dass Adán Barrera seinen Krieg bereits gewonnen habe. Einige gingen noch weiter und behaupteten, Leyzaola habe einen Separatfrieden mit Barrera geschlossen, um Tijuana zu bezwingen, und mache nun dasselbe in Juárez, obwohl er öffentlich verkündet hatte, Barreras Schmiergeldangebot von wöchentlich achtzigtausend Dollar zurückgewiesen zu haben.

Pablo sah das Ganze zynischer: Wenn es weniger Morde gab, dann deshalb, weil keiner mehr da war, um ermordet zu werden.

Es gab auch die Theorie, dass sich nur die Fronten des Drogenkriegs verschoben hatten, neuerdings eher nach Tamaulipas, Nuevo León und Veracruz.

Den meisten waren die Gründe egal.

Das Morden hörte zwar nicht auf, aber die Opferzahlen sanken. Ganz allmählich kehrte das Leben in die abgestorbenen Straßen zurück. Hier und da öffneten wieder Geschäfte und Lokale. Juárez, die »mörderischste Stadt der Welt«, löste sich aus der Erstarrung.

Es gab weitere Lichtblicke.

Ein Armeegeneral in der Grenzstadt Ojinaga wurde verhaftet und wegen Tötung und Folterung von Zivilisten angeklagt – ein später Triumph für die »Frauenrevolte« im Tal von Juárez, wenn auch zu spät für Jimena Abarca, Erika Vallés und die anderen Mordopfer. Pablo wünschte sich, sie hätten es noch erleben können.

Doch es war ein Zeichen der Hoffnung, und die Leute begannen, von einem »Frühling in Juárez« zu sprechen.

Selbst Pablo, der chronisch depressive und zynische Pablo, nährt insgeheim die zarte Pflanze der Hoffnung, dass das Schlimmste vorüber ist und die Stadt wieder wird – nicht so, wie sie war, natürlich, aber doch irgendwie anders und zumindest lebensfähig.

»Woran schreibst du eigentlich?«, fragt ihn Ana.

»Über die Verkäufer von Raub-DVDs«, antwortet er. »Eine Art Milieustudie aus dem Stadtzentrum. Und du?«

»Die Wahlen natürlich«, erwidert sie, als gäbe es kein anderes Thema.

Tatsächlich – die Wahlen sind das Thema Nummer eins.

Victoria ist ganz vernarrt in die Kandidatin der PAN.

»Konservativ *und* weiblich!«, hat sie bei Pablos letztem Besuch in Mexico City geschwärmt. »Ich hab es ja immer gesagt: Die PAN ist die fortschrittliche Partei, nicht die PRI oder die PRD.«

»Die Frau gefällt dir doch nur wegen ihres Buchtitels«, hat Pablo erwidert. Josefina Vázquez Mota, die Präsidentschaftskandidatin der PAN, war durch einen Bestseller mit dem Titel *Lieber Gott, mach mich zur Witwe!* bekannt geworden.

»Wenigstens kann sie schreiben«, meinte Victoria. »Dein Kandidat kann nicht mal lesen. Mein Gott, Pablo, der ist doch ein Hinterwäldler wie Rick Perry!«

Enrique Peña Nieto, der Kandidat der PRI, hatte sich blamiert, als ihn ein Reporter nach seinen drei Lieblingsbüchern gefragt hatte. Ihm fiel kein Buch ein, und am Ende nuschelte er etwas von der Bibel. Außerdem hatte er die gleiche Betonfrisur wie der texanische Gouverneur Rick Perry.

»Ehebruch ist für ihn Programm«, fuhr Victoria fröhlich fort. »Er hat nicht nur ein, sondern zwei uneheliche Kinder gezeugt, und dazu kam noch die Affäre mit dieser Schauspielerin.«

»Er hat sie geheiratet«, erwiderte Pablo matt – und ein bisschen eifersüchtig, denn Peña Nieto kann sich seitdem mit einem Serienstar schmücken, der absolut brillanten Angélica Rivera. »Und mein Kandidat ist er auch nicht.«

»Nein, natürlich nicht«, sagte Victoria. »Du setzt ja auf den Linken. López Obrador kandidiert doch nur, weil er glaubt, dass ihm die letzte Wahl gestohlen wurde.«

»Sie wurde ihm gestohlen.«

»Er ist also ein Al Gore?«

»Wenn ich deine Vergleiche mit Amerika weitertreibe, dann stimmst du für Sarah Palin.«

»Vázquez Mota ist aber bedeutend klüger als Sarah Palin!«

»Wenn du sie da nicht überschätzt!«

Sie machten ihm Spaß, diese politischen Scharmützel mit Victoria – ein Zeichen, dass sich ihre Beziehung ein wenig entspannte. Pablo hatte sich mit ihrer neuen Heirat abgefunden, sogar mit dem Gedanken, dass Matteo einen »Stiefvater« hatte, der, wie es schien, auch auf sie einen guten Einfluss ausübte. Sie war lockerer geworden, was Pablos Besuche bei Matteo betraf, und offen für seinen Vorschlag, Matteo auf Besuch zu ihm zu schicken, vielleicht zu einem Strandurlaub in Cabo oder Puerto Vallarta. Oder zu einem Trip nach El Paso.

El Paso wäre die bezahlbarste Variante, und er hat schon angefangen, Pläne zu schmieden. Er würde Matteo in El Paso in Empfang nehmen, mit ihm zum Western Playland Park fahren, wo es Wasserrutschen und eine Achterbahn gibt, dann zum Camping im Naturpark Big Bend.

Er kann sich nur nicht entscheiden, ob er Ana bitten soll, mitzukommen.

Victoria mit ihrem untrüglichen Gespür hat bereits auf den Busch geklopft: »Dann bist du mit Ana jetzt irgendwie zusammen?«

»Ich weiß nicht, was du mit ›irgendwie‹ meinst«, hat er ziemlich hilflos erwidert.

»Dass ihr miteinander schlaft«, half sie nach. »Sex. Alles okay,

Pablo, wir sind geschieden. Du hast jedes Recht dazu. Und ich mag Ana.«

»Ich auch.«

»Das möchte ich doch hoffen, wenn du sie beschläfst.«

»Victoria, ich bitte dich!«

»Und ein bisschen abgenommen hast du auch. Männer denken nur dann an ihre Figur, wenn sie mit einer Frau ins Bett gehen. Obwohl: Bei mir hast du dich nicht drum geschert.«

»Ich war schlank, als wir uns kennenlernten.«

»Damals, ja.«

Victoria hatte ihm ständig in den Ohren gelegen – er solle sich besser ernähren, weniger trinken, ins Fitnessstudio gehen, doch Pablo hatte schon damals das Gefühl, dass es ihr (kaum) verhohlener innerer Zuchtmeister war, der sie zu immer neuen Diät- und Ertüchtigungsexzessen trieb.

Ana hingegen nörgelt überhaupt nicht – auch das zählt zu den vielen stillschweigenden Übereinkünften mit ihr. Pablo sieht darin eine gemeinsame Überlebensmentalität, die man nur erwirbt, wenn man unter Kriegsbedingungen zusammenhalten musste. Und die Belohnung dafür ist die Gewissheit, dass man sich immer irgendwie durchbeißt, komme, was wolle.

Für Pablo heißt das meist, dass er mit Bier und Junkfood über den Tag kommt, für Ana sind es Wein, Zigaretten, ein gelegentlicher Zigarillo – und die Arbeit. Sie war immer fleißig, aber seit einem Jahr verwendet sie eine fast schon dämonische Energie auf ihre Reportagen. Wenn sie nicht am Redaktionsschreibtisch sitzt, versteckt sie sich hinter dem Laptop, und Pablo gelingt es immer seltener, sie auf einen Drink in die Bar abzuschleppen.

Sie sehen sich tagsüber in der Lokalredaktion und spätabends in ihrer Wohnung, wenn er aus der Kneipe kommt und sie von irgendeiner Recherche. Sie trinkt ein Glas Wein, raucht eine Zigarette, nimmt vielleicht ein, zwei Züge von seinem Joint, dann gehen sie ins Bett und machen, was man nur als »verzweifelten Sex« bezeichnen kann.

Victoria war eine Maschine im Bett. Ganz und gar nicht die Eisfee, die man erwarten würde, sondern ein Mechanismus, der mit erstaunlicher Effizienz den Orgasmus herbeiführte – für sie und für ihn. Ana ist ganz anders – im Bett ist sie eine Chaotin. Sie galoppiert dem Höhepunkt entgegen wie ein durchgegangenes Pferd, das nicht mehr bremsen kann, wenn der Abgrund naht.

Victoria hat ihren Höhepunkt zumeist mit einem triumphierenden Schrei verkündet (wieder ein Punkt erfolgreich abgehakt!), während Ana mit einem gestöhnten »O nein!« reagiert, in Tränen ausbricht und sich an ihn klammert, als wäre er das Einzige, was sie vor dem Absturz bewahrt.

Und mehr scheint sie von der Beziehung nicht zu erwarten. Sie will ihn nicht »bessern«, fragt nicht, »wohin das alles führen soll«, sie ist offenbar zufrieden mit seiner nächtlichen Gesellschaft, dieser Art von Freundschaft oder Liebe, wenn man es so nennen kann.

Für Pablo ist Sex eher die Flucht vor dem Schlaf.

Früher hat er lange und tief geschlafen, sich wohlig hin und her gewälzt, seine Träume ausgekostet.

Jetzt hasst und fürchtet er den Schlaf.

Denn mit dem Schlaf kommen die Alpträume.

Das ist schlecht für einen Mann, der Tausende von Morden gesehen hat. Und die Tausend ist keine rhetorische Ziffer, wie er nachts einmal nachgerechnet hat, nein, es waren wirklich so viele Morde. Nicht die Morde direkt, natürlich, obwohl er manchmal nur Minuten später am Tatort stand, sondern die Folgen. Die Toten, die Sterbenden, das Grauen. Die Verstümmelten, die Enthaupteten, die Gehäuteten.

Er braucht keine Website, um die Bilder zu sehen.

Er braucht kein *Esta Vida,* weil das, was er dort sieht, *sein* Leben ist und weil diese Videoclips vor seinem *inneren* Auge ablaufen. Weshalb er davor zurückschreckt, die Augen zuzumachen und den Schlaf abzuwarten.

Daher sieht Pablo ständig müde aus, allerdings hat er schon

immer so ausgesehen. Und er versucht ein wenig, an seiner Figur zu arbeiten, ein bisschen besser zu essen, ein bisschen weniger zu trinken und, da er nie den Fuß in eine Fitness-Bude setzen wird, ein- oder zweimal in der Woche in den Park zu gehen und den Ball zu treten.

Jetzt hört er am Klacken des Stocks, dass Herrera an seinen Schreibtisch kommt. »Woran arbeitest du?«

»Ich dachte, ich fliege mal nach Mexico City und mache was über Peñas Friseur«, erwidert Pablo. »Der Aufwand, der Stress ...«

»Das ist ein Scherz.«

»Ja.«

»Nicht sehr witzig.«

»Nein, ich dachte an eine klassische Passantenbefragung«, sagt Pablo. »Kleine Streiflichter aus dem Alltag der verschiedenen Barrios. Was die Leute denken, wen sie wählen wollen und warum. Die juarensische Sicht auf die Dinge.«

Es wird wieder ein knappes Wahlergebnis erwartet, zumindest ein Kopf-an-Kopf-Rennen zwischen Obrador und Nieto. Vor zwei Wochen hatte Nieto fünf Prozentpunkte Vorsprung, wobei sich die anderen Parteien laut und bitter über die Bevorzugung der PRI durch die Medien beklagt haben. Die PAN ist weit abgeschlagen, in den Zwanzig-Prozent-Bereich abgerutscht.

»Schau dich auch in El Paso um«, sagt Herrera. »Was sie auf der anderen Seite denken.«

»Wissen die überhaupt, dass wir Wahlen haben?«, fragt Pablo.

»Krieg es heraus, auch das gehört zur Story.«

»Na gut«, seufzt Pablo. Er hasst den Verkehr am Grenzübergang, die Warteschlangen, die Kontrollen ...

»Und achte bitte darauf, unparteiisch zu bleiben«, sagt Herrera. »Keine Unterstellungen, dass die eine oder andere Partei mit den Kartellen liebäugelt.«

»Alle Parteien liebäugeln mit Sinaloa«, mischt sich Ana ein. »Schließlich haben sich die Zetas selbst zur Regierung ausgerufen.«

»Das brauchen wir nicht zu drucken«, sagt Herrera.

»Aber *Esta Vida* bringt es«, erwidert sie.

»Lasst die Finger davon!«, zischt Herrera. »Das ist verantwortungsloser Journalismus der übelsten Sorte. Unbestätigte Gerüchte und Darstellungen, die an die niedersten Instinkte appellieren.«

Pablo versteht seine Verbitterung. Der Uhu hat ein Leben lang für den Qualitätsjournalismus einer seriösen Tageszeitung gearbeitet, immer im Glauben, dass die Pressefreiheit die Lebensader der Demokratie darstellt. Nun muss er erleben, dass sich die Öffentlichkeit von den Zeitungen abwendet und ihre Informationen über den Drogenkrieg aus dem Internet bezieht.

Das kann einen nur verbittern.

»Am liebsten würde ich das ›wilde Kind‹ kräftig übers Knie legen«, sagt Herrera, bevor er in sein Büro zurückhinkt.

»Das wär doch mal eine Idee«, sagt Ana.

»Wir müssen nur rauskriegen, wer das ›wilde Kind‹ ist«, erwidert Pablo.

»Hast du den Blog von heute schon gesehen?«

»Furchtbar«, sagt Pablo.

Furchtbar.

Pablo startet seine alte Karre, die vielleicht noch ein Jahr durchhält. Die Klimaanlage ist im Eimer, daher hat er die Fenster runtergekurbelt und schwitzt vor sich hin, während er durch die Stadt fährt.

Schon aus dem Aussehen der Viertel könnte er schließen, welcher Kandidat hier die Mehrheit erhält. Die reichen Gegenden in Campestre und in Campos Elíseos wählen das Geld und stimmen für die PAN, die Viertel der Arbeiter – oder Arbeitslosen – wählen PRD, während ältere, leicht gehobene Wohngegenden wie Colonia Nogales und Galeana mehrheitlich die PRI bevorzugen.

Manche Viertel existieren gar nicht mehr, wie er traurig feststellt. Riviera del Bravo zum Beispiel – einst eine aufblühende Siedlung mit Reihenhäusern und Shopping-Malls, ist jetzt eine Geisterstadt aus leerstehenden Häusern mit graffitibeschmierten Wänden, das alte Rotlichtviertel Mariscal ist plattgewalzt, buchstäblich ausradiert. Er fährt am Benito-Juárez-Stadion vorbei, wo seine geliebten Indios spielten, bis die städtische Finanzmisere der Mannschaft den Garaus machte.

Auch ein Opfer des Drogenkriegs, denkt Pablo.

Er fährt zurück ins Zentrum, kauft eine *torta* an einem Imbissstand und verzehrt sie im Park El Chamizal, wo die Kinder auf dem knochentrockenen Lehmboden Fußball spielen oder die Wachen auf der anderen Seite des Grenzzauns ärgern.

Schieb es nicht vor dir her, sagt er sich. Er geht zurück zum Auto. Die Schlange der Express-Abfertigung ist nicht allzu lang, und er ist schneller auf der anderen Seite, als er es wollte.

Einer von vielen Juarensern auf dem Weg nach El Paso.

Der Bürgermeister wohnt jetzt auch dort, aus Sicherheitsgründen. Ebenso der Polizeichef und zwei städtische Zeitungsredakteure.

Oscar aber nicht, denkt er mit einem gewissen Stolz.

Nichts könnte den Uhu aus seinem Haus in Chaveña vertreiben – El Paso ist für ihn nur ein texanisches Provinzkaff ohne Kultur. Doch viele, die es sich leisten können, wohnen dort, kommen morgens über die Brücke und fahren abends zurück, in möglichst unauffälligen Autos, um keine Entführer anzulocken. Frauen gebären ihre Kinder lieber in El Paso, damit sie die doppelte Staatsbürgerschaft bekommen und es später mal leichter haben. Wenn man in Juárez niest, sagt einer in El Paso »Gesundheit«, und für die meisten ist die Grenze nur ein lästiges Hindernis.

Für Pablo existiert sie wirklich.

Als politische Tatsache und als Bewusstseinszustand.

Die Grenze ist die Geschäftsgrundlage der Narcos. Ohne Grenze keine Profite, keine »Plazas«, keine Gewalt.

Und sie ist der Standortvorteil der *maquiladoras*. Der größte Verbrauchermarkt der Welt beginnt eine Meile weiter nördlich, jenseits der Grenze – welche Gegend ist besser geeignet, für diesen Markt zu produzieren?

Nun ja, neuerdings China, aber die rasante Ausbreitung der *maquiladoras* hat das Stadtbild von Juárez für immer verändert und große *colonias* entstehen lassen, wo Menschen, wenn sie überhaupt Arbeit haben, jetzt mit einem Drittel ihres früheren Lohns auskommen müssen. Die Armut treibt sie den Rekruteuren der Narcos in die Arme und macht sie anfällig für ihre Produkte.

Und ihr Leben ist einen Dreck wert.

Das ist die Realität.

Auch dass jenseits der Grenze eine andere Mentalität herrscht. Ein Mexikaner, der in El Paso wohnt, ist ein *pocho*, ein amerikanisierter Mexikaner, und keiner kann Pablo erzählen, dass einen das nicht verändert. Man kauft in Malls statt in Mercados, man sieht American Football statt Fußball, man wird ein anderer Konsument in einer riesigen Maschine, die Konsumenten konsumiert.

Díos mio, diesen Satz würde Oscar sofort in den Müll werfen, denkt Pablo, aber er stimmt trotzdem.

Wie erwartet, interessiert sich außerhalb der Barrios von El Paso niemand dafür, wer in Mexiko Präsident werden soll, und wenn er die Frage in den reichen Vierteln von West El Paso stellt, die sich »The Willows« und »Coronado Hills« nennen, lautet die Antwort meistens »Romney«.

In den USA fühlt er sich immer ein wenig unwohl, wie ein ungeladener Partygast, den alle loswerden wollen. Er weiß, wie die Amerikaner die Mexikaner sehen – etwa so, wie die Mexikaner die Juarenser sehen.

Wir sind eben die »Mexikaner« von Mexiko.

Er fährt zum Barrio El Segundo, der ursprünglichen Brutstätte der Aztecas, und findet eine heimelig düstere Bar, wo er sitzen und ein Bier trinken kann – ohne das Gefühl, nicht dazuzugehören. Die vage Angst, die ihm in den Knochen sitzt, seit er am Morgen den Bericht in *Esta Vida* gelesen hat, will auch nach dem dritten Bier nicht weichen.

Sie nimmt noch zu, als er ins Auto steigt und über die Brücke zurück nach Juárez fährt.

Ob es nun Paranoia ist oder eine reale Gefahr – er wird das Gefühl nicht los, dass ihn jemand verfolgt. Das ist lächerlich, denkt er und schaut in den Rückspiegel. Aber all die anderen Reporter, die in ihren Autos erschossen wurden, in Einfahrten, vor ihren Büros? Erschossen oder irgendwohin verschleppt, um gefoltert und getötet zu werden? Jetzt spürt er, dass der Schweiß nicht nur von der Hitze herrührt, auch von der Angst – ein Schweiß, der anders riecht. Interessantes Detail, denkt er. Das müsste ich irgendwann in einer Story verarbeiten.

Pablo fährt hinaus nach Las Misiones, zu einer neuen Mall gegenüber dem US-Konsulat. Er läuft über polierten Marmor, vorbei am riesigen Fitness-Center, und befragt die Leute vor dem neuen IMAX nach ihrer Meinung zu den kommenden Wahlen. Kein Wunder, dass hier die meisten PAN oder PRI wählen wollen.

Das ist das neue Juárez, denkt er. Amerikanisch und seelenlos wie auf der anderen Seite. Wir wollen es hier genauso haben wie dort. Wir nehmen das »neue Geld« und bauen uns ein Pseudo-Amerika. Er ist schon im Gehen, als er Ramón kommen sieht.

»Hey, Pablo!«

»Ramón! Was machst du denn hier?«

»Dich suchen. Bist du krank? Du schwitzt ja wie ein Schwein!«

»Nein, alles okay.«

»Wir haben einen Job für dich.«

»Du weißt doch, ich schreibe nicht –«

»Niemand will deine Scheißartikel«, sagt Ramón. »Ein paar Leute vom Ende des Alphabets sind sehr sauer wegen diesem

Blog von heute Morgen. Und du wirst uns sagen, wer das ›wilde Kind‹ ist.«

»Das weiß *ich* doch nicht!«

»Dann krieg es raus.« Ramón zieht sein Handy und zeigt Pablo ein Foto von Matteo vor seiner Schule in Mexico City.

»Einen hübschen kleinen Sohn hast du.«

»Du elendes Dreckschwein!«

»Reiß dich zusammen, Alter.« Er steckt das Handy wieder ein. »Die Computer – wie heißen die? Nerds? – haben rausgekriegt, dass der Blog aus Juárez kommt. Das setzt mich gewaltig unter Druck, Alter. Deshalb setze ich *dich* unter Druck. Du bist es doch nicht, oder? Sag mir, dass du nicht das ›wilde Kind‹ bist, Pablo.«

»Ich bin's nicht«, sagt Pablo.

»Dann ist es gut. Ich bin erleichtert. Aber es muss einer sein, den du kennst. Irgendein verdammter Reporter.«

»Ich sagte doch, ich weiß es nicht!«

»Ich habe nicht behauptet, dass du's weißt«, schnauzt Ramón zurück. »Ich sagte, es ist einer, den du kennst. Das ist ein Unterschied, pass gefälligst auf. Du kriegst es raus, Pablo, und du sagst es mir. Wenn nicht, passiert was, aber erst mal nicht mit dir. Verstehst du, was ich meine? Du kriegst die Fotos auf dein Handy. Hey, vielleicht erscheinen sie dann im Blog!«

Pablo bleibt buchstäblich die Sprache weg.

»Sag mir, dass du verstanden hast!«

»Ich habe verstanden«, krächzt Pablo.

»Gut.« Ramón legt ihm die Hand auf die Schulter. »Hey, ich will deinem Kind nichts tun. Das ist das Letzte, was ich tun würde. Also zwing mich nicht dazu, okay? In einer Woche, zehn Tagen will ich was von dir hören. Einen Namen.«

Er lässt ihn stehen und geht.

Der Schreck durchpulst ihn wie ein eisiger Strom.

Er muss aufhören zu zittern.

Pablo trinkt zwei Whiskey im San Martín, dann geht er hinaus, um Victoria anzurufen. »Hör zu, ich hab's mir überlegt.

Wegen der Ferien. Könntest du mit Matteo nach El Paso fliegen, und ich treffe euch dort?«

»*Das müsste gehen. Aber warum?*«

»Ich dachte, du und Ernesto solltet auch kommen«, sagt er. »Wir könnten zusammen essen gehen. Ich muss ihn doch mal kennenlernen, meinst du nicht? Wenn er Matteos Stiefvater wird?«

Wenn die Narcos nicht an Matteo herankommen, denkt er, halten sie sich an Victoria. Er muss sie außer Landes bringen und ihr dann erklären, warum sie nicht zurückkehren kann. Vorerst nicht.

Nicht so wie ich. Ich muss für immer weg.

»*Pablo, ist was? Alles in Ordnung?*«

»Alles in Ordnung«, erwidert er. »Du hast doch immer gesagt, ich soll mich erwachsener verhalten. Und jetzt versuche ich es.«

»*Okay?*«

»Ich denke an nächste Woche.«

»*Nächste Woche? Soll das ein Scherz sein? Während der Wahlen?*«

»Es dauert doch nur einen Tag, Victoria.«

»*Der früheste Termin*«, sagt sie, »*wäre zwei Tage danach. Und du kannst Matteo nicht einfach aus allem rausreißen. Er ist mit Freunden zum Spielen verabredet, er geht zum Privatunterricht …*«

»Lass uns nicht streiten, okay?«, sagt Pablo. »Bitte, Victoria, mach es möglich. Es muss sein!«

»*Na gut*«, seufzt sie.

»Ist das ein Ja?«

»*Das ist ein Ja.*«

Pablo klickt sie weg und fährt nach Hause. Ana ist schon da, sitzt auf der Treppe zum Hof, bei einem Glas Wein und einer Zigarette. Er setzt sich neben sie. »Hör zu, ich mache eine kleine Reise mit Matteo.«

»Ist ja toll. Wohin soll's gehen?«

»Über den Fluss«, sagt Pablo und versucht, so locker wie möglich zu klingen. »Ein paar Themenparks in El Paso, dann zum Camping nach Big Bend.«

»Klingt nett.«

»Willst du mitkommen?«

»Wann ist das?«

»Nächste Woche.«

Ana lacht. »Da gibt es nur ein kleines Handicap: die Wahl.«

»Nach der Wahl.«

»Dann kommen die Auswertungen, die Analysen.«

»Es gibt da so was wie das Internet«, sagt Pablo. »Du kannst deine Artikel auch von unterwegs schreiben. Könnte sogar lustig werden.«

Ana schaut ihn merkwürdig an – irgendwas stimmt nicht mit ihm. »Ist irgendwas?«

»Nein. Ich würde dich nur gern dabeihaben.«

»Ich weiß nicht …«

»Was?«

»Ist denn Matteo darauf vorbereitet?«

»Er kennt dich schon, seit er ein Baby war!«

»Als seine Tía Ana«, erwidert sie. »Nicht als die Freundin seines Vaters. Das braucht Gewöhnung.«

»Matteo muss sich an vieles gewöhnen«, sagt er. »An Ernesto vor allem.«

Ana schöpft einen neuen Verdacht: »Versuchst du etwa, es Victoria heimzuzahlen?«

»Das wäre reichlich kindisch.«

»Klar. Damit scheidet diese Möglichkeit aus.« Sie nimmt einen Schluck und setzt das Weinglas ab. »Pablo, wenn das dein Versuch ist, Tatsachen zu schaffen …«

»Wovon ich rede, sind ein paar Tage Camping!«, sagt er. »Fliegen, Mücken, lausiges Essen, gekocht auf einem qualmenden Lagerfeuer, Rauch in den Augen, Sand im Schlüpfer –«

»Wenn du es so verlockend darstellst, kann ich nicht widerstehen.«

»Dann kommst du also mit?«

»Ich werd's mir überlegen«, sagt Ana.

Bitte, bitte komm, denkt Pablo.

Komm mit mir über den Fluss.

Pablo zieht seine besten Sachen an – ein blaues Hemd, relativ saubere Jeans und ein »Reise«-Sakko, das angeblich knitterfrei ist – und geht am nächsten Morgen ins US-Konsulat. Er fühlt sich wie ein Verräter, der seinem Land den Rücken kehrt. So wie es so viele vor ihm taten – und tun mussten.

Der Beamte, vor dem er schließlich sitzt, ist nicht besonders hilfreich. »Sie müssen sich in den USA aufhalten, wenn Sie einen Asylantrag stellen wollen. Im Fall der Ablehnung können Sie ein Flüchtlingsvisum beantragen und müssen begründen, warum Sie nicht zurückkehren können. Haben Sie die begründete Befürchtung, unter Anklage gestellt zu werden –«

»Die habe ich.«

»– aus ethnischen, religiösen oder politischen Gründen –«

»Ich bin Journalist«, wiederholt er, »und ich habe das Gefühl, bedroht zu werden. Sie wissen doch, dass Journalisten hier –«

»Gibt es eine konkrete Bedrohung«, fragt der Beamte, »oder nur eine allgemeine Bedrohung?«

»Was meinen Sie mit ›allgemeine Bedrohung‹?«

»Sind Sie konkret bedroht worden?«, fragt der Beamte ungeduldig. »Hat eine konkrete Person Sie konkret mit dem Tod bedroht? Oder fühlen Sie sich als Journalist nur allgemein bedroht?«

»Ist das ein Unterschied?«

»Das ist ein großer Unterschied«, erklärt der Beamte. »Ein allgemeines Bedrohungsgefühl ist kein hinreichender Grund, Asyl zu gewähren. Wenn Sie allerdings einer konkreten Bedrohung ausgesetzt sind –«

»Das bin ich.«

»Und welcher?«

»Müssen Sie das wissen?«, fragt Pablo.

»Wenn wir Ihren Antrag prüfen sollen, ja.« Der Beamte schiebt ihm einen Fragebogen hin. »Das ist das Formular, das Sie in den USA ausfüllen müssen. Nennen Sie die Art der Bedrohung, das Datum der Bedrohung, die Person, von der die Bedrohung ausgeht, warum Sie die Bedrohung für schwerwiegend erachten ...«

»Gibt es eine Möglichkeit, dass Sie die Sache beschleunigen?«

»Ja, indem Sie den Fragebogen ausfüllen.«

»Ich brauche noch einen. Für eine andere Person.«

»Direkte Verwandtschaft?«

»Nein.«

»Dann muss er oder sie persönlich kommen.«

»Er oder sie«, wiederholt Pablo.

»Ja.«

»Wir haben nicht so viel Zeit, wissen Sie?«

»Dann ...«

»Die werden uns umbringen! Verstehen Sie?«

»Ich tue für Sie, was ich kann, Mr. Mora.«

»Danke.«

Pablo verlässt das Konsulat und setzt sich in sein Auto. »Die ›Art der Bedrohung‹. Was soll ich da schreiben? Sie wollen mich umbringen, weil ...«

Sein Handy klingelt.

»Du willst abhauen, du fettes Arschloch?« Es ist Ramón.

»Wie meinst du das?«

»Warst du im Konsulat?«, fragt Ramón. »Glaubst du, wir passen nicht auf, wer da reingeht? Wir haben unsere *halcones* überall. Hey, willst du ein Live-Video von deinem Sohn aufs Handy haben? Ich hab eins hier.«

»Quatsch. Ich arbeite an einer Story.«

»Welche Art von Story?«

»Hör zu.« Pablo zwingt sich, ruhig zu klingen. »Alle paar Monate lassen wir uns die Einwanderungsstatistik zeigen. Um zu sehen, wie viele Leute Juárez verlassen. Deshalb war ich im Konsulat.«

Es folgt ein langes Schweigen, dann fragt Ramón: »Gibt es was Neues? In der anderen Sache?«

»Ein bisschen. Nicht viel. Ich meine –«

»Das ist die Story, an der du arbeiten solltest.«

Pablo klickt ihn weg und lässt den Kopf aufs Lenkrad sinken.

Pablo sitzt am Schreibtisch und tippt seinen Artikel über die Wahltrends in den Computer.

Seine Gedanken sind zäh wie Sirup, jeder Buchstabe kostet Anstrengung, er macht einen Tippfehler nach dem anderen.

»Was ist denn mit dir los?«, fragt ihn Ana.

»Nichts. Wieso?«

»Du wirkst total abwesend.«

»Hab wieder zu viel getrunken.«

Ana nimmt ihm das nicht ab. So viel hat er gestern Abend nicht getrunken, und mit Kater schreibt er meist besser als ohne. Überhaupt verhält er sich »unpablomäßig« – er scheint aktiver im Bett zu sein als sonst, obwohl das ganz und gar nicht seine Art ist.

»Fehlt dir was?«, fragt sie.

»Alles gut«, sagt er. »Wie sieht es aus mit dem Camping?«

»Ich überlege noch.«

»Könntest du ein bisschen schneller überlegen? Ich muss Dinge regeln.«

»Marshmallows besorgen?«

»Nein, einen Campingschein. Ich muss wissen, wie viele Personen.«

»Oh. Am Nachmittag sage ich dir Bescheid.«

Sie geht zurück an ihren Computer und findet schnell heraus, dass im Nationalpark Big Bend kein Campingschein verlangt wird.

Warum erzählt er mir das?, fragt sie sich. Hat er sich geirrt? Das ist eher unwahrscheinlich. Er ist zwar ziemlich schlampig, aber nicht in Fragen der Recherche. Man kann ihm nachsagen, was man will, aber als Journalist ist er ein Profi.

Ana ruft *Esta Vida* auf.

Der neue Blog hat den Titel »Wer hat den Sieger von Juárez zum Sieger gemacht?« und behandelt die Frage, ob die PAN-Regierung, die Armee und die Bundespolizei das Sinaloa-Kartell unterstützt haben, damit Barrera in Juárez und Umgebung die Oberhand gewinnen konnte. »Ist die Regierung auf einem Auge blind, oder versagt sie spektakulär beim Kampf gegen das Sinaloa-Kartell?«, fragt das wilde Kind.

Das ist es, was alle denken, und genau das Thema, über das Herrera seine Reporter nicht mehr berichten lässt.

Der nächste Beitrag ist noch provokanter und zitiert die Drohungen, die das wilde Kind erhält, weil es Fotos von toten Zetas verbreitet. »Wer austeilt, muss auch einstecken« heißt der Beitrag und liefert Fotos und Videoclips, die von den Zetas im Internet verbreitet werden.

Sie blickt zu Pablo hinüber, der sich noch immer mit seiner Tastatur abmüht.

Was weiß er von der Sache?

Chuy sieht die Brücke mit den Autoschlangen in der Sonne glitzern.

Wenn er dort hinübergeht, ist er in El Paso. Das ist zwar nicht Laredo, aber er müsste nur den Bus nehmen, um nach Hause zu kommen.

Nach Hause.

Gibt es das noch?

Seit über fünf Jahren ist er von dort weg. Hat sich nie gemeldet, weiß nicht mal, ob seine Eltern dort noch wohnen. Ob sie überhaupt noch leben. Ob sie wissen, dass er noch lebt, ob es sie überhaupt interessiert.

Nach der Tötung der Polizistin hat sein Trupp Befehl bekommen, sich in Juárez festzusetzen. Sie wohnen in einem Haus im Zentrum und sollen die Zeitungsredaktion, die gegenüberliegt, im Auge behalten. Chuy weiß nicht, warum, und es ist ihm egal. Forty hat irgendwelche Pläne mit ihnen, aber er hat seine eigenen Pläne.

Und nur die halten ihn davon ab, über die Brücke zu gehen.

Eddie Ruiz ist zurück in Texas, aber er träumt von Mexiko.

Er bewohnt ein nettes Apartment in Fort Bliss, seine Bewacher spielen am Küchentisch Karten, er trinkt sein mexikanisches Bier und verfolgt die mexikanischen Wahlen im Fernsehen.

Auch er hat dort ein Pferd im Rennen.

Mach dich auf was gefasst, sagt er sich. Du hast deinen ganzen Einsatz auf die PAN verwettet. Deine wertvollen Informationen betreffen sämtlich die PAN und ihren Polizeiapparat. Wenn die PAN verliert, wie die Analysten im Fernsehen voraussagen, geht dein Wert in den Keller. Die Leute, die du in der Hand hattest, sind dann weg vom Fenster.

Die Staatsanwälte sind Feuer und Flamme, wenn es um amtierende Politiker geht, aber ein abgewählter Politiker verliert seinen Reiz, er wird uninteressant wie eine abgelegte Freundin. Keine Zeitung bringt Schlagzeilen über Politiker, die sowieso erledigt sind, und die Staatsanwälte lieben Schlagzeilen über alles.

Die werden sie nicht bekommen, schätzt Eddie, und das ist schlecht für ihn.

Die Verhandlungen mit den Staatsanwälten schleppen sich schon Monate hin. Er ist gut im Wetten, er hat seine Favoriten richtig plaziert. Ohne jede Eile, weil er sowieso auf fünfzehn bis dreißig Jahre rechnen muss und die Schutzhaft angerechnet wird.

Eddie spielt auf Zeit.

Sollen sich die Herrschaften streiten, solange sie wollen.

Ob er nun hier sitzt oder woanders.

Der Generalstaatsanwalt hat fünfzehn Jahre gefordert, Einzug des Vermögens (was Eddie egal sein kann, weil er alles auf seine Frauen überschrieben hat), zehn Millionen Dollar Strafe (eine Masse Geld, aber nicht wirklich). Eddies Anwalt hat die Forderung auf zwölf Jahre, Vermögenseinzug und sieben Millionen runtergehandelt.

Das kann Eddie wegstecken. Er rechnet auf mindestens vier Jahre Straferlass für seine Aussage, die abgesessene Zeit – es bleiben also sechs, bei guter Führung vier. Bis zum tatsächlichen Strafantritt ist er in der Narco-Welt so gut wie vergessen, wenn er rauskommt, kriegt er eine andere Identität, und er kann neu durchstarten – Alufassaden in Scottsdale verkaufen oder was immer.

Aber das muss vom Richter durchgewinkt werden, wenn das Urteil fällt, und der Richter könnte seinen Deal bereuen, wenn er sieht, dass er nur einen Haufen abgehalfterte Politiker und entlassene (oder tote) Polizisten dafür bekommt.

Ich hab nur noch Nieten in der Hand, denkt Eddie, während sich der Wahltag hinschleppt. Der Lackaffe von der PRI liegt an der Spitze, dicht gefolgt von dem alten Jammerlappen, mit dem die PRD schon einmal verloren hat, und die PAN … bildet das Schlusslicht.

Ich kann die Wettscheine auch gleich wegwerfen, ich muss nicht sehen, ob ich gewinne.

Just in dem Moment, als er das denkt, kommt Art Keller durch die Tür.

Und macht Eddie ein Angebot, das er nicht ablehnen kann.

Adán wendet sich vom Fernseher ab und steht auf.

Es ist vorbei.

Zumindest, was die PAN betrifft.

Gewinnen wird entweder Peña Nieto oder López Obrador. Es wird die gewohnten Vorwürfe des Wahlbetrugs geben, die üblichen Demos und Protestmärsche, dann wird die Wahlkommission das Vernünftige tun und Nieto als Sieger installieren.

Seine Enttäuschung hält sich in Grenzen, weil er die Niederlage der PAN erwartet hat. Nieto wird die Amerikaner nicht rauswerfen, er wird sie neutralisieren. Was noch vor Monaten ein Wunschtraum war, ist jetzt ein Problem, weil die Amerikaner Adáns Verbündete im Kampf gegen die Zetas sind.

Die neue Regierung will nichts weiter als Frieden, das Ende der Gewalt, denkt Adán. Sie wird jede Übereinkunft begrüßen, die dazu dient, Frieden und Ordnung wiederherzustellen. Sie wird die Aufteilung der Plazas zwischen Sinaloa und den Zetas akzeptieren, sie wird einen Sieg des Sinaloa-Kartells akzeptieren, sie wird einen Sieg der Zetas akzeptieren.

Sie will nichts weiter als eine *pax narcotica*.

Vier Monate bleiben uns, denkt Adán.

Vier Monate, bis der neue Präsident antritt.

Hundertzwanzig Tage, um Ochoa zu vernichten.

Ist das zu machen?

Oder hat Nacho recht? Sollen wir versuchen, Frieden zu schließen?

Eine schwere Entscheidung. Der Sieg liegt verlockend nahe. Die Zetas sind gerade im Begriff, ihren Draht zur 'Ndrangheta zu verlieren und damit den ganzen europäischen Markt. Arturo Keller, der Fürst der Finsternis, hat ihnen persönlich eine Falle gestellt, die Zetas sind blind hineingetappt und sehen sich jetzt mit der Antiterrormaschinerie der Amerikaner konfrontiert.

Allerdings, es kann immer was schiefgehen.

In Guatemala hat Ochoa nach wie vor die Oberhand.

Er hat Tausende von Kämpfern, er hat keinerlei Moral, keinerlei Hemmungen, keinerlei Skrupel. Er ist der leibhaftige Teufel.

Und das macht das Ganze zum Höllenritt.

Die ungeschminkte Wahrheit ist, dass Mexiko mit mir besser fahren würde als mit den Zetas, denkt Adán. Ich würde die Geschäfte so führen, dass der Normalbürger nicht davon betroffen ist, während Ochoa seine Macht auf Terror stützt.

Die gegenwärtige Regierung hat das verstanden, die kommende Regierung kennt nur eine Weisheit: Macht Schluss mit dem Krieg.

»Wo willst du hin?«, fragt ihn Eva.

Aus irgendeinem Grund verfolgt sie die Wahlen im Fernsehen, wahrscheinlich um zu demonstrieren, dass sie erwachsen ist, dass sie sich für ernste Dinge und für Politik interessiert, denkt Adán. Das gehört zu ihrer neuen Rolle als »besorgte junge Mutter«. Sie liest jetzt auch Artikel über frühkindliche Erziehung, Bionahrung, die globale Erwärmung und den steigenden Meeresspiegel.

»Wie wird die Welt sein, in die unsere Kinder hineinwachsen?«, hat sie ihn schon mehrmals gefragt.

»Genauso wie unsere«, hat er geantwortet. »Nur wärmer.«

Und wir brauchen mehr Küstengrundstücke.

Trotzdem, ein Wandel ist nötig.

Für das Land.

Für mich.

Für die Familie.

Nacho hat recht – wir besitzen Milliarden und leben wie Flüchtlinge. Wir müssen uns verstecken, ständig auf der Hut sein, immer damit rechnen, dass dieser Tag der letzte ist.

Das kann ich meinen beiden Söhnen nicht wünschen.

Ich werde wieder *El Patrón*, wenn ich siege. Ich könnte aber auch schaffen, was noch kein *patrón* geschafft hat.

Einfach aussteigen.

Und weiterleben, mit einer intakten Familie.

Alle »Drogenbosse« vor mir sind entweder erschossen worden oder im Gefängnis gelandet.

Ich könnte meine Milliarden in legale Geschäfte investieren, und meine Söhne könnten Großindustrielle werden.

Ich könnte meine Enkel noch erleben.

Es müsste möglich sein.

Er geht hinauf ins Kinderzimmer, wo die Großmutter an der Zwillingswiege sitzt und schläft. Eva hat das Kinderzimmer in beruhigenden Pastelltönen dekorieren und Buchstaben an die Wände malen lassen, denn für das Lernen ist es nie zu früh.

Sie haben auch Kindermädchen, doch Eva ist eine sogenannte Helikopter-Mama. Sie sorgt sich ständig um das Wohlbefinden ihrer Kleinen und überwacht jedes Detail, sei es nun Kleidung, Ernährung oder Spielzeug.

Nur Geduld, denkt er. Das wird sich schon geben. Sie hat so lange versucht, ein Baby zu bekommen, dass sie es nun übertreibt. Irgendwann ist das vorbei, und mit etwas Glück wird sie sich sagen: Ich bin Mutter, aber ich bin sexy.

Die Großmutter zuckt hoch, als er das Zimmer betritt. Er gibt ihr zu verstehen, dass er nichts dagegen hat, wenn sie einnickt. Er beugt sich über seine zwei Babys, die sanft und gleichmäßig atmen, mit einem matten Schweißglanz auf der Stirn.

Zwei wunderschöne Babys.

Er denkt an Gloria, als sie ein Baby war. Sie war nicht schön mit ihrem missgebildeten Kopf – außer für ihn.

Für ihn war sie trotzdem schön.

Adán schaut seine zwei Söhne an, doch plötzlich sieht er nicht mehr sie, sondern zwei andere Kinder, und ihm wird heiß und schwindlig, weil es die Kinder auf der Brücke sind, ein Junge und ein Mädchen, keine Babys mehr, aber noch klein, die Mutter hatte er schon töten lassen, und das kleine Mädchen schrie immer »*Mi madre, mi madre*«, dann gab er den Befehl, und der Mann warf beide über das Geländer. Er zwang sich zum Hinschauen, als sie tief unten auf die Felsen prallten, und jetzt sieht er ihre Gesichter anstelle der Gesichter seiner Söhne. Er weicht taumelnd zurück. Es liegen tote Kinder in der Wiege. Alle seine Kinder sind tot.

Er lehnt sich an die Wand und ringt nach Luft.

Dann zwingt er sich, erneut hinzuschauen.

Seine Söhne schlafen.

Adán küsst sie auf die Wangen, geht hinunter und macht den Anruf, der das Friedenstreffen mit Ochoa anbahnt.

Die Wahllokale schließen um acht Uhr abends.

Am folgenden Morgen sind die Ergebnisse da:

Peña Nieto 38,15 Prozent.

López Obrador 31,64 Prozent.

Vázquez Mota 25,40 Prozent.

Die PAN ist erledigt, die PRI regiert wieder in Los Pinos und gewinnt eine starke Mehrheit in der Abgeordnetenkammer.

Victoria ist bitter enttäuscht.

»Rufst du an, um zu triumphieren?«, fragt sie Pablo.

»Nein«, sagt Pablo. »Nur, um uns wegen der Reise abzusprechen.«

»Sie hätte gewinnen müssen«, sagt Victoria. »Sie hätte so viel mehr tun können als dieser … dieser …«

»Ich brauche deine Flugdaten.«

»Die Medien sind schuld«, sagt sie. »Die parteiischen Medien.«

»Du gehörst doch auch dazu.«

»Ich meine die anderen.«

»Natürlich.«

»Dich zum Beispiel«, sagt sie. »Und Ana. Und das wilde Kind. Wie kann es dieser … Blogger wagen, die PAN einen Tag vor der Wahl der Unterstützung des Sinaloa-Kartells zu bezichtigen?«

Vielleicht, weil es die Wahrheit ist, denkt Pablo. »Ich weiß es nicht, Victoria. Gib mir einfach eine ungefähre Orientierung. Vormittags, nachmittags oder abends?«

»Vormittags, nachmittags oder abends was?«

»Wann du mit Matteo in El Paso eintriffst«, sagt Pablo.

»Kommt Ernesto auch mit?«

»Ich weiß nicht, ich weiß noch nicht«, sagt Victoria. »Pablo, ich muss Artikel schreiben, leider. Darüber, wie diese Wahl der Wirtschaft schadet. Mit den Demokraten an der Macht gehen wir alle baden.«

»Flugdaten?«

»Ich weiß nicht.« Sie klingt verwirrt, abgelenkt. »Emilia ruft dich an.«

»Wer ist Emilia?«

»Meine neue Assistentin.«

»Aber ihr kommt doch?«, fragt Pablo.

»Ja.«

»Morgen.«

»Ja!«

»Okay, soll Emilia mich anrufen.«

»Okay.« Sie klickt ihn weg.

»Ist Victoria außer sich vor Enttäuschung?«, fragt Ana, die mit ihrem Bürostuhl näher heranrollt. »Schade, dass wir keine Präsidentin bekommen, aber diese Frau ging nicht. Unsere Antwort auf Maggie Thatcher.«

»Ana?«

»Ja?«

»Ich hab jetzt nicht den Nerv.«

Oscar kommt herein. »Ana, schreib bitte sachlich, klare Fakten und Zahlen. Vergiss nicht das Thema Wahlbetrug. Pablo, du –«

»Ich mache die Passantenbefragung.«

»Woher wusstest du –?«

»Nur so.«

Pablo packt seinen Laptop ein, geht hinaus auf den Parkplatz, steigt ins Auto. Er hat keine Lust, die Bürgermeinungen einzuholen, weil er schon weiß, was die Bürger sagen werden.

Und es ist ihm egal, was sie sagen.

Er geht weg. Weg von der Zeitung, weg vom Journalismus, weg aus Mexiko.

Zuerst weg aus Juárez.

Er fährt zu Anas Haus und wirft seine paar Habseligkeiten in einen Rucksack.

Manuel Godoy ist ein selbsternannter Nerd.

Student an der Autonomen Universität von Juárez, ein begnadeter Hacker, wie es heißt.

Jetzt hat er einen Pistolenlauf im Nacken.

Drei Männer haben auf ihn gewartet, als er den Campus verließ, ihn in ein Auto geschoben und in dieses nichtssagende Gebäude gebracht. Haben ihn vor einen Computer gesetzt, die Hülle abgenommen, ihm die Pistole in den Nacken geschoben.

»Willst du überleben?«, hat ihn der Mann gefragt, den sie Forty nennen.

»Ja.«

»Gute Antwort. Kennst du *Esta Vida?*«

Manuel wusste nicht, was er sagen sollte. Das war keine Prüfung, bei der es um irgendeine Note ging. Eine falsche Antwort konnte ihn das Leben kosten. Er versuchte auszuweichen: »Ich hab davon gehört.«

»Du musst uns nur sagen, wer dahintersteckt. Wir wissen, dass der Blog aus Juárez kommt. Sag uns, wer den macht, und wir bezahlen dich sehr gut. Wenn nicht, legen wir dich um. So einfach ist das. Nun fang an.«

»Auf diesem Computer geht das nicht.«

»Warum nicht?«

»Das ist ein Scheißteil.«

Forty lachte. »Was brauchst du?«

Manuel schrieb ihm eine Liste auf, Hardware und Software, und Forty schickte ein paar Leute los. Als sie wieder da waren, schloss Manuel die Hardware an, lud die Programme und machte sich an die Arbeit.

Jetzt sitzt er am Computer und hackt um sein Leben.

»Was soll das heißen?«, fragt Pablo am Telefon.

»*Was soll das heißen, was soll das heißen!*« Victoria ist wütend. »*Ich muss arbeiten, Pablo. Artikel liefern. Ich kann frühestens morgen. Du und Matteo, ihr erwartet uns dann in El Paso.*«

Pablo wird übel. »Matteo kann nicht nach Juárez fliegen.«

»*Warum nicht?*«

»Weil es hier nicht sicher ist.«

»*Du holst ihn vom Flughafen ab und fährst direkt hinüber nach El Paso*«, sagt Victoria. »*Dort stoßen wir dann zu euch. Ernesto und ich. Wo ist das Problem?*«

»Das Problem ist, dass Matteo nicht nach Juárez kommen kann.«

»*Aber er kann es kaum erwarten*«, sagt Victoria. »*Als ich ihm sagte, es würde noch einen oder zwei Tage dauern, hat er einen Wutanfall hingelegt, ich kann dir sagen!*«

»Um Gottes willen, Victoria, sag ihm, es geht nicht!«

»*Zu spät*«, sagt Victoria. »*Emilia setzt ihn gerade ins Flugzeug.*«

»Ruf sie zurück.«

»*Aeroméxico 765. Er kommt zwanzig Uhr zehn an. Bitte sei dort!*«

Sie klickt ihn weg.

Alles wird gut, alles wird gut, sagt sich Pablo. Ana kommt mit, wir holen Matteo ab und fahren geradewegs über die Grenze. Aber der Flughafen liegt am südwestlichen Stadtrand, die Fahrt dorthin und zurück ist weit.

Er blickt hinüber zu Ana.

Sie ist nicht am Platz.

Pablo verlässt das Büro und geht hinüber zum Coffeeshop. Ana sitzt an der Bar, raucht eine Zigarette und hämmert auf ihre Tastatur ein. Als sie ihn kommen sieht, klappt sie den Laptop zu.

»Okay«, sagt Pablo. »Kommst du mit?«

»Wenn du wirklich glaubst, dass es eine gute Idee ist …«

»Ja«, sagt Pablo. »Fahr nach Hause und pack deine Sachen. Dann fahren wir zusammen zum Flughafen und holen Matteo ab. Der Plan hat sich geändert.«

Er erklärt ihr den neuen Plan.

»Hör zu«, sagt Ana. »Mit Matteo habe ich kein Problem. Aber Victoria und ihren neuen Mann treffen … ich weiß nicht, ob ich das will. Dass sich Ex mit Ex trifft, dieses ganze Getue, das nervt mich.«

»Du kennst Victoria seit ewigen Zeiten!«

»Genau«, sagt Ana. »Deshalb sage ich ja: Du machst dein Ding mit der Eisfee, und ich komme nach, wenn das erledigt ist.«

»Nein.«

»Nein?«

»Ana, komm jetzt mit mir. Wir holen Matteo ab und fahren noch heute Abend nach El Paso.«

»Heute Abend? Warum die Eile?«

»Ana ...«

»Pablo ...«

Sie starren sich an.

»Noch heute Abend. Bitte tu es für mich«, sagt Pablo. »Ich warte bei dir zu Hause, und dann fahren wir los, okay?«

»Da ich nun mal zugesagt habe: okay.«

Pablo verlässt den Coffeeshop.

Chuy sieht ihn über die Straße gehen.

Pablo klopft an Herreras Tür.

»Herein!« Herrera sitzt am Schreibtisch, sein krankes Bein hat er hochgelegt.

»Oscar, ich brauche ein paar Tage Urlaub.«

»Kein Problem. Wann?«

»Sofort.«

»Sofort?«

»Eine Familienangelegenheit.«

»Tut mir leid«, sagt Herrera. »Aber Matteo geht es gut?«

»Es geht ihm gut. Er kommt nach Juárez. Ich fahre mit ihm ein paar Tage in die Ferien.«

»Wie immer wäre eine etwas frühere Anmeldung willkommen gewesen«, sagt Herrera.

»Tut mir leid, wirklich.«

»Gräm dich nicht zu sehr, das ist schlecht für die Verdauung«, sagt Herrera. »Nur ein kleiner Scherz. Aber im Ernst: Du siehst aus, als wäre dein bester Freund gestorben.«

Pablo steht da wie festgenagelt.

»Ist noch was?«, fragt Herrera.

»Ich … ich wollte dir nur danken«, stammelt Pablo.

»Keine Ursache.«

»Nein, ich meine, für alles«, sagt Pablo. »Für alles, was du mir beigebracht hast … dafür, dass du bist, wie du bist.«

Der Uhu blinzelt ihn an. »Äh … danke, Pablo. Das ist sehr freundlich von dir.«

Pablo nickt, dreht sich um und geht.

Manuel Godoy blickt von der Tastatur auf.

»Fertig«, sagt er.

Er nennt Forty die Adresse, von der achtzig Prozent der Beiträge für *Esta Vida* gepostet wurden. Die übrigen zwanzig Prozent wurden aus der Redaktion von *El Periódico* abgeschickt und aus dem Café gegenüber.

Forty ruft Ramón an und nennt ihm die Adresse.

Pablo fährt auf der 45 zum Abraham González International Airport.

Die Fahrt dauert nur zwanzig Minuten, aber sie fühlt sich an wie eine Ewigkeit, außerdem hat er das Gefühl, verfolgt zu werden. Wieder die Paranoia, sagt er sich. Schüttle sie ab. Sie haben dir zwei Wochen Zeit gegeben. Bitte, lieber Gott, denkt er, als er in der Kurzparkzone aussteigt und die Halle betritt, bitte lass die Aeroméxico ein einziges Mal pünktlich sein.

»Papi!«

Matteo ist deutlich gewachsen.

Er sieht mager aus. Nicht unterernährt, das nicht, aber er wird gerade schlaksig. Pablo hebt ihn hoch und dreht sich im Kreis.

»*M'ijo! Sonrisa de mi alma!*«

»Fahren wir in die USA?«, fragt Matteo.

»Ja, das machen wir!«

»Gibt es dort wirklich eine Wasserrutschbahn?«

»Klar gibt es die!«

»Darf ich da runterrutschen?«

»Sooft du willst.«

»Bin ich nicht zu klein?«

»Eher bin ich zu dick.«

»Du bist doch nicht dick, Papi!«

»Das hast du nett gesagt, *m'ijo*.« Er hängt sich Matteos Tasche über die Schulter, nimmt ihn bei der Hand und geht hinaus zum Parkplatz. »Wie war dein Flug?«

»Ich habe eine Coke bestellt. Aber nicht erzählen!«

»Keine Sorge.«

Der Abend ist warm und schwül. Pablo legt Matteos Tasche auf den Rücksitz, dann öffnet er die Beifahrertür und schnallt Matteo an.

»Papi, dein Auto ist voller Krempel!« Matteo lacht.

»Du kannst mir aufräumen helfen, wenn wir in El Paso sind.«

»Wann fahren wir denn?«

»Wann? Jetzt.«

»Sofort?« Matteo ist begeistert. Das Wort hört er immer nur, wenn *er* etwas tun soll.

»Auf der Stelle«, sagt Pablo und setzt sich ans Steuer. »Erst holen wir noch Tía Ana ab. Sie kommt mit uns. Ich hoffe, das ist okay.«

Matteo macht ein ernstes Gesicht. »Ist Tía Ana deine Freundin?«

»Sie ist eine Frau für sich«, sagt Pablo. »*Und* meine Freundin. Hast du Hunger? Haben sie dir im Flugzeug etwas zu essen gegeben?«

»*Ist* sie nun deine Freundin?«, fragt Matteo.

O Gott, denkt Pablo. Der Sohn eines Reporters.

Er startet und verlässt den Parkplatz.

Das Auto, ein silberner Navigator, setzt sich vor ihn und bremst ihn aus.

Pablo stoppt und will in den Rückwärtsgang, aber hinter ihm

hält schon ein anderer SUV. Dann sieht er Ramón aus dem vorderen Auto aussteigen und herankommen. Hinter ihm ein kleiner Schmächtiger, der kaum älter als achtzehn ist. Ramón klopft an die Scheibe und macht eine kurbelnde Bewegung. Als sich die Scheibe gesenkt hat, sagt er: »Hast du aber ein schönes Auto!«

»Nur eine alte Karre«, sagt Pablo, seine Stimme zittert.

»Ich dachte schon, du wolltest verreisen«, sagt Ramón. »Aber du hast nur den kleinen Matteo abgeholt. Hallo, Matteo, ich bin dein Tío Ramón.«

»Hallo.«

»Ein ganz Süßer«, sagt Ramón zu Pablo.

Pablo kriegt keine Luft. Seine Kehle schnürt sich zusammen, als würde er gewürgt. »Bitte, Ramón –«

»Deine Zeit ist abgelaufen. Wir wollen eine Antwort. Heute noch. Oder wir kommen dich besuchen.« Ramón beugt sich durchs Fenster und lächelt Matteo an. »Vielleicht sehen wir uns noch, okay?«

»Okay.«

Ramón lächelt, zeigt Pablo eine Ruf-mich-an-Geste und geht zu seinem Auto. Das Auto verschwindet, und Pablo fährt weiter, mit zitternden Händen.

»Papi, wer war der Mann?«, fragt Matteo.

»Ein alter Freund.«

»Was hat er denn gewollt?«

»Nur hallo sagen, glaube ich.«

Pablo ist mehr tot als lebendig, als er bei Ana ankommt. Jetzt hat er keine Wahl mehr.

Er muss ihr sagen, was er weiß.

Ana stopft ein Flanellhemd in den Rucksack.

Selbst im Juli kann es nachts kalt werden in der Wüste.

Sie ist sich immer noch nicht sicher, ob sie mitfahren soll. Der Gedanke an ein peinliches Dinner mit Victoria und ihrem Verlobten schreckt sie am meisten ab, und Matteo ist viel zu aufgeweckt und sensibel, um das nicht zu merken und entsprechend zu reagieren.

Aber Pablo scheint sehr daran zu liegen, dass sie mitkommt, also –

Sie hört die Autotür klappen, dann die andere.

Das müssen sie sein, denkt sie.

Pablo kommt ins Haus.

Ana wird gerade mit Packen fertig. Sie nimmt Matteo in die Arme und drückt ihn herzhaft. Dann schaut sie ihn an und sagt: »Du bist aber groß geworden!«

»Ich weiß.«

»Ich bin fast fertig«, sagt sie zu Pablo.

»Gut«, sagt Pablo. »Ich muss nur noch einen Anruf machen.«

Er geht hinaus auf den Hof, wo er so viele schöne Abende verbracht hat. Die Partys, die Musik, die Gespräche, die Diskussionen … Ana hätte das nicht starten dürfen, sagt er sich. Diesen verdammten Blog. Damit hat sie uns alle in Gefahr gebracht. Sie wusste, was sie tat, kannte das Risiko. Sie wusste, dass es so enden würde …

Er zieht das Handy aus der Tasche und tippt die Nummer ein.

Seine letzte Chance.

Keller nimmt nicht ab. Der Anrufbeantworter schaltet sich sofort ein.

Wo zum Teufel steckst du? Du bist meine letzte Chance, Anas letzte Chance. Du bist ein Ami, du kannst uns hier rausholen, über die Grenze schaffen, uns irgendwo verstecken. So wie die Narcos, die die Seiten wechseln.

Narcos kriegen Dauervisa. Die Journalisten, die über sie schreiben, nicht.

Jetzt ist es sowieso zu spät.

Jetzt geht es nur noch um Matteo, sagt er sich.

Tu, was du tun musst, für deinen Sohn.

Ach ja. Und Ana.

Chuy erhält seine Anweisungen von Forty.
Wenn wir das wilde Kind kriegen ...
Mach nicht kurzen Prozess.
Mach es schmerzhaft. Lass dir Zeit.
Schick eine Botschaft.

Pablo geht zurück ins Haus.
»Wo ist Matteo?«, fragt er in Panik.
»Im Bad«, sagt Ana.
»Hör zu, es ist was dazwischengekommen. Tu mir einen Riesengefallen und bring Matteo nach El Paso. Ich komme morgen nach.«
»Warum erledigst du das nicht, und wir fahren dann alle zusammen?«, fragt Ana.
»Ana ...«
»Was?«
»Fahr einfach los. Bitte.«
»Was hast du denn noch zu erledigen? Kann ich helfen?«
»Ja. Bring den Jungen über die Grenze. Noch heute.«
»Pablo ...«
»Ana, lass gut sein.«
»Komm mit uns!«
Er schüttelt den Kopf. Es hat sowieso keinen Zweck. Die Amerikaner werden sie alle zurückschicken nach Mexiko, früher oder später, und wenn nicht, finden die Narcos Ana auch in den USA und bringen sie dort um.
Es gibt nur eine Chance, sie zu retten.
Und Matteo zu schützen.
»Bitte bring Matteo rüber. Es muss sein. Ich komme morgen nach. Das verspreche ich.«
Matteo kommt aus dem Bad. Pablo kniet sich vor ihn, nimmt sein Gesicht zwischen die Hände. »*M'ijo,* ich habe eine Überraschung für dich. Ich muss noch was erledigen, deshalb fährt Tía Ana mit dir vor, und ich komme morgen nach. Okay?«
Matteo blickt verunsichert.

»Du hast doch Tía Ana gern, oder?«

»Ja, aber –«

»Dann macht es euch schön«, sagt Pablo. »Tía Ana holt dir Coke aus dem Automaten im Hotel.«

»Wir werden uns schon amüsieren«, sagt Ana.

»Okay.«

Pablo umarmt ihn. Spürt seine schmale, warme Brust an seiner. »Papi hat dich sehr, sehr lieb. Das weißt du doch, oder?«

»Ich dich auch.«

Pablo küsst ihn auf die Wangen. »Jetzt fahrt besser los. Ich sehe euch beide morgen, und wir fahren ins Schwimmbad. Habe ich dir erzählt, dass ich Weltmeister im Wasserrutschen bin?«

»Warum weinst du denn, Papi?«

»Nur weil ich dich so liebhabe.«

Ana nimmt Matteo bei der Hand und führt ihn hinaus. Pablo steht in der Tür und sieht sie wegfahren.

Er winkt ihnen nach.

Dann geht er wieder hinein und findet eine Flasche Johnnie Walker Black im Küchenschrank. Er gießt sich ein, geht ins Schlafzimmer, und als er betrunken genug ist, um seine Hände ruhig zu halten, setzt er sich an Anas Computer und fängt an zu tippen.

»Schau dir das an«, sagt Forty zu Ramón.

Er zeigt ihm *Esta Vida*, den neuesten Blog.

Signiert vom Autor.

»Der Hurensohn«, sagt Ramón.

Es dauert keine Stunde, und sie haben ihn geortet.

Ramón und Chuy fahren hinaus, und als sie ankommen, sitzt Pablo auf der Treppe zum Hof und trinkt ein Bier, neben sich eine leere Flasche Scotch.

Pablo blickt zu Ramón auf.

»Komm, wir fahren«, sagt Ramón.

»Hey, Ramón, wir waren doch mal Kumpel. Warum machst du's nicht einfach hier?«

Er hebt die Hand und macht eine Schießbewegung.

»So läuft das nicht«, sagt Ramón. »Ich begreife nicht, warum du das tun musstest.«

»Ich auch nicht«, erwidert Pablo. Er zieht sich mühsam am Geländer hoch. Seine Beine knicken ein, Ramón nimmt ihn beim Arm. »Bist ganz schön besoffen, Alter.«

»Ist wahrscheinlich besser, was?«

»Wahrscheinlich.«

»Ich hab echt Schiss, Ramón.«

»Ja, schon gut …«

Sie bringen ihn hinaus und fahren ihn zu einer stillgelegten *maquiladora*.

Die Straßenfeger finden ihn kurz vor Tagesanbruch.

Alte Zeitungen und Unrat wehen über die Plaza del Periodista.

Die Mörder haben sich große Mühe gegeben, seine Körperteile um die Statue des Zeitungsjungen zu gruppieren. Pablos amputierte Arme und Beine umrahmen seinen ausgeweideten und kastrierten Rumpf. Sein Kopf ist am Fuß des Sockels aufgestellt, im Mund die abgeschnittenen Finger, mit denen er seine Artikel getippt hat, seine Zunge ist durch einen Schlitz in der Kehle gezogen, seine leeren Augenhöhlen sind blutige Löcher.

An seinem Halsstumpf lehnt eine Pappe.

»Jetzt kannst du deine Märchen schreiben, wildes Kind – La Compañia Z«

Aber im Lauf des Vormittags hat so ziemlich jeder in Mexiko die letzten Worte des wilden Kinds gelesen:

An alle ohne Stimme
von
El Niño Salvage

Ich spreche für alle, die nicht sprechen können, für alle Sprachlosen. Ich erhebe die Stimme und winke mit den Armen und rufe alle, die ihr nicht seht, vielleicht nicht sehen könnt, die Unsichtbaren. Die Armen, die Ohnmächtigen, die Enteigneten; die Opfer des sogenannten Kriegs gegen die Drogen, die sechzigtausend, die von den Narcos ermordet wurden, von der Polizei, von der Armee, von der Regierung, von den Drogenkäufern und Waffenhändlern, von den Investoren, die ihr »neues Geld« in Glitzertürme, Hotels, Wellness-Paradiese, Shopping-Malls und Wohnanlagen stecken.

Ich spreche für alle, die von den Narcos gefoltert, verbrannt, gehäutet wurden, von den Soldaten geprügelt und vergewaltigt, von der Polizei mit Elektroschocks und Waterboarding misshandelt.

Ich spreche für die zwanzigtausend Waisenkinder, für die Kinder, die Angehörige oder beide Eltern verloren haben, die fürs Leben gezeichnet sind.

Ich spreche für die toten Kinder, umgekommen bei Schießereien, ermordet mit ihren Eltern, aus den Leibern ihrer Mütter gerissen.

Ich spreche für die Versklavten, die zur Arbeit auf den Ländereien der Narcos gezwungen werden, zum Kämpfen gezwungen werden. Ich spreche für die Massen, die von einem Wirtschaftssystem zugrunde gerichtet werden, dem der Profit wichtiger ist als die Menschen.

Ich spreche für die Menschen, die die Wahrheit sagen wollten, die ihre Geschichte erzählen wollten, die zeigen wollten, was ihr ihnen angetan habt und noch immer antut. Aber ihr habt sie zum Schweigen gebracht und geblendet, so dass sie euch nicht mehr erreichen konnten.

Ich spreche für sie, aber ich spreche zu euch – den Reichen, den Mächtigen, den Politikern, den Befehlshabern und Generälen. Ich spreche zu Los Pinos und dem Haus der Abgeordneten, ich spreche zum Weißen Haus und dem Kongress, ich spreche zur AFI und der DEA, ich spreche zu den Bankiers, den Landbesitzern und Ölbaronen, den Kapitalisten und den Drogenbossen, und ich sage euch:

Ihr seid alle gleich.

Ihr alle seid das Kartell.

Und ihr seid schuldig.

Schuldig des Mordes, der Folter, der Vergewaltigung, der Entführung, der Versklavung, der Unterdrückung, aber schuldig vor allem der Gleichgültigkeit. Ihr seht die Menschen nicht, die ihr unter eurem Stiefelabsatz zermalmt. Ihr seht nicht ihren Schmerz, ihr hört nicht ihre Schreie, sie sind unhörbar und unsichtbar für euch, und sie sind die Opfer dieses Krieges, den ihr führt, um euch über sie zu erheben.

Dies ist kein Krieg gegen die Drogen.

Dies ist ein Krieg gegen die Armen.

Dies ist ein Krieg gegen die Armen und die Ohnmächtigen, die Unhörbaren und Unsichtbaren, die ihr von den Straßen fegen wollt wie den Dreck, der euch um die Beine weht und eure Stiefel beschmutzt.

Gratulation.

Ihr habt es geschafft.

Ihr habt die Säuberung vollzogen.

Das Land ist nun reif für eure Shopping-Malls und eure Wohnanlagen. Die Unsichtbaren sind außer Sicht, die Unhörbaren sind so stumm, wie sie sein sollen.

Dies sind meine letzten Worte, denn ihr werdet mich dafür töten.

Ich bitte nur darum, dass man mich in einem anonymen Grab beisetzt, bei den Gesichtslosen und Namenlosen, ohne Grabstein.
Mein Platz ist bei ihnen, nicht bei euch.
Und auch ich bin jetzt unsichtbar und unhörbar.
Ich bin Pablo Mora.

3. Die Säuberung

Wasch meine Schuld von mir ab und
mach mich rein von meiner Sünde.

51. Psalm

San Diego, Kalifornien
Oktober 2012

Vor tausend Jahren, liest Keller, gehörte der Petén zu den
am dichtesten besiedelten Gegenden der Welt.

Die von Regenwäldern bewachsene Tiefebene war ein Zentrum der Maya-Zivilisation mit Dutzenden von Städten, steinernen Tempeln und befestigten Plätzen, mit Bewässerungssystemen und Kanälen und schwimmenden Inseln, auf denen Gemüse angebaut wurde.

Dann kam der Niedergang.

Niemand kennt den genauen Grund – ob es Dürreperioden, Seuchen oder Kriege waren, aber um 1520, als Cortés hier einritt, hatte der Dschungel schon die meisten Städte und Äcker zurückerobert, und die Bewohner, die die von den Europäern eingeschleppten Krankheiten überlebt hatten, ernährten sich in isolierten Dörfern von dem, was der Wald hergab.

Trotzdem brauchten die Spanier fast zweihundert Jahre, um die Maya-Nachkommen im Petén endgültig zu unterwerfen und ein Kolonialregime zu errichten, das die weißen Spanier und ihre mestizischen Abkömmlinge zu Landbesitzern machte, die ursprünglichen Maya aber zu »Indios« und landlosen Bauern.

Das System hielt sich fast vierhundert Jahre lang, auch dann noch, als die neuen amerikanischen Imperialisten von der United Fruit Company in Guatemala an die Macht kamen.

Erst 1944 führte die guatemaltekische Oktoberrevolution zu

demokratischen Reformen, 1952 wurde per Dekret die Umverteilung des Bodens beschlossen.

Die Landbesitzer reagierten auf ihre Weise.

Sie machten zwei Prozent der Bevölkerung aus, besaßen aber 98 Prozent des Landes und waren nicht willens, etwas daran zu ändern. Mit Hilfe der CIA putschten sie 1954 gegen die gewählte Regierung.

Die Linke, ein loser Verbund aus Studenten, Arbeitern und ein paar Bauern, gründete die »MR 13«, eine Guerilla-Organisation, die gegen die guatemaltekische Armee und Polizei kämpfte. Nach Jahren sporadischer Unruhen schickten die USA 1965 ihre Special Forces – die Green Berets –, um die Generäle im Kampf gegen die »kommunistischen Guerillas« zu unterstützen.

Was folgte, war der »Weiße Terror« verschiedener paramilitärischer Gruppierungen, die Tausende Bewohner »verschwinden« ließen. Als General Carlos Arana Osorio 1970 Präsident wurde, verhängte er den Ausnahmezustand und verkündete: »Wenn es zur Befriedung notwendig ist, das Land in einen Friedhof zu verwandeln, werde ich nicht zögern.«

Siebentausend Menschen »verschwanden« in den nachfolgenden vier Jahren seiner Herrschaft.

Die Linke gründete die CUC (das Komitee der vereinten Bauern) im Süden und Osten, die EGP (Guerilla-Armee der Armen) im Petén, und der Bürgerkrieg von Guatemala ging weiter.

Wenn es eine Bezeichnung gibt, die noch irreführender ist als »Das mexikanische Drogenproblem«, dann ist es der »Bürgerkrieg von Guatemala«. Dieser Krieg spielte sich zwar in Guatemala ab, aber er verlief höchst einseitig. Auf der einen Seite ein paar schlechtbewaffnete linke Guerillas, auf der anderen Seite Armee- und Polizeikräfte mit amerikanischen Waffen und amerikanischer Ausbildung.

1978 eröffneten die Kaibiles, eine jener Spezialeinheiten, das Feuer auf eine Gruppe unbewaffneter Demonstranten und töteten hundertfünfzig von ihnen. Bis 1980 waren dem Terror bereits fünftausend Menschen zum Opfer gefallen, und allein 1982 sorgte der Diktator Carlos Montt – bewundert von Ronald Reagan und eng befreundet mit den TV-Evangelisten Jerry Falwell und Pat Robertson – für Massaker mit insgesamt achtzehntausend Toten.

Keller warf einen Blick auf die Geschichte des kleinen Dorfs im Petén – Dos Erres.

Es ist eine haarsträubende Geschichte.

Im Oktober 1982 lockten EGP-Guerillas einen Armeekonvoi bei Dos Erres in einen Hinterhalt, töteten einundzwanzig Soldaten und erbeuteten neunzehn Gewehre.

Am 4. Dezember wurde eine Einheit von achtundfünfzig als Guerillas getarnten Kaibiles in die Gegend eingeflogen. Zwei Tage später drangen sie morgens um zwei Uhr dreißig in das Dorf ein. Sie trieben die Bewohner aus den Häusern, sperrten alle Männer in die Dorfschule, die Frauen und Kinder in die Kirche. Dann durchsuchten sie das Dorf nach den erbeuteten Waffen. Sie fanden keine, weil die Guerillas, die den Konvoi überfallen hatten, nicht aus Dos Erres kamen.

Das änderte nichts.

Die Kaibiles verkündeten, dass sie nach dem Frühstück wiederkommen würden, um die Bewohner zu »impfen«.

Die Kaibiles wurden zu Berserkern.

Sie packten Kinder bei den Füßen und schleuderten sie mit den Köpfen gegen Baumstämme und Mauern. Um Munition zu sparen, erschlugen sie die Männer mit Hämmern. Sie rissen schwangeren Frauen die Babys aus dem Leib, vergewaltigten die übrigen Frauen im Verlauf der nachfolgenden zwei Tage, ermordeten auch sie und warfen ihre Leichen in den Dorfbrunnen, in dem schon ihre Angehörigen lagen.

Am letzten Morgen des Massakers verliefen sich fünfzehn Maya-Bauern in das Dorf. Weil der Brunnen voll war, wurden sie von den Kaibiles eine halbe Meile weit getrieben und dann abgeschlachtet, bis auf zwei halbwüchsige Mädchen, die sie vergewaltigten und erwürgten. Danach zogen sie aus der Gegend ab.

Nach dem Massaker von Dos Erres dauerte der »Bürgerkrieg« von Guatemala noch weitere zwölf Jahre. Über zweihunderttausend Menschen kamen dabei zu Tode, darunter die vierzigtausend bis fünfzigtausend »Verschwundenen«. Anderthalb Millionen wurden vertrieben, eine weitere Million floh ins Ausland, die meisten von ihnen in die USA.

Und vor einem Monat, stellt Keller fest, ist Carlos Montt wegen Kriegsverbrechen und Völkermords vor ein guatemaltekisches Gericht gestellt worden.

Aber die Bevölkerung des Petén muss weiter leiden, jetzt unter den Drogenkartellen, die das Gebiet wegen seiner Grenznähe für sich nutzen wollen. Die Zetas und das Sinaloa-Kartell waren zum Krieg um den Petén bereit, bis sich Barrera dazu durchrang, Ochoa an den Verhandlungstisch zu bringen.

Jetzt studiert Keller die neuesten Satellitenfotos.

Die Lichtung westlich von Dos Erres, ein kleines Rechteck, ist frisch aus dem Regenwald herausgeschnitten. Er zählt die Zelte und registriert die zwei kleinen Gebäude, aber er muss nicht ausrechnen, wie viele »neue Leute« hier stationiert sind. Er weiß es schon – Barrera hat ihm mitgeteilt, dass er mit hundert Mann anreist.

Seine Geheimdienstler haben aber die Zahl der Zetas ermittelt, anhand der Häuser, Hütten und Zelte in Dos Erres, der Fahrzeuge und anderer Hinweise, die ihnen die Satellitenbeobachtung liefert. Ihre Schätzung beläuft sich auf zweihundert Zetas, darunter vielleicht zwei Dutzend frühere Kaibiles.

Wir kommen mit zwanzig Mann, sagt sich Keller.

Alles Elitesöldner.

Das Team hat er in den langen Wochen des Trainings kennen- und schätzen gelernt. Es ist nicht leicht, an diese Männer heranzukommen – sie sind schweigsam, verschlossen, reden nicht von sich. Je weniger sie voneinander wissen, desto besser, lautet die allgemeine Regel. Aber immerhin hat Keller herausgefunden, dass Teamchef John Downey, »D1«, Armeeoberst war, mit Kampferfahrung in Somalia, Irak und Afghanistan. Ende vierzig, ein Kerl wie ein Schrank, Stupsnase, roter Bürstenschnitt, lockerer Kommandoton.

Keller mag ihn.

Das ist der einzige Name, den er kennen darf. Die anderen rufen sich nur beim Vornamen – er weiß nicht mal, ob die echt sind –, oder sie benutzen Spitznamen. Den Gesprächen beim Essen oder beim Bier hat er entnommen, dass die meisten gute Abschlüsse haben, in Geschichte, Soziologie oder »schweren« Fächern, und dass sie mindestens zwei Sprachen beherrschen, aber vielsprachig fluchen können – auf Englisch, Spanisch (Downey hat nur Leute mit Spanischkenntnissen rekrutiert), Arabisch, Kurdisch, Paschtu und Dari.

Keller kennt Dos Erres so gut, wie man einen Ort nur kennen kann, den man nie besucht hat. Er hat die Satellitenfotos studiert, Karten, Videos. Als das Team aus Virginia in ein Privatcamp am Sunshine Summit verlegt wurde, eine einsame Bergregion siebzig Meilen nördlich von San Diego, bauten sie ein Modelldorf aus PVC-Rohren auf.

Sie haben den Zugriff ein paar hundert Mal durchgespielt.

Nach allem, was sie wissen, hat Ochoa die leere Kirche in sein persönliches Hauptquartier verwandelt, während Forty in der verlassenen Schule neben der Kirche residiert, beide Gebäude liegen am Westrand des Dorfes.

Bei den Anführern wohnen je vier Bodyguards, die anderen Zetas biwakieren östlich vom Dorf auf der Lichtung, die zuerst von den Satelliten geortet wurde.

Die neue Lichtung befindet sich westlich vom Dorf. Die zwei Gebäude scheinen bei genauem Hinsehen C-Container zu sein, mit Vordächern aus Wellblech. Keller und seine Leute vermuten, dass dieses Camp für die sinaloanischen Gäste errichtet wurde und die beiden Container für Barrera und Nacho Esparza bestimmt sind.

Der Einsatzplan ist einfach, aber knapp berechnet.

Zwei Blackhawk-Hubschrauber, jeder mit zehn Mann und einem Piloten besetzt, werden über die mexikanische Grenze nach Guatemala einfliegen. Der erste wird über dem Dorf schweben, während sich die Mannschaft abseilt und in zwei »Kill-Teams« von je vier Mann aufteilt. Kill-Team F greift die Schule an und tötet Forty. Kill-Team G dringt in die Kirche ein und tötet Ochoa.

Der zweite Hubschrauber wird am Ostrand des Dorfs landen, an dem schmalen Dschungelstreifen, der das Dorf vom Zeta-Camp trennt, die Besatzung wird die Kill-Teams gegen mögliche Angriffe aus dem Barrera-Camp abschirmen.

So weit soll es aber nicht kommen, der ganze Zugriff muss blitzschnell vonstattengehen. Dann landet der erste Hubschrauber, die Kill-Teams gehen an Bord, und es folgt der schnelle Rückzug über die Grenze nach Campeche, wo sie von der FES empfangen und zu einem Militärstützpunkt bei Juárez geflogen werden.

Dort passieren sie in kleinen Grüppchen die Grenze – und verschwinden.

Entscheidend wird der Überrumpelungseffekt.

Keller gehört mit Eddie Ruiz zum Kill-Team G. Die anderen Söldner wollten ihn natürlich nicht, sie wollten, dass er im Hubschrauber bleibt – zu alt, zu langsam, nicht durchtrainiert, und um ihn fitter zu machen, bleibt keine Zeit.

Keller hat ihnen ein paar Takte erzählt.

»Das ist mein Einsatz«, hat er gesagt, »ich bin dabei, und zwar ganz vorn, oder die Sache läuft nicht.«

Sie fügen sich knurrend, auch weil sie inzwischen mehr über »Killer Keller« erfahren haben, seine Vorgeschichte, seine Niederlagen. Im Camp wird über seine Verbindung mit der *La Médica hermosa* getuschelt – die dann prompt gegoogelt und beäugt wird – und dass sie von den Zetas zum Krüppel geschossen wurde. Sie erfahren auch von Erika Vallés und Pablo Mora und beschließen, dass sie Keller, wenn er denn

Rache nehmen will, hineinbringen und ihm Deckung geben werden.

Sie haben ihm den Funknamen K1 gegeben.

Und er hat sie beim Training beeindruckt.

Ja, er ist langsam, aber er arbeitet punktgenau.

Und ist motiviert.

Er informiert sie umfassend über die Zetas – ihre Gewohnheiten, ihre Taktiken, ihre Ausbildung, ihre Bewaffnung –, sogar über die Psyche der beiden Zielpersonen. Er hat eine Menge Fotos und Videoclips mitgebracht.

Eddie Ruiz hat etwas anderes zu bieten.

Eddie hing in seinem Apartment in Fort Bliss herum, als Keller kam und seine Babysitter rausschickte.

»Sachen packen«, sagte er zu ihm.

»Wohin soll's denn gehen?«, fragte Eddie.

»Du kommst mit mir. Forty und Ochoa töten.«

Eddie pfiff durch die Zähne. »Heilige Scheiße. Wie hast du das geschafft?«

Das war wirklich nicht leicht, denkt Keller. Alle haben protestiert, als er mit dem Vorschlag kam, Crazy Eddie auf den Einsatz mitzunehmen, aber sein Argument war, dass Eddie der Einzige ist, der beide Zielpersonen sicher identifizieren kann, dass er ein bewährter Kämpfer ist und dass er, wenn alles läuft, wie es soll, Fort Bliss als freier Mann verlassen darf.

»Wir müssten ihn fünf Sekunden nach seinem Einsatz verhaften«, hat ihm Taylor erklärt.

»Er hat mein Wort«, war Kellers Antwort.

»Dazu warst du nicht befugt.«

Keller zuckte die Schultern.

»Und wenn er flieht?«, fragte Taylor.

»Das wird er nicht.«

Keller war sicher, dass er damit durchkommen würde. Seit die PAN nicht mehr regierte, war Eddie so wertvoll wie ein verfallener Scheck.

»Wenn du ihn holst, musst du ihn auch zurückbringen«, hat Taylor schließlich gesagt.

»Klar.«

Eddies Informationen hingegen – wenn man sie so nennen kann – sind von unschätzbarem Wert. Ruiz hat mit den Zetas zusammengesessen, mit ihnen gefeiert. Er weiß, wie sie ticken. Und neben Keller ist er der Einzige, der gegen sie gekämpft hat, der Zetas getötet hat.

Die Söldner im Team wollten auch ihn nicht haben – anfangs. Sahen in ihm einen undisziplinierten, schießwütigen Drogendealer. Aber nachdem er unumwunden zugab, dass er genau das war, reagierten sie gelassener. Und in einer Sache gab es keinen Zweifel – Eddie konnte einem Moskito die Eier wegschießen.

Das hatte er ihnen versichert, und auf dem Schießstand stellte er es unter Beweis.

Ebenso Keller.

Aber das harte Training, muss er zugeben, hat ihn beinahe umgebracht. Die Jungs haben recht – er ist zu alt und zu langsam. Seine Beine und seine Reflexe wollen nicht so, wie er will, und das macht ihn wütend. Jetzt, wo die Chance seines Lebens naht, ist er erschöpft. Zwei solche Einsätze würde er nicht durchhalten. Dieser wird sein letzter.

Das andere, was ihn fast umbringt, ist das Warten.

Er hat Wochen gewartet, bis sich Barrera zu dem Treffen mit Ochoa entschlossen hat. Dann weitere Wochen, bis feststand, wo das Treffen stattfinden sollte. Als sie das wussten, überschlugen sie sich mit den Übungen und taktischen Vorbereitungen, doch es folgten wieder Wochen, bis sie das genaue Datum erfuhren. Als sie das Datum kannten, lebten sie fünf lange Tage in unerträglicher Spannung, ob das Treffen wirklich zustande kommen würde.

Jetzt ist es so weit, sagt sich Keller, als er die Fotos sieht.

Barrera ist in Dos Erres.

Morgen am späten Nachmittag sollen die Verhandlungen beginnen.

Sie werden bis in die Nacht dauern, gefolgt von einer Party – wenn alles gutgeht. Am Tag darauf wird es keine weiteren Verhandlungen geben, weil die Zetas tot sein werden, wenn die Sonne aufgeht.

Adán Barrera wird der unangefochtene *patrón.*

Und die *pax narcotica* kann beginnen.

Denn so ist es geplant.

Es wird nur noch ein Kartell geben, das Drogen in die USA schmuggelt, und das alte Räuber-und-Gendarm-Spiel entlang der Grenze kann weitergehen. Alles wie gehabt. Aber ohne mich, denkt Keller.

In zwei Tagen bin ich draußen.

Vielleicht auch schon eher, sagt er sich, nämlich wenn ich in Dos Erres sterbe, was eine reale Möglichkeit ist. Denn mach dir nichts vor, sie haben recht. Du hast bei dem Einsatz nichts zu suchen, du bist das schwächste Glied. Und die Wahrscheinlichkeit, dass du auf der Strecke bleibst, ist ziemlich groß.

Aber wenn ich das überstehe, was dann?, fragt er sich.

Wie geht es weiter mit mir? Was fange ich mit meinem Leben an? Zu Marisol kann ich nicht zurück, der beschauliche Lebensabend mit ihr, von dem ich geträumt habe, ist gestrichen. Auch zu den Bienen kann ich nicht zurück – die Mönche werden mich nicht nehmen, und außerdem bin ich nicht mehr der, der ich war, der Mann, der ein Leben in Gläubigkeit und stiller Einkehr führen konnte. Die letzten sechs Jahre haben mir das ausgetrieben.

Ein solches Leben gibt es nicht.

Nicht auf dieser Welt.

Also, was werde ich tun?

Die Pension kassieren, mir ein Häuschen in Scottsdale kaufen, einer von den Frührentnern werden, die man nachmittags um zwei in der Sports Bar sieht? Oder Golf spielen? Das eigene Bier brauen? Die wichtigen Bücher lesen? Vor mich hin leben, bis die Krebsdiagnose kommt, und in der

Zwischenzeit so tun, als hätte ich nicht getan, was ich getan habe, als hätte ich nicht gesehen, was ich gesehen habe, als wären all die Alpträume reine Fiktion und nicht die irrsinnige Zuspitzung meines für sich genommen schon irrsinnigen Lebens?

Vielleicht gibt es Schlimmeres, als in Dos Erres zu sterben.

Sie brechen das Lager in Sunshine Summit ab und fahren zum Sammelpunkt in San Diego. Von dort geht es in separaten Flügen nach Mexico City, weiter nach Campeche, dann im Hubschrauber über die Grenze.

Operation XTZ.

»Die Zetas durchkreuzen.«

Keller sitzt im Flughafenhotel auf dem Bett, befingert das Handy und überlegt, ob er Marisol anruft. Aber was soll er sagen? Du fehlst mir? Leb wohl? Egal was er sagt, es wird nichts ändern. Und dass er es sich anders überlegt habe, wird er ihr nicht sagen.

Er ruft sie nicht an.

Um die Unruhe loszuwerden, macht er einen Spaziergang durch das alte Viertel, das als Little Italy bekannt ist. Hier kam er früher durch, wenn er aus dem Büro nach Hause ging, sich ein Würstchen bei Pete leistete – den es nicht mehr gibt – oder einen guten Espresso in dem Café, in dem jetzt Starbucks residiert.

Er biegt in die Columbia Street ein, bleibt vor Our Lady of the Rosary stehen, der Kirche für die italienischen Thunfischfischer, die in dem Viertel lebten. Keller war hier oft zur Frühmesse, zur Beichte, zum Abendmahl – oder nur, um die Fresken im Altarraum zu sehen.

Die Thunfischflotte ist längst vergessen und mit ihr die italienischen Fischer.

Die Gegend ist jetzt »angesagt« – mit Coffeehouses und Nachtclubs, neuen Stadtvillen; die italienischen Restaurants sind teure Touristenfallen.

Keller steht vor der Kirche und überlegt, ob er hineingeht.

Die Messe ist vorbei, aber es könnte noch einer da sein, der die Beichte abnimmt.

So viel Zeit hat der Mann nicht, denkt er.

Vergib mir, Vater, denn ich habe gesündigt und gesündigt und gesündigt und gesündigt ...

Und ich bin drauf und dran, einen (weiteren) Mord zu begehen.

Oder mehr als einen.

Keller geht weiter.

Er hat kein Verlangen nach Gott, und Gott hat kein Verlangen nach ihm.

Petén, Guatemala
31. Oktober 2012

Chuy kickt den Fußball gegen eine verfallene Mauer, von der er nicht ahnt, dass sie von den Maya erbaut wurde.

Der Dschungel ist voll von solchen Ruinen, doch die lassen ihn kalt. Was ihn reizt, sind die vielen Kalksteinhöhlen, in denen er sich verkriechen kann, um zu schlafen oder nur so dazuliegen.

Forty hat ihn mit seinem Trupp hierher nach Guatemala gebracht, und es war das erste Mal, dass er mit dem Flugzeug geflogen ist. Was ihn fertigmachte, war die schwüle Hitze von Guatemala-Stadt, die etwas nachließ, als sie durch das weite Grasland in den Norden fuhren und dann in den Dschungel kamen. Es ist immer noch stickig und viel zu grün, aber langsam gewöhnt er sich daran, obwohl ihm nachts ein bisschen unheimlich zumute ist, weil die Männer, die schon länger da sind, erzählt haben, dass es hier Jaguare und Pumas gibt und Krokodile in den Sümpfen außerhalb des Dorfs.

Das Dorf selbst ist ziemlich menschenleer, abgesehen von ein paar Frauen, die für die Männer kochen und putzen, und ein paar Männern, die den Frauen nachsteigen. Die anderen

Bewohner sind wahrscheinlich umgebracht oder verjagt worden, denkt er, deshalb gibt es hier praktisch nur Zetas.

Die Männer haben Chuy ein Mädchen fürs Bett angeboten, aber er wollte sie nicht, weil er an Flor denken musste, die ihm von ihrer Kindheit im Petén erzählt hatte und wie die Kaibiles sie und ihre Familie vertrieben hatten. Das ist der Grund, weshalb er kein Mädchen will, aber auch, weil er in der Nacht aufwacht und weint, manchmal auch einpisst, daher schläft er lieber allein.

Manche Nacht hält er es gar nicht im Zelt aus, dann verkriecht er sich in eine der Höhlen, wickelt sich in sein Sweatshirt und schläft dort, trotz seiner Angst vor den Jaguaren und Pumas. Aber er hat ein Gewehr, eine Pistole und sein Messer dabei, da hält sich die Angst in Grenzen, und sowieso schläft er nicht richtig, weil er sofort hochschreckt wegen der Gesichter, die er im Schlaf sieht – die Gesichter der Jungs, die ihn im Jugendknast missbraucht haben, das Gesicht des ersten Manns, den er getötet hat, das Gesicht von Forty, das von Ochoa, als er ihn zwang, dem Mann den Kopf abzuschneiden. Er sieht die Gesichter der Menschen, die er getötet hat, sie sind wie Masken, die vor seinen Augen tanzen – und in seinem Kopf, wenn er die Augen zumacht.

Chuy sieht das Gesicht der Polizistin, als er ihr die Kehle durchschnitt, und jetzt das Gesicht des Reporters, den sie vor ein paar Wochen geholt haben, der betrunken war und so weinte und schrie und bettelte, dass sie ihm das Hemd in den Mund stopften, und er sieht Forty lachen, immer lachen, um ihn zu ermuntern, um ihn anzutreiben: Los, mach weiter, lass ihn leiden, du kleine Bitch. Du bist doch eine Bitch, oder?

Er knallt den Fußball gegen die Mauer und balanciert ihn auf der Schuhspitze, als er zurückgeflogen kommt. Vielleicht hätte er Fußballer werden sollen, das wäre besser gewesen als das, was er gemacht hat, und es kommt ihm wie eine Ewigkeit vor, dass er die Pistole im Gebüsch fand und mit ihr in die Luft schoss, wofür sie ihn ins Gefängnis steckten.

Forty hat seinen Trupp hierher in den Dschungel verschleppt, damit sie gegen Sinaloa kämpfen, aber jetzt sieht es so aus, dass sie vielleicht gar nicht kämpfen, weil Barrera persönlich kommt, um mit Ochoa zu verhandeln, und Chuy weiß nicht, was das bedeutet – ob sie nun in Guatemala bleiben oder nach Mexiko zurückgeschickt werden, oder ob sie ihn nach Hause lassen.

Vielleicht bleibe ich einfach hier, denkt Chuy, und lebe in einer Höhle, gehe auf die Jagd wie in *Survivor*. Oder ich gehe nach Alaska wie in dieser anderen Serie. Oder vielleicht einfach mit der R15 in ein Einkaufszentrum oder ein Kino und erschieße alle.

Und sehe mich selbst im Fernsehen.

Er kickt den Ball gegen die Mauer, wieder und wieder. Das fühlt sich gut an, beruhigend, es lenkt ihn ab von all den Gedanken und beschäftigt ihn, bis er die Rufe hört: »Antreten!«

Er schlendert zurück zum Dorfplatz, wo die Männer Aufstellung nehmen.

Es spricht sich in Windeseile herum.

Adán Barrera ist in Dos Erres eingetroffen.

Adán bringt eine Armee mit, die aus hundert seiner besten Gente Nueva besteht – sie haben in Juárez gekämpft, in Durango und Sinaloa, sie sind bis an die Zähne bewaffnet, mit Sturmgewehren, Granatwerfern und genug Munition, um die Oberhand zu behalten, wenn die Lage eskaliert.

Nacho ist natürlich auch da.

Er hat sich durch das komplizierte Netzwerk der Kontakte innerhalb der Narco-Szene gearbeitet und Ochoa die Botschaft zukommen lassen, dass sie in Friedensverhandlungen eintreten wollten. Ein scheinbar abwegiger Vorschlag zu einer Zeit, als ganz Mexiko von gegenseitigen Vernichtungsfeldzügen beherrscht war, aber Nacho zog die Sache mit der ihm eigenen Hartnäckigkeit durch.

Ihm kam zugute, dass Ochoa ebenfalls Gründe hatte – das

europäische Debakel hatte ihm einen schweren Schlag versetzt. Die Kämpfe an allen Fronten traten auf der Stelle, und niemand konnte wissen, was von der neuen Regierung zu erwarten war.

Die Trumpfkarte der Zetas war ihr Rückzugsgebiet im Petén, und Ochoa bestand darauf, dass die Verhandlungen dort stattfinden sollten, nicht in Mexiko, wo die von Barrera unterwanderte Bundespolizei, die Armee und die FES jederzeit zuschlagen konnten.

Nacho hielt dagegen, der Petén sei unakzeptabel, und schlug einen neutralen Ort in Kolumbien oder Europa vor, aber Ochoa blieb unerbittlich, und Nacho gab schließlich nach – mit der Zusicherung in der Tasche, dass die Sinaloaner so viele Bewaffnete mitbringen konnten, wie sie wollten.

Diese Gegend ist nicht besonders vertrauenerweckend, denkt Adán, als der Konvoi aus Jeeps und Trucks in Dos Erres ankommt. Nichts als Dschungel und Sümpfe, und mittendrin ein verlassenes Dorf.

Die Hitze ist kaum zu ertragen, die drückende Schwüle noch weniger, und die aggressive Spannung ist mit Händen zu greifen, während sie an den Zetas vorbeifahren, die in paramilitärischer Kluft den Fahrweg säumen.

Sie fahren durch ein Spalier aus erbitterten Feinden, gegenseitiger Hass und Rachedrang haben sich seit Jahren aufgestaut, es reicht ein Blick, ein falsches Wort, und das Ganze explodiert, bevor –

Schon der Gedanke daran ist tödlich.

Nichts darf jetzt schiefgehen.

Der Konvoi hält.

Jetzt muss alles streng nach Protokoll gehen. Adán darf erst mit Ochoa zusammentreffen, wenn Nacho mit Forty zusammentrifft. Der Wortwechsel dauert nur ein paar Minuten, dann wird der Konvoi zu einer Lichtung gewiesen, die ein paar hundert Meter vom Dorf entfernt liegt. Die Zetas haben ein Stück Wald gerodet, um das Biwak für ihre Gäste einzurichten – mit Zelten und zwei Containern, die in Wohnquartiere für Adán und Nacho umgewandelt wurden.

Adán schickt ein paar Leute vor, die das Gelände nach Sprengfallen und Abhörtechnik absuchen. Als sie grünes Licht geben, fährt Adáns Jeep hinein, und er nimmt Besitz von seinem Quartier, in dem er ein Bett mit richtiger Matratze vorfindet, eine Latrine, ein Waschbecken, zum Glück auch eine Felddusche und eine Klimaanlage, die an den Stromgenerator angeschlossen ist.

Er hat eine Dienerin zur Verfügung, offenbar eine ehemalige Dorfbewohnerin. Sie wirkt verschreckt, und er lächelt ihr ermutigend zu, als seine Männer das Gepäck hereinbringen. Sein schwarzer Anzug ist hier eindeutig fehl am Platz, deshalb zieht er ein frisches weißes Guayabera-Hemd an, dazu Jeans und Tennisschuhe.

Beim Gedanken, dass er ein solches Hemd zuletzt bei seiner Hochzeit getragen hat, fallen ihm Eva und die Kinder ein. Er hat darauf bestanden, dass sie alle nach Amerika in die Ferien fuhren, jetzt sitzen sie wahrscheinlich schon am Strand von La Jolla. Das Verrückteste daran ist, dass sie unter dem Schutz von Art Keller stehen.

Das ist genauso absurd und beängstigend wie die Tatsache, dass auch sein eigenes Leben in den Händen Kellers liegen könnte.

Der Überfall auf die Zetas wird in den frühen Morgenstunden stattfinden, denn das Friedenstreffen hat die »Zielpersonen fixiert«, wie Keller das auszudrücken beliebte. Jetzt kommt es nur darauf an, Ochoa und Forty in Sicherheit zu wiegen, mit süßen Worten und netten Zugeständnissen günstig zu stimmen.

Wenn alles läuft wie geplant, ist Ochoa vor Sonnenaufgang tot.

Magda war schwanger gewesen, hatte die Autopsie erbracht.

Mit meinem Kind, denkt Adán.

Er legt sich aufs Bett, um ein bisschen zu ruhen, bevor die Gespräche beginnen.

Von draußen hört er ein leises, dumpfes Knallen.

Wieder und wieder.

Er fragt sich, was das ist, bis er das Geräusch erkennt.

Da kickt jemand einen Fußball gegen eine Mauer.

Diesmal wird nicht gescherzt, als Barrera und Ochoa zusammentreffen.

Kein Geplänkel, keine Versuche, die Atmosphäre aufzulockern. Nur der beiderseitige Hass, gebändigt durch die beiderseitige Notwendigkeit, zu einer Einigung zu kommen.

Wortlos nehmen sie Platz.

Die Bewaffneten umstehen den Tisch in einem großen Oval, außer Hörweite, aber mit Augenkontakt zu den gegnerischen Wachen, den Finger am Abzug – mit jeder Sekunde kann das Treffen im Blutbad enden, sagt sich Adán.

Ochoa und Forty sitzen ihm und Nacho gegenüber.

Z1 ist alt geworden seit dem letzten Treffen, denkt Adán, auch ihm macht der Krieg zu schaffen. Er sieht noch gut aus, aber anders, und zum ersten Mal bemerkt Adán ein psychotisches Flackern in seinen Augen. Es ist unangenehm, diesem sadistischen Killer, diesem Massenmörder so dicht gegenüberzusitzen. Dieser Mann ist der Satan, und sein Kumpan Forty steht ihm in nichts nach.

»Kommen wir gleich zur Sache«, beginnt Nacho.

Im Grundsatz einigen sie sich auf eine ostwestliche Aufteilung der Plazas, die den Realitäten entspricht. Barrera gesteht den Zetas Nuevo León, Monterrey und Veracruz zu, auch Matamoros und Reynosa und die *frontera chica* in Tamaulipas. Im Gegenzug überlässt ihm Ochoa Tijuana, Baja, Sonora und sogar Juárez und Umgebung.

Zum Zankapfel wird Nuevo Laredo.

Barrera bleibt hart, weil zu viel Nachgeben Verdacht erregen würde. Zuerst fordert er die ganze Stadt für sich, dann bietet er den Zetas an, den Transfer gegen einen Piso zu gestatten. Dann bietet er an, den Piso auf drei Prozent zu begrenzen.

Es macht ihm Spaß, Ochoa dabei zu beobachten, wie er wütend wird. Immer wieder treibt er ihn an den Rand des Verhandlungsabbruchs, immer wieder holt er ihn zurück.

Schließlich kommt Nacho mit dem Vorschlag, auf den er sich vorher mit Adán geeinigt hat – den alten Zustand wiederherzustellen, als Flores und die Sotos die Stadt unter sich aufgeteilt hatten. Die Sinaloaner würden den Westen von Nuevo Laredo übernehmen, die Zetas den Osten. Als das geregelt ist, kommt Ochoa auf das Thema Europa und die 'Ndrangheta zu sprechen.

»Da kann ich wohl nichts machen«, sagt Adán trocken und mit einem boshaften Lächeln in Fortys Richtung. »Die 'Ndrangheta hat euch fallenlassen, als ihr versucht habt, Waffen an islamistische Terroristen zu verkaufen.«

»Wir brauchen einen Anteil vom europäischen Markt«, beharrt Ochoa.

Ein heikles Thema, denn für Adán verbindet sich damit die Ermordung von Magda Beltrán.

Er geht darüber hinweg. »Sei es, wie es sei …«

»Ihr braucht unsere Häfen im Golf, wenn ihr auf den europäischen Markt wollt«, sagt Forty.

»Nicht unbedingt«, erwidert Adán.

Aber es stimmt natürlich. Die Verschiffung über Veracruz oder Matamoros erleichtert die Dinge sehr. Adán mauert eine Weile, dann stimmt er mit gespieltem Widerstreben dem Vorschlag Nachos zu, als Gegenleistung für die Nutzung der Häfen das Kokain der Zetas in Kommission zu übernehmen.

Es folgt die Lunchpause, eine unnötige Unterbrechung, in der sie Mango und ein schauderhaftes Hühnergericht vorgesetzt bekommen.

Eine Unterhaltung findet nicht statt, weil sie an getrennten Tischen sitzen und Adán leise mit Nacho spricht, dann ein wenig zur Seite geht und Eva in La Jolla anruft. Den Kindern geht es gut, sie spielen am Strand, nein, nicht zu nahe am Wasser, sie sind dick mit Sonnencreme eingeschmiert, und die Amerikaner passen auf, dass ihnen nichts passiert.

Nach der Lunchpause folgt das Thema Guatemala.

Da muss es Bewegung geben, beharrt Adán, die Zetas müssen Guatemala mit ihnen teilen. Die sinaloanischen Flugzeuge brauchen freie Landebahnen und die Möglichkeit, ihre Ware ungehindert über die Grenze zu bringen. Sie sind natürlich bereit, die Zahlungen an Politiker und Polizisten mitzutragen. Ochoa blockt. Guatemala gehöre ihm, behauptet er, er genieße das »Vorrecht des Eroberers« (worüber Adán lächeln muss), und wenn die Sinaloaner das Territorium nutzen wollen, müssen sie dafür zahlen, und zwar pro Kilo. Adán erhebt sich von seinem Stuhl. »Danke für den Lunch. Das Dinner brauchen wir dann nicht.«

»Setz dich hin.«

»Sag mir nicht, was ich zu tun habe.«

»Señores …«, ermahnt sie Nacho.

»Wenn ich für jedes Kilo Kokain zahlen muss«, sagt Adán, »kann ich gleich für euch arbeiten gehen.«

»Das wäre ein Angebot.« Ochoa lächelt.

Adán hat das Spiel langsam satt, aber er muss es durchziehen. Auch für den Fall, dass der Überfall scheitert, braucht er eine Einigung mit den Zetas, daher verhandelt er weiter: »Wir haben uns gegenseitig ausgeblutet, und ich habe keine Lust, den Krieg auf finanzieller Ebene fortzusetzen. Ich biete euch einen Markt in Europa im Austausch für eine Nachschubroute durch Mittelamerika.«

Ochoa berät sich mit Forty und stimmt zu.

Was folgt, ist eine langwierige Diskussion über den Umgang mit der gegenwärtigen Regierung. Adán sichert zu, dass die AFI und die Armee nicht militärisch gegen die Zetas vorgehen, solange die Zetas nicht auf Agenten und Soldaten schießen.

»Was ist mit der FES?«, fragt Ochoa.

»Dort habe ich keinen Einfluss«, sagt Adán.

»Wie kommt es dann, dass sie nur uns verfolgen und nicht euch?«

»Vielleicht, weil ihr die Familien von FES-Söldnern tötet«, gibt Adán zu bedenken. Vielleicht weil ihr brutale Schlächter seid, Soziopathen und Sadisten. Vielleicht weil ihr alles foltert und tötet, was euch in die Hände fällt. Vielleicht weil ihr mein ungeborenes Kind ermordet habt. »Da kann ich euch nicht helfen.«

Ochoa scheint die Erklärung zu schlucken, dann fragt er: »Wie wollt ihr nun mit der neuen Regierung verfahren?«

»Genauso wie mit jeder Regierung«, erwidert Adán. »Einfluss ausüben mit Geld und mit Argumenten. Wenn wir unsere Ressourcen vereinen und gemeinsam vorgehen, könnten wir unseren Einfluss ausweiten. Das Beste aber ist, wenn wir die Kämpfe einstellen. Ich bin überzeugt, dass die Regierung das honorieren wird.«

»Und die Amerikaner?«

»Bleiben Amerikaner«, sagt Adán. »Sie tun, was sie können, um die Regierung auf uns zu hetzen. Die Regierung wird Scheinaktivitäten entfalten, die uns nicht treffen. Es sei denn, ihr begeht weiter eine Greueltat nach der anderen und provoziert sie weiter mit so idiotischen Pressemitteilungen wie der, dass ihr die Herren von Mexiko seid. Damit zwingt ihr die Regierung zum Handeln.«

»Wir sind aber die Herren von Mexiko«, sagt Forty.

»Das ist hier nicht der Punkt.« Adán versucht es erneut. »Wir können ins Geschäft kommen. Wir könnten das profitabelste Unternehmen der Weltgeschichte werden – neben dem Ölgeschäft, in das ihr einsteigen wollt, wie ich höre –, wenn wir das auf ordentliche Weise regeln. Oder wir bekommen ein Chaos, das uns am Ende ruiniert.«

Dann handeln sie aus, wie die verschiedenen Fronten aufgelöst werden sollen, wie der Waffenstillstand verkündet wird, wie man ihn durchsetzen kann und wie man die kleinen Organisationen daran hindert, auf eigene Faust weiterzukämpfen.

Als die Sonne sinkt, haben sie ihre *pax narcotica* unter Dach und Fach.

Adán und Ochoa reichen sich die Hand.

»Für den Abend bieten wir euch etwas zur Unterhaltung«, sagt Ochoa. »Eine kleine Party, um den Frieden zu feiern und den Tag der Toten. Ein paar Erfrischungen, ein paar Mädchen aus Guatemala-Stadt.«

»Nichts für ungut, aber ich bin ein glücklicher Ehemann.«

»Aber kein toter Ehemann.«

»Nein, aber ein treuer«, erwidert Adán.

Er kehrt in seinen Container zurück, nimmt eine heiße Dusche und legt sich unter dem Moskitonetz zum Schlafen, das die Dienerin über dem Bett aufgehängt hat.

Dass es eine Fiesta geben würde, hat ihn von Anfang an gestört. So mancher Narco musste sterben, weil er den Frieden mit seinen Feinden durch eine Party besiegeln wollte. Daher hat er nur die halbe Mannschaft zur Fiesta geschickt, die andere Hälfte muss im Camp bleiben. Und Nacho hat er ermahnt, möglichst nüchtern zu bleiben und die Augen offen zu halten.

Adán schaut auf seine Uhr, das teure Protzteil, das ihm Eva geschenkt hat und das er nur vorgeführt hat, um Ochoa zu beeindrucken, denn Ochoa zählt zu den Tölpeln, die sich von solchen Dingen beeindrucken lassen.

In zwölf Stunden, wenn alles nach Plan läuft, sind meine Feinde tot, sagt er sich.

Forty.

Ochoa.

Und, mit etwas Glück, Art Keller.

Wenn es einen Gott gibt, stirbt Keller den Heldentod, im Kampf gegen die Zetas im Dschungel von Guatemala. Es wird eine diskrete oder geheime Totenfeier in einem versteckten Teil des DEA-Gebäudes geben, vielleicht sogar im Weißen Haus, dann ist er vergessen, und keiner wird ihm nachtrauern.

Aber jedes Jahr, am Tag der Toten, wird er Mohnblumen schicken, für sein Grab.

Ein kleiner Scherz, den nur wir beide verstehen.

Ochoa beobachtet die Party.

Es ist einiges los da drüben bei dem gewaltigen Lagerfeuer inmitten des Zeta-Camps. Männer und Frauen mit schwarzweißen Totenkopfmasken tanzen zu schmetternder Musik. Die Mädchen nehmen sich die Männer vor, vor aller Augen, oder verdrücken sich mit ihnen in den Schatten. Die einzige Enttäuschung ist, dass Barrera nicht teilnimmt.

Das wird die Dinge komplizieren.

Barrera ist ein schleimiges Stück Scheiße, nicht annähernd so clever, wie er glaubt. Sein Friedensangebot kann nur geheuchelt sein, sagt sich Ochoa, wenn er seine tote Mätresse mit keinem Wort erwähnt, obwohl es ihm praktisch in den Mund gelegt wird. Hätte er irgendwas gefordert – eine Art Wiedergutmachung oder auch nur eine Entschuldigung –, hätte Ochoa ihm vielleicht geglaubt. Barrera wird tun, was er immer getan hat – Frieden vorgaukeln und dann die Regierung kaufen, um Krieg zu führen.

Nur wird es ihm diesmal nicht gelingen. Ochoa schaut zur Party hinüber. Bier, Whiskey, Champagner fließen in Strömen, die meisten schnupfen Kokain.

Nur: Die Sinaloaner schnupfen Kokain, das mit Heroin versetzt ist, und die Mädchen sind keine Huren, sondern *panteras*.

Nacho Esparza hat Erektionsprobleme, und das wundert ihn. Kokain macht ihn normalerweise härter als Stahl, er hat vorsichtshalber Viagra genommen, und das Mädchen ist eine Schönheit – glänzendes schwarzes Haar, große Titten und, unter der Halbmaske, volle Lippen, wie geschaffen für den Blowjob, den sie jetzt durchzieht, vor ihm auf den Knien, so wie er es mag.

Sie wirft den Kopf in den Nacken, umzüngelt seine Eichel wie eine Schlange, und damit schafft sie es. Er spürt, wie er hart wird, dann schluckt sie ihn ganz, er ist erleichtert, als sein Schwanz immer dicker und härter wird, und er schließt beglückt die Augen.

Der Schmerz ist phänomenal. Unvorstellbar.

Nacho schaut nach unten und sieht das Blut über die Messerklinge laufen, die in seinem Bauch steckt. Das Mädchen mit dem glänzenden Haar und den vollen Lippen zieht lächelnd das Messer heraus, und das Blut spritzt wie eine Fontäne.

Nacho taumelt rückwärts und findet sich mitten in einem Alptraum. Im gespenstischen Licht des Lagerfeuers sind die elegant maskierten Edelhuren dabei, ihre Liebhaber mit Messern und Pistolen abzuschlachten, mit Garotten oder bloßen Händen zu erwürgen. Zetas ziehen ihre Pistolen und knallen die Sinaloaner aus nächster Nähe ab. Andere Dämonen kommen aus dem Dunkel, schleppen Tote und Verwundete ins Feuer, Nacho hört die Schreie und spürt den dumpfen, tiefdringenden Schmerz in seinen Eingeweiden, aber er begreift noch nicht, dass er stirbt. Da nimmt ihn die Frau, die schöne Frau mit dem wallenden Haar hinter dem weißen Schädel, bei der Hand und führt ihn zum Feuer.

Chuy beobachtet das Camp der Sinaloaner aus seinem Versteck.

Die Sinaloaner haben Wachen aufgestellt, zwei vor jedem der Container, in denen ihre Bosse wohnen. Es gibt wahrscheinlich noch mehr Wachen, zwischen den Zelten oder irgendwo im Dickicht außerhalb des Camps, so wie er, aber sie sind unsichtbar.

Er trinkt nicht, nimmt keine Drogen oder hurt mit Frauen rum, daher hat ihm die heidnische Fiesta nichts zu bieten außer der Norteño-Musik, die er auch nicht mag. Forty hat ihm und den anderen von seinem Trupp befohlen, sich im Hintergrund zu halten – für sie gebe es später Arbeit, und bis dahin sollten sie klaren Kopf behalten.

Chuy kann es nur recht sein, denn was da auf der Party ab-
geht, ist einfach nur ekelhaft. Jetzt hört er Schreie aus dem
Camp, er nimmt den Wachmann von Barreras Container ins
Visier und wartet auf das Signal, das Blinken eines Lasers.
Das Signal kommt eine Sekunde später, und er drückt ab.
Der Kopf des Wachmanns kippt weg, sein Gewehr poltert auf
die Bretter des Vorbaus.
Chuy schwenkt die R15 auf den zweiten Wachmann, der sich
umschaut, um zu sehen, woher der Schuss kam. Ein dummer
Fehler – er hätte sich vorher hinwerfen müssen. Chuy trifft
ihn in die Brust.
Fünf Meter neben sich sieht Chuy den Mündungsblitz einer
Bazooka, und das panzerbrechende Geschoss schlägt in Bar-
reras Container ein.
Jetzt erwidern die Sinaloaner das Feuer, der Kampf bricht los.
Chuy hört Rotorengeräusche nahen. Scheiße, haben die Sina-
loaner einen Hubschrauber? Wo war der versteckt? Er kriecht
aus dem Gebüsch und sucht den Nachthimmel ab. Ein
Kampfhubschrauber, wie ihn die Armee und die Federales in
Michoacán eingesetzt haben, könnte sie in Sekunden erledi-
gen.
Da sieht er den Blackhawk über den Bäumen.
Der Mann mit der Bazooka gerät in Panik, wirft das Ding hin
und läuft weg. Chuy wuchtet die Bazooka auf die Schulter,
richtet sie gen Himmel, bis das Ungetüm im Sucher auftaucht.

Ein grellroter Streifen steigt aus dem Dunkel.
Ein lauter Knall, ein Lichtblitz, der Hubschrauber wird zur
Seite geschleudert wie ein von der Keule getroffener Spiel-
zeugflieger.
Keller krallt sich an den Boden.
Granatsplitter schwirren, Kabel sprühen Funken, der Hub-
schrauber brennt.
Rote Flammen und dicker Rauch füllen die Kabine.
Der Gestank von versengtem Metall und verbranntem Fleisch.

Keller rappelt sich hoch und sieht das blutbespritzte Gesicht von Ruiz. Ruiz wischt sich das Blut ab, und Keller sieht, dass es von einem anderen Mann kommt. Die geplatzte Halsschlagader verspritzt das Blut im Rhythmus seines rasenden Pulses. Ein anderer kippt vom Sitz, mit einem Granatsplitter im Bauch, der obszön in die Höhe ragt, direkt unter seiner Schussweste, und der Sanitäter arbeitet sich nach vorn, um zu helfen.

Jetzt schreien erwachsene Männer – ein Gebrüll, gemischt aus Angst, Schmerz und Wut, während Leuchtspuren von unten aufsteigen und auf den Rumpf einprasseln wie ein Platzregen. Es ist zu spät, den Einsatz abzubrechen, denkt Keller, selbst wenn wir könnten. Denn wir stürzen ab.

In irren Spiralen trudelt der Hubschrauber nach unten.

Adán kommt aus dem Container gestolpert.

Sein Haar, sein Gesicht ist versengt, und er hört nichts – nur ein entsetzliches Pfeifen. Er merkt, dass er im Dreck liegt, auf dem Bauch, und er muss irgendwas unternehmen, aber er weiß nicht, was.

Als er aufblickt, kommt einer seiner Leute auf ihn zugerannt, brüllt etwas, aber er kann die Worte nicht hören, er sieht nur den Mund auf- und zugehen wie in Zeitlupe, dann wird ihm klar, dass er taub ist.

Der Mann rennt an ihm vorbei. Das ist fast lustig, weil er keine Hose anhat, nur ein Hemd, und sein dürrer schlaffer Hintern wackelt beim Rennen, doch dann merkt Adán, dass er selbst auch nackt ist, und er schreit auf – oder auch nicht, denn er kann den Schrei nicht hören. Er schreit dem Mann nach, er soll stehen bleiben, warten, zurückkommen, ihm auf die Beine helfen, aber der Mann rennt einfach weiter, mit seinem wackelnden Arsch, dann treffen ihn Kugeln von hinten, und er krallt die Hände in die Luft, bevor er vornüber in den Dreck fliegt.

Irgendwas muss passieren, denkt Adán, aber er weiß nicht, was, er ist hier der Führer, *El Patrón*, er muss seine Männer sammeln, die wild umherrennen und wild um sich schießen, aber dafür müsste er aufstehen, und das geht nicht. Ein Mann vor ihm wird getroffen und bricht zusammen. Adán will das Kommando übernehmen, doch seine Beine gehorchen nicht, er kriecht auf dem Bauch vorwärts, in Richtung Dschungel.

Die Landung ist hart.
Der Pilot kann die trudelnde Maschine irgendwie zum Westrand des Dorfes steuern, dann kracht es, Keller staucht sich die Wirbelsäule, sein Kopf knallt gegen die Kabinenwand.
Doch die Kabine brennt. Ein paar Männer versuchen zu löschen, während andere die Verwundeten hinausbringen. Das halbe Kill-Team ist außer Gefecht, stellt Keller fest. »Raus, raus, alles in Stellung!«, hört er Downeys Stimme im Knochenhörer, er springt aus dem Ausstieg.
Mündungsfeuer blitzen auf, Kugeln pfeifen ihm um die Ohren, er wirft sich flach auf den Boden, zieht sich das Nachtsichtgerät über die Ohren und riskiert einen Rundblick, um Orientierung zu gewinnen.
Die Schule und die Kirche befinden sich rechts von ihm, vor ihm und links laufen Zetas, die sich in Hütten und im Gebüsch verschanzen. Ein paar hundert Meter weiter wird heftig geschossen, Keller vermutet, dass die Zetas einen Angriff auf Barreras Camp gestartet hatten, als die Hubschrauber im Anflug waren. Das Zeta-Camp liegt direkt hinter ihm, jenseits des schmalen Waldstreifens, das heißt, sie sind von Feinden umringt.
Der zweite Hubschrauber ist sicher gelandet, die Besatzung schwärmt aus, um das Zeta-Camp abzuriegeln. Aber sie kriegen keine Deckung von der anderen Seite, und von dort, vom Camp der Sinaloaner, kommen immer mehr Zetas zurückgerannt.
Unser einziger Vorteil ist das Chaos, denkt Keller. Die Zetas scheinen verwirrt von den Hubschraubern, nehmen sie unter Feuer, rennen in alle Richtungen, kämpfen im Camp der Sinaloaner und in ihrem eigenen.

Er bemerkt, dass auch maskierte Frauen unter ihnen sind, die gekleidet sind wie zu einer Party, aber mit Gewehren und Pistolen schießen, sogar Handgranaten werfen. Das müssen die *panteras* sein, denkt er, die sagenhaften »Zeta-Amazonen«, es gibt sie also wirklich.

Eine alte Kriegsweisheit besagt: »Kein Plan überlebt die erste Feindberührung«, und das Einsatzkommando ist schon dabei, sich neu zu formieren. Keller hört Downeys Kommandos, und er hört die Einzelschüsse – dank ihrer Nachtsichtgeräte können sie ihre Ziele auswählen und einen Verteidigungsraum um sich ausbreiten.

Sie hatten erwartet, das Dorf im Schlaf zu überraschen, nicht in eine Schlacht zwischen den Kartellen hineinzuplatzen. Sie hatten vor, zwei Drogenbosse zu töten, nicht die gesamte Zeta-Streitmacht unter Feuer zu nehmen, doch jetzt ist ein Hubschrauber zerstört, und sie müssen ihren Weg zurück über die Grenze freikämpfen.

»*K1*«, hört Keller über Knochenhörer. »*Hier D1.*«

»Ich höre«, antwortet Keller.

»*Wir brechen den Einsatz ab.*«

»Ich sage nein.«

»*Uns bleibt keine Zeit, K1*«, sagt Downey. »*Wir müssen unsere Verwundeten evakuieren. Team F ist ausgelastet, ich kann keinen freigeben, Team G ist zur Hälfte außer Gefecht.*«

Keller versteht, was das bedeutet –

»*Ziehe vier Leute von deiner Linie ab, damit wir zwei Verwundete evakuieren können.*«

»Verstanden.«

Er und Ruiz sind die Einzigen, die von Team G bleiben, und Team F muss alles tun, um nicht selbst überrannt zu werden.

Diese Operation ist gescheitert.

Und wo ist Barrera? Schon tot? Oder hat er den Zeta-Angriff überlebt?

Alles der Reihe nach, denkt Keller, Downey hat recht. Sie müssen die Verwundeten mit dem intakten Hubschrauber ausfliegen und die Stellung halten, bis er zurückkommt, weil zwanzig Mann für einen einzigen Blackhawk, der schon an der Geräuschdämpfung zu schleppen hat, zu viel sind.

Keller blickt über die Schulter und sieht, dass sich Team F rückwärts in den Dschungel bewegt, auf das Zeta-Camp zu. Kugeln pfeifen ihm über den Kopf, er richtet seine M4 auf ein Haus zur Linken und erwidert das Feuer. Es fühlt sich gut an, endlich zu handeln. Schließlich ist er hier, um Ochoa und Forty zu erwischen.

»Wir greifen an«, ruft Keller.

»Ganz schlecht«, ruft Downey zurück.

Keller rappelt sich hoch und geht in die Hocke, sieht Eddie Ruiz zu seiner Linken.

Eddie nickt.

Es geht los.

Keller rennt auf die Schule zu.

Fortys Bodyguards empfangen sie mit einem Kugelhagel.

Eddie geht zu Boden, und als er hochschaut, sieht er eine Frau mit einer pinkfarbenen Uzi, die ihn ins Visier nimmt, aber er ist schneller, und La Comandante Bonbon ist getroffen. Sie greift sich an den Bauch, als könnte sie es nicht glauben, lässt das hübsche pinkfarbene Teil fallen und schreit nach ihrer Mutter.

Dann sieht er Forty in Richtung Dschungel rennen. Er zielt und drückt ab. Forty stolpert, fällt und steht wieder auf, Eddie will ihn endgültig erwischen, als ihn ein Feuerstoß der Zetas zwingt, Bodendeckung zu suchen.

Von links ein großer Feuerball, eine Explosion – die Bodyguards haben die Schulveranda in die Luft gesprengt. Eddie hält Ausschau nach Forty, vergeblich.

Was er sieht, ist Keller, der aufgesprungen ist, auf die Kirche zurennt.

Ochoa – Z1, *El Verdugo*.

Auch nicht schlecht, denkt Eddie und folgt ihm.

Chuy hat seinen Job erledigt.

Er lässt die Bazooka fallen und kehrt zurück ins Dickicht. Sucht den schmalen Pfad, den er so oft gegangen ist, überquert die Terrasse des Maya-Tempels, nimmt den Fußball mit und klettert in seine Höhle.

Es gibt hier keinen, für den er kämpfen würde.

Weder Flor noch Nazario, weder Hugo noch Gott.

Eine Seite gewinnt, die andere Seite verliert, ihm ist es egal. Er folgt seiner eigenen Mission, und für die kann er jetzt nichts tun.

Er rollt sich zusammen und drückt den Fußball an die Brust.

Adán stolpert über eine Wurzel und fällt in den Dreck.

Er stöhnt vor Schmerz.

Sein rechtes Bein ist verbrannt und voller Blasen, er ist zerkratzt von Dornen, zerschnitten von messerscharfen Blättern, seine Fußsohlen bluten. Er will am liebsten liegen bleiben und schlafen, doch dann finden sie ihn und werden ihn töten, er will aber leben, er will seine Söhne noch einmal sehen, in den Armen halten. Mehr will er nicht vom Leben, nur das.

Nacho hatte recht.

Wofür das Ganze?

Wenn Ochoa siegt und *El Patrón* werden will – soll er.

Ich will nur leben.

Adán zieht sich an einem Ast hoch und läuft weiter. Es ist finster, er sieht nicht, wohin er tritt, er kann sich nur vom Kampflärm entfernen und hoffen, dass ihn die Amerikaner finden und nicht die Zetas.

Seine einzige Hoffnung ist, dass Keller siegt und ihn hier rausholt. Das war der Deal, und bei all den Tücken, die Keller hat – er ist ein Ehrenmann, er hält Wort. Aber Adán hat den Blackhawk abstürzen sehen, er fragt sich, ob Keller drinsaß, ob er jetzt tot ist, ob die Kaibiles gerade dabei sind, ihn zu zerhacken.

So wie sie es mit dir machen, wenn sie dich erwischen, denkt

Adán. Er hat keine Orientierung, weiß nicht, wohin, aber er stolpert weiter durch den Dschungel, weg von den Schüssen, sich irgendwo verkriechen.

Chuy schreckt hoch.
Da kommt jemand, dringt in seine Höhle ein. Er knipst die Taschenlampe an und sieht –
Forty.
Forty blutet, presst die Hand auf eine Bauchwunde. Eine Austrittswunde, wie Chuy sieht. Forty wurde in den Rücken geschossen, die Kugel hat ihm ein Loch in den Bauch gerissen, das er nicht mal mit seiner großen Hand zudecken kann.
Forty erkennt ihn. »Du bist es«, röchelt er. »Gott sei Dank. Hilf mir.«
Chuy schaut ihm ins Gesicht.
Aber er sieht nicht Fortys schmerzverzerrte Grimasse, sondern die höhnische Fratze, die ihn auslacht, während er ihn quält, die lacht, während Menschen schreien.
»Hilf mir«, bettelt Forty.
Chuy stößt sein Messer in Fortys Wunde und zieht es nach oben, durch den Bauch bis in seine Brust, so wie sie es ihm beigebracht haben.
Forty jault wie ein Hund.
»Bitch«, sagt Chuy.
Forty schnauft im Todeskampf.
Chuy zieht das Messer heraus, macht einen waagerechten Schnitt über die Stirn, kurz unter dem Haaransatz. Dann packt er die überstehende Haut und zieht sie herab, während Forty schreit.
Dieses Gesicht wird Chuy nicht mehr im Schlaf verfolgen.
Er greift nach seinem Fußball.
Seine Mission ist vollbracht.
Fast.
Er zieht ein kleines Nähetui aus der Tasche.

Keller rennt auf die Kirche zu.

Läuft drei Schritt, wirft sich hin. Sichert, feuert voraus, springt auf, läuft zwei Schritt. Er variiert die Schrittfolge, damit die vier Kaibiles, die aus dem Kirchenportal und aus den Fenstern schießen, sein Bewegungsmuster nicht berechnen können.

Er hört den Blackhawk über sich, der die Verwundeten wegbringt. Mindestens dreißig Minuten wird es dauern, bis er zurückkommt, um sie zu holen. Downey wird den Sanitäter mitgeschickt haben und sieben andere. Zehn sind geblieben. Downey hat sie neu eingewiesen, vier schirmen das Zeta-Camp ab, vier das Dorf und die vom Sinaloa-Camp zurückkommenden Zetas.

Ruiz und ich – wir holen uns Ochoa.

Ruiz wirft sich hin, fünf Meter neben ihm.

Ochoa ist in der Kirche. Keller weiß es, spürt es – sonst würden die Kaibiles die Kirche nicht verteidigen. Sie haben ihn und Ruiz im Visier und schießen aus allen Rohren, wenn sie nur den Kopf heben.

»K1, hier D1.«

»Verstanden.«

»Warte auf mein ›Go‹!«

»Verstanden.«

Keller hört den Funkverkehr der anderen. *»Ziel ausgeschaltet ... ausgeschaltet ... ausgeschaltet ... ausgeschaltet.«*

»Gratuliere!«

Vier Schuss, vier Treffer.

Das Portal ist frei.

»Go!«

Keller springt auf und rennt auf die Kirche zu. Schüsse von links, aber er rennt weiter, im Sperrfeuer des Teams, springt über die zwei toten Kaibiles ins offene Portal. Er presst sich an die Wand und sieht Ruiz hereinkommen.

Keller dreht sich nach vorn und geht weiter, die M4 im Anschlag.

Die Kirche ist klein, eher eine Kapelle. Zwei Kaibiles liegen unter den Fenstern, ebenfalls tot. Ein paar Kirchenbänke sind herausgerissen, um einem Bett Platz zu machen, einem Nachttisch, alles sehr improvisiert. Öllampen hängen an den Wänden und verbreiten ein blassgelbes Licht.

Eine Frau duckt sich neben das Bett, umklammert ein Baby. Sie blickt angstvoll zu Keller hoch.

»Niemand tut Ihnen was«, sagt Keller.

Aber sie glaubt ihm nicht und umklammert das Baby noch fester, in Erwartung dessen, was kommt.

Keller geht an ihr vorbei, durch den Mittelgang.

Kein Ochoa.

Aber dann sieht er ihn – einen schmalen Schatten hinter einer gipsernen Marienstatue mit Kind.

Eddie sieht ihn auch.

Ohne Respekt vor Heiligen – oder in diesem Fall Jungfrauen – ballert er drauflos. Die Brocken und Splitter der Madonna mit Kind fliegen durch die Gegend.

Ochoa rollt sich zur Seite ab und feuert.

Keller spürt den Einschlag in seine Schutzweste – wie ein Hieb mit dem Baseballschläger. Er duckt sich hinter die Kirchenbank und sucht Ochoa mit dem Ziellaser seiner M4, Ochoa hechtet sich vor dem Altar zur Seite, Keller drückt ab. Die Einschläge zerfetzen Ochoas Füße, wandern an den Beinen hoch bis zu den Knien.

Eddies Salve trifft ihn in den Bauch.

Ochoa liegt vor dem Altar, die 45er in der einen Hand, mit der anderen hält er seine Eingeweide fest. Seine Beine zucken, der Todeskampf verzerrt sein Gesicht.

Ein Treffer in die Wirbelsäule, denkt Keller.

Dann sieht er Eddie, der irgendwas sucht, bis er es findet – eine Büchse Petroleum für die Lampen. Er will Eddie stoppen, doch dann muss er an Erika und Marisol denken, an ihre verstümmelten Körper, und er lässt ihn tun, was er tun muss.

Keller dreht ihm den Rücken zu und streckt der Frau die

Hand hin. Er hilft ihr auf, legt ihr den Arm um die Schulter und führt sie hinaus in den Vorraum.

Die Schüsse draußen haben nachgelassen – seit die Kirche eingenommen ist, ziehen sich die Zetas in ihr Camp zurück.

Eddie gießt das Petroleum über Ochoa aus.

Mit aufgerissenen Augen starrt Ochoa zu ihm hoch.

Hilflos.

»Du glaubst, das tut weh?«, sagt Eddie. »Noch tut es nicht weh.«

Er zündet ein Streichholz an.

Keller verlässt die Kirche.

Er hört Ochoas schrille Schreie. Wie das Kreischen eines Schleifsteins.

Die Sonne geht auf. Rot wie Blut, rot wie Feuer.

Adán weiß nicht, ob das gut ist oder nicht.

Jetzt kann er sehen, doch er kann auch gesehen werden. Im Dschungel versteckt wie ein Tier, fragt er sich, ob die Tiere froh sind, wenn es hell wird. Er ist erschöpft, sein Körper ist zerschunden, die Brandwunden schmerzen wie die Hölle, in seinem Kopf pocht es, seine nackten Füße sind rohes Fleisch. Er ist im Kreis geirrt, um den Zetas zu entgehen, um zu sehen, was im Dorf passiert – ob seine Männer siegen oder verlieren, was aus Keller geworden ist. Geschossen wird nur noch vereinzelt, aber auf dem schmalen Fahrweg sind Trucks vorbeigefahren, Männer sind ganz nahe an ihm vorbeigelaufen, doch Adán hat nicht gewagt, den Kopf zu heben und zu rufen.

Die bittere Ironie: Er wartet auf Keller.

Sein Verfolger ist sein Retter geworden.

Adán schleppt sich weiter, ohne zu wissen, wohin.

Eddie kommt aus der Kirche. »Ich habe eine Kerze angezündet.«

»Wir ziehen ab«, sagt Keller.

»Ich hole mir Forty.«

»Die Zeit haben wir nicht.«

»Du vielleicht nicht.«

Er geht an Keller vorbei, Richtung Dschungel.

»Ich habe dir gesagt, wenn du abhaust, lege ich dich um«, brüllt ihm Keller nach.

»Mach doch«, sagt Eddie und geht weiter.

Keller macht es nicht.

Weil Crazy Eddie recht hat.

Was man anfängt, bringt man zu Ende.

Keller folgt ihm in den Dschungel.

Eddie sieht zwei Beine aus einer Erdspalte ragen. Er geht hinüber, schaut in die Spalte und sieht Fortys Leiche.

Oder was davon übrig ist – seinen Rumpf.

Der Kopf fehlt.

Was nicht so wichtig ist.

Meine Liste jedenfalls ist abgehakt, denkt Eddie.

Segura, Forty, Ochoa.

Ruhe in Frieden, Chacho.

Dann hört er etwas und reißt das Gewehr hoch. Vor ihm, zwischen den Bäumen, vielleicht zehn, fünfzehn Meter entfernt, ein dumpfes Knallen. Mit erhobenem Gewehr läuft Eddie durchs Dickicht, bis er zu einer Art Terrasse kommt und sieht, woher das Geräusch kommt.

Irgendein schmächtiger Halbwüchsiger schießt einen Fußball gegen eine alte Mauer.

»Hey!«

Der Junge dreht sich um.

Eddie erkennt ihn und grinst.

Chuy starrt ihn nur kurz an und schießt weiter den Ball gegen die Mauer. Eddie geht ein bisschen näher heran und schaut, dann krümmt er sich und erbricht sich.

Fortys Gesicht ist sorgfältig auf den Fußball genäht. Sein Mund aufgerissen, grinsend. Eddie hat schon manches gesehen und manches ausgehalten, doch das ist zu viel.

Chuy pariert den zurückkommenden Ball, dribbelt ein wenig, dreht sich zu Eddie um und fragt: »Willst du mitspielen?«

Er kickt den Ball zu Eddie, der ihn vorbeirollen lässt, ins Gebüsch.

»Kennst du mich noch?«, fragt Eddie.

Chuy starrt ihn an und schweigt.

Wir haben zusammen Dutzende von Narcos umgelegt, denkt Eddie. Jetzt tut er so, als wäre das nie passiert, oder als wäre ihm das egal. »Was hältst davon, wenn wir nach Hause fahren?«, fragt Eddie. »Zurück nach Boy's Town?«

Chuy denkt kurz nach und nickt.

Er geht an Eddie vorbei und holt seinen Ball.

»Nein«, sagt Eddie. »Willst du das nicht lieber dalassen?«

Chuy zuckt die Schultern und lässt »das« fallen, gerade als Keller auf die Lichtung kommt.

Keller sieht den Fußball, er sieht Fortys aufgenähtes Gesicht.

»Wer ist das?«, fragt Keller.

»Chuy«, antwortet Eddie. »›Jesus the Kid.‹«

Das ist der Killer, der Erika abgeschlachtet hat. Mein Gott, der ist ja noch ein Kind! Schmächtig, schmales Gesicht, hängende Schultern, ein Anflug von Bartflaum auf der Oberlippe. Und doch hat er Erika getötet und zerlegt wie ein Huhn. Hat seine Visitenkarte auf ihr abgelegt und ist gegangen.

Keller zielt mit der M4 auf seinen Kopf. Chuy verzieht keine Miene, steht einfach nur da und schaut ihn wie abwesend an. Katatonisch.

»Lass sein«, sagt Eddie. »So was machen wir doch nicht, oder? Frauen und Kinder.«

Das ist kein Kind, das ist ein Monster, denkt Keller.

Er sieht den stumpfen, leeren Blick und ahnt, was diese Augen gesehen haben.

Er senkt das Gewehr.

»Bring ihn raus«, sagt Keller.

»Was ist mit dir?«

»Ich muss Barrera finden«, sagt Keller. »Ich muss *ihn* rausbringen.«

»Den Teufel musst du!«

»Ohne ihn«, sagt Keller, »wäre das hier alles sinnlos gewesen, oder? Ohne ihn geht das Chaos weiter, das Morden. Wenn er noch lebt, muss ich ihn finden.«

»Wenn du meinst.«

Eddie zuckt die Achseln und führt Chuy weg.

Keller betritt das Camp der Sinaloaner.

Verlassen – bis auf die Toten.

Die Überlebenden müssen geflohen sein, denkt er. Sind in ihre Fahrzeuge gesprungen und haben versucht, durchzukommen.

Ist Barrera bei ihnen?, fragt er sich.

Hat er seinen Triumph?

Der einstige und künftige Drogenkönig?

Oder er ist tot, Opfer seines eigenen Verrats. Er hat Ochoa unterschätzt, hat sich für schlauer gehalten als Ochoa. Klar, denkt Keller. Er hat sich immer für schlauer gehalten als die anderen.

Und vielleicht hat er damit recht.

Keller geht auf Barreras Container zu, tritt die Tür auf und schaut hinein. Ein schwarzes, ausgebranntes Loch. Er geht hinein, sucht nach Barreras verkohlter Leiche.

Downey meldet sich über Funk. *»K1, hier D1. Wir ziehen ab. Bitte Position angeben.«*

Keller antwortet nicht. Er verlässt den Container und hört den Blackhawk zurückkommen.

Gut.

»K1, bitte melden und Position angeben.«

Die Sonne steigt und wärmt ihm das Gesicht.

»K1, wir warten nicht auf dich. Ich wiederhole, wir warten nicht auf dich.«

»Schon gut. Ihr könnt starten.«

»K1, was zum Teufel –«

»Ich komme nicht mit.«

Keller geht in den Dschungel.

Adán schleppt sich auf eine Lichtung.

Er sieht Mauerreste, Trümmer, eine Steinplatte, die aussieht wie ein Opferaltar. Die Steinplatte ist mit Ranken überwachsen, sie bietet einen Ruheplatz.

Er will sich hinlegen, aber er bricht auf dem Stein zusammen und bleibt erschöpft liegen. Der Stein ist noch kühl, er legt den Kopf auf den ausgestreckten Arm und schließt die Augen.

Ein Rascheln schreckt ihn auf. Er öffnet die Augen und sieht die Eidechse über den Stein laufen. Die Eidechse erstarrt in der Bewegung, und sie schauen sich für Sekunden in die Augen, bevor sie davonhuscht.

Adán hat Durst wie noch nie. Ich werde hier verdursten, sagt er sich. Mitten im Regenwald.

Er weiß nicht, wohin, weiß nicht, was ihn erwartet. Er kann sowieso nicht weiter, weil er keine Kraft mehr hat. Zum ersten Mal, vielleicht in seinem ganzen Leben, fühlt er sich völlig hilflos, und er fängt an zu weinen.

Mit der Sonne kommt die Hitze.

Die morgendliche Kühle im Regenwald ist kurz wie eine Sommerliebe, denkt Keller, während er sich entnervt durch das Dickicht arbeitet. Er ist erschöpft wie noch nie, er muss zum Ende kommen.

Zum Ende wovon?

Dieser heiligen Mission? Dieses unheiligen Rachefeldzugs?

Du hast deinen Pakt mit dem Teufel geschlossen, sagt er sich, nun musst du damit leben. Damit du den Preis zu spüren bekommst.

Was er dich kostet.

Was er die anderen kostet.

Luis Aguilar, Erika Vallés, Pablo Mora, Jimena Abarca.
Marisol.
Tausende und Abertausende Tote, Schuldige und Unschuldige. Und solche aus dem Mittelfeld, in dem die meisten von uns leben und sterben.
Achtzigtausend Tote, um einen neuen König zu krönen.
Und der neue König ist der alte König.
In Ewigkeit, amen.
Keller hat kein bestimmtes Ziel. Er weiß nur, dass Barrera vor dem Kampf geflohen wäre, sich verkrochen hätte. Und wo, wenn nicht hier? In dieser grünen, mit Trümmern und Höhlen durchsetzten Dschungeldämmerung, einst die Kultstätte eines alten Volkes, das von seinen Göttern verlassen wurde.
Und was blieb, holte sich der Dschungel zurück.
Der Dschungel holt sich alles zurück, du kannst auf ihn einschlagen, wie du willst, der kommt wieder und holt sich alles zurück.
Er spürt Adáns Nähe, sein zweites Selbst, seinen Phantom-Zwilling, der immer da war, immer gelauert hat, um ihn zurückzuholen.
Keller spürt an der Hitze, dass die Sonne steigt, aber er sieht den Himmel nicht.

Adán hört das Knacken und Rascheln, das näher kommt.
Spürt die lähmende Angst.
Ein Jaguar? Ein Feind, der ihn töten wird?
Er öffnet die Augen.
Es ist Keller.

Keller sieht Adán auf dem flachen Stein liegen.
Sein nackter Körper ist rußverschmiert, zerkratzt und wund, von offenen Brandblasen überzogen, sein Haar ist versengt und verklebt vom Schweiß.
Jammervoll blinzelt er zu Keller hoch. »Du hast mich gesucht«, flüstert er mit schwacher Stimme.

Keller nickt.

Adán fängt an, bitterlich zu weinen. Rotzblasen kommen aus seiner Nase. Er versucht, sich aufzurichten. »Hast du Wasser?«

Keller löst die kleine Wasserflasche vom Gürtel und reicht sie Adán, der die Kappe abdreht und lange, gierige Schlucke nimmt. Das Wasser scheint ihn zu beleben. »Ochoa?«, fragt er.

»Tot«, sagt Keller. »Forty auch.«

Adáns geplatzte Lippen verziehen sich zu einem schwachen Lächeln. »Killer Keller.«

»Ich muss dich nach Hause bringen«, sagt Keller. Er reicht Adán den Arm, Adán ergreift ihn, und Keller zieht ihn hoch.

»Danke«, sagt Adán und sucht mit seinen Füßen Halt. »Du sollst wissen, dass ich aus dem Geschäft aussteige. Ich gebe auf. Ich will in Ruhe mit meiner Familie leben.«

»*Amplius lava me ab iniquitate mea: et a peccato meo munda me.*«

»Wie bitte?«

»Latein«, sagt Keller. »Ein Psalm. Wasche mich rein von meiner Missetat und reinige mich von meinen Sünden.«

Er richtet das Gewehr auf Adán.

Adán blinzelt ihn ungläubig an. »Du hast dein Wort gegeben. Du hast geschworen – bei deiner Seele.«

»Ja, das habe ich.«

Keller schießt ihm zweimal ins Gesicht.

Er lässt das Gewehr fallen und verschwindet im Dunkel des Waldes.

Epilog: Juárez

I believe in God,
And God is God.
Steve Earle, God is God

Ciudad Juárez
2014

Keller rührt in der Pfanne, bis die Eier erstarrt sind. Er schiebt sie auf den Teller und setzt den Teller auf dem Küchentisch ab, vor Chuy.

Chuy schlingt sein Essen gierig hinunter, wie ein Tier.

Keller wartet, bis er fertig ist, dann sagt er: »Zieh dich fertig an, wir müssen los. Und putz dir die Zähne.«

Chuy steht auf und geht in sein Zimmer.

Er spricht selten, lebt in seiner eigenen Welt, unerreichbar wie ein Autist. Er ist immer noch Bettnässer, und er weint in der Nacht, wacht schreiend auf, so dass Keller hinübergeht und versucht, ihn zu beruhigen. Selbst nach zwei Jahren Therapie und Tabletten ist es nicht viel besser geworden.

Manchmal reißen ihn seine Alpträume aus meinen Alpträumen, denkt Keller und muss fast lächeln.

Nach dem Einsatz im Petén ist er aus dem Dschungel nach Mexiko zurückgekehrt. Ist nach El Paso gefahren und hat Tim Taylor eröffnet, dass er aussteigen wird, diesmal für immer.

Taylor hatte nichts dagegen einzuwenden.

»Was ist mit Barrera?«, fragte er verärgert.

Keller zuckte die Schultern. »Ich glaube, er hat es nicht geschafft.«

Mit diesen Worten ging er, ohne sich umzudrehen. Am selben Tag fuhr er hinüber nach Juárez und machte Ana ein Angebot für ihr Haus. Sie wohnte jetzt sowieso bei Marisol in Guadelupe, hatte ihren Job als Reporterin aufgegeben, um in Marisols Praxis zu helfen. Sie beschrieb es als eine Art Buße, sagte aber nicht, wofür, und Keller stellte ihr keine Fragen.

Eddie Ruiz tauchte zwei Tage später auf, mit Chuy im Schlepptau, der wie ein Hündchen hinter ihm hertrottete.

»Ich weiß nicht, was ich mit ihm anfangen soll.«

»Liefere ihn ein«, sagte Keller.

»Die bringen ihn um«, erwiderte Eddie.

Chuy ging an ihnen vorbei und rollte sich auf der Couch zusammen, die fortan sein Zuhause war. Die Polizei interessierte sich nicht für ihn, wenn sie überhaupt etwas wusste. Chuy war noch keine achtzehn, und als Jugendlicher saß er in Mexiko ohnehin nicht länger als drei Jahre. Niemand hatte Lust, ihn vor Gericht zu bringen.

Niemand wollte erinnert werden.

Keller fragte Eddie: »Was hast du jetzt vor?«

»Ich gehe rüber und stelle mich«, sagte Eddie. »Vier Jahre, und ich bin frei.«

»Klingt wie ein Plan.«

»Was ist mit dir?«

»Ich habe keinen Plan«, sagte Keller. »Einfach nur leben, vermutlich.«

Er hat etwas Geld gespart und bekommt seine Rente. Nicht viel, aber er braucht nicht viel. Er hat überlegt, ob er in die Staaten zurückgeht, und ist dann doch lieber in Mexiko geblieben, in Juárez, um der kaputten Stadt ein bisschen auf die Beine zu helfen, und sei es nur, indem er hier seine Rente verzehrt.

Chuys Geschichte kam Stück für Stück ans Licht, und sie war grauenhaft. Marisol meinte, er werde sich von den durchlebten Traumata nie erholen, bestenfalls könne er auf ein Leben im Dämmerzustand hoffen. Er ist jetzt neunzehn, besitzt aber die Reife eines Zwölfjährigen, erklärt sie, weil seine Entwicklung stehenblieb, als er diesen Traumata ausgesetzt wurde.

»Ich kümmere mich um ihn«, versprach Keller.

Man mag es Buße nennen oder Wiedergutmachung – klar ist ihm nur, dass er es tun muss, dass er nur dann seinen Frieden finden kann, wenn er dem Jungen dabei hilft, zu sich zu finden, wenn er dem, was er hasst, mit Liebe begegnet, damit sich die zwei Seelen in seiner Brust am Ende vereinen können. Ob wir gen Himmel fahren oder zur Hölle – wir bleiben zusammen.

»Das wird aber ein Vollzeitjob«, warnt ihn Marisol.

Ihre Gesundheit ist zerbrechlich, das Gehen fällt ihr schwer, sie braucht immer öfter ihren Stock. Doch in der Praxis hat sie alle Hände voll zu tun. Viele ihrer Patienten sind jetzt Sinaloaner, auch sie sind arm und hätten keine medizinische Betreuung, wenn es Marisol nicht gäbe.

Mit Keller trifft sie sich gelegentlich, bei seltenen geselligen Anlässen, auch mal im Café oder einem Buchladen, und sie plaudern wie alte Freunde. Manchmal denken beide daran, es noch einmal miteinander zu versuchen – um herauszufinden, was sie verloren haben –, aber sie wissen, dass sie das Verlorene nicht zurückbekommen.

Chuy hat sich fertig gemacht, sie verlassen das Haus und gehen zur Bushaltestelle.

Die Stadt erholt sich langsam.

Sie wird wieder lebendig, wenn auch nicht ganz. Nicht annähernd so lebendig, wie sie einmal war.

Aber Läden öffnen wieder ihre Pforten, Häuser werden wieder bezogen, auf den Straßen wird nicht mehr gestorben. Das ist jetzt Art Kellers Stadt und wird es bleiben – zwei Kaputte, die sich gefunden haben.

Der Krieg gegen die Drogen geht weiter, auf seine sprunghafte, chaotische Art. In Mexiko, in den USA, in Europa, in Afghanistan. Der Nachschub aus Mexiko strömt weiter in den Südwesten der USA, noch nie hat es so viele Drogen gegeben wie heute. Ein paar der schlimmsten Bosse sind beseitigt, aber das Geschäft geht weiter, die Maschine läuft. Mit Banken,

Immobilien, Energie, Politik, Waffen, Grenzbefestigungen, Polizisten, Gerichten und Gefängnissen.

Das Kartell bleibt.

Keller denkt nur noch selten darüber nach. Er hat gelesen – in der Zeitung wie alle anderen auch –, dass Martín und Yvette Tapia festgenommen wurden, und er fragt sich, wie es Yvette in Puente Grande gefällt. Wahrscheinlich nicht so gut. Und Eddie Ruiz soll bald entlassen werden, in eine neue Identität und eine neue Existenz, die ihn wahrscheinlich maßlos langweilen wird.

Eva Barrera lebt jetzt mit ihren zwei kleinen Söhnen in Kalifornien – bestens versorgt. Keller fragt sich, ob Adán davon wusste, dass er nicht der Vater der Kinder war, dass sie die Vaterschaft ändern ließ, um ihnen die Schande zu ersparen.

Irgendein anderer wird den Thron besteigen, sagt sich Keller. Wer, ist fast egal.

Nicht die Bosse machen das Kartell, sondern das Kartell macht die Bosse.

Die Bremsen zischen, sie steigen im Stadtzentrum aus, Keller bringt Chuy zur Klinik, wo in regelmäßigen Abständen dafür gesorgt wird, dass er sich einigermaßen wohl fühlt.

Wir sind alle Krüppel, denkt Keller, wir humpeln gemeinsam durch diese kaputte Welt.

So viel sind wir uns schuldig.

Chuy geht hinein.

Keller wartet draußen auf einer Bank. Die Worte eines Psalms fallen ihm ein.

»Seid stille und erkennet, dass ich Gott bin.«

Stille sein. Mehr ist nicht zu tun.

Danksagung

Dieses Buch ist ein fiktives Werk. Beobachter des »Drogenkriegs« in Mexiko werden jedoch bemerken, dass der Inhalt des Buchs von authentischen Ereignissen inspiriert ist. Ich habe mich dabei auf eine Reihe von Autoren gestützt, denen ich hiermit meinen Dank ausspreche: Ioan Grillo, *El Narco*; George W. Grayson und Samuel Logan, *The Executioner's Men*; Anabel Hernandez, *Narco Land*; Charles Bowden, *El Sicario: Confessions of a Cartel Hitman*; George W. Grayson, *Mexico: Narco Violence and a Failed State?*; Charles Bowden, *Murder City*; Blog Del Narco, *Dying For The Truth*; Howard Campbell, *Drug War Zone*; Ed Vulliamy Amexica, *War Along the Borderline*; Malcolm Beith, *The Last Narco*; Jerry Langton, *Gangland: The Rise of the Mexican Drug Cartels*; Robert Andrew Powell, *This Love Is Not For Cowards*; Ricardo C. Ainslie, *The Fight To Save Juarez: Life In The Heart Of Mexico's Drug War*; John Gibler, *To Die In Mexico: Dispatches From Inside The Drug War*; Melissa Del Bosque, »The Most Dangerous Place in Mexico«, *Texas Observer*. Behilflich war mir auch die Berichterstattung in *The Los Angeles Times*, *The New York Times*, *The Washington Post*, *The San Diego Union-Tribune*, *The London Guardian* und einer Reihe mexikanischer Zeitungen, darunter *Milenio Diario*, *La Prensa*, *El Norte*, *El Mañana*, *Primera Hora* und *El Universal*.

Das Neue an den Drogenkriegen ist, dass sie nun in Echtzeit dokumentiert werden, oft durch Internetbeiträge der Beteiligten selbst, aber auch in Blogs. Für meine Arbeit genutzt habe ich von Letzteren vor allem *Borderland Beat*, *Insight Crime* und natürlich *El Blog del Narco*.

Ryan Massi
207 495-1144
Chrisl Rasmal
864 3310